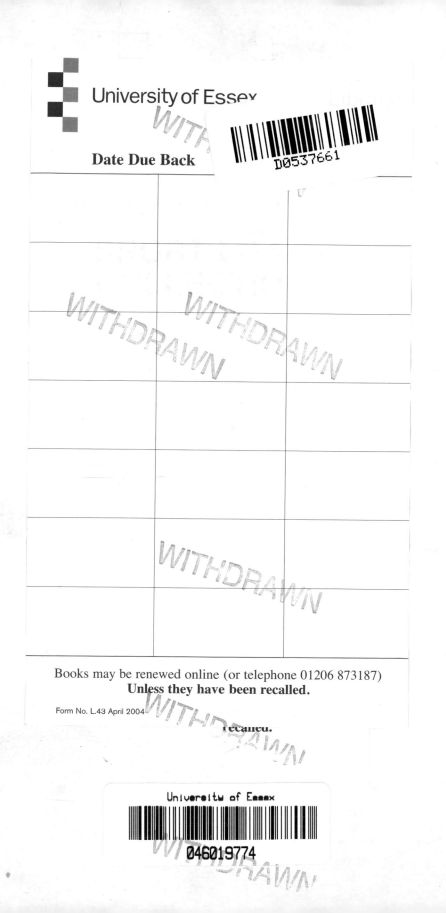

University of Essex

Date Due Back

D0537661

WITHDRAWN

WITHDRAWN

WITHDRAWN

Books may be renewed online (or telephone 01206 873187)
Unless they have been recalled.

Form No. L.43 April 2004

WITHDRAWN

DROIT
DES OBLIGATIONS

INTRODUCTION À L'ÉTUDE DU DROIT
Litec, 9ᵉ édition, 2002.

Philippe Malinvaud

Professeur à l'université Panthéon-Assas (Paris II)

DROIT DES OBLIGATIONS

8e ÉDITION

Litec
Groupe LexisNexis

Éditions du Juris-Classeur
141, rue de Javel – 75015 Paris

Avertissement de l'éditeur

Toute utilisation ou traitement automatisé, par des tiers, de données personnelles pouvant figurer dans cet ouvrage sont formellement interdits.

Le logo qui figure ci-dessus mérite une explication. Son objet est d'alerter le lecteur sur la menace que représente pour l'avenir de l'écrit, tout particulièrement dans les domaines du droit, de l'économie et de la gestion, le développement massif du photocopillage.

Le Code de la propriété intellectuelle du 1er juillet 1992 interdit en effet expressément la photocopie à usage collectif sans autorisation des ayants droit. Or, cette pratique s'est généralisée dans les établissements d'enseignement supérieur, provoquant une baisse brutale des achats de livres, au point que la possibilité même pour les auteurs de créer des œuvres nouvelles et de les faire éditer correctement est aujourd'hui menacée.

L'auteur remercie Marie-Claire LAMBERT-PIERI,
professeur à l'Université de Dijon,
qui a rédigé la partie relative à l'indemnisation
des victimes d'accidents de la circulation

Bibliographie sommaire

AUBRY et RAU, *Droit civil français,* par E. BARTIN, t. IV, 6ᵉ éd., 1942.

AUBRY et RAU, *Droit civil français,* par A. PONSARD et N. DEJEAN de LA BÂTIE, t. VI, 7ᵉ éd., Litec, 1975.

AUBRY et RAU, *Droit civil français,* par N. DEJEAN de LA BÂTIE, t. VI-2, 8ᵉ éd., Litec, 1989.

PLANIOL et RIPERT, *Traité pratique de droit civil, Obligations* (1ʳᵉ partie), par P. ESMEIN, t. VI, 2ᵉ éd., LGDJ, 1952.

PLANIOL et RIPERT, *Traité pratique de droit civil, Obligations* (2ᵉ partie), par P. ESMEIN, V. RADOUANT et G. GABOLDE, t. VII, LGDJ, 1954.

J. GHESTIN, *Traité de droit civil, Les obligations. La formation du contrat,* 3ᵉ éd., LGDJ, 1993.

J. GHESTIN, *Traité de droit civil, Les obligations. Les effets du contrat,* par J. Ghestin, Ch.Jamin et M. Billiau, 3ᵉ éd., LGDJ, 2001.

J. GHESTIN, *Traité de droit civil, Introduction à la responsabilité* par G. VINEY, 2ᵉ éd., LGDJ, 1995 ; *Les conditions de la responsabilité* par G. VINEY et P. JOURDAIN, 2ᵉ éd., LGDJ, 1998 ; *Les effets de la responsabilité,* 2ᵉ éd., par G. VINEY ET P. JOURDAIN, LGDJ, 2001.

BÉNABENT, *Droit civil. Les obligations,* « coll. Précis Domat », Montchrestien, 8ᵉ éd., 2001.

CARBONNIER, *Droit civil. Les obligations,* t. IV, « coll. Thémis », 22ᵉ éd., PUF, 2000.

FLOUR et AUBERT, *Droit civil. Les obligations. 1. L'acte juridique,* Armand Colin, 10ᵉ éd. par J.-L. AUBERT et E. SAVAUX, 2002. – *Les obligations. 2. Le fait juridique,* Armand Colin, 9e éd., par J.-L. AUBERT et E. SAVAUX, 2001. – *Les obligations, 3. Le rapport d'obligation,* 2ᵉ éd., par J.-L. AUBERT, Y. FLOUR et E. SAVAUX, 2002.

J. FRANÇOIS, *Les obligations. Régime général,* Économica, 2000.

J.-L. GAZZANIGA, *Introduction historique au droit des obligations,* « Coll. Droit fondamental », PUF, 1992.

Ch. LARROUMET, *Droit civil. Les obligations* (1ʳᵉ partie), t. III, Économica, 4ᵉ éd., 1998.

MALAURIE et AYNÈS, *Les obligations,* Cujas, 11ᵉ éd., 2001-2002.

MARTY et RAYNAUD, *Droit civil. Les obligations,* t. I, Sirey, 2ᵉ éd., 1988.

MARTY et RAYNAUD, *Droit civil,* t. II avec Ph. JESTAZ, Sirey, 2ᵉ éd., 1989.

H., L. et J. MAZEAUD, *Leçons de droit civil. Obligations,* par Fr. CHABAS, t. II, vol. I, 9ᵉ éd., Montchrestien, 1998.

BIBLIOGRAPHIE SOMMAIRE

A. SERIAUX, *Droit des obligations*, « coll. Droit fondamental », PUF, 2ᵉ éd., 1998.

STARCK, *Droit civil. Obligations*, 3 vol., par H. ROLAND et L. BOYER, 6ᵉ éd., Litec, 1998-1999.

TERRÉ, SIMLER, LEQUETTE, *Droit civil. Les obligations*, « coll. Précis », 8ᵉ éd., Dalloz, 2002.

Sommaire

Première partie

LES SOURCES DES OBLIGATIONS

Deuxième partie

Les règles de mise en œuvre communes à toutes les obligations

Introduction

1. – Rappel : patrimoine et droits patrimoniaux. On définit classiquement le patrimoine comme l'ensemble des *droits* (ou biens) et des *obligations*, appréciables en argent, d'une personne (V. *Introduction à l'étude du droit*, nᵒˢ 412 et s.).

À l'actif du patrimoine figurent les *droits patrimoniaux* qui comprennent les *droits réels* (qui portent directement sur les choses, par exemple le droit de propriété), les *droits personnels* ou de créance (créance d'une personne sur une autre) et les *droits intellectuels* (constitués par des monopoles d'exploitation). Au passif figurent les obligations (au sens large), c'est-à-dire pour l'essentiel les dettes.

Les droits réels (propriété, usufruit, servitudes, etc.) sont étudiés dans le cadre du *droit des biens* cependant que les droits personnels relèvent du *droit des obligations*. Il y a d'évidence dans ces appellations une part d'arbitraire qui n'est pas satisfaisante, mais qu'il faut accepter : par exemple, vue sous l'angle du créancier, la créance est un élément de son patrimoine, donc un *bien incorporel* ; et pourtant on en traite dans les obligations...

S'agissant des droits personnels ou de créance, on dira que le créancier et le débiteur sont unis par un *lien d'obligation*, lequel se traduit par une créance pour l'un et par une dette pour l'autre. Le droit des obligations apparaît ainsi comme régissant les relations économiques entre les hommes, par opposition aux relations familiales.

2. – Relations économiques et relations familiales. Les relations économiques entre les personnes sont celles qui tendent à la production et à la commercialisation ou à la circulation des biens et des services. L'objectif poursuivi est de nature patrimoniale, on pourrait même dire pécuniaire, tant est net ici le désir de réaliser un profit, de « gagner de l'argent ».

En cela, les relations économiques s'opposent aux relations familiales. Sans doute, le Code civil, dans son Livre III intitulé « Des différentes manières dont on acquiert la propriété », traite-t-il des successions, des donations entre vifs, des testaments et du contrat de mariage... Mais, s'il est exact qu'un patrimoine peut prospérer par ces voies, ces institutions ont une coloration familiale trop marquée pour établir de véritables relations économiques au sein de la famille ; elles ne seront donc pas étudiées ici.

Par le biais de rapports entre personnes, les relations économiques mettent face à face des patrimoines qui vont par là même se modifier dans leur structure (par ex. : dans la vente, une chose est remplacée par une créance de sommes d'argent ; dans le contrat de travail, la force de travail est aliénée moyennant un salaire, etc.) ou dans leur montant (par ex. : un emprunt aggrave le passif ; la consommation diminue l'actif).

En pratique, le patrimoine de chacun – personne physique ou personne morale –, est en mutation permanente en fonction des relations économiques nouées par son titulaire. Et c'est par une sorte d'artifice qu'on peut, à un moment donné, par l'établissement d'un bilan, fixer la consistance d'un patrimoine en mouvement ; le seul moment naturel est celui où le mouvement s'arrête, c'est-à-dire au décès de la personne ou à la dissolution de la société ou du groupement.

3. – L'obligation, outil de base des relations économiques. Analyser, d'un point de vue juridique, les relations économiques, cela revient à faire l'étude des mutations qu'elles entraînent dans les patrimoines en présence, dont on rappellera qu'ils peuvent comprendre, à l'actif : des droits réels, des créances (aspect positif du droit personnel), des droits intellectuels ; au passif : des obligations ou dettes (aspect négatif du droit personnel) (sur la notion de patrimoine et sa composition, V. *Introduction*, n° 412 et s.).

Or, toute constitution, modification, transmission, etc., de l'un quelconque de ces droits patrimoniaux, se réalise toujours par un *rapport d'obligation* entre un créancier et un débiteur. Cela est évident pour les droits personnels puisqu'ils sont ce rapport lui-même (V. *Introduction*, n° 457 et s.). C'est également vrai pour le droit réel : on ne peut, en principe, acquérir ou transmettre la propriété, l'usufruit, l'hypothèque, etc., que par le moyen d'un contrat et, plus précisément, par le biais d'une obligation de donner, c'est-à-dire de transférer la propriété (V. *Introduction*, n° 459). Et de même, pour les droits intellectuels ou monopoles d'exploitation (V. *Introduction*, n°s 467 et s.), dont la mise en œuvre suppose des contrats générateurs d'obligations : par exemple, contrat d'édition, de cession de brevet.

On est ainsi conduit à cette conclusion que l'*obligation* est l'outil de base de toute relation économique, de toute modification patrimoniale, et que la vie économique, vue sous l'angle juridique, est un immense puzzle d'obligations.

Il est inutile de s'étendre sur l'intérêt considérable qui s'attache à l'étude des obligations pour tous ceux qui ont à jouer un rôle économique. Qu'on le veuille ou non, tous les rapports économiques des hommes ou des entreprises sont aussi des rapports juridiques, des rapports d'obligation ;

puisque de toute manière ils s'imposent, mieux vaut les connaître pour les dominer, que les ignorer pour les subir.

Les relations économiques se nouent et se dénouent. Il en est de même pour les obligations qui en sont le support juridique. Ainsi sera-t-on amené à dire comment elles prennent naissance et comment leur mise en œuvre conduit à leur extinction.

Mais, avant toute chose, il convient de définir la notion même d'obligation et d'exposer les diverses classifications dans lesquelles on range les obligations, ce qui nous permettra de mesurer la place de la théorie générale des obligations au sein du droit civil.

§ 1. – Définition de l'obligation

4. – Présentation générale. Dès l'abord, il est nécessaire de dissiper une ambiguïté de terminologie tenant à ce que le terme d'obligation est employé en trois sens différents. Une fois précisé le sens ici retenu, on présentera brièvement les caractères de l'obligation.

A. – Les trois sens possibles d'« obligation »

5. – Sens large ou général. Dans le langage courant, y compris le langage juridique, obligation est souvent utilisé dans le sens de « devoir » : par exemple, obligation de rouler à droite, obligation d'immatriculer une société au registre du commerce et des sociétés, etc.

Ce sont là des prescriptions légales ou réglementaires qui imposent un devoir à une personne, mais non une obligation au sens juridique, parce qu'il n'y a pas de créancier, donc pas de lien de droit entre deux personnes.

Dans le même sens, on parlera des obligations morales, ou religieuses, ou mondaines, etc.

6. – Sens « financier ». L'obligation désigne ici le *titre*, c'est-à-dire l'acte écrit (l'*instrumentum)* qui constate une dette. On l'utilise surtout en droit des affaires et dans la pratique notariale.

En droit des affaires, on oppose classiquement les *actions* aux *obligations*. Les *actions* sont des titres représentant une participation à la société ; elles confèrent aux associés un pouvoir de gestion (droit de vote aux assemblées générales) et des chances de gain ou de perte suivant que la société fera de bonnes ou de mauvaises affaires : dans le premier cas, les associés toucheront des dividendes, et dans le second, rien du tout ; à l'extrême, leurs actions peuvent perdre toute valeur. À l'inverse, les *obligations* sont des titres constatant un simple prêt consenti à une société moyennant un intérêt qui devra être versé quels que soient les résultats, bénéficiaires ou non, de l'entreprise ; il est fréquent de voir l'État ou des entreprises importantes lancer des emprunts obligataires dans le public :

ainsi dira-t-on que l'on a en portefeuille des OAT (obligations du Trésor) ou des obligations SNCF, EDF, Peugeot ou autres.

Dans la pratique notariale, on appelle obligation l'acte écrit constatant un prêt ; et s'il s'agit d'un prêt garanti par une hypothèque, on parlera d'« *obligation hypothécaire* ».

On est déjà là en présence d'un sens juridique du terme d'obligation, mais un sens très spécialisé.

7. – Sens juridique à retenir. On entend par obligation le rapport juridique entre créancier et débiteur, c'est-à-dire le lien de droit qui unit l'un à l'autre. De manière plus précise, c'est, suivant le Vocabulaire Capitant, « le lien de droit par lequel une ou plusieurs personnes, le ou les débiteurs, sont tenues d'une prestation (fait ou abstention) envers une ou plusieurs autres – le ou les créanciers – en vertu soit d'un contrat (obligation contractuelle), soit d'un quasi-contrat (obligation quasi contractuelle), soit d'un délit ou d'un quasi-délit (obligation délictuelle ou quasi délictuelle), soit de la loi (obligation légale) ».

Tel est le sens qui est retenu lorsqu'on parle des Obligations ou de la Théorie générale des obligations.

C'est, par exemple, l'obligation du vendeur de délivrer à l'acheteur la chose vendue, l'obligation de l'emprunteur de payer les intérêts convenus, l'obligation de l'entrepreneur d'exécuter les travaux commandés, l'obligation de la SNCF de transporter ses clients, etc. D'où le double aspect de l'obligation qui présente toujours un aspect actif pour le créancier (la créance), et un aspect passif pour le débiteur (la dette).

B. – Caractères de l'obligation

8. – Caractère obligatoire. Comme son nom l'indique, l'obligation présente en principe un caractère obligatoire (étym. : *obligare* : obliger, de *ligare* : lier, *ob* : en vue de). Le débiteur est obligé d'exécuter l'obligation souscrite ; s'il ne l'exécute pas spontanément, le créancier peut l'y contraindre en exerçant une action en justice.

À cet égard l'obligation *civile* s'oppose à l'obligation *naturelle* dont l'exécution ne peut pas être poursuivie en justice. Comme on le verra plus loin (*infra*, nos 26 et s.), l'obligation naturelle est une obligation sans sanction mais, suivant la jurisprudence, elle devient une obligation civile lorsqu'elle est spontanément exécutée par le débiteur.

En pratique les obligations naturelles sont très rares si bien que, lorsqu'on parle d'obligation sans autre précision, on entend toujours parler de l'obligation civile, qui est le principe.

9. – Caractère personnel. Personnel s'oppose ici à familial. L'obligation est *personnelle* à celui qui l'a souscrite ; à la différence de ce qui se passait jadis en droit romain, lui seul est créancier ou débiteur, et non les membres de sa famille même s'ils se sentent tenus d'une obligation morale de venir à son secours. L'affirmation mérite toutefois d'être nuancée dans les rapports entre époux dans la mesure où, par suite de l'existence d'une communauté de vie (et souvent de biens), les dettes de l'un peuvent, dans certains cas, engager l'autre.

De ce caractère personnel on déduit généralement un principe d'intransmissibilité des obligations. À la vérité, on se demande s'il faut le présenter comme un principe, tant il subit d'exceptions. Ainsi la transmission active, c'est-à-dire celle de la créance, est toujours possible et le Code civil réglemente lui-même la cession de créance dans les articles 1689 et suivants. Quant à la transmission passive, c'est-à-dire celle de la dette, elle s'effectue *à titre universel*, en cas de décès : les héritiers et les légataires universels sont tenus des dettes du défunt ; il peut également, mais à titre plus exceptionnel, y avoir transmission de la dette *à titre particulier* soit en vertu de la loi, soit par l'utilisation de certains mécanismes tels que la délégation. Il pourra même y avoir à la fois transmission active et passive ; tel est le cas dans la cession de contrat.

À l'obligation personnelle on oppose parfois l'obligation *réelle*. En fait l'obligation dite réelle est une obligation liée à une chose (*propter rem*) ou, plus généralement, à un bien et qui pèse sur le débiteur, mais pris en sa qualité de propriétaire ou de détenteur de la chose (1). Il s'ensuit que l'obligation se transmet et ne peut se transmettre qu'avec la chose elle-même. Tel est par exemple le cas de l'obligation pour le propriétaire d'un fonds grevé d'une servitude de réaliser à ses frais les travaux nécessaires à l'exercice de cette servitude.

10. – Caractère patrimonial. L'obligation a un caractère patrimonial en ce sens qu'elle est évaluable en argent, qu'elle a une valeur et qu'à ce titre elle constitue un élément, actif ou passif, du patrimoine du créancier et du débiteur.

En cela l'obligation s'oppose aux droits extrapatrimoniaux. Cela dit, la frontière qui sépare les droits patrimoniaux (ici les droits de créance) des droits extrapatrimoniaux a souvent des contours incertains. Ainsi rencontre-t-on des droits patrimoniaux à caractère personnel, par exemple, les clientèles de certains professionnels. Réciproquement la violation des droits expatrimoniaux d'une personne se traduira bien souvent par l'allocation d'une indemnité pécuniaire, par exemple, pour le droit à l'image ; finalement, les droits extrapatrimoniaux seront bien souvent sanctionnés

---

(1) L. MICHON, *Des obligations propter rem dans le Code civil*, thèse Nançy, 1891. – M. DE JUGLART, *Obligation réelle et servitudes en droit privé français*, thèse Bordeaux, 1937. – ABERKANE, *Essai d'une théorie générale de l'obligation propter rem*, LGDJ, 1957, préf. FRÉJAVILLE. – J. SCAPEL, *La notion d'obligation réelle*, PUAM, 2002, préf. P. JOURDAIN.

au plan pécuniaire, faute de disposer d'une sanction mieux adaptée. Dans notre société matérialiste, on admet que l'argent, même s'il ne remplace pas tout, est un bon substitut, à tout le moins une consolation.

§ 2. – Classification des obligations

11. – Intérêt de classer. Classer les obligations n'est pas un simple exercice d'école. Cela présente un double intérêt au plan pédagogique. D'une part, c'est une occasion de concrétiser des obligations, qui pour l'instant risquent d'apparaître singulièrement abstraites, en présentant des exemples entrant dans diverses catégories. D'autre part, à chaque classification s'attache un intérêt pratique dans la mesure où vont s'appliquer certaines règles précises qu'il est important de connaître.

Les obligations peuvent être classées en fonction soit de leur objet, soit de leur source. On ajoutera qu'elles peuvent également l'être en fonction de leur force, ce qui sera une occasion de présenter les obligations naturelles.

A. – Classifications fondées sur l'objet de l'obligation

12. – L'objet de l'obligation. *Brevitatis causa*, on définit le droit personnel ou de créance comme le pouvoir d'une personne (le créancier) d'exiger d'une autre personne (le débiteur) une prestation quelconque. Ainsi, dans toute obligation il y a un sujet actif, le créancier, un sujet passif, le débiteur, et un objet qui est la prestation promise. Ces prestations peuvent être des plus variables, mais elles peuvent néanmoins être classées en catégories ; et à chaque catégorie correspondra un corps de règles.

Diverses classifications prennent en compte l'objet de l'obligation ; la première figure dans le Code civil, les autres ont été dégagées par la jurisprudence.

1° Obligations de donner, de faire, de ne pas faire

13. – La classification du Code civil. Toutes les obligations (c'est-à-dire toutes les prestations vues sous l'angle du débiteur) entrent dans cette classification qui est fondamentale. C'est à elle que se réfère le Code civil lorsqu'il veut définir la notion de contrat. Au lieu de dire brièvement que le contrat est une convention génératrice d'obligations, les articles 1101 et 1126 du Code civil précisent la nature de la prestation :

Art. 1101. – Le contrat est une convention par laquelle une ou plusieurs personnes s'obligent, envers une ou plusieurs autres, à donner, à faire ou à ne pas faire quelque chose.

....

Art. 1126. – Tout contrat a pour objet une chose qu'une partie s'oblige à donner, ou qu'une partie s'oblige à faire ou à ne pas faire.

L'intérêt principal de la distinction apparaît quant à la possibilité de procéder à une exécution forcée en nature de la prestation. Possible pour les obligations de donner, elle est en principe exclue pour les obligations de faire ou de ne pas faire dont l'inexécution entraîne seulement condamnation à dommages et intérêts (C. civ., art. 1142) (2).

Art. 1142. – Toute obligation de faire ou de ne pas faire se résout en dommages et intérêts, en cas d'inexécution de la part du débiteur.

Cette classification du Code civil a été critiquée par certains auteurs qui voudraient ressusciter l'obligation de *praestare* que connaissait le droit romain, obligation ayant pour objet la mise d'un bien à disposition d'autrui (obligation de livrer) ; selon eux, cela permettrait d'expliquer les solutions en matière d'exécution forcée des obligations (3).

14. – L'obligation de donner. *L'obligation de donner* doit être entendue comme l'*obligation de transférer la propriété* d'une chose, et non pas comme l'obligation de gratifier une personne. Donner est ici la traduction de « dare » (transférer la propriété), non celle de « donare » (faire don). Mais « transférer la propriété » n'est pas non plus synonyme de « livrer la chose » qui apparaît comme une obligation de faire puisqu'elle suppose une prestation personnelle du débiteur ; c'est précisément à propos de cette obligation qu'un auteur a suggéré de ressusciter l'obligation de *praestare* du droit romain (*supra*, n° 13).

L'obligation de donner ne se matérialise que rarement dans la pratique, si bien que son existence même est controversée (4).

En effet, lorsqu'il s'agit de *corps certains* (c'est-à-dire de choses parfaitement individualisées), en droit français le transfert de propriété s'opère de plein droit entre les parties à la vente (mais non à l'égard des tiers), dès l'instant qu'elles se sont mises d'accord sur la chose et sur le prix ; peu importe que la chose n'ait pas encore été livrée, ou que les clés de l'immeuble n'aient pas été remises. Il s'ensuit que pour les corps certains, il est très rare en pratique de rencontrer une obligation de donner inexécutée, puisque son exécution est un effet automatique de tout contrat translatif de propriété. Cela peut cependant se présenter dans l'hypothèse où le contrat prévoit que le transfert de propriété s'opérera à une date ultérieure ; mais, là encore, le transfert s'opérera automatiquement à

---

(2) A. COMATY, *Du mode d'exécution forcée des obligations de donner et de faire*, thèse Toulouse, 1976. – W. JEANDIDIER, *L'exécution forcée des obligations contractuelles de faire* : RTD civ. 1976, 700. – F. BELLIVIER et R. SEFTON-GREEN, *Force obligatoire et exécution en nature du contrat en droit français et en droit anglais : bonnes et mauvaises surprises du comparatisme* : in *Mélanges Ghestin*, 2000, p. 91.

(3) G. PIGNARRE, *À la redécouverte de l'obligation de praestare. Pour une relecture de quelques articles du Code civil* : RTD civ. 2001, 41.

(4) Pour une critique de la notion même d'obligation de donner, voir M. FABRE-MAGNAN, *Le mythe de l'obligation de donner* : RTD civ. 1996, 85. Mais voir aussi en sens contraire : J. HUET, *Des différentes obligations et, plus particulièrement, de l'obligation de donner, la mal nommée, la mal aimée* : in *Mélanges Ghestin*, LGDJ, 2001, p. 425.

---

l'échéance prévue. Tel est le cas, par exemple, en matière de vente d'immeuble lorsque le transfert de propriété est retardé jusqu'à la signature de l'acte notarié (5). Il en est de même lorsque la vente est assortie d'une clause de réserve de propriété jusqu'à complet paiement du prix (6) ; pareille clause peut d'ailleurs être insérée de la même manière dans une vente de choses de genre.

S'agissant des *choses de genre*, le transfert de propriété n'est pas un effet automatique du contrat. Il ne s'opère que par l'individualisation de la chose, laquelle résulte le plus souvent de la livraison. En pareil cas l'obligation de donner va être étroitement liée à l'obligation de faire que constitue la livraison : ainsi en est-il, par exemple, d'une vente de fuel.

15. – L'obligation de faire. À la différence de l'obligation de donner qui porte nécessairement sur des choses dont le débiteur s'engager à transférer la propriété, l'obligation de faire s'applique à des prestations et, plus précisément, à des services.

L'*obligation de faire* est celle par laquelle *le débiteur s'engage à accomplir un fait positif*, à exécuter une prestation quelconque ; c'est en général l'obligation principale résultant du contrat : par exemple, l'obligation de l'architecte (dessiner les plans, surveiller les travaux), de l'entrepreneur (construire la maison, effectuer tels travaux), du vendeur (livrer la chose vendue, garantir l'acheteur contre les vices qui l'affecteraient), du médecin (soigner), de l'avocat (consulter, plaider), etc.

16. – L'obligation de ne pas faire. L'*obligation de ne pas faire* est celle par laquelle *le débiteur promet de s'abstenir d'un fait* (7). Elle est le plus souvent stipulée de manière annexe dans un contrat : par exemple, clause par laquelle le vendeur d'un fonds de commerce s'engage à ne pas réinstaller un commerce similaire dans le voisinage (clause de non-concurrence), ou par laquelle le grossiste s'engage à ne fournir qu'un seul détaillant dans une zone déterminée sous réserve de réciprocité (clause d'exclusivité).

Un même contrat peut évidemment comporter plusieurs obligations. Ainsi un contrat de vente va réunir une obligation de donner (transférer la propriété), une ou plusieurs obligations de faire (livrer, garantir) et de ne pas faire (exclusivité).

2° Obligation de moyens et obligation de résultat

17. – La distinction. Les obligations peuvent être de moyens ou de

---

(5) J. Schmidt-Szalewski, *Le rôle de l'acte authentique sans la vente immobilière* : RD imm. 1989, 147.

(6) Y. Chaput, *Les clauses de réserve de propriété* : JCP 81, I, 3017. – J. Ghestin, *Réflexions d'un civiliste sur la clause de réserve de propriété* : D. 1981, chron. 1. – F. Pérochon, *La réserve de propriété dans la vente des meubles corporels*, Litec, 1988. – E. Robine, *La clause de réserve de propriété depuis la loi du 12 mai 1980,* préf. A. Viandier, Litec, 1991.

(7) J. Taxil, *L'obligation de ne pas faire*, thèse Aix, 2003.

résultat. Cette distinction ne résulte pas de la loi ; elle a été initiée par la doctrine (8), et consacrée ensuite par la jurisprudence.

Elle repose sur le contenu de l'obligation, sur ce qui a été promis. L'obligation est de résultat lorsque le débiteur s'est engagé à obtenir un résultat déterminé ; elle est de moyens lorsque le débiteur a promis de mettre son activité au service du créancier, mais sans garantir que tel ou tel résultat sera obtenu. Au plan de la terminologie, certains auteurs ont suggéré une autre appellation : les obligations de résultat seraient des *obligations déterminées*, les obligations de moyens des *obligations de prudence et de diligence* (9) ;

Comme toutes les classifications, celle-ci se combine avec la précédente. Ainsi, toutes les obligations de donner ou de ne pas faire sont des obligations de résultat parce qu'a été promis un résultat absolu, non susceptible de plus ou de moins : transférer la propriété, ne pas faire concurrence, ne pas se servir ailleurs, etc.

Au contraire, les obligations de faire peuvent être ou de moyens ou de résultat. L'exemple classique est celui qui oppose l'obligation du transporteur à celle du médecin. Le transporteur s'engage (ou est censé s'engager) à transporter d'un point à un autre un voyageur qui sera sain et sauf : il promet un résultat. Au contraire, le médecin s'engage non pas à guérir, mais à mettre en œuvre tous les moyens propres à améliorer l'état du malade ; tel est du moins le principe, affirmé pour la première fois par l'arrêt Mercier en 1936 (10), et aujourd'hui repris par l'article L 1142-1, I, du Code de la santé publique (11), tel qu'il résulte de la loi du 4 mars 2002 relative aux droits des malades et à la qualité du système de santé (12).

---

(8) La distinction a été présentée pour la première fois par R. DEMOGUE, *Traité des obligations en général*, t. V, n° 1237. – H. MAZEAUD, *Essai de classification des obligations : RTD civ.* 1936, 1. – A. TUNC, *Distinction des obligations de résultat et des obligations de diligence : JCP* 45, I, 449. – J. FROSSARD, *La distinction des obligations de moyens et des obligations de résulta*t, Droit privé, t. 67, LGDJ. – A. PLANCQUÉEL, *Obligations de moyens, obligations de résultat : RTD civ.* 1972, 334. – F. MAURY, *Réflexions sur la distinction entre obligations de moyens et obligations de résultat : RRJ* 1998, 1243. – J. BELLISSENT, *Contribution à l'analyse de la distinction des obligations de moyens et des obligations de résultat*, LGDJ, Droit privé, 2001, t. 354. – V. MALABAT, *De la distinction des obligations de moyens et des obligations de résultat : in Mélanges Lapoyade-Deschamps*, 2003.

(9) MAZEAUD, art. préc.

(10) Cass. civ. 20 mai 1936 : *DP* 1936, 1, 88, concl. MATTER, rapp. JOSSERAND, note E. P. ; *S.* 1937, 1, 321 et note BRETON.

(11) Art. L 1142-1, I : « Hors le cas où leur responsabilité est encourue en raison d'un défaut d'un produit de santé, les professionnels de santé mentionnés à la quatrième partie du présent code, ainsi que tout établissement, service ou organisme dans lesquels sont réalisés des actes individuels de prévention, de diagnostic ou de soins ne sont responsables des conséquences dommageables d'actes de prévention, de diagnostic ou de soins qu'en cas de faute. »

(12) Après avoir posé le principe d'une responsabilité pour faute, cette loi y apporte deux exceptions (et confirme la jurisprudence antérieure) en retenant une responsabilité sans faute pour les accidents médicaux dus soit au défaut d'un produit de santé, soit à une infection nosocomiale. Elle prévoit également la prise en charge au titre de la solidarité nationale de l'aléa thérapeutique. V. Y LAMBERT-FAIVRE, *La loi n° 2002-303 du 4 mars 2002 relative aux droits des malades et à la qualité du système de santé, III, L'indemnisation des accidents médicaux : D.* 2002, doctr. 1367. – P. SARGOS, *Le nouveau régime des infections nosocomiales. Loi n° 2002-303 du 4 mars 2002 : JCP* 2002, act., 276, p. 1117.

18. – Intérêts de la distinction. Qualification d'une obligation. L'intérêt de la distinction se situe en matière de preuve, lorsqu'il s'agit de mettre en œuvre la responsabilité du débiteur de l'obligation.

Si l'obligation est de résultat et si le résultat promis n'a pas été atteint (par ex., la marchandise n'est pas arrivée à destination), le débiteur est présumé responsable. Il suffit donc au créancier de démontrer que le résultat n'est pas atteint pour que le débiteur soit responsable de plein droit ; et ce dernier ne peut échapper à cette responsabilité qu'en démontrant que l'inexécution provient d'un cas de force majeure.

À l'inverse, si l'obligation est de moyens et si le créancier soutient qu'elle n'a pas été exécutée (par ex., le malade n'est pas guéri), il lui incombe de démontrer que le débiteur n'a pas mis en œuvre les moyens nécessaires, en l'espèce qu'il n'a pas soigné le patient conformément aux données acquises de la science médicale, qu'il a donc commis une faute. S'agissant des personnels de santé, il n'en va autrement que dans les cas où la loi fait peser sur eux une obligation de résultat (défaut d'un produit de santé, ou infection nosocomiale).

Cela dit, en cas de désaccord entre les parties sur la portée d'une obligation, c'est au juge qu'il appartient de décider si cette obligation est de moyens ou de résultat. Il arrive que son appréciation évolue avec le temps. Ainsi, s'agissant de la responsabilité médicale qui reposait depuis 1936 sur une obligation de moyens, la jurisprudence a récemment admis que pesait sur le médecin une obligation de résultat pour les matériels et les produits qu'il utilise (13), et pour les maladies nosocomiales (14) ; ces solutions ont finalement été reprises par la loi du 4 mars 2002.

Pour qualifier une obligation, on peut dire que le juge se déterminera en fonction de la volonté présumée des parties, du caractère aléatoire ou non du résultat attendu, et du rôle actif ou passif du créancier dans l'exécution de l'obligation.

3° Obligations en nature et obligations de sommes d'argent

19. – La distinction (15). Les *obligations* peuvent porter sur des prestations *en nature* ou sur *des sommes d'argent* (16), suivant ce qui a été promis. À cet égard, il ne faut pas se laisser abuser par le sens monétaire que donne le langage courant aux termes de créance et dette. Sans doute peut-il

---

(13) Cass. 1re civ., 3 mars 1998 : *D.* 1999, 36, note PIGNARRE et BRUN. – 9 nov. 1999 : *JCP* 2000, II, 10251 et note BRUN. – 7 nov. 2000 : *D.* 2001, somm. 2236, obs. D. MAZEAUD, et p. 3085, obs. PENNEAU.

(14) Cass. 1re civ., 29 juin 1999, trois arrêts : *JCP* 1999, II, 10138, rapport P. SARGOS ; *D.* 1999, 559 et note THOUVENIN ; *RTD civ.* 1999, 841, obs. P. JOURDAIN.

(15) Ch. BRUNEAU, *La distinction entre les obligations monétaires et les obligations en nature. Essai de détermination de l'objet*, thèse Paris II, 1984.

(16) G. SOUSI, *La spécificité juridique de l'obligation de sommes d'argent* : *RTD civ.* 1982, 514. – R. LIBCHABER, *Recherches sur la monnaie en droit privé*, LGDJ, Droit privé, 1992.

s'agir d'une somme d'argent, mais aussi d'une prestation en nature. En pratique, la plupart des contrats comportent l'une et l'autre obligation : c'est le cas chaque fois que l'un paie en argent une prestation en nature fournie par l'autre (vente, louage, transport, etc.).

Au sein même des obligations de sommes d'argent, il faut distinguer suivant que l'obligation est exprimée en argent dès sa naissance ou seulement au moment de son exécution. Dans ce dernier cas, on dira qu'on est en présence d'une *dette de valeur* (17). Tel est par exemple le cas de *l'obligation alimentaire* que les enfants doivent à leurs parents, et réciproquement. Cette obligation édictée par la loi est latente ; elle ne donnera lieu à exécution que si le bénéficiaire de l'obligation alimentaire se trouve effectivement dans le besoin, et c'est à ce moment-là seulement qu'elle fera l'objet d'une évaluation en argent, laquelle sera fonction des besoins du créancier et des ressources du débiteur. Il en va de même lorsque, à la suite d'un accident, l'auteur responsable verra son obligation de réparer évaluée par le juge.

20. – Intérêt de la distinction. L'intérêt de la distinction se situe relativement à la dépréciation monétaire qui, dans un contrat, va atteindre les seules obligations de sommes d'argent, à l'exception toutefois des dettes de valeur dont le montant est évalué lors de leur exécution. L'exemple se présente très fréquemment en période d'inflation pour les contrats dont l'exécution se poursuit sur une certaine durée, par exemple, en matière de bail ou de prêt, ou pour des contrats de fourniture de marchandises.

Le principe du *nominalisme monétaire*, que l'on rattache à l'article 1895 du Code civil (« L'obligation qui résulte d'un prêt en argent, n'est toujours que de la somme numérique énoncée au contrat »), devrait normalement conduire à interdire toute révision du montant de l'obligation de sommes d'argent. Mais le droit positif admet fort heureusement que l'on puisse faire varier ce montant en insérant dans le contrat une clause d'indexation ou d'échelle mobile ; cette faculté est toutefois réglementée de manière assez stricte (V. *infra*, n° 432 et s.). Dans des domaines autres que contractuels la loi ou la jurisprudence ont instauré des mécanismes qui permettent de compenser les effets de la dépréciation monétaire : par exemple, pour l'évaluation des récompenses en matière de régimes matrimoniaux (art. 1469), pour la réparation de dommages sous la forme de rentes indexées, etc.

---

(17) P. RAYNAUD, *Les dettes de valeur en droit français :* in *Mélanges Brèthe de la Gressaye*, p. 611. – J.-M. DURAND, *La dette de valeur,* thèse Paris II, 1972. – G.L. PIERRE-FRANÇOIS, *La notion de dette de valeur en droit civil*, LGDJ, Droit privé, 1975, t. 138. – J.-F. PILLEBOUT, *Observations pragmatiques sur la dette de valeur :* in *Mélanges Holleaux*, p. 357.

B. – Classifications fondées sur les sources des obligations

21. – Présentation. Il s'agit ici de classer les obligations en fonction de leurs sources, c'est-à-dire des *événements* qui leur donnent naissance. Par exemple, le locataire est obligé de payer son loyer parce que son *contrat* l'a prévu ainsi. Ou encore l'automobiliste est tenu d'indemniser le piéton qu'il a blessé du fait même de l'*accident* (et parce que la loi le dit).

De manière souvent maladroite, et toujours critiquée, le Code civil classe les obligations suivant leurs sources. À la réflexion la critique porte plus sur la terminologie que sur le fond ainsi qu'on va le voir.

1° La classification du Code civil

22. – Les obligations conventionnelles et les engagements qui se forment sans convention. Le Code civil suggère une division bipartite des obligations, suivant qu'elles naissent d'une convention entre les parties ou en dehors de toute convention.

D'une part, le Titre III traite « Des contrats ou des obligations conventionnelles en général » (art. 1101 à 1369). Le nombre d'articles consacrés à cette source conventionnelle montre suffisamment que c'était la source la plus importante en 1804, période marquée par l'individualisme et le principe de l'autonomie de la volonté. Elle le demeure encore aujourd'hui car elle répond à la nature des choses : on ne peut en principe être engagé que parce qu'on l'a voulu.

D'autre part, le Titre IV vise « Des engagements qui se forment sans convention » (art. 1370 à 1386). Parmi ceux-ci l'article 1370 distingue :

• ceux qui « résultent de l'autorité seule de la loi », donc qui naissent en dehors de tout acte de volonté : par exemple, l'obligation alimentaire entre parents et enfants, l'obligation du tuteur d'assumer les obligations de la tutelle, etc. ; en pratique, ces obligations purement légales, qui sont les plus diverses, sont étudiées avec l'institution dont elles dépendent : les relations familiales, la protection des incapables, etc.

• ceux qui « naissent d'un fait personnel à celui qui se trouve obligé ». Le Code civil les classe en deux catégories, fort différentes l'une de l'autre :

– les *quasi-contrats* (art. 1371 à 1381), que l'article 1371 définit comme « les faits purement volontaires de l'homme, dont il résulte un engagement quelconque envers un tiers, et quelquefois un engagement réciproque des deux parties ». La terminologie comme la définition sont peu éclairantes. En fait la loi vise ici deux hypothèses (la *gestion d'affaires* et la *répétition de l'indu*) dans lesquelles une personne a, sans tomber dans l'illicite, retiré un avantage injuste d'une situation en dehors de tout contrat ; par extrapolation, la jurisprudence a fait de l'*enrichissement sans cause* un troisième quasi-contrat, et elle a également appliqué cette notion aux loteries publicitaires (V. *infra*, n°s 766 et s.).

– les *délits* et *quasi-délits* (art. 1382 à 1386), que la loi ne définit pas, et qui sont les faits illicites dommageables pour autrui auxquels la loi attache une obligation de réparer ; la différence entre les deux tient au caractère intentionnel (délit) ou non intentionnel (quasi-délit) du fait illicite dommageable.

À ces deux titres, le législateur moderne en a récemment ajouté un troisième (titre IV *bis*) « De la responsabilité du fait des produits défectueux » qui accueille la loi du 19 mai 1998 portant transposition en droit français de la Directive européenne n° 85-374 du 25 juillet 1985. Il s'agit là d'une hypothèse de fait illicite dommageable qui s'apparente aux délits et quasi-délits, même si elle peut se rencontrer à l'occasion d'un contrat (V. *infra*, n° 671 et s.).

23. – Critiques adressées à la classification du Code civil. Cette classification a été vivement critiquée ; on lui a reproché d'être tout à la fois inexacte et incomplète.

Le grief d'inexactitude lui-même se dédouble :

• la distinction entre les délits et les quasi-délits, si elle a un intérêt en droit pénal où la répression est pour partie fonction de l'intention, n'en a aucun en droit civil qui ne s'intéresse qu'à la réparation ; la réparation est en principe la même, que le dommage ait été causé intentionnellement (délit) ou non (quasi-délit). À quoi on pourrait répondre que ce n'est pas toujours exact et que le droit civil lui-même s'attache parfois à l'intention pour moduler la réparation ou répartir la charge de celle-ci entre les divers coauteurs ;

• la notion de quasi-contrat serait une notion fausse, inutile et dangereuse : la prétendue obligation quasi contractuelle ne serait en définitive qu'une obligation légale.

Retenant ce grief en ses deux branches, Planiol en concluait que la classification du Code civil devait être écartée et que les deux seules sources d'obligations étaient le contrat et la loi. Mais si on pousse la critique de Planiol jusqu'à ses plus extrêmes limites, il faudrait dire que même l'obligation contractuelle trouve sa source dans la loi : c'est parce que la loi le prévoit que le contrat est générateur d'obligations. Il n'y aurait donc plus qu'une seule source d'obligations, la loi, et plus de classification fondée sur les sources…

Pour d'autres, la classification du Code civil serait non seulement inexacte mais incomplète au motif qu'elle ne mentionne pas, parmi les sources d'obligations, *l'engagement par volonté unilatérale*. Le grief est exact, mais mineur. En effet, en droit français, il n'est que très peu d'exemples d'obligations trouvant leur source dans un engagement par volonté unilatérale (promesse de récompense, obligation de maintenir l'offre de contracter pendant un délai raisonnable).

Au total, le principal grief qu'on puisse adresser sur ce point au Code civil tient à la terminologie, qui est trompeuse. Ainsi le terme de quasi-contrat invite à un rapprochement inexact avec le contrat car la volonté n'est pas à la source de l'obligation quasi contractuelle. Et de même le terme de délit est ambigu dans la mesure où il est employé ici dans un sens différent de celui qu'il a en droit pénal. En réalité, c'est la pauvreté de la langue juridique qui est en cause, plus que la classification du Code civil.

En définitive, il est bien exact que toute obligation vient de la loi. Mais la loi elle-même prévoit diverses manières de s'obliger ou d'être obligé, diverses sources d'obligations. C'est à ces manières qu'il convient de s'attacher pour classer les obligations d'après leurs sources.

2° Actes juridiques et faits juridiques, sources des obligations

24. – Les événements générateurs d'obligations. Pour classer les obligations selon leurs sources, il faut résoudre une question fondamentale : qu'est-ce qui peut faire qu'une personne soit engagée vis-à-vis d'une autre ? ou encore : comment naissent les obligations ? Où les rapports d'obligation créancier-débiteur trouvent-ils leur source ? La question est d'importance, puisqu'il s'agit de savoir à la fois comment on peut engager les autres envers soi et comment, soi-même, ou peut se trouver lié vis-à-vis des autres.

À cela, le Code civil répond de manière fort simple, ainsi qu'on vient de le voir. À côté « des contrats ou des obligations conventionnelles en général », il y a « des engagements qui se forment sans convention ». Autrement dit, on peut être obligé, ou bien parce qu'on l'a voulu, ou bien en dehors de sa volonté.

Cette classification des sources des obligations par le Code civil a été reprise et modernisée par la doctrine actuelle. Dans la conception moderne, on s'attache surtout au fait que toutes les obligations découlent soit d'un acte juridique, soit d'un fait juridique. Ces événements, qui sont générateurs de droits (V. *Introduction*, n° 471), sont également générateurs d'obligations.

25. – La distinction des actes juridiques et des faits juridiques. Les *actes juridiques* sont des manifestations de volonté destinées à créer des effets de droit. L'exemple type en est le *contrat*, qui est un accord de deux ou plusieurs volontés en vue de faire naître des obligations, ou de transmettre des droits réels comme la propriété.

Mais la catégorie est plus large que cela. Outre les *actes conventionnels* réunissant plusieurs volontés, elle comprend les *actes unilatéraux* qui sont l'expression d'une seule volonté : par exemple, un testament.

Les *faits juridiques* sont des événements auxquels la loi attache des effets de droit, indépendamment de la volonté des personnes qui bénéficieront ou souffriront de ces effets.

La catégorie n'est pas homogène. Elle englobe des faits purement matériels, sans la moindre coloration volontaire : par exemple, le *décès* d'une personne entraîne la vocation successorale de ses héritiers ; la *naissance* s'accompagne de droits et obligations réciproques entre parents et enfants. Mais elle s'étend aussi à des faits matériels où la volonté est sous-jacente : par exemple, le *dommage injustement causé à autrui* entraîne pour son auteur l'obligation de réparer (c'est la *responsabilité civile*) ; de même, le fait de retirer un *avantage injuste* oblige à indemniser (notion de *quasi-contrat*). Dans ces cas, seul le fait a été voulu, mais pas l'obligation qui en découle.

De ces actes et faits juridiques, on exclura ceux qui relèvent du droit familial, bien qu'ils aient des incidences patrimoniales : ainsi la naissance, le mariage, le décès. Seront seuls retenus ceux qui sont les plus importants sur le plan économique, d'une part les engagements par contrat, d'autre part certaines obligations non volontaires (responsabilité civile, quasi-contrats).

C. – Classification fondée sur la force des obligations : obligations civiles et obligations naturelles

26. – La distinction des obligations civiles et des obligations naturelles. Toute obligation comprend normalement une sanction : si elle n'est pas exécutée par le débiteur, le créancier peut l'y contraindre et il pourra en obtenir l'exécution forcée. Par exception à la règle, on admettra parfois qu'il y a bien une obligation, mais qu'elle n'est pas assortie d'un pouvoir de contrainte. On dit alors qu'il s'agit d'une *obligation naturelle* par opposition à *l'obligation civile* (18).

Le Code civil y fait une simple allusion dans l'article 1235 à propos du paiement. Dans son premier alinéa, ce texte décide que « Tout payement suppose une dette » et il en déduit que « ce qui a été payé sans être dû, est sujet à répétition », c'est-à-dire à restitution. Mais dans l'alinéa 2, il écarte toute restitution lorsque le paiement correspond à une obligation naturelle : « La répétition n'est pas admise à l'égard des obligations naturelles qui ont été volontairement acquittées. » On en déduit donc que, parallèlement aux obligations civiles, il existe des obligations naturelles.

Par exemple, alors que la loi édicte une obligation alimentaire en ligne directe entre parents et enfants, elle ne dit rien des frères et sœurs ; on admet néanmoins qu'il y a entre eux une obligation naturelle.

---

(18) E.H. Perreau, *Les obligations de conscience devant les tribunaux* : RTD civ. 1913, 503. – J. Flour, *La notion d'obligation naturelle et son rôle en droit civil* : in Trav. Assoc. Capitant, t. 7, 1952, p. 813. – M. Gobert, *Essai sur le rôle de l'obligation naturelle*, 1957. – J.-J. Dupeyroux, *Les obligations naturelles, la jurisprudence, le droit* : in Mélanges Maury, t. 2, p. 321. – M. Rotondi, *Quelques considérations sur le concept d'obligation naturelle et sur son évolution* : RTD civ. 1979.1. V. aussi Aubert, Flour et Savaux, *Les obligations, 3. Le rapport d'obligation*, nos 68 et s.

27. – Le domaine de l'obligation naturelle. En l'absence de disposition plus explicite dans le Code civil, la jurisprudence et la doctrine se sont employées à cerner le domaine de l'obligation naturelle.

À la suite de Ripert (19), la doctrine moderne considère que l'obligation naturelle répond à un devoir moral. C'est également la conception de la jurisprudence qui y voit un devoir de conscience (20). Ainsi considérera-t-on qu'il y a obligation naturelle chaque fois qu'une personne effectue, sans y être juridiquement tenue, un paiement correspondant à un devoir moral ou de conscience. C'est dire qu'il est impossible de dresser une liste des obligations naturelles car le sens de la morale ou de l'honnêteté varie suivant les époques. Tout au plus peut-on tenter de schématiser les hypothèses.

Parfois, il s'agira d'une obligation civile imparfaite, avortée ou qui a perdu son effet obligatoire. Ainsi en est-il d'une dette prescrite, c'est-à-dire d'une obligation éteinte par la prescription : si le débiteur la paie néanmoins, ce paiement est valable et ne pourra faire l'objet d'une action en répétition (21) (art. 1235) ; et de même de l'héritier qui exécute un legs alors que celui-ci était simplement verbal et de ce fait irrégulier (22).

D'autres fois, en dehors de toute obligation civile préexistante, il s'agira d'un pur devoir moral ou de conscience, d'une question d'honnêteté : par exemple le devoir moral d'assistance à des frères et sœurs dans le besoin, ou à une concubine abandonnée (23) ; ou encore le devoir de reconnaissance du parieur (au tiercé) à l'égard d'un collègue qui l'a fait gagner (24).

On aurait pu craindre que la notion floue de devoir moral ou de conscience soit de nature à élargir considérablement l'éventail des obligations naturelles, mais tel n'est pas le cas à ce jour où les obligations naturelles restent une hypothèse très marginale.

28. – Comment l'obligation naturelle se transforme-t-elle en obligation civile ? En principe l'obligation naturelle se distingue de l'obligation civile en ce qu'elle ne peut faire l'objet d'aucune contrainte : elle n'est pas susceptible d'exécution forcée. Mais elle devient obligatoire soit lorsqu'elle est exécutée volontairement, soit lorsque le débiteur promet de l'exécuter.

Le premier cas est celui visé par l'article 1235 du Code civil : « la répétition n'est pas admise à l'égard des obligations naturelles qui ont été volontairement exécutées ». L'exécution volontaire doit être ici comprise

---

(19) Ripert, *La règle morale dans les obligations civiles*, 4ᵉ éd., 1949, nᵒˢ 416 et s.
(20) Cass. soc. 16 avr. 1969 : *Bull. civ.* I, n° 195. – Cass. 1ʳᵉ civ., 6 oct. 1959 : *D.* 1960, 515 et note Ph. Malaurie.
(21) Cass. com. 21 févr. 1949 : *D.* 1949, 208.
(22) Cass. 1ʳᵉ civ., 27 déc. 1963 : *Bull. civ.* I, n° 573.
(23) Paris, 19 janv. 1977 : *D.* 1977, IR, 332. – Cass. 1ʳᵉ civ., 17 nov. 1999 : *JCP* 2001, II, 10458 et note S. Chassagnard.
(24) Cass. 1ʳᵉ civ. 10 oct. 1995 : *D.* 1997,155 et note G. Pignarre.

comme celle faite délibérément, en connaissance de cause, par un débiteur qui savait ne pas être juridiquement tenu ; il y aurait à l'inverse lieu à répétition s'il a payé par erreur, c'est-à-dire en croyant à tort qu'il était tenu d'une obligation civile (25). En bref, l'exécution volontaire d'une obligation naturelle *transforme* cette obligation en obligation civile (26), ce qui exclut tout droit de repentir.

La jurisprudence a assimilé à ce premier cas celui où le débiteur de l'obligation naturelle s'engage volontairement à l'exécuter. Suivant la formule des arrêts les plus récents, la promesse d'exécuter, constitutive d'un *engagement unilatéral, transforme* là aussi l'obligation naturelle en obligation civile ; ce faisant la jurisprudence écarte au profit de cette explication simple – et qui ne se réfère à aucun mécanisme juridique précis – l'idée précédemment soutenue (et critiquée) suivant laquelle il y aurait *novation* (27) de l'obligation naturelle en obligation civile (28).

Cela dit, il convient de rappeler qu'en droit français l'obligation naturelle est une institution tout à fait marginale. Lorsqu'on parle d'obligation, sans autre précision, c'est toujours à l'obligation civile que l'on entend se référer.

§ 3. – Place de la théorie générale des obligations au sein du droit civil

A. – Importance pratique

29. – Les règles de la vie courante et de la vie des affaires. Il est inutile de s'étendre sur l'importance pratique du droit des obligations tant elle est évidente. Ce droit constitue en effet la mise en forme juridique des rapports économiques entre les hommes ou, plus simplement encore, de la vie courante et de la vie des affaires.

C'est d'abord la base du droit des contrats sur lesquels repose toute la vie économique et sociale d'un pays. Par base, on doit entendre que la théorie générale des obligations s'en tient aux règles fondamentales communes à tous les contrats, par opposition à la réglementation particulière à tel ou tel type de contrat qui, ainsi que le rappelle expressément l'article 1107, est exposée à l'occasion de l'étude de ces contrats (vente, louage, contrat d'entreprise, vente d'immeubles à construire, mandat, etc.).

---

(25) Cass. 1re civ., 12 juill. 1994 : *Bull. civ.* I, n° 252.
(26) Cass. 1re civ. 17 nov. 1999, précité.
(27) Sur le mécanisme de la novation, voir *infra* nos 785 et s.
(28) Cass. 1re civ., 17 nov. 1999, précité. V. N. MOLFESSIS, *L'obligation naturelle devant la Cour de cassation : remarques sur un arrêt rendu par la première Chambre civile le 10 octobre 1995 : D.* 1997, chron. 85.

Réglant les contrats en général, la théorie des obligations règle aussi les problèmes de responsabilité civile, qu'ils surviennent accidentellement en dehors de tout contrat ou qu'ils découlent de l'inexécution ou de la mauvaise exécution d'un contrat. Or, chacun sait que la responsabilité civile représente un contentieux considérable, non seulement en matière d'accidents de la circulation mais en tous domaines.

B. – Importance théorique

1° Réunion de tous les principes fondamentaux

30. – Le droit commun. Le droit des obligations comprend à peu près tous les principes fondamentaux du droit privé, c'est-à-dire non seulement du droit civil mais aussi du droit des affaires, et de toutes les branches qui ont pu se détacher de l'un ou de l'autre : droit bancaire, droit des transports, droit de la construction, etc. Il constitue le *droit commun*, c'est-à-dire les règles auxquelles on doit se référer lorsque la loi n'en a pas édictées de spécifiques à telle ou telle situation.

Ces mêmes principes ont également vocation à s'appliquer en droit public, plus précisément en droit administratif. Certes, le Conseil d'État n'applique pas le Code civil en tant que tel, mais il s'inspire des principes généraux qui se déduisent de ce code.

2° Tendance à l'universalité

31. – Le mythe de l'universalité du droit des obligations. Jadis, on a pu croire en une universalité parfaite du droit des obligations dans lequel on voyait une matière quasi scientifique fondée sur la logique. Tel était le cas de Saleilles qui considérait le droit des obligations comme « une matière essentiellement théorique et abstraite » fondée sur la logique juridique (29). Pourquoi n'y aurait-il pas en effet une sorte de mathématique universelle du droit des obligations ? L'expérience démontre qu'il n'en est pas ainsi.

32. – Universalité dans le temps ? Il n'y a pas d'*universalité dans le temps,* tout d'abord. Certes, le droit des obligations change moins vite et de manière moins spectaculaire que d'autres branches. Par exemple, on ne saurait procéder à une réforme du droit des obligations comme on a pu opérer d'un seul coup la réforme du divorce, de la filiation, des régimes matrimoniaux, etc.

Il n'en demeure pas moins que le droit des obligations connaît des évolutions fondamentales, même au plan des principes. On en prend aisément conscience avec le recul du temps.

---

(29) R. SALEILLES, *Étude sur la théorie générale de l'obligation d'après le premier projet de Code civil pour l'Empire allemand*, 3e éd., 1925.

C'est ainsi que du droit romain à nos jours le *formalisme* qui présidait à la naissance des obligations contractuelles a cédé la place au principe du *consensualisme* suivant lequel les contrats sont conclus par le simple accord des volontés. C'est là une rupture fondamentale.

Même en raisonnant sur des périodes plus courtes il est aisé de citer d'autres exemples tout aussi démonstratifs. Ainsi le droit de la responsabilité civile qui, pendant la majeure partie du XIXᵉ siècle, a été fondé sur la *faute*, déborde aujourd'hui très largement ce fondement ; désormais, nombre d'hypothèses de responsabilité s'expliquent par l'idée de *risque* ou de *garantie*, notamment en matière d'accidents de la circulation ou de responsabilité du fait des produits. En bref, le critère de la responsabilité civile a changé de manière radicale, ce qui est là encore une évolution considérable.

Il en est de même des règles relatives à la conclusion du contrat, qui ont été largement bouleversées par les diverses lois qui accordent notamment une faculté de rétractation à certains cocontractants, les consommateurs.

33. – Universalité dans l'espace ? Il y a encore moins d'*universalité du droit des obligations dans l'espace*. Certes, tous les droits qui ont puisé leurs sources dans le droit romain présentent des analogies évidentes. Mais il suffit d'aborder les droits anglo-saxons pour s'apercevoir qu'ils obéissent à des logiques différentes. Et la différence était encore plus accusée lorsqu'on comparait le droit français des obligations à celui des pays de l'Europe de l'Est avant la libéralisation entreprise en 1990.

On le constate également au sein des pays de l'Union européenne. En effet, la Commission européenne se préoccupe actuellement des distorsions du droit des contrats entre les États membres, distorsions qui sont ressenties par certains comme un obstacle à la réalisation d'un marché unique (30). Et, parallèlement, divers travaux ont été menés (31) ou sont en cours (32) tendant à mettre sur pied des principes communs du droit européen des contrats. L'existence même de ces travaux démontre, s'il en était besoin, qu'il y a une grande diversité entre les droits des obligations des quinze pays de l'Union européenne.

Il n'y a donc pas d'universalité du droit des obligations, mais une simple tendance à l'universalité dans la mesure où le raisonnement juridique repose dans tous les pays sur les mêmes techniques ou sur des techniques voisines. En fait la diversité des droits des obligations s'explique par le fait que la logique, le raisonnement pur qu'on rencontre dans le droit

---

(30) Communication de la Commission au Conseil et au Parlement européen concernant le droit européen des contrats : *JOCE* 13 sept. 2001, C 255/1. – D. STAUDENMAYER, *Le plan d'action de la commission européenne concernant le droit européen des contrats* : *JCP* 2003, I, 127.

(31) *Principes du droit européen du contrat*, Commission Lando, La documentation française, 1997. – Avant-projet de « Code européen des contrats » du Groupe de Pavie : *Gaz. Pal.* 2003, 21-22 févr. et 25 févr., 1.

(32) Ch. VON BAR, *Le groupe d'études sur un Code civil européen* : *RID comp.* 2001, 127.

des obligations, n'est pas une fin en soi à laquelle il faudrait se conformer, mais un moyen au service de certains facteurs d'évolution qui varient suivant le contexte politique et économique du pays considéré.

§ 4. – Les facteurs d'évolution du droit des obligations

Ces facteurs d'évolution ont été tout particulièrement mis en lumière par Ripert (33), et la doctrine moderne les soumet désormais à l'éclairage de la sociologie juridique (34).

En schématisant peut-être à l'excès, ces facteurs peuvent être rattachés à quatre ordres d'idées.

34. – Le facteur moral. Le droit des obligations ne saurait ignorer la morale en général. En pratique, de nombreuses règles de droit français ne sont que la transposition de règles morales : par exemple, le respect de la parole donnée qui interdit de rompre unilatéralement un contrat, ou encore l'obligation de réparer le dommage injustement causé à autrui.

De même, il n'est pas douteux que la morale chrétienne a exercé une influence fondamentale sur le droit des obligations. C'est sous la pression de la morale chrétienne qu'on est passé du *formalisme* au *consensualisme* ; c'est d'elle que l'on tient la notion de juste prix et c'est elle aussi qui a fait apporter des assouplissements à la force du lien obligatoire afin que le débiteur ne soit pas asservi au créancier.

Mais la morale évolue, qu'il s'agisse du droit des contrats ou de celui de la responsabilité civile.

En matière de contrats (35), on met désormais l'accent sur la nécessité de la bonne foi dans l'exécution des contrats. Cette exigence, qui figure depuis 1804 dans l'article 1134, alinéa 3, du Code civil (les conventions « doivent être exécutées de bonne foi »), est longtemps passée inaperçue (36). Aujourd'hui on assiste à un bouillonnement des idées autour des notions de bonne foi (37) et d'équilibre contractuel (38). Les uns en tirent une obligation de collaboration en vue de l'exécution du contrat (39),

---

(33) G. Ripert, *La règle morale dans les obligations civiles. – Le régime démocratique et le droit civil moderne. – Aspects juridiques du capitalisme moderne. – Les forces créatrices du droit.*

(34) J. Carbonnier, *Flexible droit. Pour une sociologie du droit sans rigueur*, 10ᵉ éd., LGDJ, 2001. – J. Ghestin, *L'utile et le juste dans les contrats* : D. 1982, chron. 1.

(35) C. Thibierge-Guelfucci, *Libres propos sur la transformation du droit des contrats* : RTD civ. 1997.357.

(36) Ch. Jamin, *Une brève histoire politique des interprétations de l'article 1134 du Code civil* : D. 2002, chron. 901.

(37) *La bonne foi* : in *Travaux de l'Ass. Capitant*, 1994. – B. Jaluzot, *La bonne foi dans les contrats. Étude comparative de droit français, allemand et japonais*, Bibl. th. Dalloz, 2001.

(38) L. Fin-Langer, *L'équilibre contractuel*, LGDJ, Droit privé, 2002.

(39) Y. Picod, *Le devoir de loyauté dans l'exécution du contrat*, thèse Dijon 1987. – *L'obligation de coopération dans l'exécution du contrat* : JCP 1988, I, 3318

---

sinon même de fraternité (40), ou encore un solidarisme contractuel (41). D'autres prônent la nécessité d'une transparence (42) dans les contrats, ou encore d'une proportionnalité (43) dans les obligations respectives des parties.

En matière de responsabilité civile, l'évolution répond à la multiplication et à l'ampleur des dommages tenant aux progrès scientifiques et techniques. Le dommage est ressenti comme une injustice qu'il faut absolument réparer, même si c'est un coup du sort, par exemple l'aléa thérapeutique. D'où, se tournant vers la *victime*, le Droit consacre désormais le droit de chacun à la sécurité, qu'il s'agisse d'accidents de la circulation (44), d'accidents dus à des produits (45), d'accidents médicaux (46). Pour parvenir à cette indemnisation systématique, il a fallu corrélativement passer d'une responsabilité pour faute de l'auteur du dommage à une responsabilité fondée sur le risque que chacun, dans son activité, peut faire courir à ses semblables. À défaut de trouver un responsable solvable et identifié, on fera appel à des mécanismes relevant de l'assurance (l'indemnisation des victimes d'infractions ou de catastrophes naturelles) ou de la solidarité nationale (l'aléa thérapeutique).

35. – Le facteur économique et politique. On ne peut ici dissocier l'économie et la politique ; d'évidence la politique économique n'est qu'un aspect de la politique tout court. À cet égard, le passage progressif d'un ordre économique libéral à un ordre économique dirigé a conduit à restreindre la liberté contractuelle.

Pendant longtemps, la *liberté contractuelle* a été considérée comme le meilleur moyen de réaliser l'équilibre entre les *intérêts particuliers* et par là même de satisfaire *l'intérêt général* (47). L'expérience a démontré que c'était une utopie. Les intérêts particuliers sont nécessairement égoïstes et, comme la puissance économique respective des cocontractants est rarement identique, il s'ensuit nécessairement que les plus puissants seront tout naturellement conduits à user et même abuser de leur puissance.

Pour rééquilibrer la balance, le législateur moderne a donc été amené à venir au secours des plus faibles en édictant à leur profit des règles

---

(40) D. MAZEAUD, *Loyauté, solidarité, fraternité : la nouvelle devise contractuelle ? :* in *Mélanges Terré*, p. 603.

(41) Ch. JAMIN, *Plaidoyer pour le solidarisme contractuel :* in *Études Ghestin*, p. 441.

(42) N. VIGNAL, *La transparence en droit privé des contrats (approche critique de l'exigence)*, préf. J. MESTRE, PUAM 1998.

(43) *Existe-t-il un principe de proportionnalité en droit privé ?* Travaux du Colloque du 20 mars 1998 : *Petites affiches*, n° 117, 30 sept. 1998. – S. LE GAC-PECH, *La proportionnalité en droit privé du contrat*, préf. H. MUIR-WATT, LGDJ, Droit privé, t. 335, 2000.

(44) Loi du 5 juill. 1985, dite loi Badinter.

(45) Loi du 19 mai 1998, insérée dans les articles 1386-1 à 1386-18 du Code civil.

(46) Loi du 4 mars 2002 relative aux droits des malades et à la qualité du système de santé. V. Y. LAMBERT-FAIVRE, *III, L'indemnisation des accidents médicaux :* D. 2002, chron. 1367.

(47) J.-M. PONTIER, *L'intérêt général existe-t-il encore ? :* D. 1998, chron. 327.

protectrices : protection des salariés contre les patrons, des locataires contre les propriétaires (y compris les propriétaires du secteur public ou parapublic, tels les organismes d'HLM), des consommateurs contre les fabricants et les vendeurs professionnels, des ménages endettés contre leurs créanciers, etc. D'où une floraison de textes particuliers qui viennent instaurer un droit spécial, souvent très réglementaire, dans des domaines qui précédemment relevaient des principes généraux du droit des obligations. Dépassant ces clivages entre catégories, on peut se demander si on ne s'oriente pas vers l'idée plus générale d'équilibre ou de proportionnalité du contrat. Ici, le facteur économique rejoint le facteur moral.

Par ailleurs, s'agissant de réaliser *l'intérêt général*, on constate qu'il ne saurait être la somme des intérêts particuliers.

Cet intérêt général postule tout d'abord que certaines activités soient exercées par l'État dans le cadre de services publics ou d'organismes publics. Suivant les gouvernements, la conception pourra varier. À côté des missions régaliennes que sont notamment la Justice, la Police, l'Armée, l'Impôt, l'État exerce parfois – ou pour partie – des activités qui pourraient tout aussi bien relever du secteur privé : la santé, l'éducation, les transports, l'énergie, les télécommunications, etc. La conception de ce qui doit relever de l'État ou du secteur privé est une question éminemment politique ; les uns penseront qu'il faut nationaliser, les autres qu'il faut privatiser.

C'est également au nom de l'intérêt général que l'État intervient par des instruments de politique économique tels que les plans, la politique des prix et des revenus, la réglementation du crédit, etc. ; et ces interventions sont autant d'obstacles au principe de la liberté contractuelle. Dans le même esprit le législateur français, qui croît aux vertus de la concurrence pour réaliser l'intérêt général, a mis en place des règles tendant à assurer son libre jeu (notamment l'interdiction des ententes) et en sanctionne sévèrement le respect. Il rejoint en cela les préoccupations du législateur européen.

36. – Le facteur européen. Le facteur européen est probablement à ce jour celui dont l'impact est le plus fort sur notre droit des obligations.

En effet, même s'il n'y a pas encore de droit européen des obligations, l'Union européenne édicte des *directives*, dont certaines touchent au droit des obligations et qui sont, ou seront, transposées dans notre droit (*infra*, n° 41 et 206).

Plus largement il se développe un grand mouvement d'idées tendant à l'élaboration d'un Code européen des obligations, qui pourrait conduire à terme à une relative unification du droit des obligations dans les pays faisant partie de l'Union. Il s'agit là d'une question récurrente. Le Parlement européen a indiqué en 1989 et rappelé en 1994 l'importance qu'il attachait à la rédaction d'un Code européen de droit privé, souvent dénommé Code civil européen. Cette initiative a suscité un intérêt très vif à l'étranger (48), plus mitigé en France (49).

Faisant écho à cette préoccupation européenne, trois importants travaux d'initiative privée doivent être signalés.

Parrainé par la Commission des Communautés européennes, un groupe de travail dénommé « Commission Lando » (du nom de son président) a mis sur pied des « Principes du droit européen du contrat », travaux qui ont été publiés en anglais et en français (50). Partant de ces principes, une « Commission von Bar » (du nom de son président et initiateur) subventionnée par des fondations étrangères prépare actuellement un projet de Code civil européen (51) dont on ne connaît à ce jour ni le domaine exact, ni le contenu. Parallèlement, un avant-projet de « Code européen des contrats » a été élaboré par l'Académie des privatistes européens, initiée par des professeurs italiens (dit le Groupe de Pavie), qui entre donc en concurrence avec le futur projet « von Bar » (52).

Faisant suite au souhait exprimé le 16 mars 2000 par le Parlement européen, la Commission européenne a diffusé le 11 juillet 2001 une « Communication concernant le droit européen des contrats » par laquelle elle sollicitait l'avis des destinataires sur le choix entre quatre options :

• Aucune action communautaire au plan de l'harmonisation, les Communautés européennes continuant à régir par voie de règlements et de directives les questions qui leur paraissent importantes ;

• Promotion de la mise au point de principes communs de droit des contrats pour renforcer la convergence des droits nationaux ; ce qui vise notamment les principes de la Commission Lando ou l'avant-projet du Groupe de Pavie et, éventuellement, ceux qui pourraient être arrêtés pour certains contrats par la Commission von Bar, ou tous autres principes qui pourraient être mis sur pied par toute commission *ad hoc* ;

• Amélioration de la qualité de la législation déjà en vigueur, c'est-à-dire revoir et rationaliser les directives déjà publiées ;

---

(48) Pour la littérature en langue française, voir G. GANDOLFI, *Pour un Code européen des contrats : RTD civ.* 1992.707. – J. BASEDOW, *Un droit commun des contrats pour le marché commun : RID comp.* 1998, 7.

(49) P. LEGRAND, *Sens et non sens d'un Code civil européen : RID comp.* 1996, 779. – Cl. WITZ, *Plaidoyer pour un Code européen des obligations : D.* 2000, chron. 79. – V. aussi, *L'harmonisation du droit des contrats en Europe* (sous la direction de Ch. JAMIN et D. MAZEAUD), Economica, 2001.

(50) En français, seul le premier volume, relatif à l'exécution, l'inexécution et ses suites, est aujourd'hui paru (La documentation française, 1997). – D. TALLON, *Les principes pour le droit européen du contrat : quelles perspectives pour la pratique ? : Defrénois* 2000, p. 683, art. 37182. – P. RÉMY-CORLAY et D. FENOUILLET (sous la dir. de), *Les concepts contractuels français à l'heure des principes du droit européen des contrats,* Dalloz, 2003.

(51) Ch. VON BAR, *Le groupe d'études sur un Code civil européen : RID comp.* 2001, 127. Pour une critique, voir Y. LEQUETTE, *Quelques remarques à propos du projet de Code civil européen de M. von Bar : D.* 2002, chron. 2202.

(52) Sur l'hypothèse d'un Code européen des contrats : les propositions de l'Académie des privatistes européens (Paris) : *Gaz. Pal.* 2003, 21-22 févr. et 25 févr., 1.

• Adoption d'une nouvelle législation complète au niveau communautaire, c'est-à-dire mise en place d'un Code européen portant au moins sur les contrats qui serait ou obligatoire, auquel cas il remplacerait le droit national existant, ou optionnel.

En principe, la Commission devait arrêter sa position à la fin de l'année 2002, mais cette date a été reportée. Par un communiqué du 14 février 2003 la Commission a fait savoir qu'elle avait adopté un plan d'action en vue d'accroître la cohérence du Droit des contrats en Europe. Les mesures proposées sont orientées dans deux directions : a) soutien à des initiatives volontaires en vue d'élaborer des clauses contractuelles types applicables dans l'ensemble de l'Union européenne, b) amélioration de la législation communautaire actuelle et future en matière de contrats par l'élaboration de règles communes sur la base des meilleures solutions identifiées dans les législations des États membres. La Commission se propose également d'examiner s'il est opportun et possible de créer un « corpus » optionnel dans le domaine du Droit européen des contrats que les parties pourraient utiliser pour faciliter les échanges transfrontaliers (53).

On s'oriente ainsi progressivement vers une harmonisation du droit européen des contrats qui débouchera peut-être un jour sur un Code européen des contrats ou, plus largement, des obligations. Pareille tâche nécessitera de longues années, mais cette simple perspective a suscité chez les juristes français des réactions pour le moins réservées, sinon même une levée de boucliers (54).

Elle a eu toutefois le mérite d'attirer l'attention de la doctrine française sur le vieillissement préoccupant de notre droit des obligations et sur l'intérêt qui s'attacherait à une refonte de ce droit. C'est dire que cette refonte, si elle intervient, ne pourra pas ignorer les travaux réalisés au niveau européen.

37. – Conclusion. Il n'est pas niable que le droit des obligations repose sur une logique et postule en conséquence une *technique* certaine qui se retrouve, à des nuances près, dans tous les droits et à toutes les époques.

---

(53) D. Staudenmayer, *Le plan d'action de la Commission européenne concernant le droit européen des contrats* : JCP 2003, I, 127. – B. Fauvarque-Cosson, *Droit européen des contrats : première réaction au plan d'action de la Commission* : D. 2003, Pt de vue, 1171. V. aussi RM, ministère de la Justice à la question n° 7588 : JO 24 févr. 2003, p. 1454.

(54) G. Cornu, *Un Code civil n'est pas un instrument communautaire* : D. 2002, chron. 351. – Ph. Malaurie, *Le Code civil européen des obligations et des contrats. Une question toujours ouverte* : JCP 2002, I, 110. – N. Charbit, *L'espéranto du droit ? La rencontre du droit communautaire et du droit des contrats*. À propos de la communication de la Commission européenne relative au droit européen des contrats : JCP 2002, I, 100. – L. Bernardeau, *Droit communautaire et droit des contrats : perspectives d'évolution* : Contr. Conc. Consom. déc. 2001, chron. n° 19. – V. Heuzé, À propos d'une « initiative européenne en matière de contrats » : JCP 2002, I, 152. – Ph. Malinvaud, *Réponse – hors délai – à la Commission européenne : à propos d'un Code européen des contrats* : D. 2002, chron. 2542. – J. Huet, *Nous faut-il un « euro » droit civil ?* : D. 2002, 2611. V. aussi les travaux regroupés dans *Pensée juridique française et harmonisation européenne du droit*, Soc. lég. Comp. 2003.

Mais, si le type de raisonnement demeure toujours le même, son aboutissement va varier en fonction des *finalités* poursuivies ; or ces finalités évoluent avec le temps, ce qui entraîne inéluctablement une évolution incontestable du droit des obligations. Certes, elle est plus insidieuse, moins visible que dans d'autres domaines, mais elle est néanmoins bien réelle : c'est ainsi par exemple que, sans qu'aucun article du Code civil n'ait été modifié, les divers textes sur la protection des consommateurs et sur celle des ménages surendettés remettent en cause nombre de principes bien assis du droit des obligations.

§ 5. – Les sources du droit des obligations (55)

A. – Les sources internes

38. – Le Code civil et les lois ultérieures. À l'origine, c'est-à-dire en 1804, le droit des obligations figurait tout entier dans le Code civil. Aujourd'hui encore, c'est dans le Code civil que l'on trouve l'essentiel de ce droit et, le plus souvent, aux mêmes articles et dans la même forme où il se trouvait en 1804 ; s'y trouvent ainsi régis les règles générales du contrat (art. 1101 et s.), le régime des obligations (art. 1136 et s.), les quasi-contrats (art. 1371 et s.) et la responsabilité civile (art. 1382 et s.).

Si, le plus souvent, ces textes sont demeurés dans leur rédaction d'origine, il ne faudrait pas en conclure à la stagnation du droit des obligations. En effet, on ne saurait dissocier les textes de l'interprétation qu'en fait la jurisprudence. Or, dans certains domaines, la jurisprudence a considérablement évolué ; l'exemple le plus spectaculaire est celui de la responsabilité civile où, par interprétation de l'article 1384, la jurisprudence a édifié de toutes pièces un régime de responsabilité du fait des choses et de responsabilité du fait d'autrui.

À ces dispositions du Code civil, il faut ajouter quelques lois ultérieures intéressant directement le droit des obligations. Certaines y ont été intégrées comme la loi du 19 mai 1998 sur la responsabilité du fait des produits défectueux (art. 1386-1 et s.). D'autres, pourtant plus importantes par leurs applications pratiques n'ont jamais été codifiées ; on en citera pour exemple la loi du 5 juillet 1985 édictant un régime spécifique de responsabilité pour les accidents de la circulation.

De manière récurrente on se pose la question de savoir si, parmi ces dispositions du droit des obligations, certaines – les plus fondamentales – ne mériteraient pas de figurer parmi les *principes fondamentaux reconnus par les lois de la République* et d'être considérées comme ayant valeur consti-

---

(55) Journées de l'Ass. Capitant, *Le renouvellement des sources du droit des obligations*, LGDJ, 1996.

tutionnelle (56). Une telle reconnaissance aurait pour conséquence d'interdire au législateur d'édicter des dispositions allant à l'encontre de ces lois (V. *Introduction*, n° 81). Tel a été, par exemple, le cas du droit de propriété (57) et celui de la liberté d'association (58).

On aurait pu penser que le Conseil constitutionnel consacrerait ainsi le *principe de la liberté contractuelle*, mais il ne l'a pas fait directement (59) ; en revanche, il l'a indirectement consacré – à propos de la loi sur les 35 heures – par référence à l'article 4 de la Déclaration des droits de l'homme et du citoyen (60).

De même, en matière de responsabilité civile, le Conseil constitutionnel s'est référé à ce même article 4 de la Déclaration pour reconnaître valeur constitutionnelle à la règle de l'article 1382 du Code civil suivant laquelle tout fait quelconque de l'homme qui cause à autrui un dommage oblige celui par le fait duquel il est arrivé à le réparer (61).

39. – Les disciplines annexes : droit de la consommation, droit de la concurrence, etc. Depuis les années 1970, un certain nombre de dispositions éparses ont été édictées tendant à la protection des consommateurs. Ce faisant, la loi a progressivement régi de manière spécifique les relations contractuelles entre professionnels et consommateurs, en imposant un certain formalisme et en interdisant certaines clauses défavorables aux consommateurs.

En France, ces divers textes ont finalement été codifiés en 1993 dans un Code de la consommation alors que, dans les autres pays de l'Union européenne, des textes analogues ont été insérés dans le Code civil. En fait, il s'agit bien de droit civil, et plus précisément de droit des obligations, même s'il déroge sur de nombreux points au droit commun des obligations. C'est dire que toutes ces dispositions font partie intégrante du droit des obligations et qu'elles en sont l'une des sources

---

(56) N. MOLFESSIS, *Les sources constitutionnelles du droit des obligations* : in *Le renouvellement des sources des obligations*, p. 65, LGDJ 1997.

(57) Cons. Const. 16 janv. 1982 : *D.* 1983, 169 et note L. HAMON ; *JCP* 1982, II, 19788, note NGUYEN VINH et FRANCK ; *Gaz. Pal.* 1982, 1, 67, note A. PIÉDELIÈVRE et J. DUPICHOT.

(58) Cons. Const. 16 juill. 1971, in L. Favoreu et L. Philip, *Les grandes décisions du Conseil constitutionnel*, 11ᵉ éd. 2001, n° 19.

(59) « Aucune norme de valeur constitutionnelle ne garantit le principe de la liberté contractuelle » : D. 94-348 DC du 3 août 1994 : *JCP* 1995, II, 22404 et note Y. BROUSSOLLE. En revanche, le Conseil constitutionnel a reconnu valeur constitutionnelle à la liberté du commerce et de l'industrie et de la libre concurrence : M. KDHIR, *Le principe de la liberté du commerce et de l'industrie. Mythe ou réalité ?* : *D.* 1994, chron. 30. – C. CHAMPALAUNE, *Le principe de la liberté du commerce et de l'industrie et de la libre concurrence. Cinq ans de jurisprudence de la Chambre commerciale*, Rapport de la Cour de cassation 2001, p. 83.

(60) « Le législateur ne saurait porter à l'économie des conventions et contrats légalement conclus une atteinte d'une gravité telle qu'elle méconnaisse manifestement la liberté découlant de l'article 4 de la Déclaration des droits de l'homme et du citoyen de 1789 » : D. 98-401 DC du 10 juin 1998 : *RTD civ.* 1998, 796, obs. N. MOLFESSIS.

(61) D. 99-419 DC du 16 nov. 1999 : *JCP* 2000, I, 280, n° 1, obs. G. VINEY.

On peut en dire autant du *droit de la concurrence* qui s'applique dans les rapports entre professionnels. Apparu au lendemain de la guerre, il a pris son essor avec l'ordonnance du 1ᵉʳ décembre 1986. Il interdit certaines pratiques, non critiquables au regard du droit commun des obligations (telles les ententes, refus de vente, abus de position dominante, pratiques discriminatoires), comme portant atteinte au libre jeu de la concurrence.

Il en va de même du *droit de la « faillite »*, qu'il s'agisse des procédures collectives concernant les commerçants (redressement ou liquidation judiciaire) ou du surendettement des particuliers et des familles (62). De telles procédures dérogent au droit commun des obligations en ce qu'elles permettent de suspendre les poursuites en paiement, d'accorder des délais et même d'effacer tout ou partie des dettes (63).

B. – Les sources internationales

40. – Généralités. Évoquer l'idée de sources internationales du droit des obligations eut été une incongruité au temps du Code civil. Aujourd'hui, c'est une question qui est au cœur du droit des obligations.

Même si ce n'est que rarement leur objet, les conventions internationales peuvent être une source du droit des obligations. On peut en citer pour exemple la Convention de Vienne du 11 avril 1980 sur la vente internationale de marchandises. Mais de telles conventions s'appliquent aux seules ventes internationales ; elles n'interfèrent pas avec le droit interne.

Il n'en va pas de même de la Convention européenne des droits de l'homme et, plus encore, du droit communautaire qui, s'il est édicté à Bruxelles, va s'appliquer à l'ensemble des pays de l'Union européenne.

41. – Le droit communautaire, source du droit des obligations. Le Parlement européen a beaucoup légiféré, et en tous domaines, par voie de règlements ou de directives (V. *Introduction*, n° 90) ; ces règles européennes font partie du droit positif, soit d'emblée, soit par voie de transposition pour les directives.

Nombre d'entre elles concernent le droit des obligations, qu'il s'agisse des contrats (spécialement des contrats de consommation) ou de la responsabilité civile.

S'agissant de la *responsabilité* (64), il faut citer la Directive du 25 juillet 1985 en matière de responsabilité du fait des produits défectueux, qui a

---

(62) Loi du 31 décembre 1989 relative à la prévention et au règlement des difficultés liées au surendettement des particuliers et des familles, loi plusieurs fois modifiée. Voir en dernier : G. PAISANT, *La réforme de la procédure de traitement du surendettement par la loi du 29 juillet 1998 relative à la lutte contre les exclusions : RTD com.* 1998, 743. – P.-L. CHATAIN et F. FERRIÈRE, *Le nouveau régime de traitement du surendettement après la loi d'orientation n° 98-657 du 29 juillet 1998 relative à la lutte contre les exclusions : D.* 1999, chron. 287. – S. GJIDARA, *L'endettement et le droit privé*, LGDJ, Droit privé, t. 316, 1999, préf. A. GHOZI. – X. LAGARDE, *L'endettement des particuliers. Étude critique*, LGDJ, 2000.

(63) L. GRYNBAUM, *La mutation du droit des contrats sous l'effet du traitement du surendettement : Contr. Conc. Consom.* août-sept. 2002, chron. n° 16.

été transposée en France avec beaucoup de retard par la loi du 19 mai 1998. Cette loi, codifiée aux articles 1386-1 à 1386-18 du Code civil, a mis en place un régime spécifique de responsabilité du fait des produits qui trouve donc sa source dans cette directive européenne (V. *infra*, n° 671).

S'agissant des *contrats* (65), les directives sont nombreuses et importantes :

• Directive du 5 avril 1993 concernant les clauses abusives dans les contrats conclus avec les consommateurs,

• Directive du 26 octobre 1994 concernant la protection des acquéreurs d'un droit d'utilisation à temps partiel de biens immobiliers (multipropriété),

• Directive du 20 mai 1997 concernant la protection des consommateurs en matière de contrats à distance,

• Directive du 25 mai 1999 sur certains aspects de la vente et des garanties des biens de consommation,

• Directives du 13 décembre 1999 sur les signatures électroniques et du 8 juin 2000 sur le commerce électronique,

• Directive du 9 octobre 2002 concernant la commercialisation à distance de services financiers auprès des consommateurs.

Chaque directive pose des règles plus ou moins différentes des règles nationales et il faut les intégrer en droit français. Chaque fois, la question se pose de savoir si la loi transposant la directive viendra grossir le nombre des lois non intégrées dans le Code civil ou si, au contraire, il est possible et opportun de l'intégrer dans le Code civil (66).

---

(64) P. JOURDAIN, *Les sources communautaires du droit français de la responsabilité civile :* in *Le renouvellement des sources du droit des obligations,* préc., p. 29.

(65) J. HUET, *Les sources communautaires du droit des contrats :* in *Le renouvellement des sources du droit des obligations,* préc., p. 11.

(66) On en prendra pour exemple la directive du 25 mai 1999 qui, s'agissant de la garantie dans la vente de biens de consommation, pose des règles différentes de celles figurant dans les articles 1641 et suivants du Code civil. Alors faut-il la transposer *a minima*, sous la forme d'une loi particulière visant les seuls biens de consommation, ou faut-il profiter de l'occasion pour modifier le droit français de la garantie dans la vente, quelle que soit la nature des biens vendus, auquel cas on est contraint de l'aligner sur la directive ? Telle est l'alternative à laquelle la France se trouve confrontée et qui oppose les partisans de l'une et de l'autre solution. Voir en faveur d'une transposition dans le Code de la consommation : G. PAISANT et L. LEVENEUR, *Quelle transposition pour la directive du 25 mai 1999 sur les garanties dans la vente des biens de consommation ? :* JCP 2002, I, 135. – O. TOURNAFOND, *La transposition de la directive du 25 mai 1999 :* D. 2001, 3051. – R. FAMILY, *Erreur, non-conformité, vice caché : état des questions à l'heure de la transposition de la directive du 25 mai 1999 :* Contr. Conc. Consom. avr. 2002, chron. n° 7. – O. TOURNAFOND, *De la transposition de la Directive du 25 mai 1999 à la réforme du Code civil :* D. 2002, chron. 2883. – A. GHOZI, *La conformité,* rapport au Colloque tenu le 14 juin 2001 à la Faculté de droit « Jean Monet » (Université Paris XI) sur le thème : « *Faut-il recodifier le droit de la consommation* », Éditions Economica, coll. Études juridiques, oct. 2002. – D. MAINGUY, *Propos dissidents sur la transposition de la Directive du 25 mai 1999 sur certains aspects de la vente et des garanties des biens de consommation :* JCP 2002, I, 183. – O. TOURNAFOND, *Transposition de la directive de 1999 sur la garantie des consommateurs. Article de foi ou réalisme législatif ? :* D. 2003, 427. En faveur d'une transposition dans le Code civil : G. VINEY, *Quel domaine assigner à la loi de transposition de la directive européenne sur la vente ? :* JCP 2002, I, 158. – G. VINEY, *Retour sur la transposition de la directive du 25 mai 1999 :* D. 2002, chron. 3162. – P. JOURDAIN, *Transposition de la directive sur la vente du 25 mai 1999 ; ne pas manquer une occasion de progrès :* D. 2003, 4. – D. MAZEAUD, *La parole est à la défense... :* D. 2003, 6.

S'agissant de contrats de consommation, le parti a été généralement pris d'opérer la transposition dans le Code de la consommation, et de laisser subsister dans le Code civil la règle générale qui constitue le droit commun. Mais il faut bien reconnaître que l'accumulation de dispositions spécifiques aux consommateurs apporte une complexité supplémentaire, ce qui n'est guère satisfaisant.

Si, à l'inverse, la directive touche au droit des obligations en général, on aura tendance à la transposer dans le Code civil, si cela est possible. C'est ce qui a été fait pour la directive du 25 juillet 1985 sur la responsabilité du fait des produits défectueux.

Le droit communautaire apparaît donc comme une source importante du droit des obligations. Il est évident qu'il en deviendrait la source primordiale, sinon même unique, si devait voir le jour un Code civil européen des obligations (V. *supra*, n° 36).

42. – La Convention européenne des droits de l'homme, source du droit des obligations (67). En tant que traité international, la Convention européenne fait partie intégrante de l'ordre juridique français. Elle est donc directement applicable par le juge français et, en vertu de l'article 55 de la Constitution, elle a prééminence sur les règles de droit interne (V. *Introduction*, n° 85 et 92).

Son influence sur le droit interne est très importante dans certains domaines, notamment en procédure civile où l'article 6 § 1 reconnaît aux justiciables le droit à un procès équitable (V. *Introduction*, n°s 545 et s.).

Elle l'est moins en droit civil, car tous les droits garantis dans la Convention ne sont pas susceptibles d'être invoqués dans les litiges civils. Certains toutefois sont relatifs au droit civil, principalement au droit des personnes. En revanche, il n'y a guère de points de contacts entre cette convention et le droit des obligations (68) : on ne saurait toutefois présager ce que nous réserve l'avenir sur ce point.

43. – Plan. On étudiera successivement les sources des obligations (1re partie), puis les règles de mise en œuvre communes à toutes les obligations, indépendamment de leurs sources (2e partie).

Numéros 43 à 50 réservés.

---

(67) Anne DEBET, *L'influence de la Convention européenne des droits de l'homme sur le droit civil*, Dalloz, Bib. thèses, 2002.

(68) J.-P. MARGUÉNAUD, *L'influence de la Convention européenne des droits de l'homme sur le droit français des obligations*, in *Le renouvellement des sources du droit des obligations*, préc., p. 45. – C. LALAUT, *Le contrat et la convention européenne des droits de l'homme : Gaz. Pal.* 7-8 mai 1999, doctr.

Première partie

LES SOURCES DES OBLIGATIONS

51 – Plan. Comme on l'a vu précédemment les obligations trouvent leur source soit dans un acte juridique, soit dans un fait juridique.

Dans le premier cas, les parties sont engagées parce qu'elles l'ont voulu ; la volonté est donc à l'origine de l'obligation. On dit qu'on est en présence de sources contractuelles ou, plus largement, volontaires : cela vise pour l'essentiel le contrat et, très subsidiairement, l'acte juridique unilatéral.

Dans le second cas, une personne est engagée parce que la loi l'a voulu, compte tenu des circonstances. On parle alors de sources extracontractuelles, ce qui recouvre la responsabilité civile et les quasi-contrats.

LE CONTRAT

NOTIONS GÉNÉRALES (1)

52. – Les actes juridiques. Classification (rappel).

```
                    – actes unilatéraux
                   ┐
                   │                    ┌ – génératrices d'obligations
  Actes juridiques │                    │   (contrats)
                   │                    │
                   ┘                    │
     – actes unilatéraux ──────────────┤
                                        │
                                        └ – autres conventions
```

L'acte juridique est une manifestation de volonté destinée à créer des effets de droit (par exemple un contrat) ; à cet égard il se distingue du *fait juridique* qui produit aussi des effets de droit, mais par l'effet de la loi en dehors de toute volonté des protagonistes ou quelle que soit cette volonté (par exemple un accident) (V. *Introduction*, n° 472).

L'acte juridique peut être ou unilatéral, ou conventionnel (V. *Introduction*, n° 473). L'*acte unilatéral* est l'œuvre d'une seule volonté, qui se suffit à elle-même, par exemple un testament. L'*acte conventionnel*, ou convention, est le fruit d'un accord entre plusieurs volontés ; tel est notamment le cas du contrat.

Au sein de la catégorie très vaste des conventions on fait une place particulière à celles qui sont génératrices d'obligations, c'est-à-dire les *contrats* qui ont précisément pour objet de créer des obligations entre les parties qui les ont conclus. Et on regroupe sous l'intitulé d'*autres conventions* celles dont l'objet n'est pas de créer des obligations mais, par exemple, de les transférer (p. ex. la cession de créance), ou de les modifier (p. ex. la novation), ou de les éteindre (p. ex. la remise de dette), etc.

---

(1) E. SAVAUX, *La théorie générale du contrat, mythe ou réalité ?* LGDJ, 1997, préf. J.-L. AUBERT.

S'agissant ici de déterminer les sources des obligations, on ne traitera que des contrats. Les autres conventions seront étudiées à propos des effets des obligations.

Toutefois, la question se pose de savoir si l'acte unilatéral n'est pas, dans certains cas, une source d'obligations, auquel cas il mériterait d'être traité, ou en tout cas mentionné, ici.

53. – L'acte unilatéral peut-il être source d'obligations ? En tant qu'acte juridique, l'acte unilatéral crée des effets de droit (2). Mais peut-il créer des obligations à la charge de son auteur ? C'est la question, très discutée, dite de l'*engagement unilatéral de volonté*, ou encore de l'engagement par déclaration unilatérale de volonté (3).

La loi elle-même institue et réglemente de nombreux actes unilatéraux, mais ils ne sont pas créateurs d'obligations.

C'est le cas du *testament* par lequel une personne organise la dévolution successorale de ses biens pour le jour de sa mort ; mais il n'en ressort aucune obligation pour le testateur qui est d'ailleurs libre de modifier son testament comme bon lui semble. De même pour la *reconnaissance d'un enfant naturel* qui, certes, entraîne des obligations, mais des obligations qui sont déterminées par la loi elle-même, et non pas par l'auteur de la reconnaissance qui ne saurait les moduler à son gré.

Parmi les actes unilatéraux, il faut également citer les *renonciations* (4), par exemple renonciation à une succession, à un usufruit, à une servitude, etc. Mais de telles renonciations ne sont pas créatrices d'obligations.

En revanche, il est bien difficile de trouver des actes unilatéraux générateurs d'obligation tant dans la loi que dans la jurisprudence.

Au titre de la loi, on cite l'engagement de souscription d'actions lors de la constitution d'une société anonyme. Dans le même ordre d'idées, on cite également le cas des sociétés dites unipersonnelles, c'est-à-dire constituées d'une seule personne, qu'il s'agisse de l'entreprise unipersonnelle à responsabilité limitée (EURL), de l'exploitation agricole à responsabilité limitée ou de la société par actions simplifiée unipersonnelle (SAS) : la promesse du constituant de faire les apports promis est effectivement obligatoire.

---

(2) MARTIN DE LA MOUTTE, *L'acte juridique unilatéral*, thèse Toulouse, 1951.

(3) WORMS, *De la volonté unilatérale considérée comme source d'obligations*, thèse Paris 1891. – CHABAS, *De la déclaration de volonté*, thèse Paris 1931. – A. RIEG, *Le rôle de la volonté dans l'acte juridique en droit civil français et allemand*, thèse Strasbourg, 1961. – I. NAJJAR, Le droit d'option : M.-L. IZORCHE, *L'avènement de l'engagement unilatéral en droit privé contemporain*, préf. J. MESTRE, PUAM 1965. – A. SÉRIAUX, *L'engagement unilatéral en droit positif français actuel* : in *L'unilatéralisme et le droit des obligations*, Economica, 1999, p. 7.

(4) P. RAYNAUD, *La renonciation à un droit, sa nature et son domaine en droit civil* : RTD civ. 1936.763. – Y. SEILLAN, *L'acte abdicatif* : RTD civ. 1966.686. – F. DREIFUSS-NETTER, *Les manifestations de volonté abdicatives*, LGDJ, Droit privé, 1985, t. 185.

En jurisprudence, on constate que les juges préfèrent, chaque fois que cela apparaît possible, admettre qu'il y a eu contrat entre le promettant et le bénéficiaire, et que l'obligation découle de ce contrat et non pas d'un engagement unilatéral.

Par exemple la *promesse de récompense* faite par celui qui a perdu une chose est analysée par la jurisprudence comme une offre de contrat à personne non dénommée, qui devient contrat par l'acceptation de celui qui découvre la chose perdue (5).

De même, la *lettre d'intention* (6) par laquelle une société mère vient en quelque sorte cautionner les obligations de sa filiale est considérée comme un engagement contractuel auquel la jurisprudence la plus récente applique l'article 1134 du Code civil (7).

La question s'est également posée pour les annonces de gains chimériques dans les *loteries publicitaires*. La jurisprudence a été longtemps hésitante. Certaines décisions ont condamné à payer la somme annoncée comme gagnée au motif qu'il y avait eu « rencontre des volontés », donc contrat (8). Mais d'autres décisions ont retenu la responsabilité délictuelle de l'organisateur et condamné à des dommages-intérêts pour le préjudice souffert (9). Et une autre encore y a vu un engagement par déclaration unilatérale de volonté (10). Mettant fin à ces hésitations, un arrêt de Chambre mixte du 6 septembre 2002 a finalement décidé qu'il s'agissait d'un quasi-contrat au sens de l'article 1371 du Code civil (11). Ce faisant, la Cour de cassation institue une nouvelle catégorie de quasi-contrats.

Au total, il n'y a finalement que bien peu d'hypothèses où il est effectivement recouru à l'idée d'engagement par volonté unilatérale pour expliquer la naissance d'une obligation.

---

(5) V. Flour et Aubert, *Les obligations, 1. L'acte juridique*, 10e éd., n° 503.

(6) M de Vita, *La jurisprudence en matière de lettre d'intention. Étude analytique* : *Gaz. Pal.* 1987, 2, doctr. 667. – I. Najjar, *L'autonomie de la lettre de confort* : *D.* 1989, chron. 217. – X. Barré, *La lettre d'intention. Technique contractuelle et pratique bancaire*, éd. Economica, 1995. – R. Baillod, *Les lettres d'intention* : *RTD com.* 1992.547. – D. Mazeaud, *Variations sur une garantie épistolaire et indemnitaire* : *la lettre d'intention* : in *Mélanges Jeantin*, 1999.341.

(7) Cass. com. 26 févr. 2002 : *D.* 2002, 1273, obs. A. Lienhard. – 9 juill. 2002 : *D.* 2002, 2327, obs. A. Lienhard ; *JCP* 2002, II, 10166 et note G. François ; *D.* 2003, 545 et note B. Dondero ; *D.* 2002, somm. 3332, obs. L. Aynès ; *Defrénois* 2002, 1, 1614, art. 37644, n° 93, obs. R. Libchaber.

(8) Cass. 2e civ., 11 févr. 1998 : *JCP* 1998, II, 10156 et note G. Carducci ; *D.* 1999, somm. 109, obs. R. Libchaber. – Cass. 1re civ., 12 juin 2001 : *JCP* 2002, II, 10104 et note D. Houtcieff ; *D.* 2002, somm. 1316, obs. D. Mazeaud ; *JCP* 2002, I, 122, n° 5, obs. G. Viney. V. B. Lecourt, *Les loteries publicitaires. La déception a-t-elle un prix ?* : *JCP* 1999, I, 155.

(9) Cass. 2e civ., 3 mars 1988 : *D.* 1988, somm. 405, obs. J.-L. Aubert. – Paris 5e ch. C, 18 juin 1999 : *JCP* 2000, II, 10322 et note M.-Ch. Psaume. – Cass. 2e civ., 28 juin 1995 : *D.* 1996, 180, 2e esp., et note Mouralis. – 19 janv. 1999 : *JCP* 2000, II, 10347.

(10) Cass. 1re civ., 28 mars 1995 : *D.* 1996, 180, 1re esp., et note Mouralis.

(11) Cass. ch. mixte 6 sept. 2002 (deux arrêts) : *D.* 2002, 2531, obs. A. Lienhard ; *D.* 2002, 2963 et note D. Mazeaud ; *JCP* 2002, II, 10173 et note S. Reifegerste ; *Contr. Conc. Consom.* oct. 2002, comm. n° 151 et note G. Raymond ; *Defrénois* 2002, 1, 1608, art. 37644, n° 92, obs. E. Savaux. – 18 mars 2003 : *D.* 2003, IR, 1009.

On citera principalement :

• la promesse d'exécuter une obligation naturelle, qui la transforme en obligation civile (V. *supra*, n° 28) ;

• l'offre de contracter lorsqu'elle est adressée à une personne déterminée à laquelle est en outre accordé un délai précis pour y répondre (V. *infra*, n° 120).

Ainsi, au plan pratique, l'engagement par volonté unilatérale est une situation tout à fait marginale. La jurisprudence ne le consacre que de manière très subsidiaire, lorsqu'il n'est pas possible de recourir à un autre mécanisme juridique (contrat, responsabilité, etc.) pour expliquer la naissance d'une obligation. Il n'est donc pas utile de lui consacrer de plus amples développements.

§ 1. – Notion de contrat (12)

Art. 1101. Le contrat est une convention par laquelle une ou plusieurs personnes s'obligent envers une ou plusieurs autres, à donner, à faire ou à ne pas faire quelque chose.

54. – Définition du contrat. Que des engagements puissent être pris par contrat, qu'il en découle une créance pour l'une des parties et une obligation ou dette pour l'autre, voilà qui correspond au bon sens populaire. On serait même tenté d'ajouter que l'obligation voulue par les parties est la seule légitime, alors que l'obligation imposée par la loi appelle une justification.

Le contrat est défini par l'article 1101 du Code civil comme « une convention par laquelle une ou plusieurs personnes s'obligent envers une ou plusieurs autres, à donner, à faire ou à ne pas faire quelque chose ». Plus brièvement, on a coutume de dire que le contrat est une convention génératrice d'obligations.

Cette définition appelle trois observations.

1. Le contrat est une *convention*, c'est-à-dire un accord de plusieurs volontés. On entend par là l'opposer à l'*acte unilatéral* qui émane d'une seule volonté, et qui peut, lui aussi, être source d'obligations (V. *supra*, n° 53).

2. Le contrat est *générateur d'obligations*. La définition du Code civil met en effet l'accent sur le rôle créateur d'obligations de donner, de faire ou de ne pas faire. Cela dit, s'agissant de l'obligation de donner, c'est-à-dire de transférer la propriété ou tout autre droit réel, le contrat fait souvent plus que créer l'obligation : il la réalise, puisque le transfert de propriété s'opère par le seul consentement des parties pour les corps

---

(12) J. GHESTIN, *La notion de contrat* : D. 1990, chron. 147.

certains et par l'individualisation de la chose pour les choses de genre (V. *supra*, n° 14).

3. Le contrat est une *convention génératrice d'obligations*, donc une sorte de convention. Mais il existe d'autres sortes de conventions qu'on aura l'occasion de voir à propos de la transmission (cession de créance, novation) ou de l'extinction (remise de dette) des obligations.

Ainsi peut-on définir le contrat comme un acte juridique conventionnel générateur d'obligations et permettant le transfert des droits réels. Le contrat, qui est de loin le plus usité des actes juridiques, a une importance économique considérable tant dans la vie des affaires que dans la vie courante. C'est par des contrats que s'opère tout le processus de production et de commercialisation des biens.

Il est à noter que la notion de contrat recouvre divers actes que, dans le langage courant, on nomme « compromis, avant contrat, promesse », etc., en croyant, à tort, échapper aux règles des contrats. Il convient néanmoins de préciser ce qu'il en est pour un certain nombre d'hypothèses qui sont aux confins de la notion de contrat.

55. – En marge du contrat : actes de courtoisie, de complaisance, engagement d'honneur. Le critère du contrat étant la création d'obligations, il suffit de vérifier, au travers de la jurisprudence, où passe la frontière entre le contrat et ce qui reste en marge du contrat.

Les *actes de pure courtoisie* ne sont pas des contrats parce qu'ils ne sont pas générateurs d'obligations (13) : par exemple, l'autorisation gracieuse d'emprunter un chemin privé, de cueillir des fleurs dans un jardin, de ramasser des champignons ou du bois mort, etc.

Avec les *actes de complaisance* l'hésitation est permise car on arrive à la limite du contrat (14). La jurisprudence considère, par exemple, que le transport bénévole d'un ami, d'une relation, d'un auto-stoppeur, etc., n'est pas en principe un contrat, ce qui permet d'alléger la responsabilité du transporteur bénévole. De même le conseil qu'incidemment un médecin ou un architecte pourra donner en dehors de l'exercice de sa profession, mais en revanche soigner gratuitement un malade est un contrat à titre gratuit. C'est dire que la limite est étroite entre l'acte de complaisance et le contrat de services gratuit.

D'apparition plus récente, l'*engagement d'honneur* est celui dont l'exécution dépend seulement de la loyauté respective des parties, lesquelles s'interdisent tout recours judiciaire. Il se rencontre en droit international public où on y voit une simple obligation naturelle, dans

---

(13) E.H. Perreau, *Courtoisie, complaisance et usages non obligatoires devant la jurisprudence* : RTD civ. 1914.481. – D. Mayer, *L'amitié* : JCP 1974, I, 2663. – P. Bedoura, *L'amitié et le droit civil*, thèse Poitiers, 1976

(14) A. Viandier, *La complaisance* : JCP 80, I, 2987.

les relations familiales où il n'a pas en principe de force obligatoire, et en droit commercial, où la jurisprudence aurait tendance à l'analyser comme un contrat (15).

56. – Les actes d'assistance : contrats de services gratuits. Il faut faire une place particulière aux *actes d'assistance* qui ont fait l'objet d'une évolution jurisprudentielle sans pour autant parvenir à une solution bien certaine. En pratique il s'agit le plus souvent de savoir si et comment on peut réparer ou faire réparer par une assurance le dommage survenu à celui qui se porte au secours de quelqu'un.

À l'origine la jurisprudence refusait de mettre à la charge de la personne secourue la réparation des dommages survenus au sauveteur au motif qu'il n'y avait pas véritablement de contrat d'assistance entre ces deux personnes (sauf pour le sauvetage en mer où la question est réglée par des textes particuliers). Puis la jurisprudence a ordonné la réparation de ce type de dommages, mais en recourant à des biais, tels que la gestion d'affaires ou la responsabilité délictuelle. Aujourd'hui nombre de décisions admettent en pareil cas l'existence d'une *convention d'assistance* (16), sorte de contrat de service gratuit, qui sert de fondement à l'indemnisation du dommage subi à l'occasion de l'opération de sauvetage (17). Cela dit, on peut se demander si ce n'est pas là une habileté pour forcer la notion de contrat car très souvent il n'y aura pas de consentement de l'assisté qui, par exemple, aura perdu connaissance.

La convention d'assistance entre alors dans la catégorie des *contrats de services gratuits* (18). Il s'agit là de prestations de services qui en principe relèvent d'un contrat à titre onéreux, par exemple le contrat médical ou le contrat d'architecte, mais qui peuvent aussi être exécutées gratuitement (19). En pareil cas, il y a bien contrat, mais contrat à titre gratuit ; on en tire généralement cette conséquence que la responsabilité encourue

---

(15) B. OPPETIT, *L'engagement d'honneur* : D. 1979, chron., 107. – B. BEIGNER, *L'honneur et le droit*, thèse Paris II, 1991. – D. AMMAR, *Essai sur le rôle de l'engagement d'honneur*, thèse Paris 1, 1990.

(16) M. RIOU, *L'acte de dévouement* : RTD civ. 1957.221. – R. BOUT, *La convention dite d'assistance*, *Études Kayser*, 1979, p. 157. – C. ROY-LOUSTANAU, *Du dommage éprouvé en portant assistance bénévole à autrui*, thèse Aix, 1980. – F. STASIAK, *Le fondement de la réparation du dommage résultant d'une assistance bénévole au regard des tendances actuelles de la jurisprudence civile* : Petites affiches, 19 juill. 1996, p. 9. – S. BEAUGENDRE, *Contrat d'assistance et activité d'assurance*, préf. F. COLLART-DUTILLEUL, LGDJ, Droit privé, 2000, t. 338.

(17) Cass. 1re civ., 27 janv. 1993 : Gaz. Pal. 24-25 sept. 1993 et note J. MASSIP. – 17 déc. 1996 : Contr. Conc. Consom. mai 1997, comm. n° 78 et note L. LEVENEUR. – 16 juill. 1997 : D. 1998, 566 et note F. ARHAB. Mais d'autres arrêts écartent l'idée d'une convention d'assistance lorsque les circonstances de fait ne semblent pas s'y prêter : Cass. 2e civ., 26 janv. 1994 : JCP 1994, I, 3809, n° 1, obs. G. VINEY. – Cass. 1re civ., 7 avr. 1998 : JCP 1998, II, 10203 et note O. GOUT.

(18) M. BOITARD, *Les contrats de service gratuits*, thèse Paris, 1942.

(19) Le contrat étant présumé être à titre onéreux, il appartient à celui qui se prévaut du caractère gratuit du contrat de démontrer l'intention libérale : Cass. 3e civ., 31 mai 1989 : Gaz. Pal. 1989, 2, pan. 142. – 17 déc. 1997 : Bull. civ. III, n° 226, p. 151. – 15 mai 2002 : JCP 2002, IV, 2097.

par le prestataire est moindre que celle qui pèserait sur lui si le contrat était à titre onéreux (20).

57. – Les accords préalables au contrat. Dans certains cas, le contrat est simple et pourra être conclu immédiatement ; tel est le cas lorsqu'on achète une chose dans un magasin. D'autres fois, l'élaboration et la mise au point d'un contrat feront l'objet de pourparlers si bien que la conclusion du contrat nécessitera un certain délai. Dans l'attente du contrat définitif les parties pourront conclure des accords intermédiaires ou des avant-contrats.

Dans le domaine des affaires, on rencontre souvent des *accords intermédiaires* qui constatent un accord sur certaines bases au cours de pourparlers qui se poursuivent pour parfaire le contrat. Pour les désigner, on utilise une terminologie très variée : *accords de principe* (21), *protocoles d'accord, lettres d'intention* (22), etc. Ce sont des sortes d'avant-contrat, susceptibles d'entraîner une responsabilité en cas de rupture des pourparlers dans des conditions anormales, mais qui ne comportent pas d'obligation de conclure le contrat (V. *infra*, n° 116). Ces accords intermédiaires doivent être distingués des *contrats cadres*, fréquents dans les relations commerciales, qui établissent les règles de base du contrat et sur lesquels se grefferont des contrats successifs, ou en tout cas des commandes successives (23).

Les *avant-contrats* sont des contrats préparatoires à un autre contrat (24) ; on les rencontre très fréquemment en matière de vente immobilière car c'est un domaine où il est difficile, sinon même impossible, de conclure d'emblée le contrat définitif. Dans l'attente de celui-ci on établira donc une promesse de contrat : celle-ci peut être unilatérale ou synallagmatique (25).

---

(20) Ainsi, pour un architecte, la responsabilité serait la responsabilité de droit commun, et non pas la responsabilité de plein droit des articles 1792 et suivants du Code civil : Cass. 3e civ., 20 juin 1972 : *Bull. civ.* III, n° 405. – 3 juill. 1996 : *Bull. civ.* III, n° 166, p. 107 ; *JCP* 1997, II, 22757 et note Ph. Le Tourneau ; *RD imm.* 1996, 581, obs. Ph. Malinvaud.

(21) I. Najjar, *L'accord de principe* : D. 1991, chron. 57.

(22) M. Fontaine, *Les lettres d'intention dans la négociation des contrats internationaux* : DPCI 1977, 73. Pour un autre sens de lettre d'intention, voir *infra*, n° 445.

(23) M. S. Zaki, *Le formalisme conventionnel : illustration de la notion de contrat-cadre* : RID comp. 1986, 1043. – F. Pollaud-Dulian et A. Ronzano, *Le contrat-cadre, par-delà les paradoxes* : RTD com. 1996, 179. – J. Gatsi, *Le contrat-cadre*, préf. M. Béhar-Touchais, LGDJ, Droit privé, 1996, t. 273.

(24) R. Demogue, *Les contrats provisoires* : in *Études Capitant*, 1939.139. – M. Geninet, *Théorie générale des avant-contrats en droit privé*, thèse Paris II, 1985. – J. Schmidt-Szalewski, *La force obligatoire à l'épreuve des avant-contrats* : RTD civ. 2000, 25. – D. Mazeaud, *Mystères et paradoxes de la période précontractuelle* : in *Mélanges Ghestin*, p. 637.

(25) F. Collard-Dutilleul, *Les contrats préparatoires à la vente d'immeuble*, Sirey, 1988.

---

§ 2. – Classification des contrats

58. – De l'intérêt de classer les contrats. La liberté reconnue aux contractants de définir le contenu du contrat aboutit à ceci qu'il peut y avoir une infinité de contrats. Certes, le Code civil et la pratique ont mis sur pied et standardisé un certain nombre de contrats ; par exemple, la vente, le louage, le mandat, la société, l'assurance, le transport, l'hypothèque, le gage, etc. Parce qu'ils ont un nom, on les appelle des *contrats nommés* ; ces contrats sont directement réglementés par la loi qui définit pour chacun un régime.

À côté de ces contrats nommés, il peut y avoir autant de *contrats innommés* que l'imagination permet d'en concevoir. Ainsi en est-il, par exemple, du contrat d'entretien d'un ordinateur ou du contrat de « parking », etc. Et, bien évidemment, la loi – qui ne peut les connaître – ne les soumet à aucun régime déterminé. Dès lors, si des difficultés surviennent qui n'ont pas été prévues et réglées par le contrat lui-même, il appartiendra au juge de déterminer la règle applicable (V. *infra*, n° 67).

D'où l'intérêt qui s'attache à ranger les contrats dans des classifications, étant entendu que l'appartenance à tel groupe entraîne l'application d'un certain nombre de règles, c'est-à-dire d'un régime déterminé.

1° Classifications fondées sur les conditions de formation du contrat

59. – Contrats consensuels, solennels, réels. Cette distinction est simplement sous-entendue par le Code civil ; mais aucun article ne la définit. Elle n'en est pas moins extrêmement importante au plan pratique. Elle permet en effet de préciser à quelles formalités les divers contrats sont astreints pour leur validité. À la différence des *contrats consensuels*, pour lesquels aucune formalité n'est exigée, les *contrats solennels* doivent, à peine de nullité, respecter certaines formes.

La règle générale est que les contrats sont consensuels c'est-à-dire qu'ils sont conclus par le seul échange des consentements, en dehors de tout écrit ou autre formalité ; ainsi le veut le principe du consensualisme qui est un aspect du principe de l'autonomie de la volonté (V. *infra*, n°s 73 et 341 et s.). Tel est le droit commun : tout contrat est en principe consensuel, sauf lorsque la loi en dispose autrement.

Par exception, certains contrats se trouvent soumis à des formalités dont l'inobservation est sanctionnée par la nullité absolue. On dit que ce sont des contrats solennels (26).

---

(26) M.-A. Guerriéro, *L'acte juridique solennel*, LGDJ, 1974. On s'interroge parfois sur la nature de certains contrats, par exemple le PACS : Cl. Destamme, *PACS, Un nouveau contrat solennel. Formule-cadre : JCP* N 1999, 1698. – J. Hauser, *Le pacte civil de solidarité est-il un contrat consensuel ou un contrat solennel ? : Defrénois* 2001, 1, 673, art. 37362.

A priori la forme peut revêtir des aspects très divers, suivant les pays et les époques. Ainsi, en droit romain, elle se manifestait par la présence de témoins ou par le prononcé de formules sacramentelles. En droit moderne, la forme consiste pour l'essentiel dans l'établissement d'un *écrit*, soit authentique, soit sous seing privé. Parfois la loi exige que le contrat soit établi par *acte authentique* : la solennité consistera alors dans l'obligation de recourir à un notaire pour la rédaction du contrat (par ex., hypothèque, contrat de mariage, donation, etc.). Mais, le plus souvent on se contentera d'imposer, à titre de forme, l'établissement d'un *acte sous seing privé* (par ex., contrat de bail à usage d'habitation, contrat de société, de cession de brevet, d'édition, etc.). Suivant les cas, ces formes sont imposées dans un souci de protection des parties, ou des tiers, ou de l'ordre public (27).

Les *contrats réels*, enfin, sont ceux dont on considère qu'ils se forment, non par le seul échange des consentements, mais par la *remise de la chose* (de *res* : la chose ; d'où contrat réel). La remise de la chose joue ici un rôle de solennité et de publicité à l'égard des tiers. Cette catégorie est une survivance, généralement critiquée, du droit romain (28). Elle n'intéresse qu'un nombre limité de contrats, parfois appelés *contrats de restitution* : le prêt à usage et de consommation, à l'exclusion toutefois du prêt d'argent consenti par un professionnel du crédit (29) (art. 1875 et 1892), le dépôt (art. 1915), le gage (art. 2073 et 2076) et, selon la jurisprudence, le don manuel. Dans ces contrats la remise de la chose est une condition de formation du contrat et non pas, comme on pourrait s'y attendre, l'exécution de l'obligation de l'une des parties.

60. – Contrats de gré à gré et contrats d'adhésion. Cette distinction, qui ne figure pas dans le Code civil, a été présentée voici une trentaine d'années à propos de la protection du consommateur. On oppose désormais le contrat de gré à gré au contrat d'adhésion.

Le *contrat de gré à gré* est celui dont les clauses font l'objet d'une libre discussion entre les partenaires, le contrat librement négocié. C'est en définitive la représentation que l'on se fait classiquement du contrat et que les rédacteurs du Code civil ont certainement eue à l'esprit en 1804, même si cela n'apparaît pas de manière explicite au travers des articles du code.

---

(27) À ce propos, il convient de préciser que les mêmes formalités peuvent remplir des fonctions très différentes : parfois, la rédaction d'un écrit (authentique ou sous seing privé) est imposée par la loi à titre de solennité, et à peine de nullité du contrat ; mais cette obligation est assez peu fréquente et le recours à l'écrit n'est le plus souvent imposé que pour servir de preuve, sans que la nullité de l'acte puisse être encourue.

(28) M.-N. JOBARD-BACHELLIER, *Existe-t-il encore des contrats réels en droit français ? ou la valeur des promesses de contrat réel en droit positif : RTD civ.* 1985, 1.

(29) Cass. 1re civ., 28 mars 2000, *D.* 2000, 482 et note S. PIÉDELIÈVRE ; *JCP* 2000, II, 10296, concl. J. SAINTE-ROSE ; *Contr. Conc. Consom.* juill. 2000, comm. n° 106 et note L. LEVENEUR. – 27 nov. 2001 : *JCP* 2002, II, 10050 et note S. PIÉDELIÈVRE. V. J. ATTARD, *Le contrat de prêt d'argent, contrat unilatéral ou contrat synallagmatique ?*, préf. Ph. DELEBECQUE, PUAM, 1999. – F. GRUA, *Le prêt d'argent consensuel : D.* 2003, chron. 1492.

Au contraire, le *contrat d'adhésion* est celui dans lequel l'une des parties occupe une position de force ou de monopole qui interdit toute véritable discussion. De ce fait, la liberté du cocontractant se limite à un choix entre les deux branches d'une option : soit adhérer en bloc au contrat proposé, soit refuser de contracter. Encore faudrait-il ajouter que, dans de nombreux cas, on ne peut pratiquement pas refuser de contracter parce que le contrat répond à une nécessité de la vie courante. Ainsi un particulier ne saurait discuter les conditions de son contrat de transport, que ce soit en métro, en train ou en avion ; on ne discute pas non plus les termes d'un abonnement au gaz, à l'électricité, au téléphone, etc. ; enfin, la discussion est aussi des plus réduites, sinon inexistante, en matière de contrat d'assurance, de contrat bancaire, d'achat dans un grand magasin, etc.

Il est clair que les contrats d'adhésion se sont multipliés de manière considérable : ils favorisent indéniablement des abus de puissance économique, spécialement au détriment des consommateurs.

Néanmoins, le Code civil ne fait pas de distinction entre contrats de gré à gré et contrats d'adhésion, quant aux règles applicables, notamment en matière de protection de la liberté du consentement. Ce sont des lois spéciales qui sont intervenues pour réglementer, non pas les contrats d'adhésion, mais les contrats dits de consommation, c'est-à-dire ceux conclus entre professionnels et consommateurs. Outre diverses interventions ponctuelles législatives ou jurisprudentielles, deux lois fondamentales du 10 janvier 1978 et une du 13 juillet 1979 relatives à l'information et à la protection des consommateurs ont eu notamment pour objet de réglementer les clauses abusives souvent imposées à la partie la plus faible dans ce type de contrat (30). Depuis lors, de nombreux textes ont été édictés, tant au niveau communautaire (directives) qu'au niveau national, pour compléter le dispositif de protection. Ces divers textes sont aujourd'hui codifiés dans le Code de la consommation (V. *infra*, n°s 200 et s.).

61. – Contrats individuels et contrats collectifs. Les contrats individuels représentent le droit commun et répondent à la conception qu'en a non seulement le public, mais le Code civil lui-même : ce sont les contrats conclus entre deux ou plusieurs personnes et dont les effets ne concerneront que ces seuls cocontractants.

Au contraire, les contrats collectifs font échec au principe de l'effet relatif des contrats et vont engager un groupe de personnes plus large que le cercle des cocontractants. L'hypothèse la plus connue est celle des *conventions collectives* qui engagent tous les employeurs et salariés de la branche

---

(30) Dereux, *De la notion juridique des contrats d'adhésion : RTD civ.* 1910.503. – G. Berlioz, *Le contrat d'adhésion*, 1974. – *Les contrats d'adhésion et la protection du consommateur*, 1979. – F.-X. Testu, *Le juge et le contrat d'adhésion : JCP* 1993, I, 3673. – E. Agostini, *De l'autonomie de la volonté à la sauvegarde de justice : D.* 1994, chron. 235. – O. Litty, *Inégalité des parties et durée du contrat. Étude de quatre contrats d'adhésion usuels*, préf. J. Ghestin, LGDJ, 1999, t. 322.

considérée, même s'ils ne sont pas affiliés aux syndicats signataires, et même s'ils ne sont inscrits à aucun syndicat. Il en est de même des accords collectifs de location instaurés par la loi du 22 juin 1982 et étendus par la loi du 6 juillet 1989.

2° Classifications fondées sur le contenu du contrat

62. – Contrats synallagmatiques et contrats unilatéraux. La distinction (31).

Art. 1102. – Le contrat est *synallagmatique* ou *bilatéral* lorsque les contractants s'obligent réciproquement les uns envers les autres.

Art. 1103. – Il est *unilatéral* lorsqu'une ou plusieurs personnes sont obligées envers une ou plusieurs autres, sans que de la part de ces dernières il y ait d'engagement.

Les *contrats synallagmatiques*, c'est-à-dire ceux qui comportent des obligations réciproques de chacune des parties envers l'autre, sont de loin les plus nombreux et les plus fréquents ; c'est le cas de la vente, du louage, du contrat d'entreprise, d'assurance, de transport, etc.

Dans un *contrat unilatéral*, il n'y a pas de réciprocité : au lieu que chacun soit respectivement créancier et débiteur de l'autre, dans un contrat unilatéral l'un est créancier, et l'autre débiteur.

La catégorie est moins fournie que la précédente. Elle comprend tous les contrats à titre gratuit, mais aussi quelques contrats à titre onéreux : par exemple, le prêt d'argent (32) (les obligations de payer les intérêts et rembourser la somme ou rendre la chose pèsent sur le seul emprunteur), le dépôt, les promesses de payer constatées par une reconnaissance de dette, les promesses unilatérales de vente, ou d'achat, ou de tout autre contrat (par lesquelles un seul s'engage à vendre, ou acheter, etc., l'autre ne prenant aucun engagement et se réservant de lever ou non l'option consentie).

Le contrat unilatéral ne doit pas être confondu avec l'acte unilatéral : ainsi une offre est un acte unilatéral parce qu'elle émane d'une seule volonté, mais une promesse unilatérale de vente est un contrat unilatéral car il y a eu accord de deux volontés même si une seule s'est engagée à faire ou donner quelque chose.

Il peut arriver que, dans un contrat unilatéral par nature, apparaissent des obligations réciproques. Tantôt cela résulte d'une stipulation volontaire : ainsi en est-il lorsque les parties décident qu'un contrat de dépôt fera l'objet d'une rémunération, ce qui est toujours le cas en matière commerciale ; il s'agit alors d'un dépôt salarié, qui est un contrat synallagmatique. Tantôt la réciprocité d'obligations est une conséquence de la

---

(31) R. Houin, *La distinction des contrats synallagmatiques et des contrats unilatéraux*, thèse Paris, 1937. – A. Sériaux, *La notion de contrat synallagmatique* : in *Mélanges Ghestin*, LGDJ, 2001.
(32) J. Attard, *Le contrat de prêt d'argent, contrat unilatéral ou contrat synallagmatique ?*, préf. Ph. Delebecque, Presses Universitaires d'Aix-Marseille, 1999.

loi elle-même : ainsi, toujours dans le contrat de dépôt, le dépositaire a droit à être indemnisé des frais faits pour assurer la conservation de la chose déposée même si aucune rémunération n'a été convenue ; on dit alors qu'on est en présence d'un *contrat synallagmatique imparfait*, ce qui dans l'exemple choisi permettra au dépositaire d'opposer au déposant le droit de rétention tant que ce dernier ne l'aura pas indemnisé.

63. – Contrats synallagmatiques et contrats unilatéraux. Intérêts de la distinction. L'intérêt de la distinction entre contrat synallagmatique et contrat unilatéral se situe d'abord sur le plan de la *preuve*. Les contrats synallagmatiques doivent être établis en autant exemplaires qu'il y a de parties, plus un pour l'enregistrement au cas où l'acte est soumis à enregistrement ; c'est la formalité dite du *double original* (V. *Introduction*, n° 580). Les contrats unilatéraux peuvent n'être constatés que par un seul exemplaire, remis au créancier ; toutefois, lorsque l'engagement porte sur le paiement d'une somme d'argent ou sur la livraison d'un bien fongible, le titre doit comporter la mention, écrite de la main du débiteur, de la somme ou de la quantité en toutes lettres et en chiffres (C. civ., art. 1326) (V. *Introduction*, n° 581).

Mais surtout, la réciprocité des obligations dans les contrats synallagmatiques entraîne des conséquences relatives à la force obligatoire de la convention : si l'un n'a pas exécuté son obligation, l'autre peut en faire autant en invoquant *l'exception d'inexécution* (V. *infra*, n°s 418 et s.) ; et si la situation persiste, il peut demander la *résolution* du contrat (c'est-à-dire sa mise à néant, V. *infra*, n°s 496 et s.) et des dommages et intérêts (33). Toutes ces règles fondées sur la réciprocité des obligations, ne sauraient être transposées aux contrats unilatéraux.

64. – Contrats à titre onéreux et contrats à titre gratuit.

Art. 1105. – Le contrat de *bienfaisance* est celui dans lequel l'une des parties procure à l'autre un avantage purement gratuit.

Art. 1106. – Le contrat à *titre onéreux* est celui qui assujettit chacune des parties à donner ou à faire quelque chose.

Le contrat à *titre onéreux* se caractérise par le fait que chacun des cocontractants fournit quelque chose et reçoit une contrepartie voulue. C'est le cas de la plupart des contrats, et spécialement de presque tous les contrats synallagmatiques, par exemple, la vente, le louage, etc., où chaque prestation est faite en vue d'une contrepartie.

Le contrat à titre gratuit se caractérise par l'intention libérale de l'un qui exclut toute idée de contrepartie de la part de l'autre. L'exemple le plus typique est celui de la donation. Mais cette catégorie englobe plus

---

(33) V. Larribau-Terneyre, *Le domaine de l'action résolutoire : recherches sur le contrat synallagmatique*, thèse Pau, 1988.

largement tous les contrats désintéressés dans lesquels l'absence de contrepartie a été voulue.

Certains contrats sont par nature à titre onéreux ; ainsi en est-il de la vente et du bail, qui supposent l'existence d'un prix. D'autres sont par nature à titre gratuit, comme la donation, le prêt à usage. D'autres enfin peuvent être, suivant la volonté des parties, à titre onéreux ou à titre gratuit : le prêt d'argent (à intérêt ou non), le dépôt, le mandat ; c'est également le cas du contrat de louage d'ouvrage qui est présumé être à titre onéreux, mais qui peut aussi être exécuté à titre gratuit, auquel cas on parle de *contrat de services gratuit* (V. *supra*, n° 56) (34).

Cette classification, tout en se rapprochant de la précédente, ne se confond pas avec elle. Ce serait le cas si tous les contrats à titre onéreux étaient synallagmatiques, et tous les contrats à titre gratuit unilatéraux. Or il n'en est pas toujours ainsi. Deux exemples permettent de le vérifier : le prêt à intérêt est un contrat à titre onéreux, mais il est unilatéral puisque les obligations ne pèsent que sur l'emprunteur seul (rembourser le capital et payer les intérêts) ; inversement, la donation avec charges est un contrat à titre gratuit, mais il est synallagmatique car la charge constitue une obligation réciproque.

L'intérêt de la distinction se situe à différents points de vue ; cet intérêt varie dans une large mesure suivant le contrat considéré si bien qu'il est difficile d'en présenter une synthèse. On se limitera donc aux idées générales. C'est ainsi que les actes à titre gratuit sont souvent encadrés par un formalisme tendant à protéger celui qui se dépouille (p. ex. pour la donation). De même, dans les contrats à titre gratuit, les obligations de celui qui consent un avantage sans contrepartie sont moindres si bien que sa responsabilité sera appréciée moins sévèrement (V. *infra* n° 56 *in fine*). De même encore, dans la mesure où les avantages consentis gratuitement à une personne en appauvrissent une autre, les créanciers de cette dernière pourront les attaquer plus aisément en cas de faillite ou par la voie de *l'action paulienne* (V. *infra*, n°s 838 et s.).

65. – Contrats commutatifs et contrats aléatoires.

Art. 1104. – Il est *commutatif* lorsque chacune des parties s'engage à donner ou à faire une chose qui est regardée comme l'équivalent de ce qu'on lui donne, ou de ce qu'on fait pour elle.

Lorsque l'équivalent consiste dans la chance de gain ou de perte pour chacune des parties, d'après un événement incertain, le contrat est *aléatoire*.

C'est là une sous-distinction des contrats à titre onéreux (35).

---

(34) J.-J. Dupeyroux, *Contribution à la théorie générale de l'acte gratuit*, thèse Toulouse, 1955. – M. Boitard, *Les contrats de service gratuits*, thèse Paris, 1942.

(35) F. Grua, *Les effets de l'aléa et la distinction des contrats aléatoires et des contrats commutatifs* : *RTD civ.* 1983, 263.

Dans le *contrat commutatif*, les prestations sont déterminées de manière invariable et équivalente : par exemple, vente d'une chose contre un prix exprimé en capital.

Au contraire, dans le *contrat aléatoire*, l'une des prestations va dépendre, dans son existence ou son étendue, d'un événement incertain, d'un aléa.

Tantôt l'aléa portera sur l'existence même de la contre-prestation. Par exemple, dans le contrat d'assurance, si la prime à payer par l'assuré est fixée de manière invariable, et si elle correspond bien à une garantie fournie par l'assureur, ce dernier n'aura à payer que si survient le sinistre faisant l'objet du contrat (suivant les cas, l'accident automobile, l'incendie, les dommages aux voisins, etc.).

Tantôt l'aléa portera sur l'étendue de la contre-prestation. Il se bornera à faire varier l'étendue de celle-ci. Par exemple, dans le cas de la vente d'un immeuble moyennant une rente viagère, la somme à payer mois après mois par l'acheteur dépendra finalement de la durée de la vie du vendeur, le crédirentier. On peut ainsi rappeler que Jeanne Calment, qui fut la doyenne des Français, avait vendu sa maison en viager à son notaire...

L'intérêt de la distinction se situe principalement quant à la *lésion* qui n'est pas une cause de nullité dans les contrats aléatoires. Il serait en effet anormal de sanctionner ici par la nullité du contrat le déséquilibre entre les prestations réciproques : la chance de gain ou de perte ayant été voulue, on ne saurait se plaindre de ce qu'elle se réalise ; en acceptant de jouer, on accepte de perdre. À cela on ajoutera que, de par sa nature, une prestation affectée d'un aléa est rebelle à toute évaluation si bien qu'on pourrait difficilement apprécier s'il y a ou non déséquilibre entre les prestations réciproques (36).

Raisonnant en matière d'assurance, on pourrait observer que les statistiques permettent à l'assureur de calculer son risque. Il ne faudrait toutefois pas en conclure que le contrat d'assurance a perdu son caractère aléatoire. En effet, si l'activité générale de l'assurance échappe dans une certaine mesure à l'aléa grâce aux informations statistiques, chaque contrat considéré individuellement demeure totalement aléatoire.

66. – Contrats instantanés et contrats successifs. La distinction, qui n'est pas exprimée dans le Code civil, n'est pas exempte d'un certain flou dans la mesure où elle soulève un problème de définition.

Le *contrat instantané* ou *à exécution instantanée* est celui dont l'exécution est prévue en une seule fois, ou en un trait de temps : par exemple, la vente au comptant.

Le *contrat successif* ou *à exécution successive* est celui dont l'exécution nécessite l'écoulement du temps : par exemple, le louage, le contrat de

---

(36) J. Deprez, *La lésion dans les contrats aléatoires : RTD civ.* 1955, 1.

travail, de société, etc. Il peut être à durée déterminée, comme un bail de 3, 6 ou 9 ans, ou à durée indéterminée comme le sont le plus souvent les contrats de travail.

On hésite en revanche sur la qualification de certains contrats dits *à exécution échelonnée*, dans lesquels l'une des prestations va s'exécuter de manière échelonnée dans le temps. Tel est par exemple le cas des contrats d'abonnement, des contrats de fournitures portant sur la livraison de marchandises à différentes époques suivant les commandes, etc. Les uns y verront un contrat successif, les autres une suite de contrats instantanés (37).

L'intérêt de la distinction apparaît notamment en cas de nullité ou de résolution. Alors que le principe est l'anéantissement rétroactif du contrat annulé ou résolu, cette rétroactivité est conçue différemment dans les contrats successifs sur l'exécution desquels il est impossible de revenir : par exemple la prestation de travail ne peut pas être restituée, ni la jouissance qu'un locataire aura eue de la maison. Cette différence se marque même dans la terminologie et l'on parle alors parfois non de résolution mais de *résiliation* du contrat. En ce qui concerne les contrats à exécution échelonnée, on distinguera suivant que les prestations ainsi fournies sont ou non indivisibles.

Par ailleurs, certaines règles sont propres aux contrats successifs. Ainsi les contrats successifs à durée indéterminée emportent toujours une faculté de résiliation unilatérale, même si elle est réglementée plus strictement dans certains cas (par ex., contrat de bail, de travail, etc.). De même, pour les contrats successifs à durée déterminée, on considère que la poursuite du contrat au-delà du temps prévu vaut *tacite reconduction*, étant toutefois précisé que celle-ci n'entraîne pas prorogation du contrat primitif, mais donne naissance à un nouveau contrat (38).

67. – Contrats nommés et contrats innommés.

Art. 1107. – Les contrats, soit qu'ils aient une dénomination propre, soit qu'ils n'en aient pas, sont soumis à des règles générales, qui sont l'objet du présent titre.

Les règles particulières à certains contrats sont établies sous les titres relatifs à chacun d'eux ; et les règles particulières aux transactions commerciales sont établies par les lois relatives au commerce.

La distinction, qui est d'origine romaine, est suggérée par l'article 1107 du Code civil. Les *contrats nommés* sont ceux auxquels la loi donne un nom et surtout dont elle détermine le régime en prévoyant ses conditions et ses effets.

---

(37) G. Brière de l'Isle, *De la notion de contrat successif* : D. 1957, chron. 153. – J. Azéma, *La durée des contrats successifs*, thèse Lyon, 1969. – J.-F. Artz, *La suspension du contrat à exécution successive* : D. 1979, chron. 95.

(38) B. M.-L. Cros, *Les contrats à exécution échelonnée* : D. 1989, chron. 49. – Amar-Layani, *La tacite reconduction* : D. 1996, chron. 143.

À cet égard, on constate un double mouvement. D'une part, ils sont de plus en plus nombreux : en 1804 le Code civil mentionnait la vente, l'échange, le louage d'ouvrage, le louage de services (contrat de travail), la société, le dépôt, le mandat, etc. ; depuis lors d'autres sont apparus, tels le contrat d'assurance, de promotion immobilière, de vente d'immeuble à construire, de construction de maison individuelle, etc. D'autre part, ils sont de plus en plus souvent réglementés de manière impérative : par exemple, le contrat de travail, de bail, d'assurance, de vente d'immeuble à construire, de construction de maison individuelle, etc., si bien qu'ils se trouvent dotés d'un véritable statut juridique. C'est également vrai de la vente, lorsque du moins elle intervient entre professionnels et consommateurs. Il s'ensuit un développement très important des contrats spéciaux, qui n'est pas sans entraîner insidieusement une transformation de la théorie générale des obligations.

Les contrats innommés sont ceux que la loi n'a pas réglementés, même si parfois la pratique leur donne un nom. Tantôt il s'agira de contrats couramment pratiqués : ainsi en est-il du contrat d'hôtellerie, de « parking », de location de coffre-fort, d'entretien d'ascenseur, etc. Tantôt le contrat aura été spécialement étudié, sur mesure pourrait-on dire, pour répondre à tel besoin particulier, entre telles personnes (39).

L'intérêt de la distinction apparaît quant au choix de la règle applicable.

Pour les contrats nommés, on se référera aux règles, supplétives ou impératives, édictées par la loi. Cela dit, il ne faut jamais oublier que le juge n'est pas tenu par la *qualification* donnée au contrat par les parties ; si cette qualification est mensongère ou erronée, il pourra la rectifier et appliquer au contrat des règles auxquelles les parties avaient voulu échapper (40).

Pour les contrats innommés, on se référera aux règles que les cocontractants ont adoptées dans leur convention. Mais un problème apparaît lorsque la difficulté à régler n'a pas été envisagée par les parties et que le différend est soumis au juge : celui-ci doit alors *qualifier* le contrat, c'est-à-dire rechercher sa *nature juridique*, pour trouver la règle applicable.

Parfois cette recherche sera facile parce que le contrat litigieux se ramène à un contrat nommé : par exemple, le contrat d'entretien d'ascenseur est une sorte de louage d'ouvrage. D'autres fois la tâche sera plus délicate parce qu'on est en présence d'un contrat mixte, intermédiaire entre deux contrats nommés, par exemple entre la vente et le contrat

---

(39) Mme GRILLET, *Essai sur le contrat innommé*, thèse Lyon, 1982. – D. GRILLET-PONTON, *Nouveau regard sur la vivacité de l'innommé en matière contractuelle ;* D. 2000, chron. 331.
(40) F. TERRÉ, *L'influence de la volonté individuelle sur les qualifications*, LGDJ, 1957. – Ph. JESTAZ, *La qualification en droit civil :* Droits, 1994, 45.

d'entreprise (par ex., vente d'usine clé en mains) ou entre le louage et le dépôt (par ex., contrat de « parking »). Enfin il peut arriver que le contrat ne se ramène à aucun autre connu ; on dira alors qu'il s'agit d'un contrat *sui generis* auquel le juge appliquera la règle qui lui paraît la mieux adaptée.

68. – Contrats civils et contrats commerciaux. À côté des *contrats civils*, existent des *contrats commerciaux*. La distinction repose ici non pas sur la nature du contrat, mais sur la personnalité des contractants, suivant qu'ils sont commerçants ou non commerçants.

En pratique c'est le même contrat, vente, louage, mandat, etc., qui sera tantôt civil, tantôt commercial, suivant le but poursuivi ou la personnalité des contractants. Le plus souvent les règles de base sont les mêmes dans les deux cas, mais pas toujours : la législation sur les baux commerciaux, par exemple, diffère fondamentalement de celle sur les baux civils.

En outre, il existe des divergences générales sur certains points, par exemple :

• la preuve est libre en matière commerciale, alors que les contrats civils doivent être prouvés par écrit ;

• certaines clauses, interdites en matière civile, sont valables en matière commerciale, par exemple la *clause attributive de juridiction* (art. 48 NCPC) ; il en allait jadis de même de la *clause compromissoire*, par laquelle les parties conviennent de soumettre leurs litiges à venir à des arbitres (au lieu de la juridiction étatique), qui est désormais permise entre toutes personnes « dans les contrats conclus à raison d'une activité profession-nelle (C. civ., art. 2061) ;

• la prescription, qui est plus courte en matière commerciale (C. com., art. L. 110-4).

69. – Autres classifications. D'autres classifications sont concevables. On peut ainsi faire observer que, si tous les contrats sont *générateurs d'obli-gations*, certains sont en outre *translatifs de droits* (V. *supra*, n° 14).

De manière plus moderne, on parle souvent des *contrats de consomma-tion* pour désigner les contrats entre professionnels et consommateurs qui sont régis par des règles tendant à la protection des consommateurs (V. *infra*, n° 77). Ils s'opposent aux contrats dits *égalitaires* entre professionnels ou à ceux entre particuliers qui relèvent du régime général.

De même, à raison de l'intrusion des progrès techniques dans le droit, on pourrait distinguer les contrats suivant le mode d'expression de la volonté, entre contrats traditionnels et *contrats électroniques* (41).

---

(41) Voir, par exemple, TERRÉ, SIMLER et LEQUETTE, 8ᵉ éd., n° 72.

§ 3. – La volonté, fondement du contrat (42)

70. – Le principe de l'autonomie de la volonté (43). Tout le droit des contrats a été dominé par ce principe qui a probablement inspiré les rédacteurs du Code civil mais qui, depuis cette date, a perdu beaucoup de sa force.

Ce principe exprime une doctrine de philosophie juridique suivant laquelle toute obligation doit reposer sur la volonté pour être légitime. Plus simplement il peut être énoncé et compris de la manière suivante : l'homme étant un être libre, il ne peut être soumis à des obligations autres que celles qu'il a voulues ; libre de s'engager sans contrainte, il ne l'est que dans la mesure où il l'a voulu.

Ce principe est la traduction, sur le plan du droit, de la philosophie du XVIIIe siècle, suivant laquelle la société doit reconnaître à l'homme les droits les plus étendus et consacrer la liberté qui lui appartient « naturellement » (déclaration des Droits de l'homme). Il est aussi le reflet juridique du libéralisme économique, « laisser faire, laisser passer », considéré à cette époque comme le meilleur moyen d'assurer la justice et l'utilité sociale. D'où l'adage bien connu : « qui dit contractuel dit juste ».

En bref, la volonté est à la fois la source et la mesure des obligations, donc des droits ; et l'homme ne saurait être asservi à des obligations d'une autre source, sous-entendu à des obligations légales, sauf raison majeure (par exemple, obligation de réparer le dommage causé à autrui par une faute).

71. – Le déclin du principe. Avec le recul du temps, ce principe quelque peu « rousseauiste » a largement prêté le flanc à la critique. On n'a pas manqué de faire observer que cette glorification de la volonté individuelle risquait de conduire à des excès et que la liberté ne devait pas être considérée comme une fin en soi, mais comme un moyen au service de la justice et de l'utilité sociale. Or, pris au pied de la lettre, le principe de l'autonomie de la volonté peut conduire à l'écrasement du faible par le fort, ce qui est aujourd'hui considéré comme contraire à la justice ; de même il favorise la recherche des activités à forte rentabilité, lesquelles ne sont pas nécessairement conformes à l'utilité sociale.

Le principe de l'autonomie de la volonté a subi une évolution semblable à celle de la doctrine philosophique (individualisme et libéralisme

---

(42) A. RIEG, *Le rôle de la volonté dans l'acte juridique en droit civil français et allemand*, 1961. – Ph. HEBRAUD, *Rôle respectif de la volonté et des éléments objectifs dans les actes juridiques :* in *Mélanges Maury*, t. 2, p. 419.

(43) E. GOUNOT, *Le principe de l'autonomie de la volonté en droit privé, étude critique de l'individualisme juridique*, thèse Dijon, 1912. – R. SAVATIER, *Les métamorphoses économiques et sociales du droit civil aujourd'hui*, t. I, 3e éd., *L'éclatement de la notion traditionnelle de contrat.* – V. RANOUIL, *L'autonomie de la volonté*, 1980.

politique et économique) qui en était le soutien ; en dépit des atteintes qui lui ont été portées, il n'en demeure pas moins la ligne directrice – tantôt droite, tantôt brisée, tantôt sinusoïdale –, du droit des contrats.

Toutefois, l'évolution s'est accélérée au cours des dernières années. Spécialement le souci de la défense des consommateurs a conduit le législateur à édicter une réglementation impérative en matière de contrat : interdiction de certaines clauses jugées abusives, obligation d'insérer certaines autres clauses protectrices de l'acheteur, recours à un formalisme qui peut aller jusqu'à un contrat-type imposé par la loi (44), etc.

72. – La volonté contrôlée, fondement du contrat. Le principe de l'autonomie de la volonté ne permet plus aujourd'hui d'expliquer le droit des contrats, tel qu'il a évolué sous l'effet de la loi et de la jurisprudence.

Cependant, la volonté des parties demeure le fondement du contrat (45), à ceci près qu'elle n'est pas souveraine, mais contrôlée. Elle ne joue que dans le cadre des lois qui la réglementent en considération de *l'intérêt général* et des *intérêts légitimes des contractants*. C'est ce qu'un auteur appelle le *volontarisme social* (46). Cela dit, il resterait à s'interroger sur les critères de contrôle de la volonté par la loi.

Selon les uns, le législateur devrait mesurer les contrats à l'aune de ce qui est à la fois *utile et juste* (47) ; l'idée est peu contestable, mais on ne saurait toutefois y voir le fondement même du contrat, lequel demeure la volonté. C'est bien en effet la volonté des parties qui est à l'origine de tout engagement contractuel, même si cette volonté ne peut s'exprimer que dans la limite de ce qui est utile et juste. Au demeurant les notions d'utilité et de justice demeurent très vagues et laissent une large place à l'appréciation, pour ne pas dire à l'arbitraire.

D'autres font appel à l'idée de *solidarisme contractuel* (48) : le contrat ne serait plus le résultat de la conciliation des intérêts égoïstes en présence, mais une œuvre de coopération loyale – et même fraternelle – entre des

---

(44) M. ARMAND-PRÉVOST et D. RICHARD, *Le contrat déstabilisé – De l'autonomie de la volonté au dirigisme contractuel* : JCP 79, II, 2952. – N. CHARDIN, *Le contrat de consommation de crédit et l'autonomie de la volonté*, préf. AUBERT, LGDJ, 1988.

(45) Toutefois, selon un auteur, l'homme n'aurait pas le pouvoir de s'obliger par le seul effet de sa volonté ; en droit les contrats n'obligeraient que parce que et dans la mesure où la loi l'autorise. C'est ce qu'on appelle la théorie positiviste du contrat (G. ROUHETTE, *Contribution à l'étude critique de la notion de contrat*, thèse Paris, 1965 ; *La force obligatoire du contrat, in Le contrat aujourd'hui : comparaisons franco-anglaises*, LGDJ 1987 ; *Droit de la consommation et théorie générale du contrat* : in *Mélanges Rodière*, 1981, p. 247).

(46) J.-L. AUBERT et E. SAVAUX, *Les obligations, 1. L'acte juridique*, 10ᵉ éd., n° 120.

(47) J. GHESTIN, *L'utile et le juste dans les contrats* : D. 1982 ; chron. 1. V. aussi St. DARMAISIN, *Le contrat moral*, LGDJ, 2000, préf. B. TEYSSIÉ.

(48) Ch. JAMIN, *Plaidoyer pour le solidarisme contractuel* : in *Mélanges Ghestin*, p. 441. – D. MAZEAUD, *Loyauté, solidarité, fraternité : la nouvelle devise contractuelle* : in *Mélanges Terré*, p. 603. – C. THIBIERGE-GUELFUCCI, *Livres propos sur la transformation du droit des contrats* : RTD civ. 1997, 357. V. aussi, *Le solidarisme contractuel : mythe ou réalité ?* Trav. du colloque de La Rochelle 3-4 mai 2002, à paraître.

---

individus unis par des liens de solidarité tissés au sein du groupe social. Idée généreuse en application de laquelle « l'altruisme et l'entraide » deviendraient « des vertus contractuelles majeures », mais idée largement utopique qui a été démentie par la jurisprudence (49).

En définitive, le rôle primordial revient toujours à la volonté des contractants, mais volonté contrôlée. Cela dit, les idées d'utilité et de justice et, plus généralement, les idées sociales permettent d'expliquer l'évolution qu'ont connue les principes découlant de l'autonomie de la volonté. On le constate au stade tant de la formation que de l'exécution du contrat.

A. – Au stade de la formation du contrat

73. – L'évolution du principe du consensualisme. La toute-puissance de la volonté a conduit à affirmer que cette volonté suffisait pour conclure le contrat et que tout formalisme serait superflu : c'est le principe du consensualisme suivant lequel l'accord de volontés se suffit à lui-même sans avoir besoin d'être conforté par le respect de certaines formes.

Or, on constate en pratique une renaissance du formalisme sous deux aspects (50).

D'une part se développe un *formalisme direct*. De plus en plus de contrats sont soumis à la forme écrite, à peine de nullité, par exemple, la vente d'immeuble à construire, le bail, etc. Parfois, notamment dans les contrats de consommation, la loi impose certaines mentions obligatoires ou l'adoption de certaines formules, ce qui sous-entend que le contrat doit être établi par écrit et comprendre ces mentions à peine de nullité.

D'autre part, on assiste parallèlement à un développement du *formalisme indirect*, c'est-à-dire d'un formalisme qui n'est pas prescrit à peine de nullité et qui poursuit des fins particulières : par exemple, un écrit sera établi en vue de la preuve, ou pour satisfaire ensuite à des règles de publicité (en matière immobilière, qui conditionnent l'opposabilité du contrat aux tiers) ou à la formalité de l'enregistrement.

74. – L'évolution du principe de la liberté contractuelle. La première manifestation de l'autonomie de la volonté est d'abord la *liberté de contracter ou de ne pas contracter*. Mais cette liberté se trouve aujourd'hui battue en

---

(49) Cass. com. 6 mai 2002 : *Contr. Conc. Consom.* oct. 2002, comm. n° 134, et note L. LEVENEUR ; *D.* 2002, somm. 2842, obs. D. MAZEAUD. Rappr. Cass. com. 2 juill. 2002 : *D.* 2002, 93 et note D. MAZEAUD.

(50) J. FLOUR, *Quelques remarques sur l'évolution du formalisme* : in *Mélanges Ripert*, t. I, p. 92. – A. PIEDELIÈVRE, *Les transformations du formalisme dans les obligations civiles*, thèse Paris, 1959. – J. MESTRE, *L'approche par le juge du formalisme légal* : *RTD civ.* 1988, 329. – X. LAGARDE, *Observations critiques sur la renaissance du formalisme* : *JCP* 1999, I, 170. – G. COUTURIER, *Les finalités et les sanctions du formalisme* : *Defrénois* 2000, 1, 880, art. 37209. – P. CATALA, *Le formalisme et les nouvelles technologies* : *Defrénois* 2000, 1, 897, art. 37210. – Y. FLOUR et A. GHOZI, *Les conventions sur la forme* : *Defrénois* 2000, 1, 911, art. 37211. – J.-L. AUBERT, *Le formalisme (rapport de synthèse)* : *Defrénois* 2000, 1, 931, art. 37213.

brèche. Tantôt c'est par des mécanismes de droit public qu'on se verra contraint sinon de contracter au sens vrai du terme, tout au moins de céder : par exemple, en cas d'expropriation, de remembrement, etc. Tantôt, et en restant au sein du droit privé, la loi oblige à contracter : obligation d'assurance instaurée dans des domaines de plus en plus nombreux (véhicules à moteur, chasse, construction), obligation de vendre (C. consom., art. L. 122-1) ou de vendre à telle personne par préférence aux autres (droit de préemption du locataire), ou de louer (droit au renouvellement du bail), etc. (51).

De même la liberté contractuelle emporte la *liberté de fixer le contenu du contrat*. Tel était le cas en 1804 où peu de contrats étaient réglementés par le Code civil, et encore l'étaient-ils seulement de manière supplétive. Depuis lors il y a eu un renversement complet de tendance : désormais, de très nombreux contrats sont réglementés par la loi (contrats d'assurance, de louage, de travail, de construction, etc.) et surtout ils le sont très souvent de manière impérative dans un but de protection de la partie réputée la plus faible, le salarié, le locataire, l'accédant à la propriété, le consommateur, etc. Par ailleurs, et plus généralement, la liberté contractuelle se restreint chaque jour davantage par suite de l'élargissement constant de la notion d'ordre public, spécialement en matière économique et sociale (52) ; la réglementation des clauses abusives en est un exemple frappant (V. *infra*, n°s 314 et s.).

Enfin, bien souvent, les parties n'usent pas de la liberté qui leur est offerte de composer leur contrat. Par facilité elles adoptent purement et simplement un contrat-type ou un modèle contractuel établi par des professionnels, et dont elles remplissent les blancs (53).

En revanche, le principe de l'autonomie de la volonté retrouve sa force lorsqu'il s'agit d'interpréter le contrat. La loi invite alors le juge à rechercher quelle a été « la commune intention des parties », c'est-à-dire la volonté interne des cocontractants, « plutôt que de s'arrêter au sens littéral des termes » (C. civ., art. 1156). Et la Cour de cassation n'hésite pas à censurer les juges du fond qui, sous couvert d'interprétation, auraient refait le contrat en dénaturant des clauses claires et précises. Cela dit, lorsque la recherche de la volonté des parties apparaît trop aléatoire, le juge l'interprétera en fonction de l'*utilité sociale* (V. *infra*, n°s 478 et s.). Réapparaissent

---

(51) L. Josserand, *Le contrat forcé et le contrat légal* : D. 1940, chron. 1. – P. Durand, *La contrainte légale dans la formation du rapport contractuel* : RTD civ. 1944, p. 73. – R. Morel, *Le contrat imposé* : in *Mélanges Ripert*, t. II, p. 116. – J.-Ch. Serna, *Le refus de contracter*, 1967.

(52) Ph. Malaurie, *L'ordre public et le contrat*, 1952. – G. Ripert, *L'ordre économique et la liberté contractuelle* : in *Mélanges Gény*, t. II, p. 347. – G. Farjat, *L'ordre public économique*. – M. Vasseur, *Un nouvel essor du concept contractuel. Les aspects juridiques de l'économie concertée et contractuelle* : RTD civ. 1964, p. 4. – R. Savatier, *L'ordre public économique* : D. 1965, chron. 37. – G. Couturier, *L'ordre public de protection, heurs et malheurs d'une vieille notion neuve* : in *Études Flour*, p. 95.

(53) M.-S. Zaki, *Le formalisme conventionnel : illustration de la notion de contrat-cadre* : RID comp. 1986, 1043. – P. Catala, *L'informatique et l'évolution des modèles contractuels* : JCP 1993, I, 3687.

ainsi l'utile et le juste, sous couvert d'une lecture nouvelle de l'article 1135 du Code civil suivant lequel « les conventions obligent non seulement à ce qui y est exprimé, mais encore à toutes les suites que l'équité, l'usage ou la loi donnent à l'obligation d'après sa nature ».

B. – Au stade de l'exécution du contrat

75. – L'évolution du principe de l'effet relatif du contrat. Ce principe est posé par l'article 1165 du Code civil : « Les conventions n'ont d'effet qu'entre les parties contractantes ; elles ne nuisent point au tiers, et elles ne lui profitent que dans le cas prévu par l'article 1121. » En bref, on ne peut être engagé que par sa propre volonté, pas par celle des autres ; il en résulte tout naturellement que, n'ayant rien voulu, les tiers à un contrat ne peuvent en principe se retrouver ni créanciers, ni débiteurs, par suite de ce contrat.

Sans être remis en question, le principe doit néanmoins être nuancé dans sa formulation pour tenir compte de la jurisprudence qui admet certains tempéraments à l'effet relatif (V. *infra*, nᵒˢ 446 et s.). Ainsi on s'accorde à considérer que les contrats sont opposables aux tiers en tant que faits, ce qui entraîne certaines conséquences de droit. De même, la jurisprudence fait partiellement échec à la relativité dans les contrats en chaîne, en admettant la transmission de l'action contractuelle en garantie aux acquéreurs successifs d'une chose ; elle l'a toutefois écartée à propos de l'action du maître de l'ouvrage contre le sous-traitant (54).

76. – L'évolution du principe de l'effet obligatoire du contrat. Ce principe résulte de l'article 1134 du Code civil : « Les conventions légalement formées tiennent lieu de loi à ceux qui les ont faites. » De ce texte, qui pose la règle de *l'effet obligatoire du contrat* pour les parties, on déduit l'impossibilité pour le juge de réviser les contrats car ce serait porter atteinte à la loi des parties, à ce qui a été librement consenti.

Si la jurisprudence a effectivement tiré jadis de ce texte la règle de *l'intangibilité du contrat*, c'est peut-être par suite d'une lecture inexacte de l'article 1134. En effet, comme le soulignent certains auteurs, il ne faut pas tirer de la formule du texte « les conventions… tiennent lieu de loi » que le contrat serait l'équivalent d'une loi (55).

Quel que soit le sens originaire de l'article 1134, la règle de l'intangibilité du contrat est aujourd'hui sérieusement mise à mal.

---

(54) Cass. ass. plén., 12 juill. 1991 (Besse) : *JCP* 1991, II, 21743, obs. G. Viney ; *D.* 1991, 549 et note J. Ghestin ; *Defrénois* 1991, 1, 1301 et note J.-L. Aubert.
(55) J.-P. Chazal, *De la signification du mot loi dans l'article 1134 alinéa 1 du Code civil* : RTD civ. 2001.265. – Ch. Jamin, *Une brève histoire politique des interprétations de l'article 1134 du Code civil* : D. 2002, doctr. 901.

Tantôt la loi y fait échec, soit en permettant aux parties de se dédire (faculté de rétractation ouverte dans un certain délai, dit délai de repentir), soit en révisant directement certains contrats, par exemple, les rentes viagères.

Tantôt le juge se voit octroyer un pouvoir modérateur, par exemple, pour accorder des délais ou pour modifier le montant d'une clause pénale et plus largement encore en cas de surendettement des ménages pour réduire ou même annuler les dettes. Il arrive même que, en dehors de toute permission de la loi, le juge, saisi par un débiteur malheureux, tente de modifier dans le sens de l'équité la portée d'un contrat, sous prétexte d'interprétation.

77. – Conclusion : vers un renouveau du rôle de la volonté dans les contrats. On remarquera que, parmi les interventions du législateur, nombre d'entre elles ont pour objet de rétablir l'équilibre entre les parties en présence, par exemple de protéger le consommateur contre les professionnels.

Ces interventions vont clairement à l'encontre de la volonté des uns, les professionnels, et elles empêchent la conclusion d'un contrat à un niveau qui aurait été déséquilibré. Mais corrélativement elles viennent au secours de la volonté des autres, les consommateurs, volonté qui autrement ne serait pas libre. Et finalement l'accord de volontés qui réalise le contrat va s'établir à un niveau plus équilibré, plus juste. Au total, le droit d'aujourd'hui ne récuse pas le rôle de la volonté ; il libère la volonté du plus faible des contraintes qui pesaient sur elle de telle sorte que le contrat ne soit pas l'expression de la volonté d'un seul, le plus puissant.

C'est ainsi que s'est établi, en parallèle du droit des obligations puisqu'il figure dans le Code de la consommation, un droit des contrats de consommation qui se manifeste :

• par un certain *formalisme*, par exemple des mentions obligatoires tendant à l'information du consommateur ;

• par une réglementation du *contenu du contrat*, de manière à instituer certaines garanties minimales au consommateur et à écarter les dispositions abusives que le professionnel voudrait lui imposer ;

• par un aménagement des modalités de *conclusion du contrat*, en ménageant au consommateur soit un délai de réflexion, soit une faculté de rétractation dans un certain délai, ce qui perturbe les règles qui président à la force obligatoire du contrat.

Outre cette législation spécifique au consommateur, le législateur a également mis en place des dispositifs de protection d'autres catégories de personnes : les salariés, les locataires, etc. On en vient aujourd'hui à se demander si ce droit spécial en voie d'extension, qui perturbe la belle ordonnance du droit des obligations, ne sera pas appelé à devenir un jour, au moins pour partie, le nouveau droit commun des obligations (56). La question se pose actuellement à l'occasion de la transposition de la directive du 25 mai 1999 relative à la garantie dans la vente des biens de consommation dont on se demande s'il faut la transposer *a minima* dans le Code de la consommation, ou bien la transposer dans le Code civil en modifiant en conséquence les règles relatives à la garantie dans les ventes en général (57) (V. *Introduction*, 9ᵉ éd., n° 265).

78. – Plan. Le rôle de la volonté s'exerce tant au stade de la conclusion (Chap. 1) qu'à celui de l'exécution du contrat (Chap. 2) et il se manifeste par un certain nombre de règles générales. On rappellera que, outre ces règles générales applicables à tous les contrats, quels qu'ils soient, existent pour chaque contrat (vente, louage, etc.) des règles particulières qui ne seront pas envisagées ici, sinon de manière allusive.

Numéros 79 et 80 réservés.

---

(56) J. Calais-Auloy, *L'influence du droit de la consommation sur le droit civil des contrats* : RTD civ. 1994.239. – N. Sauphanor, *L'influence du droit de la consommation sur le système juridique*, préf. J. Ghestin, LGDJ Droit privé, 2000, t. 326. – N. Rzepecki, *Droit de la consommation et théorie générale du contrat*, préf. G. Wiederkehr, PUAM, 2001, chron. p. 2883. – D. Mainguy, *Propos dissidents sur la transposition de la Directive du 25 mai 1999 sur certains aspects de la vente et des garanties des biens de consommation* : JCP 2002, I, 183. – G. Viney, *Retour sur la transposition de la directive du 25 mai 1999* : D. 2002, chron. p. 3162.

(57) G. Paisant et L. Leveneur, *Quelle transposition pour la directive du 25 mai 1999 sur les garanties dans la vente de biens de consommation ?* : JCP 2002, I, 135. – G. Viney, *Quel domaine assigner à la loi de transposition de la directive européenne sur la vente ?* : JCP 2002, I, 158. – O. Tournafond, *De la transposition de la directive du 25 mai 1999 à la réforme du Code civil* : D. 2002, chron. p. 2883. – D. Mainguy, *Propos dissidents sur la transposition de la Directive du 25 mai 1999 sur certains aspects de la vente et des garanties des biens de consommation* : JCP 2002, I, 183. – G. Viney, *Retour sur la transposition de la Directive du 25 mai 1999* : D. 2002, chron. p. 3612.

Chapitre 1

LA CONCLUSION DU CONTRAT

81. – Le contrat vu sous l'angle pratique. En droit, on définit le contrat comme un acte juridique conventionnel générateur d'obligations et permettant le transfert des droits réels.

Au plan pratique, le contrat recouvre des réalités très diverses. On peut citer, dans un ordre croissant de complexité :

• les contrats de la vie quotidienne qui se réalisent de manière instantanée, par exemple acheter des fournitures dans un magasin (contrat de vente), prendre le train, le métro ou l'autobus sans omettre de payer le billet (contrat de transport) ;

• les contrats plus importants par leur montant, qui appellent une plus longue réflexion et qui nécessitent souvent l'accomplissement de formalités diverses, comme l'achat d'un appartement (contrat de vente), souvent assorti d'un crédit (contrat de prêt), ou le contrat de mariage ;

• les contrats, parfois très importants et très complexes, que passent souvent les entreprises et qui seront le fruit d'une longue négociation : par exemple contrat de construction d'Eurodisney (contrat d'entreprise ou de louage d'ouvrage), commande à un chantier naval d'un pétrolier ou d'un navire de croisière, commande d'une cinquantaine d'Airbus par une Compagnie aérienne ou par une société de location, etc.

On comprend aisément que, suivant son importance, le contrat se réalisera en une fraction de temps ou, au contraire, que le processus de négociation et formation du contrat s'étendra sur plusieurs jours, plusieurs semaines ou plusieurs mois. Tantôt il n'y aura aucun « papier » (sinon un ticket de caisse), et aucune formalité ; tantôt, à l'inverse, outre le temps nécessaire à la négociation et à une éventuelle mise en concurrence, il faudra réunir des autorisations diverses, formaliser le contrat par un document écrit, procéder le cas échéant à l'enregistrement de l'acte, et/ou à une publicité, etc.

Malgré cette diversité, les contrats sont tous soumis aux mêmes conditions de base, à ceci près que, pour certains s'ajoutent des formalités supplémentaires.

82. – Les conditions de formation des contrats. Bien que le droit français ne soit pas spécialement pointilleux, il exige la réunion d'un certain nombre de conditions pour que le contrat soit à l'abri de toute critique. Que l'une ou l'autre de ces conditions manque, et la convention sera affectée d'une précarité incompatible avec la sécurité du commerce : pendant un délai de cinq ans pour les cas de *nullité relative* (C. civ., art. 1304), ou de trente ans pour les cas de *nullité absolue* (C. civ., art. 2262), le contrat conclu pourra être anéanti par la voie d'une *action en nullité ;* mieux encore, le débiteur pourra toujours refuser l'exécution d'un tel contrat en invoquant l'*exception de nullité.*

Sans doute, il arrive que des contrats annulables ne soient jamais critiqués : ils reçoivent alors leur pleine exécution et ne sont plus critiquables à l'expiration du délai. Mais même dans cette hypothèse la plus favorable, l'incertitude qui pèse sur la bonne fin du contrat n'est pas tolérable dans la vie des affaires. D'où l'intérêt qui s'attache à ce que soient respectées les conditions de formation du contrat.

Dans les faits, ces conditions – si longue qu'en soit la liste – se trouvent le plus souvent remplies parce que leur observation spontanée correspond au sens commun et à une diligence normale. Les actions en nullité sont, en définitive, peu fréquentes ; cette constatation est rassurante et permet d'affronter avec sérénité l'apparente complexité des conditions de formation du contrat.

La connaissance de ces conditions présente un double intérêt pratique :

• *a priori*, pour éviter d'introduire une cause de nullité dans la conclusion d'un contrat qu'on a la charge d'établir ;

• *a posteriori*, pour découvrir une cause de nullité dans un contrat qu'on souhaiterait faire annuler.

L'article 1108 du Code civil énumère quatre conditions :

Art. 1108. – Quatre conditions sont essentielles pour la validité d'une convention :
Le consentement de la partie qui s'oblige ;
Sa capacité de contracter ;
Un objet certain qui forme la matière de l'engagement ;
Une cause licite dans l'obligation.

À cela, on peut ajouter la conformité à l'ordre public et aux bonnes mœurs édictée par l'article 6 du Code civil.

Art. 6. – On ne peut déroger, par des conventions particulières, aux lois qui intéressent l'ordre public et les bonnes mœurs.

Enfin, à côté de ces conditions exigées à peine de nullité, d'autres existent qui sont tout aussi importantes en pratique, même si elles ne sont pas toujours sanctionnées par la nullité ; elles sont relatives, les unes au pouvoir de contracter pour autrui, les autres à la forme du contrat.

83. – Plan. Ces diverses conditions seront étudiées dans une première section. Dans un souci de clarté, elles seront regroupées de la manière suivante : la capacité et les pouvoirs ; le consentement des parties ; le contenu du contrat (objet, cause, conformité à l'ordre public et aux bonnes mœurs) ; la forme du contrat. Cette présentation correspond à peu près à l'ordre chronologique dans lequel ces difficultés se présentent dans la conclusion d'un contrat.

Quant à l'annulation du contrat qui est la sanction de ces conditions, son étude sera faite dans une seconde section.

Section 1

LES CONDITIONS DE FORMATION DU CONTRAT

Sous-section 1

LA CAPACITÉ ET LE POUVOIR

84. – Distinction entre capacité et pouvoir (1). La question de la capacité se pose dans le cas, qui est le cas général, où une personne agit pour son propre compte : a-t-elle la capacité d'accomplir tel acte ? La question du pouvoir n'apparaît que dans le cas où une personne agit pour le compte d'autrui : a-t-elle le pouvoir de *représenter* telle autre personne pour accomplir tel acte ?

Lorsqu'on agit pour soi-même, il est nécessaire d'avoir la capacité exigée pour accomplir l'acte envisagé. Il n'est pas question de traiter ici la capacité en tant que telle, qui est traditionnellement enseignée dans le cours de droit des personnes et de la famille, mais seulement sous l'angle limité d'une condition de validité du contrat, donc d'une indispensable vérification de la capacité de ceux avec qui on se propose de contracter. L'incapacité de l'une des parties permettrait en effet à celle-ci d'exercer, suivant les cas, soit *l'action en nullité* (C. civ., art. 1124 et 1304), soit *l'action en rescision pour lésion* (C. civ., art. 1305 et 1313).

_____

(1) E. GAILLARD, *La notion de pouvoir en droit privé*, thèse Paris II, 1981.

Lorsque l'un des cocontractants traite, non pas en son nom et pour son propre compte, mais pour le compte d'autrui, il doit avoir le pouvoir de représenter cette autre personne, qu'il s'agisse d'une personne physique ou d'une personne morale. À défaut, le contrat ainsi conclu n'engagerait pas la personne prétendument représentée ; il lui serait *inopposable* (2).

§ 1. – La capacité de contracter

85. – Le principe de la capacité. La capacité est la règle, l'incapacité l'exception. Tel est le sens de l'article 1123 du Code civil, suivant lequel « toute personne peut contracter si elle n'en est pas déclarée incapable par la loi ».

Section II
De la capacité des parties contractantes

Art. 1123. – Toute personne peut contracter, si elle n'en est pas déclarée incapable par la loi.

Art. 1124. *(L. n° 68-5 du 3 janv. 1968)* – Sont incapables de contracter, dans la mesure définie par la loi :
Les mineurs non émancipés ;
Les majeurs protégés au sens de l'article 488 du présent code.

Art. 488 *(L. n° 74-631 du 5 juill. 1974).* – « La majorité est fixée à dix-huit ans accomplis ; à cet âge, on est capable de tous les actes de la vie civile. »
Est néanmoins protégé par la loi, soit à l'occasion d'un acte particulier, soit d'une manière continue, le majeur qu'une altération de ses facultés personnelles met dans l'impossibilité de pourvoir seul à ses intérêts.
Peut pareillement être protégé le majeur qui, par sa prodigalité, son intempérance ou son oisiveté, s'expose à tomber dans le besoin ou compromet l'exécution de ses obligations familiales.

Seule la loi peut donc déclarer une personne *incapable*, soit de manière générale, soit pour tel ou tel acte. À cet égard, on distingue classiquement entre deux types d'incapacités :

– les *incapacités de jouissance*, qui tendent à priver certaines personnes de certains droits ;

– les *incapacités d'exercice*, qui tendent seulement à restreindre la faculté de certaines personnes d'exercer seules, ou sans autorisation, les droits dont elles jouissent.

Ainsi, à la différence des incapables de jouissance auxquels certains droits sont retirés, les incapables d'exercice disposent des mêmes droits qu'une personne capable, mais ne peuvent pas les exercer librement.

---

(2) BASTIAN, *Essai d'une théorie générale de l'inopposabilité*, Thèse Paris, 1929. – R. ROBLOT, *Applications et fonctions de la notion d'inopposabilité en droit commercial* : in *Mélanges Voirin*, p. 710. – R. CARLI, *L'insécurité tenant à la relativité d'une nullité ou d'une inopposabilité* : *RTD com.* 1993, 255.

A. – Les incapacités de jouissance

86. – Fondement. On dira qu'il y a incapacité de jouissance lorsqu'une personne est privée du droit d'accomplir tel acte, de conclure tel contrat.

Les incapacités de jouissance sont toujours *spéciales*, en ce sens qu'elles visent un acte déterminé, et non pas tous les actes. Elles ne sont jamais *générales*. Sinon, cela aboutirait à priver une personne du droit de contracter, ce qui serait la négation de la personnalité juridique qui appartient de droit à toute personne physique ; c'était jadis le cas des esclaves.

Ces incapacités s'expliquent par une idée de méfiance : la loi craint que, pour tel contrat déterminé, telle personne abuse de sa position privilégiée au détriment de son cocontractant ou, tout simplement, de l'ordre public. De telles incapacités frappent tant les personnes physiques que les personnes morales.

87. – Les personnes physiques. En ce qui concerne les personnes physiques, les incapacités de jouissance tiennent aux rapports de dépendance dans lesquels se trouvent certaines personnes. La loi se méfie de celui qui est en position dominante et protège celui qui est en position de faiblesse.

Ainsi, les *libéralités* sont interdites au profit de certaines personnes qui, à raison de leurs fonctions, ont un ascendant sur l'auteur de la libéralité. Par exemple, le mineur devenu majeur ne peut pas disposer, par donation ou par testament, au profit de son ancien tuteur tant que le compte de tutelle n'a pas été apuré (art. 907). De même, un mourant ne peut disposer au profit du personnel médical ou de son confesseur (art. 909). De même encore, mais pour des raisons d'ordre public, les libéralités « au profit des hospices, des pauvres d'une commune, ou d'établissement d'utilité publique » sont subordonnées à une autorisation administrative (art. 910).

Sont également interdites certaines *ventes* : celles faites par des pensionnaires au personnel des maisons de retraite (art. 1125-1), celles portant sur des biens de l'incapable et faites à son tuteur (art. 450), ou au mandataire chargé de vendre le bien du mandant (art. 1596).

Afin d'éviter que ces interdictions ne soient trop aisément tournées, elles s'étendent généralement aux proches parents du bénéficiaire ; on dit qu'il y a alors *présomption d'interposition de personnes* (par ex., art. 911, 1125-1, al. 2).

On signalera également les incapacités de jouissance qui frappent les faillis et certains condamnés qui, ne pouvant exercer le commerce ou telles activités déterminées, ne peuvent valablement conclure les contrats y relatifs.

88. – Les personnes morales. Outre certaines incapacités de jouissance ci-dessus visées qui peuvent frapper indistinctement les personnes physiques ou les personnes morales, ces dernières sont toujours affectées d'incapacités de jouissance qui tiennent à leur statut juridique et à leur objet.

À raison de leur statut, les droits reconnus aux groupements ne sont pas identiques suivant qu'il s'agit d'une association, d'une congrégation religieuse, d'un syndicat, d'une société, etc. Plus encore, s'agissant des associations, leurs droits, et corrélativement leur capacité, varient suivant qu'elles sont *non déclarées*, ou *simplement déclarées*, ou encore *reconnues* d'utilité publique.

Enfin, et de manière générale, le *principe de la spécialité* des personnes morales leur interdit d'accomplir des actes ou de conclure des contrats qui sortiraient de leur objet. Ainsi, pour apprécier la capacité de jouissance d'une personne morale, il convient donc de rechercher l'objet pour lequel elle a été créée, objet qui figurera toujours dans les statuts. Bien évidemment, cet objet dépendra également du type de personne morale considéré, suivant qu'il s'agit d'un syndicat, dont l'objet ne peut être que la défense des intérêts professionnels de ses membres, ou d'une société ou d'une association qui peuvent poursuivre les buts les plus divers.

B. – Les incapacités d'exercice

89. – Fondement. Les personnes frappées d'une incapacité d'exercice ont les mêmes droits qu'une personne capable, mais on ne leur reconnaît pas la capacité de les exercer elles-mêmes ou, à tout le moins, sans autorisation.

En bref, pour contracter, ces incapables doivent être, soit *autorisés*, soit *assistés* par un tiers, soit *représentés*. Cela dit, les contrats passés par eux ou en leur nom conformément aux formes requises – assistance ou représentation suivant les cas – sont parfaitement valables et ils produiront leurs effets comme s'il s'agissait d'une personne capable. C'est dire que, par le fait du contrat, l'incapable deviendra créancier ou/et débiteur des obligations découlant de ce contrat.

Ces incapacités d'exercice sont inspirées par un souci de *protection* de l'incapable, à la fois contre lui-même et contre les tiers qui seraient tentés d'abuser de sa faiblesse. En édictant leur incapacité, la loi entend ici protéger d'une part les *mineurs*, parce qu'ils sont dépourvus d'expérience, et les *majeurs* qui seraient atteints d'une altération de leurs facultés mentales ou corporelles. Les incapacités d'exercice sont la réponse du droit à une inaptitude naturelle, passagère ou durable, légère ou profonde, à accomplir, sinon les actes de la vie courante, du moins ceux de la vie juridique et spécialement de passer des contrats.

En définitive, les actes accomplis par l'incapable sans respecter les formalités légales pourront, sous certaines distinctions, être annulés pour cause d'incapacité. Ainsi, l'incapacité apparaît comme une sorte de présomption de vice du consentement, présomption irréfragable qui dispense l'incapable de démontrer à chaque fois qu'il s'est trompé ou qu'il a été abusé par son cocontractant.

90. – L'incapacité des mineurs. En ce qui concerne les mineurs, c'est-à-dire les jeunes de moins de dix-huit ans en France à ce jour (3), le principe est qu'ils sont, d'une manière générale, incapables de contracter par eux-mêmes. Le contrat envisagé ne doit donc pas être conclu par le mineur, mais par son *représentant légal*. Le système de représentation (4) varie suivant que le mineur a toujours ses parents ou l'un d'entre eux, ou qu'il est orphelin.

S'il a toujours ses parents ou l'un d'entre eux, et s'ils ne sont pas déchus de *l'autorité parentale*, le mineur est soumis au régime de *l'administration légale*, soit administration *conjointe* s'il est sous l'autorité de ses deux parents, soit administration *sous contrôle judiciaire* s'il est soumis à l'autorité parentale d'un seul parent.

Si ses deux parents sont décédés ou déchus de l'autorité parentale, il est soumis au régime de la *tutelle*, ce qui suppose la désignation d'un *tuteur* (art. 397 et s.) et d'un *conseil de famille* qui sera présidé par le *juge des tutelles*.

Les formalités pour accomplir l'acte envisagé varient suivant la gravité de cet acte. On distingue ainsi :

• Les *actes de la vie courante* (5), pour lesquels l'usage veut qu'ils puissent être accomplis par le mineur lui-même ; l'incapacité a pour simple effet que ces actes pourront être annulés à la demande du mineur, mais seulement dans le cas où ils seraient lésionnaires (art. 1305).

• Les *actes d'administration*, c'est-à-dire des actes de gestion courante, dont la loi prévoit qu'ils peuvent être accomplis soit, en cas d'administration légale, par l'un des parents agissant seul, soit, en cas de tutelle, par le tuteur seul, sans autorisation du conseil de famille (art. 456). Là encore, s'ils sont accomplis irrégulièrement par le mineur seul, ils pourront être annulés à la demande du mineur ou de son représentant légal, mais seulement en cas de lésion.

• Les *actes de disposition*, qui nécessitent l'accord des deux parents (et éventuellement du juge des tutelles) en cas d'administration légale,

---

(3) L'âge de la majorité peut être différent suivant les pays. En France, cet âge a été ramené de 21 ans à 18 ans par une loi du 5 juillet 1974. V. J. MASSIP, *L'abaissement de l'âge de la majorité et ses conséquences* : Defrénois 1974, 1, 1057, art. 30723 et 1974.1.1121, art. 30744. – G. COUCHEZ, *La fixation à dix-huit ans de l'âge de la majorité* : JCP 1975, I, 2684. – D. POISSON, *L'abaissement de l'âge de la majorité* : D. 1976, chron. 21. – Ch. RIGAL, *L'âge en droit privé*, thèse Paris II, 2002.

(4) L'évolution générale tend à reconnaître progressivement une autonomie plus grande au mineur, ce qui a fait suggérer de remplacer le système de la représentation par un système d'assistance (V. J.-J. LEMOULAND, *L'assistance du mineur, une voie possible entre l'autonomie et la représentation* : RTD civ. 1997, 1).

(5) J.-Cl. MONTANIER, *Les actes de la vie courante en matière d'incapacité* : JCP 82, I, 3076. – J. STOUFFLET, *L'activité juridique du mineur non émancipé* : in *Mélanges Voirin*, p. 782. – M. GRIMALDI, *L'administration légale à l'épreuve de l'adolescence* : Rép. Not. 1991, 1, 385, art. 35000. – F. GISSER, *Réflexion en vue d'une réforme de la capacité des incapables mineurs. Une institution en cours de formation : la préma-jorité* : JCP 84, I, 3142. – J.-P. GRIDEL, *L'âge et la capacité civile* : D. 1998, chron. 90.

---

l'autorisation du conseil de famille en cas de tutelle. Si de tels actes sont accomplis irrégulièrement, ils sont nuls de droit, même s'ils ne sont pas lésionnaires ; ils sont en quelque sorte frappés d'une irrégularité de forme. Le régime de la nullité est ici particulièrement favorable au mineur dans la mesure où, au lieu d'avoir à restituer ce qu'il a reçu comme le prévoit le droit commun, le mineur ne restituera que ce qui a tourné à son profit (art. 1312) ; ainsi, il ne rendra rien s'il a tout dépensé, ce qui est aussi une manière de sanctionner le cocontractant imprudent qui a traité avec un mineur sans veiller au respect des règles de protection tenant à son incapacité.

• Enfin, à raison de leur particulière gravité, certains actes sont purement et simplement interdits au mineur ; il s'agit des donations – par lesquelles le mineur se dépouille –, des cautionnements et de la participation à une société commerciale de personnes – opérations dans lesquelles le mineur court un risque très important. De tels actes ne peuvent être accomplis ni par le mineur, ni par son représentant légal ; on est ici en présence non plus d'une incapacité d'exercice, mais d'une incapacité de jouissance.

Par exception à ce qui vient d'être dit, les *mineurs émancipés* peuvent valablement contracter. Cela vise tous les mineurs mariés, le mariage émancipant de plein droit, et ceux qui, âgés de 16 ans au moins, ont fait l'objet sur la demande de leurs parents (ou de l'un d'eux) d'une émancipation par le juge des tutelles (C. civ., art. 476 et s.). En revanche, même émancipé, un mineur ne peut pas être commerçant ; il pourrait cependant, de manière occasionnelle, accomplir un acte de commerce (C. civ., art. 487) (6).

En cas de doute, l'âge du cocontractant pourra être vérifié sans difficulté sur un extrait d'acte de naissance ou sur le livret de famille. Il serait imprudent de se contenter d'une simple déclaration de majorité car une telle déclaration n'interdirait pas au mineur d'invoquer tout de même son incapacité pour faire annuler le contrat (C. civ., art. 1307) (7).

91. – Les majeurs incapables (8). En ce qui concerne les *majeurs*, ils sont tous en principe capables. Leur incapacité ne peut résulter que d'une décision judiciaire par laquelle le juge les met en *tutelle* ou en *curatelle* à raison de « l'altération de leurs facultés personnelles », c'est-à-dire de leurs déficiences physiques ou mentales qui les rendent incapables de gérer leurs propres affaires. À cette hypothèse, l'article 489, alinéa 3, assimile le

---

(6) S. MOREAU, *L'émancipation : rajeunissement ou déclin ? (Réflexions au lendemain de la réforme du 5 juillet 1974)* : JCP 75, I, 2718. – F. VAUVILLE, *La pratique de l'émancipation judiciaire ou l'ambivalence d'une institution marginale* : D. 1990, chron. 283.

(7) Ph. MALINVAUD, *La responsabilité des incapables à l'occasion d'un contrat*, LGDJ 1965.

(8) La question de l'incapacité des majeurs doit être soigneusement distinguée des mesures touchant à la liberté des personnes, notamment de ce qu'on appelait jadis l'internement et qui avait pu donner lieu à des abus.

cas du « majeur qui, par sa prodigalité, son intempérance ou son oisiveté, s'expose à tomber dans le besoin ou compromet l'exécution de ses obligations familiales ». En pratique, le juge saisi dispose de trois degrés de protection : la sauvegarde de justice, la curatelle et la tutelle.

Le majeur peut tout d'abord être placé, au moins à titre transitoire, *sous sauvegarde de justice* si, pour l'une des causes prévues à l'article 490 (9), il « a besoin d'être protégé dans les actes de la vie civile » (art. 491). Cette mesure ne rend pas incapable le majeur qui, conservant l'exercice de ses droits, peut conclure tous les contrats à sa guise. Mais ces contrats pourront être « rescindés pour simple lésion ou réduits en cas d'excès » (art. 491-2).

Si le majeur a simplement besoin d'une protection légère, le juge pourra mettre en place une *curatelle*. Ici, le majeur en curatelle conserve la capacité d'accomplir les actes de la vie courante et, plus généralement, les actes d'administration ; mais il pourra en demander la rescision pour lésion ou la réduction pour excès comme dans la sauvegarde de justice (art. 510-3). En revanche, il ne peut accomplir les actes de disposition qu'avec l'*assistance* de son curateur ; à défaut d'une telle assistance, l'acte pourrait être annulé à la demande de l'incapable ou de son curateur.

Enfin, si le majeur a besoin d'une protection renforcée, il sera mis en place une *tutelle* et le juge pourra « énumérer certains actes que la personne en tutelle aura la capacité de faire elle-même, soit seule, soit avec l'assistance du tuteur » (art. 501). Pour l'accomplissement des autres actes, l'incapable majeur sera *représenté* par son tuteur. Comme dans les autres régimes de protection, les actes qui auraient été accomplis par l'incapable majeur seul, alors qu'il aurait dû être soit assisté de son tuteur, soit représenté par lui, pourront être annulés pour incapacité.

Ces diverses mesures de protection et l'étendue qu'elles revêtent, font l'objet d'une publicité au *répertoire civil* et de la mention « RC » en marge de l'acte de naissance ; leur existence est donc révélée, là encore, par un extrait de l'acte de naissance. En pratique cette publicité peut s'avérer insuffisante dans la mesure où, à la différence du mineur dont l'âge peut se deviner, l'incapacité des majeurs peut ne pas apparaître si bien que des contractants pourront de bonne foi contracter avec un incapable, sans penser à demander un extrait de son acte de naissance.

92. – Distinction entre l'incapacité et des formes voisines. Il arrive qu'une personne ne puisse pas accomplir seule un acte sans pour autant être frappée d'une véritable incapacité.

---

(9) Art. 490 : « Lorsque les facultés mentales sont altérées par une maladie, une infirmité ou un affaiblissement dû à l'âge, il est pourvu aux intérêts de la personne par l'un des régimes de protection prévus aux chapitres suivants.

Les mêmes régimes de protection sont applicables à l'altération des facultés corporelles, si elle empêche l'expression de la volonté.

L'altération des facultés mentales ou corporelles doit être médicalement établie. »

Par exemple, s'agissant du *logement familial*, l'article 215, alinéa 3, prévoit que « les époux ne peuvent l'un sans l'autre disposer des droits par lesquels est assuré le logement de la famille, ni des meubles meublants dont il est garni », et ce à peine de nullité. Ainsi, même dans le cas où le logement et les meubles appartiennent en propre à l'un des époux, cet époux n'en a pas la libre disposition. Doit-on dire qu'il est frappé d'une incapacité ou plutôt d'un défaut de pouvoir ? La question reste ouverte. On se bornera à constater que, dans le souci de mettre le logement de la famille à l'abri des foucades ou des mesures de rétorsion de l'un des époux, la loi a voulu que l'aliénation fasse l'objet d'une décision commune des deux époux.

Dans un ordre d'idées différent, lorsque s'ouvre une *procédure collective* (une *faillite* suivant la terminologie ancienne) tendant au *redressement judiciaire* ou à la *liquidation des biens* d'un débiteur commerçant, ce commerçant est « dessaisi » de ses biens. Ce dessaisissement, partiel en cas de redressement, devient général en cas de liquidation et c'est alors le liquidateur qui accomplit, seul ou autorisé par le tribunal, tous les actes d'administration et de disposition sur les biens du débiteur.

Bien que ce dessaisissement s'apparente à une incapacité d'exercice du débiteur commerçant, il n'en est pas véritablement une. Au surplus, les actes que le débiteur dessaisi accomplirait ne seraient pas nuls, mais seulement *inopposables* à ses créanciers (10).

De même, le mariage n'entraîne aucune incapacité ni pour la femme, ni pour l'homme. Toutefois, la connaissance du régime matrimonial sous lequel le cocontractant est marié est très importante, notamment pour connaître l'étendue précise des pouvoirs de chacun des époux. Par le biais d'un extrait d'acte de mariage, ou du registre du commerce pour un commerçant, on saura sans difficulté si le cocontractant est marié sans contrat, auquel cas il est soumis au *régime matrimonial légal*, ou s'il a fait un contrat (et le nom du notaire qui l'a reçu). Cette indication figure aussi sur le livret de famille.

Quant aux personnes morales, la question de la capacité d'exercice ne se pose pas pour elles. Sans doute ne peuvent-elles agir, et pour cause, que par l'intermédiaire de représentants mais ce n'est pas pour leur assurer une quelconque protection. En revanche, se pose ici la question des pouvoirs de ces représentants.

---

(10) Cass. com. 23 mai 1995 : *D.* 1995, 413 et note F. Derrida. – 26 avr. 2000 : *Bull. civ.* IV, n° 81.

§ 2. – Le pouvoir de contracter pour autrui

93. – La représentation : technique juridique et utilité pratique. En principe, les contrats sont conclus par les cocontractants eux-mêmes, c'est-à-dire par les *parties* au contrat, et non pas par des *tiers* à ce contrat.

Mais parfois ce schéma n'est pas possible, soit juridiquement, soit matériellement. Ainsi par exemple les mineurs, étant frappés d'une incapacité d'exercice, seront *représentés* par leur administrateur légal ou par leur tuteur. De même les personnes morales, par exemple les associations ou les sociétés, ne peuvent d'évidence contracter que par l'intermédiaire de ces personnes physiques que sont leurs *représentants*, leurs mandataires sociaux : président, directeur général, etc. De manière plus générale, pour une personne capable, il n'est pas nécessaire d'être physiquement présent pour pouvoir conclure un contrat ; on peut se faire *représenter*, et désigner à cet effet un *mandataire*.

Le mécanisme de la *représentation* (11) est précisément destiné à cet effet. C'est un procédé technique qui permet à une personne tierce, le *représentant*, de conclure un contrat pour le compte d'une autre personne, le *représenté*, qui sera partie au contrat. Ainsi, les effets du contrat se produiront en la personne du représenté qui, en sa qualité de partie au contrat, recueillera les droits et les obligations nées du contrat.

A. – Les conditions de la représentation

1° Le pouvoir de représenter

94. – Pouvoir légal, judiciaire ou conventionnel. Le pouvoir de représenter peut être conféré soit par la loi, soit par une décision judiciaire, soit conventionnellement par un mandat. Tout dépend des circonstances de fait.

Il y a *représentation légale* dans les cas où la loi l'impose. Cela vise principalement le cas des incapables (V. *supra*, n°s 89 et s.). Ainsi, le mineur sera représenté par son administrateur légal (père ou mère) ou par son tuteur ; le majeur en tutelle le sera par son tuteur. Et la loi précise très exactement les pouvoirs des uns et des autres, ainsi que les éventuelles autorisations nécessaires. S'agissant de sociétés, la loi précise également quels sont les dirigeants sociaux qui ont légalement le pouvoir de les représenter ; ceci n'interdit pas à la société d'étendre, dans ses statuts, ce pouvoir à d'autres personnes, ou encore de désigner tel mandataire particulier pour accomplir tel acte en son nom, mais il s'agit alors d'un pouvoir, non plus légal, mais conventionnel.

---

(11) E. PILON, *Essai d'une théorie de la représentation dans les obligations*, thèse Caen, 1898. – M. STORCK, *Essai sur le mécanisme de la représentation dans les actes juridiques*, préf. D. HUET-WEILLER, LGDJ, 1982. – Ph. DIDIER, *De la représentation en droit privé*, préf. Y. LEQUETTE, LGDJ, Droit privé, t. 339, 2000.

On parlera de *représentation judiciaire* lorsque le pouvoir de représenter aura été conféré par une décision de justice. La loi prévoit ainsi qu'un époux peut se faire habiliter par justice à représenter son conjoint hors d'état de manifester sa volonté (art. 219), ou un indivisaire à représenter un autre indivisaire (art. 815-4) (12). De même, en cas de redressement ou de liquidation judiciaire, le juge va désigner un administrateur avec pouvoir de représenter, dans certaines limites, le commerçant placé dans cette situation.

La *représentation conventionnelle* s'entend du cas où le pouvoir de représenter résulte d'un contrat entre le représentant et le représenté. C'est pour l'essentiel le contrat de mandat qui est réglementé aux articles 1984 et suivants du Code civil (13).

> **Art. 1984.** – Le mandat ou procuration est un acte par lequel une personne donne à une autre personne le pouvoir de faire quelque chose pour le mandant et en son nom.
> Le contrat ne se forme que par l'acceptation du mandataire.

Ici l'étendue du mandat sera exactement dosée par le mandant et suivant sa seule volonté alors que, dans la représentation légale ou judiciaire, la volonté du représenté ne joue aucun rôle. En pratique, le mandat peut être ou *spécial*, c'est-à-dire pour un contrat déterminé, ou *général* pour tous les contrats (art. 1987) ; toutefois, le mandat général ne s'applique qu'aux actes d'administration, pas aux actes de disposition (art. 1988).

Procuration

(sous seing privé)
Je soussigné ... demeurant à ... constitue par les présentes pour son mandataire spécial, M., demeurant à ...
Auquel il donne pouvoir de, pour lui et en son nom, etc.
(suit de manière précise la mission particulière confiée au mandataire)
Fait à ...   Date : ...
Signature (précédée de la mention manuscrite : Bon pour pouvoir).

En pratique, dans la vie des affaires, la plupart des contrats sont préparés et signés par des personnes qui ont été investies d'un mandat à cette fin (par ex., agents commerciaux), ou qui sont des mandataires institutionnels, des organes dit-on (gérant de SARL, président ou directeur général de société anonyme, syndic de copropriété, etc.).

95. – La sanction en cas de dépassement de pouvoir. Le représentant ne peut agir que dans la limite du pouvoir qui lui a été conféré. En cas de dépassement, il a agi sans pouvoir et le représenté n'est donc pas engagé.

---

(12) J.-L. Costes, *La représentation dans la gestion d'une indivision : JCP* 1985, I, 3181.
(13) Ph. Petel, *Les obligations du mandataire*, préf. M. Cabrillac, Litec, 1988. – Ph. Le Tourneau, *De l'évolution du mandat : D.* 1992, chron. 157. – M.-L. Izorche, *À propos du « mandat sans représentation : D.* 1999, chron. 369.

Telle est la règle générale, ce qui n'exclut pas l'application de dispositions spécifiques à tel ou tel cas.

S'agissant par exemple d'un tuteur qui aurait agi au-delà de son pouvoir, l'acte serait affecté de nullité. Dans le cas d'un conjoint ou d'un indivisaire excédant la limite de ses pouvoirs, la loi prévoit elle-même que les actes ainsi accomplis auront effet à l'égard de l'autre « suivant les règles de la gestion d'affaires » (art 219, al. 2 et 815-4, al. 2) ; en bref, le représenté ne sera tenu par ces actes que dans les limites étroites édictées par le Code civil pour la gestion d'affaires (art. 1375).

Plus généralement, la jurisprudence admet que le représenté est tout de même engagé s'il y a eu *mandat apparent* ; suivant la formule de la jurisprudence, il en est ainsi à la condition que la croyance du tiers aux pouvoirs du prétendu mandataire soit légitime, ce caractère supposant que les circonstances autorisaient le tiers à ne pas vérifier lesdits pouvoirs (14).

De même encore, le mandant est libre de régulariser un acte que le mandataire aurait passé en excédant les limites de son pouvoir ; l'article 1998, alinéa 2, en prévoit expressément la possibilité en cas de mandat. On dit alors qu'il y a *ratification*, laquelle est rétroactive ; on entend par là que l'acte ratifié est censé avoir été valablement conclu dès l'origine. Cette ratification peut être expresse ou tacite.

À supposer que le mandataire ait dépassé sa mission et qu'il n'y ait ni mandat apparent, ni ratification, le contrat n'est pas conclu valablement. Sous réserve d'une application éventuelle des règles de la gestion d'affaires (C. civ., art. 1372 et s. – V. *infra*, n° 754), le cocontractant peut rechercher la responsabilité du prétendu mandataire qui l'a induit en erreur (15).

La COUR – sur le moyen unique – Vu l'article 1985 du Code civil ; – Attendu que si une personne peut être engagée sur le fondement d'un mandat apparent, c'est à la condition que la croyance du tiers aux pouvoirs du prétendu mandataire soit légitime, ce caractère supposant que les circonstances autorisaient le tiers à ne pas vérifier lesdits pouvoirs ; – Attendu qu'il résulte de l'arrêt confirmatif attaqué que les statuts de la Société civile immobilière « Les Genévriers » excluent explicitement des pouvoirs du gérant « les actes de disposition tels que la vente d'un immeuble » ; que Foucault, gérant de cette société, ayant conclu un accord avec Bonnin et Coinde pour la vente à ces derniers d'une partie du domaine immobilier de la société, et la société ayant refusé de réaliser cette vente, la cour d'appel a fait droit à la demande en résolution de la vente et en dommages-intérêts formée par Bonnin et Coinde aux motifs que ceux-ci « pouvaient raisonnablement penser que, traitant avec le gérant d'une société se disant

---

(14) Cass. 1re civ., 29 avr. 1969, 3 arrêts : JCP 69, II, 15972, obs. R. Lindon : D. 1970, 23 et note J. Calais-Auloy. – Cass. com. 29 avr. 1970, 2 arrêts : JCP 71, II, 16694, obs. A. Mayer-Jack. – Cass. com. 27 mai 1974 : D. 1977, 421 et note J.-P. Arrichi. – Cass. 1re civ., 2 oct. 1974 : JCP 76, II, 18247, obs. H. Thuillier. – Cass. 1re civ., 24 mars 1981 : JCP 82, II, 19746, obs. R. Le Guidec. – Cass. 3e civ., 20 avr. 1988 : JCP 89, II, 21229, obs. J. Moneger. – V. J. Calais-Auloy, *Essai sur la notion d'apparence en droit commercial*, LGDJ, Droit privé, t. 17, 1959. – J. Leaute, *Le mandat apparent dans ses rapports avec la théorie générale de l'apparence : RTD civ.* 1947, 288. – Ch. W. Chen, *Apparence et représentation en droit privé français*, préf. J. Ghestin, LGDJ, Droit privé, t. 340, 2000. – A. Danis-Fatôme, *Apparence et contrats*, thèse, Paris I, 2002.

(15) F. Cohet-Cordey, *Représentation et faute délictuelle du mandataire : AJDI* 1999, 491.

---

immobilière, celui-ci avait pouvoir pour traiter des ventes d'immeuble, alors qu'en fait, selon les statuts, cette société avait limité son activité à la gestion d'un patrimoine immobilier » ; qu'en dispensant ainsi des tiers, disposés à acquérir un bien immobilier appartenant à une société, de vérifier, par la simple consultation des statuts, les pouvoirs du gérant, alors surtout qu'il résulte du jugement confirmé que ces tiers étaient respectivement marchand de biens et gérant de société, et en se bornant, à cet égard, à relever le caractère immobilier de la société, les juges d'appel n'ont pas donné de base légale à leur décision ;

Par ces motifs : Casse et annule l'arrêt rendu entre les parties par la cour d'appel de Dijon, le 6 juillet 1967, et renvoie devant la cour d'appel de Lyon.

1re espèce : Cass. 1re civ., 29 avril 1969, SCI « Les Genévriers » et autre c. Bonnin et autre : *JCP* 69, II, 15972.

2° L'intention de représenter

96. – La représentation déclarée. *L'intention de représenter* s'entend de la volonté du représentant d'agir pour le compte d'autrui, et non pour lui-même.

Cette intention n'est pas nécessairement connue du cocontractant. En pratique, lorsqu'une personne conclut un contrat par représentation, elle peut adopter deux attitudes différentes. Elle peut tout d'abord déclarer agir *pour le compte et au nom du représenté*, annonçant clairement la situation à celui avec qui elle contracte. C'est la situation normale, qui répond aussi bien à l'idée de mandat qu'à celle de représentation légale ou judiciaire. On dit ici que la représentation est *parfaite*.

97. – La représentation occultée. *L'intention de représenter* peut aussi ne pas être révélée au cocontractant. En pareil cas, tout en agissant pour le compte du représenté, le représentant se présente *en son nom personnel* si bien que le cocontractant est laissé dans l'ignorance de la véritable situation. L'ignorance du cocontractant sera ou bien totale si le représentant masque le fait qu'il agit pour le compte d'autrui (16), ou bien partielle si, tout en déclarant agir pour autrui, il ne révèle pas le nom de son mandant. Cette hypothèse se rencontre fréquemment en matière commerciale ; en pareil cas, il y a représentation *imparfaite* (17).

C'est le cas du contrat de *commission* visé par l'article L. 132-1 du Code de commerce : « Le commissionnaire est celui qui agit en son propre nom ou sous un nom social pour le compte de son commettant. » On notera que, dans son alinéa 2, ce même article édicte que les droits et les obligations du commissionnaire sont régis par les règles du mandat.

B. – Les effets de la représentation

98. – La représentation parfaite. Dans ce cas, le mécanisme de la représentation joue pleinement. Tout se passe comme si le contrat avait été

---

(16) Le représentant apparaît alors comme un *prête-nom*, ce qui est licite sauf si cette pratique sert à tourner une prohibition légale.

(17) Certains considèrent qu'il n'y a plus alors de représentation (V. sur ce point M.L. IZORCHE, *À propos du « mandat sans représentation : D.* 1999, chron. 369).

conclu directement entre le cocontractant et le représenté ; ce sont les seules parties au contrat, à l'exclusion du représentant qui est un tiers à ce contrat.

Il s'ensuit tout d'abord que la capacité pour conclure le contrat s'apprécie en la personne du représenté ; c'est lui qui doit être capable de contracter, non son représentant. En revanche, l'existence et l'intégrité du consentement doivent être réunies tout à la fois chez le représenté et chez le représentant, car ce dernier a pu être victime d'un dol ou de violences exercées à son encontre.

Quant aux effets du contrat, ils se produisent directement en la personne du représenté qui sera personnellement créancier et/ou débiteur. Il en découle que, si le contrat est mal exécuté, le représentant n'en est aucunement responsable, à moins qu'il ne se soit porté personnellement garant de sa bonne exécution (clause de « *ducroire* »).

99. – La représentation imparfaite. Dans la représentation imparfaite, il faut distinguer deux séries de rapports et deux périodes.

Dans les rapports entre le cocontractant et le représentant, ce dernier est considéré comme étant le véritable cocontractant (et non pas un simple représentant puisqu'il ne s'est pas annoncé en cette qualité et qu'en tout cas, il n'a pas indiqué l'identité de son mandant). C'est donc lui qui sera créancier ou débiteur dans le contrat ainsi conclu.

En revanche, dans les rapports entre le représentant et le représenté, il est convenu que le premier transmettra au second tous les droits et obligations résultant du contrat. Ainsi, dans le contrat de *commission*, le commettant qui déclare vouloir profiter du contrat va se trouver substitué au *commissionnaire* ; de ce fait, il va devenir partie au contrat, aux lieu et place du commissionnaire.

100. – Le contrat avec soi-même. En conclusion, on constatera que le mécanisme de la représentation permet de passer un « contrat avec soi-même ». La formule peut surprendre ; elle n'en correspond pas moins à une réalité assez simple.

On veut dire par là qu'il n'est pas besoin de deux personnes physiquement présentes pour conclure un contrat ; une seule suffit, ce qui vise deux hypothèses :

• ou bien le même représentant représente deux personnes différentes qui contractent entre elles ;

• ou bien une personne agit d'une part pour son propre compte et de l'autre pour le compte de son mandant.

On avait douté de la validité d'une telle opération qui concentre deux volontés en une seule personne ; la conclusion du contrat supposant la rencontre de deux volontés, comment cela serait-il possible en présence d'une seule personne ? À cela il est aisé de répondre qu'un représentant peut agir en plusieurs qualités, et donc exprimer deux ou plusieurs volontés.

Ainsi, la validité du contrat avec soi-même est généralement admise. C'est néanmoins un mécanisme dangereux, spécialement dans le cas où le représentant agit également pour son propre compte, auquel cas il se trouve en conflit d'intérêts avec son représenté ; par exemple, s'agissant d'une vente, on ne peut tout à la fois défendre les intérêts du vendeur et ceux de l'acheteur.

Ceci explique que, dans certains cas, la loi exclut un tel mécanisme. Tel est notamment le cas pour la vente ou le bail des biens du mineur au profit de son tuteur (art. 450, al. 3) ; plus généralement, il est de règle qu'en cas d'opposition d'intérêts entre l'incapable et son représentant, le tuteur sera suppléé par le *subrogé tuteur* (art. 420, al. 2). De même, l'article 1596 du Code civil interdit au mandataire de se rendre adjudicataire des biens qu'il est chargé de vendre.

C. – Mandat et porte-fort

101. – La promesse de porte-fort (18). **Définition et nature.** Se porter fort pour un tiers, c'est promettre que ce tiers donnera son accord à tel contrat. En pratique, le porte-fort va passer un contrat pour le compte d'un tiers en s'engageant à le faire ratifier par ce tiers.

A priori, pareille démarche paraît bien singulière. Pour quelles raisons une personne conclurait-elle un contrat pour le compte d'un tiers en se portant fort que ce tiers le ratifierait ? Cela suppose à tout le moins que cette personne et ce tiers soient en relation d'affaires et qu'il y ait de bonnes chances de ratification. En fait, il s'agit le plus souvent d'un mandataire qui excède ses pouvoirs, mais pour de bonnes raisons. Par exemple, il avait pour mission d'acheter un appartement pour 500 000 € et, sans avoir le temps de revenir vers son mandant, il trouve une affaire exceptionnelle à saisir pour 520 000 € ; connaissant les ressources et les besoins de son mandant, il va acheter – sans en avoir le pouvoir – en se portant fort que son mandant ratifierait.

La promesse de porte-fort peut être expresse ou implicite (19) ; toutefois, dans ce dernier cas, elle ne peut résulter que d'actes manifestant l'intention certaine du promettant de s'engager pour un tiers (20).

---

(18) J. BOULANGER, *La promesse de porte-fort et les contrats pour autrui*, thèse Caen, 1933. – M. DAGOT, *La reprise, par une société commerciale, des engagements souscrits pour son compte avant son immatriculation au registre du commerce* : JCP 69, I, 2277. – M. VÉRICEL, *Désuétude ou actualité de la promesse de porte-fort ?* : D. 1988, chron. 123.

(19) Cass. civ. 28 déc. 1926 : DP 1930, 1, 73 et note LALOU. – Cass. com. 30 mars 1971 : *Bull. civ.* IV, n° 102.

(20) Cass. com. 17 juill. 2001 : *Contr. Conc. Consom.* déc. 2001, comm. n° 170 et obs. L. LEVENEUR.

Le Code civil traite de la promesse de porte-fort comme une exception au principe de l'*effet relatif du contrat* ; en effet, après avoir posé le principe dans l'article 1119, il utilise l'adverbe « néanmoins » pour présenter la promesse de porte-fort dans l'article 1120.

Art. 1119. – On ne peut, en général, s'engager, ni stipuler en son propre nom, que pour soi-même.

Art. 1120. – Néanmoins on peut se porter fort pour un tiers, en promettant le fait de celui-ci sauf l'indemnité contre celui qui s'est porté fort ou qui a promis de faire ratifier, si le tiers refuse de tenir l'engagement.

La doctrine unanime considère qu'il s'agit là d'une erreur de perspective car la promesse de porte-fort n'est pas une promesse pour autrui ; elle n'engage pas autrui, mais seulement l'auteur de la promesse. Il s'agit tout simplement du sort des contrats conclus sans pouvoir par une personne, ce qui relève de la même problématique que le dépassement de pouvoir par un mandataire.

102. – Les effets de la promesse de porte-fort. Les effets de la promesse diffèrent fondamentalement suivant que le tiers ratifie ou non le contrat.

La *ratification* entraîne deux séries d'effets.

D'une part, le tiers qui a ratifié est engagé par le contrat comme s'il y avait été régulièrement représenté par le porte-fort. Tout se passe donc comme s'il y avait eu représentation et dépassement de pouvoir ratifié par le représenté ; par exemple, s'il s'agit de l'achat d'un bien, le tiers devient rétroactivement propriétaire de ce bien à la date du contrat conclu par le porte-fort.

D'autre part, et corrélativement, le porte-fort a parfaitement rempli sa mission, qui était de rapporter l'accord du tiers. Il est donc déchargé de toute responsabilité. Notamment, il n'encourt aucune responsabilité si, en définitive, le contrat n'est pas exécuté ou mal exécuté par le tiers qui a ratifié. En effet, à la différence d'une caution, le porte-fort a promis que le tiers ratifierait le contrat, et non pas qu'il l'exécuterait.

La *non-ratification* emporte des effets exactement inverses.

D'une part, faute d'avoir été ratifié, le contrat est caduc ; il n'engage ni le tiers puisqu'il n'a pas ratifié, ni le porte-fort parce qu'il n'a aucunement promis de l'exécuter. Mais d'autre part, le porte-fort a manqué à son engagement puisqu'il n'a pas réussi à rapporter l'accord du tiers. À ce titre, il sera responsable à l'égard du cocontractant de ce manquement à son obligation ; et, s'agissant d'une obligation de faire, il encourt donc une condamnation à dommages-intérêts (art. 1142).

Il est toutefois une hypothèse où le tiers sera, de fait, obligé de ratifier. Il s'agit du cas où le père ou la mère, administrateur légal ou tuteur, a accompli pour le compte de ses enfants mineurs, mais sans respecter les formalités requises, un acte en se portant fort que, une fois parvenus à la majorité, les enfants ratifieraient. Si, entre-temps, les enfants ont hérité de leur père ou mère, ils ont trouvé dans la succession l'obligation de porte-fort ; de ce fait ils ne sont plus libres de refuser de ratifier (21).

Numéros 103 à 110 réservés.

Sous-section 2

LE CONSENTEMENT DES PARTIES

111. – Le contrat est un accord de volontés. Contracter, c'est vouloir s'engager à accomplir telles obligations (de donner, de faire ou de ne pas faire) au profit de tel cocontractant, généralement en contrepartie d'un avantage réciproque, par exemple recevoir une certaine somme d'argent.

Le contrat étant un accord de volontés, il faut donc autant de consentements qu'il y a de parties à l'acte, et des consentements concordants (22). Ainsi le consentement apparaît-il comme l'élément fondamental de tout contrat. Alors que l'absence des autres conditions conduit seulement à vicier le contrat, à défaut de consentement, il y a le néant.

En principe, l'accord des volontés suffit à conclure le contrat, en dehors de toute formalité (23). Néanmoins, la rédaction d'un écrit et sa signature par les parties sont rendues quasi obligatoires pour des motifs de preuve. À quoi servirait-il de conclure un contrat s'il était impossible de le prouver, donc de l'invoquer (V. *infra*, n° 351 et s.).

Dans un système fondé sur l'autonomie de la volonté (V. *supra*, nᵒˢ 70 et s.), la nécessité du consentement sous-tend toutes les règles de la matière. L'idée est tellement évidente que les rédacteurs du Code civil ont omis de l'énoncer et se sont bornés à envisager le consentement sous l'angle des vices qui peuvent l'atteindre ; c'est tout juste s'il est rappelé dans l'article 489 que « pour faire un acte valable, il faut être sain d'esprit ».

112. – Le principe de la liberté de contracter et ses limites. La première manifestation de l'autonomie de la volonté est le principe de la *liberté de contracter*, qui a pour corollaire nécessaire la *liberté de ne pas contracter*. Si contracter, c'est vouloir, chacun est libre de ne pas s'engager par contrat, ou de ne s'engager que dans les limites de son choix et avec la personne de son choix.

---

(21) M. Le Galcher-Baron, *L'obligation de garantie, obstacle à une action en nullité pour incapacité : RTD civ.* 1959, 257. La jurisprudence est toutefois partagée : Cass. 1ʳᵉ civ., 26 nov. 1975 : *D.* 1976, 353 et note Ch. Larroumet ; *JCP* 1976, II, 18500, obs. F. Moneger. – Lyon 11 mars 1980 : *D.* 1981, 617 et note G. Peyrard.

(22) Pour la distinction entre l'échange des consentements et la rencontre des volontés, voir M.-A. Frison-Roche, *Remarques sur la distinction de la volonté et du consentement en droit des contrats : RTD civ.* 1995, 573.

(23) Pour une application, voir Cass. 3ᵉ civ., 27 nov. 1990, *JCP* 1991, II, 21808 et note Y. Dagorne-Labbé.

Force est toutefois de constater que cette liberté est souvent soit illusoire pour des raisons de fait, soit encadrée par des règles de droit.

La réalité quotidienne démontre en effet qu'on est souvent contraint de contracter dans des conditions qu'on n'a pas véritablement voulues, et ce tout simplement parce qu'on n'a pas le choix. C'est le cas chaque fois qu'un service essentiel à la vie courante est délivré par une entreprise en situation de monopole : par exemple, on ne discute pas le prix de l'eau, du gaz ou de l'électricité. De ce point de vue, il faut reconnaître que la suppression des monopoles et l'instauration d'une libre concurrence sont de nature à restaurer pour partie la liberté de contracter.

D'autres fois, c'est la loi elle-même qui bride la liberté de contracter, au point que la doctrine a pu parler de *contrat imposé* ou de *contrat forcé* (24).

Tantôt c'est la liberté de ne pas contracter qui est écartée, lorsque la loi impose à certaines personnes la conclusion d'un contrat. Ainsi en est-il de l'obligation d'assurance qui pèse sur de nombreuses personnes : les automobilistes, les chasseurs, les architectes et entrepreneurs, les notaires, les avocats, etc.

Tantôt c'est le choix du cocontractant qui est soit imposé, soit contrôlé. Il est imposé lorsque, en cas de vente d'un bien, la loi institue un droit de préemption en faveur par exemple du locataire d'un appartement, du fermier d'un domaine, de la SAFER pour un domaine rural, de la commune pour un terrain à bâtir ou pour un bien immobilier, etc. Il est contrôlé lorsque, à raison du principe de non-discrimination, il est interdit à un bailleur de refuser un locataire à raison de son sexe, de sa race, de ses mœurs, de son orientation sexuelle, de ses opinions politiques, de ses activités syndicales, etc. ; et de même lorsqu'il est interdit à un employeur de refuser d'embaucher un salarié à raison de ces mêmes caractéristiques.

Cela dit, en dépit de ces atteintes, le principe de la liberté de contracter conserve un domaine et une portée considérables.

113. – Plan. Pour la validité du contrat, le consentement des parties :

– d'une part doit exister, ce qui est postulé par le principe de la liberté contractuelle ;

– d'autre part doit être libre, c'est-à-dire exempt de vices.

L'existence du consentement (§ 1) sera l'occasion de faire l'analyse de celui-ci, cependant que la condition de liberté et d'intégrité du consentement (§ 2) amènera à faire l'étude des vices du consentement et des dispositions récemment prises par le législateur pour assurer au consommateur un consentement libre et éclairé (§ 3).

---

(24) L. Josserand, *Le contrat forcé et le contrat légal : D.* 1940, chron. 1. – P. Durand, *La contrainte légale dans la formation du rapport contractuel : RTD civ.* 1944, p. 73. – R. Morel, *Le contrat imposé : in Mélanges Ripert*, t. II, p. 116. – J.-Ch. Serna, *Le refus de contracter*, 1967.

§ 1. – L'existence du consentement (25)

114. – Il y a consentement et consentement. Sur le principe, la nécessité du consentement est une condition indiscutable et indiscutée. Mais, en pratique, le consentement peut apparaître dans des conditions tout à fait différentes. Certes, il y a toujours accord de deux volontés qui se sont rencontrées ; pratiquement ce sont deux manifestations de volonté qui se répondent l'une l'autre : une offre, suivi d'une acceptation (26). La divergence apparaît quant à l'existence ou à l'étendue de la discussion qui a précédé l'accord des parties.

Classiquement, on se représente le contrat comme le résultat d'une libre négociation, comme une navette de propositions et contre-propositions qui constituent les pourparlers. Ce schéma ne se rencontre en fait que dans le cas où les cocontractants se trouvent sur un pied d'égalité, le plus souvent entre professionnels ou entre particuliers, mais rarement dans les rapports entre professionnels et particuliers.

De nos jours, pour un particulier, il n'y a en général ni discussion ni négociation. Un contrat est proposé au public, sans modification possible, et le particulier – le consommateur dit-on aujourd'hui – ne peut qu'accepter ou refuser en bloc. C'est le *contrat d'adhésion* que chacun conclut quotidiennement : achat dans un grand magasin, à un distributeur automatique, achat d'un titre de transport (métro, SNCF, ou autres), souscription d'une police d'assurance, etc. Ici le consentement se trouve réduit à sa plus simple expression : accepter ou refuser.

Toutefois, malgré ces différences, le droit positif français ne distingue pas, tout du moins dans la théorie générale, suivant la situation de fait ; il applique les mêmes règles dans l'un et l'autre cas, à quelques nuances près.

À l'analyse, on trouve toujours deux manifestations de volonté : une offre (A), suivie d'une acceptation (B) qui interviendra à la suite d'une discussion plus ou moins longue. Il faut en outre que ces deux volontés se rencontrent (27). Cette rencontre des volontés (C) qui va marquer la conclusion du contrat s'opère spontanément lorsque les parties sont toutes présentes. En revanche, elle soulève diverses difficultés, tenant notamment au lieu et à la date du contrat, lorsque les parties sont éloignées :

---

(25) P. RÉMY-CORLAY, *L'existence du consentement :* in *Les concepts contractuels français à l'heure des principes du droit européen des contrats*, Dalloz, 2003, p. 29.

(26) J.-L. AUBERT, *Notions et rôles de l'offre et de l'acceptation dans la formation du contrat*, 1970. – V. aussi A. VIALARD, *L'offre publique de contrat : RTD civ.* 1971, 750.

(27) Suivant une thèse d'inspiration allemande, le contrat naîtrait de la simple juxtaposition de deux déclarations unilatérales de volonté, chacune étant obligatoire par elle-même (WORMS, *De la volonté unilatérale considérée comme source d'obligations*, thèse Paris 1891. – A. RIEG, *Le rôle de la volonté dans l'acte juridique en droit civil français et allemand*, thèse Strasbourg, 1961). Telle n'est pas la position du droit français qui suppose la rencontre des deux volontés (V. G. ROUHETTE, *Contribution à l'étude critique de la notion de contrat*, 1965).

c'est la question du contrat par correspondance ou du contrat entre absents, qui a été récemment renouvelée avec l'arrivée dans notre droit du contrat électronique.

A. – L'offre

1° Les conditions pour qu'il y ait offre

a) Les conditions de fond

115. – L'offre doit être précise et ferme. L'offre, dite encore *pollicitation*, est une proposition de contrat qui implique par là même l'accord de l'offrant sur les termes du contrat projeté. Elle doit être précise et ferme de telle manière que l'acceptation survenant puisse à elle seule parfaire le contrat.

Pour être suffisamment *précise*, l'offre doit comporter tous les éléments essentiels du contrat proposé dont la nature doit être précisée (vente, bail, etc.) : ainsi, pour la vente, l'indication précise de la chose et du prix. Ne constitue donc pas une offre une petite annonce portant sur la vente d'un appartement ou d'un véhicule, mais sans indication de prix ou avec la mention « prix à débattre ». Pareille annonce n'est pas une offre, mais une invitation à discuter, à entrer en pourparlers. Ici, c'est l'insuffisance de précision qui empêche d'y voir une offre véritable ; mais il y aurait offre si les éléments non indiqués ne revêtaient qu'un aspect tout à fait secondaire, par exemple le lieu du paiement, ou sa forme (28).

Pour être *ferme*, l'offre doit être formulée sans réserves, car la levée de ces réserves suppose un nouvel accord de l'offrant. Ces réserves peuvent être expresses : par exemple, pour une offre de prêt, la mention « sous réserve de l'acceptation du dossier » ; ou encore, pour une vente, la clause « dans la limite du stock disponible ». Mais, le plus souvent, elles seront tacites et elles tiendront à la nature même du contrat proposé : ainsi, lorsque la personnalité et les qualités personnelles du cocontractant sont un élément fondamental du contrat – ce qui est le cas des contrats *intuitu personae* –, par exemple pour le contrat de travail, l'offre au public par voie de petites annonces (et non à une personne déterminée) est implicitement faite sous réserve d'agrément de la personne de l'acceptant (29).

Les réserves peuvent également tenir aux usages, notamment aux usages du commerce (30). C'est le cas par exemple pour les appels d'offres

---

(28) Toutefois, les parties sont libres de décider que tel aspect, généralement traité comme secondaire, sera considéré comme un élément conditionnant le consentement : Cass. com. 16 avr. 1991 : *JCP* 92, II, 21871, obs. M.-O. Gain. – Cass. 3ᵉ civ., 14 janv. 1987 : *JCP* 87, IV, 96.

(29) Il s'agit alors seulement d'une invitation à se présenter auprès de l'employeur : Cass. 3ᵉ civ., 28 nov. 1968 : *JCP* 1969, II, 15797.

(30) Cass. com. 6 mars 1990 : *Bull. civ.* IV, n° 74 ; *JCP* 1990, II, 21583 et note B. Gross ; *D.* 1991, somm. 317, obs. J.-L. Aubert.

dans les marchés de travaux, soit ouverts à tous, soit restreints à plusieurs entreprises préqualifiées. Par cette procédure, les entreprises sont invitées à soumettre des propositions, éventuellement avec des variantes, et à fixer un prix. La réponse à un appel d'offres ne débouche donc pas directement sur un contrat, mais sur une période de négociation à l'occasion de laquelle l'une des entreprises sera finalement retenue.

Si la proposition n'est pas suffisamment précise et ferme, elle n'exprime pas un accord de l'offrant ; il ne s'agit que d'une invitation à discuter, à entamer des *pourparlers*.

116. – Le régime des pourparlers (31). Le régime des pourparlers n'est pas réglé par la loi, mais par la jurisprudence. La principale difficulté est celle soulevée par la rupture des pourparlers. À cet égard, la jurisprudence pose un double principe.

D'une part chacun est libre de rompre les pourparlers : c'est là une manifestation fondamentale de la liberté de contracter ou de ne pas contracter (32).

D'autre part la négociation doit être menée de bonne foi ; il y aura donc lieu à responsabilité en cas de rupture abusive, sans raison légitime, ou si les pourparlers ont été menés de mauvaise foi ou avec une légèreté coupable : tel serait le cas de celui qui fait traîner les pourparlers en longueur alors qu'il n'a pas l'intention de contracter (33). Pareille faute, étant intervenue alors que le contrat n'est pas encore conclu, est une *faute précontractuelle* (34). Elle ne peut entraîner qu'une responsabilité de nature délictuelle, et la sanction prendra la forme de dommages-intérêts.

Il suffit d'une faute simple, mais elle sera souvent difficile à prouver, alors surtout que les pourparlers font en général l'objet de négociations verbales, et non pas écrites. Cela dit, les tribunaux se montrent souvent exigeants et considèrent que les pourparlers doivent être empreints de loyauté et de bonne foi.

À cela il convient d'ajouter que les parties peuvent également mettre fin d'un commun accord à leurs pourparlers. Une telle rupture à l'amiable peut, en dehors de toute faute de l'un des participants, s'accompagner

---

(31) H. Muir-Watt, *Les pourparlers : de la confiance trompée à la relation de confiance :* in *Les concepts contractuels français à l'heure des principes du droit européen des contrats*, Dalloz, 2003, p. 53.

(32) V. par ex., Pau 14 janv. 1969 : *D.* 1969, 716 (dans le cas où l'un des protagonistes traite finalement avec un concurrent).

(33) Cass. com. 20 mars 1972 : *JCP* 73, II, 17543, obs. J. Schmidt ; *RTD civ.* 1972, 779, obs. G. Durry. – Cass. 1re civ., 19 janv. 1977 : *D.* 1977, 593 et note J. Schmidt.

(34) Cass. com. 11 janv. 1984 : *JCP* 84, IV, 86. – Cass. com. 7 janv. et 22 sept. 1997 : *D.* 1998, 45 et note P. Chauvel. – Paris, 25e ch. B, 10 mars 2000 : *JCP* 2001, II, 10470 et note F. Violet – V. J. Schmidt, *La sanction de la faute précontractuelle : RTD civ.* 1974, 46. – J. Schmidt, *La période précontractuelle : RID comp.* 1990, 545. – D. Mazeaud, *Mystères et paradoxes de la période précontractuelle :* in *Mélanges Ghestin*, p. 637.

d'une indemnité d'occupation pour le cas où l'un a été autorisé à utiliser un bâtiment dans l'attente de la vente projetée qui n'a finalement pas eu lieu (35).

117. – Distinction avec les contrats préparatoires ou avant-contrats (36). L'offre est un acte de volonté *unilatéral*. En cela elle se distingue des contrats préparatoires ou avant-contrats par lesquels les parties formalisent un *accord de volontés*, même si cet accord n'est qu'une étape avant la conclusion du contrat définitif.

Les *avant-contrats*, contrats préparatoires à un autre contrat, se rencontrent très fréquemment en matière de vente immobilière car c'est un domaine où il est difficile, sinon même impossible, de conclure d'emblée le contrat définitif. Dans l'attente de celui-ci on établira donc une promesse de contrat : celle-ci peut être unilatérale ou synallagmatique (37).

La *promesse unilatérale* de contrat, par exemple de vente, est celle par laquelle l'un s'engage à vendre un bien à un prix déterminé cependant que l'autre, en prenant acte, se réserve de « lever l'option » dans un certain délai. Ainsi seul le premier s'engage, pas le second qui est libre de lever ou non l'option. Il s'agit donc en principe d'un contrat unilatéral. Cela dit la faculté de lever l'option est le plus souvent assortie d'une clause de dédit, généralement fixée à 10 % du prix de vente et qui constitue une « *indemnité d'immobilisation* » à verser au vendeur par le bénéficiaire de la promesse qui ne lève pas l'option. C'est en quelque sorte le prix de la promesse unilatérale ou, si l'on préfère, l'indemnisation des chances perdues par le vendeur de vendre le bien à un tiers à un meilleur prix. Malgré cet élément de réciprocité, doctrine et jurisprudence considèrent que le contrat ne devient pas pour autant synallagmatique ; en revanche, il prend un caractère synallagmatique si, au lieu de rester dans les normes habituelles, la clause de dédit a été fixée à un prix trop élevé pour une indemnité d'immobilisation (38).

---

(35) Cass. 3e civ., 3 juill. 2002 : *RJDA* 2002, n° 971 ; *RTD civ.* 2002, 804, obs. J. MESTRE et B. FAGES.
(36) GENINET, *Théorie générale des avant-contrats en droit privé*, thèse Paris II, 1985. – J. SCHMIDT-SZALEWSKI, *La force obligatoire à l'épreuve des avant-contrats : RTD civ.* 2000, 25.
(37) F. COLLARD-DUTILLEUL, *Les contrats préparatoires à la vente d'immeuble*, Sirey, 1988.
(38) F. BENAC-SCHMIDT, *Contrat de promesse unilatérale de vente*, préf. J. GHESTIN, 1984 ; *La promesse unilatérale de vente : à propos de deux questions d'actualité : D.* 1990, chron. 7. – V. aussi *La formation du contrat, L'avant-contrat :* in *Trav. 62e Congrès des Notaires*, 1964. – M. JORGE, *La promesse unilatérale de vente avec faculté de substitution (essai de synthèse) : Petites affiches*, 22-25 oct. 1991. – M. AZENCOT, *La transmission des promesses unilatérales de vente : JCP* N 1992, I, doctr. 61. – D. MARTIN, *L'esquisse contractuelle et la mort : D.* 1993, chron. 236. – D. TOMASIN, *La valeur des promesses unilatérales de vente : Administrer*, n° 282, oct. 1996, p. 15. – I. NAJJAR, *La « rétractation » d'une promesse unilatérale de vente (à propos d'un revirement) :* Cass. 3e civ., 26 juin 1996 : *D.* 1997, chron. 119.

La *promesse synallagmatique* est celle où il y a réciprocité des obligations, par exemple l'un s'engageant à vendre et l'autre à acheter (39). Comme le dit l'article 1589 du Code civil, « la promesse de vente vaut vente, lorsqu'il y a consentement réciproque des deux parties sur la chose et sur le prix ». Elle ne se distingue de la vente elle-même que dans la mesure où, le plus souvent, le transfert de propriété qui est un effet de la vente, est retardé jusqu'à réitération de la vente par acte authentique (40). Ici, il ne s'agit plus d'un contrat préparatoire à la vente, mais de la vente elle-même (41).

Enfin, le *contrat préliminaire* est un avant-contrat spécialement instauré par la loi pour la vente d'immeuble à construire et qui, depuis lors, a été étendu à d'autres contrats, notamment à la location-accession. Cet avant-contrat spécifique obéit à un régime propre qui ne se ramène ni à la promesse unilatérale, ni à la promesse synallagmatique (42). Mais il s'agit bien d'un contrat préparatoire dans la mesure où le promettant conserve la liberté de ne pas conclure la vente.

b) Les conditions de forme

118. – La forme de l'offre. Règles générales. À l'exception des contrats solennels qui sont soumis à des formes particulières, les contrats ne sont en principe soumis à aucune forme : ils se forment par le simple échange des consentements. Il en va de même de l'offre et de l'acceptation : peu importe la manière dont elles se formalisent dès l'instant qu'elles expriment sans équivoque la volonté de leur auteur.

Ainsi, l'offre peut être *expresse* ou *tacite*. Expresse, elle sera formulée par écrit (lettre, catalogue, petites annonces des journaux, offres publiques d'achat (43), etc.) ou plus simplement par la parole. Dans le commerce elle

---

(39) Deux promesses unilatérales croisées, l'une de vente, l'autre d'achat, valent promesse synallagmatique si elles sont stipulées en termes identiques et comportent un accord définitif sur la chose et sur le prix (Cass. com. 16 janv. 1990 : *RTD civ.* 1990, 462), mais non si elles sont soumises à des conditions différentes (Cass. 3e civ., 26 juin 2002, *Defrénois* 2002, 1231 et note E. Savaux ; *RTD civ.* 2003, 77, obs. J. Mestre et B. Fages).

(40) L. Boyer, *Les promesses synallagmatiques de vente* : *RTD civ.* 1949, 1. – J. Schmidt-Szalewski, *Le rôle de l'acte authentique dans la vente immobilière* : *RD imm.* 1989, 147. – Ch. Coutant, *La réitération des promesses synallagmatiques de vente* : *AJDI* 1999, 127.

(41) Un intérêt considérable s'attache à cette distinction entre promesse synallagmatique et promesse unilatérale. En effet, l'article 1840 A du Code général des impôts édicte que doit être constatée par acte authentique ou acte sous seing privé enregistré dans les dix jours toute promesse de vente afférente à un immeuble, un fonds de commerce, etc., *à peine de nullité*. Cette obligation d'enregistrement qui vise les seules promesses unilatérales sous seing privé, est parfois méconnue en pratique, ce qui entraîne alors la nullité ; il importe donc de savoir si la promesse conclue est ou non unilatérale, et si les formalités correspondantes ont été accomplies.

(42) Ph. Malinvaud et Ph. Jestaz, *Le contrat préliminaire à la vente d'immeuble à construire* : *JCP* 76, I, 2790. – Th. Massis, *Le contrat préliminaire dans la vente d'immeuble à construire*, thèse Paris II, 1979. – P. Meysson, *Le contrat préliminaire à la vente d'immeuble à construire* : *JCP* N 81, I, p. 73. – F. Collart-Dutilleul, *op. cit.* – D. Ponton-Grillet, *Le contrat de réservation* : *D.* 1991, chron. 26.

(43) Les offres publiques d'achat sont soumises à des conditions tout à fait particulières qui relèvent du droit des marchés financiers et qui, de ce fait, échappent largement au droit commun des contrats (V. A.C. Muller, *Droit des marchés financiers et droit des contrats*, thèse Paris II, 2002).

---

est le plus souvent tacite et résulte notamment de l'étalage des marchandises. D'une manière générale, on peut considérer que de nombreux professionnels sont en état d'offre permanente. Tel est par exemple le cas du taxi en stationnement, des marchandises exposées à l'étalage, etc. La loi décide en conséquence que le refus de vente, ou de prestation de services, et les pratiques anticoncurrentielles constituent un délit, sauf motif légitime (C. cons., art. L. 122-1).

L'offre peut être faite *à personne déterminée* ou *au public*. L'une et l'autre ont en principe les mêmes effets, à ceci près que l'offre au public comporte toujours des réserves, au moins implicites : jusqu'à épuisement du stock en cas d'offre portant sur des marchandises, sous réserve de la personnalité de l'acceptant dans les contrats *intuitu personae* où la considération de la personne est prédominante (dans ce dernier cas il s'agit en réalité d'une invitation à des pourparlers et non pas d'une offre au sens juridique du terme).

L'offre peut mentionner un *délai* pour l'acceptation, ou rester muette sur ce point (44). Cette précision présente un intérêt majeur dans la mesure où elle détermine la durée de validité de l'offre.

119. – La forme de l'offre. Règles spécifiques au droit de la consommation. Le souci de protéger le consommateur a amené le législateur à poser des règles qui touchent à la forme de l'offre faite par le professionnel. On se bornera à en présenter quelques exemples.

C'est ainsi que l'offre réalisée sous la forme d'un *démarchage à domicile* est strictement réglementée (C. consom. art. L. 121-21 et s.).

De même, et cette fois-ci pour l'offre de denrées et marchandises faites au public, la loi impose des mentions spécifiques pour *l'étiquetage et l'affichage*. Notamment, l'article R. 112-8 du Code de la consommation prévoyait que toutes les mentions d'étiquetage devaient « être facilement compréhensibles, rédigées en langue française... ». Mais cette disposition, qui semblait protéger à la fois le consommateur et la langue française, a été condamnée par l'arrêt *Casino* de la Cour de Justice des Communautés européennes comme contraire à l'article 28 du Traité CE et à la Directive du 18 décembre 1978 concernant l'étiquetage des denrées alimentaires (45). Plus généralement, la loi du 4 août 1994, dite loi Toubon, relative à l'emploi de la langue française, pose en son article 2 l'obligation –

---

(44) La loi en dispose parfois autrement ; par exemple, dans le contrat de crédit, l'offre de prêt doit être maintenue pendant une durée minimale de trente jours à compter de sa réception par l'emprunteur (C. consom., art. L. 312-10) ; dans la vente à distance, l'offrant doit obligatoirement mentionner « la durée de la validité de l'offre » (C. consom., art. L. 121-18).

(45) CJCE, ass. plén. 12 sept. 2000, *Y. Geffroy et Casino France SNC*, aff. C-366/98 : *D.* 2001, 1458 et note J.-M. Pontier. Cette condamnation, survenue en matière d'étiquetage, pourrait fort bien être étendue à d'autres domaines (V. sur ce point : L. Bernardeau, *Étiquetage et langue française : les enseignements de l'arrêt Casino : Contr. Conc. Consom.* 2001, chron. n° 10).

---

pénalement sanctionnée (46) – d'employer la langue française « dans la désignation, l'offre, la présentation, la publicité écrite ou parlée, le mode d'emploi ou d'utilisation, l'étendue et les conditions de garantie d'un bien ou d'un service, ainsi que dans les factures et quittances ». Afin de rendre cette disposition compatible avec les règles européennes (47), une circulaire du 20 septembre 2001 est venue fixer diverses recommandations (48).

S'agissant maintenant de la précision de l'offre, l'article L 111-1 pose en règle générale que « tout professionnel vendeur de biens ou prestataire de services doit, avant la conclusion du contrat, mettre le consommateur en mesure de connaître les caractéristiques essentielles du bien ou du service ». Dans certains domaines, la loi se montre encore plus exigeante quant aux informations qui doivent être mentionnées dans l'offre, spécialement en matière de crédit (C. consom., art. L. 311-8 et s.).

2° Les effets de l'offre

120. – Révocabilité de l'offre ? Tant que l'acceptation n'est pas intervenue pour parfaire le contrat, l'offrant se trouve dans une situation d'attente. Peut-il y mettre fin en révoquant son offre ? Suivant la doctrine classique ancienne, il devait y avoir *libre révocabilité* : s'agissant d'une manifestation unilatérale de volonté, il semblait naturel qu'on puisse la retirer à tout moment. En revanche, la *sécurité des transactions* postule la solution inverse : c'est en ce sens que se prononce la jurisprudence.

La jurisprudence considère en effet qu'il y a une obligation de maintenir l'offre, qui est à moduler suivant les circonstances (49).

Si l'offre est formulée *avec un délai*, l'offrant doit la maintenir pendant ce délai ; il doit en quelque sorte tenir parole (50). S'il révoque prématurément son offre, il n'est pas douteux que sa responsabilité pourra être engagée : il risque donc une condamnation à dommages et intérêts ; en

---

(46) Cass. crim. 26 avr. 2000 : *Bull. crim.* n° 476. – 14 nov. 2000 : *JCP* 2001, II, 10525 et note E. Dreyer.

(47) H. Claret, *La loi Toubon du 4 août 1994 est-elle conforme au droit communautaire ? : Contr. Conc. Consom.* 2001, chron. n° 5.

(48) Circulaire du 20 septembre 2001 relative à l'application de l'article 2 de la loi du 4 août 1994 relative à l'emploi de la langue française (*JO* 27 oct. 2001 ; *JCP* 2001, III, 20577) :

« Faisant suite à la jurisprudence récente de la Cour, la présente circulaire rappelle que l'article 2 de la loi est applicable lors de la commercialisation en France des biens, produits ou services, quelle que soit l'origine de ceux-ci. Ses dispositions ont pour objet d'assurer l'information et la protection du consommateur afin qu'il puisse acheter et utiliser un produit ou bénéficier des services en ayant une parfaite connaissance de leur nature, de leur utilisation et de leurs conditions de garantie.

Elle précise en outre que l'article 2 de la loi ne fait pas obstacle à la possibilité d'utiliser d'autres moyens d'information du consommateur, tels que des dessins, symboles ou pictogrammes. Ceux-ci peuvent être accompagnés de mentions en langue étrangère non traduites en français, dès lors que les dessins, symboles ou pictogrammes et les mentions sont soit équivalents, soit complémentaires, sous réserve qu'ils ne soient pas de nature à induire en erreur le consommateur. »

(49) Dans le cas d'une offre par voie électronique, le projet de loi pour la confiance dans l'économie numérique prévoit que : « l'auteur de l'offre est tenu par sa proposition tant qu'elle reste accessible par voie électronique de son fait ».

(50) Cass. 1re civ., 17 déc. 1958 : *D.* 1959, 33. – Cass. 3e civ., 10 mai 1968 : *Bull. civ.* III, n° 209.

revanche, il paraît difficile d'admettre que la révocation doit être tenue pour nulle et qu'une acceptation postérieure puisse alors former le contrat. Quelques décisions l'ont néanmoins admis (51).

Si l'offre a été faite *sans indication de délai*, il faut distinguer entre deux situations. L'offre faite au public est en principe librement révocable, ce qui est logique compte tenu des réserves implicites qui accompagnent nécessairement ce type d'offre (52). En revanche, si l'offre a été faite à personne déterminée, la jurisprudence décide en général que l'offrant est tenu de la maintenir pendant un délai raisonnable dont le *quantum* sera déterminé par les tribunaux suivant les usages et les circonstances (53).

Trois explications ont été avancées comme fondement possible de cette obligation d'origine jurisprudentielle. Les uns ont soutenu que cette obligation se rattachait à un *avant-contrat* portant sur le délai de maintien de l'offre ; mais cette théorie de l'avant-contrat, concevable lorsqu'un délai a été indiqué, relève de la fiction la plus totale dans le cas contraire. D'autres ont considéré qu'il y avait faute à retirer une offre prématurément ; mais cette théorie (dite de la *responsabilité civile*) suppose ce qui reste précisément à démontrer, à savoir l'existence d'une obligation de maintenir l'offre alors qu'aucun délai n'a été précisé. Compte tenu de ces contradictions, la doctrine voit généralement dans cette obligation une application de la théorie de l'*engagement unilatéral* suivant laquelle une volonté, à elle seule, pourrait être source d'obligation (V. *supra*, n° 53).

121. – Caducité de l'offre. On enseigne classiquement que l'offre devient caduque (54), c'est-à-dire tombe d'elle-même dans deux séries de cas.

Il y a tout d'abord caducité par l'*écoulement du temps*, mais il faut distinguer suivant que l'offre avait été faite avec ou sans indication de délai.

Si l'offre a été faite avec délai, il est évident qu'elle tombe à l'expiration du délai indiqué ; toute acceptation ultérieure serait donc sans effet.

À défaut d'indication d'un délai, certains auteurs considèrent qu'il n'y a pas place pour la caducité et qu'une acceptation survenant après de longues années entraînerait la conclusion du contrat (55) ; il paraît plus judicieux d'admettre que, dans ce cas, l'offre deviendra caduque à l'expiration d'un délai raisonnable suivant l'appréciation du juge. C'est finalement en ce sens que se prononce la jurisprudence lorsqu'elle considère

---

(51) Cass. 1re civ., 17 déc. 1958 et Cass. 3e civ., 10 mai 1968, précités.

(52) Versailles, 28 févr. 1992 : *Defrénois* 1992, 1, 1073, obs. J.-L. Aubert.

(53) Cass. 3e civ., 22 avr. 1958 : *Bull. civ.* III, n° 160. – Cass. 1re civ., 7 janv. 1959 : *Bull. civ.* I, n° 15. – Cass. soc. 22 mars 1972 : *D.* 1972, 468. – Cass. 3e civ., 20 mai 1992 : *D.* 1993, 493 et note G. Virassamy.

(54) Sur la notion de caducité, voir Y. Buffelan-Lanore, *Essai sur la notion de caducité des actes juridiques*, LGDJ, Droit privé, t. 43. – N. Fricéro, *La caducité en droit privé*, thèse Nice, 1979. – F. Garron, *La caducité du contrat (Étude de droit privé)*, préf. J. Mestre, PUAM, 1999. – V. Wester-Ouisse, *La caducité en matière contractuelle : une notion à réinventer* : *JCP* 2001, I, 290.

(55) V. En ce sens Flour et Aubert, n° 144.

---

qu'une offre faite sans indication de délai n'est pas faite pour l'éternité, mais pour un délai raisonnable qui doit être apprécié en fonction des circonstances (56). Cela revient à dire que toutes les offres sont faites pour un délai limité, soit le délai déterminé par l'offrant, soit un délai raisonnable apprécié par le juge ; et la caducité intervient à l'expiration de ce délai.

La question se pose également *en cas de mort ou d'incapacité de l'offrant*. La jurisprudence lui donne une réponse différente suivant que l'offre était faite avec ou sans indication de délai.

Si l'offre a été faite avec indication de délai, l'obligation de maintenir l'offre dans ce délai survit au décès de l'offrant et passe à ses héritiers ; il n'y a pas caducité de l'offre et une acceptation peut valablement intervenir après le décès de l'offrant, à la condition bien évidemment d'être toujours dans le délai (57).

Dans le cas où l'offre a été faite sans indication de délai, la jurisprudence a varié. Alors qu'il était traditionnellement admis, en jurisprudence comme en doctrine, que le décès de l'offrant entraînait la caducité, un arrêt avait décidé à l'inverse qu'une offre de vente ne pouvait être considérée comme caduque, ou inopposable à ses héritiers, du seul fait du décès de l'offrant (58). Mais la jurisprudence est revenue ultérieurement à la solution classique de la caducité (59).

La question de la caducité pourrait également se poser en cas de survenance de l'incapacité de l'offrant, mais la jurisprudence n'a pas été amenée à se prononcer sur ce point.

B. – L'acceptation

1° Les conditions

a) Les conditions de fond

122. – L'acceptation doit être concordante. Les documents contractuels. L'acceptation doit d'abord être concordante ; il faut ici comprendre que l'acceptation porte seulement sur les conditions de l'offre telles qu'elles étaient connues de l'acceptant au moment où il a donné son consentement.

En vertu de cette idée, seront écartées les clauses illisibles ou réputées telles par la jurisprudence dans un souci de protection du consommateur, par exemple :

---

(56) Voir en ce sens Cass. 3ᵉ civ., 20 mai 1992, préc.
(57) Cass. 3ᵉ civ., 10 déc. 1997 : *Bull. civ.* III, n° 223 ; *Defrénois* 1998, 1, 336, art. 36753, n° 20, obs. D. Mazeaud ; *D.* 1999, somm. 9, obs. P. Brun.
(58) Cass. 3ᵉ civ., 9 nov. 1983 (à propos du droit de préemption d'une SAFER) : *Bull. civ.* III, n° 222 ; *RTD civ.* 1985, 154, obs. J. Mestre ; *Defrénois* 1984, 1, 1011, art. 33368, n° 78, obs. J.-L. Aubert.
(59) Cass. 3ᵉ civ., 10 mai 1989 : *D.* 1990, 365 et note G. Virassamy. V. D. Martin, *L'esquisse contractuelle et la mort : D.* 1993, chron. 236.

• les clauses en langue étrangère (le français est censé ne pas connaître de langues autres que la sienne…), sous réserve des exigences communautaires (V. *supra*, n° 119) ;

• celles rédigées en très petits caractères (le français est naturellement presbyte…), ou figurant au verso de la commande (60),

• ou encore celles inscrites dans un document annexe non communiqué à l'acceptant (61).

Sont généralement considérées comme n'ayant pas été acceptées les conditions qui n'ont été connues que postérieurement à l'acceptation, par exemple, celles figurant sur la facture adressée par la suite (c'était souvent le cas jadis des clauses d'attribution de compétence, qui sont désormais interdites sauf entre commerçants et à la condition d'être spécifiées de façon très apparente : C. proc. civ., art. 48) (62).

Il s'agit finalement de déterminer quels sont les documents contractuels (63). Souvent, le contrat listera ces documents, en se bornant à y faire renvoi : par exemple les conditions générales de vente du vendeur, telle ou telle Norme AFNOR, etc. Le principe est que seuls sont contractuels les documents qui ont été effectivement annexés au contrat et dont l'acceptant avait connaissance lors de son acceptation (64), par opposition à ceux dont il n'aurait eu connaissance qu'ultérieurement.

En revanche, parce qu'il y va de l'intérêt de l'acceptant, un document publicitaire diffusé par l'offrant pourra être considéré comme ayant valeur contractuelle et obligeant son auteur à fournir la chose ou la prestation telle que promise (65).

123. – L'acceptation doit être pure et simple. Pour qu'il y ait rencontre des consentements et conclusion du contrat, l'acceptation doit être pure et simple. En pratique, l'acceptation sera souvent donnée sous réserve de telle ou telle modification, par exemple sous réserve d'un rabais sur le prix proposé. En fait, il ne s'agit pas d'une acceptation mais d'une contre-proposition soumise à l'offrant. S'instaurera alors un processus de négociation, fait de propositions et contre-propositions, jusqu'au moment où les protagonistes seront effectivement d'accord sur la chose et sur le prix.

Seule l'acceptation venant en dernier sera une acceptation pure et simple et permettra au contrat de se former.

---

(60) Cass. 1re civ., 3 mai 1979 : *Bull. civ.* I, n° 128 ; *D.* 1980, IR, 262, obs. J. GHESTIN ; *JCP* 79, IV, 221. – Cass. com. 13 oct. 1992 : *Contr. Conc. Consom.* 1993, comm. n° 1, et note L. LEVENEUR.

(61) Cass. 1re civ., 18 juin 1985 : *Bull. civ.* I, n° 195.

(62) J. DUPICHOT, *Bilan de l'interprétation jurisprudentielle de l'article 48* : *Gaz. Pal.* 1981, 2, 535.

(63) F. LABARTHE, *La notion de document contractuel*, préf. J GHESTIN, LGDJ, 1994.

(64) Cass. 1re civ., 3 déc. 1991 : *Bull. civ.* I, n° 342. – 11 avr. 1995 : *Contr. Conc. Consom.* 1995, comm. n° 124. – 17 nov. 1998 : *Contr. Conc. Consom.* 1998, comm. n° 18. – 16 févr. 1999 : *JCP* 1999, II, 10162 et note B. FILLION-DUFOULEUR. V. cep. *Contra* : Cass. 1re civ. 3 févr. 1993 : *Bull. civ.* I, n° 48.

(65) Cass. com. 17 juin 1997, D. 1997, IR, 162 ; *JCP* 1997, I, 4056, n° 1 à 4 et note F. LABARTHE.

124. – L'acceptation doit être complète. L'acceptation doit enfin être complète, c'est-à-dire porter sur l'ensemble des conditions figurant dans l'offre.

Si l'offre ne portait que sur les points essentiels, le contrat est conclu, sauf pour les parties à s'entendre ensuite sur les points annexes qui n'avaient pas été envisagés, ni soumis à la discussion (66).

Mais si l'offre portait sur un ensemble de clauses et si l'acceptation a été limitée aux points essentiels, le contrat n'est pas formé si le juge estime que les conditions non agréées, même secondaires dans l'absolu, avaient été considérées comme déterminantes par l'offrant (67) : par exemple, les modalités de paiement. En pareil cas, il y a un simple *accord de principe* (68), qui oblige seulement les partenaires à poursuivre de bonne foi la négociation sur les points secondaires (69). Mais il n'y a pas encore contrat, à moins que les points restant en discussion ne soient totalement accessoires (70).

125. – L'acceptation mérite parfois réflexion : les délais de réflexion. En principe, l'acceptant est libre de donner son acceptation quand il l'entend, sans avoir à attendre un certain délai. L'acceptation peut donc, le cas échéant, avoir été donnée à la légère.

Pour éviter ce risque, la loi impose parfois un délai de réflexion avant l'expiration duquel l'acceptation ne peut pas être valablement donnée ; corrélativement, l'offrant ne peut retirer son offre pendant ce délai. Cette technique a été utilisée par le législateur dans le souci de la *protection du consommateur*, non pas de manière générale, mais pour certains contrats où le risque d'une acceptation précipitée, irréfléchie, est apparu plus important (71).

Ainsi, l'article 9 de la loi du 12 juillet 1971 relative à l'enseignement à distance, c'est-à-dire par correspondance, impose à peine de nullité un délai de sept jours entre la réception du contrat par le client et sa signature (art. L. 444-8 du Code de l'éducation).

---

(66) Cass. req. 20 janv. 1941 : *DA* 1941, 179. – Cass. 1re civ., 26 nov. 1962 : *D.* 1963, 61.

(67) Cass. 3e civ., 4 janv. 1973 : *D.* 1973, 663. – 2 mai 1978 : *D.* 1979, 317 et note J. SCHMIDT-SZALEWSKI ; *JCP* 80, II, 19465, obs. P. FIESCHI-VIVET. – Cass. 1re civ., 21 févr. 1979 : *D.* 1979, 400 ; *JCP* 80, II, 19482, obs. P. FIESCHI-VIVET. – Cass. 3e civ., 26 avr. 1979 : *D.* 1979, IR, 504. – Cass. 3e civ., 14 janv. 1987 : *JCP* 87, IV, 96. – Cass. com. 16 avr. 1991 : *JCP* 92, II, 21871, obs. M.-O. GAIN. – En droit allemand, on admet que la formation du contrat puisse s'opérer par étapes successives : V. A. RIEG, *La* punctatio, *Contribution à l'étude de la formation successive du contrat :* in *Études Jauffret*, 1974, p. 593.

(68) I. NAJJAR, *L'accord de principe : D.* 1991, chron. 57.

(69) Cass. soc. 19 déc. 1989 : *D.* 1991, 62 et note J. SCHMIDT-SZALEWSKI. – Cass. com. 2 juill. 2002 : *RJDA* 2003, n° 52 ; *RTD civ.* 2003, 76, obs. J. MESTRE et B. FAGES.

(70) Cass. 3e civ., 14 janv. 1987 : *JCP* 1987, IV, 96 (sauf si les contractants ont entendu retarder la formation de la convention jusqu'à la fixation de ces modalités accessoires).

(71) D. FERRIER, *Les dispositions d'ordre public visant à préserver la réflexion des contractants : D.* 1980, chron. 177. – CHRISTIANOS, *Délai de réflexion : théorie juridique et efficacité de la protection des consommateurs : D.* 1993, chron. 28.

De même, l'article 72 de la loi du 13 décembre 2000 (dite loi SRU) ouvre ce délai de réflexion de sept jours à l'acquéreur non professionnel d'un bien immobilier (CCH, art. L. 271-1) (72).

Mais c'est en matière de crédit immobilier que la technique du délai de réflexion trouve sa meilleure illustration. La loi du 13 juillet 1979, qui oblige le prêteur à maintenir son offre pendant un délai de trente jours au moins à compter de sa réception par l'emprunteur, dénie tout effet à l'acceptation que l'emprunteur aurait donnée moins de dix jours après cette date (C. consom., art. L. 312-10) ; ainsi le délai de réflexion sera-t-il nécessairement d'au moins dix jours.

Cela dit, la tendance actuelle du législateur est d'accorder au consommateur une faculté de rétractation de son acceptation, plutôt qu'un simple délai de réflexion. C'est là une autre technique de protection du consommateur, qui consiste à limiter au profit de certaines personnes les effets de l'acceptation.

b) Les conditions de forme

126. – L'acceptation peut être expresse ou tacite. Comme l'offre, l'acceptation n'est en principe soumise à aucune forme particulière ; il faut et il suffit qu'elle soit exempte de toute équivoque. L'acceptation peut donc être *expresse* ou *tacite*.

Expresse, elle pourra être donnée par écrit ou verbalement. Par exemple, le devis signé par un artisan qui est une offre d'exécuter certains travaux à un certain prix sera contresigné par le Client avec la formule « bon pour acceptation ». Parfois, les usages dictent la forme de l'acceptation : par exemple poignée de main dans les foires aux bestiaux (tope-là, cochon qui s'en dédit...), bras levé dans les ventes aux enchères, etc.

Quant à l'acceptation tacite, elle résultera le plus souvent de l'exécution spontanée du contrat proposé : par exemple le fait pour un client de monter dans un taxi ou un autobus (73), pour un fournisseur d'envoyer la marchandise commandée, pour un assureur d'envoyer une police à signer ou d'encaisser une prime (74), etc.

S'agissant du *contrat électronique*, un projet de loi prévoit que toute acceptation d'une offre devra prendre la forme d'un double « clic », ce qui veut dire qu'après avoir passé sa commande, l'utilisateur devra pouvoir la vérifier et confirmer son acceptation (V. *infra*, n° 130 *in fine* et 136).

---

(72) Ph. PELLETIER, *La protection nouvelle de l'acquéreur immobilier : Defrénois* 2001, 1, 205, art. 37307. – H. PÉRINET-MARQUET, *L'impact de la loi SRU sur la vente immobilière : JCP* N, 2001, 533. – H. PÉRINET-MARQUET, *Les difficultés de délimitation du champ d'application des droits de rétractation et de réflexion offerts à l'acquéreur immobilier. Art. L. 271-1 du Code de la construction : JCP* 2002, I, 129.

(73) Cass. 1re civ., 2 déc. 1969 : *D.* 1970, 104 et note G. C.-M.

(74) Cass. 1re civ., 21 juin 1983 : *Bull. civ.* I, n° 176. – 28 févr. 1989 : *Bull. civ.* I, n° 93. – 21 mai 1990 : *Bull. civ.* I, n° 109.

LA COUR ; – Sur le premier moyen : – Attendu qu'il résulte des énonciations de l'arrêt atta-qué (Paris, 7 mars 1968) que dame Jean Jacques fut blessée au moment où elle montait dans un taxi de la société des autoplaces, qui s'était mis en mouvement entraîné par la déclivité du sol, son chauffeur ayant desserré le frein à main ; – Attendu qu'il est fait grief à la cour d'appel d'avoir retenu l'entière responsabilité de la société des autoplaces, au motif qu'il s'était formé un contrat de transport dès que le voyageur avait manifesté son intention de prendre le taxi en ouvrant la portière, alors que le contrat de transport de caractère consensuel impliquerait accord du transporteur, que, nonobstant les règles de police qui obligent le chauffeur de taxi à charger, ce dernier, sur le terrain civil, serait libre de refuser un client, que l'ouverture de la portière par un voyageur éventuel ne suffirait donc pas à caractériser la conclusion du contrat dès lors qu'il n'est pas constaté que le chauffeur avait eu conscience de cette ouverture et y avait acquiescé ; – Mais attendu que la formation du contrat de transport résulte de l'offre du transporteur et de l'acceptation du voyageur ; que les juges d'appel, qui apprécient souveraine-ment la volonté des parties de conclure une convention, relèvent d'une part, que le simple fait de laisser une voiture de place en stationnement dans un emplacement réservé, gaine du compteur non mise et chauffeur au volant, constitue une offre et, d'autre part, que dame Jean Jacques avait manifesté son intention de prendre place dans le taxi, en ouvrant la portière, « geste non équivoque » ; qu'ainsi, le premier moyen doit être écarté.

Cass. 1re civ., 2 déc. 1969 : D. 1970, 104.
Société des autoplaces G7 c/dame Jean Jacques.

127. – Le silence vaut-il acceptation ? La question ne se pose pas si le destinataire de l'offre, sans rien dire ou écrire, a néanmoins adopté un comportement pouvant être considéré comme valant acceptation tacite. Elle ne se pose que dans l'hypothèse où celui qui reçoit l'offre a conservé une attitude totalement passive : son silence peut-il ou non valoir acceptation ?

En dépit de l'adage « qui ne dit mot, consent », le fait de ne pas répon-dre à une offre ne vaut pas en principe acceptation car le silence, par sa nature même, est équivoque (75). Une application remarquable en a été faite à propos de ce procédé de vente qui consiste à envoyer à des particu-liers des articles accompagnés d'une lettre aux termes de laquelle, faute de renvoyer lesdits articles dans un certain délai, le destinataire sera présumé les avoir acceptés. Cette pratique, qui spéculait sur la paresse des particuliers, a été condamnée par la loi pénale (C. cons. art. L. 122-2 et s., et R. 122-1) cependant que la jurisprudence civile avait dénié toute valeur d'acceptation à un pareil silence.

Par exception à la règle, il est un certain nombre d'hypothèses où le silence vaut acceptation parce qu'il s'agit alors d'un *silence circonstancié.* Cela vise trois séries d'hypothèses :

– lorsqu'offrant et destinataire étaient déjà en *rapport d'affaires du même genre :* la loi en fait application en matière de bail où le silence vaut tacite

---

(75) *Les modes non formels d'expression de la volonté :* in *Trav. ass. H. Capitant,* t. XX. – M.-J. Litt-man, *Le silence dans la formation des actes juridiques,* thèse Strasbourg, 1969. – P. Diener, *Le silence et le droit,* thèse Bordeaux, 1975. – Cass. 1re civ., 23 mai 1979 : D. 1979, IR, 488. – Cass. 2e civ., 21 janv. 1981 : *Bull. civ.* II, n° 14. – Cass. 3e civ., 9 mars 1988 : *Gaz. Pal.* 1988, I, somm. 121. – Cass. com. 6 mars 1990 : *JCP* 90, II, 21583, obs. B. Gross. – Cass. com. 16 avr. 1991 : *JCP* 92, II, 21871, obs. M.-O. Gain. – Cass. 1re civ., 16 avr. 1996 : *Bull. civ.* I, n° 181.

reconduction (C. civ., art. 1738), et en matière d'assurance à la proposition de l'assuré de prolonger ou modifier le contrat d'assurance (C. ass., art. L. 112-2) ; la jurisprudence applique la même solution de manière générale lorsque, en raison des rapports d'affaires antérieurs, le silence perd son caractère équivoque (76) ;

– lorsque tel est l'*usage* de la profession (77) car, là encore, le silence perd son ambiguïté ;

– lorsque l'offre est faite dans le *seul intérêt du destinataire*, auquel cas son acceptation est présumée (78).

2° Les effets de l'acceptation

128. – Le principe : la conclusion du contrat. Lorsqu'elle remplit les conditions ci-dessus exposées, l'acceptation entraîne tout à la fois l'irrévocabilité de l'offre et la conclusion du contrat.

Encore faut-il, bien évidemment, que l'acceptation intervienne dans le délai indiqué dans l'offre ou, à défaut d'une telle indication, dans un délai raisonnable que le juge appréciera en fonction des circonstances (V. *supra*, n° 120).

Il reste à se demander si l'acceptation doit être portée à la connaissance de l'offrant, de telle sorte qu'il y ait bien une rencontre des consentements, un accord de volontés. Cette connaissance s'opère de manière évidente et spontanée lorsque les parties ont été présentes à la négociation. Elle fait en revanche difficulté lorsque, les parties étant éloignées l'une de l'autre, la négociation s'est opérée par correspondance. C'est le problème des *contrats entre absents* (V. *infra*, n°s 130 et s.).

129. – L'exception : la faculté de rétractation. Diverses lois récentes, tendant à protéger certaines personnes – spécialement les consommateurs – contre les pratiques commerciales trop agressives et contre le danger inhérent à certains contrats, amènent à nuancer le principe suivant lequel l'acceptation entraîne la conclusion du contrat.

Ce principe n'est pas mis en cause lorsque la loi impose un délai de réflexion à l'acceptant (V. *supra*, n° 125). En effet, un tel délai ne fait que retarder l'acceptation, mais il n'en modifie pas les effets.

---

(76) Cass. 1re civ., 3 déc. 1985 : *Bull. civ.* I, n° 330. – 12 janv. 1988 : *JCP* 88, IV, 108 (pour une hypothèse où le silence a été considéré comme valant acceptation). – Cass. com. 26 janv. 1993 : *D.* 1994, 69 et note J. Moury (pour la modification d'un contrat). – Cass. 1re civ., 18 juin 2002 : *D.* 2002, 2830 et note F. Verdun (pour l'adhésion à un nouveau contrat d'assurance de groupe) ; pour la critique, voir A. Bernard, *Acceptation par le silence ou contrat forcé ? : D.* 2003, chron. 441.

(77) Cass. com. 30 janv. 1956 : *Bull. civ.* III, n° 13.

(78) Cass. req. 20 mars 1938 : *D.* 1939, 1, 5 et note P. Voirin. – Cass. 1re civ., 1er déc. 1969 : *D.* 1970, 422 et note M. Puech ; *JCP* 70, II, 16445, obs. J.-L. Aubert. – Cass. soc. 15 déc. 1970 : *JCP* 71, IV, 24.

Il n'en va pas de même lorsque, comme c'est le plus souvent le cas aujourd'hui, la loi accorde à l'acceptant un *délai de repentir*, c'est-à-dire la faculté de rétracter son acceptation dans ce délai. En pareil cas, on peut se demander si l'acceptation entraîne véritablement la conclusion définitive du contrat (79), alors surtout que le contrat ne peut pas connaître d'exécution, ou de commencement d'exécution, avant l'expiration dudit délai. C'est dire que, tant que le délai n'est pas expiré, le contrat est en attente.

Une telle faculté de rétractation n'est pas édictée de manière générale. Tendant à assurer la protection des consommateurs (au sens large), elle ne s'applique qu'à certaines méthodes de commercialisation ou à certains contrats déterminés. C'est ainsi que la loi a instauré un délai de repentir :

• de quinze jours en matière de démarchage financier (L. 3 janv. 1972),

• de sept jours pour le démarchage à domicile (C. consom., art. L. 121-25),

• de sept jours pour le crédit à la consommation (C. consom., art. L. 311-15),

• de sept jours pour tout acte sous seing privé ayant pour objet la construction ou l'acquisition d'un immeuble à usage d'habitation (80) (CCH, art. L. 271-1),

• de sept jours pour les ventes de biens et fournitures de prestations de services à distance (opérations dites de téléachat) (C. consom., art. L 121-20) ; cette disposition devrait également s'appliquer aux consommateurs du commerce électronique (81).

Cette faculté de rétractation peut être rapprochée de la *clause de dédit* que les parties peuvent conventionnellement insérer dans leur convention, à ceci près toutefois que le droit de repentir instauré par la loi en faveur des consommateurs est un avantage sans contrepartie, alors que le droit de rétractation conventionnel a un coût : le *dédit* qu'il faudra payer, ou les *arrhes* qu'il faudra abandonner (C. civ., art. 1590).

C. – La rencontre des volontés

130. – Position du problème. Lorsque le contrat intervient entre des personnes présentes ou représentées, le problème n'apparaît pas : les volontés se sont rencontrées au moment et au lieu où elles ont été émises. La seule difficulté est de savoir quelle est la date du contrat lorsque celui-ci

---

(79) V. R. Baillod, *Le droit de repentir : RTD civ.* 1984, 227. – Ph. Malinvaud, *Droit de repentir et théorie générale des obligations :* in *Mélanges Sacco,* 1992. – L. Bernardeau, *Le droit de rétractation du consommateur. Un pas vers une doctrine d'ensemble, À propos de l'arrêt CJCE 22 avril 1999 : JCP* 2000, I, 218. – L. Bernardeau, *Le droit de rétractation du consommateur. Un pas de plus vers une doctrine d'ensemble, À propos de l'arrêt CJCE 13 décembre 2001 : JCP* 2002, I, 168.

(80) Ph. Pelletier, *La protection nouvelle de l'acquéreur immobilier :* Defrénois 2001, 1, 205, art. 37307. – H. Périnet-Marquet, *L'impact de la loi SRU sur la vente immobilière : JCP* N, 2001, 533. – H. Périnet-Marquet, *Les difficultés de délimitation du champ d'application des droits de rétractation et de réflexion offerts à l'acquéreur immobilier. Art. L. 271-1 du Code de la construction : JCP* 2002, I, 129.

(81) J. Passa, *Commerce électronique et protection du consommateur : D.* 2002, chron. 555.

a été conclu par étapes successives ; tel est par exemple le cas si un accord de principe est intervenu sur les éléments essentiels du contrat et s'il n'a été complété que par la suite en ce qui concerne les modalités (V. *supra*, n° 124).

La difficulté est d'une autre nature lorsque offre et acceptation sont intervenues, non entre personnes présentes ou représentées, mais par téléphone ou par lettre ou par tout moyen électronique de transmission : c'est le problème dit des *contrats entre absents* ou *contrats par correspondance*, ou encore, pour employer une terminologie plus moderne, les *contrats à distance*.

Lorsque le contrat est conclu par téléphone, télécopie, télex, ou tout autre mode de transmission instantané comme Internet, seule se pose la question du lieu de conclusion du contrat : est-ce le lieu de l'offrant ou celui de l'acceptant ? Si la négociation a été menée par un échange de lettres, ce qui suppose un certain délai d'acheminement du courrier (82), alors se posent à la fois la question du lieu et celle du moment du contrat.

Il s'agit là d'une très ancienne question qui, faute d'avoir été réglée par la loi, a été longuement débattue en doctrine et a donné lieu à une importante jurisprudence. Mais elle demeure d'actualité, et elle a même pris une dimension supérieure du fait du développement des techniques modernes et de la consécration du contrat électronique. Malheureusement, si le législateur est intervenu pour réglementer – dans le sens de la protection du consommateur – les contrats à distance et le contrat électronique (83), il a omis de régler la difficulté relative au moment et au lieu de formation du contrat. Il s'ensuit que, dans l'attente d'une loi prochaine (sur la solution retenue par le projet de loi, voir *infra*, n° 136), dite loi pour la confiance dans l'économie numérique, cette question demeure régie par le droit commun, c'est-à-dire par la jurisprudence.

131. – Les intérêts pratiques en jeu. Pour mettre en lumière les intérêts pratiques, il suffit de raisonner à partir d'un exemple.

Supposons qu'un fabricant parisien offre un certain nombre de coupons de tissus à un artisan de Tahiti pour réaliser des paréos. L'artisan tahitien poste son acceptation le 15 décembre à Tahiti, mais celle-ci ne parviendra à Paris dans les bureaux de l'offrant que le 28 décembre. Une double question se pose : le contrat doit-il être considéré comme conclu le 15 ou le 28 décembre ? À Tahiti ou à Paris ?

En théorie, les deux questions devraient être intimement liées si bien que la réponse devrait être l'une des deux suivantes : le contrat est conclu ou bien le 15 décembre à Tahiti, ou bien le 28 décembre à Paris. On verra que la jurisprudence ne s'est pas laissée enfermer dans cette logique formelle et que, sans adopter l'un ou l'autre des systèmes proposés, elle se prononce en fonction de l'intérêt pratique en jeu.

---

(82) Certaines règles ou certaines offres retiennent comme date celle du cachet de la poste, ce qui peut susciter des difficultés : V. D. BOULMIER, *La crise de foi dans le cachet de la poste* : JCP 2003, I, 131.

(83) J. PASSA, *Commerce électronique et protection du consommateur* : D. 2002, chron. 555. – F. LE DOUJET-THOMAS, *L'ordonnance du 23 août 2001 portant transposition de la directive du 20 mai 1997 concernant la protection des consommateurs en matière de contrats à distance : une erreur de perspective ?* : Contr. Conc. Consom. mai 2002, chron. n° 10.

Certains intérêts sont attachés à *la date du contrat*. Dans l'exemple choisi, il n'est pas indifférent de savoir si le contrat a été conclu le 15 ou le 28 décembre car des événements ont pu se produire au cours de ce délai et il faut déterminer comment le droit va les prendre en compte. Diverses questions se posent, qu'on se bornera à énoncer :

– est-il possible de révoquer l'offre ou l'acceptation jusqu'à réception de cette dernière par l'offrant ?

– y aura-t-il caducité en cas de décès ou d'incapacité de l'offrant survenant au cours de cette période ?

– s'il s'agit d'un contrat translatif de propriété, à quel moment se produisent le transfert de propriété et celui corrélatif des risques ?

– le contrat sera-t-il soumis à une loi nouvelle publiée au cours de cette période ?

– la perte de la lettre d'acceptation empêche-t-elle le contrat de se former ? etc.

Il est évident que la réponse à ces questions sera radicalement différente suivant que l'on décide que le contrat a été conclu le 15 décembre, date d'émission de l'acceptation, ou le 28 décembre, date de la réception de cette acceptation par l'offrant.

D'autres intérêts concernent *le lieu du contrat* car certaines règles s'attachent à la situation géographique du contrat. Ainsi en est-il, en cas de litige, de la compétence territoriale du tribunal qui est parfois reconnue au tribunal du lieu de la conclusion du contrat. De même, à supposer qu'il s'agisse d'un contrat international, la forme de l'acte est soumise à la loi du lieu de sa conclusion *(locus regit actum)* ; et le lieu de conclusion peut parfois être un élément de rattachement déterminant la loi applicable au fond du litige.

132. – Les théories en présence. D'un point de vue théorique, le problème se pose dans les termes suivants, spécialement pour les contrats par échange de lettres : pour que le contrat soit conclu, suffit-il que les deux volontés coexistent (auquel cas ce sera au moment où l'acceptation est émise), ou bien faut-il que l'acceptation ait en outre été portée à la connaissance de l'offrant (auquel cas la conclusion du contrat sera retardée jusqu'à ce moment-là).

Deux systèmes ont été proposés (et même quatre avec leurs variantes) pour résoudre le problème.

Suivant la *théorie de l'émission*, le contrat doit être considéré comme conclu dès l'émission de l'acceptation, plus précisément au moment où la lettre d'acceptation est expédiée – dans l'exemple le 15 décembre à Tahiti. Dès cet instant les deux volontés coexistent, ce qui suffit à conclure le contrat. Dans une variante, le contrat serait formé au moment même où est donnée l'acceptation, sans qu'il y ait lieu d'attendre l'expédition de la lettre. On s'accorde à reconnaître que ce dernier système – dit de la *déclaration de volonté* – est impraticable faute de pouvoir connaître avec certitude la date de l'acceptation.

Suivant la *théorie de la réception*, il ne suffit pas que les deux volontés coexistent, il faut qu'elles se connaissent mutuellement ; plus précisément, il est nécessaire que l'offrant ait connaissance de l'acceptation car le contrat ne saurait être conclu à son insu. Le contrat ne sera donc formé que lors de la réception de l'acceptation, c'est-à-dire au moment où la lettre d'acceptation parvient à l'adresse de l'offrant. Dans une variante, la conclusion du contrat serait reportée jusqu'au moment où l'offrant prend effectivement connaissance de la lettre d'acceptation. Mais ce dernier système n'est pas viable, car là encore, la date exacte ne pourrait être connue avec certitude et, de surcroît, l'offrant serait libre de reculer cette date à son gré en n'ouvrant pas la lettre d'acceptation.

Les auteurs classiques se sont partagés entre les deux théories ; mais ils considéraient que les questions de date et de lieu étaient liées. Depuis lors les idées ont évolué.

Les uns, maintenant le lien entre la date et le lieu du contrat (*théorie moniste*), se prononcent en faveur de la théorie de l'émission qui, en cas de litige, conduit à retenir la compétence du juge du lieu de l'acceptation, ce qui favorise l'acceptant ; ils justifient cette solution par l'idée que l'offrant, qui a pris l'initiative de l'opération, doit aussi en supporter les risques. Mais la solution inverse pourrait tout aussi bien être soutenue avec de bons arguments.

Les autres, partisans d'une *théorie dualiste*, considèrent que le lien entre la date et le lieu du contrat repose sur une logique simplement apparente. Ils font observer que la rencontre des volontés, si elle s'inscrit bien dans le temps, n'implique pas de rattachement géographique dans l'espace. D'ailleurs, ne peut-on pas conclure un contrat dans un avion supersonique qui se déplace entre Paris et New York ? Pour ces auteurs, la détermination tant de la date que du lieu du contrat est une question de fait, non une question de droit.

133. – Question de droit ou question de fait ? Tout d'abord il convient de préciser que la matière n'est pas d'ordre public et qu'en conséquence l'offrant est libre de déterminer dans son offre la règle à observer ; il pourra décider, par exemple, que le contrat ne sera conclu qu'au moment et au lieu de la réception (84). Mais, le plus souvent, l'offrant ne se préoccupe pas de régler cette question si bien que le juge peut être appelé à se prononcer.

---

(84) Toulouse, 6 mars 1970 : *JCP* 70, II, 16499.

À la vérité, il n'y a aucun argument de texte direct pour trancher la difficulté. On est ici en présence d'une question purement abstraite : suffit-il que les deux volontés coexistent, ou faut-il une connaissance réciproque ? De bons arguments peuvent être avancés dans un sens et dans l'autre si bien que la discussion tourne immédiatement au dialogue de sourds.

D'assez nombreux arrêts consacrent ou du moins semblent consacrer le système de l'émission (85). Notamment l'arrêt de la Chambre des Requêtes du 21 mars 1932 posait en règle que « la formation de la promesse est réalisée et le contrat rendu parfait par l'acceptation des propositions qui sont faites, dès l'instant où cette acceptation a eu lieu ».

Néanmoins, la tendance majoritaire, tant en doctrine qu'en jurisprudence, considère que « c'est généralement une question de fait dont la solution dépend des circonstances de la cause » (86). Il s'ensuit que les juges du fond disposent d'un pouvoir souverain pour décider dans un sens ou dans l'autre, et ils le font bien évidemment par interprétation de la volonté des parties, même si celle-ci est parfois divinatoire. Au plan de l'utilité sociale cette solution semble la plus sage : plutôt que d'être enfermés dans une règle de droit qui pourrait s'avérer trop rigide, les juges du fond peuvent en effet tenir compte de la diversité des situations de fait.

Raisonnant cas par cas, intérêt pratique par intérêt pratique, les juges du fond ont usé de leur pouvoir souverain d'interprétation de la volonté des parties sans se soucier de la querelle doctrinale entre la théorie de l'émission et celle de la réception, entre la théorie moniste et celle dualiste.

Dans les faits, les juges ont été saisis du problème à propos de deux intérêts pratiques qui, à ce jour, semblent être à peu près les seuls concernés avec une certaine fréquence : la compétence territoriale et la faculté de révocation.

134. – La jurisprudence relative au lieu du contrat (compétence territoriale). La compétence territoriale est le principal intérêt pratique attaché au lieu de conclusion du contrat. En fait, la quasi-unanimité de la jurisprudence retient la compétence du tribunal du lieu de l'émission de l'acceptation, c'est-à-dire du domicile de l'acceptant, ce qui laisse entendre que le contrat est conclu dès l'émission de l'acceptation.

Le motif profond de cette jurisprudence, qui s'abrite sous le voile de l'interprétation de la volonté des parties, est non pas théorique mais pratique

---

(85) Cass. req. 21 mars 1932 : *D.* 1933, 1, 65 et note Salle de la Marnierre ; *S.* 1932, 1, 278. – Cass. soc. 2 juill. 1954 : *Bull. civ.*, n° 485. – Cass. soc. 22 avr. 1955 et 22 juin 1956 : *JCP* 56, II, 9587. – Cass. soc. 4 mai 1961 : *Bull. civ.*, n° 459. – Cass. soc. 5 juin 1962 : *Bull. civ.*, n° 537. – Cass. 3e civ., 6 janv. 1981 : *JCP* 81, IV, 96.

(86) Cass. req. 29 janv. 1923 : *D.* 1923, 1, 175. – Cass. civ. 2 févr. 1932 : *S.* 1932, 1, 68. – Cass. soc. 20 juill. 1954 : *JCP* 55, II, 8775 et obs. Rabut. – Cass. com. 6 mars 1961 : *Bull. civ.*, n° 123. – Cass. 1re civ., 21 déc. 1960 : *D.* 1961, 417 et note Ph. Malaurie. – Cass. soc. 9 mai 1962 : *Bull. civ.*, n° 420. – 2 juill. 1969 ; *D.* 1970, somm. 46.

et social. Il s'agit d'avantager l'acceptant, en général le salarié embauché ou le consommateur ; outre qu'il est supposé moins puissant que l'offrant, on estime qu'ayant été sollicité il est normal qu'il plaide devant son propre tribunal et que l'offrant se déplace. Tel est le sens de nombreux arrêts rendus par la chambre sociale de la Cour de cassation (87). La règle est aujourd'hui presque détachée de son motif, ce qui se traduit par une apparente consécration du système de l'émission.

135. – La jurisprudence relative à la date du contrat (faculté de révocation). S'agissant de la faculté de révocation, son exercice dépend du moment du contrat car il est bien certain qu'on ne peut plus révoquer ni l'offre, ni l'acceptation, une fois que le contrat est conclu.

Sur ce point la jurisprudence est partagée. D'assez nombreux arrêts se prononcent en faveur de la possibilité de révocation jusqu'au jour de la réception de l'acceptation par l'offrant, ce qui laisse entendre que le contrat n'est conclu qu'à ce moment (88). Ce n'est là qu'une apparente consécration du système de la réception. En fait, la solution, qui s'explique par des considérations pratiques, répond à l'opinion commune : on doit pouvoir annuler par télégramme ou par télex une acceptation écrite non encore parvenue à son destinataire. Et réciproquement, l'offrant doit pouvoir révoquer son offre tant qu'il n'a pas reçu d'acceptation correspondante.

Mais d'autres arrêts se prononcent en sens inverse. Ainsi, un arrêt de la Chambre commerciale du 7 janvier 1981 a retenu le système de l'émission en décidant, par interprétation de la volonté des parties, que « faute de stipulation contraire » le contrat était destiné à devenir parfait, non par la réception de l'acceptation, mais par l'émission de cette acceptation (89).

En définitive, on constate que la jurisprudence sépare en général, pour des raisons pratiques et d'opportunité, deux questions qui devraient être logiquement liées : la date et le lieu de conclusion d'un contrat par correspondance. La jurisprudence n'échappe à la contradiction que dans la mesure où, au lieu de poser ces solutions en règle, elle les tire cas par cas de l'interprétation de la volonté des parties. Cela présente l'inconvénient de laisser subsister une grande incertitude pour les autres hypothèses, au cas où elles seraient un jour soumises aux tribunaux.

136. – Conclusion. Il est regrettable que la loi n'ait pas réglementé cette question de la date et du lieu du contrat, à laquelle sont attachés des intérêts importants.

---

(87) Voir les arrêts cités *supra*, note 81.
(88) Cass. 1re civ., 21 déc. 1960 : *D.* 1961, 417 et note Ph. Malaurie.
(89) Cass. com. 7 janv. 1981 : *Bull. civ.* IV, n° 14, p. 11 ; *RTD civ.* 1981, 849, obs. F. Chabas.

La transposition de la directive du 20 mai 1997 relative à la protection des consommateurs en matière de contrats à distance en fournissait une occasion que le législateur français n'a pas saisie. Il est vrai que cette transposition s'est faite de manière à la fois tardive et précipitée, non par la loi, mais par une ordonnance du 23 août 2001 (90).

Une nouvelle occasion se présentera avec la transposition de la directive du 8 juin 2000 relative au commerce électronique (91). Sans traiter directement de la date et du lieu du contrat, cette directive prévoit que le vendeur ou le prestataire doit accuser réception de la commande et que le destinataire doit y avoir accès ; malgré son ambiguïté, cette formulation semble reporter la formation du contrat à la réception de l'acceptation, sinon même à l'émission par l'offrant de l'accusé de réception (92). Succédant à un premier projet de transposition devenu caduc par suite du changement de législature (93), un nouveau projet retient que « le contrat proposé par voie électronique est conclu quand le destinataire de l'offre, après avoir eu la possibilité de vérifier le détail de sa commande et son prix total, ainsi que de corriger d'éventuelles erreurs, confirme celle-ci pour exprimer son acceptation ». Mais cette nouvelle règle ne s'appliquerait ni aux conventions conclues entre professionnels, ni à celles formées par courrier électronique (94).

Parallèlement, on notera que la question est également traitée dans la Convention de Vienne du 11 avril 1980 qui privilégie en son article 18 la théorie de la réception : « l'acceptation d'une offre prend effet au moment où l'indication d'acquiescement parvient à l'auteur de l'offre ». Mais, à propos de la révocation de l'offre, l'article 16 y apporte un correctif qui se réfère à la théorie de l'émission : « l'offre peut être révoquée si la révocation parvient au destinataire avant que celui-ci ait expédié une acceptation ».

La théorie de la réception est également retenue dans « Les principes relatifs aux contrats du commerce international » d'Unidroit (art. 2-6) et dans « Les principes du droit européen du contrat » établis par la Commission Lando, tous principes qui n'ont aucune valeur contraignante.

---

(90) Ladite ordonnance ne transposait pas moins de neuf directives !

(91) L. GRYNBAUM, *La directive « commerce électronique » ou l'inquiétant retour de l'individualisme juridique* : JCP 2001, I, 307, V. spéc. n° 6.

(92) A. RAYNOUARD, *La formation du contrat électronique* : in *Le contrat électronique, Trav. Ass. H. Capitant*, éd. Panthéon-Assas, 2002, p. 15 et s. Sur le problème de la compétence du juge pour connaître d'un contrat difficile à localiser géographiquement, voir M. VIVANT, *Le commerce électronique, défi pour le juge* : D. 2003, chron. 674.

(93) Ce projet prévoyait que « le contrat proposé par voie électronique est conclu quand le destinataire de l'offre, après avoir passé commande et s'être vu accuser réception de celle-ci par l'auteur de l'offre, confirme son acceptation ». Suivant la formule d'un auteur, c'était créer là une « théorie de l'émission de la confirmation de l'acceptation » (L. GRYNBAUM, *Projet de loi sur la société de l'information : le régime du « contrat électronique »* : D. 2002, p. 378).

(94) V. L. GRYNBAUM, *Projet de loi « pour la confiance dans l'économie numérique » : encore un petit effort de rigueur juridique pour un « contrat électronique » fiable* : D. 2003, 746. – T. VERBIEST, *Le projet de loi pour la confiance dans l'économie numérique* : JCP 2003, aperçu rapide, 241.

Il reste à souhaiter que, dans un souci de simplification, le législateur français édicte une seule règle pour tous les contrats, électroniques ou non, à l'occasion de la transposition de la directive « commerce électronique ».

Numéros 137 à 140 réservés.

§ 2. – La liberté et l'intégrité du consentement (95)

141. – Les moyens indirects de protection du consentement. Ainsi qu'on l'a vu, l'accord des volontés a un effet très important : la conclusion d'un contrat qui va entraîner des obligations, généralement réciproques, à la charge des parties. Un tel effet suppose que les volontés soient parfaitement saines, libres et éclairées. À cet effet, la liberté et l'intégrité du consentement sont protégées par divers moyens, qui tendent plus ou moins directement à s'assurer de la qualité des consentements.

Elles le sont tout d'abord, et de manière générale, par les règles qui instituent des *incapacités* (V. *supra*, nos 85 et s.). En effet, ces règles, qui dénient tout effet à la volonté contractuelle d'un mineur ou d'un incapable majeur, sont inspirées par le désir de protéger ces personnes dont on pose en postulat que leur consentement ne saurait être véritablement sain, libre et éclairé. D'où la nullité pour incapacité qui sanctionne les actes accomplis par ces incapables sans respecter les formalités requises par la loi.

Elles le sont aussi, de manière plus indirecte, par diverses règles de notre droit :

– par le *formalisme* imposé pour certains contrats, qui est pour une large part destiné à faire réfléchir les parties ou à les faire bénéficier des conseils d'un notaire, donc à s'assurer de la réalité de leur consentement ;

– par les règles sur la *lésion* car, même si la rescision pour lésion ne suppose pas la preuve d'un vice du consentement, le déséquilibre entre les prestations s'expliquera en général par une altération du consentement ;

– par les règles sur la *cause*, dans la mesure où l'absence de cause (au sens de contrepartie) révèle également une anomalie du consentement donné ;

– par la garantie des *vices cachés*, qui est souvent bien difficile à distinguer de l'erreur et du défaut de conformité.

142. – Les moyens directs de protection du consentement. La protection du consentement est assurée plus directement par trois séries de règles.

---

(95) C. OUERDANE-AUBERT DE VINCELLES, *Altération du consentement et efficacité des sanctions contractuelles*, Bibl. thèses, Dalloz, 2002. – G. LOISEAU, *La qualité du consentement* : in *Les concepts contractuels français à l'heure des principes du droit européen des contrats*, Dalloz, 2003, p. 65.

En premier lieu, même si une personne est majeure et non frappée d'incapacité, donc en principe pleinement capable de contracter, elle peut néanmoins être affectée d'un trouble mental, passager ou durable, qui enlève toute valeur à son consentement. L'acte qu'elle aura passé pourra être annulé pour *insanité d'esprit*.

En second lieu, il est évident que nul, serait-il parfaitement sain d'esprit, n'est à l'abri d'une erreur, ou encore de manœuvres ou de violence tendant à extorquer son consentement. En pareil cas, il y aura *vice du consentement*, et là encore la nullité pourra être encourue.

Enfin, à ces diverses règles, le législateur moderne a ajouté toute une panoplie de dispositions relatives à *l'information et à la protection des consommateurs* qui tendent pour l'essentiel à assurer au consommateur un consentement éclairé. Au-delà du simple consommateur, le droit tend aujourd'hui à une certaine moralisation du contrat, et spécialement à la protection de la partie la plus faible contre les abus ou les pressions dont elle pourrait faire l'objet. Là encore, en instaurant un équilibre entre les parties, la loi assure la liberté du consentement.

143. – Les fondements de la théorie des vices du consentement. *Erreur, dol* et *violence* sont les trois vices du consentement, à la différence de la *lésion* qui est traitée à la suite dans le Code civil mais qui relève d'un fondement différent. En dépit de leurs différences d'origine, les divers vices du consentement se rejoignent à de nombreux égards, notamment pour la preuve qui peut être rapportée par tous moyens, et pour la sanction qui est la nullité relative. D'ailleurs, les articles 1109 et 1117 du Code civil les réunissent dans une même formule.

> **Art. 1109.** – Il n'y a point de consentement valable, si le consentement n'a été donné que par erreur, ou s'il a été extorqué par violence ou surpris par dol.
>
> …
>
> **Art. 1117.** – La convention contractée par erreur, violence ou dol, n'est point nulle de plein droit ; elle donne seulement lieu à une action en nullité ou en rescision, dans les cas et de la manière expliqués à la section VII du chapitre V du présent titre.

L'admission plus ou moins large de la nullité pour vice du consentement dépend du système de droit dans lequel on se trouve.

Ainsi, dans un *système formaliste* tel que celui du droit romain, on s'attachait essentiellement à l'expression de la volonté qui suffisait pour engager, les vices du consentement étant considérés comme indifférents. Cela explique qu'en droit romain le dol et la violence aient été sanctionnés à titre de délits et non de vices du consentement, comme des actes antisociaux et donc répréhensibles.

Au contraire, dans un *système consensualiste* fondé sur la toute-puissance de la volonté, le consentement ne produira ses effets qu'à la condition d'être sain, exempt de vices. Il s'ensuit que, outre le dol et la violence, l'erreur devrait aussi être largement admise comme cause de nullité.

De ce contexte le droit positif français a retenu une conception mixte : l'*aspect psychologique* est manifestement dominant dans l'erreur, qui est conçue comme une altération de la volonté ; s'agissant en revanche du dol et de la violence l'*aspect moral* intervient de manière importante.

L'aspect psychologique suscite des difficultés importantes au plan de la preuve dans la mesure où le juge doit rechercher s'il y a bien eu erreur et si elle a déterminé le consentement ; ce faisant, le juge se livre nécessairement à une appréciation subjective de la psychologie des parties, appréciation aléatoire qui explique la diversité de la jurisprudence.

L'aspect moral se manifeste en ce que le dol et la violence ont un double visage : vice du consentement de la victime, et faute de l'auteur. La jurisprudence en tire cette conséquence que la victime peut intenter à son choix une action en nullité de l'acte ou/et une action en responsabilité de l'auteur du dol ou de la violence.

144. – Liberté du consentement et sécurité des transactions. Il existe ici un antagonisme entre deux principes également respectables : la liberté du consentement et la sécurité des transactions. La sécurité des transactions, et plus généralement celle du commerce, postule que les contrats conclus ne puissent être remis en cause, ni a *fortiori* annulés. À l'inverse, le principe de la liberté du consentement veut que la validité des contrats soit subordonnée à l'absence de tout vice du consentement : on ne peut être engagé que parce qu'on l'a consciemment et librement voulu.

Un équilibre doit donc être trouvé entre ces exigences contradictoires. La question revêt un intérêt majeur en matière de vices du consentement, et spécialement en cas d'erreur dans la mesure où elle repose sur la psychologie de l'une des parties

145. – Plan. On envisagera successivement l'insanité d'esprit, puis les trois vices du consentement, l'erreur, le dol et la violence.

A. – L'insanité d'esprit (96)

146. – Généralités. Il faut distinguer la nullité pour insanité d'esprit de la nullité pour incapacité, alors surtout que, dans le grand public, on a tendance à considérer que tout individu faible d'esprit est un incapable. À la différence des actes accomplis par les incapables – c'est-à-dire les mineurs et les majeurs protégés – qui peuvent être annulés ou rescindés en cas de non-respect des règles de protection, les actes accomplis par des personnes capables sont en principe valables, sauf vice du consentement. Mais il y est fait exception par les articles 489, 489-1 et 503 si, bien que capable, le contractant n'était pas sain d'esprit.

---

(96) O. Simon, *La nullité des actes juridiques pour trouble mental : RTD civ.* 1974, 707.

Art. 489. – Pour faire un acte valable, il faut être sain d'esprit. Mais c'est à ceux qui agissent en nullité pour cette cause de prouver l'existence d'un trouble mental au moment de l'acte.

Du vivant de l'individu, l'action en nullité ne peut être exercée que par lui, ou par son tuteur ou curateur, s'il lui en a été ensuite nommé un. Elle s'éteint par le délai prévu à l'article 1304.

Art. 489-1. – Après sa mort, les actes faits par un individu, autres que la donation entre vifs ou le testament, ne pourront être attaqués pour la cause prévue à l'article précédent que dans les cas ci-dessous énumérés :

1° Si l'acte porte en lui-même la preuve d'un trouble mental ;

2° S'il a été fait dans un temps où l'individu était placé sous la sauvegarde de justice ;

3° Si une action avait été introduite avant le décès aux fins de faire ouvrir la tutelle ou la curatelle.

....

Art. 502. – Tous les actes passés, postérieurement au jugement d'ouverture de la tutelle, par la personne protégée, seront nuls de droit, sous réserve des dispositions de l'article 493-2.

Art. 503. – Les actes antérieurs pourront être annulés si la cause qui a déterminé l'ouverture de la tutelle existait notoirement à l'époque où ils ont été faits.

Cela vise de manière générale tous les actes juridiques, soit à incidence patrimoniale comme les contrats, soit en matière extrapatrimoniale comme une reconnaissance d'enfant naturel. Ils pourront être annulés en cas d'insanité d'esprit.

1° La preuve de l'insanité d'esprit (97)

147. – Règle générale : la preuve d'un trouble mental au moment de l'acte. Le principe est que toute personne capable est saine d'esprit. C'est là une présomption simple ; conformément à l'article 489, il incombe donc à celui qui conteste dans un cas particulier le bien fondé de cette présomption, de « prouver l'existence d'un trouble mental au moment de l'acte », c'est-à-dire au moment précis où l'acte a été accompli. On ne saurait en effet exclure que l'intéressé a accompli l'acte critiqué dans un intervalle lucide.

Peu importe la cause du trouble mental. Le plus souvent, il s'agira d'un majeur dont l'altération des facultés mentales justifierait une protection ; mais celle-ci n'a pas été, ou pas encore été mise en place. Le trouble mental peut aussi être tout à fait passager, et être par exemple l'effet de l'alcool, ou de la drogue, etc. (98).

La difficulté est de faire la preuve de cet état, et au moment même de l'acte. Toutefois, s'agissant d'un simple fait, la preuve est libre et peut donc être rapportée par tous moyens, témoignages ou indices tenant par exemple au comportement de l'intéressé (99).

---

(97) Fl. FRESNEL, *L'éloge de la folie par le droit, ou comment le droit apprécie-t-il l'altération des facultés mentales ? : Gaz. Pal.* 2-3 août 2000, doctr.

(98) V. Cass. 1re civ., 12 nov. 1975 : *Bull. civ.* I, n° 319, p. 264.

(99) Cass. 1re civ., 27 janv. 1987 :*Bull. civ.* I, n° 31 (certificat médical établi deux jours après l'acte critiqué).

148. – Règle particulière : la preuve de la notoriété du trouble mental à l'époque de l'acte. L'article 503 édicte une règle particulière dans le cas d'actes accomplis avant l'ouverture d'une tutelle. Il suffit alors de démontrer que « la cause qui a déterminé l'ouverture de la tutelle existait notoirement à l'époque » où les actes critiqués ont été faits. Cette preuve est plus légère à rapporter que celle d'un trouble mental au moment de l'acte, et ce à un double égard.

D'une part, il n'est pas besoin de démontrer l'existence d'un trouble mental précis, mais le fait que l'altération des facultés mentales de l'intéressé était notoire (100), c'est-à-dire connue de son environnement social, et non pas de sa seule famille (101). Cela dit, dans la mesure où l'exigence de la preuve tend à protéger le tiers cocontractant, la jurisprudence assimile à la notoriété la connaissance personnelle que ce tiers avait de la situation de l'intéressé (102).

D'autre part, il suffit de prouver le caractère notoire de l'état de l'intéressé *à l'époque*, et non pas au moment même, où l'acte critiqué a été accompli (103). Autrement dit, dans le cas où une tutelle a été ouverte par la suite, on présume que l'altération des facultés mentales relevée à l'époque existait au moment même de l'acte.

2° Le régime de la nullité

149. – Action en nullité exercée du vivant du malade. Il s'agit d'une nullité de protection, donc d'une *nullité relative* qui ne peut être mise en œuvre que par la personne protégée ou par ses représentants, par exemple son tuteur ou son curateur si une mesure de protection a été ensuite mise en place. Telle est la règle retenue par l'article 489, al. 2, qui a consacré en 1968 la solution jurisprudentielle antérieure. Il s'ensuit tout naturellement que le cocontractant, qui a peut-être profité à l'époque de la faiblesse du malade, ne saurait se prévaloir ensuite de son insanité d'esprit pour faire annuler un contrat qui, en définitive, s'est avéré défavorable à ses intérêts.

L'action en nullité est enfermée dans le délai de cinq ans de l'article 1304. Ce renvoi soulève une difficulté en ce qui concerne le point de départ de l'action. Suivant la jurisprudence, il faudrait comprendre que le délai de cinq ans court, non du jour où le majeur protégé en a eu connaissance « alors qu'il était en situation de les refaire valablement » comme

---

(100) Cass. 1re civ., 24 avr. 1979 : *Bull. civ.* I, n° 116. – 28 avr. 1980 : *Bull. civ.* I, n° 128.
(101) Cass. 1re civ., 26 juin 1979 : *Bull. civ.* I, n° 192. – 5 mai 1987 : *JCP* 1988, II, 21109 et note B. Teyssié.
(102) Cass. 1re civ., 9 mars 1982 : *JCP* 1983, II, 19996 et note Ph. Rémy.
(103) Cass. 1re civ., 14 mai 1985 : *Bull. civ.* I, n° 153.

l'indique l'article 1304, mais du jour de l'acte contesté (104) ; ce faisant la jurisprudence reprend la solution jurisprudentielle antérieurement retenue avant la réforme des incapacités de 1968.

150. – Action en nullité exercée après le décès du malade. Après le décès du malade, l'action en nullité ne peut d'évidence plus être intentée par lui-même, mais par ses héritiers. Or, la loi voit d'un mauvais œil cette action par laquelle les héritiers viennent critiquer pour insanité d'esprit les actes du défunt qui les désavantagent : si leur parent avait des facultés mentales altérées, pourquoi n'ont-ils pas pris l'initiative de provoquer une mesure de protection ? Par ailleurs, comment faire la preuve de l'insanité d'esprit d'un défunt ?

À cet effet, l'article 489-1 distingue entre deux types d'actes : les donations et testaments d'une part, les autres actes, c'est-à-dire essentiellement les actes à titre onéreux d'autre part.

Les *donations* et *testaments* peuvent être attaqués pour insanité d'esprit conformément aux règles indiquées au numéro précédent. Cette solution s'explique par deux raisons. D'une part, il s'agit d'actes particulièrement dangereux, pour lesquels on peut craindre une captation d'héritage de la part de personnes mal intentionnées profitant de la faiblesse d'une personne en fin de vie. D'autre part, les testaments étant toujours révocables et n'étant généralement connus qu'au décès du testateur, il est impossible d'en demander la nullité du vivant du testateur.

Il n'en va pas de même des autres actes, spécialement des *actes à titre onéreux* accomplis de son vivant par un défunt, alors que ses proches n'avaient pas alors jugé utile de provoquer la mise en place d'un régime de protection. *A priori*, de tels actes ne sont pas suspects. C'est pourquoi l'article 489-1 limite la possibilité d'en demander la nullité pour insanité d'esprit après le décès de leur auteur. La nullité ne pourra être demandée que dans trois hypothèses :

• Cas où « *l'acte porte en lui-même la preuve d'un trouble mental* » : tout acte peut être attaqué, mais seulement si le trouble mental résulte d'une *preuve intrinsèque* à cet acte. En pareil cas, l'acte parle de lui-même ; le trouble mental relève de l'évidence (105).

---

(104) Cass. 1re civ. 19 nov. 1991 et 18 févr. 1992 : *D.* 1993, 277 et note J. Massip. La solution de l'article 1304, édictée pour le cas où le malade bénéficiait d'un régime de protection, était difficilement transposable au cas d'insanité d'esprit d'une personne capable : comment en effet déterminer la date à laquelle l'insanité d'esprit a cessé et où, de ce fait, cette personne était capable de refaire valablement l'acte ?

(105) En principe, la preuve intrinsèque doit se suffire à elle-même, sans que le juge puisse la compléter par des éléments extrinsèques (Cass. 3e civ., 28 sept. 1982 : *Gaz. Pal.* 1983, 1, pan. 53 et note J. Dupichot ; *Gaz. Pal.* 1983, 2, 455 et note J.-M.). Mais la jurisprudence n'est pas toujours très nette sur ce point (V. obs. J. Mestre sous Cass. 1re civ., 1er juill. 1987, *RTD civ.* 1988, 340).

• Cas où, au moment de l'acte, l'intéressé était placé *sous sauvegarde de justice* (V. *supra*, n° 91), ce qui démontre par là même qu'il avait « besoin d'être protégé dans les actes de la vie civile » (C. civ., art. 491).

• Cas où « une action avait été introduite avant le décès aux fins de faire ouvrir la tutelle ou la curatelle », ce qui prouve que les héritiers n'ont pas attendu le décès pour invoquer l'altération des facultés mentales de leur parent et pour provoquer une mesure de protection.

Dans ces deux derniers cas, on en revient à la règle générale : les héritiers doivent rapporter la preuve que le défunt était affecté d'un trouble mental au moment de l'acte (106), mais ils peuvent le faire par tous moyens (107), et non pas seulement par une preuve intrinsèque à l'acte. Mais, bien souvent, faute d'avoir initié une mesure de protection du malade, les héritiers soucieux d'obtenir la nullité d'un acte de leur parent défunt n'ont d'autre choix que de soutenir que l'acte porte en lui-même la preuve du trouble mental.

B. – L'erreur (108)

151. – Définition. L'erreur est une croyance fausse portant sur un des termes du contrat, c'est la représentation inexacte de l'objet d'une obligation ; suivant une formule désormais classique, l'erreur consiste à prendre pour vrai ce qui est faux, ou inversement.

Cependant toute erreur n'est pas retenue comme viciant la convention car il faut concilier ici deux exigences contradictoires. D'une part l'idée de justice, associée au principe du consensualisme, amènerait à dire que la nullité doit sanctionner toute erreur ayant affecté la volonté et déterminé le consentement. Mais, d'autre part, le souci de la sécurité des transactions interdit qu'un contrat puisse être remis en cause sauf raison majeure, ce qui conduit à ne retenir qu'un nombre limité d'erreurs.

Tel est finalement le sens de l'article 1110 du Code civil dont la formule même n'admet l'erreur qu'avec une certaine réticence.

> **Art. 1110.** – L'erreur n'est une cause de nullité de la convention que lorsqu'elle tombe sur la substance même de la chose qui en est l'objet.
> Elle n'est point une cause de nullité lorsqu'elle ne tombe que sur la personne avec laquelle on a l'intention de contracter, à moins que la considération de cette personne ne soit la cause principale de la convention.

Ce texte, qui à lui seul régit la matière, apparaît assez incomplet. Il ne recouvre pas l'entier domaine de l'erreur, laquelle est admise par la jurisprudence dans des hypothèses autres que l'erreur sur la substance ou sur

---

(106) Cass. 1re civ., 27 janv. 1987 : *Bull. civ.* I, n° 30.
(107) Cass. 1re civ., 18 janv. 1984 : *Gaz. Pal.* 1985, 1, 387 et note J. Massip. – 27 janv. 1987 : *Bull. civ.* I, n° 31 ; *JCP* 1988, II, 20981 et note Fossier ; *Gaz. Pal.* 1987, 2, 428 et note J.-M.
(108) Célice, *L'erreur dans les contrats*, thèse Paris, 1922. – J. Ghestin, *La notion d'erreur dans le droit positif actuel*, 2e éd., 1972.

la personne, par exemple, pour ce que la doctrine a appelé les erreurs-obstacles. En outre il ne s'explique pas sur le sens qu'il convient de donner à *l'erreur sur la substance,* ce qui a entraîné de nombreuses controverses et incertitudes en doctrine comme en jurisprudence.

152. – Les conditions de la nullité pour l'erreur. Toute erreur n'entraîne pas *ipso facto* la nullité du contrat. Pour éviter qu'un cocontractant mécontent puisse trop facilement faire annuler un contrat en se prétendant victime d'une erreur, trois conditions sont cumulativement exigées.

L'erreur n'est une cause de nullité que si elle a été déterminante (condition subjective), si elle présente une certaine gravité (condition objective) et si elle n'est pas imputable à faute à celui qui l'invoque (condition morale).

1° Condition subjective : caractère déterminant de l'erreur

153. – Appréciation *in concreto*. Comme le dol et la violence, l'erreur n'est une cause de nullité que si elle a véritablement déterminé le consentement (109) ; c'est là une condition *sine qua non* de tout vice du consentement. Ce caractère déterminant, qui ne peut d'évidence être apprécié qu'*in concreto* – c'est-à-dire par référence à celui qui a donné son consentement – constitue un élément purement subjectif que tout contractant pourrait invoquer sans contrôle possible pour échapper à l'exécution d'un contrat qui lui déplaît.

Si l'exigence de la loi s'en tenait là, la sécurité des transactions serait gravement mise en jeu car l'appréciation par le juge de la psychologie du cocontractant serait des plus aléatoires. D'où la nécessité de faire appel à des éléments objectifs – la gravité de l'erreur – qui permet de filtrer les causes de nullité.

Dans un ordre d'idées voisin, les tribunaux sont assez peu enclins à prononcer la nullité dans le cas où l'erreur, même déterminante en soi, n'a pas entraîné de véritable préjudice pour celui qui l'a commise ; mais c'est là plus une attitude des juges qu'une règle jurisprudentielle.

2° Condition objective : la gravité de l'erreur

154. – La gradation des erreurs. L'exigence de la gravité de l'erreur est un moyen tout naturel de contrôler le caractère déterminant qui oblige à une recherche psychologique trop aléatoire. L'article 1110 envisage deux types d'erreur vices du consentement, l'erreur sur la substance et l'erreur sur la personne (b), mais la jurisprudence consacre d'autres hypothèses d'erreurs, encore plus graves, que la doctrine qualifie d'erreurs-obstacles (a). Il s'ensuit que les autres erreurs sont indifférentes (c).

---

(109) G. VIVIEN, *De l'erreur déterminante et substantielle : RTD civ.* 1992, 305.

a) L'erreur-obstacle

155. – Les hypothèses d'erreur-obstacle. Cette formule purement doctrinale couvre deux hypothèses non visées par le Code civil qui, tout en demeurant marginales, ne sont cependant pas des hypothèses d'école ainsi qu'en témoigne la jurisprudence. Il s'agit en fait de circonstances où, suivant la formule de Planiol, il n'y a pas contrat mais « malentendu ».

On distingue deux hypothèses :

– *l'erreur sur la nature du contrat (error in negotio)* : on cite souvent l'exemple où l'une des parties a cru vendre un bien, et l'autre recevoir une donation, ce qui a pu faire dire que l'hypothèse était seulement d'école ; la jurisprudence récente révèle d'autres exemples, qui sont bien réels (110) ;

– *l'erreur sur l'identité de la chose* faisant l'objet du contrat *(error in corpore)* : on cite classiquement l'exemple de celui qui croit vendre telle chose et de son cocontractant qui croit en acheter telle autre (111) ; de manière plus pratique on peut y rattacher l'erreur entre les anciens francs et les nouveaux francs (112), ou entre les francs et les euros, ou l'erreur sur le prix (113).

156. – Le cas de l'erreur sur la cause. De ces deux hypothèses d'erreurs obstacles, certains auteurs rapprochent parfois celle de l'*erreur sur la cause*. Ce rapprochement ne semble pas opportun et il est rendu d'autant plus difficile que la notion de cause recouvre deux sens différents, l'un objectif, l'autre subjectif. Au sens objectif, la cause d'un contrat réside dans la contrepartie attendue ; au sens subjectif, elle est le ou les *mobiles* particuliers qui ont déterminé l'une ou l'autre des parties à contracter.

On observera d'une part que l'erreur sur la *cause objective* est déjà prise en compte par le droit positif au titre de la cause, qui est une autre condition de validité du contrat. En effet, suivant l'article 1131 du Code civil, « l'obligation sans cause, ou sur une fausse cause, ou sur une cause illicite, ne peut avoir aucun effet ». Il est donc tout à fait possible de demander la nullité d'un contrat sur le fondement de ce texte en cas d'absence de cause au sens de contrepartie (114). Mais il arrive aussi que, saisi sur le fondement de l'erreur sur la cause – qui est souvent une erreur de droit –, le

---

(110) Paris 8 juill. 1966 : *Gaz. Pal.* 1967, 1, 33 (contrat de cession de parts sociales au lieu de vente d'immeuble). – Cass. 3e civ., 18 mars 1980 : *Bull. civ.* III, n° 65 ; *JCP* 80, IV, 217 (deux ventes au lieu d'un échange).

(111) Cass. 3e civ., 1er févr. 1995 : *Bull. civ.* III, n° 36 (erreur sur la désignation des parcelles vendues).

(112) La jurisprudence y voit parfois une erreur sur la substance : Cass. com. 14 janv. 1969 : *D.* 1970, IV, 458 et note M. PÉDAMON ; *RTD civ.* 1969, 556, obs. Y. LOUSSOUARN.

(113) Cass. 1re civ., 28 nov. 1973 : *D.* 1975, 21 et note R. RODIÈRE. – TGI Pau, 7 janv. 1982 : *JCP* 83, II, 19999 et obs. N. COIRET. – Paris, 2e ch. B, 15 sept. 1995 : *D.* 1995, IR, 219. – V. aussi, A. LEBOIS, *Erreur d'étiquetage et erreur sur le prix : Contr. Conc. Consom.* oct. 2002, chron. n° 19.

(114) Cass. 1re civ., 10 mai 1995 : *Defrénois* 1995, 1, 1038 et note Ph. DELEBECQUE (qui, dans une hypothèse d'erreur sur la cause, casse un arrêt d'appel sur le fondement de l'article 1131 du Code civil).

juge prononce la nullité (115). Il ne semble pas toutefois qu'en pareil cas la jurisprudence y voie un cas d'erreur obstacle.

D'autre part, lorsque la jurisprudence a à connaître d'une erreur sur la cause – au sens des mobiles qui ont inspiré les cocontractants – c'est une erreur sur les *motifs déterminants* qui est souvent considérée comme une erreur indifférente (V. *infra*, n° 168).

Ainsi, la question de l'erreur sur la cause est assez obscure dans la mesure où, suivant les cas, elle pourra être traitée sous l'angle de la cause, ou sous celui de l'erreur sur la substance, ou encore comme une erreur sur les motifs déterminants. Dans ces conditions, il est difficile d'y voir une erreur obstacle.

157. – La sanction de l'erreur obstacle : nullité absolue ou nullité relative ? L'erreur obstacle étant un malentendu fondamental, on serait tenté de considérer qu'il n'y a pas seulement vice du consentement, mais absence totale de consentement. Et on devrait en déduire que ce défaut de consentement devrait être sanctionné par une nullité absolue, sinon même par l'inexistence du contrat.

C'est en ce sens que se prononçait la doctrine classique, et que se prononce également aujourd'hui la jurisprudence (116) ; elle en déduit que la nullité est encourue, même si l'erreur apparaît inexcusable (117).

En revanche, la doctrine moderne a évolué et se prononce en faveur d'une nullité relative au motif que l'intérêt général n'est pas en cause, mais seulement l'intérêt particulier des parties au contrat. Elle fait cependant observer que, dans le cas de l'erreur obstacle, l'erreur a été commise par les deux parties, si bien que l'une et l'autre devraient pouvoir demander la nullité.

b) L'erreur – vice du consentement

1) L'erreur sur la substance (118)

158. – Notion objective ou subjective ? Suivant l'article 1110 du Code civil, « l'erreur n'est une cause de nullité de la convention que lorsqu'elle

---

(115) Par exemple, nullité d'une offre de vente faite à un locataire ou à un fermier dans la croyance erronée que ce dernier bénéficiait d'un droit de préemption : Cass. 3e civ., 5 juill. 1995 : *Bull. civ.* III, n° 174. – 24 mai 2000 : *JCP* 2001, II, 10494 et note critique C. Duvert.

(116) Cass. 1re civ., 23 nov. 1976 : *Bull. civ.* I, n° 361. – Cass. 3e civ., 15 avr. 1980 : *Bull. civ.* III, n° 73 ; D. 1981, IR, 314, obs. J. Ghestin ; *Defrénois* 1981, art. 32682, n° 50, obs. J.-L. Aubert ; *RTD civ.* 1981, 155, obs. F. Chabas.

(117) TGI Paris, 26 juin 1979 : *D.* 1980, IR, 263, obs. J. Ghestin.

(118) J. Maury, *L'erreur sur la substance dans les contrats à titre onéreux* : in *Études Capitant*, p. 491. – J. Ghestin, *La réticence, le dol et l'erreur sur les qualités substantielles* : D. 1971, chron. 247. – Ph. Malinvaud, *De l'erreur sur la substance* : D. 1972, chron. 215. – G. Vivien, *De l'erreur déterminante et substantielle* : RTD civ. 1992, 305.

---

tombe sur *la substance même de la chose* qui en est l'objet ». Que faut-il entendre par substance au sens de ce texte ? Deux conceptions sont possibles :

– conception objective : la substance est la *matière* même dont la chose est faite. Pothier en a donné un exemple désormais classique : la vente est nulle si on achète des flambeaux en bronze argenté alors qu'on les croyait en argent massif ;

– conception subjective : la substance doit être entendue comme la ou les qualités substantielles qu'on prêtait à la chose, celles que les parties ont eues en vue et qui ont déterminé le consentement de l'une des parties.

En pratique, il arrivera parfois que les deux conceptions coïncident parce que la matière de la chose constituait précisément la qualité substantielle que l'une des parties avait en vue en contractant.

Mais, en cas de divergence, la jurisprudence se prononce très clairement en faveur de la conception subjective : « L'erreur doit être considérée comme portant sur la substance de la chose lorsqu'elle est de telle nature que, sans elle, l'une des parties n'aurait pas contracté » (119). Cette interprétation est tout à la fois conforme à l'intention du législateur de 1804 et à la logique du consensualisme.

159. – Domaine de l'erreur sur la substance. Retenir la notion subjective d'erreur sur la substance, comme le fait la jurisprudence, conduit tout naturellement à une extension du domaine de l'erreur.

Tout d'abord, le fait de s'attacher aux qualités substantielles, et non pas seulement à la matière de la chose, entraîne cette conséquence que l'erreur sur la substance peut s'appliquer à des contrats portant sur des *biens incorporels ;* en effet, si ces biens n'ont pas de substance au sens matériel du terme, ils présentent néanmoins des qualités substantielles. C'est ainsi que l'erreur peut porter sur la substance de *parts sociales,* c'est-à-dire sur les qualités que l'acheteur leur a par erreur accordées (120).

Il s'ensuit également que le nombre des hypothèses d'erreur sur la substance devient illimité ; il est donc impossible d'en dresser une liste exhaustive, alors surtout que la jurisprudence conçoit de façon très large la notion de qualité substantielle : ce peut être la matière de la chose dans certains cas (des pierres précieuses, non des imitations en matière synthétique), l'ancienneté et l'origine dans d'autres cas (meuble d'époque, et non copie), l'aptitude de la chose à remplir sa fonction (la constructibilité d'un terrain), etc.

---

(119) Cass. civ. 28 janv. 1913 : *S.* 1913, 1, 487. – V. pour une formule voisine, Cass. com. 20 oct. 1970 : *JCP* 71, II, 16916 et obs. J. GHESTIN.

(120) Cass. com. 7 févr. 1995 : *D.* 1996, 50 et note R. BLASSELLE. – 17 oct. 1995 : *D.* 1996, 167 et note J. PAILLUSSEAU. En revanche, la solution serait différente si l'acheteur fondait son action, non sur l'erreur, mais sur la garantie des vices des parts sociales (parts ayant pour objet l'exploitation d'un hôtel non conforme aux normes de sécurité) car la jurisprudence considère que, les vices de l'immeuble ne constituent pas des vices des parts sociales : Cass. com. 12 déc. 1995 : *D.* 1996, 277 et note J. PAILLUSSEAU.

© Éditions du Juris-Classeur

On ne peut donc que citer quelques exemples parmi les plus fréquents. Ainsi il y aura nullité pour erreur sur la substance en cas de vente d'une copie au lieu d'une antiquité (121), de perles de culture au lieu de perles fines (122), d'une jument de reproduction au lieu d'une pouliche de course (123), d'un tableau faussement attribué à un peintre célèbre (124), en cas d'erreur sur la valeur culturale d'un domaine loué (125) ou sur les revenus mensuels d'un immeuble acheté (126) ou sur la constructibilité d'un terrain (127), ou sur la conformité de l'appartement vendu aux règles de l'urbanisme (128).

En pratique on rencontre de très nombreuses hypothèses en matière de vente d'objets d'art ce qui a entraîné une importante littérature (129).

160. – Appréciation *in abstracto* ou *in concreto* (130) ? Une fois posé le principe que la substance s'entend des qualités substantielles, une nouvelle question surgit. Faut-il rechercher si la qualité manquante a été substantielle pour celui-là même qui a contracté, ce qui revient à se demander ce que lui, personnellement, a eu en vue en contractant (appréciation *in concreto*) ? Faut-il au contraire rechercher si la qualité manquante était substantielle dans l'*opinion commune*, c'est-à-dire pour la grande majorité des gens concluant un contrat du type considéré (appréciation *in abstracto*) ?

L'aspect psychologique, qui est fondamental en matière d'erreur, conduit à retenir l'appréciation *in concreto* : de ce point de vue en effet, l'important est de savoir à quoi le cocontractant s'est attaché, même si ses préoccupations sortaient de l'ordinaire, et non pas à quoi d'autres à sa place auraient prêté attention. C'est en ce sens que se prononce la jurisprudence (131).

---

(121) Cass. 1re civ., 23 févr. 1970 : *D.* 1970, 604 et note J.-M. Etesse ; *JCP* 70, II, 16347, obs. P. A. – Paris, 1re ch., 24 sept. 1987 : *D.* 1987, 214. – 5 mai 1989 : *D.* 1989, IR, 174.

(122) Cass. req. 5 nov. 1929 : *DH* 1929, 539.

(123) Cass. 1re civ., 5 févr. 2002 : *Bull. civ.* I, n° 38, p. 31.

(124) Paris 22 févr. 1950 : *D.* 1950, 269. – 22 févr. 1954 : *D.* 1954, 337. – 10 mars 1955 : *D.* 1955, 295. – La nullité a également été prononcée dans le cas où un « tableau piège », signé et authentifié par l'artiste, a en fait été exécuté à sa demande par un tiers : Cass. 2e civ., 5 févr. 2002 : *JCP* 2002, II, 10193 et note S. Crevel ; *Defrénois* 2002, 1, 761, art. 37558, obs. E. Savaux ; *JCP* 2002, I, 148, n° 7 et s., obs. Y.-M. Sérinet. – B. Edelman, *L'erreur sur la substance ou l'œuvre mise à nu par les artistes, même ! : D.* 2003, chron. 436.

(125) Cass. soc. 4 mai 1956 : *D.* 1957, 313 et note Ph. Malaurie.

(126) TGI Fontainebleau, 9 déc. 1970 : *D.* 1972, 89 et note J. Ghestin.

(127) J.-P. Marty, *Constructibilité d'un terrain, vices du consentement et garanties dans la vente d'immeubles : RD imm.* 1985, 317. – Cass. 3e civ., 15 déc. 1981 : *D.* 1982, IR, 164. – Cass. 1re civ., 1er juin 1983 : *JCP* 83, IV, 249. – Cass. 3e civ. 13 juill. 1999 : *Bull. civ.* III, n° 178, p. 122.

(128) Cass. 3e civ., 12 mars 2003 : *JCP* N 2003, 1838.

(129) M. Fournier, *De la protection des parties dans les ventes d'antiquité et d'objets d'art*, thèse Dijon 1936. – J. Chatelain, *L'objet d'art, objet de droit :* in *Études Flour*, p. 163. – J.-M. Trigeaud, *L'erreur de l'acheteur. L'authenticité du bien d'art (étude critique) : RTD civ.* 1982, 55. – J. Kadhim, *L'erreur et la nullité du contrat de vente d'objet d'art : Gaz. Pal.* 6-7 janv. 1993.

(130) N. Dejean de la Bâtie, *Appréciation* in abstracto *et appréciation* in concreto *en droit civil*, Paris, 1963.

(131) Cass. civ. 23 nov. 1931 : *D.* 1932, 1, 129 et note L. Josserand. – Cass. soc. 4 mai 1956 : *D.* 1957, 313.

Cette solution, apparemment logique, prête néanmoins le flanc à la critique.

D'une part l'appréciation *in concreto* peut conduire à une injustice à l'égard de l'une des parties chaque fois que l'autre aura commis une erreur sur un élément secondaire du contrat mais qui était pour elle substantiel.

D'autre part, et en sens inverse, il est choquant de voir les juges refuser de prononcer la nullité dans des cas où la qualité manquante était substantielle dans l'opinion commune : par exemple, l'authenticité d'un tableau, l'origine ancienne d'un meuble, la constructibilité d'un terrain (132). Il est vrai qu'en pareil cas les juges se prononcent au plan de la preuve et rejettent la demande en nullité au motif que le demandeur ne démontre pas qu'en l'espèce la qualité manquante – bien que substantielle dans l'opinion commune – ait été substantielle dans son esprit. La discussion se déplace alors du fond du droit vers le plan de la preuve.

161. – Preuve du caractère substantiel. Conformément au droit commun en matière de preuve, c'est au demandeur qu'incombe la charge de démontrer qu'il a bien commis l'erreur dont il se plaint (133).

Reste à définir l'objet de la preuve à rapporter. Dans la logique de la solution retenue au fond du droit, la jurisprudence exige que le demandeur en nullité prouve que la qualité manquante était substantielle dans son esprit. Compte tenu de la difficulté d'une telle preuve – comment prouver ses états d'âme ? – il eût été souhaitable de poser en faveur de l'*errans* une présomption simple pour le cas où son erreur a porté sur une qualité considérée comme substantielle dans l'opinion commune (134). Tel était implicitement le sens de la jurisprudence ancienne, aujourd'hui contredite. Il a été ainsi jugé que l'acheteur d'un tableau de Magnasco – lequel s'avéra être un faux – et qui avait déboursé 90 000 F pour cette œuvre « n'avait pas justifié avoir vu dans l'authenticité de la toile une qualité substantielle » (135) !

Pour expliquer cette jurisprudence on a été amené à dire que la qualité manquante devait être entrée dans le *champ contractuel*, qu'elle devait avoir été implicitement convenue entre les parties. D'où la formule souvent employée pour exprimer cette idée que, pour être retenue, l'erreur doit avoir porté sur *les qualités convenues*.

---

(132) Ph. MALINVAUD, *De l'erreur sur la substance* : D. 1972, chron. 215.

(133) Cass. com. 20 oct. 1970 : *JCP* 1970, II, 16916 et obs. J. GHESTIN.

(134) V. dans le même sens : FLOUR, AUBERT et SAVAUX, *Les obligations*, 1. *L'acte juridique*, 10e éd., n° 198.

(135) Cass. 1re civ. 26 janv. 1972 : *D.* 1972, 517 ; *JCP* 72, II, 17065. – V. aussi Ph. MALINVAUD, art. préc. Toutefois, les juges du fond admettent souvent d'emblée que certaines qualités sont en elles-mêmes substantielles au même titre qu'elles le sont dans l'opinion commune : V. Paris 1re ch. B, 5 mai 1989 : *D.* 1989, IR, 174 (pour l'authenticité d'un tableau). – Paris 2e ch. B, 22 nov. 2001 : *D.* 2002, IR, 46 (pour la pérennité de la construction et le bon état d'habitabilité d'une maison d'habitation dont la charpente s'est révélée infestée de capricornes).

Cette formule est probablement excessive. À la prendre au pied de la lettre, elle réduirait à néant le domaine d'application de l'erreur. Si en effet une qualité a été expressément convenue entre les parties, par exemple, l'authenticité d'un tableau ou l'ancienneté d'un meuble, il n'est nul besoin d'invoquer l'erreur sur la substance pour faire anéantir le contrat si la qualité attendue fait défaut ; on est en présence de l'inexécution d'une convention qui relève de la résolution (136). À la vérité, l'erreur suppose un certain flou dans la désignation de l'objet de l'obligation, qui fait que l'une des parties va commettre une erreur. Au contraire, on sort du domaine de l'erreur si la qualité a été promise ou *a fortiori* garantie expressément.

Cette extrême sévérité au plan de la preuve fait que, en dépit de la conception large de l'erreur sur la substance et de l'appréciation *in concreto*, les demandes en nullité sont souvent écartées, spécialement en matière de ventes d'objets d'art. En pratique cela revient à reconnaître aux juges du fond un pouvoir souverain pour décider si, compte tenu des circonstances et de la personnalité de l'*errans*, il y a ou non erreur sur la substance.

162. – Date d'appréciation de l'erreur. L'erreur est une *croyance* fausse par rapport à la *réalité,* ce qui soulève un double problème de date d'appréciation (V. aussi *infra*, n° 171).

La *croyance* s'apprécie certainement à la date de la conclusion du contrat : c'est à ce moment-là qu'il faut se placer pour savoir ce que les cocontractants avaient en vue.

La question est plus délicate pour l'appréciation de la *réalité*. En principe la solution doit être la même et il n'y a pas lieu de tenir compte des modifications de la réalité postérieures au contrat. Si par exemple, un terrain était constructible lors de la vente et qu'il est devenu ensuite inconstructible par l'effet d'une décision de l'Administration, il n'y aura pas lieu à nullité car le propriétaire doit supporter les risques de *modification* de la chose, sauf si la modification n'était que la conséquence d'un vice caché (au sens large) existant lors de la vente (137).

À cela il faut ajouter une précision pour le cas où la réalité – qui intrinsèquement n'a pas changé – n'a été connue ou précisée que par la suite. Dans ce cas, on appréciera toujours la réalité au jour du contrat, mais on

---

(136) Voir en ce sens Cass. 1re civ. 3 avr. 2002 : *D.* 2002, IR, 1470 ; *JCP* 2002, IV, 1870. Dans cette espèce, la cour reproche à une décision qui avait écarté l'erreur de ne pas avoir appliqué l'article 3 du décret du 3 mars 1981 selon lequel, en matière de vente d'œuvres d'art, l'indication du nom de l'artiste immédiatement suivi de la désignation de l'œuvre entraîne, à défaut de réserve expresse, la garantie de l'authenticité de l'œuvre.

(137) Paris 2e ch., 19 janv. 1999 : *JCP* 1999, IV, 1690.

pourra faire appel aux données ultérieures qui ont permis de discerner ce qu'était exactement cette réalité. Par exemple, s'agissant de la vente d'un tableau, la réalité s'appréciera au jour de la vente (c'est bien le même tableau qui n'a pas changé) mais en tenant compte des expertises ou des opinions postérieures sur l'origine du tableau (138). De même, s'agissant de la vente d'un terrain présenté comme constructible par un certificat d'urbanisme erroné et illégal, on l'annulera pour erreur sur la substance car l'inconstructibilité existait lors de la vente ; peu importe que cette réalité n'ait été révélée que plus tard, par suite de l'annulation – d'ailleurs rétroactive – du certificat d'urbanisme (139). Il n'y aurait pas lieu à nullité en revanche si le terrain, bien que constructible, n'a finalement pas pu accueillir les constructions envisagées par l'acheteur, faute d'avoir pu obtenir le permis de construire correspondant (140).

163. – Erreur sur la substance et garantie des vices cachés. Dans le cas où l'erreur a été commise à l'occasion d'un contrat de vente, les circonstances de fait sont souvent telles que la victime pourrait intenter indifféremment l'action en nullité pour erreur sur la substance ou l'action en garantie des vices cachés de l'article 1641 du Code civil.

En effet, il y a erreur sur la substance lorsque « sans elle, l'une des parties n'aurait pas contracté » (V. *supra*, n° 158). Et, suivant l'article 1641, « Le vendeur est tenu à garantie à raison des défauts cachés de la chose vendue qui la rendent impropre à l'usage auquel on la destine, ou qui diminuent tellement cet usage, que l'acheteur ne l'aurait pas acquise, ou n'en aurait donné qu'un moindre prix, s'il les avait connus. »

Il peut arriver que l'erreur sur la substance tienne à un vice caché de la chose, auquel cas on peut hésiter sur le régime applicable. En pareil cas, la victime de l'erreur a-t-elle une option entre ces deux actions ? L'intérêt d'une telle option tient pour l'essentiel à la prescription de l'action ; alors que l'action en garantie des vices doit être exercée dans un « bref délai » à compter de la découverte du vice, l'action en nullité pour erreur peut être exercée dans les cinq ans du jour où l'erreur a été découverte.

La jurisprudence a longtemps considéré qu'en cas de concours d'actions, le demandeur avait le droit d'exercer l'action en nullité pour erreur, même si le bref délai ouvert par l'article 1648 du Code civil en matière

---

(138) Cass. 1ʳᵉ civ., 13 déc. 1983 : *D.* 1984, 340 et note J.-L. Aᴜʙᴇʀᴛ ; *JCP* 84, II, 20186 et concl. Gᴜʟᴘʜᴇ : *RTD civ.* 1984, 209, obs. F. Cʜᴀʙᴀs.

(139) Cass. 1ʳᵉ civ., 1ᵉʳ juin 1983 : *Bull. civ.* I, n° 168 ; *JCP* 83, IV, 249. – Cass. 3ᵉ civ., 13 juill. 1999 : *Bull. civ.* III, n° 178, p. 122 (dans le cas où l'inconstructibilité a été constatée par une décision de justice postérieure à la vente).

(140) Sauf si le refus du permis de construire se fonde sur un défaut du terrain existant lors de la vente : Cass. 3ᵉ civ., 11 févr. 1981, préc. ; V. aussi Cass. 3ᵉ civ., 3 févr. 1981 : *D.* 1984, 457 et note J. Gʜᴇsᴛɪɴ, qui impose aux professionnels une obligation de renseignements quant à la qualité juridique du terrain.

---

de vices cachés était expiré (141) ; mais ce cumul d'actions a été condamné par un arrêt du 14 mai 1996 suivant lequel, en cas de vices cachés l'action en garantie des vices constitue « l'unique fondement possible de l'action » (142).

Toutefois, on observera que, dans le même temps, la jurisprudence décide que « l'action en garantie des vices cachés n'est pas exclusive de l'action en nullité pour dol » (143) ; autrement dit, la jurisprudence consacre la solution contraire, et admet le concours des deux actions, lorsque l'erreur a été provoquée par un dol.

2) L'erreur sur la personne

164. – La prise en considération de la personne. L'erreur sur la personne est visée sous une forme négative à l'article 1110 alinéa 2 du Code civil : « Elle n'est point une cause de nullité, lorsqu'elle ne tombe que sur la personne avec laquelle on a intention de contracter, à moins que la considération de cette personne ne soit la cause principale de la convention. »

Cela concerne donc les contrats conclus en considération de la personne du cocontractant, dits encore contrats *intuitu personae* (144).

C'est le cas tout d'abord de tous les *contrats à titre gratuit* pour lesquels, par nature même, le geste libéral a été accompli en considération de la personnalité du bénéficiaire. On ne rend pas service ou on ne gratifie pas n'importe qui.

Mais il peut s'agir également de *contrats à titre onéreux* dans lesquels les qualités prêtées au cocontractant auront été déterminantes. C'est souvent le cas des contrats portant sur des prestations dont la qualité dépend de la

---

(141) Cass. com. 8 mai 1978 ; *Bull. civ.* IV, n° 135. – Cass. 3e civ. 11 févr. 1981 : *D.* 1981, IR, 440 et note Ch. Larroumet ; *D.* 1982, 287 et note J.-L. A ; *JCP* 82, II, 19758, 2e esp., obs. J. Ghestin (qui applique le régime de la prescription de la garantie de vices cachés). – Cass. 3e civ., 18 mai 1988 : *Defrénois* 1989, 1, 1260, art. 34610 et note Y. Dagorne-Labbé. – Cass. 1re civ., 28 juin 1988 : *D.* 1988, IR, 228. – Cass. 1re civ., 28 juin 1989, *D.* 1989, 450, 2e esp. et note Ch. Lapoyade-Deschamps. – Cass. 1re civ., 16 avr. 1991 ; *Bull. civ.* I, n° 144. – 17 mars 1992 : *ibid.*, I, n° 81. – V. D. Tallon, *Erreur sur la substance et garantie des vices dans la vente mobilière :* in *Études Hamel*, p. 435

(142) Cass. 1re civ., 14 mai 1996 : *Bull. civ.* I, n° 213 ; *D.* 1997, somm. 345, obs. O. Tournafond ; *D.* 1998, 305, 1re esp., et note F. Jault-Seseke. – Cass. 3e civ. 7 juin 2000 : *Contr. Conc. Consom.* nov. 2000, comm. n° 159, note L. Leveneur ; *D.* 2000, IR, 186. – V. *contra* Cass. com 18 juin 1996 : *D.* 1998, 305, 2e esp., et note F. Jault-Seseke. – On signalera toutefois que, dans un arrêt plus récent, la Première chambre civile a cassé un arrêt de cour d'appel qui avait rejeté l'action en nullité de la vente pour erreur sur la substance, au motif qu'il aurait dû rechercher si l'action ne devait pas être requalifiée en une demande en garantie des vices cachés ; cela dit, cet arrêt se prononce sur la requalification sans approuver pour autant le cumul d'actions : Cass. 1re civ., 12 juill. 2001 : *JCP* 2001, I, 370, obs. G. Loiseau ; *D.* 2002, somm. 1002, obs. P. Brun et 2047, obs. I. Omarjee. – Y.-M. Serinet, *Erreur et vice caché : variations sur le même thème :* in *Mélanges Ghestin*, LGDJ, 2001. —

(143) Cass. 1re civ., 16 avr. 1991 : *Defrénois*, 1992, 1, 471, art. 35239, 1re esp. et note Y. Dagorne-Labbé ; *D.* 1992, somm. 265 et note A. Penneau. – Cass. 3e civ., 29 avr. 2000 : *Bull. civ.* III, n° 182 ; *Contr. Conc. Consom.* 2001, comm. n° 41 et obs. L. Leveneur ; *D.* 2001, IR, 177. – Cass. 1re civ., 6 nov. 2002 : *Bull. civ.* I, n° 260, p. 202 ; *JCP* 2002, IV, 3055 ; *D.* 2002, IR, 3190 ; *Contr. Conc. Consom.* 2003, comm. n° 38, obs. L. Leveneur ; *JCP* 2002, I, 184, nos 1-5, obs. F. Labarthe.

(144) Valleur, *L'intuitu personae dans les contrats*, thèse Paris, 1938.

---

personne du cocontractant : par exemple, contrat de mandat, de société, de travail, contrat médical, etc. Ce peut même être le cas du contrat de vente ; certes, en général, la personnalité de l'acheteur est indifférente, mais il en va différemment si par exemple, un crédit a été accordé à l'acheteur (145).

165. – La notion d'erreur sur la personne. L'erreur sur la personne s'entend tout d'abord de l'erreur sur *l'identité physique ou civile* (146) : on a par exemple traité avec un homonyme ; mais en pratique une telle hypothèse sera très rare.

Pour l'essentiel, il s'agira de l'erreur sur les qualités essentielles de la personne, c'est-à-dire celles qu'on a eu en vue en contractant. Il peut s'agir de qualités aussi diverses que la compétence, l'honorabilité, la situation de famille (147), l'indépendance d'esprit (148), etc., qualités que dans le cas présent on attendait du cocontractant.

On observera à cet égard que la loi pénale interdit de procéder à des *discriminations* entre les personnes « à raison de leur origine, de leur sexe, de leur situation de famille, de leur apparence physique, de leur patro- nyme, de leur état de santé, de leur handicap, de leurs caractéristiques génétiques, de leurs mœurs, de leur orientation sexuelle, de leur âge, de leurs opinions politiques, de leurs activités syndicales, de leur apparte- nance ou de leur non-appartenance, vraie ou supposée, à une ethnie, une nation, une race ou une religion déterminée » (C. pén., art. 225-1). Sauf exceptions, pareilles discriminations sont sanctionnées lorsqu'elles survien- nent dans certains contrats (C. pén. art. 225-2 et 225-3), notamment le contrat de travail, le contrat de fourniture de biens ou de services, le contrat de bail (149). Il s'ensuit que, dans ces contrats, la nullité pour erreur sur la personne ne saurait être demandée pour l'une des caractéristiques visées par la loi.

En définitive l'erreur sur la personne apparaît comme une forme parti- culière de l'erreur sur la substance, où la substance réside dans les qualités essentielles du cocontractant (150). On doit donc lui appliquer les mêmes critères d'appréciation.

---

(145) Cass. 1re civ., 20 mars 1963 : *D.* 1963, 403.

(146) J.-F. RENUCCI, *L'identité du cocontractant : RTD com.* 1993, 441.

(147) Annulation d'un bail consenti à des concubins alors qu'on les croyait mariés (Angers 4 mai 1921 : *D.* 1921, 2, 125. – Cass. soc. 29 mai 1954 : *Bull. civ.* IV, n° 354) ; mais pareille discrimination est aujourd'hui interdite par la loi du 17 janvier 2002 sur la modernisation sociale.

(148) Annulation d'un compromis d'arbitrage au motif que l'un des arbitres avait précédemment consulté pour l'une des parties (Cass. 2e civ., 13 avr. 1972 : *JCP* 72, II, 17189 et obs. P. LEVEL ; *D.* 1973, 2 et note J. ROBERT).

(149) J. LAFOND, *Peut-on choisir son locataire ? : JCP* N, 2002, 1638.

(150) Exceptionnellement, il peut s'agir des qualités essentielles d'un tiers, par exemple, d'un débiteur cautionné (Cass. 1re civ., 1er mars 1972 : *D.* 1973, 733 et note Ph. MALAURIE).

3) Les erreurs indifférentes

166. – Généralités. Sont indifférentes et n'entraînent donc pas la nullité du contrat toute une série d'erreurs. Pour une large part, elles se déduisent de ce qui vient d'être dit à propos des erreurs-obstacles et des erreurs-vices du consentement.

Cela vise :

– l'erreur sur la personne, dans les contrats sans *intuitu personae* ;

– l'erreur sur une qualité non substantielle.

En revanche, deux hypothèses appellent des précisions : l'erreur sur la valeur et l'erreur sur les motifs déterminants.

167. – L'erreur sur la valeur. Il s'agit de l'hypothèse où l'erreur a porté non sur la substance de la chose ou son identité, mais sur son évaluation monétaire. Par exemple, le tableau est bien de la main de tel peintre célèbre, mais il a été acheté beaucoup trop cher par rapport au prix normal des œuvres de cet artiste (151). L'erreur sur la valeur doit être distinguée de l'erreur sur le prix (152), résultant d'une inadvertance ou d'une confusion entre unités monétaires (francs/euros), qui est généralement considérée comme un malentendu fondamental, comme une erreur obstacle (V. *supra*, n° 155).

L'erreur sur la valeur – qui s'analyse en fait comme une lésion – n'est pas retenue comme cause de nullité car la solution inverse aurait enlevé toute portée à l'article 1118 du Code civil qui n'admet la rescision pour lésion que de manière très restrictive, dans certains contrats ou à l'égard de certaines personnes. Il appartient à celui qui achète ou qui vend un bien de s'informer sur la valeur de ce bien, au besoin en recourant à un expert.

Encore faut-il préciser que cette exclusion ne concerne que l'erreur directement commise sur la valeur d'une chose, et non pas celle qui découlerait d'une erreur sur la substance, par exemple, d'une attribution erronée d'un tableau : le fait qu'une erreur sur la substance entraîne dans son sillage une erreur sur la valeur – ce qui est presque toujours le cas – n'empêche évidemment pas d'obtenir la nullité. On ajoutera que la jurisprudence se montre parfois assez large pour admettre la nullité dans des hypothèses qui semblaient pourtant relever de l'erreur sur la valeur (153).

On observera en revanche que la jurisprudence retient l'erreur sur la valeur comme cause de nullité lorsque celle-ci a été provoquée par les

---

(151) Cass. com. 20 mai 1980 : *JCP* 80, IV, 289 (stock de marchandises défraîchies et invendables).
(152) A. LEBOIS, *Erreur d'étiquetage et erreur sur le prix* : Contr. Conc. Consom. 2002, chron., n° 19.
(153) G. GOUBEAUX, *À propos de l'erreur sur la valeur* : in *Mélanges Ghestin*, LGDJ, 2001. V. par ex. Cass. soc. 4 mai 1956 : *D.* 1957, 313 et note Ph. MALAURIE (erreur sur la valeur culturelle). – Cass. 1re civ., 24 janv. 1979 : *Bull. civ.* I, n° 34 (erreur sur l'intérêt historique et muséologique d'une antiquité). — Paris 16e ch. B, 15 janv. 1987 : *D.* 1987, IR, 28 (diminution de la valeur locative d'un immeuble).

manœuvres du cocontractant, car il ne s'agit plus alors d'une simple erreur, mais d'un dol (V. *infra*, n° 175).

168. – L'erreur sur les motifs déterminants. Les qualités substantielles de la chose (dans l'erreur sur la substance) ou de la personne (dans l'erreur sur la personne) sont des motifs déterminants qui sont pris en considération par le droit.

Il en va différemment des motifs personnels, étrangers à la substance de la chose ou à la personne, qui animent l'un des cocontractants et qui l'ont poussé à contracter. Par exemple, un fonctionnaire achète ou loue un appartement dans une ville où il doit être muté, et la mutation n'intervient pas. Ou encore un amateur achète un tableau parce qu'il a cru, à tort, qu'il avait orné la chambre de l'artiste (154). Ces motifs personnels, étrangers à la substance de la chose, ne sont pas pris en considération, à moins que les parties n'en aient expressément fait une condition du contrat : auquel cas il ne s'agit plus de nullité, mais du jeu de la condition.

Cette solution, longtemps incertaine, a été récemment affirmée en des termes très clairs par la Cour de cassation à propos de la vente d'un bien dont l'acquéreur croyait à tort qu'elle bénéficiait de certains avantages fiscaux ; l'acquéreur, qui en demandait la nullité pour erreur sur les motifs déterminants, s'est vu débouté parce que ce motif, même déterminant, était « extérieur à l'objet » du contrat (155).

> « Mais attendu, d'abord, que l'erreur sur un motif du contrat extérieur à l'objet de celui-ci n'est pas une cause de nullité de la convention, quand bien même ce motif aurait été déterminant ; que c'est donc à bon droit que l'arrêt énonce que l'absence de satisfaction du motif considéré – savoir la recherche d'avantages d'ordre fiscal – alors même que ce motif était connu de l'autre partie, ne pouvait entraîner l'annulation du contrat faute d'une stipulation expresse qui aurait fait entrer ce motif dans le champ contractuel en l'érigeant en condition de ce contrat. »
> Cass. 1re civ. 13 févr. 2001 : *Bull. civ.* I, n° 31.

Ainsi, les motifs déterminants ne sont retenus comme cause de nullité que s'ils portent directement sur l'objet même du contrat ; à défaut, ils doivent être érigés en condition du contrat, soit expressément, soit tacitement (156).

3° Condition morale : non-imputabilité à faute à l'*errans*

169. – L'erreur inexcusable. Certaines erreurs, dites inexcusables, ne sont pas prises en considération bien qu'elles aient vicié le consentement de l'*errans*. La faute commise par celui qui commet une erreur inexcusable

---

(154) Trib. civ. Seine, 8 déc. 1950 : *D.* 1951, 50 ; *Gaz. Pal.* 1951, I, 153.
(155) Cass. 1re civ., 13 févr. 2001 : *Bull. civ.* I, n° 31 ; *Defrénois* 2002, 1, 476, art. 37521 et note D. Robine ; *RTD civ.* 2001, 352, obs. J. Mestre et B. Fages ; *JCP* 2001, I, 330, obs. J. Rochfeld.
(156) Cass. com. 1er oct. 2002 : *JCP* 2003, II, 10072 et note F. Buy ; *D.* 2003, 1617 et note Y. Picod (cas où la caution avait fait de la solvabilité du débiteur principal la condition tacite de sa garantie).

exclut le bénéfice de la protection légale (157). Le caractère inexcusable doit être apprécié *in concreto*, en fonction de la personnalité et notamment de la compétence professionnelle de l'*errans* (158).

L'idée générale est qu'il doit y avoir des limites au-delà desquelles l'erreur n'est plus admise : s'il est naturel que la loi protège ceux qui se trompent, elle ne saurait en revanche venir à l'aide de ceux qui font preuve d'une légèreté excessive, alors surtout qu'ils ont une obligation de se renseigner (159).

Au surplus, au travers des exemples fournis par la jurisprudence, on peut se demander si le juge ne sanctionne pas ici parfois, au-delà de la grossièreté de l'erreur, le fait que l'erreur n'est pas véritablement crédible (160). Cette solution est à rapprocher de celle de l'article 1642 du Code civil suivant lequel « le vendeur n'est pas tenu des vices apparents et dont l'acheteur a pu se convaincre lui-même ».

170. – L'erreur de droit. – En dépit du célèbre adage « Nul n'est censé ignorer la loi » (V. *Introduction*, n° 117), il est possible d'invoquer aussi bien une erreur de droit qu'une erreur de fait à l'appui d'une demande en nullité (161). Il n'est pas inexcusable de commettre une erreur de droit, sauf pour un juriste où le cas échéant elle pourrait apparaître telle (162).

Cela dit, il n'y aura matière à nullité que si l'erreur de droit a porté sur un élément substantiel. En pratique cela vise le cas où, suivant la formule jurisprudentielle, on s'est trompé sur l'*existence, la nature ou l'étendue des droits* qui ont fait l'objet d'un contrat argué de nullité, par exemple, d'un contrat de cession de droits successifs (163). L'erreur de

---

(157) Cass. soc. 3 juill. 1990 : *Bull. civ.* V, n° 329 ; *JCP* 1990, IV, 334 (erreur sur la personne d'un salarié, embauché sans recherche suffisante sur ses antécédents).

(158) Cass. com. 29 avr. 2002, *RTD civ.* 2002, 500, obs. J. MESTRE et B. FAGES (erreur d'un professionnel « sous la dépendance psychologique » de son cocontractant).

(159) P. JOURDAIN, *Le devoir de « se » renseigner (Contribution à l'étude de l'obligation de renseignement)* : D. 1983, chron. 139.

(160) Cass. 1re civ., 29 juin 1959 : *Bull. civ.* I, n° 320 (souscrire deux assurances pour le même risque). – Cass. 1re civ., 16 déc. 1964 : *D.* 1965, 136 (amateur d'art qui s'en tient à la mention « attribué à Courbet »). – Cass. 1re civ., 2 mars 1964 : *Bull. civ.* I, n° 122 (architecte qui achète un terrain sans s'inquiéter de sa constructibilité). – Paris 24 avr. 1984 : *Gaz. Pal.* 1985, 179 et note J. DUPICHOT. – Cass. 3e civ., 4 janv. 1985, *JCP* 1985, IV, 103 (conseil juridique spécialisé en promotion immobilière soutenant s'être mépris sur l'étendue de ses droits et obligations). – Paris 1re ch. B, 15 nov. 1990 : *D.* 1991, somm. 160, note O. TOURNAFOND (pour une erreur du vendeur sur sa propre prestation).

(161) R. DECOTTIGNIES, *L'erreur de droit* : *RTD civ.* 1951, 309. – Cass. 3e civ. 29 mai 1980 : *JCP* 80, IV, 297. – Cass. 3e civ., 24 mai 2000 : *Defrénois* 2000, 1, 1377, art. 37270, n° 89, obs. D. MAZEAUD.

(162) Elle est même admise en matière pénale comme cause d'irresponsabilité ou d'atténuation de la responsabilité (C. pén. art. 122-3) ; mais il n'y a pas erreur invincible dans le cas où une société, disposant de juristes qualifiés pour l'éclairer sur ses choix de stratégie commerciale, a agi en connaissance de cause en ne demandant pas l'autorisation de la commission d'urbanisme commercial pour procéder à l'extension de son hypermarché (Cass. crim. 19 mars 1997 : *JCP* 1998, II, 10095 et note O. FARDOUX).

(163) Cass. 1re civ., 20 nov. 1990 : *Bull. civ.* I, n° 250. – 2 avr. 1996 : *Bull. civ.* I, n° 159. – Cass. 3e civ. 5 juill. 1995 : *Bull. civ.* III, n° 174.

droit peut également porter sur la validité d'un congé (164), ou sur l'existence d'un droit de préemption d'un locataire (165).

En revanche, n'est pas cause de nullité l'erreur de droit portant sur les *effets* d'un contrat, ou sur les conséquences attachées par la loi à une décision ou à une abstention. La distinction est subtile, mais elle n'en est pas moins réelle ; suivant la formule d'un arrêt, « si l'erreur de droit peut justifier l'annulation d'un acte juridique pour vice du consentement ou défaut de cause, elle ne prive pas d'efficacité les dispositions légales qui produisent leurs effets en dehors de toute manifestation de volonté de la part de celui qui se prévaut de leur ignorance » (166).

171. – L'erreur sur sa propre prestation : le principe. Autant il est fréquent de se tromper sur la contre-prestation attendue du cocontractant, autant il peut paraître singulier de faire erreur sur sa propre prestation, celle que l'on fournit à son partenaire. La pratique en fournit néanmoins des exemples, assez rares il est vrai : erreur de celui qui vend un terrain en le croyant inconstructible, ou une œuvre d'art authentique qu'il croit être une copie.

N'est-on pas là en présence d'une erreur inexcusable ? Cette question, qui avait déjà été soumise à la Cour de cassation voici plus de cinquante ans, a donné lieu à une vive controverse à propos de l'affaire du *Poussin du Louvre* qui a connu de nombreux rebondissements jurisprudentiels. En l'espèce, les propriétaires d'un tableau qu'une longue tradition familiale attribuait à Poussin l'avaient confié à un commissaire-priseur en vue de sa vente par adjudication. Le commissaire-priseur et l'expert dont ils s'étaient fait assister détrompèrent les propriétaires et attribuèrent l'œuvre à l'École des Carraches. Adjugé pour une somme dérisoire à un célèbre marchand de tableaux, il fut immédiatement préempté par la Réunion des Musées nationaux et présenté quelques mois plus tard au Louvre comme une œuvre originale de Nicolas Poussin, ce qui motiva l'action en nullité des vendeurs pour erreur sur la substance (167).

---

(164) Cass. 3ᵉ civ., 29 mai 1980 : *JCP* 1980, IV, 297.

(165) Ainsi, même lorsque l'offre faite par erreur à un locataire a été acceptée par ce dernier aux conditions de la vente projetée, l'erreur de droit commise par le vendeur sur l'existence d'un droit de préemption emporte la nullité du contrat : Cass. 3ᵉ civ., 24 mai 2000 : *JCP* 2001, II, 10494 et note C. Duvert ; *Defrénois* 2000, 1, 1377, art. 37270, n° 89, obs. D. Mazeaud ; *D.* 2001, somm. 1135, obs. D. Mazeaud et *D.* 2002, somm. 926, obs. O. Tournafond.

(166) Cass. 1ʳᵉ civ. 4 nov. 1975 : *D.* 1977, 105 et note J. Ghestin (ainsi, la veuve, commune en biens, qui a omis de renoncer à la communauté, ne peut exercer la reprise de ses biens réservés en faisant valoir qu'elle ne connaissait pas les dispositions de la loi).

(167) TGI Paris, 13 déc. 1972 : *D.* 1973, 410, note J. Ghestin et Ph. Malinvaud ; *JCP* 73, II, 17377, obs. R. Lindon. – Paris 2 févr. 1976 : *D.* 1976, 325, concl. J. Cabannes ; *JCP* 76, II, 18358, obs. R. Lindon. – Cass. 1ʳᵉ civ., 22 févr. 1978 : *D.* 1978, 601, note Ph. Malinvaud ; *JCP* 78, II, 18925. – Amiens, 1ᵉʳ févr. 1982 : *JCP* 82, II, 19916, obs. J.-M. Trigeaud ; *Defrénois* 1982, 1, 676, art. 32885, note J. Chatelain. – Cass. 1ʳᵉ civ., 13 déc. 1983 : *D.* 1984, 340, note J.-L. Aubert ; *JCP* 84, II, 20186, concl. Gulphe. – Versailles 7 janv. 1987 : *D.* 1987, 485 et note J.-L. Aubert ; *JCP* 88, II, 21121, obs. J. Ghestin.

Sur le principe même a été soulevé un argument de texte. Suivant certains auteurs, l'article 1110 du Code civil « L'erreur n'est une cause de nullité de la convention que lorsqu'elle tombe sur la substance même de la chose qui en est l'objet » ne pourrait viser que la contre-prestation, chacun ayant en vue l'obligation de l'autre (168). Mais c'est là une lecture de l'article 1110 qui amène à distinguer là où le texte ne distingue pas. Aussi bien la doctrine quasi unanime et la jurisprudence ont-elles admis le principe que l'erreur sur sa propre prestation est une cause de nullité au même titre que l'erreur sur la contre-prestation (169).

172. – L'erreur sur sa propre prestation : précisions sur l'erreur sur la substance. L'affaire du Poussin du Louvre a permis d'affiner les solutions en matière d'erreur sur la substance sur deux points.

D'une part, avait été formulée une objection propre aux œuvres d'art : la preuve positive de l'authenticité pouvant très difficilement être rapportée, il ne saurait y avoir erreur là où il y a doute. L'argument avait été reçu par la cour d'appel qui avait débouté les demandeurs au motif qu'il y avait un doute très sérieux sur l'attribution du tableau (170). L'arrêt fut cassé sur ce point au motif que les juges du fond auraient dû « rechercher si, au moment de la vente, le consentement des vendeurs n'avait pas été vicié par leur conviction erronée que le tableau ne pouvait pas être une œuvre de Nicolas Poussin » (171). Il y a en effet erreur dès l'instant qu'un décalage se produit entre la croyance (ici, croire que le tableau ne peut être un Poussin) et la réalité (l'œuvre est d'attribution incertaine, mais peut être un Poussin) (172). L'erreur est en revanche exclue lorsqu'au moment du contrat l'attribution était considérée comme incertaine par les deux parties qui ont ainsi l'une et l'autre accepté un aléa, l'œuvre pouvant s'avérer par la suite être une copie ou un original : tel était le cas dans l'affaire du *Verrou de Fragonard* (173).

---

(168) J. CHATELAIN, *L'objet d'art, objet de droit* : in *Études Flour*, p. 63.

(169) V. en matière de cession de droits successoraux ; Cass. civ. 17 nov. 1930 : D. 1932, 1, 161 ; DH 1931, 3 ; S. 1932, 1, 17 et note A. BRETON. – 24 mai 1948 : D. 1948, 517. – 22 janv. 1953 : D. 1953, 334. – 19 janv. 1960 : JCP 61, II, 12274, obs. P. VOIRIN. En matière de vente d'objets d'art : Montpellier 2 janv. 1963 : Gaz. Pal. 1963, 1, 193, cassé sur un autre point par Cass. 1re civ., 25 janv. 1965 ; D. 1965, 217. – Cass. 1re civ., 22 févr. 1978 et 13 déc. 1983, préc. – Paris 7 déc. 1976 : Gaz. Pal. 1977, 1, 135. – Cass. 1re civ., 24 janv. 1979 : Bull. civ. I, n° 34. En matière de constructibilité d'un terrain : Pau, 27 mars 1979 : JCP 80, IV, 392. Toutefois, dans certains cas, l'erreur pourra effectivement être jugée inexcusable : Paris 1re ch. B, 15 nov. 1990 : D. 1991, somm. 160 et note O. TOURNAFOND.

(170) Paris, 2 févr. 1976, préc.

(171) Cass. 1re civ., 22 févr. 1978, préc. – J.-P. COUTURIER, *La résistible ascension du doute (quelques réflexions sur l'affaire Poussin)* : D. 1989, chron. 23.

(172) Il y aura par exemple erreur si l'acheteur a contracté dans la certitude de l'authenticité de l'œuvre alors qu'après expertise celle-ci s'avère douteuse : Cass. 1re civ., 13 janv. 1998 : D. 2000, 54 et note Ch. LAPLANCHE.

(173) TGI Paris, 21 janv. 1976 : D. 1977, 478, note Ph. MALINVAUD. – Cass. 1re civ., 16 oct. 1979 : Gaz. Pal. 1980, 1, somm. 60. – 24 mars 1987 : D. 1987, 489 et note J.-L. AUBERT ; JCP 89, II, 21300, obs. M.-F. VIEVILLE-MIRAVETE. V. aussi, dans le même sens, en cas d'aléa sur l'authenticité d'une lettre de Picasso : cass. 1re civ., 30 mars 2001 : JCP 2003, II, 10090 et note J.-P. CÉSARD.

D'autre part, contre l'admission de l'erreur sur sa propre prestation on a également invoqué une raison d'opportunité tenant à la nécessité d'assurer la sécurité du commerce, notamment en matière d'œuvres d'art où la réalité peut être changeante au gré des attributions faites par les experts. L'observation est exacte pour les ventes aux enchères publiques où, en principe, l'intérêt du vendeur devrait être protégé par le libre jeu des enchères ; mais il faudrait un texte pour consacrer ici une exception. En revanche l'argument perd toute pertinence pour les ventes privées où un acheteur compétent peut librement profiter de l'ignorance d'un vendeur.

Dans l'affaire du *Poussin du Louvre*, la cour de renvoi a été probablement sensible à cet argument et elle a rejeté la demande en nullité au motif que la conviction du vendeur n'était pas erronée *au moment de la vente* puisque ce n'est que par la suite que le tableau a pu être attribué à Poussin (174). Ce qui a été l'occasion pour la Cour de cassation de préciser que l'appréciation de la réalité, si elle devait s'opérer au jour de la vente (c'est bien le même tableau qui n'a pas changé), devait aussi prendre en compte les données ultérieures, opinions ou expertises, qui ont permis de préciser ce qu'était exactement la réalité (175).

La jurisprudence admet toutefois que l'*errans* doit, au titre de l'enrichissement sans cause, indemniser l'acquéreur évincé des frais faits en vue de démontrer l'originalité de l'œuvre, et donc sa valeur (176). À l'inverse, s'il ne peut se faire restituer l'œuvre parce qu'elle a été acquise par un tiers de bonne foi, il sera indemnisé du préjudice subi qui équivaut à la différence entre le prix de vente initial et celui de la revente (177).

173. – Conclusion. De l'étude de l'erreur se dégagent des impressions contradictoires. D'un côté la jurisprudence conçoit très largement la notion d'erreur, mais de l'autre la preuve n'en est reçue que de manière fort étroite. Cette attitude n'est contradictoire qu'en apparence. En définitive, elle reflète assez exactement le conflit entre les deux idées antagonistes qui dominent la matière de l'erreur et entre lesquelles la jurisprudence tente de réaliser un équilibre : l'idée de justice, liée au principe du consensualisme, et l'idée de sécurité des transactions. S'il en résulte parfois le sentiment d'un certain impressionnisme juridique, cela relève de la nature même des choses.

La sécurité des transactions postule de faire un tri parmi les erreurs, de manière à n'admettre que celles, bien réelles et excusables, qui ont affecté le consentement : on ne saurait invoquer n'importe quelle erreur pour

---

(174) Amiens, 1er févr. 1982, préc.

(175) Cass. 1re civ., 13 déc. 1983, préc. V. aussi *supra*, n° 162.

(176) Cass. 1re civ., 25 mai 1992 : *JCP* 1992, I, 3608, p. 370, obs. M. Billiau ; *Contr. Conc. Consom.* 1992 ; comm. n° 174 et note L. Leveneur.

(177) Paris, 29 juin 1992 : *D.* 1993, somm. comm. 209, obs. F. Fortis.

faire tomber un contrat. Pour éviter les dérives, la doctrine a essayé de tracer des guides.

C'est ainsi que jadis on disait que, pour entraîner la nullité du contrat, l'erreur devait avoir été « *commune* ». Par cette formule, particulièrement ambiguë, on voulait dire, non pas que les deux parties devaient avoir commis la même erreur, mais que le cocontractant de l'errans devait savoir l'importance que ce dernier attachait à telle qualité substantielle, et manquante, de la chose.

Pour exprimer la même chose, les auteurs modernes déclarent que la qualité manquante doit être entrée dans le *champ contractuel* ou, allant plus loin encore, que l'erreur doit avoir porté sur *les qualités convenues* (V. *supra*, n° 161).

Faisant preuve de beaucoup de pragmatisme, les juges recherchent au cas par cas si l'erreur portait sur une qualité substantielle et si la preuve en est suffisamment rapportée. Il va sans dire qu'une telle quête repose sur une appréciation subjective, ce qui confère un certain flou à la jurisprudence et, plus largement, à la matière de l'erreur.

C. – Le dol

174. – Définition.

Art. 1116. – Le dol est une cause de nullité de la convention lorsque les manœuvres pratiquées par l'une des parties sont telles, qu'il est évident que, sans ces manœuvres, l'autre partie n'aurait pas contracté.

Il ne se présume pas, et doit être prouvé.

De ce texte, qui s'attache aux moyens par lesquels le dol est perpétré, on en déduit une définition. À la différence de l'erreur, qui est *spontanée*, le dol est une *erreur provoquée* sur l'un des termes du contrat (178).

Le dol soulève une difficulté de terminologie dans la mesure où ce terme est employé dans deux sens très différents. Le *dol dans la conclusion du contrat* dont il est ici question est un vice du consentement et, à ce titre, il constitue une cause de nullité du contrat. Cette notion n'a rien à voir avec *le dol dans l'exécution du contrat*, encore appelé faute dolosive ou intentionnelle : en ce sens, le dol se définit comme l'inexécution volontaire ou délibérée des obligations résultant d'un contrat ; il est sanctionné par la responsabilité contractuelle de son auteur, assortie le cas échéant de la résolution du contrat.

175. – Intérêt du dol par rapport à l'erreur. On peut se demander quel intérêt il y a à retenir, parmi les vices du consentement, l'erreur provoquée

---

(178) Perrin, *Le dol dans la formation des actes juridiques*, thèse Paris, 1931. – P. Bonassies, *Le dol dans la conclusion des contrats*, thèse Lille, 1955. – J. Ghestin, *La réticence, le dol et l'erreur sur les qualités substantielles* : D. 1971, chron. 247.

alors que l'erreur spontanée est, à elle seule, une cause de nullité. Cet intérêt apparaît à trois points de vue :

– quant à la *preuve*, le dol qui se manifeste par des manœuvres, des mensonges, etc., est souvent plus facile à démontrer que l'erreur ; cela tient à leur objet respectif, le dol se traduisant en général par des manifestations extérieures cependant que l'erreur est un état d'esprit interne à l'*errans* ;

– quant à son *domaine*, le dol s'étend au-delà de l'erreur. Ainsi, l'erreur sur la valeur ou sur les motifs individuels déterminants, qui n'est pas une cause de nullité si elle est spontanée (V. *supra*, nᵒˢ 167 et 168), le devient lorsqu'elle est provoquée par dol (179). Se trouve ici sanctionnée la faute de l'auteur du dol, ce qui met en valeur l'élément moral inhérent à ce vice du consentement ;

– quant à ses *effets*, le dol peut entraîner, outre la nullité pour vice du consentement, la condamnation à des dommages et intérêts car il met en cause la responsabilité délictuelle de son auteur (180). Le demandeur est libre de demander, à son choix, la nullité du contrat ou l'allocation de dommages-intérêts, ou les deux cumulativement. À supposer que l'action en nullité soit prescrite, la victime du dol peut encore exercer l'action en responsabilité délictuelle qui ne se prescrit que par dix ans (181).

Ces deux dernières différences s'expliquent par la nature mixte du dol où se côtoient l'élément psychologique (le vice du consentement) et l'élément moral (la faute). L'importance de l'élément moral se traduit ici par le fait que le souci de sécurité des transactions est beaucoup plus estompé qu'en matière d'erreur.

176. – Dol et garantie des vices cachés. L'erreur provoquée – le dol – peut porter sur un vice caché de la chose ; en pareil cas il y a cumul d'actions et la victime peut exercer l'action fondée sur le dol, même si l'action en garantie des vices est déjà prescrite (182). On remarquera que la solution est inverse de celle retenue par la jurisprudence en matière d'erreur spontanée où l'action en garantie des vices constitue « l'unique fondement possible de l'action » (V. *supra*, nᵒ 163). Faisant un sort particulier

---

(179) Paris, 22 janv. 1953 : *D.* 1953, 136

(180) La responsabilité est de nature délictuelle, et non pas contractuelle, car la faute, intervenant par définition même avant que le contrat ne soit conclu, ne constitue pas la violation d'une obligation résultant du contrat.

(181) Cass. 1ʳᵉ civ., 4 févr. 1975 : *D.* 1975, 405, note Ch. GAURY ; *JCP* 75, II, 18100, obs. Ch. LARROUMET. – 14 nov. 1979 : *D.* 1980, IR, 284. – Cass. com. 18 oct. 1994 : *D.* 1995, 180 et note Ch. ATIAS ; *Contr. Conc. Consom.* 1995, comm. nᵒ 1, obs. L. LEVENEUR (dans une hypothèse où l'acquéreur s'était désisté de l'action en nullité). – Cass. com. 15 janv. 2002 : *JCP* 2002, II, 10136 et note A. CERMOLACCE ; *RTD civ.* 2002, 290, obs. J. MESTRE et B. FAGES (écartant la prescription de l'article L. 141-4 du Code de commerce).

(182) Cass. 1ʳᵉ civ. : 16 avr. 1991 : *Defrénois* 1992, 1, 471, art. 35239, 1ʳᵉ esp. et note Y. DAGORNE-LABBÉ ; *D.* 1992, somm. 265 et note A. PENNEAU.

à l'action fondée sur le dol, la Cour de cassation a récemment réaffirmé ce cumul d'actions (183).

177. – Plan. Pour que le dol soit retenu comme cause de nullité, trois conditions sont exigées : le dol doit présenter une certaine gravité, avoir déterminé le consentement et émaner du cocontractant.

1° Gravité du dol

178. – L'exigence de loyauté dans la conclusion du contrat : évolution. Si la conclusion d'un contrat nécessite que chaque partie fasse preuve d'un minimum de loyauté, il n'en demeure pas moins que les cocontractants y défendent des intérêts qui sont souvent opposés. Dès lors il est naturel que, dans cette perspective, chacun mette en valeur la chose ou la prestation qu'il apporte à son partenaire. On s'accorde à reconnaître qu'il ne faut pas dépasser la mesure au-delà de laquelle il y aura dol.

Toute la difficulté est de définir cette mesure, qui dépend pour l'essentiel de considérations morales. L'article 1116 du Code civil semble exiger des manœuvres pour qu'il y ait dol. Aujourd'hui la morale est nettement plus exigeante que jadis et la jurisprudence admet sous certaines réserves que le mensonge, et même la simple réticence, puissent être constitutives du dol, ce qui revient à introduire une obligation de renseignements dans la conclusion du contrat. Cette idée, d'origine jurisprudentielle, se trouve confortée et relayée de nos jours par les diverses lois récentes qui tendent à assurer l'information du consommateur, et plus généralement la protection de certaines catégories de contractants.

179. – Les manœuvres. Le terme de *manœuvres*, qu'utilise le Code civil, doit être compris comme visant des actes caractérisés de tromperie. On cite traditionnellement l'exemple, relaté par Cicéron, de la *mise en scène* réalisée par le vendeur d'une villa qui, afin de décider un acheteur, avait organisé une pêche miraculeuse dans un lac bordant la propriété. Aujourd'hui on penserait plutôt au *maquillage* d'une automobile que le vendeur aurait artificiellement rajeunie en modifiant la carte grise ou le compteur kilométrique. De telles manœuvres qui frisent l'escroquerie se rencontrent assez rarement en pratique.

Un arrêt remarqué de la Cour de Colmar (184) avait élargi la notion de dol à l'hypothèse de l'insistance abusive auprès d'une personne âgée ou

---

(183) Cass. 3ᵉ civ., 29 nov. 2000 : *Bull. civ.* III, n° 182 ; *Contr. Conc. Consom.* 2001, comm. n° 41, obs. L. Leveneur. – Cass. 1ʳᵉ civ., 6 nov. 2002 : *Bull. civ.* I, n° 260, p. 202 ; *D.* 2002, IR, 3190 ; *JCP* 2002, IV, 3055 ; *JCP* 2002, I, 184, n° 1-5, obs. F. Labarthe ; *Contr. Conc. Consom.* 2003, comm. n° 38, obs. L. Leveneur. – J. Betoulle, *L'aspect « délictuel » du dol dans la formation des contrats. Illustration dans la jurisprudence récente de la Cour de cassation en matière de vente d'immeubles*, Rapport de la Cour de cassation, 2001, 259, V. p. 266 et s.

(184) Colmar, 30 janv. 1970 : *D.* 1970, 297, note E. Alfandari ; *JCP* 71, II, 16609, obs. Y. Loussouarn ; *Defrénois* 1971, 1, 891, art. 29914, obs. J.-L. Aubert.

malade pour obtenir son consentement ; en l'espèce la cour avait annulé pour dol une donation consentie dans des conditions fort suspectes par une donatrice qui avait été manifestement « chambrée ». Mais c'était méconnaître la définition du dol – erreur provoquée –, la donatrice ayant en l'occurrence cédé à une certaine forme de violence, sans commettre véritablement d'erreur. La Cour de cassation a eu par la suite l'occasion de condamner cette dérive de la notion de dol (185).

Au *plan pénal*, les manœuvres frauduleuses caractérisées exposent leur auteur à des sanctions. L'article 313-1 du Code pénal qui réprime l'*escroquerie* définit en effet celle-ci comme « le fait, soit par l'usage d'un faux nom ou d'une fausse qualité, soit par l'abus d'une qualité vraie, soit par l'emploi de manœuvres frauduleuses, de tromper une personne physique ou morale et de la déterminer ainsi, à son préjudice ou au préjudice d'un tiers, à remettre des fonds, des valeurs ou un bien quelconque, à fournir un service ou à consentir un acte opérant obligation ou décharge » (186).

Outre l'escroquerie, qui s'exerce le plus souvent en dehors de tout contrat, la loi du 1er août 1905, aujourd'hui codifiée aux articles L. 213-1 et s. du Code de la consommation, réprime toute *tromperie dans les ventes de marchandises* dès lors qu'elle porte sur la nature de la chose, sur son espèce ou son origine, sur ses qualités substantielles, sur la quantité des choses livrées ou sur leur identité ; peu importe à cet égard que la tromperie ait ou non été accompagnée de manœuvres frauduleuses ou d'affirmations mensongères. Enfin on rappellera l'interdiction, pénalement sanctionnée, de la *publicité mensongère*, ou même simplement fausse (C. consom. art. L. 121-1 et s.).

Les sanctions pénales éventuellement prononcées s'ajoutent évidemment à la nullité et aux dommages et intérêts civils.

180. – Le mensonge. L'article 1116 a été interprété de manière extensive par la jurisprudence qui n'a pas hésité à l'étendre au mensonge. Suivant la formule d'un arrêt, « un simple mensonge, non appuyé d'actes extérieurs, peut constituer un dol » (187).

On enseigne habituellement que notre droit a repris la tradition romaine qui distinguait le *dolus malus*, c'est-à-dire le mensonge qui « dépasse l'habileté permise à tout vendeur » (188) et qui est seul constitutif de dol, et le *dolus bonus* qui est le droit naturel de vanter sa marchandise, quitte à verser dans l'excès.

---

(185) Cass. 3e civ., 1er mars 1977 : *D.* 1978, 91 et note Ch. LARROUMET. – Cass. com. 2 juin 1981 : *D.* 1981, IR, 485 ; *Bull. civ.* IV, n° 259. – Cass. 1re civ., 10 juill. 1995 : *D.* 1997, 20 et note P. CHAUVEL ; *Defrénois* 1995., art. 36210, n° 138, obs. J.-L. AUBERT ; *Contr. Conc. Consom.* 1996, comm. n° 2, obs. L. LEVENEUR. – 13 févr. 1996 : *Bull. civ.* I, n° 78.

(186) M.-P. LUCAS DE LEYSSAC, *L'escroquerie par simple mensonge ? : D.* 1981, chron. 17.

(187) Cass. 3e civ., 6 nov. 1970 : *JCP* 1971, II, 16942, obs. J. GHESTIN ; *Defrénois* 1971, art. 30005, p. 1264, obs. J.-L. AUBERT.

(188) Cass. 1re civ., 1er févr. 1960 : *Bull. civ.* I, n° 67.

On peut se demander s'il est toujours exact de présenter les choses ainsi et de reconnaître un certain droit au mensonge alors que le droit pénal, qui réprimait seulement la publicité mensongère, interdit désormais « toute publicité comportant, sous quelque forme que ce soit, des allégations, indications ou présentations fausses ou de nature à induire en erreur... » (C. consom., art. L. 121-1). Ce qui était vrai jadis du camelot ne l'est plus du vendeur d'aujourd'hui, spécialement du vendeur professionnel dont on exige une parfaite loyauté.

La distinction romaine peut en revanche trouver une justification au plan du caractère déterminant : s'il est toujours déloyal de mentir (189), en revanche le mensonge n'emporte pas toujours le consentement ; on ne saurait en effet être victime ni des menus mensonges habituels au commerce (190), ni des mensonges excessifs et donc non crédibles (191). En définitive le mensonge le plus convaincant est celui qui serre de plus près la réalité.

En revanche, s'il est démontré que le mensonge a effectivement entraîné une erreur dans l'esprit du cocontractant, un récent arrêt a considéré que, à la différence de l'erreur spontanée (V. *supra*, n° 169), l'erreur provoquée est toujours excusable (192) ; cette solution, rendue à propos d'une réticence dolosive, doit *a fortiori* s'appliquer en cas de mensonge.

181. – La réticence et l'obligation de renseignements. Se taire alors que l'on sait, et ne pas informer son cocontractant de certains éléments de nature à influer sur son consentement, est-ce là un dol ? La réticence, c'est-à-dire le silence gardé sciemment, est-elle dolosive ?

À cette question, la jurisprudence a d'abord répondu par la négative (193) : il n'y a pas dol parce qu'il appartient à chacun de se renseigner sur tous les aspects du contrat envisagé et qu'en conséquence il n'y a pas faute à se taire, à ne pas dévoiler à l'autre les éléments du contrat qui lui seraient défavorables.

Cette argumentation est devenue très largement caduque de nos jours. La jurisprudence a fait de la réticence une cause à peu près générale de

---

(189) Dans un souci de protection des incapables, l'article 1307 du Code civil édicte toutefois que le mensonge du mineur sur sa capacité ne fait pas obstacle à sa demande en nullité pour incapacité.

(190) Cass. com. 13 déc. 1994 : *Contr. Conc. Consom.* 1995, comm. n° 48 et note L. Leveneur. Étant précisé qu'il y a lieu de tenir compte de la qualité du cocontractant : s'il est d'usage que certains commerçants vantent leurs marchandises de manière quelque peu forcée, par ex., un camelot ou un brocanteur, d'autres, tels les antiquaires, seront tenus par l'usage à plus de réserves.

(191) Cass. soc. 26 oct. 1957 : *Bull. civ.*, n° 1011.

(192) Cass. 3e civ., 21 févr. 2001 : *D.* 2001, 2702 et note D. Mazeaud ; *JCP* 2002, II, 10027 et note Ch. Jamin ; *Defrénois* 2001, 1, 702, art. 37365, n° 40, obs. R. Libchaber ; *JCP* 2001, I, 330, n°s 10 et s., obs. A. Constantin.

(193) Cass. civ. 30 mai 1927 : *S.* 1928, 1, 105, note A. Breton. – Pour la doctrine ancienne, V. Ivanus, *De la réticence dans les contrats*, thèse Paris, 1925. – P. Guyot, *Dol et réticence : in Études Capitant*, p. 287.

nullité pour dol (194) mais, pour arriver à cette fin, elle suit deux voies différentes : manquement à l'obligation de renseignements ou manquement à l'obligation de bonne foi.

Tantôt, et c'est l'explication la plus courante, on dira que la réticence est constitutive d'un dol chaque fois que pesait sur ce cocontractant une *obligation de renseignements* (195).

C'est parfois la loi qui impose une telle obligation. Ainsi en est-il du contrat de vente pour lequel l'article 1602 édicte que : « Le vendeur est tenu d'expliquer clairement ce à quoi il s'oblige » ; et plus encore du contrat de vente d'immeuble où le législateur a multiplié les obligations d'informations : sur la surface, sur la présence de plomb, d'amiante, de termites, etc. (196). Ainsi en est-il également dans le contrat d'assurance où l'article L. 113-2 du Code des assurances oblige l'assuré à déclarer toutes les circonstances de nature à modifier l'appréciation du risque. De manière beaucoup plus large, la loi n° 92-60 du 18 janvier 1992 renforçant la protection des consommateurs pose en principe que « tout profession- nel vendeur de biens ou prestataire de services doit, avant la conclusion du contrat, mettre le consommateur en mesure de connaître les caractéris- tiques essentielles du bien ou du service » (C. consom. art. L. 111-1). Elle en fait en outre une application particulière relativement aux pièces déta- chées et aux délais de livraison (C. consom. art. L. 111-2 et L. 114-1) (197).

Mais, parallèlement, la jurisprudence avait déjà consacré de manière très générale l'existence d'une obligation de renseignements dans les contrats. Elle l'a édictée d'abord à la charge des professionnels, spéciale- ment du vendeur professionnel (198) auquel il incombe de surcroît de prouver qu'il a bien exécuté cette obligation (199) ; elle bénéficie non seulement au profane, mais également à l'acheteur professionnel, mais

---

(194) Boccara, *Dol, silence et réticence : Gaz. Pal.* 1953, 1, doctr. 24. – J. Ghestin, *La réticence, le dol et l'erreur sur les qualités substantielles : D.* 1971, chron. 247. – F. Magnin, *Réflexions critiques sur une extension possible de la notion de dol dans la formation des actes juridiques. L'abus de situation : JCP* 76, I, 2780. – J. Mestre, *De la réticence dolosive,* obs. à *RTD civ.* 1988, 336. – R. Leost ; *Promesse de vente. La réticence dolosive : AJPI* 1995, 669.

(195) M. de Juglart, *L'obligation de renseignements dans les contrats : RTD civ.* 1945, 1. – Y. Boyer, *L'obligation de renseignements dans la formation du contrat,* thèse Aix 1977. – Lucas de Leyssac, *L'obligation de renseignements dans les contrats :* in *L'information en droit privé,* LGDJ, 1978. – Garcin et Moreteau, *Le dol et l'obligation de renseignements dans la formation des contrats : Annales Fac. dr. Lyon* 1982, p. 101. – M. Fabre-Magnan, *De l'obligation d'information dans les contrats. Essai d'une théorie,* LGDJ, 1992. – V. pour une opinion dissidente, B. Rudden, *Le juste et l'inefficace pour un non-devoir de renseignements : RTD civ.* 1985, 91.

(196) J.-M. Delpérier et J.-D. Roché, *L'évolution de la notion de dol dans la vente d'immeuble : Petites affiches,* 15 mai 2003, p. 32.

(197) Voir G. Raymond, *Commentaire de la loi n° 92-60 du 18 janvier 1992 renforçant la protec- tion des consommateurs : Contr. Conc. Consom.* févr. 1992, p. 1, V. n°s 22 à 31.

(198) J. Ghestin, *Conformités et garanties dans la vente,* 1983. – V. Cristianos, *L'obligation d'infor- mer dans la vente des produits mobiliers,* 1987.

(199) Cass. 1re civ., 29 avr. 1997 : *Bull. civ.* I, n° 132. – 15 mai 2002 : *Bull. civ.* I, n° 132, p. 101 ; *Contr. Conc. Consom.* 2002, comm. n° 135 et note L. Leveneur ; *JCP* 2002, I, 184, n°s 1 et s., obs. F. Labarthe.

seulement dans la mesure où sa compétence ne lui donne pas les moyens d'apprécier la portée exacte des caractéristiques du matériel vendu (200). Mais, en revanche, un récent arrêt a retenu qu'aucune obligation d'information ne pesait sur l'acheteur, même professionnel, si bien qu'il ne commettait pas de dol en achetant des photographies de Balthus au prix dérisoire demandé par le vendeur (201).

Plus généralement, la jurisprudence impose à tout contractant une obligation d'informer son partenaire chaque fois que celui-ci ne pouvait aisément recueillir lui-même l'information manquante (202). L'obligation de renseignements devrait toutefois trouver une limite dans l'obligation corrélative de se renseigner qui est parfois reconnue à la charge du cocontractant (203).

182. – La réticence et l'obligation de bonne foi. Tantôt la jurisprudence recourt à la notion de bonne foi et déclare que la réticence est dolosive dès l'instant qu'elle a été intentionnelle (204) ; il y a alors dol chaque fois qu'un cocontractant a tu sciemment des informations de nature à influer sur le consentement de l'autre partie (205). C'est poser là en principe que

---

(200) Cass. com. 28 mai 2002 : *Contr. Conc. Consom.* 2002, comm. n° 138 et note L. Leveneur.

(201) Cass. 1re civ., 3 mai 2000 : *JCP* 2001, II, 10510 et note Ch. Jamin ; *D.* 2000, IR, 169 ; *JCP* 2000, I, 272, n°s 1 à 3, obs. G. Loiseau ; *Defrénois* 2001, 1110, art. 37237, n° 64, obs. D. Mazeaud (contre) et Ph. Delebecque (pour) ; *RTD civ.* 2000, 566, obs. J. Mestre et B. Fages ; *Contr. Conc. Consom.* oct. 2000, comm. n° 140, obs. L. Leveneur ; *D.* 2002, somm. 928, obs. O. Tournafond. Dans cette espèce, la cour d'appel avait annulé pour dol au motif « qu'en achetant de nouvelles photographies au prix de 1 000 F l'unité, il (l'acheteur) contractait à un prix dérisoire par rapport à la valeur des clichés sur le marché de l'art, manquant ainsi à l'obligation de contracter de bonne foi qui pèse sur tout contractant et que, par sa réticence à lui faire connaître la valeur exacte des photographies, M. C... a incité Mme B... à conclure une vente qu'elle n'aurait pas envisagée dans ces conditions ».

(202) La jurisprudence en offre de nombreux exemples : ainsi la vente d'un terrain ou d'un fonds en celant des renseignements relatifs à la constructibilité (Cass. 3e civ., 15 janv. 1971 : *D.* 1971, somm. 48 ; *JCP* 71, IV, 43. – 3 févr. 1981 : *D.* 1984, 457, note J. Ghestin), ou l'existence d'une procédure de saisie immobilière (Cass. 3e civ., 30 janv. 1974 : *D.* 1974, 237), ou l'insuffisance d'alimentation en eau pour construire l'hôtel projeté (Cass. 3e civ., 7 mai 1974 : *D.* 1974, IR 176), ou l'installation prochaine d'une porcherie à proximité de la villa objet de la vente (Cass. 3e civ., 2 oct. 1974 : *JCP* 74, IV, 368), ou la situation irrémédiablement compromise du débiteur à cautionner (Cass. 1re civ., 10 mai 1989 ; *JCP* 1989, II, 21363, obs. D. Legeais), ou la réalisation sur le terrain voisin d'un projet privant l'appartement à vendre de son principal intérêt (Cass. 3e civ., 20 déc. 1995 : *D.* 1996, IR, 32), ou l'arrêté d'interdiction d'habiter qui frappe l'immeuble vendu (Cass. 3e civ., 29 nov. 2000 ; *Bull. civ.* III, n° 182 ; *Contr. Conc. Consom.* 2001, comm. n° 41, obs. L. Leveneur ; *D.* 2001, IR, 177), etc.

(203) P. Jourdain, *Le devoir de « se » renseigner (Contribution à l'étude de l'obligation de renseignement)* : *D.* 1983, chron. 139. – Ph. Le Tourneau, *De l'allégement de l'obligation de renseignements ou de conseil* : *D.* 1987, chron. 101.

(204) Cass. com. 20 avr. 1982 : *JCP* 82, IV, 233. Il n'y a pas de dol en revanche lorsqu'il n'est pas démontré que le vendeur connaissait les informations passées sous silence ; la réticence suppose en effet que son auteur connaisse les faits celés (Cass. com. 21 oct. 1974 : *JCP* 75, II, 18176, 1re esp., obs. D. Randoux).

(205) « Le dol peut être constitué par le silence d'une partie dissimulant au cocontractant un fait qui, s'il avait été connu de lui, l'aurait empêché de contracter » : Cass. 3e civ., 15 janv. 1971 : *Bull. civ.* III, n° 38, p. 25 ; *RTD civ.* 1971, 839, obs. Y. Loussouarn. – 2 oct. 1974 : *Bull. civ.* III, n° 330, p. 251. – 20 déc. 1995, *D.* 1996, IR, 32 ; *Contr. Conc. Consom.* 1996, comm. n° 55, obs. L. Leveneur. – 10 févr. 1999 : *Contr. Conc. Consom.* 1999, comm. n° 90, obs. L. Leveneur.

---

la réticence est l'une des formes normales du dol, au même titre que le mensonge ; ainsi la réticence apparaît en quelque sorte comme un mensonge par omission, comme un manquement à la bonne foi (206). En revanche, on ne saurait parler de réticence lorsque la loi a mis en place un formulaire-type et lorsque ce formulaire a été correctement rempli (207).

En définitive, le contrat n'échappera à la nullité que si l'*errans* a fait preuve d'une légèreté excessive, ce qui serait le cas s'il avait une obligation de se renseigner. Mais, même sur ce point, un arrêt de la Troisième chambre civile s'est récemment inscrit en sens contraire en décidant que la réticence dolosive, « à la supposer établie, rend toujours excusable l'erreur provoquée » (208).

En toute hypothèse, qu'il s'agisse de manœuvres, de mensonges ou de réticence, la Cour de cassation reconnaît aux juges du fond un pouvoir souverain pour décider si les faits retenus sont ou non constitutifs de dol (209).

2° Caractère déterminant du dol

183. – Dol principal et dol incident. Pour que la nullité soit prononcée, il ne suffit pas qu'il y ait eu manœuvres, mensonge ou réticence, encore faut-il qu'ils aient entraîné une erreur de l'autre partie et déterminé son consentement. Comme le dit l'article 1116, la nullité n'est encourue que si, « sans ces manœuvres, l'autre partie n'aurait pas contracté ».

Comme en matière d'erreur, le caractère déterminant du dol doit être apprécié *in concreto*, en fonction de la personnalité de la victime.

Du caractère déterminant découlent deux conditions. D'une part, pour pouvoir déterminer le consentement, le dol doit nécessairement être antérieur à la conclusion du contrat ou, à tout le moins, concomitant de celle-ci. D'autre part, le dol doit avoir porté sur un élément qui a été effectivement déterminant, c'est-à-dire la substance, ou sur la valeur, ou sur un

---

(206) Cass. com. 18 nov. 1986 : *Gaz. Pal.* 1987, 1, pan. 10. – Cass. 3e civ., 25 févr. 1987 : *D.* 1987, IR, 56 ; *JCP* 87, IV, 154. – Cass. 1re civ., 10 mai 1989 : *JCP* 89, II, 21363, obs. D. Legeais. – Cass. 3e civ., 15 nov. 2000 : *JCP* 2002, II, 10054 et note Ch. Lièvremont ; *JCP* 2001, I, 301, n° 1, obs. Y.-M. Sérinet ; *RTD civ.* 2001, 355, obs. J. Mestre et B. Fages. – 27 mars 1991 : *D.* 1991, IR, 131. – C. Vuillemin-Gonzalez, *La réticence dolosive des établissements bancaires à l'égard des cautions, un manquement à l'obligation de contracter de bonne foi* : *D.* 2001, chron. 3339.
(207) Cass. 1re civ., 14 juin 1989 : *JCP* 91, II, 21632.
(208) Cass. 3e civ., 21 févr. 2001 : *D.* 2001, 2702 et note D. Mazeaud ; *JCP* 2002, II, 10027 et note Ch. Jamin ; *Defrénois* 2001, 1, 702, art. 37365, n° 40, obs. R. Libchaber ; *JCP* 2001, I, 330, nos 10 et s., obs. A. Constantin. – V. aussi, précédemment, Cass. 1re civ., 23 mai 1977 : *Bull. civ.* I, n° 244. – J. Betoulle, *L'aspect « délictuel » du dol dans la formation des contrats. Illustrations dans la jurisprudence récente de la Cour de cassation en matière de vente d'immeubles*, Rapport de la Cour de cassation, 2001.259, V. p. 261 et s.
(209) Cass. 1re civ., 27 oct. 1970 : *JCP* 71, II, 16710. Les arrêts les plus récents ne semblent cependant pas exclure un contrôle de la Cour de cassation : V. par ex., Cass. com. 20 avr. 1982, préc.

---

motif individuel déterminant (210) (V. aussi *infra*, n° 190 *in fine*, sur le délit d'abus de faiblesse ou d'ignorance).

À ce dol, dit *principal*, on oppose traditionnellement le dol *incident*, c'est-à-dire celui sans lequel la partie victime du dol aurait néanmoins contracté, mais à des conditions différentes, par exemple, à un prix plus avantageux. On enseigne traditionnellement que le dol incident, s'il ne justifie pas l'annulation du contrat, permet au cocontractant trompé d'obtenir des dommages et intérêts, c'est-à-dire en fait une diminution du prix convenu. Une grande partie de la doctrine conteste cette distinction, en faisant observer qu'il est irréaliste de vouloir « distinguer entre la volonté de contracter, abstraitement considérée, et la volonté concrète de contracter à telles ou telles conditions » (211). Selon ces auteurs le dol incident devrait permettre d'obtenir l'annulation car, sans lui, on n'aurait pas conclu le contrat considéré, mais un autre contrat à d'autres conditions ; ils font toutefois observer que la partie trompée est libre de ne pas demander la nullité et de formuler seulement une demande en dommages et intérêts à laquelle le juge ne peut refuser de faire droit (212).

Exception faite d'une décision (213), la jurisprudence ne tient aucun compte des critiques de cette doctrine. Consacrant la notion de dol incident, elle continue à affirmer que le dol sans lequel on aurait contracté à d'autres conditions ne peut justifier que l'allocation de dommages et intérêts, non la nullité du contrat (214). À l'appui de la jurisprudence, on observera que l'admission du dol incident est la conséquence naturelle et inéluctable du dol sur la valeur : le cocontractant trompé était disposé à acheter ou à vendre et le vice du consentement n'a porté que sur le prix ; il suffit donc de rectifier le prix par l'allocation de dommages et intérêts pour que le contrat soit parfait. D'ailleurs, la victime ne demande souvent qu'une réduction de prix, et non l'annulation de la vente (215).

3˘ Dol émanant du cocontractant

184. – Dol du cocontractant et dol d'un tiers. Le dol n'est une cause de nullité que s'il émane du cocontractant ; tel est le sens donné à la formule

---

(210) Cass. 3e civ., 1er mars 1977 : D. 1978, 91, note Ch. LARROUMET. – Paris 15 janv. 1987 : D. 1987, IR, 28. – Cass. soc. 5 oct. 1994 : D. 1995, 282 et note Ph. MOZAS (embauche au vu d'un curriculum vitae manuscrit rédigé non par le candidat, mais par son épouse). – Cass. 3e civ., 21 mars 2001 : *Contr. Conc. Consom.* 2001, comm. n° 101 et note L. LEVENEUR (achat immobilier non déterminé par les manœuvres portant sur l'attrait fiscal de l'opération).
(211) FLOUR et AUBERT, n° 214. – J. GHESTIN, *La formation du contrat*, n° 576. – MARTY et RAYNAUD, n° 157.
(212) Cass. com. 14 mars 1972 : D. 1972, 653, note J. GHESTIN.
(213) Cass. 1re civ., 22 déc. 1954 : D. 1955, 254.
(214) Cass. 3e civ., 5 avr. 1968 : D. 1968, somm. 89. – Cass. com. 11 juill. 1977 : D. 1978, 155, note Ch. LARROUMET. – 2 mai 1984 : JCP 84, IV, 218.
(215) V. par exemple, Cass. com. 14 mars 1972 : D. 1972, 653 et note J. GHESTIN.

de l'article 1116 « manœuvres pratiquées par l'une des parties » (216). S'il est le fait d'un tiers, il donnera seulement lieu à dommages et intérêts.

Cette règle est étrangère à la théorie des vices du consentement, car l'erreur est la même, qu'elle ait été provoquée par le cocontractant ou par un tiers. Elle a une double explication. Historiquement, en droit romain où le dol était réprimé comme un délit et non comme un vice du consentement, l'*exceptio doli* ne pouvait être opposée qu'au cocontractant auteur du dol, responsable personnellement. Logiquement, il serait injuste que le cocontractant innocent soit finalement victime d'une nullité causée par le dol d'un tiers : la partie trompée n'en souffrira pas pour autant puisqu'elle pourra faire condamner ce tiers à dommages et intérêts.

Cette condition connaît cependant des limites naturelles.

D'une part, elle est écartée lorsque le cocontractant, sans être l'auteur direct des manœuvres, ne saurait invoquer le bénéfice de l'innocence : tel est le cas s'il a été complice du dol ou s'il l'a inspiré, ce qui sera fréquent (217), ou encore si le dol émane de son représentant, auquel cas il sera assimilé à son propre dol (218). On peut se demander s'il ne devrait pas en être de même en matière de cautionnement lorsque le dol émane du débiteur principal qui est un tiers par rapport au contrat de cautionnement qui est conclu entre le banquier et la caution (219).

D'autre part, l'exigence d'un dol émanant du cocontractant est également écartée pour les actes unilatéraux, par exemple, pour une renonciation à succession (220) ; la raison en est ici évidente puisqu'autrement, faute de cocontractant, ces actes pourraient être infestés de dol sans jamais encourir la nullité.

Enfin, la victime du dol d'un tiers reste libre d'invoquer la nullité pour erreur sur la substance, si les conditions en sont réunies, auquel cas la nullité sera prononcée sur le fondement de l'article 1110, et non pas sur celui de l'article 1116 (221).

---

(216) Cass. com. 26 avr. 1971 : *JCP* 72, II, 16986, obs. N. Bernard. – 18 juin 1973 : *D.* 1973, IR, 188 ; *JCP* 73, IV, 297. – Cass. com. 22 juill. 1986 : *Gaz. Pal.* 1986, 2, pan. 277.

(217) Cass. req. 20 mars 1883 : *S.* 1884, 1, 417. – Cass. com. 25 mai 1974 : *Bull. civ.* IV, n° 104.

(218) Cass. 1re civ., 2 nov. 1954 : *Gaz. Pal.* 1955, 1, 74. – 7 juill. 1960 : *D.* 1961, somm. 25. – Cass. com. 13 juin 1995 : *Bull. civ.* IV, n° 175. – Cass. 3e civ., 29 avr. 1998 : *Bull. civ.* III, n° 87 ; *JCP* 1998, IV, 2351.

(219) La jurisprudence s'est jusqu'ici prononcée en sens contraire : Cass. 1re civ., 27 juin 1973 : *D.* 1973, 733 et note Ph. Malaurie. – 26 janv. 1977 : *Bull. civ.* I, n° 52. – 28 juin 1978 : *Bull. civ.* I, n° 246. – 20 mars 1989 : *Bull. civ.* I, n° 127. Mais un récent arrêt peut être interprété en faveur d'une évolution : Cass. com. 13 nov. 2002 : *D.* 2003, 684, obs. B. Roman ; *JCP* 2003, I, 122, nos 1-4, obs. G. Loiseau.

(220) Cass. req. 2 janv. 1878 : *D.* 1878, 1, 136 ; *S.* 1878, 1, 103. La doctrine propose la même solution pour tous les actes portant libéralité.

(221) Cass. 1re civ., 3 juill. 1996 : *Bull. civ.* I, n° 288 ; *Defrénois* 1997, 1, 920, art. 36619 et note Y. Dagorne-Labbé ; *D.* 1996, somm. 323, obs. Ph. Delebecque ; *JCP* 1997, I, 4033, n° 1, obs. Ph. Simler.

185. – Preuve du dol. L'article 1116, alinéa 2, dispose que le dol « ne se présume pas, et doit être prouvé ». Cette disposition signifie seulement que la charge de la preuve du dol pèse sur celui qui prétend avoir été trompé. Et, s'agissant de la preuve d'un fait, il pourra prouver le dol par tous moyens, y compris par présomptions.

Cela dit, la règle de preuve se trouve renversée dans le cas de la réticence dolosive, lorsque pèse sur l'un des contractants une obligation de renseignements, comme c'est le cas pour le vendeur professionnel. C'est alors à ce vendeur professionnel de prouver qu'il a exécuté son obligation de renseignement, si bien que la réticence dolosive se trouve présumée (222).

D. – La violence

186. – Définition. La violence est une contrainte exercée sur l'un des contractants en vue de l'amener à contracter. En cela la violence diffère des autres vices du consentement. Ici, le consentement n'est pas vicié par une erreur, spontanée ou provoquée ; il est *extorqué :* la victime donne son consentement sous l'empire de la violence, par *crainte* (223). Telle était d'ailleurs la dénomination de la violence en droit romain *(metus)* qui la réprimait comme un délit, non comme un vice du consentement.

Il y a ainsi dans la violence, outre l'élément psychologique qui en fait un vice du consentement, un élément moral, antisocial ; ces deux aspects se reflètent dans la prise en considération de la violence par le droit positif.

La violence est régie par les articles 1111 à 1115 du Code civil.

Art. 1111. – La violence exercée contre celui qui a contracté l'obligation est une cause de nullité, encore qu'elle ait été exercée par un tiers autre que celui au profit duquel la convention a été faite.

Art. 1112. – Il y a violence lorsqu'elle est de nature à faire impression sur une personne raisonnable, et qu'elle peut lui inspirer la crainte d'exposer sa personne ou sa fortune à un mal considérable et présent.
On a égard, en cette matière, à l'âge, au sexe et à la condition des personnes.

Art. 1113. – La violence est une cause de nullité du contrat, non seulement lorsqu'elle a été exercée sur la partie contractante, mais encore lorsqu'elle l'a été sur son époux ou sur son épouse, sur ses descendants ou ses ascendants.

Art. 1114. – La seule crainte révérencielle envers le père, la mère, ou autre ascendant, sans qu'il y ait eu de violence exercée, ne suffit point pour annuler le contrat.

---

(222) Cass. 1re civ., 15 mai 2002 : *Bull. civ.* I, n° 132, p. 101 ; *D.* 2002, IR, 1811 ; *Contr. Conc. Consom.* 2002, comm. n° 135 et note L. Leveneur ; *RTD civ.* 2003, 84, obs. J. Mestre et B. Fages (cassation d'un arrêt qui, pour rejeter la demande en nullité de la vente d'un véhicule automobile jadis accidenté pour réticence dolosive, retient que l'acquéreur ne rapporte pas la preuve que le vendeur avait dissimulé cet accident, alors que le vendeur professionnel est tenu d'une obligation de renseignement à l'égard de son client et qu'il lui incombe de prouver qu'il a exécuté cette obligation).

(223) R. Demogue, *De la violence comme vice du consentement : RTD civ.* 1914, 435. – A. Breton, *La notion de violence en tant que vice du consentement*, thèse Caen, 1925. – J. Treillard, *La violence comme vice du consentement en droit comparé :* in *Mélanges Laborde-Lacoste*, p. 419.

Art. 1115. – Un contrat ne peut plus être attaqué pour cause de violence, si, depuis que la violence a cessé, ce contrat a été approuvé, soit expressément, soit tacitement, soit en laissant passer le temps de la restitution fixé par la loi.

187. – Conditions de la nullité. Comme pour les autres vices du consentement, la nullité ne saurait être encourue pour violence que si celle-ci présente une certaine gravité et a ainsi joué un rôle déterminant. Mais, parce qu'elle repose également sur l'idée de faute, la violence n'est sanctionnée que si elle est illégitime, ce qui n'est pas toujours le cas. Enfin, et à la différence du dol, la violence est prise en considération même si elle n'émane pas du cocontractant.

1° Gravité et caractère déterminant

188. – L'éventail des menaces. Le droit a par nature même horreur de la violence. On ne s'étonnera donc pas de voir sanctionner la menace sous toutes ses formes.

Il peut s'agir indifféremment d'une menace portant sur la *personne* ou sur sa *fortune*, c'est-à-dire sur les biens de la personne (art. 1112), ce qui vise tout à la fois des menaces :

– d'ordre physique : menaces de sévices, d'enlèvement, de séquestration, etc. ;

– d'ordre moral : menaces de diffamation, de poursuites scandaleuses ou d'autres faits de nature à porter atteinte à l'honneur, pressions de toutes sortes, etc. (224) ;

– d'ordre pécuniaire : menaces de déprédations, d'incendie, de blocage d'une entreprise ou de dénigrement de ses produits, etc.

La menace peut viser indifféremment le *cocontractant* ou des *proches*. Parmi ceux-ci l'article 1113 cite le conjoint, les descendants et les ascendants, mais on s'accorde à considérer que la liste n'est pas limitative et qu'elle peut s'étendre à tous ceux qui sont chers au cocontractant : fiancé(e), amant ou maîtresse, ami intime, etc. L'idée générale est que le consentement est vicié de la même manière, que la menace s'adresse à la personne même du cocontractant ou à ceux auxquels il porte intérêt et affection.

La violence peut être invoquée aussi bien par des personnes morales que par des personnes physiques ; par exemple par une société dont le consentement à un contrat aura été extorqué grâce à des menaces exprimées aux représentants légaux de la société (225).

---

(224) Voir, par exemple, Cass. com. 28 mai 1991 : *D.* 1992, 166 et note P. Morvan. – Cass. 3e civ., 13 janv. 1999 : *Bull. civ.* III, n° 11 ; *D.* 2000, 76 et note Ch. Willmann ; *RTD civ.* 1999, 381, obs. J. Mestre ; *JCP* 1999, I, 143, n° 1-2, obs. G. Loiseau (pressions exercées par une secte sur une personne vulnérable afin de lui faire vendre sa maison pour y loger les membres de la secte).
(225) Cass. soc. 8 nov. 1984, *JCP* 1985, IV, 23.

189. – Appréciation du caractère déterminant. La gravité de la crainte inspirée doit-elle être appréciée *in concreto* ou *in abstracto* ? L'appréciation *in concreto* conduirait à se demander si la violence exercée a été suffisante pour forcer le consentement de celui-là même qui a contracté ; au contraire l'appréciation *in abstracto* amènerait à se poser une question différente : la violence exercée aurait-elle fait céder un cocontractant raisonnable ?

La difficulté vient de ce que l'article 1112 est fort ambigu à cet égard. L'alinéa 1 se réfère à l'appréciation *in abstracto* : « Il y a violence, lorsqu'elle est de nature à faire impression sur une personne raisonnable, et qu'elle peut lui inspirer la crainte d'exposer sa personne ou sa fortune à un mal considérable et présent » (226). Mais, lorsque l'alinéa 2 dispose qu'« on a égard, en cette matière, à l'âge, au sexe et à la condition des personnes », il invite manifestement à une appréciation *in concreto*.

C'est en ce dernier sens que la jurisprudence s'est prononcée, ce qui est naturel puisqu'il s'agit de rechercher si le cocontractant – et non pas un cocontractant abstrait, idéal – a été victime d'un vice du consentement (227).

190. – Le délit d'abus de faiblesse. Il est des personnes qui, soit naturellement, soit lorsqu'elles se trouvent dans certaines circonstances particulières, présentent une faiblesse particulière et peuvent être aisément victimes de cocontractants peu scrupuleux. De telles personnes, dont la vulnérabilité doit être appréciée *in concreto*, pourraient demander la nullité de leurs engagements pour violence, mais le plus souvent elles ne le feront pas, à raison notamment du coût d'une action devant la juridiction civile (228).

Venant à leur secours, le législateur a institué deux infractions pénales, l'une édictée en vue de la protection des consommateurs, l'autre générale, dont les domaines se recoupent.

D'une part, la loi du 22 décembre 1991 (art. 7) relative à la protection des consommateurs en matière de démarchage et de vente à domicile a institué un délit pénal d'*abus de faiblesse ou d'ignorance* du cocontractant (229).

Le champ d'application de ce délit a été élargi par la loi du 18 janvier 1992 (art. 1er) à des situations débordant le classique démarchage à domicile, et au

---

(226) On notera au passage une inexactitude évidente dans la formule finale puisque le mal redouté est par définition même futur, même s'il est imminent.

(227) Ainsi le contrat sera maintenu si la victime prétendue de la violence est un commerçant avisé, rompu aux affaires (Cass. req. 17 nov. 1925 : S. 1926, 1, 121, note A. BRETON. – Cass. com. 30 janv. 1974 : D. 1974, 382), et annulé s'il s'agit d'un vieillard aux facultés affaiblies (Cass. req. 27 janv. 1919 : S. 1920, 1, 198. – Cass. 1re civ., 3 nov. 1959 : D. 1960, 187, note HOLLEAUX. – Cass. 3e civ., 19 févr. 1969 : JCP 69, IV, 82). – Cass. 1re civ., 5 mai 1986 : D. 1986, IR, 271.

(228) C. OUERDANE-AUBERT DE VINCELLES, *Altération du consentement et efficacité des sanctions contractuelles*, Dalloz, Bibl. thèses, 2002.

(229) L. BIHL, *Le délit d'abus de faiblesse. La loi du 22 décembre 1991 ou la frilosité du législateur* : Gaz. Pal. 25-26 nov. 1992.

cas où le solliciteur a obtenu, non pas un engagement, mais la remise d'un bien ou de sommes d'argent, en numéraire ou sous toute autre forme.

L'abus de faiblesse est aujourd'hui codifié dans le Code de la consommation (art. L. 122-8 et s.).

Art. L. 122-8. – Quiconque aura abusé de la faiblesse ou de l'ignorance d'une personne pour lui faire souscrire, par le moyen de visites à domicile, des engagements au comptant ou à crédit sous quelque forme que ce soit sera puni d'un emprisonnement de cinq ans et d'une amende de 60 000 F ou de l'une de ces deux peines seulement, lorsque les circonstances montrent que cette personne n'était pas en mesure d'apprécier la portée des engagements qu'elle prenait ou de déceler les ruses ou artifices déployés pour la convaincre à y souscrire, ou font apparaître qu'elle a été soumise à une contrainte.

Art. L. 122-9. – Les dispositions de l'article L. 122-8 sont applicables, dans les mêmes conditions, aux engagements obtenus :

1° Soit à la suite d'un démarchage par téléphone ou télécopie ;

2° Soit à la suite d'une sollicitation personnalisée, sans que cette sollicitation soit nécessairement nominative, à se rendre sur un lieu de vente, effectuée à domicile et assortie de l'offre d'avantages particuliers ;

3° Soit à l'occasion de réunions ou d'excursions organisées par l'auteur de l'infraction ou à son profit ;

4° Soit lorsque la transaction a été faite dans des lieux non destinés à la commercialisation du bien ou du service proposé ou dans le cadre de foires ou de salons ;

5° Soit lorsque la transaction a été conclue dans une situation d'urgence ayant mis la victime de l'infraction dans l'impossibilité de consulter un ou plusieurs professionnels qualifiés, tiers ou [au] contrat.

Art. L. 122-10. – Les dispositions des articles L. 122-8 et L. 122-9 sont applicables à quiconque aura abusé de la faiblesse ou de l'ignorance d'une personne pour se faire remettre, sans contreparties réelles, des sommes en numéraire ou par virement, des chèques bancaires ou postaux, des ordres de paiement par carte de paiement ou carte de crédit, ou bien des valeurs mobilières, au sens de l'article 529 du Code civil.

D'autre part, le Code pénal de 1992 a institué un délit d'*abus frauduleux de l'état d'ignorance ou de faiblesse* qui, inscrit initialement à l'article 313-4, a été modifié par la loi du 12 juin 2001 relative aux sectes (230) et figure aujourd'hui à l'article 223-15-2.

Art. 223-15-2. – Est puni de trois ans d'emprisonnement et de 375 000 euros d'amende l'abus frauduleux de l'état d'ignorance ou de la situation de faiblesse soit d'un mineur, soit d'une personne dont la particulière vulnérabilité, due à son âge, à une maladie, à une infirmité, à une déficience physique ou psychique ou à un état de grossesse, est apparente et connue de son auteur, soit d'une personne en état de sujétion psychologique ou physique résultat de l'exercice de pressions graves ou réitérées ou de techniques propres à altérer son jugement, pour conduire ce mineur ou cette personne à un acte ou à une abstention qui lui sont gravement préjudiciables.

....

On peut espérer que l'existence même de ces infractions pénales sera suffisamment dissuasive pour limiter les violences exercées contre les personnes vulnérables. En cas de poursuite pénale, la victime exerçant son action civile pourrait demander devant la juridiction pénale des dommages-intérêts, mais non la nullité du contrat conclu.

---

(230) A. Dorsner-Dolivet, *Loi sur les sectes* : D. 2002, chron. 1086.

2° Caractère illégitime

191. – La crainte révérencielle. La violence n'est une cause de nullité que si elle est illégitime, injuste, auquel cas elle revêt le caractère d'une faute. L'article 1114 du Code civil fournit un exemple d'une forme de violence qu'une longue tradition considère comme légitime, et non constitutive de faute : « La seule crainte révérencielle envers le père, la mère, ou autre ascendant, sans qu'il y ait eu de violence exercée, ne suffit point pour annuler le contrat. »

Le texte vise ici la crainte – largement estompée, sinon disparue aujourd'hui – que les enfants majeurs éprouvent de déplaire à leurs parents (231) et qui aurait pu les amener à conclure, sous la pression de cette seule autorité morale, tel contrat souhaité par leurs ascendants. En pareil cas, le contrat ne pourrait être annulé pour violence ; il en irait autrement si, à l'autorité morale, s'étaient jointes de véritables menaces au sens de l'article 1112 (232).

192. – La menace d'exercer un droit ou des voies de droit. La jurisprudence décide qu'il n'y a pas lieu à nullité pour violence lorsqu'un contrat a été conclu sous la menace de poursuites judiciaires, telles que saisies ou autres voies d'exécution (233). Il n'y a pas faute en effet à exercer un droit, si bien que l'élément moral, antisocial, de la violence fait défaut.

La violence est ici légitime mais la jurisprudence subordonne cette légitimité à la rectitude de la conduite de son auteur quant aux moyens employés et quant au but poursuivi.

Légitimité des moyens employés. Est seule légitime la menace d'exercer des *voies de droit*, à la condition toutefois que celles-ci soient effectivement ouvertes, et non pas abusives ou imaginaires (234). En revanche toute menace de *voies de fait* est une violence illégitime, même si son auteur ne cherche qu'à obtenir son dû (235).

Légitimité du but poursuivi. La menace n'est en outre légitime que si elle tend à obtenir la conclusion d'un contrat en rapport direct avec le droit que l'on a menacé d'exercer : ainsi la constitution d'une sûreté, hypothèque, gage, cautionnement, etc., obtenue d'un débiteur sous la menace d'une saisie. Suivant la formule de la jurisprudence, la menace de l'emploi d'une voie de droit ne constitue une violence que « s'il y a abus de ce

---

(231) Par analogie la jurisprudence a admis la crainte révérencielle d'un conjoint envers l'autre : Angers, 19 mars 1956 : *D.* 1957, 22, et sur pourvoi, Cass. 1re civ., 3 juin 1959 : *Bull. civ.* I, n° 276.

(232) Cass. 1re civ., 22 avr. 1986 : *JCP* 86, IV, 181 (pressions exercées par un père sur son fils à l'occasion du partage de la succession de sa mère).

(233) Cass. 1re civ., 11 mars 1959 : *Bull. civ.* I, n° 151. – Cass. soc. 4 mai 1960 : *Bull. civ.* IV, n° 442.

(234) Cass. 1re civ., 30 juin 1954 : *JCP* 55, II, 8325. – 17 juill. 1967 : *D.* 1967, 509 (poursuites judiciaires éteintes par prescription). – TGI Laon, 15 nov. 1972 : *JCP* 74, IV, 379 (infraction non constituée).

(235) Douai, 16 juin 1982 : *JCP* 83, II, 20035, obs. R. JAMBU-MERLIN (occupation d'un navire et voies de fait – sur les officiers – non couverts par le droit de grève).

procédé, soit en le détournant de son but, soit en en usant pour obtenir une promesse ou un avantage sans rapport ou hors de proportion avec l'engagement primitif » (236).

Dans ces diverses hypothèses où la violence est jugée légitime, il n'y aura pas nullité même si elle a inspiré une crainte qui a déterminé le consentement. S'il est ainsi fait échec à la nullité, c'est que l'auteur de la violence n'a fait qu'exercer son droit, en dehors de tout abus : il n'a pas commis de faute.

3° Peu importe l'auteur de la violence

193. – Violence exercée par un tiers. À la différence du dol, la violence est prise en considération de la même manière, qu'elle émane du cocontractant ou d'un tiers. La règle est posée par l'article 1111 : « La violence exercée contre celui qui a contracté l'obligation est une cause de nullité, encore qu'elle ait été exercée par un tiers autre que celui au profit duquel la convention a été faite ».

On explique cette différence par le caractère particulièrement antisocial et intolérable de la violence. Il n'en demeure pas moins que la nullité prononcée dans de telles circonstances peut apparaître injuste pour le cocontractant innocent, comme le fait observer la doctrine. On peut toutefois se demander si ce n'est pas là un faux problème ; en effet, sauf circonstances tout à fait exceptionnelles, un tiers ne se livrera à de tels agissements – dol ou violence – que s'il y a été invité plus ou moins directement par le cocontractant bénéficiaire de l'opération, auquel cas il est juste que la nullité du contrat soit prononcée. Ainsi, il est probable que, en dépit de la différence des textes, la solution est en pratique la même lorsque le dol ou la violence est le fait d'un tiers.

194. – Violence résultant des circonstances : l'état de nécessité. La question s'est d'abord posée sous l'angle très classique de l'*état de nécessité* (237). Dès l'instant que l'article 1111 décide que la violence émanant d'un tiers peut être une cause de nullité, ne doit-on pas admettre par voie d'analogie que la contrainte résultant des circonstances doit être retenue de la même manière ?

La doctrine traditionnelle y était hostile, au motif que l'article 1109 – en visant le consentement *extorqué* par violence – suppose que la violence soit d'origine humaine. Un courant doctrinal important est d'avis contraire : invoquant l'article 1111, ces auteurs considèrent que la liberté

---

(236) Cass. req. 6 avr. 1903 : S. 1904, 1, 505, note NAQUET. – Cass. civ. 9 avr. 1913 : D. 1917, 1, 103. – Cass. 1re civ., 3 nov. 1959 : D. 1960, 187, note HOLLEAUX. – Paris, 8 juill. 1982 : D. 1983, 473, note D. LANDRAUD, et sur pourvoi, Cass. 3e civ., 17 janv. 1984 : JCP 84, IV, 93.
(237) LALLEMENT, *L'état de nécessité en matière civile*, thèse Paris, 1922. – SAVATIER, *L'état de nécessité et la responsabilité civile* : in *Études Capitant*, p. 729. – PALLARD, *L'exception de nécessité en droit civil*, thèse Poitiers, 1949.

du contractant est affectée identiquement, que son consentement ait été extorqué par un tiers, ou qu'il ait été donné sous la pression des circonstances, et ils en déduisent que l'action en nullité devrait être ouverte dans un cas comme dans l'autre (238).

La jurisprudence s'était prononcée en ce sens à propos du contrat d'assistance maritime qui est l'exemple typique du contrat conclu sous l'empire de la nécessité (239) : le capitaine du navire en péril est inéluctablement amené à passer sous les fourches caudines du capitaine du navire sauveteur. Mais cette jurisprudence est désormais tarie, la loi donnant désormais expressément au juge le pouvoir d'annuler ou de modifier le contrat si les conditions convenues ne lui paraissent pas équitables. La loi est également intervenue en faveur des personnes victimes de spoliations, notamment aux juifs contraints de vendre leurs biens, souvent à vil prix, et de disparaître pour échapper à l'ennemi.

De ce fait, la jurisprudence est peu fournie et, de surcroît, hésitante. Si on peut citer quelques rares arrêts de la Cour de cassation en faveur de l'assimilation de l'état de nécessité à la violence (240), les juridictions du fond se montrent beaucoup plus réticentes (241).

En toute hypothèse, pour qu'il y ait ici violence, il faut que le cocontractant ait profité de l'état de nécessité dans lequel se trouvait son partenaire pour obtenir de lui, non pas seulement la conclusion du contrat, mais sa conclusion à des conditions anormales (242). En bref, c'est l'abus de situation qui se trouve ici sanctionné.

195. – La violence économique. La question a été rajeunie récemment à propos de la *violence économique*, qui n'est en définitive qu'une forme particulière de l'état de nécessité, dû en ce cas aux circonstances économiques. On en rencontre principalement des applications en matière commerciale.

Ainsi, s'agissant du renouvellement d'un contrat de concession (distribution d'une marque d'automobiles) à des conditions spécialement contraignantes, la Cour de Paris avait admis la nullité pour violence, le non-renouvellement risquant d'entraîner la fermeture immédiate de l'entreprise (243) ; mais cette décision a été cassée au motif que les juges

---

(238) MAZEAUD et CHABAS, n° 203. – TERRÉ, SIMLER et LEQUETTE, n° 247. – FLOUR et AUBERT, n° 224. – GHESTIN, 3ᵉ éd., n° 586.

(239) Cass. req. 27 avr. 1887 : D. 1888, 1, 263 ; S. 1887, 1, 372.

(240) Cass. soc. 5 juill. 1965 : *Bull. civ.* IV, n° 545 (contrat de travail désavantageux consenti par un salarié sous l'influence de besoins financiers pressants dus à la maladie d'un enfant). V. aussi Cass. civ. 26 juill. 1949 : *Gaz. Pal.* 1949, 2, 363.

(241) V. les références citées par FLOUR et AUBERT, n° 224.

(242) Cass. 1ʳᵉ civ., 24 mai 1989 : *Bull. civ.* I, n° 212.

(243) Paris, 27 sept. 1977 : D. 1978, 690, note H. SOULEAU. – V. dans le même sens, pour la cession des droits d'auteur par un salarié de l'éditeur dans la crainte de perdre son emploi, Paris 4ᵉ ch. A, 12 janv. 2000 : *JCP* 2000, II, 10433 et note Ph. PIERRE ; D. 2001, 2067 et note FADEUILHE. Mais cet arrêt a été cassé par un arrêt de la Première chambre civile du 3 avr. 2002 (V. *infra*).

du fond n'avaient pas précisé en quoi les agissements du concédant étaient illégitimes (244).

Plus récemment, à propos d'une transaction conclue entre un assuré et un assureur à la suite de l'incendie d'un immeuble, transaction arguée de nullité pour violence, la Première chambre civile de la Cour de cassation a décidé que « la contrainte économique se rattache à la violence et non à la lésion » (245).

Enfin, à propos de la renonciation d'un salarié à ses droits d'auteur intervenant dans une période de compression de personnel, la Cour a décidé que « seule l'exploitation abusive d'une situation de dépendance économique, faite pour tirer profit de la crainte d'un mal menaçant direc-tement les intérêts légitimes de la personne, peut vicier de violence son consentement » (246). On doit, semble-t-il, comprendre qu'il n'y a pas faute, et donc pas violence, pour un cocontractant de profiter de la situation de dépendance économique de l'autre partie, mais à la condition de ne pas l'exploiter abusivement. Comme pour l'état de nécessité, c'est donc l'abus de situation qui est sanctionné par la nullité du contrat.

Cette solution jurisprudentielle est finalement assez proche de celle retenue dans les Principes du droit européen du contrat : « Une partie peut provoquer la nullité du contrat si, lors de la conclusion du contrat, a) elle était dans un état de dépendance à l'égard de l'autre partie [...], en état de détresse ou de besoins urgents, [...], b) alors que l'autre partie en avait ou aurait dû en avoir connaissance et que, étant donné les circons-tances et le but du contrat, elle a pris avantage de la situation de la première avec une déloyauté évidente ou en a retiré un profit excessif. »

196. – La violence économique en droit de la concurrence. En droit de la concurrence, divers textes sanctionnent la violence économique, non pas comme un vice du consentement, mais comme portant atteinte à la liberté de la concurrence (247).

D'une part, au titre des *pratiques anticoncurrentielles*, l'article L. 420-2 du Code de commerce (qui codifie sur ce point l'article 8 de l'Ordonnance du

---

(244) Cass. com. 20 mai 1980 : *Bull. civ.* IV, n° 212.

(245) Cass. 1re civ., 30 mai 2000 : *Bull. civ.* I, n° 169, p. 109 ; *D.* 2000, 879 et note J.-P. Chazal ; *JCP* 2001, II, 10461 et note G. Loiseau ; *RTD civ.* 2000, 827, obs. J. Mestre et B. Fages, et 863, obs. P.-Y. Gautier ; *Defrénois* 2000, art. 37237, n° 68, obs. Ph. Delebecque ; *D.* 2001, somm. 1140, obs. D. Mazeaud. – C. Nourissat, *La violence économique, vice du consentement : beaucoup de bruit pour rien ? D.* 2000, chron. 369. – B. Edelman, *De la liberté et de la violence économique : D.* 2001, chron. 2315.

(246) Cass. 1re civ., 3 avr. 2002 : *D.* 2002, 1860, note J.-P. Gridel et note J.-P. Chazal ; *Defrénois* 2002, 1, 1246, art. 37607, n° 65, obs. E. Savaux ; *Contr. Conc. Consom.* 2002, comm. n° 121, obs. L. Leveneur ; *D.* 2002, somm. 2844, obs. D. Mazeaud ; *JCP* 2002, I, 184, nos 6 et s., obs. G. Virassamy ; *RTD civ.* 2002, 502, obs. J. Mestre et B. Fages.

(247) B. Montels, *La violence économique, illustration du conflit entre droit commun des contrats et droit de la concurrence : RTD com.* 2002, 417.

1er décembre 1986) condamne l'exploitation abusive de l'état de dépendance économique du partenaire, soit pour conclure un contrat, soit pour y mettre fin (248). Mais elle n'est sanctionnée que dans la mesure où elle affecte le libre jeu de la concurrence, donc afin d'assurer une liberté du marché dans son entier, et non pas en ce qu'elle porterait atteinte à l'équilibre d'un contrat particulier.

Art. L. 420-2

......

Est en outre prohibée, dès lors qu'elle est susceptible d'affecter le fonctionnement ou la structure de la concurrence, l'exploitation abusive par une entreprise de l'état de dépendance économique dans lequel se trouve à son égard une entreprise cliente ou fournisseur. Ces abus peuvent notamment consister en refus de vente, en ventes liées ou pratiques discriminatoires visées à l'article L 442-6.

D'autre part, au titre des *pratiques restrictives de concurrence*, la loi sur les Nouvelles régulations économiques (NRE) a introduit un article L. 442-6 qui tend non seulement à assurer le bon fonctionnement du marché, mais aussi à corriger les déséquilibres contractuels tenant à l'abus de dépendance économique. À ce dernier titre, la violence économique sera sanctionnée par la responsabilité de son auteur, par des dommages-intérêts, mais non par la nullité du contrat pour vice du consentement.

Art. L. 442-6. – I. Engage la responsabilité de son auteur et l'oblige à réparer le préjudice causé le fait, par tout producteur, commerçant, industriel ou artisan :

1°...

2°...b) D'abuser de la relation de dépendance dans laquelle il tient un partenaire ou de sa puissance d'achat ou de vente en le soumettant à des conditions commerciales ou obligations injustifiées ;

3°...

4° D'obtenir ou de tenter d'obtenir, sous la menace d'une rupture brutale totale ou partielle des relations commerciales, des prix, des délais de paiement, des modalités de vente ou des conditions de coopération commerciale manifestement dérogatoires aux conditions générales de vente.

197. – Preuve et sanctions de la violence. La preuve suit ici les règles de droit commun, comme en matière de dol. C'est à la victime de rapporter la preuve de la violence et, s'agissant d'un fait juridique, elle peut le faire par tous moyens.

La sanction peut être de deux ordres.

D'une part le contrat extorqué par violence est nul. Selon une opinion la nullité serait absolue en cas de violence physique, car celle-ci détruirait totalement le consentement ; elle serait relative en cas de violence morale qui provoquerait seulement une aliénation du consentement. Une telle distinction ne paraît guère opportune car, dans l'un et l'autre cas, l'intérêt protégé est celui de la victime seule ; elle n'est d'ailleurs pas consacrée par la jurisprudence.

---

(248) F. Dreifuss-Netter, *Droit de la concurrence et droit commun des obligations* : RTD civ. 1990, 369.

D'autre part, la violence peut justifier en outre l'allocation de *dommages et intérêts*, à raison de la faute commise, pour réparer le préjudice qui n'aurait pas été effacé par la nullité. À raison de l'indépendance des actions en nullité et en responsabilité, la victime peut exercer l'action en responsabilité alors même que l'action en nullité serait prescrite (249). En cas d'infraction pénale, ou encore de violation des règles de la concurrence, il ne pourra y avoir lieu qu'à dommages-intérêts.

198. – Conclusion : effectivité de la théorie des vices du consentement. Il est difficile de formuler un jugement sur l'effectivité de la théorie des vices du consentement.

On peut sans doute lui reconnaître un *effet préventif* probable dans la mesure où la crainte de la nullité peut détourner des manœuvres dolosives et des menaces illégitimes. Il en va d'ailleurs de même des sanctions pénales qui s'attachent à certains comportements déloyaux, abus de faiblesse, etc.

En revanche son *effet curatif* paraît assez faible, si l'on en juge par l'importance minime du contentieux au regard du nombre des contrats. Certes, faisant preuve d'optimisme, on pourrait penser que ce faible contentieux traduit une disparition progressive des vices du consentement. D'autres explications paraissent plus vraisemblables : d'une part le coût d'accès à la justice civile est tel que se trouvent écartés tous les cas où l'intérêt du litige est trop faible ; d'autre part et surtout il semble bien qu'au cours des dernières décennies le problème de la liberté du consentement se soit déplacé : on ne contracte plus par erreur, ou sous l'empire du dol ou de la violence, mais plus simplement parce qu'on ne peut pas faire autrement. C'est alors un autre problème, celui de la protection des faibles et, plus spécialement, des consommateurs.

Numéros 199 et 200 réservés

§ 3. – Le consentement dans les contrats d'adhésion : la protection des consommateurs

A. – Historique. Les textes

201. – Le phénomène des contrats d'adhésion. Le mouvement tendant à la protection des consommateurs trouve son origine dans la multiplication des contrats d'adhésion (V. *supra*, n° 60). Il est une réaction contre les abus découlant de ces contrats dans lesquels la liberté, et donc le consentement de la partie la plus faible se trouvent réduits à leur plus simple expression.

---

(249) Cass. com. 18 févr. 1997 : *Bull. civ.* IV, n° 59 ; *JCP* 1997, IV, 841 ; *D.* 1998, somm. 181, obs. J.-C. HALLOUIN.

Conçus par la partie dominante, ces contrats standardisés, se présentant souvent sous forme d'imprimés qu'il suffit de signer après avoir rempli les blancs, comportent des batteries de clauses qui sont tout naturellement inspirées par l'intérêt de celui-là seul qui les y a introduites.

Il est évident que, dans de telles conditions, l'adage « Qui dit contractuel, dit juste » perd toute crédibilité. Le consentement donné par la partie la plus faible est tout à la fois mal éclairé et contraint : mal éclairé parce que cette partie est le plus souvent incapable d'apprécier la mesure exacte des obligations respectives à la lecture – rapide sinon fugitive – de documents contractuels trop longs et habilement rédigés ; contraint parce qu'en toute hypothèse, toute discussion étant exclue, ce cocontractant n'a pas d'autre choix que d'accepter ou refuser en bloc. Même ce choix minimal n'est d'ailleurs pas toujours ouvert dans la mesure où le besoin satisfait par le contrat proposé est une nécessité et où le marché n'offre aucune autre alternative ; tel est le cas lorsque le cocontractant le plus fort occupe une situation de monopole ou se partage le marché avec d'autres qui, faute d'une véritable concurrence, proposent le même contrat d'adhésion. Le principe de l'autonomie de la volonté n'est plus alors qu'un mythe dans un environnement économique qui ne permet pas son fonctionnement normal, et on ne saurait s'en satisfaire.

202. – L'inadaptation du droit commun. Face aux problèmes soulevés par les contrats d'adhésion, le droit commun, et spécialement la théorie des vices du consentement, sont impuissants parce qu'on n'est pas en présence d'un vice du consentement au sens classique du terme. Pour sortir de la difficulté, il eût fallu soit une loi spéciale réglementant les contrats d'adhésion, soit une jurisprudence prétorienne qui aurait consacré des règles particulières pour ce type de contrat. Or le législateur ne s'est pas préoccupé globalement du problème, et la jurisprudence a traité les contrats d'adhésion comme les autres.

Si très tôt on a mis l'accent sur la nécessité d'une protection particulière du consommateur, qui est apparue simultanément dans de nombreux pays (250), ce n'est là qu'un aspect – spectaculaire certes, mais pas unique – d'un problème infiniment plus vaste, celui du déséquilibre des contrats conclus entre des parties dont la puissance respective est disproportionnée.

---

(250) *La protection des consommateurs :* in *Trav. ass. H. Capitant*, 1973. – U. Bernitz, *La protection des consommateurs en Suède et dans les pays nordiques : RID comp.* 1974, 543. – T. Modeen, *La protection des consommateurs en droit finlandais : RID comp.* 1974, 583. – M. Fontaine, *La protection du consommateur en droit civil et en droit commercial belge : RTD com.* 1974, 199. – M. Fromont, *La protection du consommateur en RFA : Gaz. Pal.* 1979, 1, doctr. 16. – B. Lancin, *La protection du consommateur en Finlande : RID comp.* 1980, 373. – J. Honnold, *Les solutions du droit privé pour répondre aux besoins des consommateurs : l'évolution aux États-Unis : RID comp.*, vol. 1, 1979, p. 653. – V. aussi Travaux des 12e Journées franco-espagnoles : *Ann. Fac. dr. Toulouse* 1979, t. 27, p. 27 et s. – P. Lagarde, *Heurs et malheurs de la protection internationale du consommateur dans l'Union européenne :* in *Mélanges Ghestin*, LGDJ, 2001.

Contre ce déséquilibre la jurisprudence n'avait rien pu faire de sérieux par application du droit commun. À titre anecdotique on peut néanmoins citer la jurisprudence qui, en matière d'acceptation, a décidé que celle-ci n'avait pas pu porter sur les clauses rédigées en petits caractères, ou en langue étrangère, ou figurant au verso de la commande ou dans un document annexe non communiqué au moment du contrat (251). Mais c'étaient là des résultats très faibles, tout à fait insuffisants pour répondre au besoin de protection né des contrats d'adhésion.

Il fallait donc une intervention du législateur. Il y en a eu plusieurs, qui s'inscrivent dans deux tendances différentes : la protection contre les abus en général, et la protection des consommateurs.

203. – La protection contre les abus en général. De tout temps le législateur s'est préoccupé de pourchasser les abus. C'est là un élément de l'ordre public économique, qui s'est particulièrement développé depuis les années 1970. Sans prétendre à l'exhaustivité, on peut citer les textes les plus marquants.

Certains sont d'application très générale :

– la loi du 1er août 1905 sur les *fraudes et falsifications*, modifiée en 1978 (252) ;

– la loi du 9 juillet 1975 sur la *clause pénale*.

D'autres réglementent certains contrats particuliers où des abus s'étaient manifestés :

– la loi du 3 janvier 1967 sur la *vente d'immeuble à construire* ;

– la loi du 12 juillet 1971 sur le contrat d'*enseignement par correspondance* ;

– la loi du 3 janvier 1972 sur le *démarchage financier* ;

– la loi du 22 décembre 1972 en matière de *démarchage* et de *vente à domicile* (253) ;

– la loi du 7 janvier 1981, relative au *contrat d'assurance* et aux *opérations de capitalisation*, modifiée par la loi n° 89-1014 du 31 décembre 1989 portant adaptation du Code des assurances à l'ouverture du marché européen (254) ;

– la loi du 22 juin 1982, dite loi Quilliot, relative aux *droits et obligations des locataires et bailleurs*, remplacée par la loi du 23 décembre 1986, dite loi Méhaignerie, modifiée par la loi du 6 juillet 1989, dite loi Mermaz (255) ;

---

(251) Cass. 1re civ., 3 mai 1979 : *D.* 1980, IR, 262, obs. J. GHESTIN.

(252) C. BRECHET, *La loi du 1er août 1905 sur les fraudes et falsifications et la réforme du 10 janvier 1978* : Gaz. Pal. 1978, doctr. 317.

(253) J. CALAIS-AULOY, *La loi sur le démarchage à domicile et la protection des consommateurs* : D. 1973, chron. 255. – J.-P. PIZZIO, *Un apport législatif en matière de protection du consentement* : RTD civ. 1976, 66.

(254) J. BIGOT, *La loi du 7 janvier 1981 et l'assurance-vie* : JCP 81, I, 3047.

(255) J.-L. AUBERT et Ph. BIHR, *La location d'habitation. Loi du 6 juillet 1989* : Sirey, 2e éd. 1994. – J. et F. LAFOND, *Les baux d'habitation après la loi du 6 juillet 1989*, Litec, 3e éd., 1997.

– l'ordonnance du 1er décembre 1986 relative à la liberté des prix et de la concurrence (256) ;

– la loi du 6 janvier 1988 relative aux opérations de télépromotion avec offre de vente, dites de « téléachat » ;

– la loi du 19 décembre 1990 relative au contrat de construction d'une maison individuelle (257).

La plupart de ces lois sont aujourd'hui intégrées dans les codes correspondant à la matière : Code civil, Code pénal, Code de commerce, Code de la consommation, Code de la construction et de l'habitation, etc. Chacun de ces textes a apporté sa pierre à la construction d'un droit de la protection des faibles, ce qui retentit sur la théorie générale des obligations.

204. – La protection du consommateur en tant que tel (258). La loi du 22 décembre 1972 sur le démarchage et la vente à domicile annonçait déjà la prise en considération particulière de la protection du consommateur. Mais celle-ci ne se concrétisa véritablement qu'à partir de 1978 et elle a été l'aboutissement d'une volonté politique évidente, manifestée par la création d'un secrétariat d'État à la consommation. Ce poste ministériel a été occupé en premier par Mme Scrivener dont le nom est resté attaché à trois lois fondamentales :

– la loi n° 78-22 du 10 janvier 1978 relative à l'information et à la protection des consommateurs dans le domaine de *certaines opérations de crédit* (259) ;

---

(256) J. Calais-Auloy, *L'ordonnance du 1er décembre 1986 et les consommateurs :* D. 1987, chron. 137.

(257) J. Hugot et D. Sizaire, *Le contrat de construction d'une maison individuelle*, Litec, 1992.

(258) Sur l'ensemble de la question, V. notamment J. Calais-Auloy et F. Steinmetz, *Droit de la consommation*, 6e éd. 2003. – *Les contrats d'adhésion et la protection du consommateur*, Travaux du Colloque Droit et commerce, 3-4 juin 1978. – *Propositions pour un nouveau droit de la consommation*, 1985, 2e éd. 1990. – G. Cas et D. Ferrier, *Traité de droit de la consommation*, PUF, 1986. – A. Rieg, *La protection du consommateur (Approches de droit privé) :* RID comp., vol. 1, 1979, p. 631. – Ph. Malinvaud, *La protection des consommateurs en droit français :* D. 1981, chron. 49. – L. Bihl, *Droit de la consommation : bilan de dix années :* Gaz. Pal. 1984, doctr. 241. – A. Sinay-Cytermann, *Protection ou surprotection du consommateur ?* JCP 1994, I, 3804.

(259) V. notamment Ch. Gavalda, *L'information et la protection des consommateurs dans le domaine de certaines opérations de crédit :* D. 1978, chron. 189. – D. Martin, *La défense du consommateur à crédit :* RTD com. 1977, 619. – G. Raymond, *La protection du consommateur dans les opérations de crédit : commentaire de la loi n° 78-22 du 10 janvier 1978 :* Gaz. Pal. 1978, 2, doctr. 556. – J. Stoufflet, *La protection du consommateur faisant appel au crédit : Premières réflexions sur la loi n° 78-22 du 10 janvier 1978 :* in Mélanges E. Gaudin de Lagrange, 1978, p. 225. – D. Schmidt et Ph. Gramling, *Commentaire de la loi du 10 janvier 1978 relative à l'information et à la protection des consommateurs dans le domaine de certaines opérations de crédit*, 1979. – N. Chardin, *Le contrat de consommation, de crédit et l'autonomie de la volonté*, LGDJ, 1988. – J. Roche-Dahan, *Le domaine d'application des lois Scrivener :* RTD com. 1996, 1. – Ph. Flores et G. Biardeaud, *La protection de l'emprunteur : une notion menacée*, D. 2000, doctr. 191.

– la loi n° 78-23 du 10 janvier 1978 sur l'information et la protection des *consommateurs de produits et de services* (260) ;

– la loi du 13 juillet 1979 sur l'information et la protection des *emprunteurs dans le domaine immobilier* (261).

205. – L'essor du droit de la consommation. La loi n° 89-421 du 23 juin 1989 « relative à l'information et à la protection des consommateurs ainsi qu'à diverses pratiques commerciales » a apporté une série de retouches à la plupart des textes constituant le droit de la consommation, spécialement à la loi du 22 décembre 1972 sur le démarchage à domicile et à celle du 10 janvier 1978 sur le crédit à la consommation (262).

D'autres retouches ou ajouts ont été apportés par la loi n° 92-60 du 18 janvier 1992 renforçant la protection des consommateurs (263).

Par ailleurs, les deux lois en matière de crédit – mobilier et immobilier – ont été modifiées par la loi du 31 décembre 1989 relative à la prévention et au règlement des difficultés liées au surendettement des particuliers et des familles (264), elle-même réformée par les lois des 8 février 1995 et du 29 juillet 1998 (265).

À ces divers textes relatifs à la protection juridique des consommateurs est venue s'ajouter une loi du 21 juillet 1983 relative à la sécurité des

---

(260) V. notamment L. Bihl, *La loi n° 78-23 du 10 janvier 1978 sur la protection et l'information du consommateur* : JCP 78, I, 2909. – X. de Mello, *La protection et l'information du consommateur* : Gaz. Pal. 1978, 1, doctr. 287. – D. Nguyen Thanh-Bourgeais, *Réflexions sur deux innovations de la loi n° 78-23 du 10 janvier 1978 sur la protection et l'information des consommateurs de produits et de services* : D. 1979, chron. 15.

(261) V. notamment H. Thuillier, *Analyse de la loi du 13 juillet 1979 relative à la protection des emprunteurs dans le domaine immobilier* : JCP N 1979, prat. 7241. – Ph. Jestaz, P. Lancereau, G. Roujou de Boubée, *L'information et la protection des emprunteurs dans le domaine immobilier* : RD imm. 1979, 409. – M. Dagot, *Prêt immobilier et protection de l'emprunteur* : JCP 80, I, 2979. – C.-A. Thibierge, *La protection des acquéreurs de logement qui recourent au crédit pour financer leur acquisition* : Defrénois 1980, 1, 433, art. 32254. – Ch. Gavalda, *La protection de l'emprunteur en matière de crédit immobilier* : D. 1980, chron. 211. – J.-M. Bez, *La protection de l'emprunteur immobilier et la pratique notariale* : JCP N 81, p. 125.

(262) A. Gourio, *La toilette du droit de la consommation (Commentaire de la loi n° 89-421 du 23 juin 1989)* : Gaz. Pal. 1990, doctr. 187.

(263) G. Raymond, *Commentaire de la loi n° 92-60 du 18 janvier 1992 renforçant la protection des consommateurs* : Contr. Conc. Consom. févr. 1992, chron. p. 1.

(264) J.-L. Vallens, *La loi du 31 décembre 1989 relative à la prévention et au règlement des difficultés liées au surendettement des particuliers et des familles* : ALD 1990, 87. – A. Kornmann, *Prévention et règlement du surendettement des particuliers* : JCP N 90, doctr. 123. – G. Paisant, *La loi du 31 décembre 1989 relative au surendettement des ménages* : JCP 90, I, 3457. – P. Lancereau, *La loi sur le surendettement des particuliers et les dettes immobilières* : RD imm. 1990, 175. – J. Rosenberg, *Incidence de la loi n° 89-1010 du 31 décembre 1989 sur le droit civil français* : Gaz. Pal. 1991, doctr. 3. – F. Schaufelberger, *La prévention des situations de surendettement des particuliers* : RD imm. 1990, 301. – G. Paisant, *Le redressement judiciaire civil à l'essai* : JCP 91, I, 3510.

(265) G. Paisant, *La réforme de la procédure de traitement du surendettement par la loi du 29 juillet 1998 relative à la lutte contre les exclusions* : RTD com. 1998, 743. – S. Gjidara, *L'endettement et le droit privé*, LGDJ, 1999. – X. Lagarde, *L'endettement des particuliers. Étude critique*, LGDJ, 2000. – S. Neuville, *Le traitement planifié du surendettement* : RTD com. 2001, 31. – X. Lagarde, *Prévenir le surendettement des particuliers*, JCP 2002, I, 163. – L. Grynbaum, *La mutation du droit des contrats sous l'effet du traitement du surendettement* : Contr. Conc. Consom. sept. 2002, chron. n° 16.

---

consommateurs (266) qui poursuit un objectif tout à fait différent, celui d'assurer la prévention des accidents (267).

Enfin, par Ordonnance du 23 août 2001 (268), le Gouvernement a transposé plusieurs directives européennes concernant notamment la publicité comparative (269), les contrats conclus à distance, les clauses abusives dans les contrats conclus avec les consommateurs, et l'action en cessation d'agissements illicites, transposition qui vient modifier les dispositions françaises antérieures.

À l'exception du texte relatif à la sécurité des consommateurs, tous les autres ont plus ou moins directement pour but de restituer au consommateur – et plus généralement au cocontractant pour certains d'entre eux – une liberté de contracter qui lui avait été confisquée soit par la technique du contrat d'adhésion, soit par les méthodes agressives de commercialisation des produits. Sous l'hétérogénéité des textes et des dispositifs de protection qu'ils instaurent, il s'agit d'un vaste mouvement tendant à la recherche d'un équilibre entre les parties qui, sans avoir jamais véritablement existé dans le passé, se trouve aujourd'hui particulièrement compromis.

La plupart de ces textes sont aujourd'hui codifiés dans le Code de la consommation (270).

206. – L'influence du droit européen de la consommation. L'Union européenne s'est également préoccupée d'assurer une protection des consommateurs, non pas identique mais comparable, au sein des États membres de telle sorte qu'un consommateur trouve le même niveau de protection, qu'il achète dans son pays ou dans un autre (271). À cet effet, ont été édictées un certain nombre de directives qui devaient être transposées dans les droits nationaux, étant précisé que les règles protectrices édictées au plan européen étaient des minima auxquels chaque État pouvait ajouter, mais non pas retrancher (272).

---

(266) J.-C. Fourgoux, *La loi du 21 juillet 1983 : la sécurité des consommateurs et le reste : Gaz. Pal.* 1983, 2, doctr. 395. – L. Bihl, *Une réforme nécessaire. La loi du 21 juillet 1983 : Gaz. Pal.* 1983, 2, doctr. 525. – J. Revel, *La prévention des accidents domestiques : vers un régime spécifique de responsabilité du fait des produits : D.* 1984, chron. 69.

(267) J. Calais-Auloy, *Ne mélangeons plus conformité et sécurité : D.* 1993, chron. 130.

(268) *JO* 25 août 2001, p. 13645 ; D. 2001, L, 2486 ; *JCP* 2001, III, 20543.

(269) Ph. Laurent, *La publicité comparative harmonisée : Contr. Conc. Consom.* 2001, chron. n° 16.

(270) G. Raymond, *Bienvenue au Code de la consommation : Contr. Conc. Consom.* août-sept. 1993, p. 1. – D. Bureau, *Remarques sur la codification du droit de la consommation : D.* 1994, chron. 291. – J. Beauchard, *Remarques sur le Code de la consommation :* in *Mélanges Cornu,* p. 9. – D. Fenouillet, F. Labarthe et autres, *Faut-il recodifier le droit de la consommation ?,* Economica, 2002.

(271) A.M. de Matos, *Les contrats transfrontières conclus par les consommateurs au sein de l'Union européenne,* Préf. R. Bout, PUAM, 2001.

(272) Toutefois, certaines directives, tendant à une harmonisation maximale, ne laissent aucune latitude aux États membres d'aller au-delà de la protection édictée ; tel est par exemple le cas de la directive du 25 juillet 1985 sur la responsabilité du fait des produits défectueux, ou de celle du 11 septembre 2002 sur le crédit à la consommation.

Ces directives ont été élaborées sous l'influence des législations les plus avancées, ce qui était le cas de la législation française. C'est dire que ces règles européennes n'ont pas apporté de bouleversement en droit français ; mais il a néanmoins fallu en tenir compte et procéder à leur transposition.

Certaines directives sont relatives à l'*information du consommateur* : directives du 18 décembre 1978 relative à l'étiquetage des denrées alimentaires, du 19 juin 1979 relative à l'indication du prix des denrées alimentaires, et du 16 février 1978 sur l'indication du prix de tous les produits.

Mais les directives les plus importantes concernent la *protection du consommateur* :

• 18 décembre 1978 et 20 mars 2000 sur l'étiquetage des denrées alimentaires ;

• 10 octobre 1984 sur la publicité trompeuse ;

• 25 juillet 1985 sur la responsabilité du fait des produits défectueux (V. *infra*, n°s 671 et s.) ;

• 20 décembre 1985 sur les contrats négociés en dehors des établissements commerciaux ;

• 22 décembre 1986 et 11 septembre 2002 sur le crédit à la consommation ;

• 5 avril 1993 concernant les clauses abusives (V. *infra*, n°s 314 et s.) ;

• 26 octobre 1994 sur l'utilisation à temps partiel de biens immobiliers ;

• 20 mai 1997 sur les contrats à distance (273) ;

• 6 octobre 1997 sur la publicité trompeuse ;

• 19 mai 1998 sur l'action en cessation d'agissements illicites ;

• 25 mai 1999 sur la vente des biens de consommation et la garantie ;

• 23 septembre 2002 concernant la commercialisation à distance des services financiers.

207. – La notion de consommateur (274). Si, parmi les textes français, certains ne qualifient pas le bénéficiaire de la protection, nombreux sont ceux qui visent exclusivement le consommateur. Une controverse s'est instaurée sur le point de savoir comment il fallait comprendre la notion de « consommateur » ou « non-professionnel » au sens de ces textes.

---

(273) M. TROCHU, *Protection des consommateurs en matière de contrats à distance : directive n° 97-7 du 20 mai 1997 : D.* 1999, chron. 179. – S. GRÉGOIRE, *L'offre d'accès à Internet et la protection des consommateurs : Contr. Conc. Consom.* 1998, chron., n° 13. – V. GAUTRAIS, *Labellisation des sites sur Internet et protection des consommateurs : vision comparée : Contr. Conc. Consom.* 2001, chron. n° 13. – Th. VERBIEST, *La protection juridique du cyber-consommateur*, Litec, 2002.

(274) M. PIZZIO, *L'introduction de la notion de consommateur en droit français : D.* 1982, chron. 91. – Ph. MALAURIE, *Le consommateur* (Rapport de synthèse au Congrès des Notaires) : Rép. Not. 1985, 1, 1040, art. 33593. – J.-P. CHAZAL, *Le consommateur existe-t-il ? : D.* 1997, 260

La même question se pose d'ailleurs en droit européen et elle n'y est pas nécessairement résolue de la même manière (275).

En droit interne français, c'est d'abord à une notion étroite que doctrine, jurisprudence et réponses ministérielles se sont ralliées pour l'application des lois du 10 janvier 1978 : le consommateur ou non-professionnel est celui qui achète pour ses besoins privés et ceux de sa famille, par opposition à ses besoins professionnels (276). Est un consommateur celui qui achète un véhicule pour une utilisation personnelle ou familiale ; il ne l'est plus si, représentant de commerce, il l'achète pour faire ses tournées.

Puis certains arrêts ont décidé que celui qui acquiert un bien pour les besoins de son activité professionnelle est un « consommateur » ou un « non-professionnel » au sens de la loi lorsqu'il n'a pas de compétence relativement au bien ainsi acquis (277). C'était là une extension évidente de la notion de consommateur et, par suite, du champ d'application des diverses lois de protection des consommateurs. Mais il ne s'agissait pas d'une jurisprudence constante, certains arrêts s'en tenant à la conception stricte de la notion de consommateur (278).

Plus récemment, à propos des clauses abusives, la jurisprudence a retenu un critère différent, en décidant que les articles L. 132-1 et L. 133-1 du Code de la consommation ne s'appliquent pas « aux contrats de fournitures de biens ou de services qui ont un rapport direct avec l'activité professionnelle exercée par le contractant » (279). Cette formule, reprise de l'article L. 121-22 du Code de la consommation relatif au démarchage à domicile, tend à une certaine uniformisation de la notion

---

(275) M. LUBY, *La notion de consommateur en droit communautaire : une commode inconstance... : Contr. Conc. Consom.* 2000, chron., n° 1. – M. LUBY, *Notion de consommateur : ne vous arrêtez pas à l'apparence !* (À propos des arrêts de la CJCE du 22 nov. 2001, Soc. CAPE SNC et Ideal service SRL, aff. C-541/99 et Ideal service MNRE Sas, aff. C-542/99) : *Contr. Conc. Consom.* 2002, chron. n° 14.

(276) Cass. 1re civ., 15 avr. 1986 : *D.* 1986, IR, 393 ; *JCP* 86, IV, 174.

(277) Cass. 1re civ., 28 avr. 1987 : *JCP* 87, II, 20893, obs. G. PAISANT ; *D.* 1988, 1 et note Ph. DELEBECQUE ; *D.* 1987, somm. 455 et note J.-L. AUBERT. – Paris 16e ch. B, 22 mars 1990 : *D.* 1990, IR, 98. – Cass. 1re civ., 25 mai 1992 : *D.* 1993, 87 et note G. NICOLAU ; *D.* 1992, somm. 401 et note J. KULLMANN. – 20 oct. 1992 : *JCP* 1993, II, 22007 et note G. PAISANT.

(278) Cass. 1re civ., 15 avr. 1986 : *RTD civ.* 1987, 86, obs. J. MESTRE. – 23 juin 1987 : *Bull. civ.* I, n° 209 ; *RTD com.* 1987, 238, obs. B. BOULOC. – Cass. com. 10 mai 1989 : *Bull. civ.* IV, n° 148 ; *RTD com.* 1990, 89, obs. B. BOULOC. – Cass. 1re civ., 21 févr. 1995 : *JCP* 1995, II, 22502 et note G. PAISANT

(279) Cass. 1re civ., 24 janv. 1995 : *D.* 1995, 327 et note G. PAISANT ; *Contr. Conc. Consom.* 1995, comm. n° 84 et note L. LEVENEUR. – 3 et 30 janv. 1996 : *D.* 1996, 228 et note G. PAISANT. – 17 nov. 1998 : *Contr. Conc. Consom.* 1999, comm. n° 21 et note L. LEVENEUR. – 10 juill. 2001 : *D.* 2001, 2829, obs. C. RONDEY ; *D.* 2002, somm. 932, obs. O. TOURNAFOND ; *JCP* 2002, I, 148, n°s 1 et s., obs. N. SAUPHANOR-BROUILLAUD. – 5 mars 2002, *JCP* 2002, II, 10123 et note G. PAISANT. – 22 mai 2002 : *Bull. civ.* I, n° 143, p. 110. A. CATHELINEAU, *La notion de consommateur en droit interne : à propos d'une dérive... : Contr. Conc. Consom.* 1999, chron. n° 13. – Rappr. M. LUBY, *La notion de consommateur en droit communautaire : une commode inconstance : Contr. Conc. Consom.* 2000, chron. n° 1. – G. PAISANT, *À la recherche du consommateur. Pour en finir avec l'actuelle confusion née de l'application du critère du « rapport direct » : JCP* 2003, I, 121. – CJCE 19 janv. 1993 : *D.* 1993, somm. 214, obs. J. KULLMANN.

de consommateur (280). Cette jurisprudence, qui semble assez bien fixée à ce jour, étend la protection des consommateurs aux professionnels lorsque le contrat passé n'a qu'un rapport indirect avec la profession exercée.

Reprenant la définition d'un auteur (281), on peut conclure que « le consommateur est une personne physique ou morale (282) qui se procure ou qui utilise un bien ou un service pour un usage non professionnel ».

On pourrait également s'interroger sur la notion de *professionnel*, et notamment sur le point de savoir si les services publics ne sont pas des professionnels et si, en conséquence, l'usager du service public n'est pas un consommateur bénéficiant de la protection de la loi (283).

B. – La technique de protection

208. – Protection *a posteriori* et protection *a priori*. Traditionnellement le droit ne connaît que des modes de protection *a posteriori*, sous la forme d'actions en justice tendant à faire prononcer la nullité d'un contrat ou la condamnation à dommages et intérêts de celui qui a commis une faute (faute précontractuelle, dol, violence) dans la conclusion de ce contrat. Non seulement les lois récentes perfectionnent ce type de protection, mais en outre elles instaurent une protection *a priori* par la mise en place de nouveaux mécanismes contractuels tendant à assurer une réelle liberté du consentement.

209. – L'action des associations de consommateurs. Le consommateur victime peut intenter les actions en justice classiques (en nullité pour vice du consentement, par exemple) ou celles nouvelles que lui ouvrent les diverses lois de protection (en nullité d'une clause abusive, par exemple). Sa tache se trouve aujourd'hui facilitée par la loi qui décide qu'en cas de doute, les clauses des contrats proposés par les professionnels aux consommateurs « s'interprètent dans le sens le plus favorable au consommateur ou au non-professionnel » (C. consom., art. L. 133-2, al. 2).

Mais l'expérience démontre que, s'agissant d'un intérêt en jeu relativement modeste, le simple particulier renonce souvent à exercer une action à raison du coût incompressible de l'accès à la justice, des ennuis et

---

(280) Cass. 1re civ., 15 avr. 1982 : D. 1984, 439, note J.-P. Pizzio. V. aussi V. Wester-Ouisse, *La notion de consommateur à la lumière de la jurisprudence pénale* : JCP 1999, I, 176.

(281) J. Calais-Auloy et F. Steinmetz, *Droit de la consommation*, Précis Dalloz, 6e éd., n° 7.

(282) Toutefois, s'agissant de l'application de la directive du 5 avr. 1993 sur les clauses abusives, la CJCE a jugé que la notion de consommateur devait être interprétée en ce sens qu'elle vise exclusivement les personnes physiques : CJCE 22 nov. 2001 : D. 2002, 90 et note C. Rondey ; D. 2002, somm. 2929, obs. J.-P. Pizzio ; *Contr. Conc. Consom.* 2002, comm. n° 18 ; RTD civ. 2002, 291, obs. J. Mestre et B. Fages ; RTD civ. 2002, 291, obs. J. Mestre et B. Fages. – V. J. Amar, *Une cause perdue : la protection des personnes morales par le droit de la consommation ?* : Contr. Conc. Consom. 2003, chron. n° 5.

(283) J. Chevallier, *Les droits du consommateur usager de services publics* : Dr. soc., févr. 1975. – J. Amar, *De l'usager au consommateur de service public*, préf. A. Ghozi, PUAM, 2001. – J. Amar, *Plaidoyer en faveur de la soumission des services publics administratifs au droit de la consommation* : Contr. Conc. Consom. 2002, chron. n° 2.

inconvénients divers afférents à toute procédure dont le succès n'est d'ailleurs jamais assuré.

Pour tourner cet inconvénient la loi du 5 janvier 1988 (C. consom., art. L. 421-1 et s.) a largement ouvert l'action en justice des groupements de consommateurs (284), qui peuvent notamment agir en cessation de tout « agissement illicite » et en suppression des clauses illicites ou abusives « dans tout contrat ou type de contrat proposé ou destiné au consommateur » (285) (V. *infra*, n° 329). Faute de rapport contractuel entre l'association et le professionnel dont la responsabilité est recherchée, l'action est de nature délictuelle ou quasi délictuelle (286).

Art. L. 421-1. – Les associations régulièrement déclarées ayant pour objet statutaire explicite la défense des intérêts des consommateurs peuvent, si elles ont été agréées à cette fin, exercer les droits reconnus à la partie civile relativement aux faits portant un préjudice direct ou indirect à l'intérêt des consommateurs.

Les organisations définies à l'article 2 du Code de la famille et de l'aide sociale sont dispensées de l'agrément pour agir en justice dans les conditions prévues au présent article.

Ajoutant à cette loi, la loi du 18 janvier 1992 (C. consom., art. L. 422-1) ouvre à certaines associations agréées, devant toutes les juridictions, civiles ou pénales, une action qualifiée d'*action en représentation conjointe* (287).

Art. L. 422-1. – Lorsque plusieurs consommateurs, personnes physiques, identifiés ont subi des préjudices individuels qui ont été causés par le fait d'un même professionnel, qui ont une origine commune, toute association agréée et reconnue représentative sur le plan national en application des dispositions du Titre 1er peut, si elle a été mandatée par au moins deux des consommateurs concernés, agir en réparation devant toute juridiction au nom de ces consommateurs.

Le mandat ne peut être sollicité par voie d'appel public, télévisé ou radiophonique, ni par voie d'affichage, de tract ou de lettre personnalisée. Il doit être donné par écrit et par chaque consommateur.

Art. L. 422-2. – Tout consommateur ayant donné son accord, dans les conditions prévues à l'article L. 422-1, à l'exercice d'une action devant une juridiction pénale est considéré en ce cas comme exerçant les droits reconnus à la partie civile en application du Code de procédure

---

(284) L. BIHL, *La loi du 5 janvier 1988 sur l'action collective des organisations de consommateurs :* Gaz. Pal. 1988, 1, doctr. 268. – J. CALAIS-AULOY, *Les actions en justice des associations de consommateurs :* D. 1988, chron. 193. – G. PAISANT, *Les nouveaux aspects de la lutte contre les clauses abusives :* D. 1988, chron. 253. – G. VINEY, *Un pas vers l'assainissement des pratiques contractuelles : la loi du 5 janvier 1988 relative aux actions en justice des associations agréées de consommateurs :* JCP 88, I, 3355. – L. BORÉ, *La défense des intérêts collectifs par les associations devant les juridictions administratives et judiciaires*, préf. G. VINEY, LGDJ, 1977. – Pour une application, voir Cass. 1re civ. 5 oct. 1999 : D. 2000, 110 et note G. PAISANT.

(285) R. MARTIN, *Notes sur l'action associative en suppression des clauses abusives dans les contrats :* Contr. Conc. Consom. 1994, chron. n° 8.

(286) CJCE 1er oct. 2002, Aff. C-167/00.

(287) G. RAYMOND, *Commentaire de la loi n° 92-60 du 18 janv. 1992 renforçant la protection des consommateurs :* Contr. Conc. Consom. 1992, n° 2 ; V. n° 78 et s. – R. MARTIN, *L'action en représentation conjointe des consommateurs ;* JCP 1994, I, 3756. – L. BORÉ, *L'action en représentation conjointe : class action française ou action mort-née ? :* D. 1995, chron. 267. – F. CABALLERO, *Plaidons par procureur ! De l'archaïsme procédural à l'action de groupe ;* RTD civ. 1985, 247. – S. GUINCHARD, *L'action de groupe en procédure civile française :* RIDC 1990, 599.

pénale. Toutefois, les significations et notifications qui concernent le consommateur sont adressées à l'association.

Sans aller jusqu'à instituer une action de groupe calquée sur le modèle des *class actions* connues aux États Unis (288), la loi permet aux consommateurs, victimes d'un préjudice causé par le fait d'un même professionnel, de donner mandat à l'association de les représenter en justice. C'est là une entorse au principe « nul ne plaide par procureur », qui devrait faciliter l'exercice de l'action en responsabilité contre les vendeurs professionnels et les fabricants.

210. – Les nouveaux mécanismes de formation des contrats. La véritable originalité des textes récents réside dans une protection *a priori*. L'idée est que, pour écarter les abus inhérents aux contrats d'adhésion, il est préférable d'agir en amont et de mettre en place des mécanismes propres à assurer l'équilibre du contrat et à conférer au consommateur une véritable liberté de contracter.

Il va sans dire que ces mécanismes bouleversent profondément le processus contractuel classique et remettent en cause nombre de principes de base du droit commun des obligations. De nouvelles règles régissent ici la formation du contrat, son contenu, et même sa mise en œuvre.

C'est dire que ces dispositions, dont le champ d'application est très vaste et qui sont d'ordre public (289), font vaciller sur leurs bases des principes aussi ancrés dans notre droit que ceux de l'autonomie de la volonté, du consensualisme, de la liberté contractuelle et de l'effet obligatoire du contrat (290).

Comme l'indique l'intitulé même des lois « Scrivener », les mécanismes mis en place tendent à assurer la liberté du consentement par deux voies : l'information d'abord, la protection ensuite.

---

(288) R. et J. MARTIN, *L'action collective* : JCP 84, I, 3162. L'idée est qu'une décision de condamnation pourra bénéficier non seulement au demandeur mais à tous ceux qui auront été victimes du même produit, ce qui est faire échec au principe de l'autorité relative de la chose jugée.

(289) D. NGUYEN THANH-BOURGEAIS, *Les contrats entre professionnels et consommateurs et la portée de l'ordre public dans les lois Scrivener du 10 janvier 1978 et du 13 juillet 1979* : D. 1984, chron. 91.

(290) M. BORYSREWICZ, *Les règles protectrices du consommateur et le droit commun des contrats* : in *Études Kayser*, p. 91. – M. ARMAND-PRÉVOST et D. RICHARD, *Le contrat déstabilisé (de l'autonomie de la volonté au dirigisme contractuel)* : JCP 79, I, 2952. – G. BERLIOZ, *Droit de la consommation et droit des contrats* : JCP 79, I, 2954. – G. CORNU, *L'évolution du droit des contrats en France* : RID comp., vol. 1, p. 447. – G. ROUHETTE, *Droit de la consommation et théorie générale du contrat* : in *Mélanges Rodière*, 1981. – Ph. MALINVAUD, art. préc. – J. CALAIS-AULOY, *L'influence du droit de la consommation sur le droit civil des contrats* ; TRD civ. 1994, 239. – N. SAUPHANOR, *L'influence du droit de la consommation sur le droit civil des contrats*, préf. J. GHESTIN, LGDJ, Bibl. Droit privé, 2000, t. 326. – N. RZEPECKI, *Droit de la consommation et théorie générale du contrat*, préf. G. WIEDERKEHR, PUAM, 2001. – V. aussi, dans un domaine voisin, L. GRYNBAUM, *La mutation du droit des contrats sous l'effet du traitement du surendettement* : Contr. Conc. Consom. 2002, chron. n° 16.

1° L'information du consommateur (291)

a) L'information du public en général

211. – Généralités. Pour être valable le consentement doit être éclairé. Or il n'est pas douteux que la technique naturelle du commerce consiste à séduire le consommateur, plus qu'à l'éclairer : il faut allécher le client avant de le « fidéliser ». La démarche du législateur a été inverse : il convient d'éclairer le consommateur afin qu'il puisse exercer un libre choix.

L'information vise d'abord tout client potentiel, ce qui déborde très largement la notion de cocontractant et par là même le domaine du contrat, sauf à y voir une obligation précontractuelle très générale de renseignements à l'égard du public. On se bornera donc à présenter ici un très rapide survol de la réglementation en la matière.

212. – L'obligation d'information en général. Pendant longtemps cette obligation ne résultait que de la jurisprudence et des principes généraux du droit des contrats. Elle est désormais consacrée expressément par le Code de la consommation (l. du 18 janvier 1992 (292)) dans un chapitre intitulé « Obligation générale d'information ».

Art. L. 111.-1. – Tout professionnel vendeur de biens ou prestataire de services doit, avant la conclusion du contrat, mettre le consommateur en mesure de connaître les caractéristiques essentielles du bien ou du service.

À défaut de sanction spécifique, le manquement à cette obligation ne peut que relever du droit commun, c'est-à-dire d'une action en nullité pour erreur ou dol, ou encore d'une action en responsabilité civile.

213. – Réglementation de la publicité (293). Dans le souci d'offrir au consommateur une information sur l'objet du contrat qui lui est proposé, la loi rend obligatoire la publicité de certains éléments : par exemple, obligation d'affichage des prix, d'étiquetage des produits préemballés, obligation d'annoncer les prix au litre ou au kilo, d'indiquer le taux effectif global (TEG) en matière de crédit à la consommation ou de crédit immobilier, etc.

Réciproquement certaines publicités sont interdites parce que trompeuses. Ont été ainsi réprimées pénalement la publicité mensongère (L. 2 juill. 1963, art. 5 et 6), puis la publicité simplement fausse, de nature à induire en erreur le consommateur (L. 27 déc. 1973), textes aujourd'hui codifiés aux articles L. 121-1 et s. du Code de la consommation.

---

(291) B. BONJEAN, *Le droit à l'information des consommateurs* in L'information en droit privé, 1978. – J. CALAIS-AULOY, *L'information des consommateurs par les professionnels :* in *Dix ans de droit de l'entreprise*, 1979.
(292) Cette même loi prévoit également une obligation particulière relative à la disponibilité des pièces détachées (C. consom. art. L. 111-2).
(293) *La publicité-propagande :* in *Travaux de l'Association H. Capitant*, t. XXXII, 1981, V. spéc. I, La publicité et le consommateur, rapport M. PÉDAMON, p. 105. – P. BAUGE-MAGNAN, *Le consommateur et la publicité*, thèse Paris II, 1984.

Art. L. 121-1. – Est interdite toute publicité comportant, sous quelque forme que ce soit, des allégations, indications ou présentations fausses ou de nature à induire en erreur, lorsque celles-ci portent sur un ou plusieurs des éléments ci-après ; existence, nature, composition, qualités substantielles, teneur en principes utiles, espèce, origine, quantité, mode et date de fabrication, propriétés, prix et conditions de vente de biens ou services qui font l'objet de la publicité, conditions de leur utilisation, résultats qui peuvent être attendus de leur utilisation, motifs ou procédés de la vente ou de la prestation de services, portée des engagements pris par l'annonceur, identité, qualités ou aptitudes du fabricant, des revendeurs, des promoteurs ou des prestataires.

Pendant longtemps, la jurisprudence a étendu cette interdiction à la publicité comparative, considérée comme une manifestation de concurrence déloyale ; puis elle a admis la publicité qui se borne à la comparaison des prix auxquels des produits identiques sont vendus, dans les mêmes conditions, par des commerçants différents, contribuant à assurer la transparence d'un marché soumis à la concurrence (294). Par la suite, la loi du 18 janvier 1992 a consacré la licéité de la publicité comparative (C. consom. art. L. 121-8 et s.), tout en l'enserrant dans un faisceau de conditions assez strictes (295) ; ces textes ont à nouveau été toilettés par l'Ordonnance du 23 août 2001 (296) transposant la Directive CE n° 97-55 du 6 octobre 1997 (297).

Art. L. 121-8. – Toute publicité qui met en comparaison des biens ou services en identifiant, implicitement ou explicitement, un concurrent ou des biens ou services offerts par un concurrent n'est licite que si :
1° Elle n'est pas trompeuse ou de nature à induire en erreur ;
2° Elle porte sur des biens ou services répondant aux mêmes besoins ou ayant le même objectif ;
3° Elle compare objectivement une ou plusieurs caractéristiques essentielles, pertinentes, vérifiables et représentatives de ces biens ou services, dont le prix peut faire partie ;
Toute publicité comparative faisant référence à une offre spéciale doit mentionner clairement les dates de disponibilité des biens ou services offerts, le cas échéant la limitation de l'offre à concurrence des stocks disponibles et les conditions spécifiques applicables.

Art. L. 121-9. – La publicité comparative ne peut :
1° Tirer indûment profit de la notoriété attachée à une marque de fabrique, de commerce ou de service, à un nom commercial, à d'autres signes distinctifs d'un concurrent ou à l'appellation d'origine ainsi qu'à l'indication géographique protégée d'un produit concurrent ;
2° Entraîner le discrédit ou le dénigrement des marques, noms commerciaux, autres signes distinctifs, biens services, activité ou situation d'un concurrent ;
3° Engendrer de confusion entre l'annonceur et un concurrent ou entre les marques, noms commerciaux, autres signes distinctifs, biens ou services de l'annonceur et ceux d'un concurrent ;

---

(294) V. A. Pirovano, *Publicité comparative et protection des consommateurs* : *D.* 1974, chron. 279. – Cass. com. 22 juill. 1986 : *D.* 1986, 436 et note G. Cas. – TGI Paris, 1re ch., 18 janv. 1989 : *JCP* 89, II, 21312, obs. G. Heidsieck. – Cass. com. 29 mars 1989 : *D.* 1989, 408 et note Y. Serra.
(295) J.-Cl. Fourgoux, *L'article 10 de la loi du 18 janvier 1992. Feu sur la publicité comparative* : *Gaz. Pal.* 14 avr. 1992. – Y. Serandour, *L'avènement de la publicité comparative en France. Article 10 de la loi du 18 janvier 1992 renforçant la protection des consommateurs* : *JCP* 92, I, 3596. – M. Luby, *Propos critiques sur la légalisation de la publicité comparative* : *D.* 1993, chron. 53.
(296) Ph. Laurent, *La publicité comparative harmonisée* : *Contr. Conc. Consom.* 2001, chron. n° 16.
(297) J.-Ph. Gunther, *Harmonisation de la publicité comparative en Europe* : *Contr. Conc. Consom.* 1998, chron. n° 2.

4° Présenter des biens ou des services comme une imitation ou une reproduction d'un bien ou d'un service bénéficiant d'une marque ou d'un nom commercial protégé.

Art. L. 121-10. – Pour les produits qui bénéficient d'une appellation d'origine ou d'une indication géographique protégée, la comparaison n'est autorisée qu'entre des produits bénéficiant chacun de la même appellation ou de la même indication.

214. – Réglementation des labels. La loi prévoit diverses dispositions destinées à faciliter l'information du consommateur par une réglementation de la « qualification des produits », c'est-à-dire des *labels* dont l'attribution se trouve étroitement réglementée. Spécialement, les articles L. 115-27 et s. du Code de la consommation, qui définissent le *certificat de produits ou de services* et les conditions de sa délivrance, interdisent en fait les labels de complaisance que les fabricants pouvaient s'attribuer à eux-mêmes par le biais d'organismes de façade. Dans la mesure où les labels ont un impact publicitaire souvent très important sur les consommateurs, il faut voir, dans cette réglementation, un souci de moralisation de la publicité et d'information loyale du public. Ne subsistent donc plus que les labels officiels (par ex., la norme NF délivrée par l'AFNOR, les appellations d'origine contrôlée, AOC, consacrées par l'INAO, etc.) et les labels privés délivrés par des organismes agréés par l'autorité administrative.

Par ailleurs, la loi a créé un *laboratoire national d'essais*, dont le rôle permet d'assurer la protection et l'information des consommateurs (C. consom., art. L. 561-1) (298).

b) L'information du cocontractant (299)

215. – L'obligation de renseignements du droit commun. Ce n'est pas d'aujourd'hui que date le souci d'assurer au contractant une information loyale sur les données du contrat. Le principe en était inscrit en filigrane de la théorie générale des contrats, et il était même postulé par le consensualisme.

Mais ce souci ne trouvait pas sa traduction dans des textes précis, à l'exception de l'article 1116 du Code civil qui, en consacrant le dol comme vice du consentement, pose l'obligation de ne pas tromper le cocontractant et, à cette fin, de s'abstenir de manœuvres, mensonges ou réticences. La jurisprudence a tenté d'adapter ce texte aux besoins du temps. Ainsi, dans l'appréciation de l'existence du dol, elle tient compte de la qualité respective des parties, et du fait que l'un des cocontractants est en position d'infériorité par rapport à l'autre. C'est ainsi également que la réticence est presque toujours considérée comme dolosive dans les rapports entre professionnel et consommateur ; et de même l'appréciation du caractère déterminant

---

(298) « … établissement public national à caractère industriel et commercial ayant pour objet d'effectuer tous travaux d'étude, de recherche, de consultation, d'expertise, d'essai, de contrôle et toutes prestations d'assistance technique utiles à la protection et à l'information des consommateurs ou à l'amélioration de la qualité des produits » (art. 31).

(299) M. FABRE-MAGNAN, *De l'obligation d'information dans les contrats. Essai d'une théorie*, LGDJ, 1992.

du dol sera fonction du degré d'inexpérience de l'un et de la confiance qu'il accordait légitimement à l'autre.

Au-delà de l'obligation négative de ne pas tromper, la jurisprudence a finalement consacré une obligation positive de renseignements (V. *supra*, n° 181), spécialement à la charge des professionnels. Mais la portée de cette obligation précontractuelle demeure incertaine : de nombreuses décisions reconnaissent l'existence d'une obligation de fournir des instructions, modes d'emploi et mises en garde ; en revanche peu d'entre elles posent un principe général d'information sur l'objet du contrat qui serait sanctionné de manière spécifique, autrement que sous l'angle de la réticence dolosive.

La tendance est néanmoins clairement en ce sens. C'est ainsi que la jurisprudence a édicté une obligation d'information à la charge des professionnels, spécialement du vendeur professionnel (300) auquel il incombe de surcroît de prouver qu'il a bien exécuté cette obligation (301). Plus généralement, la jurisprudence impose à tout contractant une obligation d'informer son partenaire chaque fois que celui-ci ne pouvait aisément recueillir lui-même l'information manquante (302).

Parallèlement, certains textes édictent des obligations spécifiques d'information. Par exemple, l'article L. 514-20 du Code de l'environnement prévoit que le vendeur d'un terrain sur lequel a jadis été exploitée une installation classée doit en informer l'acheteur, ainsi que, pour autant qu'il le connaisse, les dangers ou inconvénients importants résultant de cette exploitation (303). Plus généralement, le vendeur d'un immeuble se voit imposer une large obligation d'information (304).

216. – L'obligation de renseignements à l'égard du consommateur. La langue à utiliser. Le Code de la consommation consacre d'importants développements à l'information des consommateurs ainsi que le démontre

---

(300) J. Ghestin, *Conformités et garanties dans la vente*, 1983. – V. Cristianos, *L'obligation d'informer dans la vente des produits mobiliers*, 1987.

(301) Cass. 1re civ., 29 avr. 1997 : *Bull. civ.* I, n° 132. – 15 mai 2002 : *Bull. civ.* I, n° 132, p. 101 ; *Contr. Conc. Consom.* 2002, comm. n° 135 et note L. Leveneur.

(302) La jurisprudence en offre de nombreux exemples : ainsi la vente d'un terrain ou d'un fonds en celant des renseignements relatifs à la constructibilité (Cass. 3e civ., 15 janv. 1971 : *D.* 1971, somm. 48 ; *JCP* 71, IV, 43. – 3 févr. 1981 : *D.* 1984, 457, note J. Ghestin), ou l'existence d'une procédure de saisie immobilière (Cass. 3e civ., 30 janv. 1974 : *D.* 1974, 237), ou l'insuffisance d'alimentation en eau pour construire l'hôtel projeté (Cass. 3e civ., 7 mai 1974 : *D.* 1974, IR 176), ou l'installation prochaine d'une porcherie à proximité de la villa objet de la vente (Cass. 3e civ., 2 oct. 1974 : *JCP* 74, IV, 368), ou la situation irrémédiablement compromise du débiteur à cautionner (Cass. 1re civ., 10 mai 1989 ; *JCP* 1989, II, 21363, obs. D. Legeais), ou la réalisation sur le terrain voisin d'un projet privant l'appartement à vendre de son principal intérêt (Cass. 3e civ., 20 déc. 1995 : *D.* 1996, IR, 32), ou l'arrêté d'interdiction d'habiter qui frappe l'immeuble vendu (Cass. 3e civ., 29 nov. 2000 : *Bull. civ.* III, n° 182 ; *Contr. Conc. Consom.* 2001, comm. n° 41, obs. L. Leveneur ; *D.* 2001, IR, 177), etc.

(303) V. pour une application, CA Paris, 2e ch. B., 13 févr. 2003 : *JCP* 2003, II, 10075 et note F.-G. Trébulle.

(304) J.-M. Delpérier et J.-D. Roché, *L'aggravation de l'obligation d'information du vendeur d'immeuble : JCP* N 2003, 1319.

son Livre 1er qui s'intitule « Information des consommateurs et formation des contrats ».

À côté de dispositions spécifiques, ce code pose quelques règles générales dans les tout premiers articles, notamment dans les articles L. 111-1 sous l'intitulé « Obligation générale d'information » et L. 133-2 sous l'intitulé « Interprétation et forme des contrats » (305).

Art. L. 111-1. – Tout professionnel vendeur de biens ou prestataire de services doit, avant la conclusion du contrat, mettre le consommateur en mesure de connaître les caractéristiques essentielles du bien ou du service.

Art. L. 133-2. – Les clauses des contrats proposés par les professionnels aux consommateurs ou aux non-professionnels doivent être présentées et rédigées de façons claire et compréhensible.

Elles s'interprètent en cas de doute dans le sens le plus favorable au consommateur ou au non-professionnel. [...]

La langue de la République étant le français (article 2 de la Constitution), la loi du 4 août 1994, dite loi Toubon, en a tiré un certain nombre de conséquences. Elle édicte notamment en son article 2 l'obligation, pénalement sanctionnée (306), d'utiliser le français dans le commerce des biens, produits et services.

Art. 2. – Dans la désignation, l'offre, la présentation, le mode d'emploi ou d'utilisation, la description de l'étendue et des conditions de garantie d'un bien, d'un produit ou d'un service, ainsi que dans les factures et quittances, l'emploi de la langue française est obligatoire.

Si la loi a été conçue dans le souci de protéger la langue contre l'intrusion de langues étrangères ou de mots étrangers, son article 2 avait pour objectif principal d'assurer la protection des consommateurs français qui risquaient d'être induits en erreur par l'utilisation d'une langue étrangère.

Néanmoins, une telle obligation absolue d'utiliser le français, rappelée par l'article R. 112-8 du Code de la consommation en matière d'étiquetage, a été condamnée par la Cour de justice des communautés européennes comme une entrave au commerce intracommunautaire incompatible avec l'article 30, devenu article 28, du Traité CE (307).

Pour tenir compte de cette condamnation, une Circulaire du 20 septembre 2001 (308), après avoir rappelé l'obligation d'appliquer l'article 2

---

(305) Pour une application récente de ce dernier texte, voir Cass. 1re civ., 21 janv. 2003 : *D.* 2003, 693, obs. V. AVÉNA-ROBARDET ; *JCP* 2003, IV, 1420.

(306) V. par ex. Cass. crim. 14 nov. 2000, *JCP* 2001, II, 10525 et note E. DREYER.

(307) CJCE, ass. plén. 12 sept. 2000, aff. C-366/98, *Y. Geffroy et Casino France SNC* : *D.* 2001, 1458 et note J.-M. PONTIER. V. aussi, H. CLARET, *La loi Toubon du 4 août 1994 est-elle conforme au droit communautaire ? : Contr. Conc. Consom.* 2001, chron. n° 5. – L. Bernardeau, *Étiquetage et langue française : les enseignements de l'arrêt Casino : Contr. Conc. Consom.* 2001, chron. n° 10. V. aussi l'Avis motivé adressé par la Commission européenne à la République française le 25 juillet 2002.

(308) Circulaire du 20 septembre 2001 relative à l'application de l'article 2 de la loi du 4 août 1994 relative à l'emploi de la langue française : *JO* 27 oct. 2001 ; *JCP* 2001, III, 20577. La circulaire prend bien soin de rappeler que les dispositions de l'article 2 « ont pour objet d'assurer l'information et la protection du consommateur afin qu'il puisse acheter et utiliser un produit ou bénéficier de services en ayant une parfaite connaissance de leur nature, de leur utilisation et de leurs conditions de garantie ».

de la loi lors de la commercialisation en France des biens, produits ou services quelle que soit l'origine de ceux-ci, en atténue le caractère absolu en précisant que :

> L'article 2 de la loi ne fait pas obstacle à la possibilité d'utiliser d'autres moyens d'information du consommateur, tels que dessins, symboles ou pictogrammes. Ceux-ci peuvent être accompagnés de mentions en langue étrangère non traduites en français, dès lors que les dessins, symboles ou pictogrammes et les mentions sont soit équivalents, soit complémentaires, sous réserve qu'ils ne soient pas de nature à induire en erreur le consommateur.

L'obligation générale d'information des consommateurs se trouve confortée et précisée par divers textes qui réglementent l'établissement de l'écrit, instaurant par là même un *formalisme de protection*. Ce formalisme se manifeste de trois manières : par l'interdiction du renvoi à des documents non signés, par la technique des mentions obligatoires et par celle des modèles types.

217. – L'interdiction du renvoi à des documents non signés. Cette interdiction avait été initialement édictée par l'article 1er du décret du 24 mars 1978 portant application de la loi n° 78-23 du 10 janvier 1978 (309). Il s'agissait de mettre fin à la pratique, courante en matière de vente, du renvoi opéré par le contrat (par ex., un bon de commande sommaire) à des conditions générales de vente qui, en fait, n'étaient jamais communiquées à l'acheteur. Par suite, le consommateur risquait de se trouver tenu par des dispositions contractuelles qu'il ignorait lors de la conclusion du contrat. Pour y échapper il fallait être non seulement un consommateur, mais un juriste averti, et faire plaider que le consentement n'avait pas pu porter sur des dispositions, prétendues contractuelles, qui n'avaient pas été portées à la connaissance du cocontractant. Coupant court à ces difficultés, l'article 1er du décret susvisé obligeait en pratique à recueillir la signature du cocontractant, donc à porter à sa connaissance l'ensemble des stipulations contractuelles.

En clair il s'agissait donc de contraindre le professionnel à donner une information complète et loyale à son cocontractant consommateur. L'idée était en soi excellente. Malheureusement sa mise en forme allait trop loin ou, en tout cas, bouleversait trop d'habitudes. En effet la pratique du renvoi à des documents non signés était courante non seulement en matière de vente, mais aussi en matière d'assurance (conditions particulières renvoyant à la police), de contrats immobiliers (renvoi au cahier des charges d'un lotissement, ou au règlement de copropriété de l'immeuble), etc., et elle ne donnait pas nécessairement lieu à des abus.

---

(309) « Dans les contrats conclus entre des professionnels, d'une part, et, d'autre part, des non-professionnels ou des consommateurs, est interdite comme abusive au sens de l'alinéa 1er de l'article 35 de la loi susvisée la clause ayant pour objet ou pour effet de constater l'adhésion du non-professionnel ou du consommateur à des stipulations contractuelles qui ne figurent pas sur l'écrit qu'il signe. »

C'est pourquoi la disposition de l'article 1er a été annulée par un arrêt du Conseil d'État du 3 décembre 1980 (310). L'arrêt relève que l'interdiction figurant à l'article 1er a été prise en application de l'article 35, alinéa 1 de la loi, relatif aux clauses abusives, et que le renvoi à des documents non signés ne répond pas aux conditions de ce texte en ce qu'il « ne révèle pas dans tous les cas un abus de puissance économique et (il) ne confère pas nécessairement un avantage excessif aux professionnels ».

Il est probable que cette disposition réglementaire aurait échappé à toute critique si elle avait été prise en application de l'article 35, alinéa 5, de la loi, devenu aujourd'hui l'article L. 133-1 du Code de la consommation.

Art. L. 133-1. – En vue d'assurer l'information du contractant non professionnel ou consommateur les décrets prévus à l'article L. 132-1 peuvent réglementer la présentation des écrits constatant les contrats visés au même article.

Cela eût d'ailleurs été plus conforme à l'esprit de la loi, alors qu'il était un peu artificiel d'y voir une clause abusive. C'est pourtant sous l'angle des clauses abusives que l'interdiction du renvoi à des documents non signés a été indirectement reprise. En effet, peut être déclarée abusive au sens de l'article L. 132-1, al. 3, du Code de la consommation, toute clause ayant pour objet ou pour effet « de constater de manière irréfragable l'adhésion du consommateur à des clauses dont il n'a pas eu, effectivement, l'occasion de prendre connaissance avant la conclusion du contrat » (Annexe, 1, i).

Dans cette même perspective d'information des consommateurs, la loi du 23 juin 1989 (C. consom., art. L. 134-1) édicte que :

Art. L. 134. – Les professionnels vendeurs ou prestataires de service doivent remettre, à toute personne intéressée qui en fait la demande, un exemplaire des conventions qu'ils proposent habituellement.

218. – La technique des mentions obligatoires. Diverses lois spéciales obligent les parties à faire figurer dans le contrat, c'est-à-dire dans l'écrit – authentique ou sous seing privé – qui devient ainsi une *condition de forme*, des mentions obligatoires à des *fins informatives*.

Dans tous les cas il s'agit d'informer soit le consommateur, soit la partie la plus faible. Il faut remarquer que l'information requise du professionnel relève de deux ordres très différents.

1° *Tantôt l'information requise est de nature juridique* : le contrat doit rappeler ou plutôt apprendre au consommateur la règle de droit afin qu'il connaisse exactement les droits et obligations qu'elle lui confère.

Par exemple, le contrat préliminaire à la vente d'immeuble à construire « doit obligatoirement reproduire les dispositions des articles

---

(310) CE, 3 déc. 1980 : *D.* 1981, 1, 228, note Ch. Larroumet ; *JCP* 81, II, 19502, concl. Mme Hagelsteen ; *Defrénois* 1981, 1, 203, art. 32551, note M. Vion.

R. 261-28 à R. 261-31 » du Code de la construction et de l'habitation, relatifs au sort du dépôt de garantie fait par l'accédant à la propriété (CCH, art. R. 261-27).

De même, l'article R. 211-4 du Code de la consommation oblige le professionnel qui fournit une garantie contractuelle à « mentionner clairement que s'applique, en tout état de cause, la garantie légale qui oblige le vendeur professionnel à garantir l'acheteur contre toutes les conséquences des défauts ou vices cachés de la chose vendue ou du service rendu » (311). On a voulu ainsi mettre fin à une pratique aussi répandue que trompeuse qui consistait à mettre en valeur et présenter comme un avantage une garantie contractuelle – en général limitée dans le temps et dans sa portée – ce qui laissait croire au cocontractant qu'il n'y avait pas d'autre recours. Le texte sanctionne ici, et pénalement, une pratique qui ne pouvait même pas être considérée comme un dol par réticence car « nul n'est censé ignorer la loi ».

2° *Tantôt l'information requise porte sur l'objet même du contrat.* La loi définit alors l'étendue exacte de l'obligation de renseignements imposée à la partie dominante. Ainsi, en matière de vente d'immeuble à construire dans le secteur du logement, la loi du 3 janvier 1967 (CCH, art. L. 261-11) impose toute une série de mentions obligatoires : la description de l'immeuble ou de la partie d'immeuble vendu, le prix et les modalités de paiement, le délai de livraison, les garanties de bonne fin, etc.

Et ces exigences figurent aussi dans les contrats de cession de parts de certaines sociétés immobilières, dans le contrat de construction d'une maison individuelle, etc. Cette technique des mentions obligatoires est devenue aujourd'hui courante et on la retrouve dans de nombreuses lois récentes, par exemple en matière de démarchage à domicile (C. consom., art. 121-23), de crédit – ordinaire et immobilier – (C. consom., art. L. 311-8 et s.), en matière de bail (L. 23 déc. 1986, mod. par L. 6 juill. 1989), en matière de caution, etc.

Ainsi, pour assurer l'information du cocontractant, le législateur a eu recours à une technique éprouvée, le formalisme, tout en la modernisant par l'adjonction de mentions obligatoires qui restreignent d'autant le champ d'application de l'erreur ou du dol, et dont l'absence est une cause de nullité sans qu'il soit besoin de rapporter la preuve d'un quelconque vice du consentement.

219. – La technique des modèles types et des clauses types. La loi du 10 janvier 1978 relative à certaines opérations de crédit (C. consom., art. L. 311-8 et s.) va encore plus loin dans le formalisme en organisant une

---

(311) Une disposition identique se retrouve aujourd'hui dans la Directive du 25 mai 1999 (art. 6) relative à certains aspects de la vente et des garanties des biens de consommation.

information particulière de l'emprunteur par la procédure précontrac-tuelle dite d'*offre préalable*. Non seulement le texte précise les mentions que doit contenir une telle offre, mais, pour en orienter la rédaction, il va jusqu'à prévoir une *lettre-modèle* ; et il s'agit ici d'un modèle précontrac-tuel qui est en fait appelé à devenir le contrat. Cette technique est tout à fait remarquable en ce qu'elle dépasse l'information pure et simple pour empiéter sur le contenu même du contrat.

De même, en matière notamment de contrat de construction de maison individuelle et d'assurance construction, le législateur prévoit que des *clauses-types* seront édictées par décret, et que les cocontractants devront les adopter, ou en reprendre le contenu, dans le contrat.

On pourrait penser que l'utilisation du modèle type mette le profession-nel à l'abri de toute critique. Allant au-delà de l'exigence légale, un arrêt a néanmoins considéré que le professionnel devait être sanctionné dans le cas où le modèle type n'avait pas été adapté par le pouvoir réglementaire à une modification législative ultérieure (312).

220. – Conclusion. – Ainsi, relayant une jurisprudence limitée dans son action par les règles du droit commun, le législateur a forgé les instru-ments d'un véritable droit à l'information du consommateur auquel correspond évidemment une obligation corrélative de renseignements de l'autre partie. Si cette obligation a été respectée, on doit, semble-t-il, consi-dérer que le consentement donné par le consommateur est suffisamment éclairé et qu'il perd par là même toute possibilité d'invoquer l'erreur ou le dol pour faire annuler son engagement (313).

Il est clair que, par cette information préalable, ces lois spéciales – dont le champ d'application très vaste réduit d'autant le domaine du droit commun – ont entendu protéger la partie la plus faible en lui permettant de mesurer la portée des engagements qu'elle s'apprête à souscrire.

Il n'est toutefois pas certain qu'à elle seule cette information atteigne toujours son but : en effet, outre que le cocontractant ne porte pas toujours une attention suffisante aux renseignements donnés, l'expérience démon-tre que, contrairement à ce que supposait le Code civil de 1804, il n'est pas toujours l'homme avisé qui sait résister aux tentations. D'où la nécessité, ressentie par le législateur, d'assortir dans certains cas l'information d'une protection plus directe contre les entraînements irréfléchis.

---

(312) Cass. 1re civ., 17 juill. 2001, *D.* 2002, 71 et note critique D. MAZEAUD : « Attendu cependant que l'article L. 311-13 précité fait seulement obligation au prêteur d'établir l'offre préalable selon l'un des modèles-types établis par l'autorité compétente ; que cette obligation ne peut dispenser le prêteur de satisfaire aux exigences légales lorsque, comme en l'espèce, le modèle type n'avait pas été adapté à une modification législative ultérieure. »
(313) V. en ce sens, Cass. 1re civ., 14 juin 1989 : *JCP* 1991, II, 21632.

2° La protection contre les entraînements irréfléchis

221. – Le consommateur face aux pratiques du commerce : les sanctions pénales. On entend ici la notion de consommateur au sens large de celui qui contracte avec un professionnel, ce qui inclut, par exemple, le « consommateur de logement » (314).

Si le danger de céder à la tentation d'acheter, d'emprunter, etc., a toujours existé, il s'est aggravé avec le perfectionnement des procédés de commercialisation. Sans doute, il est naturel que les commerçants soient habiles, mais à la condition que l'habileté ne verse pas dans des pratiques parfois qualifiées de racolage ou d'agression (315).

Certains procédés ont été jugés si déloyaux ou dangereux qu'il a paru nécessaire, à peine de sanction pénale, de les interdire ou de les réglementer : tel est le cas de la vente par envois forcés, c'est-à-dire des envois à domicile sans commande préalable (C. pén., art. R. 635-2 et C. consom. art. L. 122-2 et s.), des ventes liées ou subordonnées (C. consom., art. L. 122-1), des ventes à la boule de neige (C. consom., art. L. 122-6), des ventes avec primes (C. consom., art. L. 121-35) (316), du crédit gratuit (C. consom., art. L. 311-5) (317), des loteries commerciales par correspondance ainsi que des « chaînes d'argent » et procédés similaires (C. consom., art. L. 121-36 et s.).

À cette occasion il est singulier de constater que la loi pénale vient ici protéger le consommateur dans des hypothèses où, bien qu'on lui ait « forcé la main », il ne trouverait pas de protection dans le droit commun des obligations ; en effet, sauf exception, il lui serait difficile de prétendre qu'il a été victime d'un vice du consentement.

Outre ces hypothèses, le législateur a estimé utile de protéger le consommateur contre certaines tentations offertes en dehors de toute déloyauté de son cocontractant. Il s'agit en fait de protéger le consommateur contre lui-même, contre ses engagements inconsidérés. À cet effet deux techniques, voisines quoique différentes, sont utilisées : ou bien on impose au consommateur un *délai de réflexion* obligatoire avant la conclusion du contrat, ou bien on lui ouvre, une fois le contrat conclu, une *faculté de repentir* dans un certain délai.

222. – La technique du délai de réflexion (318). Un certain nombre de

---

(314) R. Saint-Alary, *Le consommateur et son logement : RD imm.* 1981, 14.

(315) J. Calais-Auloy, *Les ventes agressives : D.* 1970, chron. 129.

(316) F. Greffe et N. Boespflug, *La réglementation des ventes avec primes et cadeaux depuis l'ordonnance du 1ᵉʳ décembre 1986 relative à la liberté des prix et de la concurrence : Gaz. Pal.* 1987, 1, doctr. 160.

(317) Ch. Gavalda, *Un frein à l'extension du crédit gratuit* (L. 24 janv. 1984, art. 86 ; L. n° 84-709, 24 juill. 1984, art. 38 et 39) : *D.* 1984, chron. 181.

(318) D. Ferrier, *Les dispositions d'ordre public visant à préserver la réflexion des contractants : D.* 1980, chron. 177. – Christianos, *Délai de réflexion : théorie juridique et efficacité de la protection des consommateurs : D.* 1993, chron. 28.

textes accordent au consommateur, et à lui seulement, un délai de réflexion avant qu'il ne s'engage.

Ainsi, en matière de vente d'immeuble à construire, l'article R. 261-30 du Code de la construction et de l'habitation dispose que « le réservant doit notifier au réservataire le projet d'acte de vente un mois au moins avant la date de signature de cet acte ». À la vérité il s'agit là d'un délai d'étude du contrat, plus que de réflexion, afin de vérifier s'il reprend ou non les conditions stipulées au contrat préliminaire.

Dans d'autres cas, l'intention est très clairement d'obliger le consommateur à réfléchir, de l'empêcher de s'engager à la légère. Tel est le cas de la loi du 12 juillet 1971 (art. 9) relative à l'enseignement à distance, c'est-à-dire par correspondance, qui impose à peine de nullité un délai de sept jours entre la réception du contrat par le client et sa signature (art. L. 444-8 du Code de l'éducation).

Ce même délai de réflexion de sept jours est accordé par l'article 72 de la loi du 13 décembre 2000 (dite loi SRU) à l'acquéreur non professionnel d'un bien immobilier (CCH, art. L. 271-1) (319).

Enfin, c'est en matière de crédit immobilier que la technique du délai de réflexion trouve sa meilleure illustration. La loi du 13 juillet 1979, qui oblige le prêteur à maintenir son offre pendant un délai de trente jours au moins à compter de sa réception par l'emprunteur, dénie tout effet à l'acceptation que l'emprunteur aurait donnée moins de dix jours après cette date (C. consom., art. L. 312-10) ; ainsi le délai de réflexion sera-t-il nécessairement d'au moins dix jours. En fait ce temps de réflexion joue ici un autre rôle, celui d'un délai de prospection car il permet au client emprunteur de faire le tour des financiers de la place pour rechercher de meilleures conditions.

Cela dit, la tendance actuelle du législateur est d'accorder au consommateur une faculté de rétractation, plutôt qu'un simple délai de réflexion. C'est là une autre technique de protection du consommateur, qui consiste à limiter au profit de certaines personnes les effets de l'acceptation qu'elles ont donnée.

223. – La technique du droit de repentir ou faculté de rétractation (320). Le droit commun connaît la faculté de repentir, soit sous forme conven-

---

(319) O. RAULT, *La protection de l'acquéreur d'un bien immobilier* : JCP 2001, I, 294. – Ph. PELLETIER, *La protection nouvelle de l'acquéreur immobilier* : Defrénois 2001, 1, 205, art. 37-307. – H. PÉRINET-MARQUET, *L'impact de la loi SRU sur la vente immobilière* : JCP N, 2001, 533. – H. PÉRINET-MARQUET, *Les difficultés de délimitation du champ d'application des droits de rétractation et de réflexion offerts à l'acquéreur immobilier. Art. L. 271-1 du Code de la construction* : JCP 2002, I, 129.

(320) R. BAILLOD, *Le droit de repentir* : RTD civ. 1984, 227. – Ph. MALINVAUD, *Droit de repentir et théorie générale des obligations* : in *Mélanges Sacco*, 1992. – L. BERNARDEAU, *Le droit de rétractation du consommateur. Un pas vers une doctrine d'ensemble. À propos de l'arrêt CJCE 22 avril 1999* : JCP 2000, I, 218. – L. BERNARDEAU, *Le droit de rétractation du consommateur. Un pas de plus vers une doctrine d'ensemble, À propos de l'arrêt CJCE 13 décembre 2001* : JCP 2002, I, 168.

tionnelle de la *clause de dédit*, notamment en matière de promesse de vente (321), soit sous sa forme légale (par ex., C. civ., art. 1794 : faculté de résiliation unilatérale du marché à forfait). Mais ici cette faculté se paie : l'acheteur devra payer le dédit prévu, le maître de l'ouvrage devra indemniser l'entrepreneur, etc. Tel est notamment le cas lorsque l'acquéreur verse des *arrhes* (C. civ., art. 1590 ; C. consom., art. L. 114-1, al. 4).

Diverses lois récentes se sont montrées beaucoup plus audacieuses en instaurant un droit de repentir gratuit.

Ainsi la loi du 3 janvier 1972 sur le *démarchage financier* dispose que le souscripteur d'un plan d'épargne a un délai de quinze jours pour dénoncer son engagement, et ce sans indemnité. De même, la loi du 22 décembre 1972 (C. consom., art. L. 121-25 et s.) sur le *démarchage à domicile* décide que « dans les sept jours, jours fériés compris, à compter de la commande ou de l'engagement d'achat, le client a la faculté d'y renoncer par lettre recommandée avec accusé de réception », toute abdication de ce droit de repentir étant frappée de nullité. La mise en œuvre de ce droit se trouve même facilitée par la loi qui impose la remise au client, en même temps que le contrat, d'un formulaire détachable destiné à l'exercice de la faculté de repentir (C. consom., art. R. 121-4) (322). Il est remarquable de constater que la loi vient ici au secours du consommateur à l'occasion d'une pratique commerciale des plus traditionnelles pour ne pas dire désuète, et qui est aujourd'hui considérée comme dangereuse : on protège celui (ou celle) qui est démarché par un banquier ou par un représentant de commerce, et qui est supposé être dans un état de moindre résistance contre les tentations.

Dans un domaine voisin, la loi du 6 janvier 1988, modifiée par l'Ordonnance du 23 août 2001 (C. consom., art. L. 121-16 et s.), a traité de la même manière les « ventes de biens et fournitures de prestations de services à distance », opérations dites de « téléachat » (323). Ces dispositions devraient également s'appliquer aux consommateurs du commerce électronique (324).

La loi du 10 janvier 1978 sur le crédit à la consommation a repris un mécanisme identique – qualifié cette fois-ci de *rétractation* – et permis au client de revenir sur son engagement dans un délai de sept jours à compter de son acceptation de l'offre de crédit ; et là encore l'exercice de cette

---

(321) Y. DAGORNE-LABBÉ, *Contribution à l'étude de la faculté de dédit*, thèse Paris II, 1984.

(322) P.-J. DOLL et H. GUÉRIN, *Le démarchage et la vente à domicile* : JCP 73, I, 2524. – J. CALAIS-AULOY, *La loi sur le démarchage à domicile et la protection des consommateurs* : D. 1973, chron. 266. – J.-P. PIZZIO, *Un apport législatif en matière de protection du consentement. La loi du 22 décembre 1972 et la protection du consommateur sollicité à domicile* : RTD civ. 1976, 66. – P.-J. DOLL, *La réglementation de la vente à domicile et du démarchage. Analyse de la loi du 22 décembre 1972* : Gaz. Pal. 1977, doctr. 73.

(323) G. PAISANT, *La loi du 6 janvier 1988 sur les opérations de vente à distance et le « téléachat »* : JCP 88, I, 3350. – B. BIZEUL, *Le téléachat et le droit des contrats*, thèse Paris II, 1996.

(324) J. PASSA, *Commerce électronique et protection du consommateur* : D. 2002, chron. 555.

faculté est facilité par un formulaire détachable joint à l'offre préalable (C. consom., art. L. 311-15).

On retrouve le même système dans la loi du 7 janvier 1981 sur l'assurance-vie : toute personne physique ayant souscrit un contrat de ce genre a une faculté de *renonciation* pendant un délai de trente jours à compter du premier versement de la prime (C. ass., art. L. 132-5-1 au cas où le contrat est conclu à la suite d'un démarchage à domicile ou sur les lieux du travail).

Cette même faculté de rétractation a été accordée par l'article 20 de la loi du 31 décembre 1989 en cas d'acquisition ou de construction d'un logement neuf (CCH, art. L. 271-1) (325). Elle a été étendue par l'article 72 de la loi du 13 décembre 2000 au cas d'acquisition, par un acte sous seing privé, d'un bien immobilier ancien par un non-professionnel (CCH, art. L. 271-1).

Pour faire courir ces délais de repentir, on utilise souvent la technique de la lettre recommandée, mais elle n'offre pas la certitude et la sécurité qu'on lui accorde généralement (326).

224. – Les difficultés d'analyse juridique soulevées par la faculté de rétractation. On n'a pas manqué de souligner que la technique du droit de repentir relevait d'un autre ordre que celle du délai de réflexion.

En effet le délai de réflexion ne fait que retarder le consentement, donc la conclusion du contrat, cependant que la faculté de repentir ou de rétractation, qui s'exerce une fois le contrat conclu, porte directement atteinte au principe de la force obligatoire du contrat en instaurant un droit de résiliation unilatérale.

Pour éviter de consacrer une exception à un principe aussi fondamental du droit des obligations, certains ont voulu analyser autrement cette faculté, en considérant que le contrat se formait par *strates* successives, que le consentement du consommateur était donné en deux temps – positivement par son adhésion au contrat, négativement par le non-exercice du droit de repentir – et que le contrat n'était donc parfait qu'à l'expiration du délai de repentir (327). En ce sens, on peut en effet observer que le contrat ne peut connaître ni exécution, ni commencement d'exécution, avant l'expiration dudit délai. C'est dire que, tant que le délai n'est pas expiré, le contrat est en attente.

225. – Conclusion : droit commun et droit spécial. Les divers textes qui, directement ou indirectement, tendent à assurer au consommateur un

---

(325) M. Vion, *Faculté de rétractation en cas d'acquisition ou de construction d'un logement neuf : Defrénois* 1990, 1, 257, art. 34723.

(326) V. M. Dagot, *Les illusions de la lettre recommandée : JCP* N, 2003, 1266.

(327) Suivant la Cour de justice des communautés européennes, la faculté de rétractation constitue une condition résolutoire purement potestative : V. L. Bernardeau, *Le droit de rétractation du consommateur. Un pas vers une doctrine d'ensemble. À propos de l'arrêt CJCE 22 avril 1999 : JCP* 2000, I, 218.

consentement éclairé (par l'information) et librement *réfléchi* (par la protec-tion) constituent du droit spécial. En droit français, ce caractère spécial se manifeste notamment par l'insertion de ces textes, non dans le Code civil, mais dans le Code de la consommation ; il n'en demeure pas moins qu'ils affectent une part très importante du commerce, et donc des contrats.

En principe ils ne portent aucune atteinte au droit commun, et notamment à la théorie des vices du consentement, qui demeure applicable même aux hypothèses visées par ces textes ; tout au plus peut-on faire observer qu'il n'y a, semble-t-il, plus place pour l'erreur ou le dol lorsque l'information requise par la loi a été effectivement donnée (328).

Dans les faits, et dans la pratique courante, il en va autrement. D'une part, on a le sentiment que la matière des vices du consentement est moins vivante que jadis ; certes, elle conserve des applications notables – par exemple, l'erreur dans les ventes d'œuvres d'art, ou sur la constructi-bilité d'un terrain, ou encore l'erreur sur sa propre prestation –, mais la théorie des vices du consentement a été incapable de répondre aux problèmes quotidiens importants auxquels se trouve confronté le grand public aujourd'hui : les contrats d'adhésion, les pratiques commerciales en matière de vente et de crédit corrélatif, etc. D'autre part, ces lois spécia-les sont précisément intervenues pour apporter une solution dans ces domaines qui font difficulté et sont en nombre croissant.

Sans nul doute il devrait y avoir complémentarité entre droit commun et droit spécial. Mais ces lois nouvelles, qui apportent des réponses hété-rogènes aux problèmes apparus en matière de consentement, entraînent une remise en cause de multiples principes du droit des contrats sans que la diversité des solutions retenues ait à ce jour permis de reconstruire une théorie homogène. Cette perversion du droit commun par le droit de la consommation a été maintes fois dénoncée (329).

Dans la mesure où les règles de protection des consommateurs transi-tent souvent – mais pas toujours – par des directives européennes, la communauté juridique déplore par là même la perversion du droit des contrats par le droit européen. On en vient alors à se demander si certai-nes directives européennes, bien que conçues dans la perspective de la protection du consommateur, ne devraient pas être intégrées dans le Code civil de manière à éviter qu'il n'y ait en droit français deux systèmes parallèles, l'un spécial aux contrats conclus entre professionnels et

---

(328) Voir, en ce sens, Cass. 1re civ., 14 juin 1989 : *JCP* 91, II, 21632.

(329) J. Calais-Auloy, *L'influence du droit de la consommation sur le droit civil des contrats : RTD civ.* 1994, 239. – J. Calais-Auloy, *L'influence du droit de la consommation sur le droit civil des contrats : RTD com.* 1998, 115. – D. Mazeaud, *L'attraction du droit de la consommation : RTD com.* 1998, 95. – N. Sauphanor, *L'influence du droit de la consommation sur le système juridique,* préf. J. Ghestin, LGDJ 2000. – N. Rzepecki, *Droit de la consommation et théorie générale du contrat,* préf. G. Wiederkher, PUAM, 2000. – L. Grynbaum, *La mutation du droit des contrats sous l'effet du traitement du surendettement : Contr. Conc. Consom.* 2002, chron. n° 16.

consommateurs ou non-professionnels, et l'autre de droit commun pour tous les autres contrats. La question a notamment été soulevée et vivement débattue pour la transposition de la directive du 25 mai 1999 sur certains aspects de la vente et des garanties des biens de consommation (330)(V. *Introduction*, n° 265).

Dans une vision plus large, la question se pose aussi très sérieusement de savoir si la partie du Code civil relative au droit des contrats, qui date pour l'essentiel de 1804, ne devrait pas être refondue pour tenir compte du droit de la consommation et des principes qui commencent à se dégager au niveau européen. Cette idée, longtemps laissée en sommeil, a pris un regain d'actualité à la suite de la « Communication concernant le droit européen des contrats » diffusée le 11 juillet 201 par la Commission européenne (V. *Introduction*, n° 267).

Numéros 226 à 230 réservés.

Section 2

LE CONTENU DU CONTRAT

231. – Idée générale. Le principe de la liberté contractuelle devrait conduire à laisser les cocontractants libres de déterminer le contenu du contrat, dès l'instant que leur consentement est sain et éclairé. Cette liberté connaît néanmoins des limites qui résultent de différents textes du Code civil.

C'est ainsi que, de manière très générale, l'article 6 pose en principe qu'« On ne peut déroger, par des conventions particulières, aux lois qui intéressent l'ordre public et les bonnes mœurs. » La liberté contractuelle trouve ici une limite dans l'ordre public et les bonnes mœurs.

Plus précisément, l'article 1108 stipule que « quatre conditions sont essentielles pour la validité d'une convention » ; et il cite dans l'ordre « le consentement de la partie qui s'oblige » (V. *supra*, n°s 111 et s.), « la capacité de contracter » (V. *supra*, n°s 84 et s.), « un objet certain qui forme la matière de l'engagement » et « une cause licite dans l'obligation ». Ces deux dernières conditions, l'objet et la cause, sont relatives au contenu du contrat. La condition de « cause » se trouve ensuite rappelée à l'article 1131

---

(330) G. Paisant et L. Leveneur, *Quelle transposition pour la directive du 25 mai 1999 sur les garanties dans la vente de biens de consommation ? : JCP* 2002, I, 135. – G. Viney, *Quel domaine assigner à la loi de transposition de la directive européenne sur la vente ? : JCP* 2002, I, 158. – O. Tournafond, *De la transposition de la directive du 25 mai 1999 à la réforme du Code civil : D.* 2002, chron. 2883. – D. Mainguy, *Propos dissidents sur la transposition de la Directive du 25 mai 1999 sur certains aspects de la vente et des garanties des biens de consommation : JCP* 2002, I, 183. – G. Viney, *Retour sur la transposition de la directive du 25 mai 1999 : D.* 2002, chron. 3162.

suivant lequel « L'obligation sans cause, ou sur une fausse cause, ou sur une cause illicite, ne peut avoir aucun effet. »

De même, c'est encore le contenu du contrat qui est concerné lorsque l'article 1118, en sanctionnant la lésion, consacre le respect d'une certaine proportionnalité entre les prestations réciproques des parties à un contrat.

Depuis lors, c'est-à-dire depuis 1804, d'autres textes sont venus s'ajouter à cette liste. C'est ainsi que parfois la loi définit impérativement le contenu d'un contrat, soit de manière positive en imposant certaines dispositions « contractuelles », soit de manière négative en interdisant, par exemple, les *clauses abusives*, là encore dans un souci de protection de la partie la plus faible, du consommateur en général.

232. – Plan. Traditionnellement les auteurs envisagent de manière séparée ces diverses questions : objet, cause, lésion, etc., ce qui amène parfois à des redites (par ex., à propos de l'ordre public et des bonnes mœurs) et surtout ne permet pas de donner une vision générale de la matière, telle que modifiée par les textes récents sur la protection du consommateur.

Toutes ces questions s'ordonnent autour du problème plus général du contenu du contrat, lequel échappe de plus en plus au principe de la liberté contractuelle pour relever d'un ordre public sans cesse plus contraignant : en effet à côté de l'ordre public de direction que l'on connaissait jusqu'ici s'est développé un ordre public de protection (du salarié, du locataire, de l'assuré, du consommateur en général, etc.) qui tend à assurer l'équilibre des contrats.

Pour mieux rendre compte de l'évolution générale qui s'accomplit aujourd'hui, on regroupera ces diverses questions sous l'angle du contenu du contrat, en envisageant successivement l'objet du contrat, sa conformité à l'ordre public et aux bonnes mœurs, à la vérité, enfin à la justice sociale.

Cette présentation a en revanche l'inconvénient de faire éclater l'étude de certaines notions, spécialement de la cause qui avait fait l'objet voici un demi-siècle d'une vive controverse.

§ 1. – L'objet

233. – Objet du contrat et objet de l'obligation. La formulation de l'article 1108 du Code civil « Quatre conditions sont nécessaires pour la validité d'une convention :... Un objet certain qui forme la matière de l'engagement » semble désigner l'*objet du contrat*, et on en trouve confirmation plus loin dans l'article 1126 (« Tout contrat a pour objet... »). Ainsi, une interprétation littérale des textes conduirait à dire que l'objet, au sens du Code civil, est l'objet du contrat.

Mais on considère en général qu'il s'agit là d'une erreur de rédaction, et ce pour deux raisons. D'une part, un contrat n'a pas à proprement parler d'objet, il a des *effets* qui sont la création d'une ou plusieurs obligations ; d'autre part, la lecture des articles 1126 et suivants montre clairement qu'ils envisagent l'*objet des obligations* créées par le contrat.

Section III
De l'objet et de la matière des contrats

Art. 1126. – Tout contrat a pour objet une chose qu'une partie s'oblige à donner, ou qu'une partie s'oblige à faire ou à ne pas faire.

Art. 1127. – Le simple usage ou la simple possession d'une chose peut être, comme la chose même, l'objet du contrat.

Art. 1128. – Il n'y a que les choses qui sont dans le commerce qui puissent être l'objet des conventions.

Art. 1129. – Il faut que l'obligation ait pour objet une chose au moins déterminée quant à son espèce.
La quotité de la chose peut être incertaine, pourvu qu'elle puisse être déterminée.

Art. 1130. – Les choses futures peuvent être l'objet d'une obligation.
On ne peut cependant renoncer à une succession non ouverte, ni faire aucune stipulation sur une pareille succession, même avec le consentement de celui de la succession duquel il s'agit.

Tout en convenant de cela, nombre d'auteurs (331) retiennent l'idée d'objet du contrat comme désignant l'opération juridique envisagée dans son ensemble, le but poursuivi par le contrat, et ils se servent de cette notion pour vérifier que le contrat est bien conforme à l'ordre public et aux bonnes mœurs. Ils font en effet observer que parfois l'objet de chaque obligation peut être licite cependant que l'objet du contrat sera illicite.

En pratique, il ne semble pas qu'il y ait un réel intérêt à faire une place particulière à l'objet du contrat : en effet, le plus souvent il y a illicéité tout à la fois de l'objet de l'obligation et de l'objet du contrat ; il n'en ira autrement que dans des cas exceptionnels et alors la nullité pourra être prononcée sur un autre fondement, en principe sur celui de l'illicéité de la cause. Mieux vaut donc limiter ici l'étude à l'objet de l'obligation, cependant que l'éventuelle illicéité de l'objet du contrat sera traitée au titre de la cause (V. *infra*, n°s 267 et s.).

234. – L'objet de l'obligation. Plan. L'objet de l'obligation se définit comme ce qui est dû au créancier par le débiteur (332). Lorsque, comme c'est le plus souvent le cas, il s'agit d'un contrat synallagmatique, il y aura au moins deux obligations réciproques, chacune ayant son objet propre. Par exemple, dans la vente, l'objet de l'obligation du vendeur est de trans-

---

(331) V. notamment Mazeaud et Chabas, n°s 231 et 244. – Terré, Simler et Lequette, n°s 265 et 301.
(332) D. Mazeaud, *La matière du contrat* : in *Les concepts contractuels français à l'heure des principes du droit européen des contrats*, Dalloz, 2003, p. 81.

férer la propriété de la chose, de la livrer, de la garantir, cependant que le paiement du prix est l'objet de l'obligation de l'acheteur.

Cet objet est défini par l'article 1126 comme « une chose qu'une partie s'oblige à donner, ou qu'une partie s'oblige à faire ou à ne pas faire ».

Cette chose va revêtir des aspects différents suivant les circonstances il s'agira :

– tantôt d'une *chose* au sens matériel du terme (un objet qu'on vend ou qu'on met en dépôt, une maison qu'on loue, une somme d'argent à payer),

– tantôt d'une *prestation* ou d'une *abstention*, sans lien direct avec une chose matérielle quelconque (par ex., soigner un malade, plaider une affaire, repeindre une pièce, ne pas faire concurrence, etc.).

On remarquera que la distinction entre chose et prestation ne se confond pas avec la classification des obligations de donner, de faire et de ne pas faire. Ainsi l'obligation du bailleur est une obligation de faire, et pourtant elle porte sur une chose.

La notion de chose au sens de l'article 1126 est très large. Il peut s'agir de *biens corporels*, c'est-à-dire d'objets matériels faisant par exemple l'objet d'une vente, d'un bail, d'un prêt, etc. ; ou de *biens incorporels*, c'est-à-dire de droits, par exemple de droits d'auteur, de parts de sociétés, etc., faisant l'objet d'une cession. Il peut aussi s'agir d'une somme d'argent, qui constitue la contre-prestation, et dont la dénomination variera suivant le type de contrat : *prix* dans la vente, *loyer* dans le bail, *intérêts* dans le prêt, *salaire* dans le contrat de travail, *honoraires*, etc.

Trois conditions sont requises pour la validité de l'objet, avec des modalités différentes suivant qu'il s'agit d'une chose, d'une prestation ou d'un prix : l'objet doit être déterminé, possible et licite.

A. – Détermination de l'objet

235. – Le principe. La condition est posée par l'article 1129 :

Il faut que l'obligation ait pour objet une chose au moins déterminée quant à son espèce. La quotité de la chose peut être incertaine, pourvu qu'elle puisse être déterminée.

Telle que libellée, cette condition a été conçue pour une chose au sens matériel du terme. Elle a néanmoins vocation à s'appliquer de manière générale, qu'il s'agisse d'une chose au sens strict, d'une prestation ou d'une somme d'argent. Cette application soulève des difficultés variables suivant les cas ; la jurisprudence récente amène même à se demander si la condition de détermination doit s'appliquer au prix.

236. – La détermination de la chose. Pour une chose l'article 1129 distingue entre l'espèce et la quotité.

S'agissant de l'*espèce* il y a des degrés possibles dans la détermination. Si le contrat porte sur un *corps certain*, qui est identifié dans son individualité même, la détermination sera parfaite. Pour une *chose de genre* il faut qu'elle « soit déterminée quant à son espèce » : par exemple, du fuel domestique, du blé, du vin, etc. ; mais il n'est pas indispensable d'en préciser la qualité. En cas de litige, le juge recherchera quelle a été la volonté commune des parties et, à défaut de découvrir cette volonté, on présumera que les parties ont eu en vue une qualité moyenne conformément à la règle supplétive de l'article 1246 du Code civil.

S'agissant de la *quotité*, c'est-à-dire de la quantité, l'article 1129, alinéa 2, admet qu'elle soit incertaine « pourvu qu'elle puisse être déterminée ». On interprète ce texte en ce sens que, si la quantité peut ne pas être déterminée lors de la conclusion du contrat, il faut néanmoins qu'elle soit *déterminable* en fonction de dispositions prévues au contrat. Peut-être la quotité ne pourra-t-elle être finalement déterminée qu'au moment de l'exécution du contrat, ou par l'exécution de celui-ci, mais c'est à la condition que cette détermination soit faite en fonction de principes ou de critères arrêtés dans le contrat.

Par exemple, sera valable le contrat par lequel on s'engage à assurer la fourniture de tel carburant nécessaire au fonctionnement de telle usine, de telle machine ou de tel véhicule pendant telle durée. De même, on admet sans la moindre hésitation qu'est valable un contrat de fourniture d'eau, de gaz, d'électricité, de téléphone, etc., alors que la quotité sera fonction de la consommation du client, telle que comptabilisée au compteur, c'est-à-dire de sa décision unilatérale de consommer ou de ne pas consommer.

237. – La détermination de la prestation. Pour une prestation, c'est l'évidence même qu'elle doit être déterminée : il faut savoir à quoi on s'oblige pour qu'on puisse parler de contrat, et la prestation doit être définie de manière suffisamment précise pour que la convention ne soit pas affectée d'une ambiguïté fondamentale.

Ainsi, s'engager à « faire un geste » est un contrat vicié par l'indétermination de l'objet de l'obligation (333). En revanche, pour certains contrats, la détermination sera suffisante même si la durée n'est pas précisée : le contrat, par exemple le contrat de travail, est alors à durée indéterminée.

De même, en matière de contrat d'entreprise, une jurisprudence constante considère le contrat comme valable, même lorsqu'il est prévu la faculté pour le client d'apporter des modifications à son projet, c'est-à-dire de réduire ou d'augmenter les prestations initialement prévues ; si le marché a été conclu *à forfait*, on dira que c'est un *marché à forfait imparfait*. Sur ce point, la Norme AFNOR P 03-001, qui est le Cahier des clauses administratives générales applicables aux travaux de bâtiment faisant l'objet de marchés privés, prévoit expressément la possibilité pour le

---

(333) Cass. com. 28 févr. 1983 : *Bull. civ.* IV, n° 86.

maître de l'ouvrage d'apporter des modifications dans l'importance et la nature des travaux ; et l'entrepreneur est tenu par la décision du maître de l'ouvrage à la condition toutefois que l'augmentation des travaux n'excède pas le quart du montant initial ou que la diminution reste en dessous de 15 % du montant initial prévu.

En bref, la solution dépend largement de la nature du contrat. À côté des contrats classiques pour lesquels la chose doit être déterminée et arrêtée dès l'origine, car il faut bien savoir à quoi on s'engage, il en est d'autres pour lesquels la quotité de la chose pourra varier. En pratique, il n'y a pas de contentieux sur ce point.

238. – La détermination du prix en général. Dans tout contrat synallagmatique, il y a des obligations réciproques. Le plus souvent, il s'agira d'une part d'une chose ou d'une prestation de services et, d'autre part, d'un prix versé en contrepartie. Ce prix apparaît ainsi comme l'objet de l'obligation de payer, laquelle se retrouve dans presque tous les contrats à titre onéreux.

La question est de savoir si l'article 1129 doit être appliqué au prix alors que, compte tenu de sa formulation et de son contexte, il semble plutôt viser des choses, et même des choses de genre, qui seraient à définir dans leur espèce et dans leur quotité. Certes, on pourrait soutenir que le prix s'exprime par une somme d'argent et que l'argent est une chose de genre par excellence : dès lors tout contrat devrait la définir dans son espèce (euro, dollar, yen, etc.) et dans sa quotité, c'est-à-dire dans son montant.

Parfois, en sus de la disposition générale de l'article 1129 relative à l'objet, la loi prévoit expressément que tel ou tel contrat doit comporter un prix. Ainsi en est-il de la vente (art. 1591), du bail (art. 1709), du contrat de louage d'ouvrage (art. 1710), du prêt à intérêt (art. 1907), de la rente viagère (art. 1968), du contrat de promotion immobilière (art. 1831-1), de la vente d'immeuble à construire, du contrat de construction de maison individuelle, du contrat d'assurance, etc.

Ce prix doit-il être déterminé à peine de nullité du contrat et, dans l'affirmative, est-ce en application soit de l'article 1129, ou de la disposition spéciale au contrat considéré ? La position de la jurisprudence n'est guère claire.

S'agissant du contrat de louage d'ouvrage, que l'article 1710 définit comme « le contrat par lequel l'une des parties s'engage à faire quelque chose pour l'autre, *moyennant un prix convenu entre elle*s », une jurisprudence constante considère que la détermination du prix n'est pas une condition de validité (334) ; il s'ensuit qu'à défaut de prix et d'accord ultérieur des parties, il appartient au juge de le fixer (335).

---

(334) V. par ex. Cass. 3e civ., 18 janv. 1977 : *JCP* 1977, IV, 66. – 24 janv. 1978 : *Bull. civ.* III, n° 49, p. 39.
(335) Cass. 3e civ., 3 déc. 1970 : *Bull. civ.* III, n° 663. – 10 janv. 1973 : *D.* 1973, IR, 58. – Cass. com. 6 nov. 1978 : *JCP* 1979, IV, 21. – Cass. 1re civ., 4 oct. 1989 : *JCP* 1989, IV, 385.

Mais le débat a principalement porté sur l'indétermination du prix dans la vente qui a donné lieu à une importante jurisprudence dont l'évolution doit être retracée.

239. – L'indétermination du prix dans la vente. Pendant très long-temps, la jurisprudence a résolu la question par application de l'article 1591 suivant lequel « le prix de la vente doit être déterminé et désigné par les parties ». Suivant cette jurisprudence, à défaut d'être déterminé, le prix devait à tout le moins être déterminable, mais à la condition que cette détermination ne dépende pas de l'arbitraire de l'une des parties, en pratique du vendeur. Était ainsi jugée valable la stipulation d'un prix à fixer par un tiers expert, ou par référence à un cours officiel, etc. ; et nulle la référence faite au prix catalogue, ou au tarif du vendeur lors de la livraison, ou même au prix du marché sauf si ce dernier ne dépend pas de la volonté du vendeur. La jurisprudence, qui a eu maintes fois l'occasion de se prononcer à propos des contrats de « pompiste de marque » et des « contrats de bière » était constante en ce sens (336).

240. – L'évolution de la jurisprudence. Pour échapper à cette solution fondée sur l'article 1591 relatif à la vente, certains fournisseurs ont alors fait plaider que les contrats litigieux étaient des contrats complexes, *sui generis*, et non des contrats de vente. Pour rejeter cette argumentation la Chambre commerciale de la Cour de cassation a fondé la nullité, non plus sur l'article 1591, mais sur l'article 1129 pour indétermination de l'objet (337).

Cette nouvelle motivation est apparue très critiquable. Outre que l'article 1129 ne semble pas avoir été écrit pour cet objet de l'obligation que constitue le prix, le fondement retenu par la chambre commerciale aurait dû conduire à une généralisation à tous les contrats de la nullité pour indétermination du prix. Or, c'eût été entrer en conflit avec une autre jurisprudence, aussi ancienne que constante, qui décide que l'indétermination du prix n'est pas une cause de nullité du contrat d'entreprise et qu'en cas de désaccord entre les parties sur le prix, il appartient au juge de le fixer (338).

---

(336) Cass. com. 27 avr. 1971, 3 arrêts : *JCP* 72, II, 16975, obs. J. BORE ; *D.* 1972, 353, note J. GHESTIN. – 1er févr. 1972 : *JCP* 72, II, 17136. – 13 mars 1972 : *JCP* 72, II, 17196, obs. J. BORE. – Cass. com. 12 févr. 1974 : *D.* 1974, 414, note J. GHESTIN ; *JCP* 75, II, 17915, obs. J. BORE. – 21 juin 1976 : *JCP* 78, II, 18984, obs. N. ALBALA et A. CORNEVEAUX. – Affaire du Crédit suisse : Paris 22 nov. 1972 : *D.* 1974, 93, note Ph. MALAURIE, et sur pourvoi Cass. 1re civ. 12 nov. 1974 : *Bull. civ.* I, n° 301. – Cass. 1re civ. 18 juill. 1979 : *JCP* 79, IV, 326.

(337) Cass. com. 11 oct. 1978, 2 arrêts : *D.* 1979, 135, note R. HOUIN ; *JCP* 79, II, 19034, obs. Y. LOUSSOUARN. – 13 déc. 1982 : *JCP* 83, IV, 73. – 11 janv. 1984 : *JCP* 84, IV, 88. – F. GORE, *La détermination du prix dans les contrats dits « marchés de bière »* : *Gaz. Pal.* 1979, I, doctr. 84. – J.-J. BARBIERI, *La détermination du prix dans les contrats d'approvisionnement exclusif* : *RJ com.* 1983, 329. – P. DE FONT-BRESSIN, *De l'influence de l'acceptation du concept de prix sur l'évolution du droit des contrats* : *RTD civ.* 1986, 655.

(338) Cass. 3e civ., 4 juill. 1972 : *Bull. civ.* III, n° 442. – Cass. 1re civ., 9 févr. 1977 : *Bull. civ.* I, n° 74. – Cass. 3e civ., 18 janv. 1977 : *JCP* 77, IV, 66. – 24 janv. 1978 : *Bull. civ.* III, n° 49. – Cass. com. 6 nov. 1978 : *JCP* 79, IV, 21. – Cass. 1re civ., 4 oct. 1989 : *JCP* 89, IV, 385.

Tenant compte de ces objections, la jurisprudence s'est à nouveau infléchie, à propos des contrats de distribution exclusive, et la Chambre commerciale a distingué suivant que le contrat portait sur une *obligation de faire* comme le contrat d'entreprise ou une *obligation de donner* comme la vente. Posant en principe que la règle de la détermination du prix ne concerne que les contrats comportant des obligations de donner, la jurisprudence a écarté la nullité pour indétermination du prix dans les contrats de distribution exclusive, considérés comme comportant essentiellement des obligations de faire (339). Ce faisant, la Chambre commerciale évitait toute contradiction avec la jurisprudence de la 3e Chambre civile en matière de contrat d'entreprise qui, lui aussi, ne comporte que des obligations de faire.

Mais les contrats sont souvent très complexes, et il n'est pas toujours évident de les classer de manière tranchée suivant la distinction des obligations de donner et de faire. Ceci explique peut-être une nouvelle évolution de la jurisprudence, cette fois-ci de la 1re Chambre civile. Tout en maintenant l'exigence de la détermination du prix, la cour a considéré qu'il y était satisfait dès lors que le contrat faisait référence à un tarif, en l'espèce celui du vendeur, sous réserve que le vendeur n'ait pas « abusé de l'exclusivité qui lui était réservée pour majorer son tarif dans le but d'en tirer un profit illégitime, et ainsi méconnu son obligation d'exécuter le contrat de bonne foi » (340). La question se déplaçait ici de la formation vers l'exécution du contrat et la cour consacrait le pouvoir du juge de contrôler, à l'aune de la bonne foi, le pouvoir reconnu au vendeur de renvoyer à son tarif.

Les distorsions de jurisprudence entre ces trois chambres de la Cour de cassation appelaient une intervention de l'assemblée plénière (341).

241. – Les arrêts de l'Assemblée plénière du 1er décembre 1995. Par quatre arrêts du 1er décembre 1995 (342) l'Assemblée plénière de la Cour

---

(339) Cass. com. 9 nov. 1987 : *D.* 1989, 35 et note Ph. Malaurie ; *JCP* 89, II, 21186, obs. G. Virassamy. – 22 janv. 1991 : *D.* 1991, 175, concl. Jéol ; *JCP* 91, II, 21679, obs. G. Virassamy. – 29 janv. 1991 : *JCP* 91, II, 21751, obs. L. Leveneur. – 2 juill. 1991 : *D.* 1991, 501 et note Ph. Malaurie. – D. Ferrier, *La détermination du prix dans les contrats stipulant une obligation d'approvisionnement exclusif* : *D.* 1991, chron. 237. – D. Tallon, *Le surprenant réveil de l'obligation de donner (à propos des arrêts de la Chambre commerciale en matière de détermination du prix)* : *D.* 1992, chron. 67. – D. d'Hoeraene, *L'indétermination des prix* : *Gaz. Pal.* 10-11 juin 1992. – M.-A. Frison-Roche, *L'indétermination du prix* : *RTD civ.* 1992, 269. – F. Leduc, *La détermination du prix, une exigence exceptionnelle ?* : *JCP* 1992, I, 3631.

(340) Cass. 1re civ., 29 oct. 1994 : *JCP* 1995, II, 22371 et note J. Ghestin ; *D.* 1995, 122 et note L. Aynès ; *RTD civ.* 1995, 358, obs. J. Mestre.

(341) L. Vogel, *Plaidoyer pour un revirement : contre l'obligation de détermination du prix dans les contrats de distribution* : *D.* 1995, chron. 155.

(342) Cass. ass. plén., 1er déc. 1995 : *JCP* 1996, II, 22565, concl. M. Jéol et note J. Ghestin ; *D.* 1996, 13, concl. M. Jéol et note L. Aynès ; *Gaz. Pal.* 1995, 626 et note de Fombressin ; *Defrénois* 1996, 747, obs. Ph. Delebecque ; *RTD civ.* 1996, 153, obs. J. Mestre. – A. Brunet et A. Ghozi, *La jurisprudence de l'Assemblée plénière sur le prix du point de vue de la théorie du contrat* : *D.* 1998, chron. 1. V. aussi *La détermination du prix : nouveaux enjeux un an après les arrêts de l'Assemblée plénière*, Travaux du colloque du 17 décembre 1996 : *RTD com.* 1997, 1 et s. V. spéc. D. Ferrier, *Les apports au droit commun des obligations*, p. 49. Sur les conséquences de cette jurisprudence, voir Terré, Simler et Lequette, n° 291.

---

de cassation a édicté deux principes. D'une part, revenant sur la jurisprudence de la chambre commerciale, la cour décide que « l'article 1129 du Code civil n'est pas applicable à la détermination du prix ». D'autre part, allant plus loin que la 1ʳᵉ Chambre civile, elle décide « que, lorsqu'une convention prévoit la conclusion de contrats ultérieurs, l'indétermination du prix de ces contrats dans la convention initiale n'affecte pas, sauf dispositions légales particulières, la validité de celle-ci, l'abus dans la fixation du prix ne donnant lieu qu'à résiliation ou indemnité ».

Ces principes ont depuis lors été repris par les diverses juridictions, notamment pour les contrats de distribution ou de fournitures (343), pour le contrat de prêt (à propos tant des intérêts (344) que de l'indemnité de remboursement anticipé (345)) et même pour les contrats d'entreprise (346).

Il en résulte que, au regard de l'article 1129, la détermination du prix n'est pas une condition de formation des contrats. Mais la question reste de savoir s'il faut aller plus loin, et considérer que, en cas d'indétermination du prix dans un contrat, la nullité ne peut pas être demandée sur le fondement des textes particuliers autres que l'article 1129, qui mentionnent la nécessité d'un prix dans un certain nombre de contrats ; en bref, suivant la formule de l'avocat général Jéol, a-t-on « tordu le cou » au seul article 1129, ou à tous les textes exigeant ou semblant exiger une détermination du prix (347).

Il en résulte aussi implicitement que, dans le cas où les parties ont omis de fixer le prix, même par simple référence à un tarif, il appartient au juge de le fixer lui-même, comme cela est admis depuis longtemps dans le contrat d'entreprise.

242. – Droit comparé et perspectives d'avenir. La solution retenue par la Cour de cassation rejoint celle qui est généralement édictée dans les divers droits européens pour lesquels la détermination du prix n'est pas une condition de validité du contrat. On peut la rapprocher de celle fixée dans les Principes Unidroit relatifs aux contrats du commerce international, à l'article 5.7.

Art. 5.7. – 1) Lorsque le contrat ne fixe pas de prix ou ne prévoit pas le moyen de le déterminer, les parties sont réputées, sauf indication contraire, s'être référées au prix habituellement pratiqué lors de la conclusion du contrat, dans la branche commerciale considérée, pour les

---

(343) Cass. com. 26 mars 1996 : *Bull. civ.* IV, n° 205 ; *Contr. Conc. Consom.* 1996, comm. n° 136, obs. L. LEVENEUR.

(344) Cass. com. 9 juill. 1996 : *Bull. civ.* IV, n° 205 ; *JCP* 1996, II, 22721 et note J. STOUFFLET ; *Defrénois* 1996, 1363, obs. Ph. DELEBECQUE ; *Contr. Conc. Consom.* 1996, comm. n° 182, obs. L. LEVENEUR.

(345) Cass. 1ʳᵉ civ., 14 juin 2000 : *Bull. civ.* I, n° 184, p. 119. – 6 mars 2001 : *Bull. civ.* I, n° 54, p. 35 ; *JCP* N 2001, 1401 et note L. LEVENEUR ; *D.* 2001, somm. 3237, obs. L. AYNÈS.

(346) Cass. 1ʳᵉ civ., 20 févr. 1996 : *Bull. civ.* I, n° 91.

(347) M. JÉOL, *La fixation du prix dans les contrats d'affaires : de l'indétermination de la loi à la détermination du juge* : in *Mélanges Bézard*, LGDJ, 2002.

mêmes prestations effectuées dans des circonstances comparables ou, à défaut d'un tel prix, à un prix raisonnable.

2) Lorsque le prix qui doit être fixé par une partie s'avère manifestement déraisonnable, il lui est substitué un prix raisonnable, nonobstant toute stipulation contraire.

3) Lorsqu'un tiers chargé de la fixation du prix ne peut ou ne veut le faire, il est fixé un prix raisonnable.

4) Lorsque le prix doit être fixé par référence à un facteur qui n'existe pas, a cessé d'exister ou d'être accessible, celui-ci est remplacé par le facteur qui s'en rapproche le plus.

B. – Possibilité de l'objet

243. – Possibilité de la prestation. En pratique la question se pose *a posteriori*, au moment de l'exécution du contrat, lorsque le débiteur ne peut pas accomplir la prestation promise et que sa responsabilité est recherchée par le créancier victime de l'inexécution. Le débiteur pourra faire écarter la demande en démontrant que l'obligation souscrite était impossible car « à l'impossible nul n'est tenu ».

L'impossibilité s'entend de celle existant *lors de la conclusion du contrat*, qui seule est une cause de nullité. Ici, le débiteur échappera à toute responsabilité de manière indirecte, en faisant prononcer la nullité du contrat ; celle-ci ayant pour effet d'effacer rétroactivement le contrat, l'inexécution d'une obligation qui est censée n'avoir jamais existé ne saurait être source d'une quelconque responsabilité. Si l'impossibilité d'exécuter survenait postérieurement à la conclusion du contrat, elle pourrait aussi permettre d'échapper à la responsabilité si elle était due à un cas de force majeure : ici le contrat est bien valable mais son inexécution est due à la force majeure, et non pas à une faute du débiteur.

Cela dit, seule constitue une cause de nullité l'impossibilité *absolue*, c'est-à-dire celle qui s'imposerait à tout débiteur, et non l'impossibilité *relative*, celle que n'a pu surmonter tel débiteur. En bref, on apprécie l'impossibilité *in abstracto* (ce qui serait impossible pour tout le monde) et non pas *in concreto* (ce qui a été impossible pour le débiteur en question).

S'agissant d'une prestation, l'impossibilité absolue sera exceptionnelle car, sauf insanité d'esprit, nul ne promettra l'impossible (par ex., toucher le ciel du doigt, disaient les Romains). On peut néanmoins citer l'hypothèse où l'engagement pris se heurte à une interdiction légale ignorée du débiteur : par exemple, s'engager à construire sur un terrain situé dans une zone inconstructible suivant les dispositions d'urbanisme de la commune.

Le plus souvent l'impossibilité n'est que relative : le débiteur s'est engagé à accomplir un acte qui dépasse ses capacités personnelles, mais qui aurait été possible à une tierce personne (donner un récital, restaurer un tableau, etc.). En pareil cas le contrat est parfaitement valable et le débiteur verra sa responsabilité engagée pour l'inexécution du contrat, sauf s'il démontre que l'inexécution est due à un cas fortuit ou de force majeure.

244. – Possibilité ou existence de la chose. Lorsque le contrat porte sur une chose, la possibilité ou l'existence de celle-ci conditionne de toute évidence la validité de l'engagement. Si la chose n'existe pas, le contrat est nul faute d'objet.

Bien qu'une telle hypothèse apparaisse à première vue étrange, elle peut se produire. Tel sera le cas, par exemple, si le propriétaire d'une chose la vend alors qu'en fait, à son insu, celle-ci vient de disparaître dans un incendie, dans un naufrage, ou à la suite d'un vol, etc. ; ou encore si le contrat portait sur la cession d'une créance déjà éteinte ou prescrite, d'un brevet d'invention périmé, etc.

À l'inexistence on peut assimiler l'hypothèse où l'exécution du contrat se heurte à une impossibilité absolue, par exemple à l'interdiction d'importer les choses qu'on a promis de livrer ; il y aura nullité si l'impossibilité existait lors de la conclusion du contrat et persiste encore.

245. – Contrats portant sur la chose d'autrui. Qu'en est-il lorsqu'un contrat porte sur la *chose d'autrui* ? Il y a bien ici impossibilité, mais *impossibilité relative* dans la mesure où, à la différence du cocontractant, le propriétaire pourrait exécuter le contrat. De ce caractère relatif la doctrine déduit qu'en soi un contrat sur la chose d'autrui est valable (348) et qu'il appartient au cocontractant de se rendre propriétaire afin de pouvoir exécuter l'obligation souscrite.

Le Code civil y apporte néanmoins deux exceptions remarquables, en frappant de nullité la vente (art. 1599) (349) et l'hypothèque de la chose d'autrui (art. 2124).

246. – Contrats portant sur des choses futures. Bien qu'elles n'existent pas encore, « les *choses futures* peuvent être l'objet d'une obligation » (C. civ., art. 1130, al. 1). On en connaît des applications très nombreuses en pratique ; tel est le cas chaque fois que le contrat porte sur une chose à fabriquer (350) : la vente d'immeuble à construire, de navire à construire, de film à réaliser, le contrat de construction de maison individuelle, etc.

De manière plus générale une vente est parfaitement valable, même si elle porte sur un bien, un produit ou une marchandise non disponible : par exemple, la vente d'un véhicule à livrer sous quelques mois et qui n'est donc pas encore construit.

La loi y apporte néanmoins un certain nombre d'exceptions pour des contrats dont l'objet futur est jugé non pas impossible mais illicite : ainsi

---

(348) Par exemple le bail portant sur la chose d'autrui : Cass. 3ᵉ civ., 26 avr. 1972 : *Gaz. Pal.* 28 déc. 1972. – P. ZAJAC, *Le bail accidentel de la chose d'autrui* : JCP N 1993, doctr. 641.

(349) P. GUIHO, *Les actes de disposition sur la chose d'autrui* : RTD civ. 1954, 1. Il s'agit toutefois d'une action en nullité relative qui ne peut donc être invoquée que par l'acheteur.

(350) F. DAVID, *Le marché à façon : étude sur la vente d'objets fabriqués sur commande*, thèse Paris 1937.

en est-il des *pactes sur succession future* (C. civ., art. 1130, al. 2) (351), qu'il s'agisse de sa propre succession ou de celle d'autrui, et de la cession globale des droits sur les œuvres littéraires ou artistiques futures (C. propr. intellectuelle, art. L. 131-1). Ce sont là en effet des opérations dangereuses par lesquelles le cocontractant se dépouille par avance de choses qui ne sont pas encore à sa disposition.

C. – Licéité de l'objet

1° Licéité de la chose objet de l'obligation

247. – Choses dans le commerce et choses hors commerce. Suivant l'article 1128 « il n'y a que les choses qui sont dans le commerce qui puissent être l'objet des conventions ». L'expression « choses qui sont dans le commerce » ne doit pas être prise au pied de la lettre (352). En réalité ce texte est une tautologie : il signifie que certaines choses ne peuvent, pour des considérations d'ordre public, de morale, etc., faire l'objet d'une obligation ou de telle obligation précise ; on dit alors qu'elles sont hors du commerce (353).

On peut en citer de nombreux exemples, dans les domaines les plus divers.

Ainsi sont hors du commerce : les *res nullius* qui par leur nature même ne sont pas susceptibles d'appropriation privée (par ex., l'air, l'eau, etc.), les biens du *domaine public* qui sont inaliénables, certains droits déclarés incessibles par la loi (par ex., le droit d'usage, le droit d'habitation ; C. civ., art. 631 et 634), les choses dont le commerce est interdit en vue de la protection de la santé publique, par exemple la drogue, les médicaments ne bénéficiant pas d'une autorisation de mise sur le marché (AMM).

De même ne peuvent faire l'objet d'une convention :

– l'*état et la capacité des personnes* ce qui interdit les pactes de séparation amiable entre époux ;

– la *personne humaine,* ce qui exclut les conventions portant atteinte à l'intégrité physique (354), sauf si celle-ci est justifiée par l'intérêt légitime de celui qui y consent (par ex., à des fins thérapeutiques), ou par l'intérêt général (par ex., vaccinations). Cette prohibition a été consacrée par les

---

(351) Cette interdiction, controversée en doctrine (V. A. Lucas, *Le recul de la prohibition des pactes sur succession future en droit positif : RTD civ.* 1976, 455), a été maintenue dans son principe par la loi du 3 décembre 2001 portant réforme du droit des successions : « On ne peut, même par contrat de mariage, renoncer à la succession d'un homme vivant, ni aliéner les droits éventuels qu'on peut avoir à cette succession » (C. civ., art. 791). Mais l'article 722 réserve le cas où la loi autorise « les conventions qui ont pour objet de créer des droits ou de renoncer à des droits sur tout ou partie d'une succession non encore ouverte ou d'un bien en dépendant. »

(352) F. Paul, *Les choses qui sont dans le commerce au sens de l'article 1128 du Code civil,* LGDJ, Droit privé, 2002.

(353) G. Loiseau, *Typologie des choses hors du commerce : RTD civ.* 2000, 47.

(354) TGI Paris, 3 juin 1969 : *Gaz. Pal.* 1969, 2, 57 ; *D.* 1970, 136 (pour une convention de tatouage d'une rose et d'une Tour Eiffel, suivie d'exérèse de la partie tatouée).

---

lois « bioéthique » du 29 juillet 1994 dans l'article 16-5 du Code civil : « Les conventions ayant pour effet de conférer une valeur patrimoniale au corps humain, à ses éléments ou à ses produits sont nulles. »

Aux conventions sur la personne humaine on assimilait celles relatives à la vie privée des personnes. Cette assimilation est désormais remise en cause par le *pacte civil de solidarité* (PACS) qui est consacré par la loi et qui a pourtant pour objet d'organiser la vie de couple de deux personnes (355).

Sont également hors du commerce les *fonctions publiques* (356) ; toutefois le titulaire d'un office ministériel dispose d'un droit de présentation de son successeur, sous le contrôle du Gouvernement dont l'agrément est nécessaire.

247. – Le cas des clientèles civiles. Si la licéité de la cession des *clientèles commerciales* n'a jamais été mise en doute puisqu'il s'agit d'un élément du fonds de commerce, il n'en a pas été de même pour les *clientèles civiles* des professions libérales (médecins, avocats, architectes, etc.).

La jurisprudence les a longtemps considérées comme étant hors du commerce au motif que le lien entre ces professionnels et leur clientèle repose sur la confiance personnelle et ne saurait donc faire l'objet d'une transmission (357). Néanmoins elle admettait la validité de l'engagement de présenter son successeur à la clientèle, de lui céder local et matériel, et de s'abstenir de lui faire concurrence (358). Une telle convention, admise d'abord pour les professions de la santé, a été étendue aux avocats, lorsque du moins ils exercent en société.

Allant plus loin encore, la Première chambre civile de la Cour de cassation a admis la licéité de la cession de la clientèle médicale « à la condition que soit sauvegardée la liberté de choix du patient » (359). Cet arrêt, qui

---

(355) G. RAYMOND, *PACS et droit des contrats : Contr. Conc. Consom.* 2000, chron. n° 14, voir p. 8.

(356) Cass. 1re civ., 20 mars 1984 : *Gaz. Pal.* 1984, 2, pan., p. 166 et note J. DUPICHOT (à propos de la cession de la fonction de syndic-administrateur judiciaire).

(357) Cass. 1re civ., 7 mars 1956 : *D.* 1956, 523, note PERCEROU. – 17 mai 1961 : *Bull. civ.* I, n° 257. – 24 mai 1978 : *Gaz. Pal.* 1978, 2, pan., 335. – Cass. 1re civ., 8 janv. 1985 : *JCP* 86, II, 20545, obs. G. MÉMETEAU ; *D.* 1986, 448, 2e esp. et note J. PENNEAU (pour un médecin). – Cass. 1re civ., 31 mai 1988 : *Gaz. Pal.* 1988, 2, 650 et note G. FLÉCHEUX (pour un avocat). – Cass. 1re civ., 7 févr. 1990 : *Defrénois* 1990, 1, art. 34837, p. 1018, obs. J.-L. AUBERT. – 3 juill. 1996 : *D.* 1997, 531 et note N. DESCAMPS-DUBRELE (pour un médecin). – P. JULIEN, *Les clientèles civiles. Remarques sur l'évolution de leur patrimonialité : RTD civ.* 1963, 213. – P. LECLERCQ, *Les clientèles attachées à la personne,* 1964. – P. BLONDEL, *La transmission à cause de mort des droits extrapatrimoniaux et des droits patrimoniaux à caractère personnel,* 1969.

(358) Cass. 1re civ., 7 juin 1995 : *D.* 1995, 560 et note B. BEIGNIER. – M. CHANIOT-WALINE, *La transmission des clientèles civiles,* LGDJ, 1994. – S. FERRÉ-ANDRÉ, *De la patrimonialisation à la commercialisation des clientèles civiles et des professions libérales : RTD com.* 1995, 565. – Y. CHARTIER, *La clientèle civile dans la jurisprudence de la Cour de cassation.* Rapport de la Cour de cassation pour 1996, 71. – M. GORÉ, *La cession entre vifs des clientèles civiles :* in *Les professions libérales :* in *Travaux de l'Association Henri Capitant,* Nice, 1997, LGDJ. – Ph. REIGNÉ, *L'avenir d'une fiction juridique : le particularisme des clientèles des professions libérales :* in *Mélanges Terré,* p. 587.

(359) Cass. 1re civ. 7 nov. 2000 : *JCP* 2000, II, 10452 et note F. VIALLA ; *D.* 2001, 2401 et note Y. AUGUET ; *Defrénois* 2001, 1, 431, art. 37338 et note R. LIBCHABER ; *JCP* 2001, I, 301, nos 16 et s., obs. J. ROCHFELD ; *D.* 2002, somm. 930, obs. O. TOURNAFOND.

consacre la reconnaissance d'un *fonds libéral* (360) susceptible d'être constitué et cédé, apparaît comme un revirement de jurisprudence. Plus récemment la Cour de cassation a précisé, à propos d'un litige relatif à la liquidation des droits d'époux dont l'un était médecin, que le « *fonds d'exercice libéral* » comprend la clientèle, les matériels et les locaux (361).

2° Licéité de la prestation

248. – La licéité de l'objet de l'obligation. Serait nul pour illicéité de l'objet l'engagement d'accomplir un fait illicite ou immoral, par exemple, d'exécuter telle prestation qui constitue une infraction à la loi pénale (commettre un délit, le « contrat » pour assassiner telle personne), ou plus généralement à l'ordre public (par ex., travailler *au noir*) (362).

Une obligation, licite en soi, peut devenir illicite par sa durée. Ainsi en est-il des *engagements perpétuels* (363) ou qui dépassent la durée de la vie humaine : c'est la raison pour laquelle, dans un contrat à durée indéterminée, chacune des parties est libre d'y mettre fin sauf à respecter un délai raisonnable ; tel est le cas, par exemple, du délai-congé en matière de contrat de travail à durée indéterminée.

Dans un ordre d'idées différent, on ne peut promettre que son propre fait, non celui d'autrui, car on ne peut engager un tiers en dehors de sa volonté (V. cependant *supra*, n° 101, pour la promesse de porte-fort). Cette limitation est inscrite dans le Code civil au titre de l'effet relatif du contrat (C. civ., art. 1119), non à celui de l'objet.

249. – La licéité de l'objet du contrat. Un certain nombre d'auteurs considèrent que la condition de licéité doit s'appliquer non seulement à l'objet de l'obligation, mais aussi à l'objet du contrat, c'est-à-dire à l'opération juridique envisagée dans son ensemble (364). Outre que cette opinion n'est pas admise par tout le monde, on peut se demander si elle présente un réel intérêt. En effet il semble bien que, dans les hypothèses visées par ces auteurs, le contrat serait annulable à un autre titre, soit parce que l'objet de l'une de ces obligations est illicite, soit pour cause illicite. Un bon exemple en est fourni par la convention de « prêt d'utérus »,

---

(360) J.-J. DAIGRE, *Une révolution pour les professions libérales : la consécration du fonds libéral* : JCP N 2001, 1235. – M.-C. CHEMTOB, *Cession de clientèle médicale : licéité sous réserve de la liberté de choix du patient* : Contr. Conc. Consom. 2001, chron. n° 7. – Y. SERRA, *L'opération de cession de clientèle civile après l'arrêt du 7 nov. 2000 : dorénavant, on fera comme d'habitude* : D. 2001, chron. 2295. – Ph. LE TOURNEAU, *Quelques remarques terminologiques autour de la vente* : in *Mélanges Catala*, p. 469. – O. TOURNAFOND, *Les cessions directes de clientèles civiles depuis le revirement de la Cour de cassation du 7 novembre 2000* : in *Mélanges Sortais*, Bruylant, 2002, p. 577.

(361) Cass. 1re civ., 2 mai 2001 : JCP 2002, II, 10062 et note O. BARRAT.

(362) Colmar 18 oct. 1979 : JCP 81, II, 19574, obs. A.-M. BOUCON et D. D'AMBRA (opérations d'assurance proposées par une société de conseil non autorisée à cet effet).

(363) J. GHESTIN, *Existe-t-il en droit positif français un principe général de prohibition des contrats perpétuels ?* : in *Mélanges D. Tallon*, 1999.

(364) MAZEAUD et CHABAS, n°s 231 et 244. – TERRÉ, SIMLER et LEQUETTE, n°s 265 et 301. – V. *supra*, n° 233.

dite encore de *mères porteuses* que la jurisprudence déclare nulle en ce qu'« elle contrevient tant au principe d'ordre public de l'indisponibilité du corps humain qu'à celui de l'indisponibilité de l'état des personnes » (365), sans qu'il soit besoin de préciser si la nullité est prononcée pour cause illicite ou pour objet illicite du contrat.

En toute hypothèse, à supposer qu'on retienne la nullité pour illicéité de l'objet du contrat, la notion d'illicéité ou d'immoralité est la même qu'en matière de cause.

§ 2. – Conformité à l'ordre public et aux bonnes mœurs

250. – Conformité à l'ordre public et conformité à la justice sociale. De tradition l'ordre public classique tendait à protéger l'intérêt général au travers de la défense de l'État, de la famille, de la morale, etc. ; c'est ce qu'on appelle aujourd'hui l'*ordre public politique*, pour le distinguer de l'*ordre public économique*.

D'apparition plus récente, ce dernier s'est d'abord manifesté par divers textes inspirés par le souci de l'intérêt général, vu cette fois-ci sous son aspect économique. Mais, outre que certaines règles d'ordre public économique ont pour effet de protéger aussi les intérêts des particuliers, le législateur a pris au cours des dernières décennies toute une série de dispositions dont l'objet est la protection des particuliers, spécialement des consommateurs, contre les clauses léonines ou abusives qui leur seraient imposées par les fabricants, distributeurs, etc.

La doctrine s'est demandée sous quelle bannière il convenait de classer ces textes d'inspiration nouvelle. Le sens de cette évolution n'étant pas apparu clairement au début, on y a vu une forme d'ordre public économique. Mais, pour manifester la différence avec les autres textes, on a distingué au sein de l'ordre public économique :

– un *ordre public de direction*, représenté par les textes poursuivant un but d'intérêt général ;

– et un *ordre public de protection*, illustré par tous ces textes qui tendent à rétablir l'équilibre du contrat au profit de la partie la plus faible (366), appelé aussi parfois *ordre public social* (367).

---

(365) Cass. ass. plén. 31 mai 1991 : *D.* 1991, 417, rapport Y. CHARTIER et note D. THOUVENIN ; *JCP* 91, II, 21752, consult. J. BERNARD, concl. H. DONTENWILLE et note F. TERRÉ. – Cass. 1re civ., 29 juin 1994 : *D.* 1994, 581 et note Y. CHARTIER ; *JCP* 1995, II, 22362 et note J. RUBELLIN-DEVICHI.
(366) G. COUTURIER, *L'ordre public de protection ; heurs et malheurs d'une vieille notion neuve* : in *Études Flour*, p. 95.
(367) FLOUR et AUBERT, n° 297.

Dans ce paragraphe on envisagera la conformité à l'ordre public politique et à l'ordre public économique de direction. L'ordre public économique de protection, ou ordre public social, sera traité dans le paragraphe 4 consacré à la conformité à la justice sociale.

A. – Définition de l'ordre public et des bonnes mœurs (368)

251. – Faut-il distinguer entre l'ordre public et les bonnes mœurs ? Deux articles du Code civil se réfèrent expressément à l'ordre public et aux bonnes mœurs pour en assurer la sanction :

– l'article 6 qui interdit « de déroger, par des conventions particulières, aux lois qui intéressent l'ordre public et les bonnes mœurs » ;

– l'article 1133 qui, à propos des conditions de validité du contrat, édicte que « la cause est illicite, quand elle est prohibée par la loi, quand elle est contraire aux bonnes mœurs ou à l'ordre public ».

Traditionnellement associées à l'ordre public, les bonnes mœurs ne sont en réalité qu'un aspect de celui-ci, relatif à la morale, et notamment à la morale sexuelle (369). Mais il s'agit d'une morale sociale conçue comme constituant le fondement d'une société, au travers d'institutions telles que le mariage. Ainsi, au-delà d'une terminologie devenue désuète, les bonnes mœurs ne sont qu'une composante de l'ordre public, tendant à la défense de l'intérêt général plus que de la morale en tant que telle (370).

1° Qui détermine l'ordre public et les bonnes mœurs ?

252. – Détermination par la loi. À lire l'article 6, on pourrait penser que la mission de déterminer ce qui est d'ordre public appartient au législateur, et à lui seul. Ne seraient donc d'ordre public que les lois qui se déclarent telles. En pratique une doctrine aussi rigide n'a jamais été sérieusement soutenue.

Certes il arrive qu'en édictant une loi le législateur précise son caractère d'ordre public, soit directement, soit indirectement en indiquant qu'est nulle toute convention contraire. Jadis, c'était assez rare ; notamment peu d'articles

---

(368) L. JULLIOT DE LA MORANDIÈRE, *L'ordre public en droit privé interne* : in *Études Capitant*, p. 381. – Ph. MALAURIE, *L'ordre public et le contrat*, 1952. – *L'ordre public à la fin du xxᵉ siècle*, sous la direction de Th. REVET, Dalloz, 1996. – P. CATALA, *À propos de l'ordre public* : in *Mélanges Drai*, 2000, p. 511. – *L'ordre public* : in *Travaux de l'Association H. Capitant*, t. 49, 2001. – M.-C. VINCENT-LEGOUX, *L'ordre public : Étude de droit comparé interne*, préf. J.-P. DUBOIS, PUF, 2001. – J. HAUSER, *L'ordre public et les bonnes mœurs* : in *Les concepts contractuels français à l'heure des principes du droit européen des contrats*, Dalloz, 2003, p. 105.
(369) J. BONNECASE, *La notion juridique de bonnes mœurs ; sa portée en droit civil français* : in *Études Capitant*, p. 91. – F. SENN, *Des origines et du contenu de la notion de bonnes mœurs* : in *Études Gény*, I, p. 53. – J. MOURGEON, *De l'immoralité dans ses rapports avec les libertés publiques* : D. 1974, chron. 247. – *Les bonnes mœurs*, sous la direction de J. CHEVALLIER, PUF, 1994.
(370) D. FENOUILLET, *Les bonnes mœurs sont mortes ! Vive l'ordre public philanthropique !* : in *Mélanges P. Catala*, 2001, p. 487.

du Code civil le précisent. Mais depuis lors la tendance s'est largement inversée et désormais, il est assez fréquent que le législateur contemporain se prononce sur le caractère d'ordre public du texte nouveau. Parfois, ce sont des textes réglementaires qui en décident ainsi, mais on a toujours interprété l'article 6 comme visant la loi au sens large. On dit alors qu'on est en présence d'un ordre public *législatif*, ou encore *textuel*.

Ainsi, de manière assez générale, les textes de protection des consommateurs ou des salariés, etc., précisent qu'ils sont d'ordre public. La formule employée variera suivant les cas. Tantôt il sera dit expressément, en tête de la loi ou à la fin, que « les présentes dispositions sont d'ordre public », par exemple pour la loi du 6 juillet 1989 relative au bail d'habitation. D'autres fois, on écrira que « toutes clauses contraires seront nulles et de nul effet », ou encore seront « réputées non écrites », ou autre formule semblable, comme dans la loi du 31 décembre 1975 relative à la sous-traitance (art. 15).

De même, les *règlements* et *directives* communautaires sont généralement très précis sur ce point. En principe, les dispositions qu'ils prévoient sont d'ordre public ; et, s'il est laissé une latitude soit aux États membres pour opérer la transposition (des directives), soit aux parties à un contrat, cette latitude est clairement indiquée.

De même encore, on peut admettre que les *droits fondamentaux* consacrés au niveau européen relèvent de l'ordre public (371).

253. – Détermination par la jurisprudence. Si la loi n'a rien précisé, c'est au juge qu'il incombe *a posteriori* de dire si telle disposition, législative ou réglementaire, est d'ordre public ; et c'est encore à lui de décider si la convention litigieuse est ou non contraire à l'ordre public ainsi précisé. On est ici en présence d'un ordre public *virtuel*, que le juge a tiré de l'interprétation de la loi.

Parfois même, en l'absence de tout texte applicable à un contrat considéré, le juge sera amené à l'annuler comme contraire à l'ordre public lorsque ce contrat lui apparaît contraire aux fondements de l'organisation sociale. C'est notamment le cas pour les bonnes mœurs, qui ne sont pas définies par la loi, si ce n'est indirectement et de manière négative dans la loi pénale qui édicte certaines infractions contre les mœurs. On parle alors d'ordre public *judiciaire* ou encore *jurisprudentiel*.

Il s'ensuit que, en l'absence de prescription légale expresse ou de jurisprudence bien établie, l'incertitude règne sur la validité de certains contrats, ou de certaines clauses insérées dans les contrats. Cette situation, qui a l'avantage de la souplesse, peut s'avérer gênante dans les domaines du droit qui évoluent très vite, comme le droit des affaires, où

---

(371) J. RAYNAUD, *Les atteintes aux droits fondamentaux dans les actes juridiques privés*, thèse Limoges, 2001.

des modèles de contrat nouveaux ou des clauses d'avant-garde apparaissent de manière spontanée, en dehors de toute réglementation.

2° Les différents aspects de l'ordre public

254. – Généralités. L'ordre public est la marque de certaines règles légales ou réglementaires qui tirent leur suprématie de leur objet : la défense d'un intérêt général devant lequel doivent s'incliner les intérêts particuliers et les contrats qui les expriment.

On objectera avec raison que pareille définition manque de précision, mais il ne peut en être autrement compte tenu de la variabilité de l'ordre public qui évolue au cours du temps en fonction des impératifs politiques, économiques et sociaux. Tantôt l'époque se montre plus exigeante, s'agissant, par exemple, de la protection des faibles, tantôt plus laxiste comme en matière de bonnes mœurs. Pour ce qui est du droit des obligations, la tendance est à l'expansion de l'ordre public, spécialement de l'ordre public économique de protection, et, corrélativement, à un affaiblissement considérable de la liberté contractuelle.

On oppose traditionnellement l'ordre public politique et l'ordre public économique. L'*ordre public politique* a toujours existé et représente la notion traditionnelle : c'est lui qui assure, contre d'intempestives initiatives individuelles, la défense de l'État, de la famille et de la morale. L'*ordre public économique* est d'apparition plus récente, mais c'est lui qui connaît les plus amples développements.

On limitera l'étude à l'ordre public français, tout en rappelant que s'est formé parallèlement un ordre public européen à partir d'une part de la législation communautaire, d'autre part de la Convention européenne des droits de l'homme. Dans la mesure où cet ordre public s'impose aux États membres, il se trouve souvent reflété dans l'ordre public français (372).

a) L'ordre public politique

255. – La défense de l'État. Les divers textes régissant l'organisation de l'État et des services publics sont en principe des règles impératives, si bien que les contrats qui contreviendraient à ces règles seraient de nature à perturber l'équilibre du pays, en bref à troubler l'ordre public.

C'est ainsi que sont impératives :

– les lois constitutionnelles : d'où la nullité des contrats qui réaliseraient une corruption électorale (373) ;

---

(372) S. Poillot-Peruzetto, *Ordre public et droit communautaire :* D. 1993, 177. – M.-C. Boutard-Labarde, *L'ordre public en droit communautaire :* in *L'ordre public à la fin du xxᵉ siècle*, p. 83. – C. Picheral, *L'ordre public européen. Droit communautaire et droit européen des droits de l'homme*, La Documentation française, 2002.

(373) Paris, 1ʳᵉ ch. A, 12 nov. 2001 : *RTD civ.* 2002, 89, obs. J. Mestre et B. Fages.

– les lois administratives : d'où la nullité des contrats qui rémunére-raient un fonctionnaire pour accomplir un acte, même régulier, de ses fonctions (374) ;

– les lois fiscales : par exemple, nullité des conventions de « dessous-de-table », interdiction des ventes sans facture, etc. ;

– les lois pénales : nullité du contrat d'assurance des amendes ;

Cela dit, toutes les règles de droit public ne sont pas, par là même, d'ordre public. Ainsi, dans certains domaines, la loi elle-même laisse aux citoyens la latitude d'y déroger, tout du moins en partie.

Tel est notamment le cas des lois de procédure civile. Par exemple, si l'État a le monopole de la justice, la loi permet dans certains cas aux parties à un contrat d'y échapper en prévoyant que leurs litiges seront réglés par voie d'arbitrage (C. civ., art. 2059 et s.). De même, dans les rapports entre commerçants, il est possible de déroger aux règles de compétence territo-riale (mais pas aux règles de compétence d'attribution) des tribunaux par des clauses attributives de compétence (V. *Introduction*, nᵒˢ 548 et 549).

256. – La défense de la famille. – Plus encore que pour l'État, les règles régissant le droit de la famille n'ont pas toutes le même caractère impératif. Il faut ici distinguer entre le statut de la famille et les règles de caractère patrimonial.

Les règles statutaires régissant le *mariage* et la *filiation* sont d'ordre public : si chacun est libre de se marier ou non, en revanche le statut du mariage est impératif ; il ne saurait être modulé au goût de chacun (375). C'est ainsi que l'article 1388 du Code civil prévoit que « les époux ne peuvent déroger ni aux devoirs ni aux droits qui résultent pour eux du mariage, ni aux règles de l'autorité parentale, de l'administration légale et de la tutelle ». De son côté, la jurisprudence dénie toute valeur contractuelle aux fian-çailles pour assurer la liberté du consentement jusqu'au jour du mariage, et annule les conventions de séparation amiable entre époux (376).

Les règles patrimoniales n'ont pas toutes le même caractère impératif. S'agissant du *régime matrimonial*, les époux sont libres de leur choix ; et ce n'est qu'à défaut de choix que la loi les soumet au *régime légal*. Quant à la *succession*, c'est-à-dire à la dévolution des biens lors du décès, chacun – marié ou non – peut l'aménager par *testament* en fonction de la distinction suivante : s'il n'y a pas d'héritiers *réservataires* (c'est-à-dire bénéficiant de la *réserve*, ce qui concerne les héritiers proches, notamment les enfants),

---

(374) D. Jᴇᴀɴ-Pɪᴇʀʀᴇ, *La lutte contre la corruption des fonctionnaires et agents publics. Commentaire des dernières conventions internationales ratifiées par la France : D.* 2000, chron. 307.

(375) Il en va différemment du pacte civil de solidarité (PACS) par lequel les partenaires peuvent aménager leur vie de couple (V. G. Rᴀʏᴍᴏɴᴅ, *PACS et droit des contrats : Contr. Conc. Consom.* 2000, chron. n° 14, V. p. 8).

(376) Cass. 2ᵉ civ., 22 avr. 1977 : *D.* 1977, IR, 359.

la liberté du testateur est totale ; en présence d'héritiers réservataires, le testateur ne peut pas porter atteinte à la réserve si bien que sa liberté est limitée au surplus, c'est-à-dire à la *quotité disponible*. De même encore, si l'*obligation alimentaire* entre parents et alliés (C. civ., art. 205 et s.) est d'ordre public dans son principe (377), elle peut librement être aménagée par convention entre créancier et débiteur.

257. – La défense de la morale. La morale présente plusieurs facettes. La morale sexuelle, c'est-à-dire les bonnes mœurs, dont l'importance a considérablement décru depuis un demi-siècle, a laissé aujourd'hui la place principale au respect de la personne humaine.

La défense de la morale postule la nullité des conventions contraires au respect dû à la personne humaine, à sa *dignité* telle qu'elle est aujourd'hui consacrée dans l'article 16 du Code civil, et à sa liberté individuelle. Sont nulles, à ce titre, les clauses de célibat dans le contrat de travail, les engagements perpétuels (art. 1780, al. 1, pour le contrat de travail), ou d'une durée supérieure à 99 ans (en matière de bail), certaines conventions sur le corps humain (V. Introduction, nos 378 et s.). En revanche, les clauses de non-concurrence, qui portent atteinte à la liberté professionnelle, sont valables à la condition d'être indispensables à la protection des intérêts légitimes de l'entreprise (378), limitées dans l'espace et dans le temps et, suivant une jurisprudence récente, si elles comportent l'obligation pour l'employeur de verser au salarié une contrepartie financière, ces conditions étant cumulatives (379).

C'est encore la morale qui conduit à condamner certains gains, jugés immoraux, par exemple ceux résultant de contrats de jeu ou de paris. La solution trouve son fondement dans l'article 1965 du Code civil suivant lequel « la loi n'accorde aucune action pour une dette de jeu ou pour le payement d'un pari ». Mais cette immoralité paraît aujourd'hui quelque peu désuète tant il y a d'exceptions organisées par ou pour l'État (Loterie nationale, PMU, Loto, marchés à terme dans les bourses, etc.). On peut y rattacher la réglementation des ventes à primes ou à lots.

Dans un ordre d'idées voisin, les cessions de clientèle, valables pour les professions commerciales ou assimilées (fonds de commerce, représentants, agent d'assurance, pharmacies, etc.), avaient été jugées nulles pour les professions libérales (avocats, médecins, etc.), comme s'il n'était pas

---

(377) On ne peut donc pas y renoncer : Cass. req. 26 juill. 1928 : *DH* 1928, 463.

(378) Suivant une autre terminologie, la clause de non-concurrence ne doit pas être « disproportionnée par rapport à l'objet du contrat » (Cass. com. 16 déc. 1997 : *Contr. Conc. Consom.* 1998, comm. n° 39, obs. L. Leveneur) ou « par rapport aux intérêts légitimes à protéger » (Cass. 1re civ. 11 mai 1999 : *Defrénois* 1999, 1, 992, note D. Mazeaud).

(379) Cass. soc. 10 juill. 2002 (3 arrêts) : *D.* 2002, 2491 et note Y. Serra ; *JCP* 2002, II, 10162 et note F. Petit ; *Dr. soc.* 2002, 949 et note R. Vatinet ; *Defrénois* 2002, 1, 1619, art. 37644, n° 94, obs. R. Libchaber.

convenable de tirer profit d'une clientèle aussi personnelle que fugitive. Cette solution, tournée dans un premier temps par le biais d'une cession du bail et de l'installation matérielle, de la présentation du successeur aux clients et de l'engagement de ne pas se réinstaller à proximité, est aujourd'hui abandonnée ; désormais, le fonds d'exercice libéral est considéré comme un objet parfaitement licite (V. *supra*, n° 247).

Enfin, certaines conventions peuvent être annulées au nom de la morale sexuelle. On continue du moins à le dire, mais la plupart des exemples appartiennent à un passé révolu : contrats relatifs aux maisons de tolérance, ou imprégnés de pornographie, convention de strip-tease. Pendant longtemps les donations entre concubins ont figuré au rang de ces conventions annulables pour immoralité, du moins lorsqu'elles étaient consenties aux fins de perpétuer une relation jugée à l'époque immorale. Mais tel n'est plus le cas aujourd'hui où la loi elle-même consacre le concubinage et lui offre un statut avec le PACS ; au travers du PACS et de la définition qu'elle donne du concubinage (C. civ., art. 515-8) elle légitime même les relations homosexuelles auxquelles s'attachait jadis un certain opprobre.

Le plus souvent, ces conventions immorales étaient annulées pour immoralité de la *cause* du contrat. Mais, suivant en cela les mœurs, la jurisprudence se montre de plus en plus permissive ; c'est ainsi, par exemple, qu'elle a récemment décidé que « n'est pas contraire aux bonnes mœurs la cause de la libéralité dont l'auteur entend maintenir la relation adultère qu'il entretient avec le bénéficiaire » (380), solution qui aboutit à légitimer une violation du statut du mariage. En fait, la notion de bonnes mœurs a largement évolué. Ce qui est aujourd'hui immoral, c'est le commerce de la pédophilie, la commercialisation de viandes susceptibles de contenir des prions, ou de sang contaminé par le Sida ou l'hépatite ou autres maladies, la transmission consciente du Sida par voie sexuelle, etc. On constate à cette occasion que la définition des bonnes ou mauvaises mœurs relève beaucoup plus de la jurisprudence que de la loi : il s'agit là d'un ordre public judiciaire.

On reverra ces questions plus loin avec la mise en œuvre de l'ordre public, spécialement à propos de la cause (V. *infra*, n°s 267 et s.).

b) L'ordre public économique

258. – Ordre public de direction et ordre public de protection. L'*ordre public économique*, d'apparition plus récente, a été mis en place d'abord pour défendre l'intérêt général économique de la Nation, ensuite, plus

---

(380) Cass. 1re civ., 3 févr. 1999, *JCP* 1999, II, 10083, note M. Billiau et G. Loiseau ; *JCP* N 1999, 1430 et note F. Sauvage ; *D.* 1999, 267, rapport X. Savatier et note J.-P. Langlade-O'Sughrue ; *D.* 1999, somm. 377 et note J.-J. Lemouland ; *Contr. Conc. Consom.* juill-août 1999, comm. n° 105 et note L. Leveneur ; *JCP* 1999, I, 143, n°s 4 et s., obs. F. Labarthe. L. Leveneur, *Une libéralité consentie pour maintenir une relation adultère peut-elle être valable ?* : *JCP* 1999, I, 152.

tardivement, pour protéger les faibles contre les puissants. C'est ainsi qu'on distingue l'ordre public économique de direction, et l'ordre public économique de protection. Il ne faut toutefois pas se dissimuler qu'il y a interaction entre l'un et l'autre, toute mesure de caractère économique ayant nécessairement un impact à la fois sur l'économie en général et sur les cocontractants ; pour ranger une mesure dans l'une ou l'autre catégorie, on doit s'attacher au but principal qu'elle poursuit, en négligeant les effets collatéraux qu'elle pourrait avoir.

Ordre public de direction et ordre public de protection présentent un certain nombre de points communs. C'est ainsi qu'ils sont l'un et l'autre d'origine *législative*. Seul en effet le législateur a une vision globale de l'économie nationale, et seul il peut décider ce qui est bien, au plan économique, pour la Nation, ou comment réglementer certains contrats dans le sens de la protection de l'un des contractants. Et, ils font souvent l'objet d'une *réglementation détaillée* qu'il suffit d'appliquer. De même l'un et l'autre sont *évolutifs*, en fonction des considérations économiques qui sont par nature changeantes.

Ils se distinguent en ce que l'ordre public économique de direction tend à protéger *l'intérêt général* cependant que l'ordre public économique de protection défend *l'intérêt particulier* de celui que la loi veut protéger. Il s'ensuit notamment que le contrat contraire à l'intérêt général est nul de *nullité absolue* (que tout intéressé peut demander) alors que celui contraire à l'intérêt particulier est nul de nullité relative (que seul le cocontractant protégé peut demander) (381).

259. – L'ordre public économique de direction. L'ordre public économique de direction présente deux faces souvent opposées, l'une libérale, l'autre dirigiste. En règle générale, la loi elle-même précise ce qui est ou non impératif : c'est tantôt la liberté, tantôt la non-liberté qui sont érigées en ordre public (382).

D'une part, l'État, au travers de la législation, croit aux bienfaits de l'économie libérale et défend le principe de la liberté du commerce et de l'industrie. De ce point de vue, sont interdites les clauses qui auraient pour but ou pour effet de fausser le jeu de la concurrence (383) en France ou au sein de l'Union européenne : par exemple, interdiction des prix imposés ou conseillés, réglementation des ententes et des positions dominantes, répres-

---

(381) La jurisprudence en déduit également qu'il ne revient pas au juge de relever d'office les moyens fondés sur une disposition tirée de l'ordre public de protection : Cass. com. 3 mai 1995 : *Bull. civ.* IV, n° 128 ; *D.* 1997, 124 et note F. EUDIER. – Cass. 1re civ., 15 févr. 2000 : *Bull. civ.* I, n° 49 ; *JCP* 2000, IV, 1579. V. X. LAGARDE, *Office du juge et ordre public de protection :* JCP 2001, I, 312.

(382) G. RIPERT, *L'ordre économique et la liberté contractuelle :* in *Mélanges Gény*, t. II, p. 347. – G. FARJAT, *L'ordre public économique*, LGDJ, t. 37. – R. SAVATIER, *L'ordre public économique :* D. 1965, chron. 37. – P. LEMOYNE DE FORGES, *Ordre public et réglementation des prix :* RTD com. 1976, 415.

(383) Cl. LUCAS DE LEYSSAC et G. PARLÉANI, *L'atteinte à la concurrence, cause de nullité du contrat :* in *Mélanges Ghestin*, p. 601.

sion du refus de vendre, etc. Cet ordre public est apparu tellement essentiel que le législateur l'a sanctionné sur le plan pénal : il existe désormais un *droit pénal économique*, dont l'ordonnance du 30 juin 1945 constituait la charte avant que n'intervienne l'ordonnance du 1er décembre 1986, codifiée pour partie dans le Code de la consommation.

D'autre part, l'État croit aux vertus du dirigisme économique. Son intervention s'est manifestée à l'origine par la mise sur pied d'un plan au respect duquel les entreprises étaient incitées par des contraintes indirectes certes, mais efficaces (fiscales, par exemple). D'une manière plus particulière, le législateur est intervenu pour réglementer impérativement tout ou partie du contenu de certains contrats. À commencer par le contrat de travail, où la liberté contractuelle est devenue l'exception ; le contrat d'assurance ; le contrat de transport, etc. Dominant la monnaie par le secteur bancaire (réglementation du crédit, etc.), l'État contrôle aussi les prix et salaires pour éviter les mouvements inflationnistes ; dans ce même but, la loi limite la possibilité d'inclure dans les contrats des clauses d'indexation : ordonnance du 30 décembre 1958, modifiée par celle du 4 février 1959, et loi du 9 juillet 1970.

Ce ne sont là que des aperçus de l'intervention étatique dans le domaine des contrats. On ne saurait prétendre en dresser une liste complète et à jour, tant elle serait longue et changeante.

260. – L'ordre public économique de protection. Déjà, nombre de dispositions relatives au contrat de travail sont inspirées par un souci de protection du salarié, par exemple les *congés payés* ; et plus généralement tous les « acquis sociaux », même si à l'origine ils ont pu être mis en place à raison de considérations économiques (par exemple les 35 heures qui tendaient à une répartition du travail, donc à la résorption du chômage).

Plus clairement, la réglementation du *contrat de bail*, qu'il s'agisse du bail d'habitation, du bail commercial ou du bail rural, a été édictée en vue de protéger les locataires contre les bailleurs. Et de même la loi du 3 janvier 1967 sur la *vente d'immeuble à construire*, celle du 19 décembre 1990 sur le *contrat de construction de maison individuelle* et, plus largement, toute la réglementation des opérations de *promotion immobilière* sont des textes de protection de l'accédant à la propriété contre les promoteurs et constructeurs.

Enfin, toutes les lois de *protection des consommateurs* qui se sont multipliées en France depuis 1972 au point de constituer un droit de la consommation (V. *supra*, n°ˢ 201 et s.) relèvent aussi directement de l'ordre économique de protection.

261. – Conclusion : cas où la loi laisse une liberté de choix entre plusieurs formules juridiques. L'ordre public n'est pas concerné lorsque, entre plusieurs arrangements juridiques aboutissant au même résultat, les cocontractants écartent la combinaison la plus défavorable pour eux ; peu importe que la formule éludée soit d'ordre public.

Ainsi est-on libre de concéder un usufruit sur un immeuble plutôt que le donner à bail, de prendre un bien en crédit-bail plutôt que l'acheter à crédit, etc. De même, sous réserve de remplir les conditions voulues, les fondateurs d'une société sont libres de choisir le type (société anonyme, SARL, société par actions simplifiée, société en nom collectif ou en commandite, etc.), qui leur paraît le plus avantageux, notamment sur le plan fiscal. D'ailleurs, l'incitation fiscale est l'un des moyens utilisés par les gouvernements pour lancer les formules juridiques nouvelles (par ex., vente d'immeubles à construire, bail à construction, etc.).

Par exception, il est des cas où, en présence de plusieurs combinaisons voisines, la loi supprime le choix et impose une formule qui constitue en quelque sorte un passage obligé pour obtenir tel résultat déterminé. Il y aura alors lieu à mise en œuvre de l'ordre public.

B. – Mise en œuvre de l'ordre public et des bonnes mœurs

262. – La sanction de la nullité. La sanction naturelle de l'ordre public et des bonnes mœurs est la nullité des conventions qui iraient à leur encontre. Toutefois, dans certains cas, le respect de l'ordre public ne nécessite pas la nullité du contrat dans son entier ; il suffira alors soit d'écarter les dispositions non conformes en laissant subsister le contrat, soit de déclarer ces dispositions inopposables à la personne que la loi veut protéger.

En pratique, cette mise en œuvre de l'ordre public pourra être effectuée sur divers fondements, qui seront fonction des circonstances (384) : nullité de l'article 6 du Code civil, illicéité de l'*objet* ou de la *cause, fraude à la loi ou aux droits d'un tiers.*

1° La nullité de l'article 6 du Code civil

263. – Contrat contraire à l'ordre public. Tout contrat allant à l'encontre de l'ordre public est affecté d'une cause de nullité. Le principe en est posé par l'article 6 du Code civil.

Art. 6. – On ne peut déroger, par des conventions particulières, aux lois qui intéressent l'ordre public et les bonnes mœurs.

Il n'y a aucune difficulté si la règle violée, qu'il s'agisse d'une loi, d'un règlement, d'une disposition communautaire, etc., est expressément déclarée impérative par l'auteur du texte (V. *supra*, n° 252). On est alors en présence d'un *ordre public législatif* ou *textuel*, et il suffit de démontrer que les dispositions contractuelles critiquées violent la règle pour que le juge en prononce la nullité. À défaut de précision dans le texte sur son caractère

---

(384) M. LUBY, *À propos des sanctions de la violation de l'ordre public : Contr. Conc. Consom.* 2001, chron., n° 3.

© Éditions du Juris-Classeur

impératif, c'est au juge saisi qu'il incombe de dire, par voie d'interprétation, si ce texte est ou non d'ordre public ; il s'agit alors d'un *ordre public virtuel* (V. *supra*, n° 253). Bien évidemment, c'est au fil du temps et des litiges que se forme une jurisprudence qui viendra déclarer tel ou tel texte comme étant d'ordre public.

Le plus souvent, il s'agira d'une *nullité absolue* car l'intérêt général est en cause, ce qui signifie que tout intéressé peut faire prononcer la nullité par un tribunal. Tel est le cas de l'ordre public politique et de l'ordre public économique de direction. La nullité sera simplement *relative* dans le cas de violation de l'ordre public économique de protection, auquel cas seul le cocontractant protégé pourra l'invoquer.

Toute la difficulté est alors de distinguer ce qui relève de l'ordre public de direction plutôt que de protection. Certes, parfois, il apparaît clairement qu'une disposition relève de l'une ou de l'autre catégorie. Mais parfois la frontière est difficile à tracer lorsque, comme c'est souvent le cas, la mesure prise intéresse tout à la fois l'intérêt général et l'intérêt des personnes protégées.

On en prendra pour exemple le cas des *clauses d'indexation* qui ont été réglementées par la loi, dans le but à la fois de lutter contre l'inflation et de protéger le débiteur contre une augmentation excessive de sa dette. Sachant que seuls les actes nuls de nullité relative sont susceptibles de *confirmation*, doit-on décider qu'une clause d'indexation irrégulière a pu être confirmée par un paiement spontané du débiteur ? La Cour de cassation a écarté cette solution, rangeant ainsi implicitement la loi dans les textes relevant de l'ordre public de direction (385).

264. – Contrat contraire aux bonnes mœurs. Dans la mesure où l'article 6 se réfère tant aux bonnes mœurs qu'à l'ordre public, il peut servir de fondement à une demande en nullité d'une convention qui serait contraire aux bonnes mœurs.

Mais, en pratique, on invoquera plus volontiers un autre fondement, l'immoralité de l'objet ou de la cause.

2° La nullité pour illicéité ou immoralité de l'objet

265. – Illicéité ou immoralité de l'objet de l'obligation. Tout contrat comporte des obligations et l'objet de chacune de ces obligations doit être licite, qu'il s'agisse d'une chose ou d'une prestation. On rattache traditionnellement cette condition à l'article 1128 du Code civil suivant lequel « il n'y a que les choses qui sont dans le commerce qui puissent faire l'objet des conventions ».

---

(385) Cass. com. 3 nov. 1988 : *D.* 1989, 93 et note Ph. Malaurie ; *D.* 1989, somm. 234, obs. J.-L. Aubert ; *Defrénois* 1990, 740, obs. J.-L. Aubert.

Sont ainsi nulles pour objet illicite les conventions portant sur des produits interdits, tels que les médicaments non autorisés, les drogues, etc. ; sur l'état et la capacité des personnes ; sur la personne humaine elle-même ainsi que le rappelle l'article 16-5 du Code civil dû aux lois « bioéthiques » du 29 juillet 1994 : « Les conventions ayant pour objet de conférer une valeur patrimoniale au corps humain, à ses éléments ou à ses produits sont nulles. » Plus largement, les conventions portant atteinte à l'intégrité physique sont nulles, sauf si l'atteinte est justifiée par l'intérêt légitime de celui qui y consent, par exemple dans le cadre du contrat médical. Ainsi, est nul le contrat par lequel une jeune fille accepte de se faire tatouer une rose et une Tour Eiffel sur une partie charnue et de céder la partie tatouée après exérèse (386).

De même on a longtemps considéré comme hors du commerce les clientèles civiles, c'est-à-dire celles des médecins, avocats, etc., si bien qu'elles ne pouvaient faire l'objet d'une cession. Tel n'est plus le cas aujourd'hui où la jurisprudence a consacré la licéité de la cession du « fonds d'exercice libéral » (V. supra, n° 247).

Sont également nulles les conventions portant sur des *prestations* illicites par leur objet, par exemple s'engager à enfreindre une loi pénale (par exemple assassiner telle personne) ou, plus généralement, une loi d'ordre public (par exemple en matière sociale s'engager à travailler plus que la loi ne le permet). L'objet illicite peut aussi figurer dans une obligation de ne pas faire, par exemple pour une entreprise répondant à un appel d'offres pour des travaux, s'engager à ne pas proposer un prix inférieur à celui d'un concurrent, ce qui constitue une entente contraire à la concurrence.

De même encore, une obligation licite en soi peut devenir illicite si elle est stipulée perpétuelle. Sont ainsi interdits par la loi le bail perpétuel (art. 1709), le louage de services à vie (C. civ., art. 1780, al. 1), les sociétés pour plus de 99 ans (387) (art. 1838), le dépôt à durée illimitée (art. 1944), le mandat perpétuel (art. 2003). Transposant la solution de l'article 1780 aux clauses de non-concurrence, la jurisprudence décide que la validité de ces clauses est subordonnée à trois conditions cumulatives au nombre desquelles figure la limitation dans l'espace et dans le temps (V. *supra*, n° 257). Extrapolant à partir de ces exemples, on considère généralement qu'il y a en droit français un principe général de prohibition des engagements perpétuels (388) ; on l'explique traditionnellement par le souci de

---

(386) TGI Paris 3 juin 1969 : *Gaz. Pal.* 1969, 2, 57 ; D. 1970, 136.
(387) R. Libchaber, *Réflexions sur les engagements perpétuels et la durée des sociétés* : Rev. Sociétés 1995, 437.
(388) O. Litty, *Inégalité des parties et durée du contrat*, LGDJ, 1999, préf. J. Ghestin, p. 19 et s. V. cependant, en sens contraire, J. Ghestin, *Existe-t-il en droit positif français un principe général de prohibition des engagements perpétuels ?* : in *Mélanges Tallon*, 1999.

la défense de la liberté individuelle et, plus récemment, par le risque de sclérose des échanges économiques (389). En principe de tels contrats sont nuls, mais on peut se demander s'il ne serait pas préférable de les requalifier en contrats à durée indéterminée, ce qui permettrait à chacune des parties, ou à la partie protégée, de les résilier unilatéralement à tout moment (390).

266. – Illicéité ou immoralité de l'objet du contrat. L'objet du contrat s'entend de l'objet de l'opération juridique envisagée dans son ensemble. Certains auteurs font observer que l'objet de chacune des obligations peut être licite, cependant que l'objet du contrat sera peut-être illicite. À titre d'exemple, on cite le cas de la vente du sang qui est interdite, le don seul étant autorisé ; or, si on considère les obligations respectives, l'objet de chacune est licite : transfert de sang d'une part, paiement d'un prix d'autre part.

Dans des hypothèses de ce genre, on peut effectivement demander la nullité du contrat pour illicéité de l'objet ; mais on pourrait tout aussi bien le faire pour illicéité de la cause, c'est-à-dire des motifs déterminants qui ont inspiré les contractants : en l'espèce se faire rémunérer le transfert de son sang, ce qui est illicite. Ainsi y a-t-il tout à la fois illicéité de l'objet et de la cause du contrat (V. aussi *supra*, n° 249).

3° La nullité pour illicéité ou immoralité de la cause

Art. 1131. – L'obligation sans cause, ou sur une fausse cause, ou sur une cause illicite, ne peut avoir aucun effet.

Art. 1133. – La cause est illicite, quand elle est prohibée par la loi, quand elle est contraire aux bonnes mœurs ou à l'ordre public.

267. – La notion de cause (391) **et le contrôle de la licéité ou de l'immoralité.** La pensée du XIXe et de la première moitié du XXe siècle, qui trouvait son inspiration dans le principe de l'autonomie de la volonté, était profondément hostile à un contrôle de la licéité ou de la moralité du contrat qui aurait amené le juge à « sonder les cœurs », à rechercher les motifs qui avaient animé les parties à un contrat et qui doivent demeurer leur affaire personnelle. Au surplus, on faisait observer que ces motifs peuvent être multiples, très divers suivant que l'on se penche sur l'une ou sur l'autre partie, et que toute recherche était nécessairement aléatoire.

---

(389) L. et J. VOGEL, *Vers un retour des contrats perpétuels ? Évolution récente du droit de la distribution* : Contr. Conc. Consom. août-sept. 1991, p. 1.

(390) Voir en ce sens TERRÉ, SIMLER et LEQUETTE, *Les obligations*, n° 300. Comp. A. CONSTANTIN, obs. sous Cass. 1re civ., 19 mars 2002 : *JCP* 2003, I, 122, n° 15-24 ; *RTD civ.* 2002, 510, obs. J. MESTRE et B. FAGES.

(391) Sur la notion de cause en général, V. H. CAPITANT, *De la cause des obligations*, 3e éd. 1927. – L. JOSSERAND, *Les mobiles dans les actes juridiques*, 1928. – J. ROCHFELD, *Cause et type de contrat*, LGDJ, 1999. – R.-M. RAMPELBERG, *Le contrat et sa cause : aperçu historique et comparatif, sur un couple controversé* : in *Les concepts contractuels français à l'heure des principes du droit européen des contrats*, Dalloz, 2003, p. 19.

Aussi bien lorsqu'il s'est agi de déterminer la notion de *cause* au sens des articles 1131 et suivants du Code civil, on s'en est longtemps tenu à une conception étroite. Dans cette conception, la cause, c'est pour une partie, la *considération de la contrepartie* qu'elle trouve à l'obligation qu'elle fournit (V. *infra*, nᵒˢ 304 et s.). Par exemple, dans un contrat synallagmatique tel que la vente, l'obligation du vendeur de transférer la propriété a pour cause la considération du prix qu'il va recevoir en contrepartie et, réciproquement, l'obligation de l'acheteur de payer le prix a pour cause la considération du transfert de propriété dont il va bénéficier. Et, s'agissant d'un contrat à titre gratuit dans lequel il n'y a pas de contrepartie, on disait que l'obligation du donateur avait pour cause l'*intention libérale* de ce donateur.

Il est évident qu'une telle notion abstraite de la cause ne pouvait permettre aucun contrôle de la licéité ou de la moralité. Par exemple, l'intention libérale n'est jamais illicite ou immorale en soi ; ce qui peut l'être, ce sont les *motifs* ou *mobiles* qui, dissimulés derrière cette intention libérale, ont déterminé le donateur. Il en va de même pour les contrats synallagmatiques : la considération de l'obligation réciproque dont l'exécution est attendue n'est jamais illicite ou immorale, sauf dans le cas où l'objet même de cette obligation est illicite ou immoral ; mais alors l'illicéité de la cause n'ajoute rien à l'illicéité de l'objet.

En revanche, les motifs ou mobiles peuvent être illicites ou immoraux. Par exemple l'achat d'un immeuble peut avoir pour motif l'installation d'une maison de tolérance, interdite à ce jour ; ou encore, plus perfidement, l'achat d'un immeuble ou d'une entreprise peut avoir pour motif le recyclage d'argent sale. De même la libéralité consentie peut avoir des motifs inavouables à coloration sexuelle, etc.

Pour pouvoir exercer un contrôle de la licéité ou de la moralité, il faut donc aller au-delà de l'aspect extérieur de l'opération et rechercher les motifs qui l'ont inspirée. C'est ainsi qu'à côté de la notion classique et abstraite de la cause, qui conserve une utilité majeure en matière d'équilibre des contrats (V. *infra*, n° 304 et s.), on admet aujourd'hui une notion concrète et subjective de la cause qui permet de faire une autre lecture des articles 1131 et suivants. Ainsi entendue, la cause devient un instrument de moralisation du contrat (392).

Au plan terminologique, pour dénommer cette nouvelle notion de cause, on parle de *cause du contrat* par opposition à la *cause de l'obligation*, ou encore de cause *subjective et concrète* par opposition à la cause *objective et abstraite* ; ou encore, plus simplement on parle des *motifs ou mobiles* par opposition à la *cause*.

---

(392) M. Defossez, *Réflexions sur l'emploi des motifs comme cause des obligations : RTD civ.* 1985, 521. – I. Najjar, *L'astrologie et le droit : « l'illicéité au sens large » et la cause du contrat :* in *Mélanges Terré*, p. 701.

268. – L'illicéité ou l'immoralité de la cause. Critère. L'appréciation se fait ici dans les mêmes termes que pour l'ordre public ou l'objet. On ne peut donc que donner des exemples, et non pas définir un critère.

En matière de *contrats à titre gratuit*, et plus spécialement de libéralités (393), la jurisprudence a surtout eu à connaître des libéralités entre concubins (394) à propos desquelles elle avait établi une subtile distinction reposant sur les motifs qui l'inspiraient :

• si la libéralité était inspirée par le souci de respecter un devoir moral, par exemple assurer les vieux jours de la concubine, le motif était noble et la libéralité valable ;

• si elle était inspirée par le souci d'établir ou de maintenir des rapports jugés immoraux (à l'époque), spécialement s'ils étaient adultères, alors la libéralité ayant une cause immorale était nulle.

Rompant avec cette jurisprudence au parfum quelque peu suranné, la Cour de cassation décide désormais que « n'est pas contraire aux bonnes mœurs la cause de la libéralité dont l'auteur entend maintenir la relation adultère qu'il entretient avec le bénéficiaire » (395).

En matière de *contrats à titre onéreux*, on trouve les exemples les plus divers. Ainsi y aura-t-il nullité du contrat de strip-tease (396), de la vente de matériel d'occultisme (397), du contrat de présentation d'une clientèle d'astrologue (398), d'intermédiaire en matière d'adoption (399), de la convention de « mère porteuse » (400), etc. On s'est également posé la question pour les « messageries roses » (401).

Quant à la date à laquelle il convient de se placer pour apprécier s'il y a illicéité de la cause, la Cour de cassation a retenu la date de la conclusion du contrat. C'est ainsi qu'a été considéré comme illicite le contrat de présentation de clientèle d'astrologue car, à la date du contrat, l'article 34, 7°, du Code pénal alors en vigueur, punissait « les gens qui font

---

(393) HAMEL, *La notion de cause dans les libéralités*, thèse Paris, 1920. – R. DORAT DES MONTS, *La cause immorale*, thèse Paris, 1955.

(394) P. ASCENCIO, *L'annulation des donations immorales entre concubins : RTD civ.* 1975, 248.

(395) Cass. 1re civ., 3 févr. 1999 : *D.* 1999, 267, rapport X. SAVATIER et note J.-P. LANGLADE-O'SUGHRUE ; *JCP* 1999, II, 10083, note M. BILLIAU et G. LOISEAU ; *JCP* N 1999, 1430 et note P. SAUVAGE ; *D.* 1999, somm. 377, obs. J.-J. LEMOULAND ; *JCP* 1999, I, 143, nos 4 et s., obs. F. LABARTHE. L. LEVENEUR, *Une libéralité consentie pour maintenir une relation adultère peut-elle être valable ? : JCP* 1999, I, 152. – Ch. LARROUMET, *La libéralité consentie par un concubin adultère : D.* 1999, chron. 351.

(396) TGI Paris 8 nov. 1973 : *D.* 1975, 401 et note M. PUECH.

(397) Cass. 1re civ., 12 juill. 1989 : *JCP* 90, II, 21546, obs. Y. DAGORNE-LABBÉ ; *Gaz. Pal.* 1991, 374 et note F. CHABAS ; *Defrénois* 1990, 1, 358, art. 34750, obs. J.-L. AUBERT

(398) Cass. 1re civ., 10 févr. 1998 : *D.* 2000, 442 et note L. GANNAGÉ,

(399) Cass. 1re civ., 22 juill. 1987 : *D.* 1988, 172 et note J. MASSIP.

(400) Cass. 1re civ., 13 déc. 1989 : *D.* 1990, IR, 273, rapport J. MASSIP et Cass. ass. plén., 31 mai 1991 ; *D.* 1991, 417, rapport Y. CHARTIER et note D. THOUVENIN ; *JCP* 91, II, 21752, concl. Jean BERNARD, concl. H. DONTENWILLE et note F. TERRÉ

(401) G. RAYMOND, *Messageries roses et droit des contrats : Contr. Conc. Consom.* 1994, chron. n° 4.

métier de deviner, pronostiquer ou d'expliquer les songes » (402). Cette incrimination ayant été abandonnée par le nouveau Code pénal, le contrat n'aurait donc plus été illicite si on s'était placé à la date du jugement. Cette solution appelle quelques réserves, et ce pour deux raisons : d'une part, elle va à l'encontre de la règle de la rétroactivité des lois pénales plus douces (V. *Introduction*, n° 156) ; d'autre part, on observera que la solution serait probablement inverse pour l'immoralité car celle-ci est appréciée par le juge en fonction des mœurs de l'époque à la date de sa décision, et non pas des mœurs anciennes.

269. – La condition jurisprudentielle de « cause impulsive et déterminante ». Se fondant sur les articles 1108 et 1131 du Code civil qui exigent une cause licite dans l'obligation, la jurisprudence se reconnaît donc le droit de procéder à une recherche psychologique des motivations.

À supposer que les motifs soient multiples, les juges sont invités à faire un tri pour déterminer celui ou ceux qui, suivant la formule jurisprudentielle, ont été « la cause impulsive et déterminante », auquel cas le contrat sera annulé si le motif déterminant est illicite ou immoral. Comme le souligne un auteur (403), ce n'est le plus souvent là qu'un habillage de pure forme, du « verbalisme » dans la mesure où le juge qui, parmi les mobiles, en trouve un illicite ou immoral, décide volontiers et sans contrôle possible que ce motif a été la cause impulsive et déterminante du contrat.

270. – La condition jurisprudentielle de « cause commune » aux deux parties. Parallèlement à l'exigence d'une cause impulsive et déterminante, la jurisprudence imposait que cette cause ait été commune aux deux parties pour entraîner la nullité du contrat, ce qui était fort rare. Par la suite, la jurisprudence s'est bornée à exiger que le motif illicite ou immoral qui animait l'un ait été connu de l'autre (404).

Cette solution était fondée sur l'idée qu'il n'aurait pas été juste de faire subir à un cocontractant de bonne foi les conséquences d'une annulation pour des causes qui lui étaient étrangères. Mais cette condition présentait l'inconvénient de limiter singulièrement les hypothèses où la nullité pouvait être demandée, et donc de laisser vivre des contrats illicites ou immoraux.

Le souci de moralisation des contrats a amené la jurisprudence à renoncer à cette condition si bien que, désormais, « un contrat peut être annulé pour cause illicite ou immorale, même lorsque l'une des parties n'a pas eu connaissance du caractère illicite ou immoral déterminant de la

---

(402) Cass. 1re civ., 10 févr. 1998, précité.
(403) J.-L. AUBERT, *Les obligations, L'acte juridique*, n° 268.
(404) Cass. 1re civ., 4 déc. 1956 : *JCP* 1957, II, 10008 et note J. MAZEAUD. V. A. WEILL, *Connaissance du motif illicite ou immoral déterminant et exercice de l'action en nullité* : in *Mélanges Marty*, p. 1165.

conclusion du contrat » (405). S'agissant d'une nullité absolue, elle peut être demandée par l'une ou l'autre des parties, donc en l'espèce par la partie dont les motifs étaient illicites, ce qui peut paraître choquant. Il resterait alors à trouver une solution pour éviter que le cocontractant ne soit victime d'une nullité due à son seul partenaire ; on peut ainsi penser soit à déchoir le cocontractant indigne du droit de demander la nullité, soit de le priver du droit à restitution de ce qu'il a versé, en application de la règle « *Nemo auditur…* » (V. *infra*, n° 407), soit encore d'ouvrir au cocontractant victime de la nullité une action en responsabilité contre son partenaire qui est à l'origine de la cause de nullité.

271. – La preuve de l'illicéité de la cause. Tout contrat est présumé avoir une cause, et une cause licite ; cette présomption correspond à la situation normale.

Il incombe donc à celui qui demande la nullité de démontrer que la cause « impulsive et déterminante » de l'un des cocontractants était illicite ou immorale. S'agissant d'un fait, l'état d'esprit de l'une des parties lors de la conclusion du contrat (V. *supra*, n° 268 *in fine*), la preuve peut en être rapportée par tous moyens, y compris par présomptions ou indices (C. civ., art. 1353) tenant par exemple aux circonstances dans lesquelles le contrat a été conclu.

C'est ce qui a toujours été admis pour les *actes à titre onéreux*. La solution a longtemps été différente pour les *actes à titre gratuit* pour lesquels la jurisprudence exigeait que la preuve de l'illicéité résulte de l'acte lui-même (406), système dit de la *preuve intrinsèque*. Mais cette solution a été abandonnée depuis un arrêt du 2 janvier 1907 (407), si bien que désormais la preuve de l'illicéité ou de l'immoralité peut être rapportée par tous moyens, que l'acte attaqué soit à titre gratuit ou à titre onéreux ; on en revient ainsi à la règle générale de la *preuve extrinsèque*.

272. – La sanction : nullité absolue ou nullité relative ? S'agissant d'un acte contraire à l'ordre public ou aux bonnes mœurs, la nullité est en principe absolue, ce qui entraîne un certain nombre de conséquences notamment quant aux personnes pouvant demander la nullité : alors que la nullité absolue peut être demandée par tout intéressé, et donc même par la partie à l'origine de l'illicéité, l'action en nullité relative est réservée à celui que la loi a voulu protéger.

Toutefois, la nullité ne sera que relative dans le cas où la règle violée relèverait de l'ordre public économique de protection.

---

(405) Cass. 1re civ., 7 oct. 1998 : *D.* 1998, 563 et note J. Sainte-Rose ; *JCP* 1998, II, 10202 et note M.H. Malville ; *Defrénois* 1998, 1, art. 36895, p. 1408 et note D. Mazeaud ; *Defrénois* 1999, 1, 602, art. 36990 et note V. Chariot ; *Contr. Conc. Consom.* 1999, comm. n° 1 et note L. Leveneur ; *JCP* 1999, I, 114, n° 1-3, obs. Ch. Jamin.

(406) Sur les raisons de cette exigence, voir Aubert, *Les obligations : L'acte juridique*, n° 274.

(407) Cass. civ. 2 janv. 1907 : *D.* 1907, 1, 137 et note A. Colin ; *S.* 1911, 1, 585 et note Wahl.

Que la nullité soit absolue ou relative, les effets en sont les mêmes (V. *infra*, n° 394). Toutefois, la jurisprudence fait un sort spécial au cas d'une convention annulée pour *immoralité*. Alors que, en principe, chacune des parties doit restituer ce qu'elle a reçu en application du contrat annulé, la jurisprudence décide, en vertu de l'adage « *Nemo auditur propriam turpitudinem allegans* », que le contractant qui se prévaut de son immoralité ne peut obtenir la restitution de ce qu'il a versé (V. *infra*, n° 407). Cette solution ne s'applique qu'en cas d'immoralité, non d'illicéité.

4° La nullité pour fraude (408)

273. – **Les différents aspects de la fraude.** Si on laisse de côté la *fraude fiscale* qui relève d'une autre discipline, on connaît en droit la *fraude à la loi* (409) et la *fraude aux droits des tiers*. À la vérité il n'y a pas opposition, mais complémentarité entre les deux.

274. – **La fraude à la loi.** En droit civil, le Vocabulaire Capitant définit la fraude à la loi comme « un acte régulier en soi accompli dans l'intention d'éluder une loi impérative ou prohibitive et qui, pour cette raison, est frappé d'inefficacité par la jurisprudence ou par la loi ». Il n'y a en revanche pas fraude à écarter une loi simplement supplétive, ou à choisir entre plusieurs formules juridiques celle qui est la plus intéressante pour les parties, sauf dans le cas où la loi impose l'adoption d'une certaine formule pour obtenir tel résultat déterminé (V. *supra*, n° 261).

Sans pouvoir les pourchasser toutes, la loi sanctionne expressément les fraudes les plus courantes :

• par exemple, pour tourner la loi interdisant la donation à une personne incapable de la recevoir, on fera une donation déguisée ou à une personne interposée (C. civ., art. 911 et 1099, al. 2) ;

• pour tourner la loi sur l'acquisition de la nationalité, un étranger va conclure un mariage simulé avec une Française (C. civ., art. 190-1) (410).

Là où la loi n'a rien prévu, les parties qui souhaitent tourner une règle impérative font souvent preuve d'une grande imagination. Par exemple, pour éluder l'application du droit de préemption du locataire en cas de vente, on va vendre séparément et successivement l'usufruit et la nue-propriété (411), ou bien on va déguiser la vente en échange (412).

---

(408) H. Desbois, *La notion de fraude et la jurisprudence française*, thèse Paris, 1927. – J. Vidal, *Essai d'une théorie générale de la fraude en droit français*, 1957. –

(409) B. Audit, *La fraude à la loi*, Dalloz, 1974.

(410) F. Laroche-Gisserot, *Le crépuscule des mariages naturalisants : lois du 22 juillet, 24 août et 30 décembre 1993 : Gaz. Pal.* 13-17 mai 1994, doctr. – S. Lebreton, *Réflexions sur la sanction des mariages célébrés en fraude à la loi, à partir de la critique de l'article 190-1 du Code civil : JCP* N 1999, 967.

(411) Cass. 3e civ., 12 oct. 1982 : *Bull. civ.* III, n° 198.

(412) Échange avec un bien de valeur très inférieure et une soulte très importante : Cass. 3e civ., 9 janv. 1991 : *Bull. civ.* III, n° 18.

275. – La fraude aux droits des tiers. Lorsqu'une loi est édictée en faveur, sinon d'une personne du moins d'une catégorie de personnes, la fraude à la loi réalise en même temps une fraude aux droits des tiers. Ainsi en est-il de la fraude au droit de préemption que la loi accorde au locataire ou au fermier.

Mais il peut aussi y avoir fraude aux droits des tiers en dehors de la violation d'une règle précise. La loi sanctionne parfois expressément de telles fraudes.

Ainsi, l'article 1167 du Code civil sanctionne la *fraude paulienne*, qui consiste de la part d'un débiteur peu scrupuleux à se rendre sciemment insolvable ou à augmenter son insolvabilité, afin d'écarter les poursuites de ses créanciers. En pareil cas, les créanciers peuvent attaquer « les actes faits par leur débiteur en fraude de leurs droits », actes qui leur seront alors inopposables (V. *infra*, n°s 838 et s.).

De même les contrats conclus par un commerçant pendant la *période suspecte* qui précède le dépôt de bilan sont eux-mêmes suspects dans la mesure où ils peuvent avoir pour but de faire échapper certains biens aux poursuites des créanciers, ou encore d'avantager certains créanciers au détriment des autres en violation du principe de l'égalité des créanciers. Aussi bien la loi répute-t-elle nuls les actes les plus anormaux (C. com., art. L. 621-107) et permet-elle au juge d'annuler les autres (C. com., art. L. 621-108).

276. – L'adage « Fraus omnia corrumpit » et la jurisprudence. La loi sanctionne expressément la fraude à la loi ou aux droits des tiers, soit par des dispositions spécifiques, soit par des mécanismes tels que l'action paulienne ou les nullités de la période suspecte. Mais elle ne peut pas tout prévoir pour déjouer les montages auxquels recourent les fraudeurs pour échapper à la loi. C'est alors à la jurisprudence de sanctionner de manière prétorienne de tels comportements qui vont à l'encontre de l'ordre public.

À défaut de principe général législatif, la jurisprudence sanctionne la fraude en se référant à l'adage *Fraus omnia corrumpit* (413), lequel fait donc fonction de principe complétant le dispositif partiel de la loi figurant dans des textes particuliers.

Le juge sanctionnera alors la fraude si se trouvent réunies deux conditions :

• l'utilisation d'un mécanisme permettant d'échapper à une loi impérative ; on observera à cet égard que la *simulation* (V. *infra*, n°s 281 et s.)

---

(413) V. H. Roland et R. Boyer, *Adages du droit français*, 4e éd., Litec, 1999, n° 148. Suivant ces auteurs, l'adage serait d'origine récente par sa formulation, mais trouverait son origine dans le droit romain. J. Mazeaud, *L'adage* Fraus omnia corrumpit *et son application dans le domaine de la publicité foncière* : Defrénois, 1962, art. 28265. – A. Jeammaud, *Fraus omnia corrumpit* : D. 1997, chron. 19. V. aussi, sur la preuve de la fraude, G. Bourdeaux, *La suspicion de fraude* : JCP 1994, I, 3782.

constitue un tel mécanisme, mais qu'il n'est pas pour autant condamné par la loi qui lui donne effet (C. civ., art. 1321), sauf pour la jurisprudence à l'écarter si elle tend à tourner la loi et, de ce fait, à être frauduleuse.

• l'intention de tourner la loi impérative.

277. – La sanction de la fraude. On serait tenté de penser que la fraude est toujours sanctionnée par la nullité de la convention qui la réalise. Tel est notamment la sanction édictée par les articles 911, alinéa 1, et 1099, alinéa 2, pour les donations faites à une personne incapable de recevoir et pour celles entre époux, lorsqu'elles sont déguisées en acte à titre onéreux ou faites par personnes interposées.

Mais il n'en va pas toujours ainsi. La situation sera parfois limitée à ce qui est nécessaire pour déjouer la fraude. S'agissant par exemple de l'action paulienne qui sanctionne une fraude aux droits des tiers, la solution retenue n'est pas la nullité, mais l'*inopposabilité* de l'acte aux tiers, et spécialement aux créanciers. Il en allait de même pour les actes accomplis pendant la période suspecte, avant que l'inopposabilité ne soit remplacée par la nullité.

La jurisprudence en décide de même chaque fois que l'acte frauduleux est dirigé contre des tiers déterminés (414). Mais il devrait en revanche y avoir nullité si la loi éludée est une disposition d'ordre public édictée dans l'intérêt général.

Numéros 278 à 280 réservés.

§ 3. – Conformité à la vérité : la simulation (415)

281. – Définition et terminologie. La simulation est le fait, pour les parties à un contrat, de dissimuler leur accord véritable – qui demeurera secret – derrière une fausse apparence. Les parties vont donc établir pour une seule et même opération deux actes :

• l'*acte ostensible*, dit encore l'*acte apparent*, qui est de la poudre aux yeux pour les tiers et ne correspond aucunement à leur volonté réelle ;

• l'*acte secret*, appelé encore *contre-lettre*, qui représente leur volonté réelle et qui restera caché aux yeux des tiers.

Ainsi, l'opération repose sur un mensonge : l'acte ostensible fait apparaître aux yeux des tiers un accord de volontés qui est en fait démenti par l'acte secret, les deux actes étant rédigés en même temps. Les parties simulent dans l'acte ostensible un contrat A, alors qu'en réalité ils ont

---

(414) Cass. com. 2 juin 1987 : *Bull. civ.* IV, n° 132. – Cass. 1re civ., 4 déc. 1990 : *Bull. civ.* I, n° 2.
(415) M. DAGOT, *La simulation en droit privé*, 1967. – J.-D. BREDIN, *Remarques sur la conception jurisprudentielle de l'acte simulé : RTD civ.* 1956, 261. – F. LEDUC, *Réflexions sur la convention de prête-nom (contribution à l'étude de la représentation imparfaite) : RTD civ.* 1999, 283.

conclu un contrat B tout différent dans l'acte secret ; elles camouflent l'acte secret derrière l'acte ostensible qui n'est qu'une façade.

En pratique, la simulation peut être inspirée par un simple désir de discrétion, assez naturel dans le monde des affaires. Mais il faut bien reconnaître que, le plus souvent, ce sont des motifs frauduleux qui auront présidé à l'établissement de l'acte apparent : par exemple, on aura voulu tourner les règles relatives aux incapacités, ou bien frauder le fisc pour payer des droits moindres (416), ou violer les principes en matière de donation, ou encore faire fraude aux droits des tiers, notamment des créanciers, en organisant son insolvabilité.

Malgré le taux de fraude, le droit français admet, dans le principe, la validité de la simulation ; à elle seule, la simulation n'est donc pas une cause de nullité (Arg. C. civ., art. 1321). Elle peut revêtir des formes diverses suivant le point sur lequel porte le mensonge.

A. – Les formes de la simulation

282. – L'acte fictif. Par exemple, pour échapper aux poursuites de ses créanciers, le propriétaire d'une maison la vend à un ami par un acte ostensible, mais il est corrélativement convenu dans un acte secret que le vendeur demeurera propriétaire de sa maison. On est donc en présence d'une vente fictive : l'acte de vente est fictif puisqu'il est entièrement démenti par l'acte secret. En apparence il y a eu vente, mais en fait il ne s'est rien passé.

On atteint ici le comble du mensonge puisqu'il porte sur l'existence même du contrat. Une telle opération est généralement mise en place afin de faire fraude aux droits des créanciers, ou du fisc, ou de tout autre tiers (417).

283. – L'acte déguisé. À la différence de l'acte fictif, il y a bien ici un contrat qui figure dans l'acte apparent, mais il va être modifié dans l'un de ses éléments par l'acte secret. On dit qu'il y a *déguisement*, lequel peut être plus ou moins important suivant les cas.

On qualifie le déguisement de *total* lorsqu'il porte sur la *nature* même du contrat. Par exemple, une donation va être déguisée sous la forme d'une vente : l'acte apparent est donc une vente, mais il est convenu dans l'acte secret que le prix ne sera jamais payé. Le plus souvent, la simulation sera inspirée par le désir de frauder : fraude fiscale pour ne pas avoir à payer les droits en matière de donation qui sont beaucoup plus élevés que pour la vente ; fraude aux droits des héritiers réservataires qui peuvent

---

(416) Fl. Deboissy, *La simulation en droit fiscal*, LGDJ, 1997.
(417) Cass. 3e civ., 8 juill. 1992 : *Bull. civ.* III, n° 246 ; *JCP* 1993, II, 21982 et note G. Wiederkehr ; *RTD civ.* 1993, 352, obs. J. Mestre (vente fictive destinée à obtenir un prêt à l'acquisition devant bénéficier au vendeur, et ce avec la complicité de la banque).

demander la réduction des libéralités portant atteinte à leur réserve, non des actes à titre onéreux de leur auteur.

Le déguisement sera seulement *partiel* s'il porte sur l'une des *conditions* du contrat, le plus souvent sur *le prix* qui sera minoré dans l'acte ostensible par rapport au prix réel inscrit dans l'acte secret. Là encore, il s'agira d'une fraude fiscale tendant à payer les droits d'enregistrement sur une base moindre que la réalité ; mais la fraude peut être aisément déjouée par l'Administration fiscale qui peut taxer d'office sur la valeur réelle du bien vendu, sans même avoir à faire la preuve d'une simulation.

284. – L'acte par personne interposée. Ici, la dissimulation porte sur l'identité du bénéficiaire réel du contrat (418). Ainsi, l'acte apparent est conclu entre A et B, mais il est convenu dans un acte secret (419) que le bénéfice ou la charge de ce contrat sera en fait transmis par B à C. On dira que B est un *prête-nom* et que le contrat a été passé entre A et C par *personne interposée*.

Un tel procédé sera souvent utilisé pour tourner une incapacité de contracter certains contrats (C. civ., art. 1125-1), ou une incapacité de recevoir établie par la loi entre deux personnes déterminées, par exemple une libéralité faite au médecin soignant par un malade au cours de la maladie qui va l'emporter ; la libéralité sera faite à un tiers à charge d'en transmettre le bénéfice au médecin. Pour déjouer cette fraude, la loi pose des présomptions d'interposition de personnes : sont ainsi considérés comme personnes interposées le conjoint, les ascendants et descendants des personnes frappées de l'incapacité (C. civ., art. 911 et 1125-1).

B. – Le régime de la simulation

285. – Conflit entre le respect de la volonté des parties et la protection des tiers. Dans un système consensualiste tel que le connaît le droit français, il semblerait naturel de donner plein effet à la *volonté réelle* des parties telle qu'elle s'est exprimée, c'est-à-dire à l'acte secret. L'acte secret devrait donc prévaloir sur l'acte ostensible.

Mais, corrélativement, la sécurité du commerce juridique postule que les tiers à l'opération puissent s'en tenir à la *vérité officielle*, c'est-à-dire celle qui s'est exprimée dans l'acte ostensible, seul document qui apparaît

---

(418) Voir une hypothèse curieuse où la vente d'un terrain a été annulée pour dol portant sur l'existence de carrières dans le sous-sol, dol tenant pour une part au fait que le contrat avait été conclu par une personne interposée pour le compte d'une société d'exploitation de carrières (Cass. 3e civ., 15 nov. 2000 : *JCP* 2002, II, 10054 et note Ch. Lièvremont ; *JCP* 2001, I, 301, n° 1-10, obs. Y.-M. Sérinet).

(419) Il est dans la logique de l'opération qu'acte apparent et acte secret soient conclus entre les mêmes personnes ; un arrêt a néanmoins admis l'inverse dans le cas d'interposition de personnes (Cass. 1re civ., 28 nov. 2000 : *JCP* 2001, II, 10645 et note T. Azzi ; *D.* 2001, somm. 1139, obs. Ph. Delebecque ; *Defrénois* 2001, art. 37309, n° 237, obs. R. Libchaber ; *RTD civ.* 2001, 134, obs. J. Mestre et B. Fages).

aux yeux des tiers. Donc, en ce qui concerne les tiers à l'opération, l'acte ostensible devrait prévaloir sur l'acte secret.

Prenant en considération cette double exigence, l'article 1321 du Code civil établit une dualité de régime pour la simulation, suivant qu'il s'agit de régir les rapports entre les parties ou l'opposabilité aux tiers.

Art. 1321. – Les contre-lettres ne peuvent avoir leur effet qu'entre les parties contractantes : elles n'ont point d'effet contre les tiers.

Il convient donc de distinguer le régime de la simulation entre les parties et à l'égard des tiers.

1° Le régime de la simulation entre les parties

286. – Principe : application de l'acte secret. Entre les parties, c'est l'acte secret, et lui seul, qui s'appliquera parce qu'il représente leur volonté réelle. C'est ce qui résulte de l'article 1321 : si « les contre-lettres ne peuvent avoir leur effet qu'entre parties contractantes », il faut comprendre qu'elles ont pleine efficacité dans ce rapport, cependant que l'acte ostensible n'aura aucun effet. Par exemple, en cas de vente fictive, on appliquera l'acte secret qui déclare que la vente doit être tenue comme n'étant pas intervenue ; il s'ensuit que le vendeur n'aura pas à livrer la chose prétendument vendue et qu'il ne saurait prétendre en recevoir le prix stipulé dans l'acte apparent.

Ainsi, malgré le taux de fraude en la matière, la simulation n'est pas, en elle-même, une cause de nullité. Les parties sont libres d'établir une convention qui demeurera occulte, et de la déguiser à l'intention des tiers sous une forme apparente.

Cette convention occulte, telle qu'elle est constatée dans l'acte secret, est tout naturellement soumise aux conditions générales de validité des contrats de l'article 1108 du Code civil, c'est-à-dire celles relatives à la capacité, au consentement, à l'objet et à la cause (420) ; elle pourrait donc être annulée pour incapacité (dans le cas où par exemple elle contrevient à une incapacité de donner ou de recevoir, ou encore pour erreur, dol, etc.). En revanche, les conditions de forme requises sont celles de l'acte apparent (421).

287. – Exception : nullité partielle ou totale de l'opération. Valable dans son principe, la simulation encourt la critique lorsqu'elle tend à réaliser une fraude à la loi. Certaines fraudes, parce qu'elles sont particulièrement fréquentes, sont expressément visées et sanctionnées par la loi. Mais, en dehors de ces hypothèses précises, le juge qui aurait à connaître

---

(420) Cass. 1re civ., 20 déc. 1988 : *Bull. civ.* I, n° 369, p. 249 ; *D.* 1990, 241 et note J.-P. MARGUÉNAUD ; *Defrénois* 1989, 759, obs. J.-L. AUBERT ; *RTD civ.* 1989, 300, obs. J. MESTRE.
(421) Cass. 1re civ., 29 mai 1980 : *Bull. civ.* I, n° 164, p. 131.

de l'acte secret peut décider qu'il va à l'encontre d'une règle d'ordre public (422).

En principe, la fraude devrait être sanctionnée par la nullité de l'opération dans son entier, c'est-à-dire tout à la fois de l'acte secret parce qu'il est contraire à une règle impérative, et de l'acte ostensible parce qu'il ne correspond pas à la volonté réelle des parties. Tel est par exemple la solution de l'article 1099, alinéa 2, qui édicte la nullité des donations entre époux déguisées ou faites par personnes interposées.

Exceptionnellement, la nullité atteindra l'acte secret seul. Ainsi l'article 1840 du Code général des impôts sanctionne par la nullité de l'acte secret les dissimulations de prix dans les ventes d'immeubles, les cessions de fonds de commerce, d'office ministériel, ou de clientèle. Il s'ensuit que sera seul applicable l'acte ostensible qui stipulait un prix moindre en faveur du vendeur, lequel se trouvera par là même sanctionné pour la fraude commise (423). Ce faisant, la loi veut ici dissuader les vendeurs de pratiquer une dissimulation de prix ; mais la parade est aisée : il suffit en effet que, lors de la signature de l'acte ostensible, le vendeur se fasse remettre un « dessous-de-table ».

288. – Preuve de l'acte secret. L'acte ostensible ne soulève généralement aucune difficulté de preuve ; en effet, dans la mesure où il a pour but d'être exhibé aux yeux des tiers, il aura certainement été établi par écrit et chacune des parties en détiendra un exemplaire. Il n'en va pas nécessairement de même de l'acte secret.

Or, conformément au droit commun, la charge de la preuve de la simulation pèse sur le demandeur. Ainsi la partie qui voudra demander soit l'exécution d'un acte secret valable, soit la nullité d'un acte secret nul ou frauduleux, devra démontrer que l'acte ostensible n'est qu'une apparence et qu'il est démenti, en tout ou en partie, par un acte secret. C'est l'*action en déclaration de simulation*, qui se prescrit par *trente ans* à compter du jour de l'acte argué de simulation (424).

La règle de l'article 1341 veut que la preuve soit faite *par écrit* pour toute somme ou valeur supérieure à 800 €. En outre, si, comme ce sera le plus souvent le cas, l'acte ostensible a été établi par écrit, la preuve contraire, c'est-à-dire en fait la preuve de l'acte secret, devra elle-même être faite par écrit, même si l'intérêt en jeu est inférieur à 800 €. Peu

---

(422) Cass. 1re civ., 22 janv. 1975 : *JCP* 1976, II, 18401, 2e esp. et note Ph. SIMLER (fraude au contrôle des changes sanctionné par la nullité de l'acte tout entier).

(423) La nullité affectera l'acte secret seul, même s'il y a indivisibilité entre les deux actes : Cass. ch. mixte, 12 juin 1981 : *D.* 1981, 413, concl. av. gén. CABANNES (mettant fin à un conflit entre deux chambres de la cour de cassation : Cass. 1re civ., 28 oct. 1974 : *JCP* 1976, II, 18401, 1re esp. et note Ph. SIMLER. – Cass. com. 8 mai et 6 nov. 1979 : *D.* 1980, 283 et note J. GHESTIN).

(424) Cass. 1re civ., 9 nov. 1971 : *D.* 1972, 302. – 3 juin 1975 : *Bull. civ.* I, n° 191. – Cass. com. 9 mars 1981 : *Gaz. Pal.* 1981, pan. 267.

importe que l'acte ostensible ait été établi sous seing privé ou en la forme authentique ; en effet la force probante de l'acte authentique (jusqu'à inscription de faux : art. 1319) ne s'attache qu'aux faits énoncés par l'officier public comme s'étant passés en sa présence, et elle ne fait donc pas obstacle à ce que la convention soit arguée de simulation, soit par des tiers, soit même par l'une des parties (425).

Toutefois, la preuve pourra, conformément au droit commun, être faite *par tous moyens* s'il y a un commencement de preuve par écrit (art. 1347) ou impossibilité de la preuve écrite (art. 1348). Suivant la jurisprudence, il en va de même lorsque la simulation a eu pour but d'éluder une règle impérative ou de réaliser une fraude (426).

2° Le régime de la simulation à l'égard des tiers

289. – L'option des tiers entre l'acte ostensible et l'acte secret. Sont des tiers toutes les personnes, autres que les ayants cause universels des parties, qui auraient intérêt à ce que soit reconnue soit l'efficacité, soit la nullité de la simulation. En pratique, ce seront le plus souvent les *ayants cause particuliers* des parties et leurs *créanciers* ; et, à la différence de l'action paulienne, il importe peu que leur créance ne soit pas antérieure à l'acte attaqué (427).

L'article 1131 stipule que « les contre-lettres… n'ont point d'effet contre les tiers ». Il faut ici comprendre que les tiers peuvent écarter l'application de tout acte secret qui leur serait préjudiciable, au motif qu'en vertu de l'article 1131 il leur est inopposable. Mais il ne leur interdit pas de s'en prévaloir s'ils y ont intérêt.

Il s'ensuit que les tiers disposent d'une option entre deux branches :

• ou bien invoquer l'acte ostensible auquel ils étaient en droit de se fier puisqu'il était le seul apparent à leurs yeux (428) ;

• ou bien se prévaloir de l'acte secret (429).

Tout dépend de leur intérêt. Si on prend l'exemple d'une vente fictive, on constate que les créanciers de l'acheteur ont intérêt à invoquer l'acte ostensible car ils pourront saisir le bien supposé vendu, cependant que les créanciers du vendeur ont intérêt à se prévaloir de l'acte secret d'où il résulte que le vendeur est resté propriétaire.

Lorsque, comme dans l'exemple précédent, il y a conflit entre des tiers qui invoquent, les uns l'acte ostensible, les autres l'acte secret, la jurisprudence

---

(425) Cass. com. 12 nov. 1974 : *JCP* 1974, IV, 426. – 19 nov. 2002 : *Bull. civ.* IV, n° 174, p. 199.

(426) Cass. 3e civ., 5 mars 1997 : *Bull. civ.* III, n° 51 ; *Defrénois* 1997, art. 36591, n° 78, obs. Ph. Delebecque. – Cass. com. 19 nov. 2002 : *Bull. civ.* IV, n° 174, p. 199.

(427) Paris, 2e ch. B, 13 déc. 2001, *RTD civ.* 2001, 301, obs. J. Mestre et B. Fages.

(428) La faculté de se prévaloir de l'acte ostensible est toutefois refusée au tiers qui se serait rendu complice de la simulation : Cass. 3e civ., 8 juill. 1992 : *JCP* 1993, II, 21982 et note G. Wiederkehr.

(429) Cass. 1re civ., 6 mars 1996 : *Bull. civ.* III, n° 125.

décide que le conflit doit être réglé en faveur de ceux qui se prévalent de l'acte ostensible (430). Cette solution trouve son fondement à la fois dans la lettre de l'article 1321, et dans le principe de la sécurité du commerce qui postule que l'on puisse se fier aux apparences.

290. – Action en nullité en cas de fraude. Si la simulation a pour but de faire fraude aux droits des tiers, au nombre desquels figure l'Administration fiscale, ces derniers peuvent demander la nullité de l'acte pour fraude. En général, la fraude sera réalisée, non par l'acte apparent qui précisément aura été fait pour cacher une opération frauduleuse sous les aspects d'un acte neutre, mais par l'acte secret.

Les tiers vont donc devoir démontrer que l'acte ostensible n'est qu'une apparence trompeuse et que cette apparence est démentie par un acte secret. À cet effet, ils vont exercer l'*action en déclaration de simulation* pour faire apparaître l'acte secret.

291. – Preuve de l'acte secret par les tiers. Si les tiers entendent se prévaloir de l'acte ostensible, ils n'auront en pratique aucune difficulté ; c'est en effet un acte tout à fait apparent qui a été précisément conçu à leur intention pour masquer la réalité. À supposer qu'ils aient besoin de le prouver, ils peuvent le faire par tous moyens puisque la règle de la preuve écrite ne s'applique qu'aux parties, pas aux tiers (V. *Introduction*, n° 597).

Si, à l'inverse, les tiers choisissent d'invoquer l'acte secret, soit parce qu'il leur est plus favorable, soit au contraire pour démontrer que l'opération doit être annulée pour fraude à leurs droits, ils vont devoir faire la preuve de cet acte secret dans le cadre de l'action en déclaration de simulation. Conformément à la règle en matière de preuve, ils peuvent le faire par tous moyens, c'est-à-dire non seulement par écrit, mais aussi par témoins, présomptions ou indices, et ce même s'ils n'allèguent aucune fraude (431).

§ 4. – Conformité à la justice sociale

292. – Y a-t-il un principe d'équilibre du contrat ? S'agissant du contenu du contrat, il reste à se poser une question : dans les contrats synallagmatiques, doit-on exiger au nom de la justice sociale qu'il y ait, lors de la conclusion du contrat, une équivalence au moins approximative entre les prestations réciproques des parties ?

La question est d'importance car elle concerne la quasi-totalité des contrats de la vie courante et du commerce : vente, louage, mandat salarié,

---

(430) Cass. civ. 25 avr. 1939 : *D.* 1940, 1, 12. – Cass. soc. 14 déc. 1944, *S.* 1946, 1, 105 et note R. Plaisant.
(431) Cass. 1re civ., 7 févr. 1967 : *D.* 1967, 278. – Cass. 3e civ., 6 nov. 1973 : *D.* 1974, IR, 28.

dépôt salarié, etc. En cette matière où le profit est le moteur de l'entreprise, et donc de l'expansion économique, l'un peut-il librement user de sa force ou de son habileté pour exiger de l'autre plus qu'il ne lui fournit, plus qu'il n'est juste, dirait-on d'un point de vue moral ?

En pratique, force est de constater que bien souvent la partie la plus puissante impose sa volonté à son partenaire, y compris lorsqu'il s'agit de rapports entre professionnels. Ainsi, en dehors même du domaine de la consommation, on dit volontiers que les entreprises ont tendance à écraser leurs sous-traitants, que les centrales d'achat imposent à leurs fournisseurs des conditions draconiennes, que cela se répercute sur toute la chaîne de production, qu'il s'agisse de produits alimentaires ou industriels.

Ce déséquilibre peut revêtir des formes diverses. Tantôt, et c'est l'hypothèse la plus fréquente, le déséquilibre tient au prix qui est soit trop bas, soit trop élevé par rapport à la chose ou à la prestation fournie en contrepartie ; en bref, ce n'est pas le juste prix, même si c'est le prix du marché. Tantôt, plus subtilement, le déséquilibre tient à certaines clauses du contrat qui imposent à l'une des parties des conditions léonines, ou en tout cas abusives.

Face à ces déséquilibres que la doctrine déplore (432), quelle est la réponse du droit ?

Le droit français n'a jamais posé de principe général d'équilibre des contrats. En application du principe de l'autonomie de la volonté, on considère traditionnellement que, hormis les incapables, toutes les personnes sont égales entre elles et que, par suite, leurs contrats sont justes et équilibrés ; d'où l'adage « qui dit contractuel, dit juste ». Aussi, le Code civil ne comporte-t-il pas, à l'inverse du code suisse, une règle générale édictant la rescision pour « lésion lorsque l'une des parties a profité de la légèreté ou de l'inexpérience de l'autre partie pour lui imposer des conditions léonines ».

L'absence d'un tel principe ne signifie nullement que le législateur français méconnaisse la nécessité de protéger les faibles contre les puissants. Mais ses interventions s'opèrent le plus souvent de manière préventive afin d'éviter qu'un déséquilibre ne se produise. Il opère alors par voie de taxation en enfermant le prix dans une certaine limite : ainsi les taux des prêts d'argent (répression de l'*usure*), des loyers et la réglementation des prix en général, etc. Ou encore il réglementera ou interdira certaines clauses : ainsi les clauses d'indexation, les clauses abusives que les fabricants et distributeurs insèrent volontiers dans leurs conditions générales de vente, etc. De même, sur un registre différent, l'existence de conventions collectives empêche l'écrasement des salaires.

---

(432) V. Lasbordes, *Les contrats déséquilibrés*, préf. C. Saint-Alary-Houin, PUAM, 2000. – L. Fin-Langer, *L'équilibre contractuel*, LGDJ, Droit privé, 2002.

293. – L'incrimination pénale de certains déséquilibres. La loi pénale sanctionne un certain nombre de comportements d'où résulte un déséquilibre au sein d'un contrat. Toutefois, le plus souvent, l'incrimination pénale est édictée en vue de la protection de l'intérêt général économique plus que de l'intérêt du cocontractant. Ainsi en est-il notamment de la plupart des violations du droit de la concurrence tendant à fausser les prix.

Cela dit, parfois, la loi pénale a clairement pour objet de protéger certaines personnes à raison de leur faiblesse. Tel est notamment le cas du délit d'*abus de faiblesse ou d'ignorance* du cocontractant (C. consom., art. L. 122-8 et s.), et de celui d'abus frauduleux de l'état d'ignorance ou de faiblesse (C. pén., art 223-15-2) (V. *supra*, n° 190). Mais, curieusement, cette infraction n'est pas sanctionnée au plan civil par une cause de nullité correspondante ; à cet égard, seul s'applique le droit commun des contrats (433).

Il en va de même de l'*usure*, à ceci près toutefois que les sommes perçues indûment doivent être restituées (C. consom., art. L. 313-3 et s.).

De manière plus générale, un certain nombre de règles de protection des consommateurs (434), relatives par exemple au pourcentage du prix à payer à certaines étapes de la construction, sont sanctionnées pénalement.

294. – Les règles civiles corrigeant les déséquilibres. La tendance du législateur moderne est plus de prévenir les déséquilibres que de les sanctionner : comme le rappelle l'adage populaire, « mieux vaut prévenir que guérir ». La raison en tient peut-être aussi à la crainte du législateur de retoucher le Code civil de 1804 qui limitait la sanction de la lésion à certains contrats ou au bénéfice de certaines personnes.

Si l'on s'en tient au Code civil, deux institutions seulement, la *lésion* et la *cause*, permettent de sanctionner les éventuels déséquilibres d'un contrat, plus précisément la distorsion entre le prix et la prestation. Ici, la liberté contractuelle, notamment celle de convenir d'un prix, se trouve bridée pour des motifs d'équité qui conduisent à ouvrir à la victime une action en *nullité* ou en *rescision pour lésion*. Mais l'une et l'autre ne permettent qu'un contrôle limité, la lésion parce que son champ d'application est étroit, la cause parce que l'absence de cause se rencontre finalement assez peu. C'est dire que les juges ne trouvent pas dans les textes un support solide pour réaliser un contrôle de l'équilibre des contrats (435). Ceci explique probablement le recours parfois opéré dans les décisions à la

---

(433) G. Raymond, *Commentaire de la loi n° 92-60 du 18 janvier 1992 renforçant la protection des consommateurs : Contr. Conc. Consom.* févr. 1992, p. 1, n° 96 et s.

(434) S. Agostini, *La responsabilité pénale en droit de la consommation,* Panorama de la jurisprudence de la Chambre criminelle, Rapport de la Cour de cassation, 2002, p.119.

(435) G. de Monteynard, *La recherche d'un équilibre contractuel au travers de la jurisprudence de la chambre commerciale de la Cour de cassation,* Rapport de la Cour de cassation, 2000, p. 237.

notion d'*économie du contrat* (436) *ou à celle de proportionnalité* (437) que certains essaient de promouvoir pour contrôler l'équilibre des contrats.

Le législateur avait en revanche les mains libres pour sanctionner les déséquilibres tenant à l'insertion dans le contrat de clauses conférant à l'une des parties un avantage excessif. C'est ce qu'il a fait en instaurant une réglementation des clauses abusives, mais seulement dans les rapports entre professionnels et consommateurs.

A. – La lésion

295. – Définition. On appelle *lésion* le déséquilibre existant entre les prestations respectives des parties, au moment de la conclusion du contrat (438) ; on l'oppose à l'*imprévision* qui vise la rupture d'équilibre survenant en cours de contrat, par suite d'une variation des circonstances économiques ou des données monétaires. Alors que l'imprévision n'est jamais prise en considération par les juridictions de l'ordre judiciaire (V. *infra*, nᵒˢ 485 et s.), la lésion entraîne dans certains cas la rescision du contrat.

Il ne saurait y avoir de lésion que dans les *contrats à titre onéreux* (V. *supra*, n° 64) ; certes, dans les contrats à titre gratuit, il y a bien déséquilibre mais un déséquilibre qui a été délibérément voulu et qui est la manifestation même de la gratuité.

Au sein des contrats à titre onéreux, la lésion se rencontrera le plus souvent dans les *contrats synallagmatiques* (V. *supra*, n° 62) qui, par définition même, comportent des obligations réciproques. Mais elle peut se produire également dans les *contrats réels* (V. *supra*, n° 59), notamment dans le prêt à intérêt lorsque le taux d'intérêt stipulé est excessif.

Enfin, il n'y a pas en principe place pour la lésion dans les *contrats aléatoires* (V. *supra*, n° 65) car, l'existence ou l'étendue de la prestation de l'un dépendant d'un événement incertain, il est ici impossible d'apprécier l'équivalence des prestations (439). Suivant une formule classique, « l'aléa chasse la lésion ». Mais on verra que la règle supporte des exceptions.

---

(436) J. Moury, *Une embarrassante notion : l'économie du contrat : D.* 2000, chron. 382. – A. Zelcevic-Duhamel, *La notion d'économie du contrat en droit privé : JCP* 2001, I, 300.

(437) *Existe-t-il un principe de proportionnalité en droit privé ?* Travaux du Colloque du 20 mars 1998 : *Petites affiches*, n° 117, 30 sept. 1998. – S. Le Gac-Pech, *La proportionnalité en droit privé des contrats*, préf. H. Muir-Watt, LGDJ Droit privé, 2000.

(438) E. Demontès, *De la lésion dans les contrats entre majeurs*, thèse Paris, 1924. – E. Demontès, *Observations sur la théorie de la lésion dans les contrats* : in *Études Capitant*, p. 171. – M.-A. Perot-Morel, *De l'équilibre des prestations dans la conclusion du contrat*, thèse Lyon, 1961. – H. de Mesmay, *La nature juridique de la lésion en droit civil français*, thèse Paris II, 1980. – Mrabti Abdelkader, *Contribution à l'étude critique de la notion de lésion*, thèse Paris II, 1986.

(439) Araud, *La rescision pour cause de lésion dans les contrats aléatoires*, Thèse Toulouse, 1941. – J. Deprez, *La lésion dans les contrats aléatoires : RTD civ.* 1955, 1.

296. – Le principe de la non-prise en considération de la lésion. Ce principe négatif résulte des termes mêmes de l'article 1118 du Code civil : le simple déséquilibre entre les prestations n'est pas une cause de nullité, sauf les exceptions visées au texte.

Art. 1118. – La lésion ne vicie les conventions que dans certains contrats ou à l'égard de certaines personnes, ainsi qu'il sera expliqué en la même section.

Cette disposition s'explique principalement par l'idée qu'il est bien difficile, sinon même impossible, de déterminer de manière certaine la valeur d'une chose ou d'une prestation. Faut-il se référer au *juste prix* comme le proposait saint Thomas et les canonistes ? Mais qu'est-ce que le juste prix ? Si on retient le prix du marché, on s'aperçoit que ce prix est très variable puisqu'il dépend de l'offre et de la demande, et qu'il peut s'avérer un jour excessif, un autre jour dérisoire, et dans les deux cas inéquitable. De surcroît, on ne saurait écarter les motifs personnels qui ont pu pousser les parties à accepter tel ou tel prix : besoin impérieux d'argent pour le vendeur, intérêt particulier de la chose pour l'acheteur, etc. Chaque chose n'a de valeur que celle qu'on veut bien lui accorder ; ainsi, à côté du *prix objectif* qui est très difficile à définir, il y a pour chaque chose un *prix subjectif* qui l'est encore plus.

Ce principe négatif inscrit dans l'article 1118 a conduit la jurisprudence à écarter l'*erreur sur la valeur* comme cause de nullité ; en effet, s'il suffisait à la victime d'un déséquilibre, de prétendre avoir commis une erreur sur la valeur pour faire annuler la convention, cela eut enlevé toute portée à l'article 1118 (V. *supra*, n° 167).

Le législateur n'est jamais revenu sur cette règle, même à l'occasion de la réglementation des clauses abusives où il est expressément précisé que « l'appréciation du caractère abusif… ne porte ni sur la définition de l'objet principal du contrat ni sur l'adéquation du prix ou de la rémunération au bien vendu ou au service offert pour autant que les clauses soient rédigées de façon claire et compréhensible » (C. consom., art. L. 132-1, al. 7).

Le juge ne peut donc prendre en considération le déséquilibre d'un contrat que dans les hypothèses où la loi écarte le principe négatif de l'article 1118 (440), c'est-à-dire à l'égard de certaines personnes ou dans certains contrats.

1° Les personnes protégées en cas de lésion

297. – Les mineurs non émancipés. L'article 1305 du Code civil dispose, sous l'intitulé « De l'action en nullité ou en rescision des conventions » que « la simple lésion donne lieu à rescision en faveur du mineur

---

(440) Cass. com. 21 avr. 1980 : *Bull. civ.* IV, n° 153. – 9 oct. 1990, *RTD civ.* 1991, 113, obs. J. MESTRE.

non émancipé contre toutes sortes de conventions ». Il ne faut pas se méprendre sur la portée de cette disposition.

Étant frappé d'une incapacité générale d'exercice, le mineur non émancipé doit normalement être représenté par son administrateur légal ou son tuteur ; mais les formalités varient suivant la gravité de l'acte à accomplir. Ainsi qu'on l'a vu (V. *supra*, n° 90), on distingue quatre catégories d'actes :

• les actes de la vie courante, pour lesquels un usage *contra legem* veut qu'ils puissent être accomplis par le mineur seul ;

• les actes d'administration qui doivent être accomplis par le représentant légal du mineur, mais sans qu'il lui soit nécessaire d'avoir l'autorisation du conseil de famille ;

• les actes de disposition qui nécessitent des formalités (accord des deux parents, autorisation du conseil de famille) ;

• enfin les actes interdits.

L'article 1305 ne s'applique qu'aux deux premières catégories. Lorsque le mineur accomplit seul des actes de la vie courante ou des actes d'administration, il ne peut en demander la nullité pour incapacité, mais seulement la rescision pour lésion. Ici, la rescision est un substitut à la nullité.

En revanche, à défaut de respect des formalités requises, les actes plus graves sont nuls de droit, même s'ils ne sont pas lésionnaires. On dit qu'ils sont frappés d'une *nullité de forme*. Et si les formes ont été respectées, ils ne peuvent être attaqués pour cause de lésion.

298. – Certains majeurs protégés. La loi du 3 janvier 1968 sur les majeurs protégés a institué deux nouveaux cas de lésion, en faveur du majeur placé sous *sauvegarde de justice* (art. 491-2), et du majeur en *curatelle* pour les actes pour lesquels l'assistance du curateur n'est pas requise (art. 510-3) (V. *supra*, n° 91).

Art. 491-2. – Le majeur placé sous la sauvegarde de justice conserve l'exercice de ses droits.

Toutefois, les actes qu'il a passés et les engagements qu'il a contractés pourront être rescindés pour simple lésion ou réduits en cas d'excès lors même qu'ils ne pourraient être annulés en vertu de l'article 489.

Les tribunaux prendront, à ce sujet, en considération, la fortune de la personne protégée, la bonne ou mauvaise foi de ceux qui auront traité avec elle, l'utilité ou l'inutilité de l'opération.

Art. 510-3. – Dans les cas où l'assistance du curateur n'était pas requise par la loi, les actes que le majeur en curatelle a pu faire seul, restent néanmoins sujets aux actions en rescision ou réduction réglées à l'article 491-2, comme s'ils avaient été faits par une personne sous la sauvegarde de justice.

Dans ces deux hypothèses, la loi protège contre la lésion des majeurs qui agissent dans la limite de leur capacité, mais dont la faiblesse a été constatée par une décision judiciaire plaçant le majeur sous sauvegarde de justice ou instituant une curatelle.

2° Les contrats soumis à rescision pour lésion

299. – Les contrats visés par le Code civil. *Toute personne lésée*, serait-elle capable, peut demander la rescision de certaines conventions déterminées. Dès l'origine, le Code civil visait deux hypothèses.

En matière de *vente d'immeuble*, l'article 1674 du Code civil dispose que le vendeur et lui seulement, pour des raisons historiques, peut demander la rescision en cas de lésion de plus des 7/12 (441). Bien que l'hypothèse prévue soit celle d'un prix stipulé en capital, la jurisprudence a étendu l'application de ce texte à la vente d'immeuble moyennant une rente viagère au cas où la rente stipulée, n'excédant pas le revenu de l'immeuble, ne peut être considérée comme un prix sérieux. C'est là une atténuation à la règle que la lésion ne doit pas recevoir application dans les contrats aléatoires, contrats dans lesquels les parties ont volontairement couru le risque d'un déséquilibre entre les prestations réciproques. Les articles 1674 et suivants du Code civil ont donné lieu à de grandes difficultés en jurisprudence, notamment en ce qui concerne le caractère aléatoire ou non de la vente, l'évaluation de la lésion et le calcul du supplément de prix à payer pour racheter la lésion et éviter ainsi la rescision (442).

De même, en matière de *partage*, les articles 887 et suivants ouvrent à tout cohéritier la faculté de demander la rescision du partage intervenu en cas de lésion du plus du quart. La solution s'explique ici par l'idée que « l'égalité est l'âme des partages ».

300. – Les extensions légales. Postérieurement au Code civil, de nombreuses lois sont intervenues pour sanctionner la lésion dans certains contrats. Sont notamment visés :

• les *ventes d'engrais et de semences*, au profit de l'acheteur lésé de plus du quart, disposition peut-être aujourd'hui obsolète de protection des agriculteurs contre les marchands (L. 8 juill. 1907, 10 mars 1937 et 13 juill. 1979) ;

• le contrat d'*assistance ou de sauvetage maritime* (L. 29 avril 1916 et L. 7 juillet 1967, art. 15), que le juge peut annuler ou modifier lorsque les conditions convenues ne sont pas « équitables », et que la jurisprudence considérait précédemment comme une hypothèse de contrat conclu sous l'empire de la nécessité (V. *supra*, n° 194) ;

---

(441) Cette disposition s'applique également aux collectivités locales lorsque ces dernières concluent des contrats de droit privé (Ph. YOLKA, *Collectivités locales et rescision pour lésion* : AJDA 2003, 1097).

(442) H. LE GRIEL, *La jurisprudence récente concernant la lésion dans la vente immobilière* : D. 1967, chron. 57. – J. DEPREZ, *La lésion dans les contrats aléatoires* : RTD civ. 1955, 1. – R. SAVATIER, *Le rachat de la lésion et l'instabilité monétaire* : D. 1971, chron. 199. – J. VIATTE, *L'aléa dans les ventes d'immeubles à charge de rente viagère* : Gaz. Pal. 1975, 1, doctr. 297. – A. GOBIN, *De la date d'évaluation de la lésion en matière de vente* : JCP N 76, 2759. – G. KLEIN, *Aléa et équilibre contractuel dans la formation du contrat de vente d'immeuble en viager* : RTD civ. 1979, 13. – H. MÉAU-LAUTOUR, *Aléa, lésion et vileté du prix* : JCP N 1990, 301. – Paris 23 déc. 1970 : D. 1972, 158 et note Ph. MALAURIE. – Cass. 3e civ., 3 mai 1972 : JCP 72, II, 17143 et rapport FABRE ; D. 1972, 598 et note Ph. MALAURIE. – Orléans 14 juin 1973 : D. 1974, 485 et note Ph. MALAURIE.

• la *cession de droits d'auteur* pour une somme forfaitaire lorsque l'auteur subit un préjudice de plus de 7/12ᵉ (l. 11 mars 1957, aujourd'hui art. L. 131-5 C. propr. intell.) ;

• le *prêt à intérêt* consenti à un taux usuraire, c'est-à-dire excédant de plus du tiers le taux normalement pratiqué (C. consom., art. L. 313-3 et s.) ;

• les *baux ruraux*, lorsque le fermage stipulé s'écarte de plus de 1/10ᵉ de la valeur normale (C. rur., art. 411-13) ;

• dans les *sociétés d'attribution*, qui tendent à la commercialisation d'un immeuble en construction, le cas où les obligations mises à la charge d'un associé excèdent de plus du quart la part normale (L. 16 juill. 1971 ; CCH., art. L. 212-5) (443) ;

• dans les *règlements de copropriété*, la répartition des charges peut faire l'objet d'une révision en justice lorsque la part attribuée à un lot est inférieure ou supérieure de plus du quart au montant résultant de l'application de la loi (l. 10 juill. 1965, art. 12).

Outre ces hypothèses, qui relèvent directement de l'idée de lésion, d'autres dispositions sanctionnent également les déséquilibres entre les prestations. On en citera pour exemple l'article 1844-1 du Code civil qui dispose que, dans le *contrat de société*, les *clauses léonines* – c'est-à-dire attribuant la totalité du profit ou des pertes à l'un des associés – sont réputées non écrites.

Ainsi, si la lésion n'est pas de manière générale une cause de nullité des contrats, on est amené à constater que le législateur est intervenu pour la sanctionner dans tous les contrats où la pratique avait fait apparaître de graves abus.

301. – Les extensions jurisprudentielles. Face au principe négatif exprimé par l'article 1118, la jurisprudence n'a pas cru pouvoir s'en affranchir et exercer de manière générale un contrôle de l'équilibre des contrats. Elle y a néanmoins procédé dans quelques hypothèses.

La plus ancienne porte sur la réduction des honoraires des *mandataires et agents d'affaires* lorsqu'ils paraissent excessifs. On explique souvent cette solution par l'idée que le mandat est en principe à titre gratuit ; mais l'explication n'est guère convaincante dans la mesure où l'article 1986 prévoit expressément la clause contraire et où, par définition même, la question du caractère excessif des honoraires ne peut se poser que dans le mandat salarié. La jurisprudence a donc ajouté de toutes pièces un contrat, le mandat salarié, à ceux retenus par le législateur, pour le cas où « le salaire convenu... est hors de proportion avec le service rendu » (444),

---

(443) Pour une application, voir Cass. 1ʳᵉ civ., 22 oct. 2002 : *Bull. civ.* I, n° 240, p. 185.
(444) Jurisprudence constante depuis Cass. civ. 29 janv. 1867 : *DP* 1867, 1, 53 ; *S.* 1867, 1, 245.

la charge de la preuve du caractère abusif de la rémunération incombant au mandant (445).

La jurisprudence a ensuite étendu la solution aux honoraires des membres des *professions libérales*, architectes (446), avocats (447), conseils juridiques (448), conseils en organisation ou en gestion (449), experts comptables (450), généalogistes (451). On observera que les contrats de ces professionnels relèvent de la catégorie, non du mandat, mais du louage d'ouvrage qui est un tout autre contrat. La solution s'applique dans la seule hypothèse où les honoraires sont fixés forfaitairement en début de contrat, avant toute exécution, si bien qu'il est difficile au client d'apprécier s'il correspond ou non au travail à fournir. Il y a discussion sur le fondement de cette solution ; les uns le trouvent dans l'idée de cause (V. *infra*, n°s 304 et s.), d'autres dans celle de bonne foi qui doit présider à l'exécution des contrats (C. civ., art. 1134, al. 3).

On peut également rapprocher de l'idée de lésion la jurisprudence suivant laquelle les clauses de non-concurrence ne sont licites que si, outre les conditions classiquement admises (clause indispensable à la protection des intérêts légitimes de l'entreprise, limitée dans le temps et dans l'espace, prise en compte des spécificités de l'emploi du salarié), elles comportent « l'obligation pour l'employeur de verser au salarié une contrepartie financière » (452).

On observera que ces extensions jurisprudentielles peuvent être rattachées tout aussi bien à l'idée de cause qu'à celle de lésion (V. infra, n°s 304 et s.). Cela n'a rien d'étonnant car l'absence de cause se définit comme une absence – ou une insuffisance – de contrepartie dans un contrat, ce qui entraîne inévitablement un déséquilibre du contrat constitutif d'une lésion.

302. – Sanctions de la lésion : de la rescision à la révision. Il est ici impossible de poser une règle générale car chaque cas de lésion fait l'objet d'une sanction spécifique. On peut seulement dégager des idées générales.

On peut partir de l'idée que, dans les cas du Code civil, la lésion était sanctionnée par la *rescision*, nom donné ici à la nullité. Tel est par exemple

---

(445) Cass. 1re civ., 24 sept. 2002 : *Contr. Conc. Consom.* 2003, comm. n° 3, obs. L. LEVENEUR.
(446) Cass. 1re civ., 4 mars 1958 : *D.* 1958, 495.
(447) Cass. civ., 1re 3 mars 1998 : *Defrénois* 1998, 734, obs. J.-L. AUBERT. – 7 juill. 1998 : *Contr. Conc. Consom.* 1998, comm. n° 159, obs. L. LEVENEUR. V. R. MARTIN, *La réduction des honoraires de l'avocat par le pouvoir judiciaire : JCP* 1999, I, 110.
(448) Cass. 1re civ., 19 juin 1990 : *Bull. civ.* I, n° 170, p. 120.
(449) Cass. com. 2 mars 1993 : *Bull. civ.* IV, n° 83 ; *D.* 1994, somm. 11, obs. J. KULLMANN ; *RTD civ.* 1994, 346, obs. J. MESTRE.
(450) Cass. 1re civ. 3 juin 1986 : *JCP* 1987, II, 20791 et note VIANDIER.
(451) Cass. 1re civ. 5 mai 1998 : *Contr. Conc. Consom.* 1998, comm. n° 111, obs. L. LEVENEUR ; *Defrénois* 1998, 1042, obs. Ph. DELEBECQUE ; *RTD civ.* 1998, 901, obs. J. MESTRE.
(452) Cass. soc. 10 juill. 2002 (trois arrêts) : *D.* 2002, 2491 et note Y. SERRA ; *JCP* 2002, II, 10162 et note F. PETIT ; *Dr. soc.* 2002, 949 et note R. VATINET ; *Defrénois* 2002, 1, 1619, art. 37644, n° 94, obs. R. LIBCHABER.

le cas pour les contrats conclus par des mineurs non émancipés. Il en allait de même pour la vente d'immeuble et le partage, à cette différence – importante – près que l'acheteur pouvait faire échec à la nullité en payant le supplément du juste prix (C. civ., art. 1681), le copartageant en fournissant le supplément nécessaire pour rééquilibrer le partage (C. civ., art. 891). Dans ces hypothèses, le contrat n'était pas annulé, mais rééquilibré.

C'est dans ce dernier sens que s'est orienté le législateur en édictant de nouveaux cas de lésion, si bien que la lésion apparaît aujourd'hui souvent plus comme un cas de *révision* du contrat tendant à rétablir l'équilibre des prestations entre les parties, à réaliser une justice contractuelle.

303. – Quel avenir pour la lésion ? Après deux siècles d'existence, il est aujourd'hui admis que, contrairement à une idée jadis soutenue, la lésion ne repose pas sur un vice du consentement présumé. Certes, il est possible que le déséquilibre trouve sa source dans le fait que l'une des parties a commis une erreur, ou a été victime de la violence, que cette violence émane du cocontractant, d'un tiers ou tout simplement des circonstances économiques, de l'état de nécessité. Mais la nullité est encourue dès l'instant qu'existe le déséquilibre prévu par la loi. Il suffit qu'il y ait défaut d'équivalence des prestations lors de la conclusion du contrat (453), et il n'est pas besoin de démontrer l'existence d'un vice du consentement, erreur, dol ou violence dans lequel la lésion prendrait sa source (454). Ainsi retient-on une conception *objective*, et non pas *subjective*, de la lésion.

Ceci étant admis, *de lege ferenda*, faut-il faire de la lésion une cause générale de rescision ou de révision des contrats ? Et corrélativement supprimer toutes les dispositions particulières sanctionnant la lésion au profit de certaines personnes ou dans certains contrats ?

Tel n'est pas le sens de l'évolution, tant il paraît difficile de laisser au juge le soin d'apprécier la valeur respective de prestations dont le prix dépend de facteurs tant subjectifs qu'objectifs. Ceci explique probablement que, notamment, malgré le puissant mouvement de protection des consommateurs, le législateur ait écarté tout contrôle du juge « sur l'adéquation du prix ou de la rémunération au bien vendu ou au service offert » (C. consom., art. L. 132-1, al. 7). Il est donc peu probable, et sans doute peu souhaitable, que le législateur revienne sur le principe négatif inscrit dans l'article 1118 du Code civil, à moins que la France n'y soit conduite dans la perspective d'une harmonisation du droit européen des contrats.

---

(453) ou lors de la levée de l'option en cas de promesse unilatérale de vente (C. civ., art. 1675, al. 2)

(454) Cass. req. 21 mars 1933 : *DH* 1933, 235. – Rouen 28 sept. 1976 : *Gaz. Pal.* 1977, 1, 123 et note G. RAYMOND.

B. – Absence de cause

304. – Les textes. L'article 1108 mentionne comme conditions de la validité d'un contrat, outre la capacité, le consentement et l'objet, « une cause licite dans l'obligation ».

Puis, plus loin, une section consacrée à la cause comporte trois articles :

Art. 1131. – L'obligation sans cause, ou sur une fausse cause, ou sur une cause illicite, ne peut avoir aucun effet.

Art. 1132. – La convention n'est pas moins valable, quoique la cause n'en soit pas exprimée.

Art. 1133. – La cause est illicite quand elle est prohibée par la loi, quand elle est contraire aux bonnes mœurs ou à l'ordre public.

Ainsi, la condition de cause se dédouble : il faut une cause, et une cause licite ; il y aura donc nullité en cas d'absence (455) – partielle (456) ou totale – de la cause et en cas d'illicéité ou d'immoralité de la cause. En cela la cause obéit à deux fonctions radicalement différentes. La nullité pour illicéité ou immoralité tend à protéger l'ordre public, donc l'intérêt général, cependant que la nullité pour absence de cause va protéger l'intérêt particulier du cocontractant victime.

C'est la raison pour laquelle nous avons étudié l'illicéité ou l'immoralité de la cause à propos de la conformité à l'ordre public et aux bonnes mœurs (V. *supra*, nos 267 et s.), cependant que nous étudions ici l'absence de cause dans la perspective de la conformité à la justice sociale. Cette dissociation présente d'autant moins d'inconvénients que la notion de cause n'est pas la même suivant qu'on traite de l'illicéité de la cause ou de l'absence de cause.

305. – La notion de cause et le contrôle de l'absence de cause. De manière générale, on peut définir la cause comme étant « l'intérêt de l'acte juridique pour son auteur » (457), la raison pour laquelle les parties ont contracté.

Cette raison peut être appréciée à deux niveaux. Il suffit de prendre un exemple simple pour le comprendre, celui de la vente d'un immeuble.

Si on s'en tient au but immédiat poursuivi par les parties, on dira que le vendeur vend pour recevoir un prix, cependant que l'acheteur achète pour recevoir l'immeuble. Mais on pourrait aussi s'interroger sur les motifs qui ont poussé le vendeur à vendre : besoin d'argent pour payer des dettes urgentes, ou pour financer l'achat d'un appartement plus grand ou situé dans une autre ville, désir de placer son argent en Bourse,

---

(455) La « fausse cause » visée à l'article 1131 n'est en effet rien autre qu'une erreur portant sur l'existence de la cause ; l'un des contractants croyait à l'existence d'une cause alors que cette cause n'existait pas. La fausse cause se confond donc avec l'absence de cause.

(456) La doctrine majoritaire écarte toutefois l'idée d'absence partielle de cause. V. R. Marty, *De l'absence partielle de cause de l'obligation*, thèse, Paris II, 1995.

(457) *Vocabulaire Capitant*, qui donne ensuite deux définitions suivant qu'il s'agit d'apprécier la licéité de la cause ou d'en vérifier l'existence.

ou en assurance-vie pour le transmettre plus aisément à ses héritiers, etc. ; et pour l'acheteur : se loger, ou loger l'un de ses enfants, installer un club de rencontres, etc.

Il s'ensuit qu'il y a deux notions possibles de cause :

• une notion *objective, abstraite,* et qui sera toujours la même dans chaque type de contrat ; la cause de l'obligation du vendeur est de recevoir un prix et celle de l'acheteur de disposer du bien vendu ;

• une notion *subjective, concrète,* qui variera dans chaque hypothèse suivant la personnalité des parties, les *motifs* ou *mobiles* qui les ont animés.

La question a fait jadis l'objet de longues controverses (458) portant à la fois sur la notion de cause et sur le rôle à lui faire jouer, les uns voulant s'en tenir à la cause objective pour éviter un contrôle des motivations, les autres préconisant à l'inverse de retenir la notion subjective pour précisément permettre au juge d'exercer ce contrôle.

Le débat a finalement débouché sur un accord, qui consiste à admettre la coexistence des deux notions, chacune ayant sa fonction propre. La notion subjective, qualifiée de moderne, est retenue pour contrôler la licéité, cependant que la notion objective, dite classique, sert à vérifier l'existence de la cause. On s'en tiendra ici à cette seconde notion, la première ayant été précédemment traitée à propos de la nullité pour illicéité ou immoralité de la cause (V. *supra*, n°s 267 et s.).

1° La notion d'absence de cause suivant les types de contrats

a) Les contrats synallagmatiques

306. – Les contrats commutatifs : la contre-prestation. Dans les contrats synallagmatiques, l'obligation de chacune des parties trouve sa cause dans la contre-prestation attendue, c'est-à-dire dans l'obligation de l'autre (459) : dans la vente, ce sera le prix pour le vendeur, la chose pour l'acheteur ; dans le bail, le loyer pour le bailleur, la jouissance de la chose pour le locataire, etc.

Cette définition avait jadis suscité la critique de Planiol qui la considérait comme inexacte et inutile.

Inexacte parce que, les deux obligations naissant en même temps et la cause précédant nécessairement l'effet, l'une ne saurait être la cause de

---

(458) H. CAPITANT, *De la cause des obligations,* 3e éd. 1927. – L. JOSSERAND, *Les mobiles dans les actes juridiques,* 1928. – P. LOUIS-LUCAS, *Volonté et cause,* thèse Dijon, 1918. – G. RIPERT, *La règle morale dans les obligations civiles.* – R. DAVID, *Cause et considération :* in *Mélanges Maury,* t. II, 111. – MAURY, *Le concept et le rôle de la cause des obligations dans la jurisprudence : RID comp.* 1951, 485. – Ph. REIGNÉ, *La notion de cause efficiente en droit privé français,* thèse Paris II, 1993. – J. ROCHFELD, *Cause et type de contrat,* LGDJ, 1999, préf. J. GHESTIN. – A. CERMOLACCE, *Cause et exécution du contrat,* PUAM, 2001, préf. J. MESTRE.
(459) V. par ex. Cass. 1re civ., 25 mai 1988 : *Bull. civ.* I, n° 149.

l'autre. Objection à laquelle il pouvait être aisément répondu que la cause de chacune des obligations résidait dans la considération, la perspective de l'obligation de l'autre.

Inutile parce que, les obligations réciproques se servant mutuellement de cause, l'absence de cause se confond avec l'absence d'objet et la cause illicite avec l'objet illicite ; si bien que la nullité du contrat pourrait tout aussi bien être recherchée sur le seul fondement de l'absence d'objet ou d'illicéité de l'objet. L'objection n'est qu'en partie pertinente ; en effet, sauf dans le cas où les deux obligations réciproques seraient absentes ou illicites, la nullité fondée sur l'objet n'affecterait que l'une des obligations, pas l'autre. Seule la cause peut permettre l'annulation du contrat dans son entier.

Aussi bien la jurisprudence décide-t-elle que, « lorsque l'obligation d'une partie est dépourvue d'objet, l'engagement du cocontractant est nul faute de cause » (460). On en trouve d'assez nombreuses applications en jurisprudence (461). Ainsi, sont nuls pour absence de cause :

• la convention de révélation de succession conclue par un généalogiste lorsqu'il apparaît que l'héritier aurait sans cette aide découvert la succession à laquelle il était appelé (462) ;

• la rémunération d'un concierge pour présenter son successeur, alors qu'un tel droit de présentation n'existait pas (463) ;

• l'obligation d'un locataire commercial de payer un certain prix en contrepartie de l'engagement du bailleur de lui assurer l'exclusivité de ce type de commerce dans l'immeuble, alors que la loi interdit pareille exclusivité (464) ;

• le rachat par un salarié de points de retraite à une Caisse alors que ses droits auprès de cette Caisse atteignent déjà le plafond (465) ;

• le contrat de location de cassettes vidéo pour l'exploitation d'un commerce, alors que l'exécution de ce contrat selon l'économie voulue par les parties était impossible (466).

307. – Suite : le renouveau de la cause. Par extension, la nullité est encourue non seulement en cas d'absence totale de cause, mais aussi dans le cas où la contre-prestation est dérisoire. Par exemple, l'engagement pris par un fournisseur d'obtenir un prêt au profit d'un distributeur et de le

---

(460) Cass. 1re civ., 7 févr. 1990 : *Bull. civ.* I, n° 38.

(461) V. aussi, pour l'absence de cause tenant à l'impossibilité de bénéficier d'un avantage fiscal, voir Tr. Com. Basse-Terre, 17 mars 1993 : *D.* 1993, 449 et note P. Diener ; *RTD civ.* 1994, 95, obs. J. Mestre. – P. Diener, *À propos d'une prétendue absence de cause* : *D.* 1994, chron. 347.

(462) Cass. civ. 18 avr. 1953 : *D.* 1953, 403. – Cass. 1re civ., 10 déc. 1985 : *Gaz. Pal.* 1986, 1, pan. 89.

(463) Cass. 1re civ., 20 févr. 1973 : *D.* 1974, 37 et note Ph. Malaurie

(464) Cass. com. 5 oct. 1981 : *Bull. civ.* IV, n° 340.

(465) Cass. soc. 15 oct. 1980 : *Bull. civ.* V, n° 741.

(466) Cas. 1re civ., 3 juill. 1996 : *D.* 1997, 500 et note Ph. Reigné.

cautionner a été jugé dérisoire au regard de l'engagement corrélatif sous-crit par le distributeur de s'approvisionner exclusivement pendant cinq ans et pour une quantité minimum déterminée auprès de ce fournis-seur (467). On cite aussi classiquement le cas des ventes annulées pour vileté du prix (468), notamment les ventes moyennant une rente viagère dont le montant est égal ou inférieur au revenu de l'immeuble vendu (V. *infra*, n° suivant).

Plus récemment, la jurisprudence s'est servi de la cause pour assurer un rééquilibrage des contrats dans lesquels l'une des parties avait inséré des clauses lui conférant un avantage excessif sans contrepartie réelle (469). Ont ainsi été condamnées :

– certaines clauses abusives des contrats bancaires en matière de « dates de valeur » (470) ;

– certaines clauses des contrats d'assurance sur la date de la réclama-tion aboutissant en fait à priver l'assuré du bénéfice de l'assurance (471) ;

– dans le fameux arrêt *Chronopost*, la clause de non-responsabilité en cas de retard dans la délivrance du pli (l'obligation de ponctualité étant considérée comme une obligation essentielle du contrat) (472) ;

– les clauses de non-concurrence lorsqu'elles ne satisfont pas aux condi-tions cumulatives posées par la jurisprudence, à savoir être indispensables à la protection des intérêts légitimes de l'entreprise, limitées dans le temps et dans l'espace, tenir compte des spécificités de l'emploi du salarié et, suivant un arrêt récent, si elles ne comportent pas l'obligation pour l'employeur de verser au salarié une contrepartie financière (473).

---

(467) Cass. com. 14 oct. 1997 : *Defrénois* 1998, 1, 1040, note D. Mazeaud.

(468) La jurisprudence en affirme le principe, mais les applications en sont rares : (Cass. 1re civ. 4 juill. 1995 : *Contr. Conc. Consom.* 1995, comm. n° 181, obs. L. Leveneur ; *D.* 1997, 206 et note A.-M. Luciani. – Cass. 3e civ., 29 avr. 1998, *JCP* 1998, IV, 2350). Sur la validité d'une vente moyennant un franc symbolique, voir B. Garrigues, *La contre-prestation du franc symbolique : RTD civ.* 1991, 459.

(469) R. Marty, *De l'absence partielle de cause de l'obligation et de son rôle dans les contrats à titre onéreux*, thèse Paris II, 1995. – J.-M. Guéguen, *Le renouveau de la cause en tant qu'instrument de justice contractuelle : D.* 1999, chron. 352.

(470) Cass. com., 6 avr. 1993 : *D.* 1993, 310 et note Gavalda. – 29 mars 1994 : *Bull. civ.* IV, n° 134. – 10 janv. 1995 : *Bull. civ.* IV, n° 8.

(471) Cass. 1re civ., 3 févr. 1993 : *JCP* 1993, II, 22048 et note J. Bigot.

(472) Cass. com. 22 oct. 1996 : *D.* 1997, 121 et note A. Sériaux. – *JCP* 1997, II, 22881 et note D. Cohen. – *Defrénois* 1997, 1, 333, obs. D. Mazeaud. En l'espèce, la nullité de la clause a conduit à l'application du contrat-type messagerie de la Poste qui comprenait une clause limitative du même genre, laquelle ne pouvait tomber qu'en cas de faute lourde : Cass. com. 9 juill. 2002 : *D.* 2002, 2329, obs. E. Chevrier ; *JCP* 2002, II, 10176, note G. Loiseau et M. Billiau ; *D.* 2002, somm. 2837, obs. Ph. Delebecque ; *Contr. Conc. Consom.* 2003, comm. n° 2 et note L. Leveneur ; *D.* 2003, somm. 457, obs. D. Mazeaud ; *JCP* 2002, I, 184, nos 14 et s., obs. J. Rochfeld. V. aussi Cass. com. 17 juill. 2001, *JCP* 2002, I, 148, n° 17, obs. G. Loiseau.

(473) Cass. soc. 10 juill. 2002 (trois arrêts) : *D.* 2002, 2491 et note Y. Serra ; *JCP* 2002, II, 10162 et note F. Petit ; *Dr. soc.* 2002, 949 et note R. Vatinet ; *Defrénois* 2002, 1, 1619, art. 37644, n° 94, obs. R. Libchaber.

Certains saluent ce mouvement jurisprudentiel comme un renouveau de la cause (474). D'autres y voient l'avènement d'un nouveau principe, le principe de proportionnalité (475).

308. – Les contrats aléatoires : l'existence de l'aléa. Lorsqu'on est en présence d'un contrat synallagmatique aléatoire, par exemple un contrat d'assurance, la cause de l'obligation réside, non pas dans la contre-prestation, mais dans l'existence de l'aléa. Chacune des parties s'engage en effet en fonction d'un aléa, d'un risque : risque de survenance d'un sinistre dans le contrat d'assurance, risque de décès dans tout contrat viager.

Si, en fait, le risque n'existe pas, le contrat aléatoire est déséquilibré ; il est dépourvu de cause. Si, par exemple, on assure un cheval de course qui est mort la veille, il n'y a plus de risque, plus d'aléa, et donc plus de cause au contrat qui sera nul. Le législateur en a tiré les conséquences dans l'article L. 121-15 du Code des assurances en décidant que « l'assurance est nulle si, au moment du contrat, la chose assurée a déjà péri ou ne peut plus être exposé aux risques ».

De même, dans le cas de la vente d'un bien moyennant rente viagère, où l'aléa repose sur la durée de vie du vendeur, il n'y a pas d'aléa s'il est certain qu'à raison de son état de santé ce vendeur décédera à brève échéance. Aussi bien l'article 1975 décide-t-il que le contrat « ne produit aucun effet » lorsque « la rente a été créée sur la tête d'une personne atteinte de la maladie dont elle est décédée dans les vingt jours du contrat ». Mais la jurisprudence retient la même solution en cas de décès postérieur, lorsque du moins le cocontractant débirentier savait, lors de la conclusion du contrat, que le décès du vendeur était imminent ou proche (476). Là encore, le contrat pourra donc être annulé, à la demande du vendeur ou de ses héritiers, pour absence de cause.

b) Les contrats unilatéraux

309. – Les contrats réels. Les contrats réels sont ceux qui se forment, non par le seul échange des consentements, mais par la *remise de la chose* (V. *supra*, n° 59). Il s'agit principalement des contrats de prêt (art. 1875 et 1892), de dépôt (art. 1915) et de gage (art. 2073 et 2076).

---

(474) J.-P. Chazal, *Théorie de la cause et justice contractuelle. À propos de l'arrêt Chronopost* : JCP 1998, I, 152. – J.-M. Guéguen, *Le renouveau de la cause en tant qu'instrument de justice contractuelle* : D. 1999, chron. 352.

(475) *Existe-t-il un principe de proportionnalité en droit privé ?*, Travaux du Colloque du 20 mars 1998 : *Petites affiches*, n° 117, 30 sept. 1998. – S. Le Gac-Pech, *La proportionnalité en droit privé des contrats*, préf. H. Muir-Watt, LGDJ, Droit privé, 2000. – Ch. Auguet, *Au nom de la cause, vive le principe de proportionnalité* : *Dr. et patrimoine*, févr. 2001, p. 33.

(476) Cass. 3e civ., 6 nov. 1969, JCP 1970, II, 16502 et note A. Bénabent. – 4 nov. 1980 : *Bull. civ.* III, n° 169. – Cass. 1re civ. 5 mai 1982 : *Bull. civ.* I, n° 164. – Cass. 3e civ. 2 févr. 2000 : *Bull. civ.* III, n° 26, p. 18 ; JCP 2000, II, 10289 et note J.-F. Weber.

Par exemple, le prêt s'opère par la remise de la chose prêtée ; et il est un contrat unilatéral parce que seul l'emprunteur a des obligations : payer des intérêts et rendre la chose à la fin du prêt.

Ici, l'obligation de l'emprunteur ne saurait avoir pour cause l'obligation réciproque puisqu'il n'y en a pas ; elle réside dans la *remise de la chose* qui lui a été faite par le prêteur. Critiquant la notion de cause, Planiol faisait observer qu'ici la cause et l'objet se confondent : si la chose n'a pas été remise, le contrat est à la fois sans objet et sans cause ; si elle est illicite, hors du commerce, c'est à la fois la cause et l'objet qui sont illicites. En bref, il y a double emploi.

Le fait que la cause réside dans la remise de la chose a des conséquences importantes en matière de prêt et, plus généralement, pour les *opérations de crédit*. En effet, le plus souvent, le crédit obtenu va être destiné à financer une opération, par exemple l'achat d'un bien. Si, pour une raison quelconque, ce second contrat – l'achat du bien – est annulé ou résolu, cet événement est sans conséquence sur le contrat de crédit qui subsiste ; certes, l'achat du bien est le motif qui a conduit à conclure le contrat de crédit, mais il n'en est pas la cause. Il s'ensuit que le contrat de crédit n'est pas affecté par la disparition du second contrat et que, le prêt se poursuivant, les intérêts vont continuer à courir.

Pour éviter cette conséquence fâcheuse, les lois relatives à la protection du consommateur en matière de crédit mobilier (l. 10 janv. 1978) et immobilier (l. 13 juill. 1979), ont lié le sort du contrat de crédit à celui de la vente qu'il servait à financer, si bien que la disparition de l'un entraînait la disparition de l'autre.

Mais, en dehors du champ d'application de ces deux lois, la jurisprudence n'a pas étendu la solution aux contrats de prêt (477) à ceci près toutefois que, à la suite d'un revirement de jurisprudence, la Cour de cassation considère désormais que le prêt consenti par un professionnel du crédit n'est pas un contrat réel (V. *infra*, n° 350). Il n'en va autrement que dans le cas où les parties ont établi une *indivisibilité* entre les deux contrats ; le sort des deux contrats est alors lié à raison de l'indivisibilité (478). En toute hypothèse, dans la mesure où l'existence de la cause doit être appréciée au moment de la conclusion du contrat, la nullité ne saurait en principe être prononcée pour absence de cause si celle-ci, qui existait lors du contrat, n'a disparu que par la suite (V. *infra*, n° 312).

---

(477) Cass. 1re civ., 20 nov. 1974 : *Bull. civ.* I, n° 311, p. 267 ; *JCP* 1975, II, 18109 et note J. CALAIS-AULOY. – 16 déc. 1992 : *Bull. civ.* I, n° 316. – Cass. com. 5 mars 1996 : *Bull. civ.* IV, n° 75. – Cass. 1re civ., 16 févr. 1999 : *Contr. Conc. Consom.* 1999, comm. n° 70, obs. L. LEVENEUR ; *D.* 1999, IR, 76.

(478) V. sur ce point, A. BÉNABENT, *Les obligations*, n° 183 et 189. – J. MOURY, *De l'indivisibilité entre les obligations et entre les contrats* : *RTD civ.* 1994, 255. – J.-B. SEUBE, *L'indivisibilité et les actes juridiques*, thèse Montpellier, 1998. – S. AMRANI-MEKKI, *Indivisibilité et ensembles contractuels : l'anéantissement en cascade des contrats* : *Defrénois*, 2002, 1, 355, art. 37505.

310. – La promesse de payer. Il s'agit ici du *billet non causé* visé à l'article 1132 du Code civil, c'est-à-dire d'un écrit par lequel le signataire reconnaît devoir une certaine somme à un tiers. Suivant cet article, une telle convention « n'en est pas moins valable, quoique la cause n'en soit pas exprimée ».

La doctrine s'est interrogée sur la portée de cette disposition. Il est aujourd'hui admis que cet article ne consacre pas la validité de l'*acte abstrait*, c'est-à-dire d'un acte qui, détaché de sa cause, serait valable du seul fait de sa signature. Certes, notre droit en connaît des exemples, notamment avec les *titres négociables* (billets à ordre, lettres de change, etc.) qui doivent pouvoir circuler librement sans qu'il y ait lieu de se préoccuper de leur cause (479). Les tiers de bonne foi qui les reçoivent en paiement tiennent du droit cambiaire une protection particulière : par suite de la règle de l'inopposabilité des exceptions, ils ne pourront se voir opposer la nullité du contrat à l'occasion duquel a été créé le billet. Mais la solution serait différente pour une reconnaissance de dette qui ne revêtirait pas la forme d'un *billet à ordre ou au porteur* (480).

En France, la règle veut que tous les actes aient une cause, y compris les billets non causés. L'article 1132 signifie seulement qu'un acte est valable, même si l'écrit n'en indique pas la cause. En bref, la production du billet fait simplement présumer l'existence d'une cause et sa licéité. Cette cause peut résider soit dans une *intention libérale* (c'est alors une donation), soit dans une *dette* du signataire vis-à-vis du bénéficiaire (c'est alors une reconnaissance de dette).

Cela dit, le signataire de la promesse qui voudrait échapper à son engagement est libre de démontrer l'absence de cause (481). Tel serait par exemple le cas s'il prouvait qu'il s'est engagé à dédommager une personne dans la croyance fausse qu'il était tenu à réparation, alors qu'en fait il ne l'était pas : la promesse repose alors sur une fausse cause qui la vicie (482).

Allant plus loin, un récent arrêt a admis, à propos d'une reconnaissance de dette, qu'il pouvait y avoir une fausse cause partielle (résultant d'une erreur sur le montant), et qu'elle pouvait être sanctionnée non par la nullité, mais par une réduction à la mesure de l'avantage procuré (483).

c) Les contrats à titre gratuit

311. – La cause est l'intention libérale. Dans les contrats à titre gratuit, où il n'y a par essence même aucune contrepartie, la cause abstraite réside dans l'*intention libérale*, l'*animus donandi*. Or, en soi, l'intention libérale ne

---

(479) M. Vivant, *Le fondement juridique des obligations abstraites* : D. 1978, chron. 39.
(480) R. Martin, *Le refoulement de la cause dans les contrats à titre onéreux* : JCP 83, I, 3100.
(481) Cass. 1re civ., 14 juin 1988 : Gaz. Pal. 24 août 1988, note J.-J. Taisne.
(482) Cass. req. 12 juill. 1924 : DH 1924, 509. – Cass. 1re civ., 6 oct. 1981 : Bull. civ. I, n° 273
(483) Cass. 1re civ., 11 mars 2003 : JCP 2003, IV, 1818 ; JCP 2003, I, 142, n°s 5 et s., obs. J. Rochfeld.

saurait être ni absente (ou alors il y a défaut de consentement), ni illicite. Une telle conception ne permet donc de contrôler ni l'existence, ni la licéité de la cause dans les actes à titre gratuit. Pour exercer un tel contrôle, il faut aller rechercher les motifs qui sont en arrière-plan à l'origine de l'intention libérale.

C'est ainsi que, pour assurer la conformité du contrat à titre gratuit à l'ordre public et aux bonnes mœurs, on a retenu pour cause les motifs ou mobiles qui ont inspiré l'acte (V. *supra*, nos 267 et s.).

S'agissant ici de vérifier l'existence de la cause, la jurisprudence a également été amenée à rechercher les motifs qui ont poussé l'auteur de la libéralité. Certes, les motifs ne sont jamais inexistants, sinon la libéralité serait l'œuvre d'un fou ; mais il arrive qu'ils soient faux. Il se peut en effet que le donateur ait voulu gratifier quelqu'un parce qu'il lui attribuait une qualité qui en fait n'existait pas ; il a ainsi commis une erreur et la donation repose sur une fausse cause (484).

Les décisions sont fort rares, mais il en existe. Tel est par exemple le cas d'une donation-partage faite en considération d'avantages fiscaux qui ont été rétroactivement supprimés par la loi (485), d'une donation faite à deux époux à raison de leurs liens alors qu'ils allaient divorcer (486), d'une donation faite en remerciement pour des services qui n'avaient pas été rendus (487), de l'engagement d'une société à racheter des points de retraite à un dirigeant en reconnaissance de ses bons services, et ce dans l'ignorance de ses fautes de gestion (488).

2° La preuve de l'absence de cause

312. – Appréciation à la date de conclusion du contrat. Suivant une jurisprudence constante, l'existence de la cause doit s'apprécier à la date à laquelle l'obligation a été souscrite, c'est-à-dire à la date de conclusion du contrat (489).

Si la cause vient à disparaître par la suite, le contrat n'est pas nul pour défaut de cause. Mais il pourra peut-être faire l'objet d'une action en résolution pour inexécution, si par exemple la contre-prestation attendue

---

(484) B. Grelon, *L'erreur dans les libéralités : RTD civ.* 1981, 288.

(485) Dass. 1re civ., 11 févr. 1986, *JCP* 1988, II, 21027 et note C. David ; *RTD civ.* 1986, 586, obs. J. Patarin.

(486) Cass. 1re civ., 14 mai 1985 : *Defrénois* 1985, art. 33636, n° 109, obs. J.-L. Aubert ; *RTD civ.* 1986, 397, obs. J. Patarin.

(487) Cass. com. 8 avr. 1976 : *Bull. civ.* IV, n° 109, p. 93.

(488) Cass. 1re civ., 10 mai 1995 : *Bull. civ.* I, n° 194.

(489) Cass. 3e civ., 8 mai 1974 : *D.* 1975, 305 et note Ch. Larroumet (bail consenti en contrepartie d'un droit de passage sur un terrain du locataire, droit qui a par la suite disparu du fait de l'expropriation du fonds servant). – Cass. com. 21 oct. 1974 : *Bull. civ.* IV, n° 255. – 30 juin 1987 : *Bull. civ.* IV, n° 163. – Cass. 3e civ., 17 juill. 1996 : *Bull. civ.* III, n° 193 ; *Defrénois* 1996, 1, 1357 et note Ph. Delebecque (engagement de verser à un locataire évincé une indemnité pour perte d'une clientèle qu'il a pu conserver en se réinstallant dans le voisinage). – Rouen 2e ch. civ., 25 mai 2000, 10608 et note V. Mady-Kerguelen.

dans un contrat synallagmatique à exécution successive n'est pas fournie, ou ne l'est que partiellement (490). Certains auteurs soutiennent cependant que la cause doit subsister pendant toute la durée du contrat (491).

Plus généralement, l'inexécution des obligations résultant d'un contrat ne relève pas de la nullité pour défaut de cause, mais des sanctions spécifiques à l'inexécution d'un contrat.

313. – Charge de la preuve et modes de preuve. Bien souvent, le contrat comportera la mention de la cause ; tel est le cas de tous les contrats synallagmatiques puisqu'ils font apparaître les obligations réciproques des parties, et de nombreux contrats unilatéraux. En pareil cas, c'est à celui qui conteste l'existence de la cause de rapporter la preuve de cette inexistence ; et il devra le faire par écrit conformément à la règle de l'article 1341 du Code civil.

S'agissant des billets non causés, l'existence de la cause est présumée ; tel est le sens que l'on donne à l'article 1132. Il s'ensuit que, là aussi, la charge de la preuve contraire incombera à celui qui conteste l'existence de la cause ou qui la prétend fausse (492), mais il pourra faire cette preuve par tous moyens car, n'ayant pas à prouver contre un écrit, la règle de l'article 1341 n'est pas applicable.

C. – Les clauses abusives (493)

314. – Les clauses abusives dans les contrats d'adhésion. On sait que les clauses abusives se rencontrent le plus souvent dans les contrats d'adhésion, lesquels sont prérédigés par l'une des parties à son profit. Confrontée à ce problème, la jurisprudence n'a pas trouvé dans le droit commun un appui qui lui permette de venir au secours de la partie la plus faible.

D'une part, au niveau du consentement, le contrat d'adhésion n'a pas été jugé d'une nature différente des autres : adhérer, c'est donner son consentement, et il importe peu à cet égard qu'il n'y ait pas de discussion préalable. Par ailleurs, celui qui adhère ainsi à un contrat n'est pas victime d'un vice du consentement : il n'y a ni erreur, ni dol, ni violence qui lui permette de demander la nullité.

---

(490) Cass. 3ᵉ civ., 25 oct. 1977 : *Bull. civ.* III, n° 270. – Cass. 1ʳᵉ civ., 16 déc. 1986 : *Gaz. Pal.* 1987, 1, somm. 55. – Cass. 3ᵉ civ., 9 juill. 1980 : *D.* 1981, IR, 312, obs. J. GHESTIN.

(491) A. CERMOLACCE, *Cause et exécution du contrat*, PUAM 2001, préf. J. MESTRE.

(492) Lorsque la cause énoncée dans une reconnaissance de dette est démontrée fausse, il incombe au bénéficiaire de prouver que sa créance repose sur une autre cause licite : Cass. 1ʳᵉ civ., 20 déc. 1988 : *D.* 1990, 241 et note J.-P. MARGUÉNAUD.

(493) H. BRICKS, *Les clauses abusives*, LGDJ, 1982, préf. J. CALAIS-AULOY. – Ch. JAMIN, D. MAZEAUD et autres, *Les clauses abusives entre professionnels*, Economica, 1998. – A. KARIMI, *Les clauses abusives et la théorie de l'abus du droit*, LGDJ, Droit privé, 2001, préf. Ph. SIMLER. – Ph. STOFFEL-MUNCK, *L'abus dans le contrat, essai d'une théorie*, préf. R. BOUT, LGDJ, 2000.

D'autre part, quant au contenu du contrat, les parties sont libres de le déterminer. Comme le dit l'article 1134 du Code civil, « les conventions légalement formées tiennent lieu de loi à ceux qui les ont faites » et le juge ne peut les retoucher sauf en cas de lésion ou d'absence de contrepartie. Or, le plus souvent, les clauses abusives n'entrent nullement dans ces catégories, même si elles entraînent souvent un déséquilibre entre les obligations réciproques.

S'agissant du contrat de vente, la jurisprudence est néanmoins parvenue à annuler certaines clauses jugées abusives. Ainsi en est-il des *clauses limitatives ou exonératoires de garantie* stipulées au profit des vendeurs professionnels ou fabricants, ce au motif que ces professionnels sont censés connaître, et même tenus de connaître les défauts cachés des choses qu'ils fabriquent ou qu'ils vendent ; ils sont dès lors considérés comme étant de mauvaise foi au sens de l'article 1645 du Code civil, ce qui leur interdit de se prévaloir d'une clause limitative (494). Cette solution n'a pas été retenue par la Convention de Vienne sur la vente internationale de marchandises qui permet les clauses limitatives (495). En revanche, elle a été reprise par la loi du 19 mai 1998 transposant en droit français la Directive communautaire du 25 juillet 1985 sur la responsabilité du fait des produits défectueux (C. civ., art. 1386-15 ; V. *infra*, n°s 671 et s.).

315. – Les clauses abusives avant la loi du 10 janvier 1978. Dans son ensemble, le problème posé par les clauses abusives ne pouvait être réglé que par le législateur, soit comme un élément de l'ordre public économique de protection, soit comme une extension de la notion de violence à l'abus de situation, à la violence économique.

Jusqu'en 1978, la loi n'a abordé le problème que ponctuellement, pour interdire ou réglementer certaines clauses jugées abusives dans certains contrats, mais sans référence à la notion de consommateur. Ainsi ont été interdites les clauses de non-responsabilité dans le transport terrestre, les clauses de non-garantie dans la vente d'immeuble à construire (L. 3 janv.

---

(494) H. MAZEAUD, *La responsabilité civile du vendeur-fabricant* : RTD civ. 1955, 611. – Ph. MALINVAUD, *La responsabilité civile du vendeur à raison des vices de la chose* : JCP 68, I, 2153. – *Pour ou contre la validité des clauses limitatives de la garantie des vices cachés dans la vente* : JCP 75, 1, 2690. – P. ANCEL, *La garantie conventionnelle des vices cachés dans les conditions générales de vente en matière mobilière* : RTD com. 1979, 203. – Ph. LE TOURNEAU, *Conformités et garanties dans la vente d'objets mobiliers corporels* : RTD com. 1980, 231. – J. GHESTIN, *Conformité et garanties dans la vente (Produits mobiliers)*, 1983. – J. GHESTIN et B. DESCHÉ, *La vente*, n° 854 et s.

(495) B. AUDIT, *La vente internationale de marchandises*, LGDJ, 1990, n° 119. – E. BERTRAND, M. CALVO et G. CLARET, *Convention de Vienne et clauses limitatives de responsabilité : les points de vue français et anglais* : Gaz. Pal. 3-4 avr. 1992. – K. MISSAOUI, *La validité des clauses aménageant la garantie des vices cachés dans la vente internationale de marchandises* : JCP 1996, I, 3927. Ainsi il semblerait que, même au regard du droit français, une clause limitative puisse être considérée comme valable dans une vente internationale (V., en ce sens, Cass. 1re civ., 4 oct. 1989 : Bull. civ. I, n° 304 ; D. 1990, somm. 266, note B. AUDIT) ; mais la solution inverse pourrait être soutenue si on admet que la disposition jurisprudentielle française sur ce point constitue une loi de police au sens de l'article 7 de la Convention de Rome du 18 juin 1980.

1967) et dans le contrat d'entreprise de construction (C. civ., art. 1792-5), les clauses d'attribution de compétence territoriale à l'égard des non-commerçants (C. proc. civ., art. 48). Ont été réglementées les clauses d'indexation (Ord. 30 déc. 1958) et les clauses pénales que le juge peut désormais modifier si le montant en est manifestement excessif ou dérisoire (C. civ., art. 1152).

Avant la loi du 10 janvier 1978, le législateur avait également édicté diverses dispositions tendant à la protection contre les abus en général, toujours sans référence à la notion de consommateur, dans un certain nombre de contrats particuliers : lois du 12 juillet 1971 sur l'enseignement par correspondance (C. éduc., art. L. 444-1 et s ; L. 471-1 et s.), du 3 janvier 1972 sur le démarchage financier (C. mon. fin., art. L. 342-1 et s. ; L 353-5), du 22 décembre 1972 sur le démarchage et la vente à domicile (C. consom., art. L. 121-21 et s.).

Toutes ces dispositions subsistent, avec diverses retouches qui ont pu leur être apportées à l'occasion de leur codification. Elles sont désormais complétées par une réglementation de caractère général issue de la loi du 10 janvier 1978.

316. – La protection des consommateurs et les clauses abusives depuis la loi du 10 janvier 1978 (496). Ce n'est qu'en 1978 qu'est apparue en France la protection des consommateurs avec trois lois fondamentales (V. *supra*, nos 204 et s.) : loi n° 78-22 du 10 janvier 1978 relative à l'information et à la protection des consommateurs dans le domaine de certaines opérations de crédit, loi n° 78-23 du 10 janvier 1978 sur l'information et la protection des consommateurs de produits et de services, et loi du 3 juillet 1979 sur l'information et la protection des emprunteurs dans le domaine immobilier.

Diverses retouches leur ont été apportées par la suite, avant qu'elles ne soient codifiées en 1993 dans le Code de la consommation aux articles L. 132-1 et s. et R. 132-1 et s. Ces dispositions ont à nouveau été retouchées par la loi du 1er février 1995 qui transposait en droit français la

---

(496) P. JAPY, *Les clauses abusives à l'égard des consommateurs et la réglementation du 10 janvier 1978* : Gaz. Pal. 1978, 2, doctr. 453. – D. TALLON et autres, *Le contrôle des clauses abusives dans l'intérêt du consommateur dans les pays de la CEE* : RID comp. 1982, 505. – O. CARMET, *Réflexions sur les clauses abusives au sens de la loi n° 78-23 du 10 janvier 1978* : RTD com. 1982, 1. – J.-P. GRIDEL, *Remarques de principe sur l'article 35 de la loi n° 78-23 du 10 janvier 1978 relatif à la prohibition des clauses abusives* : D. 1984, chron. 153. – J. CALAIS-AULOY et L. BIHL, *Les clauses abusives en 1983* : Gaz. Pal. 1984, 2, doctr. 461. – G. PAISANT, *De l'efficacité de la lutte contre les clauses abusives* : D. 1986, chron. 299. – J.-Cl. TAHITA, *La loi du 10 janvier 1978 et la protection des consommateurs contre les clauses abusives*, thèse Poitiers, 1985. – G. PAISANT, *Les nouveaux aspects de la lutte contre les clauses abusives* : D. 1988, chron. 253. – J. HUET, *Les hauts et les bas de la protection contre les clauses abusives (à propos de la loi du 18 janvier 1992 renforçant la protection des consommateurs)* ; JCP 1992, I, 3592. – F.-X. TESTU, *Le juge et le contrat d'adhésion* : JCP 1993, I, 3673. – J. MESTRE, *Vingt ans de lutte contre les clauses abusives* : in *Mélanges Terré*, p. 677.

Directive européenne du 5 avril 1993 sur les clauses abusives (497), et par l'Ordonnance du 23 août 2001 transposant diverses directives.

317. – Plan. On envisagera successivement le champ d'application de la réglementation des clauses abusives, la technique de détermination, le critère et la sanction de ces clauses.

1° Le champ d'application de la protection contre les clauses abusives

318. – Droit communautaire et droit français. Le droit français avait réglementé les clauses abusives avant même que le droit européen ne régisse la matière par la Directive du 5 avril 1993. À l'occasion de cette transposition, le législateur français a donc été amené à apporter des retouches au droit interne, mais il a assigné à la protection contre les clauses abusives un champ d'application plus large que le droit communautaire sur deux points.

D'une part, allant au-delà de la Directive, le droit français ne limite pas la protection à celui qui se voit proposer la signature d'un contrat prérédigé, non négocié, c'est-à-dire d'un contrat d'adhésion qu'il peut seulement accepter ou refuser ; la protection s'étend à tous les contrats, même s'ils ont fait l'objet d'une négociation.

D'autre part, alors que le droit communautaire protège le seul consommateur (498), personne physique (499), le droit français protège le consommateur et le « non-professionnel », qu'il s'agisse d'une personne physique ou d'une personne morale.

319. – Le champ d'application quant aux personnes : le consommateur et le non-professionnel. Ainsi que l'annonce l'intitulé de la section du code qui y est consacrée, il s'agit uniquement de la protection des consommateurs contre les clauses abusives. Plus précisément, et selon la formule de la loi de 1978 reprise dans l'article L. 132-1, il s'agit de protéger les « non-professionnels ou consommateurs » contre les professionnels.

---

(497) G. Paisant, *Les clauses abusives et la présentation des contrats dans la loi n° 95-96 du 1er février 1995 : D.* 1995, chron. 99. – J. Ghestin et I. Marchessaux-Van Melle, *L'application en France de la directive visant à éliminer les clauses abusives après l'adoption de la loi n° 95-96 du 1er février 1995 : JCP* 1995, I, 3854. – G. Paisant, *Clauses pénales et clauses abusives après la loi n° 95-96 du 1er février 1995 : D.* 1995, chron. 223. – B. Gelot, *Clauses abusives et rédaction des contrats : incidences de la loi du 1er février 1995 : Defrénois* 1995, 1, 1201, art. 36171. – F.-X. Testu, *La transposition en droit interne de la directive communautaire sur les clauses abusives : Dalloz Affaires,* n° 13, 1996, 372.

(498) M. Luby, *La notion de consommateur en droit communautaire : une commode inconstance : Contr. Conc. Consom.* 2000, chron. n° 1. – CJCE 19 janv. 1993 : *D.* 1993, somm. 214, obs. J. Kullmann.

(499) Cette précision, qui figurait déjà dans l'article 2, b), de la Directive, a été rappelée par un arrêt de la Cour de justice des Communautés européennes : la notion de consommateur telle que définie à l'art. 2, sous b), de la directive n° 93/13/CEE du Conseil du 5 avril 1993 concernant les clauses abusives dans les contrats conclus avec les consommateurs doit être interprétée en ce sens qu'elle vise exclusivement les personnes physiques (CJCE 22 nov. 2001 : *D.* 2002, 90 et note C. Rondey ; *D.* 2002, somm. 2929, obs. J.-P. Pizzio ; *Contr. Conc. Consom.* 2002, comm. n° 18 ; *RTD civ.* 2002, 291, obs. J. Mestre et B. Fages).

La principale difficulté a été de définir ce qu'il fallait entendre par « non-professionnel ou consommateur », formule que la loi n'avait pas explicitée. À la suite d'une évolution qui a déjà été retracée (V. *supra*, n° 207), la jurisprudence retient à ce jour la solution suivante : sont protégés contre les clauses abusives, non seulement le consommateur au sens étroit, c'est-à-dire celui qui passe des contrats de biens ou de services pour la satisfaction de ses besoins personnels et familiaux, mais plus généralement toute personne, même professionnelle, sauf pour les « contrats de fournitures de biens ou de services qui ont un rapport direct avec l'activité professionnelle exercée par le contractant » (500). L'existence de ce rapport, direct ou indirect, avec l'activité du professionnel est appréciée souverainement par les juges du fond (501).

Cette nouvelle définition jurisprudentielle se rapproche de celle de la Directive : « toute personne physique qui,..., dans les contrats relevant de la présente directive, agit à des fins n'entrant pas dans le cadre d'une activité professionnelle » (art. 2, b) ; mais elle ne s'y identifie pas. On observera notamment que, à la différence de la Directive qui s'applique aux seules personnes physiques (502), le droit français considère comme consommateur toute personne physique ou morale qui se procure ou qui utilise un bien ou un service pour un usage non professionnel (503).

Il s'ensuit que les professionnels peuvent bénéficier de la protection contre les clauses abusives dans les contrats relatifs, non seulement à leur vie privée, mais à leur activité professionnelle, à la condition toutefois que le bien ou le service faisant l'objet du contrat soit extérieur à l'objet spécifique de leur activité (504).

---

(500) Cass. 1re civ., 3 et 30 janv. 1996 : *D.* 1996, 228 et note G. Paisant ; *JCP* 1996, II, 22654 et note L. Leveneur. – 5 nov. 1996 : *Contr. Conc. Consom.* 1997, p. 9. – 17 nov. 1998 : *Contr. Conc. Consom.* 1999, p. 8 et note L. Leveneur. – 10 juill. 2001 : *D.* 2001, 2829, obs. C. Rondey ; *D.* 2002, somm. 932, obs. O. Tournafond. – 5 mars 2002 : *JCP* 2002, II, 10123 et note G. Paisant. – A. Cathelineau, *La notion de consommateur en droit interne : à propos d'une dérive... : Contr. Conc. Consom.* 1999, chron. n° 13. – G. Paisant, *À la recherche du consommateur. Pour en finir avec l'actuelle confusion née de l'application du critère du « rapport direct »* : *JCP* 2003, I, 121.

(501) Cass. 1re civ., 22 mai 2002 : *Bull. civ.* I, n° 143, p. 110. Par exemple, s'il est constaté que la technicité et le coût du matériel en cause ne s'adressaient qu'à un professionnel, une cour d'appel a pu souverainement estimer que son acquisition avait un rapport direct avec l'activité professionnelle, même future, de l'acheteur, dont elle n'avait pas à vérifier les compétences professionnelles qu'il avait lui-même déclarées : Cass. 1re civ., 10 juill. 2001 : *D.* 2001, 2829 ; *D.* 2002, somm. 932, obs. O. Tournafond.

(502) CJCE 22 nov. 2001 : *D.* 2002, 90 et note C. Rondey ; *JCP* 2002, II, 10047 et note G. Paisant ; *Contr. Conc. Consom.* 2002, comm. n° 18, obs. G. Raymond ; *D.* 2002, somm. 2929, obs. J.-P. Pizzio ; *RTD civ.* 2002, 291, obs. J. Mestre et B. Fages ; et 397, obs. J. Raynard.

(503) Cass. 1re civ., 5 mars 2002 : *RTD civ.* 2002, 291, obs. J. Mestre et B. Fages. V. J. Amar, *Une cause perdue : la protection des personnes morales par le droit de la consommation ? : Contr. Conc. Consom.* 2003, chron. n° 5.

(504) L. Leveneur, *Contrats entre professionnels et législation des clauses abusives : Contr. Conc. Consom.* 1996, chron. n° 4. – V. *Les clauses abusives entre professionnels*, Économica, 1998. Mais les clauses de non-responsabilité entre commerçants ne relèvent pas de l'article 2 du décret du 24 mars 1978 et ne sont donc pas abusives (Cass. com., 23 nov. 1999 : *JCP* 2000, II, 10326 et note J.-P. Chazal).

Par ailleurs, la loi règle les éventuels conflits de lois en décidant, dans l'article L. 135-1, que la protection s'applique même si le contrat est soumis à la loi d'un État extérieur à l'Union européenne, dès l'instant « que le consommateur ou le non-professionnel a son domicile sur le territoire de l'un des États membres de l'Union européenne et que le contrat y est proposé, conclu ou exécuté ».

Corrélativement, on pourrait s'interroger sur la notion de *professionnel* (505), et notamment sur le point de savoir si les services publics ne sont pas des professionnels et si, en conséquence, l'usager du service public n'est pas un consommateur bénéficiant de la protection de la loi (506).

320. – Le champ d'application quant aux contrats : tous les contrats. La protection s'applique, quels que soient la nature, la forme ou le support du contrat.

D'une part, la *nature du contrat* importe peu. Dès 1978, la loi avait vocation à s'appliquer à tout contrat, même si en fait on pensait surtout au contrat de vente ou de fourniture de services. La Directive de 1993 était plus restrictive et ne visait que les contrats d'adhésion, par opposition à ceux négociés. Mais une telle distinction était d'application malaisée chaque fois qu'il y avait place à une certaine part de négociation, fût-elle faible, et ce malgré les règles d'interprétation posées dans la Directive. Aussi la loi de 1995 n'a-t-elle pas retenu cette réserve si bien que, comme précédemment, les articles L. 132-1 et suivants du Code de la consommation s'appliquent à tout type de contrat, quelle que soit sa nature.

D'autre part, la *forme ou le support du contrat* importe peu. Sur ce point l'article L. 132-1, al. 4, reprend les termes de la loi de 1978 : « Ces dispositions sont applicables quels que soient la forme ou le support du contrat. Il en est ainsi notamment des bons de commande, factures, bons de garantie, bordereaux ou bons de livraison, billets ou tickets, contenant des stipulations négociées librement ou non ou des références à des conditions générales préétablies. » Compte tenu de la généralité de la formule, la protection devrait s'étendre également au *contrat électronique* (507), même si cette hypothèse n'avait pas été envisagée ni en 1978, ni en 1995.

---

(505) Il a par exemple été jugé que la vente par un marchand de biens de son habitation principale est une vente réalisée par un professionnel, et que, par voie de conséquence, la clause d'exclusion de garantie des vices cachés inscrite dans l'acte est réputée non écrite à l'égard d'un acheteur non professionnel : Cass. 3e civ., 29 nov. 2000 : *AJDI* 2001, 831 et note F. COHET-CORDEY.

(506) J. CHEVALLIER, *Les droits du consommateur usager de services publics : Dr. soc.*, févr. 1975. – J. AMAR, *De l'usager au consommateur de service public*, préf. A. GHOZI, PUAM, 2001. – J. AMAR, *Plaidoyer en faveur de la soumission des services publics administratifs au droit de la consommation : Contr. Conc. Consom.* 2002, chron. n° 2.

(507) J. PASSA, *Commerce électronique et protection des consommateurs : D.* 2002, chron. 555. Pour une application à un contrat par internet, voir TGI Paris, 4 févr. 2003 : *JCP* 2003, II, 10079 et note Ph. STOFFEL-MUNCK.

2° La technique de détermination des clauses abusives

321. – Détermination par la loi ou détermination par le juge ? On peut concevoir diverses techniques pour éliminer les clauses abusives. Deux grandes tendances sont possibles : ou bien le législateur dresse lui-même, ou par renvoi à une autorité, une liste des clauses abusives, et le juge n'a plus qu'à en faire une application mécanique ; ou bien il se limite à poser un ou des critères et il appartient au juge de rechercher dans chaque cas d'espèce si, prise dans son contexte, telle clause est ou non abusive.

Le choix entre les deux formules a des conséquences théoriques et pratiques majeures. Si une clause est déclarée abusive par la loi ou le pouvoir réglementaire, on est en présence d'une clause illicite que le juge doit réputer nulle par application de la loi. Si latitude est laissée au juge de sanctionner les clauses qui lui paraissent abusives, il dispose d'un pouvoir d'appréciation sur des clauses qui, en elles-mêmes, ne sont pas illicites mais qui peuvent être jugées abusives à raison du contexte contractuel dans lequel elles ont été stipulées.

Le législateur et la Directive ont hésité entre les deux techniques ; ou plutôt ils les ont cumulées, en y ajoutant des nuances, ce qui rend la situation assez complexe.

a) La technique de la liste, légale ou réglementaire

322. – La liste dressée par le législateur. Lors de l'élaboration de la loi de 1978, la question s'était posée en France de savoir si on dresserait une liste, ou plusieurs listes : l'une noire des clauses automatiquement réputées non écrites, l'autre grise des clauses présumées abusives sous réserve de la preuve contraire par le professionnel. Finalement l'idée avait été abandonnée au profit d'une délégation au pouvoir réglementaire.

Au niveau européen, en revanche, la Directive de 1993 a adopté la technique de la liste, mais sans caractère impératif ; figure ainsi en annexe « une liste indicative et non exhaustive de clauses qui peuvent être déclarées abusives », liste qui vise 17 clauses ou types de clauses. Mais c'était une liste « blanche », en ce sens que le juge n'était pas tenu.

À la suite de la loi de 1995 transposant la Directive, on retrouve aujourd'hui en annexe de l'article L. 132-1 la même « liste indicative et non exhaustive de clauses qui peuvent être regardées comme abusives si elles satisfont aux conditions posées au premier alinéa. En cas de litige concernant un contrat comportant une telle clause, le demandeur n'est pas dispensé d'apporter la preuve du caractère abusif de cette clause » (C. consom., art. L. 132-1, al. 3). C'est donc pour le juge une simple indication de clauses suspectes, mais sans plus puisque le demandeur doit démontrer qu'elle revêt le caractère abusif tel que défini par la loi ; et le juge est également libre de retenir comme abusive telle clause qui ne figurerait pas sur cette liste. En définitive, l'intérêt d'une telle liste est assez limité, au moins dans le contexte français.

Annexe au Code de la consommation

Clauses visées au troisième alinéa de l'article L. 132-1

1. Clauses ayant pour objet ou pour effet :

a) D'exclure ou de limiter la responsabilité légale du professionnel en cas de mort d'un consommateur ou de dommages corporels causés à celui-ci, résultant d'un acte ou d'une omission de ce professionnel ;

b) D'exclure ou de limiter de façon inappropriée les droits légaux du consommateur vis-à-vis du professionnel ou d'une autre partie en cas de non-exécution totale ou partielle ou d'exécution défectueuse par le professionnel d'une quelconque des obligations contractuelles, y compris la possibilité de compenser une dette envers le professionnel avec une créance qu'il aurait contre lui ;

c) De prévoir un engagement ferme du consommateur, alors que l'exécution des prestations du professionnel est assujettie à une condition dont la réalisation dépend de sa seule volonté ;

d) De permettre au professionnel de retenir des sommes versées par le consommateur lorsque celui-ci renonce à conclure ou à exécuter le contrat, sans prévoir le droit, pour le consommateur, de percevoir une indemnité d'un montant équivalent de la part du professionnel lorsque c'est celui-ci qui renonce ;

e) D'imposer au consommateur qui n'exécute pas ses obligations une indemnité d'un montant disproportionnellement élevé ;

f) D'autoriser le professionnel à résilier le contrat de façon discrétionnaire si la même faculté n'est pas reconnue au consommateur, ainsi que de permettre au professionnel de retenir les sommes versées au titre de prestations non encore réalisées par lui, lorsque c'est le professionnel lui-même qui résilie le contrat ;

g) D'autoriser le professionnel à mettre fin sans un préavis raisonnable à un contrat à durée indéterminée, sauf en cas de motif grave ;

h) De proroger automatiquement un contrat à durée déterminée en l'absence d'expression contraire du consommateur, alors qu'une date excessivement éloignée de la fin du contrat a été fixée comme date limite pour exprimer cette volonté de non-prorogation de la part du consommateur ;

i) De constater de manière irréfragable l'adhésion du consommateur à des clauses dont il n'a pas eu, effectivement, l'occasion de prendre connaissance avant la conclusion du contrat ;

j) D'autoriser le professionnel à modifier unilatéralement les termes du contrat sans raison valable et spécifiée dans le contrat ;

k) D'autoriser les professionnels à modifier unilatéralement sans raison valable des caractéristiques du produit à livrer ou du service à fournir ;

l) De prévoir que le prix des biens est déterminé au moment de la livraison, ou d'accorder au vendeur de biens ou au fournisseur de services le droit d'augmenter leurs prix sans que, dans les deux cas, le consommateur n'ait de droit correspondant lui permettant de rompre le contrat au cas où le prix final est trop élevé par rapport au prix convenu lors de la conclusion du contrat ;

m) D'accorder au professionnel le droit de déterminer si la chose livrée ou le service fourni est conforme aux stipulations du contrat ou de lui conférer le droit exclusif d'interpréter une quelconque clause du contrat ;

n) De restreindre l'obligation du professionnel de respecter les engagements pris par ses mandataires ou de soumettre ses engagements au respect d'une formalité particulière ;

o) D'obliger le consommateur à exécuter ses obligations lors même que le professionnel n'exécuterait pas les siennes ;

p) De prévoir la possibilité de cession du contrat de la part du professionnel, lorsqu'elle est susceptible d'engendrer une diminution des garanties pour le consommateur sans l'accord de celui-ci ;

q) De supprimer ou d'entraver l'exercice d'actions en justice ou des voies de recours par le consommateur, notamment en obligeant le consommateur à saisir exclusivement une juridiction d'arbitrage non couverte par des dispositions légales, en limitant indûment les moyens de preuves à la disposition du consommateur ou en imposant à celui-ci une charge de preuve qui, en vertu du droit applicable, devrait revenir normalement à une autre partie au contrat.

2. Portée des points g, j et l :

a) Le point *g* ne fait pas obstacle à des clauses par lesquelles le fournisseur de services financiers se réserve le droit de mettre fin au contrat à durée indéterminée unilatéralement, et ce, sans préavis en cas de raison valable, pourvu que soit mise à la charge du professionnel l'obligation d'en informer la ou les autres parties contractantes immédiatement ;

b) Le point *j* ne fait pas obstacle à des clauses selon lesquelles le fournisseur de services financiers se réserve le droit de modifier le taux d'intérêt dû par le consommateur ou dû à celui-ci, ou le montant de toutes autres charges afférentes à des services financiers, sans aucun préavis en cas de raison valable, pourvu que soit mise à la charge du professionnel l'obligation d'en informer la ou les autres parties contractantes dans les meilleurs délais et que celles-ci soient libres de réaliser immédiatement le contrat.

Le point *j* ne fait pas non plus obstacle à des clauses selon lesquelles le professionnel se réserve le droit de modifier unilatéralement les conditions d'un contrat de durée indéterminée pourvu que soit mis à sa charge le devoir d'en informer le consommateur avec un préavis raisonnable et que celui-ci soit libre de résilier le contrat.

323. – La liste dressée par le pouvoir réglementaire. C'est la technique qui avait été retenue en France par le législateur dès 1978. L'article 35 de la loi renvoyait à des décrets en Conseil d'État, pris après avis de la commission des clauses abusives, le soin d'interdire, limiter ou réglementer les clauses abusives telles que définies par la suite du texte, c'est-à-dire « lorsque de telles clauses apparaissent imposées aux non-professionnels ou consommateurs par un abus de la puissance économique de l'autre partie et confèrent à cette dernière un avantage excessif ».

Dans la loi de 1978, c'était le seul moyen d'édicter le caractère abusif d'une clause, le juge se voyant implicitement refusé tout pouvoir propre de décider que, dans tel contrat, telle clause était abusive parce que répondant au critère ci-dessus. Tel n'est plus le cas aujourd'hui (V. *infra*, n° 325).

Cela dit, le pouvoir réglementaire s'est montré très timide puisqu'un seul décret est intervenu, le décret du 24 mars 1978 qui a interdit comme abusives trois clauses :

– le renvoi fait dans le contrat à des stipulations qui ne figurent pas sur l'écrit signé ;

– la limitation ou l'exclusion de la responsabilité du vendeur (508) ;

– la réserve pour le professionnel du droit de modifier unilatéralement les caractéristiques du bien à livrer ou du service à rendre (sous réserve des modifications liées à l'évolution technique).

---

(508) Le texte ne visant que la vente, on en déduisait généralement qu'il ne saurait être appliqué dans d'autres domaines. La jurisprudence en a néanmoins fait application à des contrats mixtes combinant la vente et le louage d'ouvrage : Cass. 1re civ., 25 janv. 1989 : *D.* 1989, 253 et note Ph. MALAURIE ; *JCP* 1989, II, 21357, obs. G. PAISANT. – 6 juin 1990 : *JCP* 1991, II, 21594, 2e esp. et note Th. HASSLER.

Ces deux dernières interdictions se retrouvent aujourd'hui dans les articles R. 132-1 et R. 132-2. En revanche, la première a été annulée par un arrêt du Conseil d'État du 3 décembre 1980 au motif que la clause interdite ne répondait pas nécessairement aux critères édictés par la loi ; cette clause figure aujourd'hui au *i)* de la liste indicative.

En 1978 le pouvoir réglementaire n'avait donc pas envisagé de dresser une liste. Mais l'idée n'a pas pour autant été abandonnée. En effet, à la demande d'un précédent gouvernement, la Commission des clauses abusives a préparé une proposition de décret établissant une liste noire des clauses abusives correspondant aux abus les plus courants et les plus manifestes. On ne saurait dire à ce jour si le nouveau gouvernement donnera suite à ce projet et à cette liste noire qui devait s'insérer dans l'article R. 132-1 du Code de la consommation.

324. – La liste dressée par la Commission des clauses abusives. La loi de 1978 a prévu la mise en place d'une Commission des clauses abusives ayant notamment pour objet de rechercher, dans les contrats habituellement proposés par les professionnels, les clauses abusives au sens de la loi et d'en faire rapport au Gouvernement (509). La Commission a, à ce jour, émis plus d'une cinquantaine de recommandations, qui ont été publiées, et qui concernent soit des clauses de caractère général, soit des contrats spécifiques. Les premières ont été regroupées dans la Recommandation de synthèse n° 91-02.

Recommandation de synthèse n° 91-02
émise par la Commission des clauses abusives

La Commission des clauses abusives [...] recommande :

Que, dans les contrats proposés par les professionnels aux non-professionnels ou consommateurs, soient présumées abusives, sous réserve de ce que, dans un modèle de contrat particulier, il ne soit pas établi qu'elles ne résultent pas d'un abus de puissance économique et n'entraînent pas un avantage excessif pour leur rédacteur, les clauses ou combinaisons de clauses qui ont pour objet ou pour effet de :

1. Constater l'adhésion du non-professionnel ou consommateur à des stipulations contractuelles dont il n'a pas eu une connaissance effective au moment de la formation du contrat, soit en raison de la présentation matérielle des documents contractuels, notamment de leur caractère illisible ou incompréhensible, soit en l'absence de justification de leur communication réelle au consommateur ;

2. Faire varier le prix en fonction d'éléments dépendant directement ou indirectement de la volonté arbitraire du professionnel contractant ;

3. Prévoir, lors de la signature du contrat, un engagement immédiat et définitif du non-professionnel ou consommateur et un engagement éventuel du professionnel ;

4. Restreindre l'obligation pour le professionnel de respecter les promesses faites, les garanties accordées ou les engagements pris par son préposé ou son agent ;

5. Restreindre les obligations du professionnel au moyen de limitations qui ne seraient pas clairement reliées à l'énoncé de ces obligations ;

---

(509) A. Sinay-Cytermann, *La Commission des clauses abusives et le droit commun des obligations* : RTD civ. 1985, 471

6. Rendre inopposables au professionnel les informations et documents publicitaires remis au non-professionnel ou consommateur, dès lors que leur précision est de nature à déterminer son consentement ;

7. Subordonner l'exécution du contrat à la seule volonté du professionnel ou à un événement dépendant de sa volonté arbitraire ;

8. Réserver au professionnel la faculté de résilier le contrat de façon discrétionnaire sans accorder la même faculté au non-professionnel ou consommateur ;

9. Stipuler que la date de livraison de la chose ou de l'exécution du service est donnée à titre indicatif ;

10. Laisser au professionnel, postérieurement à la conclusion du contrat, le choix du lieu de livraison de la chose ou d'exécution du service ;

11. Imposer au non-professionnel ou consommateur des frais supplémentaires pour une nouvelle livraison lorsque la première n'a pu avoir lieu du fait d'un manque de précision, imputable au professionnel, quant à la date de présentation ;

12. Obliger le non-professionnel ou consommateur à exécuter ses obligations lors même que le professionnel n'aurait pas exécuté les siennes, par dérogation aux règles régissant l'exception d'inexécution et, spécialement, à la nécessité d'un équilibre raisonnable des inexécutions réciproques ;

13. Obliger le non-professionnel ou consommateur, sans motif valable à payer une part excessive du prix avant tout commencement d'exécution du contrat ;

14. Interdire au non-professionnel ou consommateur de demander la résolution judiciaire du contrat dans le cas où le professionnel n'exécute pas ses obligations ;

15. Exonérer le professionnel de sa responsabilité en cas d'inexécution ou d'exécution défectueuse, partielle ou tardive de ses obligations ;

16. Limiter l'indemnité due par le professionnel en cas d'inexécution ou d'exécution défectueuse, partielle ou tardive de ses obligations ;

17. Autoriser le professionnel à conserver des sommes versées par le non-professionnel ou consommateur, lorsque celui-ci renonce à conclure ou exécuter le contrat, sans prévoir que les dites sommes seront restituées au double si le professionnel fait de même ;

18. Déterminer le montant de l'indemnité due par le non-professionnel ou consommateur qui n'exécute pas ses obligations sans prévoir une indemnité de même ordre à la charge du professionnel qui n'exécute pas les siennes ;

19. Supprimer, réduire ou entraver l'exercice par le non-professionnel ou consommateur des actions en justice ou des voies de recours, sous réserve des procédures facultatives susceptibles d'éviter le recours aux tribunaux ;

20. Déroger aux règles légales de compétence territoriale ou d'attribution ;

21. Réserver au professionnel le droit d'obliger son cocontractant à rembourser les frais et honoraires exposés pour obtenir l'exécution du contrat, sans donner au non-professionnel ou consommateur la même faculté ;

22. Déroger aux règles légales régissant la preuve.

Texte adopté le 23 mars 1990.

On pouvait espérer que la publication de ces recommandations serait suffisamment incitative pour que les professionnels renoncent aux clauses ainsi dénoncées, mais l'expérience a démontré qu'il n'en était rien.

Quelques-unes des clauses dénoncées par la Commission ont été interdites par le législateur à l'occasion de réformes ponctuelles (par exemple du contrat de construction de maison individuelle) (510). En revanche, le Gouvernement n'a jamais utilisé les travaux de la Commission pour

---

(510) H. Périnet-Marquet, *Les clauses abusives dans les contrats de construction :* in *J-Cl. Constr.* Fasc. 900.

réglementer ou interdire telle ou telle clause, mais les choses pourraient changer si le Gouvernement donne suite à la proposition de décret qui recensait une liste noire suggérée par la Commission.

Cela dit, il n'est bien évidemment pas interdit au juge de s'inspirer des recommandations de la Commission pour déclarer abusive telle ou telle clause (511).

b) La technique du pouvoir conféré au juge

325. – Le pouvoir du juge de déclarer une clause abusive. Même si la loi de 1978 ne comportait pas d'interdiction formelle faite au juge de déclarer directement abusive une clause, en dehors de toute disposition réglementaire, telle était bien l'intention du législateur ainsi que cela résulte des travaux préparatoires, et du fait que la loi réservait au pouvoir réglementaire le droit d'édicter le caractère abusif des clauses. Le législateur se méfiait en effet d'une trop grande liberté des juges en ce domaine.

Mais devant la carence du pouvoir réglementaire, la cour de cassation a dès 1989 reconnu aux juges le pouvoir de déclarer abusive une clause, en dehors de tout texte réglementaire, sur le seul fondement des critères édictés par la loi de 1978 (512). Néanmoins, pour assurer une unité d'interprétation, la cour de cassation s'est réservée de contrôler la qualification de clause abusive (513).

Ce pouvoir du juge n'a jamais été remis en cause. Il a même été indirectement reconnu et donc consacré d'abord par le règlement, puis par la loi.

Dans un premier temps, un décret du 10 mars 1993, aujourd'hui l'article R. 132-6 du Code de la consommation a prévu que le juge pouvait demander à la Commission des clauses abusives son avis (dont il est précisé qu'il ne lie pas le juge) sur le caractère abusif de telle clause ; ce qui sous-entend nécessairement le pouvoir du juge de reconnaître ce caractère abusif.

Ensuite, la loi du 1er février 1995 transposant la Directive de 1993, si elle ne consacre pas expressément ce pouvoir du juge, en admet implicitement le principe. Cela résulte sans ambiguïté du nouvel article L. 132-1, spécialement de l'alinéa 3 relatif à la liste indicative des clauses qui « peuvent être regardées comme abusives si elles satisfont aux conditions

---

(511) L. LEVENEUR, *La Commission des clauses abusives et le renouvellement des sources du droit des obligations* : in *Le renouvellement des sources du droit des obligations*, p. 155, Economica, 1997.
(512) Cass. 1re civ. 6 déc. 1989 : *D.* 1990, 289 et note J. GHESTIN ; *JCP* 1990, II, 21534 et note Ph. DELEBECQUE. – 14 mai 1991 : *D.* 1991, 449 et note J. GHESTIN ; *JCP* 1991, II, 21763 et note G. PAISANT. – J. HUET, *Pour le contrôle des clauses abusives par le juge judiciaire* : *D.* 1993, chron. 331.
(513) Cass. 1re civ. 26 mai 1993 : *D.* 1993, 568 et note G. PAISANT ; *JCP* 1993, II, 22158 et note E. BAZIN. – 10 avr. 1996 : *JCP* 1996, II, 22694, note G. PAISANT et H. CLARET. – 7 juill. 1998 : *Contr. Conc. Consom.* 1998, n° 120, obs. G. RAIMOND ; *Defrénois* 1998, 1, 1417, obs. D. MAZEAUD.

posées par le premier alinéa » ; ce qui suppose le pouvoir du juge de se prononcer sur ce point.

La Cour de justice des communautés européennes a également statué dans le même sens en décidant que la protection édictée par la Directive « implique que le juge national puisse apprécier d'office le caractère abusif d'une clause du contrat qui lui est soumis lorsqu'il examine la recevabilité d'une demande » (514). Elle a même décidé que le juge pouvait (devait ?) relever d'office le caractère abusif d'une clause insérée dans un contrat de crédit à la consommation, alors que la forclusion édictée par la loi française était acquise (515).

3° Critère de la clause abusive

326. – Le critère de la loi de 1978. En 1978, la loi conférait au seul pouvoir réglementaire le droit de déclarer une clause abusive, et c'est donc celui-ci qui devait se conformer à ce critère. Il s'agissait alors d'un double critère établi par la loi : pour être déclarée abusive, une clause devait :

– d'une part, apparaître « imposée au non-professionnel ou consommateur par un *abus de la puissance économique* » ;

– d'autre part, « conférer au professionnel un *avantage excessif* ».

La détermination des clauses abusives résultant d'actes du pouvoir réglementaire, en fait le seul décret du 24 mars 1978, le contrôle de la légalité appartenait au Conseil d'État. Ceci explique que l'article 1 de ce décret ait été annulé par cette juridiction, au motif que la clause interdite (le renvoi dans le contrat à des stipulations ne figurant pas sur l'écrit qu'il signe) ne répondait pas au double critère ci-dessus.

La Cour de cassation ayant dès 1989 reconnu au juge le pouvoir de déclarer abusive une clause, le contrôle s'est déplacé. C'est bien évidemment la cour de cassation, et non pas le Conseil d'État, qui est juge du respect du critère par les juridictions, ainsi qu'elle a bien pris soin de le rappeler (V. *supra*, n° 326).

Ainsi, dès cette époque, le pouvoir d'appréciation du juge dépendait de l'autorité ayant déterminé le caractère abusif de la clause. Dans le cas où ce caractère abusif avait été édicté par décret, le juge ne pouvait qu'en tirer les conséquences, sans pouvoir exercer de contrôle. En dehors de

---

(514) CJCE, 27 juin 2000 ; *JCP* 2001, II, 10513, note M. Carballo Fidalgo et G. Paisant ; *Revue Lamy Affaires*, nov. 2000, n° 32, p. 21, n° 2033 (à propos du caractère abusif d'une clause attributive de juridiction).

(515) CJCE 21 nov. 2002, *SA Cofidis c/France* (qui déclare incompatible avec la directive le délai de forclusion de deux ans édicté par l'article L. 311-37, al. 1) : *D.* 2003, 486 et note C. Nourissat ; *Contr. Conc. Consom.* 2003, comm. n° 31 et note G. Raymond ; *JCP* 2003, II, 10082 et note G. Paisant ; *JCP* E 2003, 279, note C. Baude-Texidor et I. Fadlallah ; *JCP* 2003, I, 142, n° 1 et s., obs. X. Lagarde.

cette hypothèse, il retrouvait son pouvoir d'appréciation, qu'il exerçait sous le contrôle de la Cour de cassation.

327. – Le critère de la loi de 1995. Tout en passant sous silence l'exigence de bonne foi qui figurait dans la Directive, la loi de 1995 en reprend les termes en retenant comme abusives « les clauses qui ont pour objet ou pour effet de créer, au détriment du non-professionnel ou du consommateur, un *déséquilibre significatif* entre les droits et obligations des parties au contrat » (C. consom., art. L. 132-1, al. 1).

Pour certains commentateurs, la différence entre ce critère et celui de la loi de 1978 tient plus à la terminologie qu'au fond. Ils font d'abord observer que, suivant la cour de cassation, la première condition de la loi de 1978, à savoir l'abus de la puissance économique, n'avait pas à être démontrée lorsqu'on était en présence d'un contrat d'adhésion. Ils ajoutent ensuite qu'il n'y a guère de différence entre l'avantage excessif conféré au professionnel de la loi de 1978 et le déséquilibre significatif entre les droits et obligations des parties de la loi de 1995.

D'autres sont d'un avis contraire (516). Ils considèrent que le double critère de la loi de 1978 présentait un caractère objectif, indépendamment des circonstances de fait qui entouraient la conclusion du contrat, et qu'il pouvait donc aisément faire l'objet d'un contrôle par la cour de cassation. S'agissant au contraire de la loi de 1995, qui reprend sur ce point l'article 4 de la Directive, ils font observer que l'appréciation du caractère abusif d'une clause doit se faire, sans préjudice des règles d'interprétation des articles 1156 et suivants du Code civil, et de l'esprit de la directive (517),

en se référant, au moment de la conclusion du contrat, à toutes les circonstances qui entourent sa conclusion, de même qu'à toutes les autres clauses du contrat. Il s'apprécie également au regard de celles contenues dans un autre contrat lorsque la conclusion ou l'exécution de ces deux contrats dépendent juridiquement l'un de l'autre (C. consom., art. L. 132-1, al. 5).

Autrement dit, il ne s'agit plus d'une appréciation *in abstracto*, mais *in concreto*, laquelle se prête moins facilement à un contrôle de la cour de cassation. À ce jour, la controverse est restée purement doctrinale et ne semble pas s'être traduite par des conséquences en jurisprudence.

En toute hypothèse, il convient de rappeler que la question de l'appréciation des tribunaux ne se pose pas pour les clauses qui ont été déclarées abusives par un texte, qu'il s'agisse d'une loi ou d'un règlement ; en pareil cas, le juge ne peut que sanctionner la clause et n'a aucun pouvoir d'appréciation.

---

(516) V. spéc. TERRÉ, SIMLER et LEQUETTE, *Obligations*, n° 324.
(517) La Cour de justice a en effet précisé que « la juridiction nationale est tenue, lorsqu'elle applique des dispositions de droit national... de les interpréter, dans toute la mesure du possible, à la lumière du texte et de la finalité de cette directive » : CJCE 27 juin 2000 : *JCP* 2001, II, 10513, note M. CARBALLO FIDALGO et G. PAISANT.

Il en va bien sûr différemment en l'absence de texte. Ont été ainsi jugées abusives : la clause prévoyant le versement de la totalité du prix d'un contrat d'enseignement quel que soit le motif de son annulation (518), une clause de limitation de garantie à raison de l'ambiguïté de ses termes (519).

Par ailleurs, on rappellera un point important qui se retrouve, à quelques nuances près à la fois dans la Directive et dans la loi de 1995. C'est la disposition suivant laquelle « l'appréciation du caractère abusif des clauses... ne porte ni sur la définition de l'objet principal du contrat ni sur l'adéquation du prix ou de la rémunération au bien vendu ou au service offert pour autant que les clauses soient rédigées de façon claire et compréhensible » (art. L. 132-1, al. 7). Par cette disposition le législateur marque clairement que la réglementation des clauses abusives n'empiète aucunement sur la règle que la lésion n'est pas une cause de nullité des conventions. Ce faisant il opère une différence nette entre les clauses abusives qui sont le plus souvent trompeuses parce que dissimulées, et la disproportion entre les prestations réciproques, notamment entre le prix et la chose ou le service, qui apparaît aux yeux de tous.

4° La sanction des clauses abusives

328. – La sanction individuelle d'une clause abusive dans un contrat. Il s'agit de la situation classique du contrat conclu entre un professionnel et un non-professionnel ou consommateur et qui comporte une ou des clauses abusives.

Déjà la loi de 1978 réputait ces clauses non écrites, si bien que le contrat subsistait à l'exception de la clause abusive retranchée. On considère généralement cette solution comme étant la plus conforme à l'intérêt du consommateur qui, le plus souvent, souhaite l'exécution du contrat, mais sans la clause abusive. Si la sanction était la nullité du contrat, on pourrait craindre que le consommateur renonce à faire valoir le caractère abusif d'une clause pour ne pas perdre le bénéfice du contrat.

C'est cette même sanction qui a été reprise dans la loi de 1995 et qu'on retrouve aujourd'hui dans l'article L. 132-1, alinéas 6 et 8. Ce texte décide tout à la fois que « les clauses abusives sont réputées non écrites » et que « le contrat restera applicable dans toutes ses dispositions autres que celles jugées abusives s'il peut subsister sans lesdites clauses ». C'est là une application du droit commun français en matière de nullité partielle, suivant lequel la nullité n'affecte le contrat tout entier que dans l'hypothèse où la clause critiquée comme abusive constituait la cause impulsive

---

(518) Cass. 1ʳᵉ civ., 10 févr. 1998 : *D.* 1998, 539 et note D. Mazeaud ; *JCP* 1998, II, 10124 et note G. Paisant (dans un cas où l'élève n'avait pu suivre les cours en raison d'une maladie).
(519) Cass. 1ʳᵉ civ., 19 juin 2001 : *Bull. civ.* I, n° 181, p. 116 ; *JCP* 2001, II, 10631 et note G. Paisant.

---

et déterminante du contrat. Pareille hypothèse se rencontre très rarement en jurisprudence.

329. – La sanction collective des clauses abusives dans les contrats-types ou modèles. En pratique l'effectivité de la sanction classique des clauses abusives est assez faible. Certes, la clause sera annulée dans le contrat considéré, et entre les parties au litige, mais on la retrouvera dans tous les autres contrats conclus par le même professionnel. D'où l'idée, initiée par la loi du 5 janvier 1988 et reprise par la Directive de 1993, d'extirper les clauses abusives de tous les contrats du même type par un seul procès (520). Elle a été insérée dans l'article L. 421-6 du Code de la consommation, par la suite modifié par l'ordonnance du 23 août 2001 (521) qui a introduit dans notre droit l'« action en cessation d'agissements illicites ».

> **Art. L. 421-6.** – Les associations mentionnées à l'article L. 421-1 et les organismes justifiant de leur inscription sur la liste publiée au Journal officiel des Communautés européennes en application de l'article 4 de la directive 98/27/CE du Parlement européen et du Conseil relative aux actions en cessation en matière de protection des consommateurs peuvent agir devant la juridiction civile pour faire cesser ou interdire tout agissement illicite au regard des dispositions transposant les directives mentionnées à l'article 1er de la directive précitée.
>
> Le juge peut à ce titre ordonner, le cas échéant sous astreinte, la suppression d'une clause illicite ou abusive dans tout contrat ou type de contrat proposé ou destiné au consommateur.

Ainsi, les associations de défense des consommateurs agréées à cette fin peuvent demander la suppression des clauses illicites ou abusives dans les modèles de contrats proposés ou destinés aux consommateurs (522). L'article L. 421-2 leur reconnaît ce même droit devant toute juridiction, y compris pénale, statuant sur l'action civile. La jurisprudence en fournit quelques exemples (523). Ici, s'agissant d'une action collective contre une ou plusieurs clauses, l'appréciation du caractère abusif se fait nécessairement *in abstracto*, et non plus *in concreto*.

330. – Clauses imposées. Parfois le législateur ne se borne pas à interdire certaines clauses jugées abusives. Il ordonne la stipulation de clauses considérées comme essentielles pour l'équilibre du contrat.

---

(520) R. Martin, *Notes sur l'action associative en suppression des clauses abusives dans les contrats : Contr. Conc. Consom.* 1994, chron. n° 8.

(521) Cette ordonnance a transposé un certain nombre de directives, et notamment la directive 98/27/CE relative aux actions en cessation d'agissements illicites en matière de protection des consommateurs.

(522) La CJCE a été amenée à préciser que la nature préventive et l'objectif dissuasif des actions en suppression des clauses abusives impliquent que de telles actions puissent être exercées alors même que les clauses dont l'interdiction est réclamée n'auraient pas été utilisées dans des contrats déterminés (CJCE 24 janv. 2002 : *D.* 2002, 1065, obs. E. Chevrier) ; et que l'action est de nature délictuelle ou quasi délictuelle (CJCE 1er oct. 2002 : *D.* 2002, 3002 et note H. Kobina Gaba).

(523) Cass. 1re civ., 6 janv. 1994 : *D.* 1994, IR, 27. En revanche, une association ne saurait demander la suppression de clauses figurant dans un contrat-type édité par une société et utilisé par des profanes ou des professionnels pour établir des contrats de vente, ou de bail, etc. : Cass. 1re civ., 4 mai 1999 : *JCP* 1999, II, 10205 et note G. Paisant ; *Contr. Conc. Consom.* 1999, comm. n° 124 et note L. Leveneur, p. 26 et note G. Raymond.

Ainsi, en matière de vente d'immeuble à construire, ou de contrat de construction de maison individuelle, il va exiger l'insertion de garanties de bonne fin, ou de garanties de remboursement ; il limitera la possibilité d'indexation en imposant le choix de l'indice, etc.

Dans le contrat de sous-traitance, il impose à l'entrepreneur de fournir au sous-traitant une caution pour garantir les paiements, et ce à peine de nullité (L. 31 déc. 1975, art. 14).

De même, dans certains domaines particuliers, comme l'assurance ou le contrat de construction de maison individuelle, le Gouvernement édicte par voie réglementaire des clauses-types qui seront les garanties minimales à fournir dans ces contrats.

Ce mouvement s'inscrit dans une évolution générale qui tend à définir de manière impérative le contenu de certains contrats, le plus souvent dans le souci de protéger la partie la plus faible et de rétablir à son profit l'équilibre du contrat. On assiste ainsi à l'éclosion progressive d'une sorte de « régime légal du contrat d'adhésion » (524).

331. – Les clauses abusives entre professionnels. La législation sur les clauses abusives ne s'applique pas dans les rapports entre professionnels (525). Et, même si les professionnels peuvent être eux-mêmes victimes de clauses abusives, il ne serait ni possible, ni souhaitable de transposer à leur intention les règles de protection des consommateurs ; en effet, à la différence des consommateurs à qui les professionnels imposent des contrats-types, les contrats entre professionnels sont le plus souvent négociés et conçus sur mesure de telle sorte qu'une clause, apparemment abusive, peut ne pas l'être dans le contexte contractuel d'ensemble (526).

Cela dit, les professionnels ne sont pas démunis de toute protection face aux clauses abusives.

Le professionnel peut tout d'abord trouver une certaine protection dans le droit commun. Outre les remèdes classiques qui ont pu être recensés (527), la jurisprudence utilise la notion de cause pour annuler les clauses qui seraient contraires à l'économie du contrat dans lequel elles ont été insérées (528).

Ensuite, on rappellera que, sauf pour les contrats ayant un rapport direct avec son activité, le professionnel est considéré par la jurisprudence comme

---

(524) V. FLOUR et AUBERT, *Les obligations*, nos 184 et s.

(525) Cass. com. 23 nov. 1999 : JCP 2000, II, 10326 et note J.-P. CHAZAL ; *Contr. Conc. Consom.* 2000, comm. n° 40, obs. L. LEVENEUR ; *Defrénois* 2000, 245, obs. D. MAZEAUD.

(526) Ch. JAMIN et D. MAZEAUD (sous la direction de), *Les clauses abusives entre professionnels*, Economica, 1998 ; V. notamment le rapport de synthèse de J. MESTRE, p. 157.

(527) D. MAZEAUD, *La protection par le droit commun : in* Les clauses abusives entre professionnels, précité, p. 33.

(528) J.-P. CHAZAL, *Théorie de la cause et justice contractuelle* : JCP 1998, I, 152. – J. MOURY, *Une embarrassante notion : l'économie du contrat* : D. 2000, 382. – A. ZELCEVIC-DUHAMEL, *La notion d'économie du contrat en droit privé* : JCP 2001, I, 300. – D. HOUTCIEFF, *Le principe de cohérence en matière contractuelle*, Thèse Paris XI, 2001.

© Éditions du Juris-Classeur

un… « non-professionnel » au sens du droit de la consommation (V. *supra*, n° 319), ce qui lui permet d'invoquer le bénéfice de la protection due au consommateur (529). Ce n'est là toutefois qu'une situation marginale.

D'autres fois, c'est dans le droit commercial, et plus spécialement dans le droit de la concurrence, que le professionnel peut trouver une protection contre l'abus de dépendance économique, les pratiques discriminatoires ou anticoncurrentielles (530).

Enfin, il faut également signaler que les *organisations professionnelles* éditent souvent des *contrats-types* qui ont été conçus de manière à réaliser un équilibre dans les rapports entre professionnels. On en citera pour exemple les modèles de contrat de sous-traitance qui ont été mis en place conjointement par la Fédération française du bâtiment et la Fédération nationale des travaux publics. Il en va de même de certaines *normes* à caractère juridique comme la norme AFNOR P 03.001, qui édicte des « clauses administratives générales » pour les travaux de bâtiment faisant l'objet de marchés privés ; si les parties la rangent parmi les pièces contractuelles du marché, la norme contractuellement obligatoire. C'est là un moyen préventif contre les clauses abusives, dont l'efficacité est probablement plus importante que les sanctions *a posteriori*.

Numéros 331 à 340 réservés.

Section 3

LA FORME DU CONTRAT (531)

341. – Le principe du consensualisme. Jusqu'ici, le contrat a été conçu et défini comme une opération intellectuelle, quasi désincarnée : un accord de volontés qui se suffit à lui-même, en dehors de toute forme particulière. Telle est bien la règle qui découle du principe du *consensualisme* (V. *supra*, n° 73) : étant en principe *consensuel* (V. *supra*, n° 59), le contrat a valeur obligatoire pour les parties du seul fait qu'un accord, même tacite, est intervenu.

---

(529) G. Paisant, *La protection par le droit de la consommation :* in *Les clauses abusives entre professionnels*, précité, p. 17.

(530) B. Fages et J. Mestre, *L'emprise du droit de la concurrence sur le contrat :* RTD com. 1998, 71. – L. Idot, *La protection par le droit de la concurrence :* in *Les clauses abusives entre professionnels*, précité, p. 55.

(531) S. Becqué-Ickowicz, *Le parallélisme des formes en droit privé*, thèse Paris II, 2001. On parle de parallélisme des formes pour justifier l'extension de la forme d'un acte juridique à un acte juridique qui lui est lié, soit parce qu'il modifie ou éteint, prépare ou prolonge un acte antérieur. Un tel parallélisme ne s'impose que si la fonction jouée par la forme dans l'acte principal doit également être remplie dans l'autre acte.

En droit romain, la règle était inverse : les contrats supposaient l'accomplissement de formalités variées : prononcé de paroles sacramentelles (contrats *verbis*), inscription sur des registres (contrats *litteris*), remise de la chose (contrats se formant *re*, c'est-à-dire les contrats *réels* d'aujourd'hui). Ce n'est qu'au XVIIᵉ siècle qu'est apparu le consensualisme (532). Il s'est retrouvé en 1804 dans le Code civil, mais sous une forme négative, en ce que la forme n'est pas mentionnée à l'article 1108 parmi les conditions de validité du contrat.

Le principe repose sur des considérations morales et économiques. Au *plan moral*, il repose sur le respect de la parole donnée, auquel on ne saurait échapper au prétexte d'une irrégularité de forme. Au *plan économique*, il répond parfaitement au besoin de rapidité et de simplicité de la vie des affaires, et plus simplement de la vie de tous les jours.

342. – Les inconvénients du principe et ses limites. À la vérité le principe est en parfaite adéquation avec les besoins de la vie courante pour la satisfaction desquels on passe quotidiennement des contrats sans même s'en rendre compte : faire ses courses, faire « les soldes », prendre l'autobus ou un taxi, consulter un médecin, etc. Il s'agit là de petits achats ou de services normaux pour lesquels il faut pouvoir aller vite et qui ne font pas courir de risques importants.

Il n'en va pas de même pour les contrats importants par leur montant, ou complexes à raison de la multiplicité des questions qui devront être réglées pour que les parties se mettent d'accord : par exemple conclure un contrat de mariage, constituer une société, acheter ou louer un appartement, faire un emprunt et déterminer ses modalités de remboursement, constituer une hypothèque ou autre sûreté en garantie. Ce sont là en effet des opérations pour lesquelles on ne saurait s'engager à la légère et qui, de surcroît, intéressent les tiers ainsi que l'Administration.

Si de tels contrats pouvaient être conclus sans formes à respecter, on pourrait redouter :

• que certains contractants ne s'engagent dans un contrat sans en mesurer les conséquences, donc sans avoir donné un consentement réfléchi ;

• que certains aspects d'un contrat complexe n'aient pas été envisagés par les parties, n'aient fait l'objet d'aucun accord si bien que des difficultés d'interprétation ou d'exécution du contrat ne manqueraient pas de susciter un conflit entre les parties ;

• que, faute d'un document constatant l'accord des parties et le détaillant, l'une d'entre elles ne conteste la portée de son engagement, en bref

---

(532) Suivant la formule de Loysel, « on lie les bœufs par les cornes et les hommes par les paroles, et autant vaut une simple promesse ou convenance que les stipulations du droit romain ».

manque à sa parole : suivant l'adage bien connu, « *verba volant, scripta manent* » ;

• que des tiers, faute de pouvoir connaître un contrat purement verbal, ne soient trompés sur la situation, etc.

Ceci explique que, sauf pour les petits contrats de la vie courante, les contrats sont le plus souvent soumis à des formes, ne serait-ce que la forme écrite. En pratique, il n'y a guère de contrat sans écrit correspondant ; d'ailleurs le rite de la signature est ressenti – à tort – dans le grand public comme la marque de l'engagement définitif, ce qui constitue un phénomène social fondamental : « je n'ai rien signé ! », dira-t-on pour démontrer qu'on n'a pas donné son consentement et qu'il n'y a donc pas de contrat, pas d'engagement.

343. – Les exceptions et atténuations au principe du consensualisme. On parle d'*exceptions* lorsque, faisant échec au principe, la loi impose le respect de certaines formes *à peine de nullité* ; ici, la forme est une *condition de validité* du contrat qui s'ajoute à celles visées à l'article 1108. Pareille exigence est toujours inspirée par un souci de protection des cocontractants ou de l'un d'entre eux ; la forme prend du temps, elle oblige à réfléchir avant de donner son consentement (533). On est alors en présence d'un *formalisme direct*.

On parle d'*atténuations* lorsque, sans être une condition de validité, la forme est nécessaire pour que le contrat connaisse sa pleine *efficacité*. Ainsi, il ne suffit pas qu'un contrat existe ; encore faut-il en faire la *preuve* en cas de contestation. En effet, par suite du principe du consensualisme, un contrat ou, plus généralement, un *acte juridique* est quelque chose d'immatériel ; même si l'accord a été concrétisé par des paroles ou par des gestes, il n'en subsiste aucune trace. Aussi est-il habituel de le matérialiser dans un *acte instrumentaire*, c'est-à-dire en fait un *écrit* destiné à servir de preuve. Dans la terminologie juridique, l'*acte* peut désigner soit l'accord lui-même, l'acte juridique, soit l'écrit qui le constate, l'acte instrumentaire. En pratique, la question de preuve n'apparaît qu'en cas de litige sur l'existence ou le contenu du contrat. Et de tels litiges sont assez rares. Mais, si la plupart des contrats s'exécutent sans qu'aucun litige ne survienne sur ce point, cela tient sans nul doute à ce que la présence d'un écrit décourage les contestations éventuelles. C'est à juste titre qu'on a pu parler à cet égard d'une « hygiène de la preuve préconstituée ». Il s'agit bien là d'un formalisme, mais d'un *formalisme indirect* dans la mesure où le respect de la forme, l'établissement d'un écrit, est une exigence de preuve, non une condition de validité du contrat.

---

(533) G. COUTURIER, *Les finalités et les sanctions du formalisme : Defrénois* 2000, 1, 880, art. 37209.

Il y a également atténuation lorsque certaines formalités complémentaires sont imposées pour des motifs tenant par exemple à l'enregistrement et à la publicité de certains contrats.

344. – La renaissance du formalisme. Depuis près d'un siècle (534) la doctrine se plaît à relever une *renaissance du formalisme* (535).

L'observation est bien évidemment exacte, notamment pour le formalisme direct. Dans un souci de protection de la partie faible, le législateur a subordonné la validité de nouveaux contrats à certaines formes : établissement d'un acte notarié dans certains cas, et dans d'autres d'un acte écrit comportant des mentions obligatoires. Mais cette tendance lourde va de pair avec un relatif allégement des formalités et des sanctions.

D'une part, si la formalité la plus souvent exigée demeure l'écrit, il s'agit le plus souvent, non pas d'un acte notarié, mais d'un écrit sous seing privé, c'est-à-dire dans bien des cas d'un contrat-type dont on se bornera à remplir les blancs avant de le signer.

D'autre part, avec le progrès de la technique (536), l'écrit n'est plus nécessairement écrit ; il peut s'agir d'un écrit électronique (537), et d'une signature par un code et un « clic ». À cet égard, nous sommes à l'aube d'une profonde mutation qui ne se manifestera dans toute son ampleur qu'après de nombreuses années. À la civilisation du papier a succédé celle de l'ordinateur. Ce même développement de la technique a des conséquences importantes en matière de preuve, ce qui devrait alléger le poids de la preuve.

345. – Plan. Distinguant suivant que le formalisme est direct ou indirect, on envisagera successivement les formes exigées pour la validité du contrat, puis celles exigées pour la preuve.

On y ajoutera les formalités annexes diverses qui, sauf exception, ne sont jamais sanctionnées par la nullité, mais parfois par l'inopposabilité aux tiers.

---

(534) V. Moeneclay, *De la renaissance du formalisme en droit civil et commercial français*, thèse Lille, 1914.
(535) J. Flour, *Quelques remarques sur l'évolution du formalisme* : in *Études Ripert*, t. I, p. 92. – A. Piédelièvre, *Les transformations du formalisme dans les obligations civiles*, thèse Paris, 1959. – J. Mestre, *L'approche par le juge du formalisme légal*, obs. à *RTD civ.* 1988, 329. – B. Nuytten et L. Lesage, *Formation des contrats : regards sur les notions de consensualisme et de formalisme* : Defrénois 1998, 1, 497, art. 36784. – X. Lagarde, *Observations critiques sur la renaissance du formalisme* : JCP 1999, I, 170. – *Le formalisme, Journée Jacques Flour (Travaux de l'Association H. Capitant)* : Defrénois 2000, 1, 866 et s., art. 37207 et s.
(536) P. Catala, *Le formalisme et les nouvelles technologies* : Defrénois 2000, 1, 897, art. 37210.
(537) Le projet de loi pour la confiance dans l'économie numérique prévoit que « lorsqu'un écrit est exigé pour la validité d'un acte juridique, celui-ci peut être établi et conservé sous forme électronique dans les conditions prévues aux articles 1316-1 et 1316-4 et, lorsqu'un acte authentique est requis, au second alinéa de l'article 1317.

§ 1. – Les formes exigées pour la validité

346. – En principe, les contrats étant tous *consensuels* ne sont soumis à aucune forme pour leur validité. Par exception, la validité de certains contrats est subordonnée à l'accomplissement de solennités pour les uns (contrats solennels), à la remise de la chose objet du contrat pour les autres (contrats réels).

A. – Les contrats solennels (538)

347. – **Nécessité d'un texte dérogatoire.** Le principe étant le consensualisme, l'absence de forme, un contrat n'est soumis à des formes que dans la mesure où une disposition expresse le prévoit.

Lorsque la forme imposée est la rédaction d'un acte notarié, elle est toujours prescrite à peine de nullité ; peu importe que la loi ne le précise pas.

En revanche, la question fait difficulté pour nombre de dispositions récentes qui disposent que tel acte ou tel contrat doit être établi par écrit, souvent sans préciser si c'est à titre de solennité, donc à peine de nullité, ou pour des raisons de preuve. Ou encore, sans même dire expressément que l'acte devra être établi par écrit, il sera dit que le contrat devra comporter certaines mentions obligatoires, ce qui suppose un écrit, et sans indiquer la sanction de leur omission.

348. – **L'exigence d'un acte notarié.** Pour certains contrats, assez rares, la solennité consiste dans l'intervention d'un notaire qui confère l'*authenticité* à l'acte (acte authentique par opposition à acte sous seing privé : V. *infra*, n° 367). C'est l'exigence la plus sévère ; elle est inspirée par le souci d'assurer l'information et la protection des cocontractants qui s'apprêtent à accomplir des actes particulièrement dangereux. L'obligation d'« aller chez le notaire » amène à réfléchir, et la réflexion sera d'autant plus éclairée que le notaire a notamment pour mission d'informer ses clients de l'étendue de leurs engagements et de s'assurer qu'ils ont une parfaite conscience de la gravité de l'acte qu'ils accomplissent.

Initialement, le Code civil ne visait que la donation (art. 931), la subrogation conventionnelle par le débiteur (art. 1250), le contrat de mariage (art. 1394) et la constitution d'hypothèque (art. 2127). Le législateur moderne y a ajouté quelques autres contrats, spécialement la vente d'immeuble à construire à usage d'habitation ou professionnel et d'habitation (CCH, art. L. 261-11) ou encore le contrat de location-accession à la propriété (L. 12 juill. 1984). En revanche, contrairement à une opinion très répandue, les ventes d'immeubles n'ont pas à être établies par acte notarié à peine de nullité ; si elles sont effectivement passées devant notaires,

---

(538) M.A. Guerriero, *L'acte juridique solennel*, LGDJ, 1975.

c'est pour des raisons tenant à la publicité foncière qui doit être réalisée pour rendre l'acte opposable aux tiers.

Pour éviter que le formalisme ne soit trop aisément tourné, la *promesse de contrat solennel* est soumise à la même forme notariée ; il y est toutefois fait exception lorsque l'authenticité n'est exigée que dans l'intérêt des tiers (539).

Curieusement, on constate que la jurisprudence a atténué la portée de ce formalisme, spécialement en matière de donation. Alors que l'article 931 prescrit l'intervention d'un notaire « sous peine de nullité », la jurisprudence admet la validité de certaines donations sans forme :

• d'une part, le *don manuel*, c'est-à-dire la donation « de la main à la main » d'objets mobiliers (bijoux, sommes d'argent, chèques, valeurs mobilières, tableaux, meubles, etc.), à la condition qu'il y ait remise effective de la chose, ce dessaisissement permettant au donateur de prendre conscience de la gravité de l'acte ;

• d'autre part, la *donation déguisée*, c'est-à-dire celle réalisée sous les apparences d'un acte à titre onéreux, par exemple une vente dont le prix ne sera pas payé.

349. – L'exigence d'un acte écrit et de mentions obligatoires. Nombre de lois récentes prescrivent que certains contrats doivent être établis par écrit, mais sans toujours en préciser la sanction. Faut-il y voir une règle de forme édictée à peine de nullité ? ou une règle de preuve, ce qui permettrait éventuellement de faire la preuve par témoins, présomptions ou indices, si on peut justifier d'un commencement de preuve par écrit ou d'une impossibilité de la preuve écrite (V. *infra*, n° 358 et 359) ?

La jurisprudence donne des solutions qui varient suivant les circonstances. Dans le souci d'atténuer les conséquences du formalisme, elle a souvent décidé qu'il s'agissait d'une simple règle de preuve : par exemple pour le contrat d'assurance (540), le contrat de gage (541), le contrat d'édition (542), le contrat d'architecte (543). Mais en sens inverse elle a décidé que la fixation du taux de l'intérêt conventionnel « par écrit » dans le contrat de prêt (C. civ., art. 1907) était une règle de forme (544).

---

(539) Le manquement à la promesse est alors sanctionné par des dommages-intérêts : Cass. 3e civ., 7 avr. 1993 : *Bull. civ.* III, n° 55 ; *Defrénois* 1993, art. 35617, n° 104, obs. L. AYNÈS.

(540) Cass. 1re civ., 4 juill. 1978 : *Bull. civ.* I, n° 251. – 4 janv. 1980 : *Bull. civ.* I, n° 8.

(541) L'exigence d'un écrit instituée par l'article 2074 du Code civil ne joue que pour l'opposabilité aux tiers, pas dans les rapports entre les parties : Cass. 1re civ., 25 mai 1976 : *Bull. civ.* I, n° 201.

(542) Cass. 1re civ., 20 nov. 1979 : *Bull. civ.* I, n° 289 ; D. 1981, IR, 86, obs. Cl. COLOMBET (pour l'application de l'article L 131-2 du Code de la propriété intellectuelle).

(543) Cass. 3e civ., 11 juin 1986 : D. 1987, 285 et note A. GOURIO (pour l'application de l'article 11 du décret du 20 mars 1980 sur les devoirs de l'architecte).

(544) Cass. 1re civ., 24 juin 1981 : *JCP* 1982, II, 19713 (3e esp.) et note M. VASSEUR. – 14 févr. 1995 : *JCP* 1995, II, 22402 et note Y. CHARTIER.

Depuis le développement de la protection du consommateur, de nombreux textes exigent désormais que le contrat soit rédigé par écrit et qu'il comporte un certain nombre de mentions obligatoires. Tel est notamment le cas du contrat de construction de maison individuelle (CCH, art. L. 131-1 et s. ; art. L. 132-1), du contrat de promotion immobilière portant sur un immeuble à usage d'habitation ou professionnel et d'habitation (CCH, art. L. 122-3), du contrat de crédit mobilier ou immobilier, etc.

Là encore, la sanction varie suivant les circonstances. Le plus souvent, ce sera la nullité du contrat car il s'agit bien de règles de forme ; mais parfois la nullité pourra être circonscrite pour coller exactement au besoin de protection recherché par la loi.

B. – Les contrats réels

350. – Le cas discuté des contrats réels. Les contrats *réels* sont ceux dont on considère qu'ils se forment, non pas par le simple échange des consentements, mais par la *remise de la chose* (de *res* : la chose ; d'où l'appellation de contrat réel). La remise de la chose est donc une *forme* essentielle pour la conclusion de ces contrats (V. *supra*, n° 59). Il s'agit là d'une survivance du droit romain qui concerne trois contrats : le prêt à usage et de consommation (C. civ., art. 1875 et 1892), le dépôt (C. civ., art. 1915), et le gage (C. civ., art. 2073 et 2076) ; on y ajoute souvent le don manuel, dans la mesure où la jurisprudence fait de la remise du bien la condition de validité de cette donation contraire à l'article 931 (V. *supra*, n° 348).

Si on prend l'exemple du prêt, la remise de la chose par le prêteur est une condition de formation du contrat si bien que les seules obligations résultant du contrat (payer les intérêts et rendre la chose ou la somme prêtée) pèsent sur l'emprunteur ; d'où l'appellation de *contrats de restitution* qui est parfois donnée aux contrats réels. Il s'ensuit aussi que le contrat réel est aussi un contrat unilatéral.

Cette catégorie est très discutée de nos jours et nombreux sont ceux qui contestent la nécessité d'une remise de la chose pour la formation de ces contrats. Selon eux, il faudrait y voir des contrats consensuels synallagmatiques. Par exemple, dans le prêt, remettre la chose ou la somme prêtée serait l'obligation du prêteur ; dès lors la remise de la chose serait l'exécution de son obligation et non pas une forme, une condition d'existence du contrat.

Quelle que soit la pertinence de la critique, qui pourrait justifier une réforme législative tendant à supprimer les contrats réels, force est de constater que, à ce jour, les textes imposent l'existence des contrats réels lorsqu'ils déclarent que tel contrat se forme par la remise de la chose.

En pratique, l'intérêt de la discussion a été considérablement limité par la jurisprudence en ce qui concerne le contrat de prêt d'argent. En effet, la Cour de cassation a d'abord considéré, par interprétation de la loi, que les prêts relevant du droit de la consommation n'étaient pas des contrats réels (545). Puis, plus récemment, elle a décidé que « le prêt consenti par un professionnel du crédit n'est pas un contrat réel » (546).

Enfin, et de manière très générale, la jurisprudence considère que la promesse de prêt, de dépôt ou de gage est valable bien que, par définition même, il n'y ait pas encore remise de la chose. Cette validité des *promesses de contrat réel* enlève beaucoup d'intérêt à la catégorie dans la mesure où le bénéficiaire d'une telle promesse peut en exiger l'exécution et, à défaut, obtenir des dommages-intérêts (547).

§ 2. – Les formes exigées pour la preuve (548)

351. – La préconstitution de la preuve. La nécessité de faire la preuve ne se pose pas le jour de la conclusion du contrat, mais plus tard, en cas de contestation par l'une des parties de l'existence ou de la portée de son engagement. Il est alors bien difficile de faire cette preuve d'un contrat si on n'a pas eu la prudence de la préconstituer lors même de la conclusion.

En pratique, et depuis des siècles, le moyen le plus sûr a été de dresser un écrit recensant les termes de l'accord, et signé des deux parties.

Avec les techniques d'enregistrement des sons et des images, on aurait pu songer à utiliser les films, bandes magnétiques, photocopies, télé-copies, microfilms, microfiches, etc. ; mais, à défaut de texte qui en précise la valeur, les tribunaux, dans la crainte de fraudes possibles, ne leur ont jusqu'ici reconnu qu'une force probante très réduite. Il s'en est suivi un problème quant à la valeur probante de ces techniques nouvelles (549).

---

(545) Cass. 1re civ., 27 mai 1998 : *Bull. civ.* I, n° 186 ; *D.* 1999, 194 et note M. BRUSCHI.

(546) Cass. 1re civ., 28 mars 2000, *D.* 2000, 482 et note S. PIÉDELIÈVRE ; *JCP* 2000, II, 10296, concl. J. SAINTE-ROSE ; *Contr. Conc. Consom.* 2000, comm. n° 106 et note L. LEVENEUR. – 27 nov. 2001 : *JCP* 2002, II, 10050 et note S. PIÉDELIÈVRE. V. J. ATTARD, *Le contrat de prêt d'argent, contrat unilatéral ou contrat synallagmatique ?*, préf. Ph. DELEBECQUE, PUAM, 1999. – F. GRUA, *Le prêt d'argent consensuel :* D. 2003, chron. 1492.

(547) M.-N. JOBARD-BACHELLIER, *Existe-t-il encore des contrats réels en droit français ? ou la valeur des promesses de contrat réel en droit positif :* RTD civ. 1985, 1.

(548) R. LEGEAIS, *Les règles de preuve en droit civil :* « permanences et transformations », 1955. – CAREL, *Les modes de preuve au xxe siècle :* Gaz. Pal. 1957, 1, doctr. 32. – J.-B. DENIS, *Quelques aspects de l'évolution récente du système des preuves en droit civil :* RTD civ. 1977, 671. – X. LAGARDE, *Réflexion critique sur le droit de la preuve*, LGDJ, 1994.

(549) P. MIMIN, *La preuve par magnétophone :* JCP 57, I, 1370. – T. IVAINER, *Le magnétophone, source ou preuve de rapports juridiques en droit privé :* Gaz. Pal. 1966, 2, doctr. 91. – F. CHAMOUX, *Le microfilm au regard du droit des affaires :* JCP 75, I, 2725. – *Les nouveaux moyens de reproduction (papier, sono-res, audiovisuels et informatique) :* in Trav. ass. H. Capitant, t. XXXVII, 1986. – J. HUET, *Formalisme et preuve en informatique et télématique : éléments de solution en matière de relations d'affaires conti-nues ou de rapports contractuels occasionnels :* JCP 89, I, 3406. – A. BENSOUSSAN, *Contribution théorique au droit de la preuve dans le domaine informatique :* Gaz. Pal. 1991, 2, doctr. 361. – J. HUET, *La valeur juridique de la télécopie (ou fax), comparée au télex :* D. 1992, chron. 33. – L. LAUTRETTE, *Télex, télécopie, télégramme : valeur juridique et force probante :* Petites affiches, 10 mai 1996. – N. MOULIGNER, *La force probante des télécopies en droit civil :* JCP N 2003, 1096.

La matière a été retouchée une première fois par une loi du 12 juillet 1980 dont la portée n'a été que très modeste (550).

Elle est aujourd'hui profondément réformée par la loi du 1er mars 2000 portant adaptation du droit de la preuve aux technologies de l'information et relative à la signature électronique ; elle a fait l'objet de décrets d'application du 30 mars 2001 et du 18 avril 2002 (551) relatifs à la signature électronique. La loi nouvelle a été insérée au Code civil dans les articles 1316 à 1316-4, 1317 et 1326 (552).

Il s'ensuit qu'aujourd'hui l'écrit destiné à servir de preuve peut être indifféremment sur support électronique ou sur support papier.

352. – Charge de la preuve. Se réserver la preuve des contrats passés est d'autant plus nécessaire que, en raison du principe de la neutralité du juge en matière civile et commerciale (V. *Introduction*, n° 566), la charge de la preuve pèse sur les plaideurs eux-mêmes.

En vertu de l'article 1315 du Code civil, la charge de la preuve pèse sur le demandeur. Tel est le principe, étant précisé que la notion de demandeur doit être comprise au sens large de celui qui présente une allégation, et non pas au sens procédural de demandeur à une instance judiciaire.

Plus précisément, c'est à celui qui avance une prétention de la prouver : celui qui invoque un contrat devra démontrer son existence et son contenu, l'adversaire qui prétend avoir payé devra à son tour rapporter la preuve du paiement, etc. Sur le plan de la preuve, le procès s'apparente à une partie de ping-pong où chacun se renvoie la balle. Et, de même que le joueur qui rate la balle perd le point, de même le plaideur qui manque sa preuve perd le procès (553).

---

(550) M. Vion, *Les modifications apportées au droit de la preuve par la loi du 12 juillet 1980 : Defrénois* 1980, 1, 1329, art. 32470. – J. Viatte, *La preuve des actes juridiques : Gaz. Pal.* 1980, 2, doctr. 581. – F. Chamoux, *La loi du 12 juillet 1980 : une ouverture sur de nouveaux moyens de preuve : JCP* 81, I, 3008. – D. Ammar, *Preuve et vraisemblance. Contribution à l'étude de la preuve technologique : RTD civ.* 1993, 499.

(551) A. Penneau, *La certification des produits et systèmes permettant la réalisation des actes et signatures électroniques (à propos du décret n° 2002-535 du 18 avril 2002) : D.* 2002, chron. 2065. – X. Buffet-Delmas et B. Liard, *L'achèvement du cadre juridique de la signature électronique sécurisée. Décret n° 2002-535 du 18 avril 2002 et Arrêté du 31 mai 2002 : JCP* 2002, act., 519, p. 2153.

(552) Sur le projet de loi : P. Catala et autres, *L'introduction de la preuve électronique dans le Code civil : JCP* 1999, I, 182. – J. Huet, *Vers une consécration de la preuve et de la signature électroniques : D.* 2000, chron. 95. – Sur la loi : A. Raynouard, *Droit de la preuve, nouvelles technologies et signature électronique : Defrénois* 2000, 1593, art. 37174. – F.-G. Trebulle, *La réforme du droit de la preuve et le formalisme : Petites affiches,* 20 avr. 2000. – E.-A. Capriou, *La loi française sur la preuve et la signature électroniques dans la perspective européenne, Dir. 1999/93/CE du Parlement européen et du Conseil du 13 décembre 1999 : JCP* 2000, I, 224. – F. Schwerer, *Réflexions sur la preuve et la signature dans le commerce électronique : Contr. Conc. Consom.* 2000, chron., n° 216.

(553) H. Motulsky, *Principes d'une réalisation méthodique du droit privé (La théorie des éléments générateurs des droits subjectifs),* thèse Lyon, 1947. – J. Larguier, *La preuve d'un fait négatif : RTD civ.* 1953, 1. – J. Chevallier, *Remarques sur l'utilisation par le juge de ses informations personnelles : RTD civ.* 1962, 5. – F. Boulanger, *Réflexions sur le problème de la charge de la preuve : RTD civ.* 1966, 736. – E. Le Gall, *Le devoir de collaboration des parties à la manifestation de la vérité dans les litiges privés ; remarques sur l'adage « Nemo tenetur edere contra se »,* thèse Paris, 1967. – C. Marraud, *Le droit à la preuve. La production forcée des preuves en justice : JCP* 73, I, 2572.

C'est dire l'intérêt qu'il y a à préconstituer la preuve chaque fois que cela est possible. Or, sauf circonstances exceptionnelles, il est toujours possible de se réserver la preuve d'un contrat.

353. – Origine des éléments de preuve : « Nul ne peut se constituer une preuve à lui-même. » Préconstituer la preuve ne signifie pas que chacun peut se fabriquer ses propres preuves. La preuve ne peut résulter que d'éléments extérieurs à celui qui la produit, non de ses propres documents ; sinon il s'agirait de simples affirmations qui ne sauraient avoir aucune valeur probante.

Se fondant sur l'article 1315 du Code civil, la jurisprudence pose ainsi la règle que « Nul ne peut se constituer une preuve à lui-même » (554). Par exemple il ne suffit pas à un commerçant d'établir une facture pour prouver l'existence d'une vente portant sur la chose facturée (555) ; la preuve d'un paiement ne peut résulter d'une inscription figurant sur le livre de dépenses du débiteur (556), le versement d'une commission n'est pas démontré par sa mention sur une déclaration fiscale de celui qui prétend l'avoir versée (557), etc.

Toutefois, pour des raisons pratiques évidentes, la jurisprudence considère que le relevé de communications téléphoniques établi par le fournisseur d'accès (558), ou le relevé de la consommation d'eau constatée au compteur (559), constitue une présomption de l'existence et du montant de la créance, l'abonné pouvant apporter la preuve contraire par tous moyens.

A. – La preuve par écrit

1° L'exigence d'un écrit en matière civile

354. – La règle de la preuve écrite des actes juridiques. Les articles 1315 et suivants du Code civil édictent un certain nombre de règles de preuve et indiquent aux juges quelle foi ils doivent accorder à tel mode de preuve dans telle circonstance. S'agissant des actes juridiques, et notamment des contrats, l'article 1341 pose la règle de la preuve écrite. Cette exigence est ici toute naturelle dans la mesure où les cocontractants ont tout loisir de rédiger un acte instrumentaire constatant les termes de leur accord.

---

(554) V. par ex. Cass. 1re civ., 2 avr. 1996 : *Bull. civ.* I, n° 170 ; *Contr. Conc. Consom.* 1996, comm. n° 119, obs. L. Leveneur. – Cass. 3e civ., 20 janv. 2001 : *Contr. Conc. Consom.* 2001, comm. n° 155, obs. L. Leveneur.

(555) Cass. 1re civ., 28 janv. 1981 : *Bull. civ.* I, n° 34. – Cass. com. 18 juin 1991 : *Bull. civ.* IV, n° 224. – Cass. 1re civ., 24 sept. 2002 : *Bull. civ.* I, n° 219, p. 168. – 14 janv. 2003 : *Bull. civ.* I, n° 9, p. 6.

(556) Cass. 3e civ., 18 nov. 1997 : *Contr. Conc. Consom.* 1998, comm. n° 21, obs. L. Leveneur.

(557) Cass. 1re civ., 23 juin 1998 : *Bull. civ.* I, n° 220 ; *Contr. Conc. Consom.* 1998, comm. n° 141, obs. L. Leveneur ; *RTD civ.* 1999, 401, obs. J. Mestre.

(558) Cass. 1re civ., 7 mars 2000 : *Bull. civ.* I, n° 81, p. 55 ; *RTD civ.* 2000, 333, obs. J. Mestre et B. Fages. – 28 janv. 2003 : *Bull. civ.* I, n° 26, p. 21.

(559) Cass. 1re civ., 31 mars 1999, *RTD civ.* 1999, 642, obs. P.-Y. Gautier.

Art. 1341. – Il doit être passé acte devant notaires ou sous signatures privées de toutes choses excédant une somme ou une valeur fixée par décret, même pour dépôts volontaires, et il n'est reçu aucune preuve par témoins contre et outre le contenu aux actes, ni sur ce qui serait allégué avoir été dit avant, lors ou depuis les actes, encore qu'il s'agisse d'une somme ou valeur moindre.

Le tout sans préjudice de ce qui est prescrit dans les lois relatives au commerce.

La règle comporte deux aspects : d'une part, l'acte doit être constaté par écrit en vue de la preuve ; d'autre part, lorsqu'un écrit a été établi la preuve contraire ne peut elle-même être faite que par écrit. Ce second aspect de la règle montre l'intérêt qui s'attache à une parfaite rédaction de l'écrit. Si, en effet, l'écrit est incomplet ou ne correspond pas exactement à ce qui a été convenu entre les parties, la preuve « contre ou outre » ce qui a été écrit ne pourra être faite que par écrit.

Ici, l'établissement d'un écrit n'est pas exigé à peine de nullité, comme pour les contrats solennels (V. *supra*, n⁰ˢ 347 et s.) ; il est une simple règle de preuve, sans influence directe sur la validité du contrat. Mais, en pratique, que le contrat soit nul ou qu'il ne puisse être prouvé, cela revient au même pour le créancier qui en demande l'exécution et ne peut l'obtenir.

On observera que la règle de la preuve écrite n'est pas d'ordre public. Il s'ensuit que les parties peuvent y renoncer ou, mieux encore, déterminer leurs propres règles dans une convention relative à la preuve, tout du moins « pour les droits dont elles ont la libre disposition » (560). Par exemple, dans les contrats complexes, notamment les contrats de construction, il est d'usage de prévoir un ordre de préférence des pièces contractuelles pour le cas où il y aurait contradiction entre plusieurs documents.

355. – La règle ne s'applique qu'aux actes d'un montant supérieur à 800 €. La règle de la preuve écrite des actes juridiques connaît trois limites qui constituent les frontières de son domaine d'application.

En premier lieu, la règle est écartée pour les petites affaires, pour lesquelles il n'est pas d'usage de dresser un écrit. Cette limitation est ancienne puisqu'elle date de l'Ordonnance de Moulins. La difficulté est de fixer le chiffre en deçà duquel le contrat, échappant à la règle de la preuve écrite, pourra être prouvé par tous moyens.

Pendant longtemps, ce chiffre a été fixé par l'article 1341 lui-même à 50 F ; puis la loi du 12 juillet 1980 a décidé qu'il serait désormais fixé par décret. Le montant a alors été porté à 5 000 F, et aujourd'hui à 800 €.

356. – La règle ne s'applique pas en matière commerciale (561). En second lieu, elle ne joue qu'*en matière civile*, non en matière commerciale. Cette limite, qui est traditionnelle, figure aujourd'hui dans l'article L. 110-3

---

(560) Cass. 1ʳᵉ civ., 8 nov. 1989 : *D.* 1990, 369 et note Ch. GAVALDA. V. D. FERRIER, *La preuve et le contrat :* in *Mélanges Cabrillac*, 1999, p. 105. – Y. FLOUR et A. GHOZI, *Les conventions sur la forme :* Defrénois 2000, 1, 911, art. 37211.

(561) L. RUET, *Quelques remarques sur l'office du juge et la preuve en droit commercial :* RTD com. 1991, 151.

du Code de commerce : « À l'égard des commerçants, les actes de commerce peuvent se prouver par tous moyens à moins qu'il n'en soit autrement disposé par la loi. » Bien que le texte ne vise que les actes de commerce, la jurisprudence a généralisé la solution et affirmé le principe de la liberté de la preuve en matière commerciale (562). Toutefois, cette liberté n'existe que pour les contrats entre commerçants, non pour ceux entre un commerçant et un non-commerçant. Dans ce dernier cas, on est en présence d'un *acte mixte*, commercial pour le commerçant et civil pour son cocontractant. Il y aura alors une application distributive des règles de preuve : alors que le particulier peut faire la preuve contre le commerçant par tous moyens, le commerçant qui veut prouver contre un particulier est astreint à la règle de la preuve écrite.

357. – La règle ne s'applique qu'aux parties, pas aux tiers. Même pour les actes juridiques de nature civile, la règle de la preuve écrite ne s'applique qu'aux parties, non aux tiers qui voudraient prouver l'existence et le contenu de l'acte ou faire la preuve contraire.

Cette limitation du champ d'application de la règle s'explique aisément : on ne saurait imposer la preuve écrite à des tiers qui, étant par définition même étrangers à l'acte, n'ont eu aucun moyen de se ménager cette preuve. Il est donc naturel qu'ils puissent en faire la preuve par tous moyens, le juge demeurant libre d'apprécier le caractère convaincant des preuves produites.

La règle de l'article 1341 du Code civil s'analyse en définitive comme une obligation faite aux parties d'établir, sur un support quelconque un écrit destiné à servir de preuve. La sanction en est l'interdiction de recourir à la preuve par témoins, ou par présomptions ou indices, lesquels apparaissent comme des *modes imparfaits* par rapport à ce *mode parfait* qu'est l'écrit. Cette interdiction connaît cependant des exceptions.

En dehors même de l'aveu qui demeure la preuve parfaite par excellence, la loi autorise la preuve des contrats par témoins, présomptions ou indices pour compléter un *commencement de preuve par écrit* ou pour pallier une *impossibilité de la preuve écrite*.

358. – Exception à la règle en cas de commencement de preuve par écrit. L'article 1347, alinéa 1, du Code civil prévoit que la règle de la preuve écrite reçoit « exception lorsqu'il existe un commencement de preuve par écrit ».

L'alinéa 2 définit le commencement de preuve comme « tout acte par écrit qui est émané de celui contre lequel la demande est formée, ou de celui qu'il représente, et qui rend vraisemblable le fait allégué ». Interprétant libéralement cette disposition, la jurisprudence admet que vaut

---

(562) Cass. req. 13 déc. 1935 : *DH* 1936, 66. – Cass. civ., 2 juill. 1941 : *DA* 1941, 291.

commencement de preuve par écrit un écrit non signé, un brouillon, une lettre faisant allusion au contrat, une télécopie (563) ou une copie ou photocopie de l'acte, ou encore un acte sous seing privé irrégulièrement rédigé (564) (V. *Introduction*, n° 599).

Consacrant une jurisprudence antérieure, une loi du 9 juillet 1975 a ajouté à l'article 1347 un troisième alinéa aux termes duquel : « peuvent être considérées par le juge comme équivalant à un commencement de preuve par écrit les déclarations faites par une partie lors de sa comparution personnelle, son refus de répondre ou son absence à la comparution ». En revanche, cette loi ne fait aucune allusion aux paroles enregistrées sur bande magnétique que certaines décisions avaient admises comme commencement de preuve par écrit.

Toutefois, le commencement de preuve par écrit ne suffit pas à lui seul pour faire preuve ; il devra être complété par d'autres éléments, témoignages, présomptions ou indices pour l'appréciation desquels les juges du fond disposent d'un pouvoir souverain d'appréciation, en dehors même de tout contrôle de la cour de cassation (565).

359. – Exception à la règle en cas d'impossibilité de la preuve écrite (566). L'article 1348 du Code civil admet que certaines circonstances puissent constituer pour les cocontractants une impossibilité de satisfaire à la règle de la preuve écrite, auquel cas il y est fait exception. Outre l'hypothèse des quasi-contrats, délits et quasi-délits qui ne sont pas des actes juridiques, l'article vise deux hypothèses d'impossibilité (V. *Introduction*, n° 600).

D'une part, l'*impossibilité de se procurer un écrit* : reprenant sur ce point une importante jurisprudence, la loi de 1980 consacre l'*impossibilité matérielle* tenant aux circonstances dans lesquelles le contrat est intervenu (par exemple dépôt d'un vêtement à un vestiaire, d'un véhicule dans un parking, etc.), et l'*impossibilité morale* découlant des relations de famille, ou d'un lien de subordination (entre patron et employé), ou encore des usages.

D'autre part, l'*impossibilité de présenter l'écrit préconstitué* dans le cas où l'écrit établi a été perdu, sauf à démontrer qu'il a été perdu « par suite d'un cas fortuit ou de force majeure ».

Ajoutant un alinéa à l'article 1348, la loi du 12 juillet 1980 crée un nouveau cas d'impossibilité, l'impossibilité de présenter l'original de l'écrit sous seing privé. Alors que seul l'original d'un acte sous seing privé

---

(563) N. Mouligner, *La force probante des télécopies en droit civil* : JCP N 2003, 1097, V. n° 15-17.
(564) H. Mazeaud, *La conception jurisprudentielle du commencement de preuve par écrit de l'article 1347 du Code civil*, thèse Lyon, 1921.
(565) Cass. 1re civ., 10 mai 2000 : *Bull. civ.* I, n° 138, p. 92.
(566) Ph. Malinvaud, *L'impossibilité de la preuve écrite* : JCP 72, I, 2468

fait preuve, par opposition aux copies, la loi décide qu'il est fait exception à cette règle en cas de présentation d'une « copie fidèle et durable », ce qui peut être le cas de certaines photocopies (567) et microfilms.

2° L'utilité d'un écrit en matière commerciale

360. – La preuve en matière commerciale. En matière de commerce, la règle de la preuve écrite des contrats n'est pas applicable. Sans doute a-t-on pensé que ce formalisme, même limité à la preuve, était une contrainte insupportable dans les rapports commerciaux. Aussi l'article L. 110-3 du Code de commerce (jadis article 109) dispose-t-il qu'« à l'égard des commerçants, les actes de commerce peuvent se prouver par tous moyens à moins qu'il n'en soit autrement disposé par la loi » (568)).

On devrait donc dire que la rédaction d'un écrit est ici inutile. Cette affirmation doit être largement tempérée.

On observera tout d'abord que la liberté de la preuve ne joue qu'« à l'égard des commerçants », c'est-à-dire dans les rapports entre commerçants. En revanche, si un contrat a été conclu entre un commerçant et un non-commerçant, il s'agit d'un *acte mixte* ; ce qui a pour conséquence que le commerçant qui doit prouver l'existence ou le contenu du contrat conclu avec un particulier est soumis à la règle de la preuve écrite. Voilà déjà une première raison pour les commerçants de se préconstituer une preuve écrite.

En second lieu, on remarquera que diverses règles imposent l'établissement d'un document, même s'il n'a pas valeur de preuve écrite : par exemple, l'obligation de dresser une facture, ou de donner quittance. De même, certains contrats usuels en matière de commerce devront, pour leur validité et non pas pour leur preuve, être rédigés par écrit : contrat de société, vente de fonds de commerce, etc.

Enfin, la préconstitution d'une preuve est un tel avantage que, spontanément, les commerçants établissent par écrit leurs accords dès l'instant qu'ils sont de quelque importance. Cette pratique a le mérite d'éviter bien des litiges en enlevant à certains toute tentation de contester l'existence ou le contenu d'un contrat qu'ils ne veulent plus exécuter.

Certes, lorsque la preuve est libre, d'autres modes que l'écrit sont possibles : le contrat pourra être prouvé par témoins, dans le cadre d'une procédure d'enquête ; ou bien le juge pourra le déduire de certaines présomptions ou indices. Mais chacun se rend compte combien ces diver-

---

(567) Paris 8e ch. A, 17 mars 1998 et Cass. 1re civ. 30 mai 2000 : *JCP* 2001, II, 10505 et note F. NIZARD ; *Bull. civ.* I, n° 164, p. 106. Pour les télécopies, voir N. MOULIGNER, art. préc., V. n° 12-13, et 17.

(568) G. PARLÉANI, *Un texte anachronique : le nouvel article 109 du Code de commerce : D.* 1983, chron. 65. – Y. CHARTIER, *La preuve commerciale après la loi du 12 juillet 1984 :* in *Mélanges de Juglart.* – L. HARANT, *La preuve en matière commerciale au regard des techniques nouvelles : Petites affiches,* 3, 6 et 10 juillet 1987. – L. RUET, *Quelques remarques sur l'office du juge et la preuve en droit commercial : RTD com.* 1991, 151.

ses méthodes comportent d'aléas au regard d'un écrit bien rédigé. Or, la sécurité du commerce postule que soient éliminés tous les risques inutiles, à commencer par ceux tenant à la preuve. La preuve littérale est ici une nécessité de fait, sinon de droit.

L'établissement systématique d'un écrit présentera un autre avantage non négligeable : il ne sera pas nécessaire de s'interroger chaque fois sur le point de savoir si le contrat passé est de nature civile ou commerciale, et si est applicable ou non la règle de la preuve écrite.

B. – Les divers types d'écrits

361. – La notion d'écrit. Support papier ou support électronique. Dans la lecture qui était traditionnellement faite des articles 1315 et suivants, l'écrit était confondu avec le support papier sur lequel il était apposé. Il s'ensuit qu'on ne concevait pas que l'écrit pût être autre chose qu'un papier signé, si bien qu'on déclinait toute valeur d'écrit à des documents d'une autre nature, et notamment aux documents informatiques. Ainsi, jusqu'à la loi du 1er mars 2000, et à défaut de définition légale, l'écrit était classiquement conçu comme un document sur support papier signé par les parties, et en outre par le notaire dans le cas de l'acte authentique.

Un arrêt de la chambre commerciale avait déjà ébranlé cette conception en décidant que l'écrit constituant, aux termes de l'article 6 de la loi du 2 janvier 1981, l'acte d'acceptation de la cession du nantissement d'une créance professionnelle, pouvait être établi et conservé sur tout support, y compris par télécopie, dès lors que son intégrité et l'imputabilité de son contenu à l'auteur désigné avaient été vérifiées ou n'étaient pas contestées (569).

Allant plus loin encore, la loi du 1er mars 2000 définit désormais dans l'article 1316 du Code civil la preuve littérale ou par écrit comme celle qui « résulte d'une suite de lettres, de caractères, de chiffres ou de tous autres signes ou symboles dotés d'une signification intelligible, quels que soient leur support et leurs modalités de transmission ». Il s'ensuit que, à côté de l'écrit sur support papier, le législateur ouvre la possibilité d'un écrit sur un autre support, et spécialement « sous forme électronique » puisque tel était l'objet de la loi. S'agissant de ce nouvel écrit, l'article 1316-1 précise qu'il « est admis en preuve au même titre que l'écrit sur support papier, sous réserve que puisse être dûment identifiée la personne dont il émane et qu'il soit établi et conservé dans des conditions de nature à en garantir l'intégrité ». Enfin, l'article 1316-2 s'en remet au juge pour régler « les

---

(569) Cass. com., 2 déc. 1997 : *JCP* 1998, II, 10097 et note L. GRYNBAUM. Mais, en cas de contestation, les juges du fond disposent d'un pouvoir souverain pour décider si la télécopie fait preuve : Cass. 1re civ., 28 mars 2000 : *D.* 2000, 276, obs. J. FADDOUL. V. aussi Cass. 1re civ., 30 mai 2000, précité, qui a admis qu'une photocopie pouvait constituer une copie sincère et fidèle au sens de l'article 1348, alinéa 2, du Code civil.

conflits de preuve littérale en déterminant par tous moyens le titre le plus vraisemblable, quel qu'en soit le support ».

S'agissant de l'écrit sur support papier, qui est à ce jour le plus utilisé, il est important de préciser que tout papier rédigé n'est pas nécessairement un écrit. Idéalement, l'écrit c'est l'*acte instrumentaire* qui aura été établi pour matérialiser l'accord de volontés, pour servir de preuve du contrat. Mais, par extension, ce sera tout écrit remplissant les conditions de validité d'un acte sous seing privé. À l'inverse, parce qu'ils ne réunissent pas ces conditions, une facture, un texte non signé ne sont pas des écrits au sens de l'article 1341 du Code civil.

Cela dit, et quel qu'en soit le support, tout écrit est soit un *acte sous seing privé* signé par les seules parties au contrat, soit un *acte authentique* s'il est dressé par un officier public, par exemple un notaire (acte notarié). L'établissement d'un acte notarié, qui est parfois obligatoire pour la validité des contrats solennels (V. *supra*, n° 348), est toujours facultatif pour la preuve des contrats consensuels. La prudence doit conduire à constater toute convention au moins par un acte sous seing privé qui, sans avoir la même force probante que l'acte notarié, confère néanmoins une sécurité appréciable.

1° L'acte sous seing privé

362. – Conditions de validité. En pratique, l'acte sous seing privé est le procédé de loin le plus usité. On appelle ainsi tout écrit, quel que soit son support, constatant le contrat et signé par les parties ; s'agissant d'un écrit sur support papier, on admettra qu'un échange de lettres, qui est au moins un commencement de preuve par écrit (V. *supra*, n° 358), peut valoir acte sous seing privé si les deux lettres se répondent et constituent bien un accord. Par exemple, deux promesses unilatérales croisées, l'une de vente, l'autre d'achat, valent promesse synallagmatique si elles sont stipulées en termes identiques et comportent un accord définitif sur la chose et sur le prix (570), mais non si elles sont soumises à des conditions différentes (571).

La *signature* des cocontractants est la condition fondamentale (572). Suivant la formule de l'article 1316-4, « la signature *nécessaire à la perfection* d'un acte juridique » joue une double fonction :

– elle « *identifie* celui qui l'appose »

---

(570) Cass. com. 16 janv. 1990, *RTD civ.* 1990, 462.
(571) Cass. 3e civ., 26 juin 2002 : *Defrénois* 2002, 1231 et note E. Savaux ; *RTD civ.* 2003, 77, obs. J. Mestre et B. Fages.
(572) En général, la signature est l'apposition en bas du texte du nom du signataire ; mais elle peut revêtir toute autre forme, griffe, signe quelconque, par lequel le signataire manifeste son identité et s'approprie le texte signé. V. Cass. com., 4 mars 2003 : *D.* 2003, IR, 947, qui décide qu'un texte dactylographié ne saurait être considéré comme une signature sauf à établir que la partie à laquelle on l'oppose l'a elle-même dactylographié et qu'il est son œuvre matérielle et intellectuelle.

– et « elle *manifeste le consentement des parties* aux obligations qui découlent de cet acte ».

L'alinéa 2 précise que la signature électronique « consiste en l'usage d'un procédé fiable d'identification garantissant son lien avec l'acte auquel elle s'attache » ; et il renvoie à un décret du Conseil d'État pour déterminer les conditions de cette fiabilité (573).

Ceci étant, peu importe que l'acte instrumentaire ait été établi sur support papier ou sur support électronique, qu'il ait été par l'une ou l'autre des parties ou par un tiers, qu'il ait été manuscrit ou tapé à la machine ou imprimé (on aura rempli les blancs), qu'il ait été écrit sur papier libre ou sur papier timbré ; peu importe même que la signature ait été apposée une fois le texte rédigé ou avant la rédaction du texte puisque le *blanc-seing* est en soi valable.

En pratique, la signature s'accompagne presque toujours d'une autre formalité, qui dépend de la nature du contrat : formalité du *double original* pour les contrats synallagmatiques, formalité du « *bon pour* » pour les contrats unilatéraux.

363. – La formalité du double original pour les contrats synallagmatiques. Pour les *contrats synallagmatiques* (574), catégorie qui comprend la quasi-totalité des contrats usuels, l'acte doit être établi en autant d'*originaux* (par exemple, exemplaires tirés sur l'imprimante ou photocopiés puis signés par les parties, aucun n'ayant été rédigé après coup ni copié sur un autre) que de parties ayant un intérêt distinct (C. civ., art. 1325) ; ainsi chacune des parties pourra contraindre les autres à l'exécution de la convention puisque chacune aura entre les mains la preuve du contrat (575).

S'il n'a pas été satisfait à cette formalité dite du *double original*, la validité du contrat n'est nullement affectée mais l'écrit ne vaut plus que commencement de preuve par écrit (576). Suivant la jurisprudence, le défaut de double peut être rattrapé par le *dépôt* de l'original *au rang des*

---

(573) Ces conditions ont été définies par deux décrets : décret n° 2001-272 du 30 mars 2001 et décret n° 2002-535 du 18 avr. 2002. V. L. Jacques, *Le décret n° 2001-272 du 30 mars 2001 relatif à la signature électronique : JCP* 2001, act., p. 1601. – A. Penneau, *La certification des produits et systèmes permettant la réalisation des actes et signatures électroniques (à propos du décret n° 2002-535 du 18 avril 2002) :* D. 2002, chron. 2065. – X. Buffet-Delmas et B. Liard, *L'achèvement du cadre juridique de la signature électronique sécurisée. Décret n° 2002-535 du 18 avril 2002 et arrêté du 31 mai 2002 : JCP* 2002, act., 519, p. 2153. – J. Devèze, *Vive l'article 1322 ! Commentaire critique de l'article 1316-4 du Code civil :* in *Mélanges Catala*, p. 529. – Th. Piette-Coudol, *La signature électronique*, Litec, 2001.

(574) La formalité ne s'applique pas à un état des lieux dressé contradictoirement au départ du locataire car il ne s'agit pas d'un contrat, mais de la simple constatation d'une situation de fait : Cass. 3e civ., 23 mai 2002 : *Bull. civ.* III, n° 109, p. 97 ; *Contr. Conc. Consom.* 2002, comm. n° 137, obs. L. Leveneur ; *JCP* 2002, IV, 2154.

(575) Il est permis de penser que, par sa nature même, l'écrit sur support électronique satisfait aux exigences de l'article 1325 dans la mesure où chacune des parties peut y avoir un libre accès. En tout cas la loi du 1er mars 2000 n'y fait aucune mention.

(576) Cass. 3e civ., 23 janv. 1991 : *Bull. civ.* III, n° 35.

---

minutes d'un notaire (577) : le notaire conservant l'acte dans l'intérêt de tous, les cocontractants peuvent chacun en demander copie et se retrouvent alors sur un pied d'égalité quant à la preuve.

364. – La formalité du « bon pour » pour les contrats unilatéraux. Pour les *contrats unilatéraux*, dans lesquels l'un est seulement créancier et l'autre seulement débiteur, il suffit d'un original, qui sera remis au créancier puisque lui seul aura besoin, le cas échéant, de faire la preuve de la convention. C'est le cas, par exemple, d'une reconnaissance de dette, d'un cautionnement.

Dispensés de la formalité du double, les contrats unilatéraux étaient jadis soumis à celle du « *bon pour...* » qui était très décriée (578). Désormais, l'article 1326 du Code civil prévoit simplement que, pour les engagements portant sur des sommes d'argent ou sur des biens fongibles à livrer, le titre devra comporter – outre la signature du débiteur – « la mention, écrite par lui-même (579) de la somme ou de la quantité (580) en toutes lettres et en chiffres (581) ».

En revanche, l'article 1326 est sans application à une obligation portant sur la bonne exécution d'un contrat de construction (582).

Cette formalité a pour but, d'une part d'attirer l'attention du débiteur sur la mesure de son engagement, d'autre part d'éviter les abus de blancseing et faire échec aux retouches que le créancier pourrait être tenté d'opérer sur l'écrit que seul il détient. Dans son application, la jurisprudence fait preuve d'une certaine souplesse et elle considère la formalité satisfaite dès l'instant qu'il apparaît que celui qui s'engage avait une parfaite conscience de l'étendue de son engagement.

S'il n'a pas été satisfait à la formalité, la sanction est la même que pour le manquement à la formalité du double original. C'est dire que le contrat n'est pas nul, mais que l'acte instrumentaire qui le constate n'a plus la

---

(577) M. DAGOT, *Dépôt au rang des minutes d'un notaire* : JCP NI 1994, Prat., 2948. – P. CALLÉ, *Réflexions sur la nature juridique d'un acte sous seing privé déposé au rang des minutes d'un notaire :* JCP N 2003, 1150.

(578) H. LALOU, *La « solemnisation » des actes sous seing privé ou des exigences abusives du « bon pour »* : DH 1933, chron. 33. – Ph. LE TOURNEAU, *Contre le « bon pour »* : D. 1975, chron. 187.

(579) La formule « écrite par lui-même » a été substituée par la loi du 1er mars 2000 à celle « écrite de sa main » de manière à couvrir l'hypothèse de l'écrit sur support électronique.

(580) Pour un cautionnement, l'exigence de l'article 1326 ne porte que sur le montant de l'obligation principale, pas sur ses accessoires ou ses composantes : Cass. 1re civ., 29 oct. 2002, 3 arrêts : D. 2002, 3071 et note J. DJOUDI ; JCP 2002, II, 10187 et note D. LEGEAIS ; *Defrénois* 2003, 1, 229, art. 37675 et note S. PIEDELIÈVRE ; *Contr. conc. consom.* 2003, comm. n° 67, obs. L. LEVENEUR. – 4 févr. 2003 : D. 2003, 1357 et note B. ROMAN.

(581) La mention en chiffres ou en lettres seulement est insuffisante pour un cautionnement (Cass. 1re civ., 13 nov. 1996 : *Contr. Conc. Consom.* 1997, comm. n° 25, – Cass. 2e civ., 27 juin 2002 : D. 2002, somm. 3333, obs. L. AYNÈS), cependant que la mention en toutes lettres seulement suffit pour une reconnaissance de dette (Cass. 1re civ., 18 sept. 2002 : *Bull. civ.* I, n° 207, p. 159 ; JCP 2002, IV, 2667. – 19 nov. 2002 : *Bull. civ.* I, n° 278, p. 217 ; *Contr. Conc. Consom.* 2003, comm. n° 54, obs. L. LEVENEUR).

(582) Cass. 3e civ., 12 févr. 2003 : *Bull. civ.* III, n° 35, p. 34.

---

valeur probante d'un écrit ; il ne vaut plus que commencement de preuve par écrit (583).

365. – Force probante de l'origine et du contenu de l'acte. Pour les actes sous-seing privé, la *force probante* s'attache à l'*original* seulement. Des *copies* d'un support papier, même certifiées conformes, et des photocopies ne sont pas des originaux et ne dispensent pas de la présentation de l'original (C. civ., art. 1334), sauf s'il s'agit d'une *copie fidèle et durable* au sens de l'article 1348 (584). Il faut prévoir en outre un exemplaire pour l'enregistrement, le cas échéant (V. *infra*, n° 371) ; et sur chaque original doit être mentionné le nombre d'exemplaires rédigés.

Cela dit, la *force probante* qui s'attache à un acte sous seing privé n'est pas la même pour chacun de ses éléments : signature, contenu, date. Elle est en toute hypothèse moindre que celle de l'acte authentique (V. *infra*, n° 367). Elle est en revanche identique, que l'acte ait été établi sur support électronique ou sur support papier (C. civ. art. 1316-3).

La *signature* d'un acte sous seing privé ne constitue pas une présomption d'origine de l'acte. Le signataire supposé, c'est-à-dire celui dont le nom figure dans le texte, est libre de ne pas reconnaître son écriture ou sa signature (C. civ., art. 1323). Si l'un des cocontractants prétendus désavoue sa signature, il incombe à l'autre de faire la preuve inverse en diligentant une procédure de *vérification d'écriture* (NCPC, art. 287 et s.). En fait, en raison des progrès de l'expertise en écriture, il est devenu assez rare qu'un plaideur de mauvaise foi désavoue sa signature. La question se pose dans des termes exactement inverses pour la signature électronique, puisque sa fiabilité est présumée jusqu'à preuve contraire (C. civ., art. 1316-4, al. 2).

Le *contenu* de l'acte ne fait foi que jusqu'à preuve contraire. Cela signifie que les parties, comme les tiers, sont autorisés à prouver l'inverse de ce qui est écrit. On pourra, par exemple, démontrer que l'écrit est un faux-semblant, une *simulation* (V. *supra*, n°s 281 et s.) qui cache une autre opération, ou encore qu'il ne reflète pas fidèlement l'accord intervenu. Toutefois, s'agissant de prouver outre ou contre l'écrit, cette preuve ne pourra être administrée que par écrit par les parties, alors que les tiers pourront recourir à tous moyens (V. *supra*, n°s 354 et 357).

366. – Force probante de la date de l'acte. Quant à sa *date*, l'acte ne fait foi qu'entre les parties, leurs héritiers (585) ou leurs créanciers, et jusqu'à preuve contraire. Cette date est en revanche inopposable aux tiers qui

---

(583) Cass. com., 30 nov. 1993 : *Bull. civ.* IV, n° 435.
(584) Sur les copies des actes déposés au rang des minutes d'un notaire, voir P. CALLÉ, art. préc., *JCP* N 2003, 1150.
(585) À l'héritier doit être assimilé le légataire universel ; ainsi la date d'une promesse de vente sous seing privé est opposable à la Fondation de France, légataire universel du vendeur : Cass. 3e civ., 18 déc. 2002 : *D.* 2003, IR, 179.

seront libres de la considérer comme inexacte, antidatée ou postdatée, si tel est leur intérêt : par exemple, l'acheteur d'un immeuble est en droit de considérer comme postérieur à son acquisition, et donc inopposable à lui, le bail sous seing privé portant une date antérieure.

Cette règle (C. civ., art. 1328) est destinée à protéger les tiers, et notamment les tiers acquéreurs, contre des contrats antidatés dont ils pourraient être les victimes. Mais elle serait intolérable pour les cocontractants de bonne foi si ces derniers n'avaient à leur disposition un moyen bien simple de donner *date certaine* au contrat (586) : l'*enregistrement* de l'acte (V. *infra*, n° 371), dont la date fait alors foi à l'égard de tous. Bien qu'étant le moyen le plus simple de rendre la date opposable aux tiers, ce n'est pas le seul : outre les deux autres hypothèses visées à l'article 1328 du Code civil, la rédaction d'un acte notarié aboutirait au même résultat et conférerait en général une force probante plus grande.

La question de la force probante de la date se pose également pour les écrits électroniques, et de manière d'autant plus délicate que le législateur n'a pas envisagé cette difficulté (587).

2° L'acte notarié

367. – Conditions. L'intervention d'un notaire apporte à l'acte l'*authenticité*, au sens juridique du terme, c'est-à-dire une force probante particulière que la loi attache aux actes, dits *authentiques*, rédigés par les *officiers publics* dans la limite de leur compétence. Ainsi en est-il de l'acte notarié pour les contrats (588).

Comme l'acte sous seing privé, l'acte authentique peut être dressé sur support électronique « s'il est établi et conservé dans des conditions fixées par décret en Conseil d'État » (C. civ., art. 1317). C'est là un changement très important dont on ne pourra mesurer les conséquences qu'après la publication des textes d'application, et à l'expérience (589).

En dehors des cas où la forme notariée est imposée par la loi comme condition de validité du contrat, auquel cas elle remplit en même temps un rôle de preuve, le recours à un notaire n'est jamais nécessaire sur le

---

(586) F. Favennec-Hery, *La date certaine des actes sous seing privé* : RTD civ. 1992, 1.

(587) V. sur ce point : S. Mercou, *Incertitudes sur la date des actes sous seing privé (de l'écrit sur support papier à l'écrit électronique)* : JCP N 2001, 44.

(588) G. Morin, *Les nouvelles règles de forme des actes notariés* (D. n° 71-941 du 26 nov. 1971) : Defrénois 1972, 1, 65. – J. Flour, *Sur une notion nouvelle de l'authenticité* : Defrénois 1972, 1, 977. – H. Bosvieux, *Plaidoyer pour la rénovation de l'acte authentique* : JCP N 1981, p. 391. – L. Chaine, *L'authenticité et le Notariat* : JCP N 1985, I, 125. – P.-E. Normand, *La loi, le contrat et l'acte authentique* : JCP N 1990, I, doctr. 359.

(589) B. Reynis, *Signature électronique et acte authentique : le devoir d'inventer...* : JCP N 2001, 1494. – P. Leclercq, *La dématérialisation des écrits cambiaires et des actes authentiques* : in *Mélanges Bézard*, LGDJ, 2002. – X. Linant de Bellefonds, *Notaires et huissiers face à l'acte authentique électronique* : JCP N 2003, 1196.

---

plan de la preuve. En fait, il est souvent fait appel au ministère du notaire car son intervention, malgré son coût, présente de nombreux avantages.

C'est ainsi que la rédaction de l'acte sera sans doute mieux assurée en la forme comme au fond par un professionnel qui connaît les clauses d'usage et les pratiques courantes. Ayant un devoir de conseil et une responsabilité correspondante, le notaire mettra en valeur les avantages et inconvénients des diverses formules possibles, et permettra souvent de lever certaines incertitudes.

De même l'intervention du notaire prémunit contre les risques de perte de l'acte instrumentaire, du moins lorsqu'il est rédigé sur support papier en *minute* : il en est ainsi lorsque l'original appelé minute, signé du notaire et des parties, est conservé par l'officier public (par opposition à la rédaction en *brevet*, où l'original est remis aux parties : pour les procurations, par exemple). L'original demeurant au rang des minutes du notaire, ce dernier délivre aux parties des copies qui, à la différence des copies d'actes sous seing privé (V. *supra*, n° 365), ont la même valeur que l'original. La première copie jadis dénommée *grosse* et désormais *copie exécutoire*, est revêtue de la *formule exécutoire*, comme les jugements ; les autres copies sont de simples *expéditions*. La présence de la formule exécutoire permet au porteur de la *copie exécutoire* de procéder à des mesures d'exécution forcée (*infra*, n°s 823 et s.), au cas d'inexécution du contrat, alors que le porteur d'un acte sous seing privé doit au préalable obtenir un jugement. L'avantage est loin d'être négligeable.

En contrepartie, l'authenticité suppose accomplies d'assez nombreuses formalités, au nombre desquelles figure au premier chef la *signature du notaire*, qui ne sont actuellement définies que pour le support papier. Toute irrégularité disqualifierait l'acte notarié pour n'en faire qu'un acte sous seing privé (C. civ., art. 1318), s'il en remplit par ailleurs les conditions (590), et notamment si les parties y ont apposé leur signature (591). Mais il perdrait alors son principal intérêt qui réside dans sa *force probante*.

368. – Force probante. L'acte notarié, comme tout acte authentique, fait foi jusqu'à *inscription de faux*. Cela signifie que la preuve contraire doit être rapportée dans le cadre d'une procédure pénale dont le succès suppose démontrée une affirmation mensongère du notaire. Il s'agit d'un faux en écritures publiques, crime puni par l'article 441-4 du Code pénal (592).

---

(590) Un acte notarié ne vaut acte sous seing privé que si le vice de forme invoqué lui fait perdre son caractère authentique. En revanche, les mentions d'un acte frappées de nullité ne peuvent faire preuve comme écriture privée (Cass. 1re civ., 28 oct. 1986 : *Defrénois* 1987, 1, 252, art. 33886 et note M. Vion).

(591) Lorsqu'il s'agit d'un simple paraphe et non d'une signature, il appartient aux juges du fond d'apprécier souverainement si ce paraphe apposé à l'endroit des signatures vaut signature (Cass. 3e civ., 7 mars 2001 : *Bull. civ.* III, n° 31, p. 25. – Paris 22 mai 1975 : *JCP* 1976, IV, 158 ; *D.* 1976, somm. 8).

(592) La peine peut aller jusqu'à quinze ans de réclusion criminelle et 225000 euros d'amende.

Cette force probante s'attache à la *date* et à la *signature*, c'est-à-dire à l'identité des signataires, à l'origine de l'acte, sous réserve des dispositions de l'article 1316-4 relatives à la signature électronique (593).

Quant au *contenu* de l'acte, il faut distinguer entre les diverses énonciations. Celles qui émanent des parties ou des témoins et qui sont simplement reproduites par le notaire ne font foi que jusqu'à preuve contraire, comme pour un acte sous seing privé : leur fausseté peut en effet être démontrée sans qu'il soit porté atteinte à l'honneur de l'officier public. Au contraire, font foi jusqu'à inscription de faux les constatations et affirmations faites par le notaire lui-même, et dans le cadre de sa compétence (594).

Par exemple, si le notaire déclare qu'une des parties a remis devant lui une somme de x euros à l'autre partie, c'est une constatation qui engage l'honnêteté de l'officier public et qui, par suite, fait foi jusqu'à inscription de faux. Mais, lorsqu'il précise que cette somme a été remise à titre de paiement d'un prix de vente, il ne fait que reproduire ce que les parties lui ont dit ; cette énonciation peut être inexacte, sans que pour autant le notaire ait menti, et elle ne fait foi que jusqu'à preuve contraire. Il en est de même lorsque le notaire affirme, par la formule consacrée, que les contractants étaient sains de corps et d'esprit, car cette constatation ne relève pas de sa compétence.

La force probante qui découle de l'authenticité, jointe aux garanties de compétence du notaire, explique qu'il soit souvent recouru à la forme notariée, en dehors même des contrats solennels. Il est vrai que ce recours est parfois rendu nécessaire, de manière indirecte, pour l'accomplissement de formalités annexes, telles que la publicité foncière.

§ 3. – Les formalités annexes

369. – Quel rapport entre la forme du contrat et les formalités ? En dépit du principe du consensualisme, il est rare qu'un contrat de quelque importance ne soit pas astreint à des formes. S'il s'agit d'un contrat solennel, la forme – l'établissement d'un écrit, authentique ou sous seing privé – est une condition de validité. Le contrat est-il seulement consensuel, les règles de preuve conduiront néanmoins à dresser là encore un écrit.

Outre ces formes, certains contrats sont subordonnés à l'obtention de certaines autorisations ou à l'accomplissement de certaines formalités qui

---

(593) B. Reynis, art. précité.

(594) Jurisprudence constante : parmi de très nombreuses décisions, V. Cass. 3e civ., 19 avr. 1972 : *JCP* 72, IV, 138. Il s'ensuit qu'il est possible d'intenter une action en déclaration de simulation contre un acte notarié sans avoir à recourir à l'inscription de faux lorsque les énonciations mensongères n'émanent que des parties : Cass. 3e civ., 22 févr. 1972 : *JCP* 72, IV, 90.

en conditionnent la validité. Il ne s'agit pas là de conditions de forme, mais de conditions de fond qui sont spécifiques à tel ou tel type de contrat.

Par exemple, le contrat de mariage est un contrat solennel. Mais, si les époux veulent modifier ce contrat, il ne leur suffira pas de faire établir un nouveau contrat par leur notaire ; la loi exige que cette modification soit soumise à un juge qui vérifiera si elle n'est pas contraire à l'intérêt de la famille (C. civ., art. 1397). Ici l'*homologation* par le tribunal est une condition de fond de validité de la modification ; cela est si vrai qu'elle est tout aussi nécessaire pour changer de régime matrimonial dans le cas où le choix initial du régime n'avait pas fait l'objet d'un contrat.

De même, le contrat de construction de maison individuelle est un contrat soumis à la forme écrite. Mais son exécution sera paralysée tant que le maître de l'ouvrage n'aura pas obtenu un permis de construire délivré par l'Administration. Pareille *autorisation administrative*, qui constitue une formalité, n'est pas une forme du contrat, mais une condition de fond. Plus généralement chaque fois qu'un contrat est subordonné à une autorisation ou à l'accomplissement d'un acte quelconque pour sa validité ou son efficacité, il faut y voir une condition de fond.

En revanche, certaines formalités qui, sauf exception, ne sont pas prescrites à peine de nullité, ont une influence sur la forme du contrat, ou sur sa preuve. Il s'agit des formalités de publicité et de l'enregistrement.

370. – Les formalités de publicité. Bien que régissant des rapports privés, de nombreux contrats intéressent aussi les tiers et l'Administration, spécialement l'Administration fiscale. Afin d'assurer l'information nécessaire des tiers, la loi organise la *publicité* de divers événements, actes et contrats. La sanction normale étant l'*inopposabilité aux tiers* des actes non publiés, voilà qui incite à se plier à la règle ; et toute publicité supposant la matérialisation préalable de l'acte sous la forme d'un *instrumentum*, c'est une raison supplémentaire de se conformer à la règle de la preuve écrite, même en matière de commerce où elle n'est pas obligatoire (V. *supra*, nos 356 et 360). Il s'agit là d'un formalisme indirect dont on donnera quelques exemples.

C'est ainsi que doivent être publiés au *registre du commerce et des sociétés* tous les éléments susceptibles d'exercer une influence sur la situation juridique des commerçants, mariage, contrat de mariage par exemple, et de leur fonds de commerce, nantissement par exemple. De même, tout contrat instituant une société, quelle que soit sa forme, est soumis à la même publicité ; mieux encore, c'est l'*immatriculation* au registre qui confère à la société la personnalité morale, c'est-à-dire la vie juridique (V. *Introduction*, n° 312).

De même, à la *Conservation des hypothèques* s'effectue la *publicité foncière* de tous les actes relatifs aux *immeubles*, qu'il s'agisse de contrats solennels (hypothèque, donation) ou de contrats consensuels (vente, apport en société, constitution d'usufruit ou de servitude, etc.). On se souvient quelle importance cette publicité revêt pour les hypothèques, dont le rang est déterminé par leur date d'inscription (V. *Introduction*, n° 176, *in fine*) ; son intérêt n'est pas moindre pour les actes translatifs de propriété ou autres droits réels puisque seule la transcription de l'acte rend le transfert opposable aux tiers (V. *Introduction*, n° 455).

Cette formalité de publicité, qui est en fait obligatoire pour la pleine efficacité du contrat, rejaillit sur la forme même de l'acte à publier : en effet, la publicité foncière ne pouvant être faite que sur la base d'un *acte notarié*, cela impose aux parties de recourir à un notaire pour toute vente d'immeuble bien que ce soit en principe un contrat consensuel.

371. – La formalité de l'enregistrement. Cette publicité, qui remplit un rôle civil, poursuit aussi un *but fiscal*. L'*Enregistrement* relève du ministère des Finances, au même titre que la *Conservation des hypothèques* et l'une comme l'autre opèrent la perception de droits. Le lien entre ces deux administrations a d'ailleurs été marqué par une loi du 26 décembre 1969 portant réforme des droits d'enregistrement et de la taxe de publicité foncière. Désormais, les formalités de l'enregistrement et de la publicité foncière sont fusionnées pour les actes publiés au fichier immobilier (vente d'immeuble, ou apport immobilier en société, etc.).

Lorsque la loi prescrit l'enregistrement d'un acte, le défaut d'enregistrement n'entraîne en principe que des sanctions fiscales. Il en va toutefois différemment pour les promesses unilatérales de vente par acte sous seing privé portant sur des immeubles qui doivent être enregistrées à peine de nullité ; il s'agit là d'une sanction très exceptionnelle qui tend à décourager la fraude fiscale.

En dehors de son aspect fiscal, l'enregistrement présente un intérêt, déjà signalé (V. *supra*, n° 366), sur le plan de l'opposabilité aux tiers de la date des actes sous seing privé. C'est le moyen le plus sûr de donner *date certaine* à un acte sous seing privé, qu'il soit ou non astreint à enregistrement ; c'est en outre un moyen de conservation de l'acte puisque le Bureau de l'Enregistrement intéressé est habilité à en délivrer copie.

Numéros 372 à 380 réservés.

Section 4

SANCTION DES CONDITIONS DE FORMATION DU CONTRAT

381. – La nullité, sanction de la violation des conditions de formation. Si les parties sont tenues par les obligations souscrites, c'est à la condition que le contrat ait été valablement passé, que les conditions de formation (*supra*, n°s 84 et s.) aient été respectées. À défaut, la *nullité* serait encourue.

Ainsi définie, la nullité sanctionne la violation des conditions de formation du contrat, lesquelles sont instituées pour protéger tantôt l'une des parties : conditions de capacité, de consentement ; tantôt l'intérêt général : condition de conformité à l'ordre public, par exemple. On la qualifie de *rescision* lorsque la nullité est prononcée pour cause de lésion (V. *supra*, nos 295 et s.), mais c'est une nullité comme les autres, la différence étant purement terminologique.

La nullité peut éventuellement s'accompagner d'autres sanctions. Tel est le cas lorsque des faits constitutifs de dol ou de violence constituent également une *infraction pénale*, par exemple délit de publicité fausse (V. *supra*, n° 179), ou d'abus de faiblesse (V. *supra*, n° 190). De même, si le cocontractant à l'origine d'une erreur ou d'un dol a commis une faute, il engage sa *responsabilité civile*, et la victime pourra tout à la fois demander la nullité du contrat et des dommages-intérêts (595).

382. – Distinction entre la nullité et les notions voisines. Si la nullité entraîne l'anéantissement du contrat, elle n'est pas le seul mécanisme à produire cet effet. À cet égard, il convient donc de la distinguer de ces autres mécanismes.

La nullité doit tout d'abord être distinguée de l'*inopposabilité* (596) qui sanctionne au profit des tiers le *défaut de publicité* de certains actes ou renseignements : par exemple, le défaut de publicité des aliénations immobilières à la Conservation des hypothèques (V. *supra*, n° 370), ou de certains procès-verbaux de délibérations au registre du commerce et des sociétés. L'inopposabilité suffit ici à assurer la protection des tiers, sans qu'il soit nécessaire d'annuler l'acte entre les parties, par exemple en matière de simulation (V. *supra*, nos 289 et s.).

La nullité diffère aussi de la *résolution* qui sanctionne, à la demande du créancier impayé, l'inexécution des contrats à obligations réciproques (V. *infra*, n° 496 et s.). Certes, les deux mécanismes ont un effet identique, l'anéantissement du contrat, mais ils diffèrent fondamentalement par leur rôle. Alors que la nullité sanctionne l'inobservation des conditions de formation du contrat, la résolution est la sanction de l'inexécution ou de la mauvaise exécution d'un contrat valable.

La NULLITÉ sanctionne l'inobservation des *conditions de formation* du contrat.

L'INOPPOSABILITÉ sanctionne l'inobservation des *conditions de publicité* du contrat.

La RÉSOLUTION sanctionne l'inexécution ou la mauvaise exécution du contrat.

---

(595) C. Ouerdane-Aubert de Vincelles, *Altération du consentement et efficacité des sanctions contractuelles*, préf. Y. Lequette, Dalloz, 2002. – D. Houtcieff, *Les sanctions de la formation du contrat :* in *Les concepts contractuels français à l'heure des principes du droit européen des contrats*, Dalloz, 2003, p. 115.

(596) Bastian, *Essai d'une théorie générale de l'inopposabilité*, Thèse Paris, 1929. – P. Carli, *L'insécurité tenant à la relativité d'une nullité ou d'une inopposabilité : RTD com.* 1993, 255.

La nullité doit également être distinguée de l'*abrogation volontaire* d'un contrat. Libres de conclure un contrat, les parties le sont aussi de le modifier ou d'y mettre fin, c'est-à-dire de l'abroger. C'est ce que rappelle l'article 1134, alinéa 2, lorsqu'il dispose que les conventions « ne peuvent être révoquées que de leur consentement mutuel ». La différence avec la nullité et la résolution tient au fait que l'abrogation ne se produit que pour l'avenir ; elle n'efface pas le passé.

Enfin, il arrive – rarement il est vrai – qu'un contrat disparaisse par *caducité* (597). Il y aura caducité dans le cas où un acte juridique, bien que valablement conclu, nécessitait pour son efficacité la survenance d'un élément supplémentaire ; par exemple une donation consentie en vue d'un mariage devient caduque si le mariage ne survient pas.

383. – Nécessité d'une action en justice. La nullité, qui a été longtemps considérée comme un *état de l'acte* (il y aurait des actes nuls et des actes valables, au même titre par exemple qu'il y a des actes authentiques et des actes sous seing privé), est désormais analysée depuis Japiot comme un *droit de critique* contre les effets d'un acte, conféré à une personne ou à un groupe de personnes. Cela explique qu'un acte annulable puisse néanmoins accomplir tous ses effets, ou certains d'entre eux, si les titulaires de l'action ne l'exercent pas, ou encore si ne sont critiquables que certains effets de l'acte (598).

Tout contrat est présumé valablement conclu si bien qu'il appartient à celui qui en critique la validité d'en rapporter la preuve. Cette critique ne peut être formulée que devant un juge qui seul a le pouvoir d'annuler un contrat. Cette nécessité d'une action en justice a toutefois été contestée dans le cas où le prétendu contrat aurait si peu d'apparence qu'on devrait le considérer comme inexistant ; en pareil cas, selon certains, il n'y aurait pas lieu de faire prononcer la nullité mais simplement de constater son *inexistence* (599), et l'action serait imprescriptible.

384. – Action en nullité et exception de nullité. Si on laisse de côté la théorie de l'inexistence qui n'est plus soutenue de nos jours, il y a deux manières possibles de faire valoir la nullité d'un contrat, comme l'illégalité d'un acte du pouvoir réglementaire (V. *Introduction*, n° 108) : par voie d'action et par voie d'exception.

---

(597) Y. Buffelan-Lanore, *Essai sur la notion de caducité des actes juridiques*, LGDJ, Droit privé, t. 43. – N. Fricéro, *La caducité en droit privé*, thèse Nice 1979. – F. Garron, *La caducité du contrat (Étude de droit privé)*, préf. J. Mestre, PUAM, 1999. – V. Wester-Ouisse, *La caducité en matière contractuelle : une notion à réinventer* : JCP 2001, I, 209.

(598) Japiot, *Des nullités en matière d'actes juridiques, essai d'une théorie nouvelle*, thèse Dijon, 1909. – Piédelièvre, *Des effets produits par les actes nuls*, thèse Paris, 1911. – Ph. Simler, *La nullité partielle des actes juridiques*, 1969. – Ch. Hannoun, *L'action en nullité et le droit des sociétés (réflexions sur les sources procédurales du droit de critique et leurs fonctions)* : RTD com. 1993, 227. – P. Carli, *L'insécurité tenant à la relativité d'une nullité ou d'une inopposabilité* : RTD com. 1993, 255.

(599) G. Cohendy, *Des intérêts de la distinction entre l'inexistence et la nullité d'ordre public* : RTD civ. 1914, 33. – Cass. 3e civ., 15 déc. 1999 : JCP 2000, II, 10236, concl. J.-F. Weber.

Le titulaire du droit de critique peut tout d'abord prendre l'initiative et intenter directement l'*action en nullité*, que le contrat ait ou non été exécuté ; mais il ne peut le faire que dans un certain délai, dit *délai de prescription*, dont la durée varie suivant les hypothèses (V. *infra*, n° 849 et s.).

Il peut aussi rester passif, attendre que le créancier lui demande l'exécution du contrat annulable et y résister en excipant de l'*exception de nullité* (600) ; procéduralement l'exception apparaît alors comme une sorte de demande reconventionnelle en nullité soulevée en défense (601).

Cela dit, l'exception ne peut jouer qu'en cas d'inexécution du contrat ; suivant la formule de la jurisprudence, « l'exception de nullité peut seulement jouer pour faire échec à la demande d'exécution d'un acte juridique qui n'a pas encore été exécuté » (602). Mais cette solution jurisprudentielle, qui joue dans le cas d'une inexécution totale du contrat, s'applique-t-elle aussi au cas où celui-ci a reçu une exécution partielle ? La question se pose principalement dans le cas des contrats à exécution successive qui ont reçu une exécution partielle : s'agissant par exemple d'un contrat de prêt, l'exception de nullité peut-elle encore être invoquée par le débiteur (ou par la caution) alors qu'il a déjà procédé au remboursement d'un certain nombre d'échéances ? Après un revirement, la jurisprudence la plus récente se prononce dans le sens de la négative : celui qui a exécuté le contrat, même partiellement, ne peut plus invoquer l'exception de nullité (603). Il va sans dire qu'il en irait différemment si on était toujours dans le délai de prescription, et que la nullité pourrait alors être invoquée indifféremment par voie d'action ou d'exception.

La particularité remarquable de l'exception est qu'elle peut être invoquée sans limitation de délai, donc même lorsque le délai de prescription est expiré (604). Pour exprimer cette survie de l'exception de nullité, on dit souvent qu'elle est perpétuelle suivant l'adage « *quae temporalia sunt ad*

---

(600) M. Storck, *L'exception de nullité en droit privé* : D. 1987, chron. 67. – D. Vich-Y-Llado, *L'exception de nullité* : Defrénois, 2000, 1, art. 37256. – J.-L. Aubert, *Brèves réflexions sur le jeu de l'exception de nullité* : in *Mélanges Ghestin*, LGDJ, 2001. – M. Bruschi, *L'exception de nullité du contrat*, Droit et patrimoine, janv. 2000, p. 69.

(601) En définitive, l'exception a le même effet que l'action en nullité, à savoir qu'elle « emporte, en principe, l'effacement rétroactif du contrat » : Cass. 1re civ., 16 juill. 1998 : Defrénois 1998, 1, 1413 et note J.-L. Aubert.

(602) Cass. 1re civ., 1er déc. 1998 : *Bull. civ.* I, n° 338 ; *RTD civ.* 1999, 621, n° 7, obs. J. Mestre ; Defrénois 1999, 1, 364, obs. J.-L. Aubert ; JCP 1999, I, 171, n° 5-8, obs. M. Fabre-Magnan. – 9 nov. 1999, JCP 2000, II, 10335 et note Ch. Seraglini. – Cass. 3e civ., 10 mai 2001 : D. 2001, 3156 et note P. Lipinski ; JCP 2001, IV, 2195 (pour un contrat de vente à terme). – 30 janv. 2002 : D. 2002, somm. 2837, obs. L. Aynès (pour un contrat de crédit-bail).

(603) Cass. 1re civ., 1er déc. 1998, précité. – 9 nov. 1999, précité. – Cass. 3e civ., 10 mai 2001, précité. – Cass. com. 6 juin 2001 : *Bull. civ.* IV, n° 113, p104 ; Defrénois 2001, 1, 1429, art. 37441, n° 95, obs. R. Libchaber. – Cass. 1re civ., 3 juill. 2001 : *Bull. civ.* I, n° 201, p. 128 ; JCP 2001, I, 370, n° 14, obs. Y.-M. Sérinet. – 6 nov. 2001 : *Bull. civ.* I, n° 268, p. 170. – 30 janv. 2002 : JCP 2003, II, 10089 et note O. Padé ; D. 2002, somm. 2837, obs. L. Aynès. – 25 mars 2003 : D. 2003, IR, 1077.

(604) V. par ex. Cass. 1re civ., 19 déc. 1995 : *Contr. Conc. Consom.* 1996, comm. n° 38 et note L. Leveneur. – Cass. 3e civ., 18 mars 1998 : *Bull. civ.* III, n° 67.

agendum, perpetua sunt ad excipiendum ». On observera à cet égard qu'un récent arrêt a été rendu sous le visa suivant : « Vu le principe selon lequel l'exception de nullité est perpétuelle » (605). On s'accorde généralement pour considérer que la règle s'applique à tous les délais de prescription, quelle que soit leur durée, mais à l'exception des délais préfix (606).

On explique la pérennité de l'exception, non pas tant par la lettre des articles 1304 et 2262 qui, à propos de la prescription, visent seulement les « actions », mais par le fondement même de la prescription. En effet, au même titre que la prescription de l'action en nullité tend à consolider une situation de fait qui ne peut plus désormais être critiquée, l'exception permet de maintenir le *statu quo*, c'est-à-dire la non-exécution d'un contrat ; l'une et l'autre trouvent leur justification dans la même idée : *quieta non movere*.

385. – Plan. Nous consacrant à l'action en nullité, nous envisagerons successivement ses conditions d'exercice, puis ses effets.

§ 1. – Conditions de l'action en nullité

386. – Pouvoir du juge ? (607). Lorsque le juge saisi constate l'existence d'une cause de nullité, il n'a pas de pouvoir d'appréciation sur l'opportunité de la sanction : il doit prononcer la nullité. On exprime cela en disant que la nullité est *de droit*. Mais en revanche, au moins dans certains cas, il dispose de ce pouvoir d'appréciation en amont, pour décider si, compte tenu des circonstances de fait, il y a eu ou non vice du consentement de l'un des contractants, ou si la cause du contrat est illicite ou immorale, etc.

Par exception au principe que les nullités sont de droit, la loi accorde parfois au juge la liberté de prononcer ou non la nullité. La nullité est alors *facultative*. Par exemple, alors que les actes passés par un majeur en tutelle sont nuls de droit (C. civ., art. 502), ceux qu'il aurait passés avant le jugement d'ouverture de la tutelle « pourront être annulés par le juge si la cause qui a déterminé l'ouverture de la tutelle existait notoirement à l'époque où ils ont été faits » (C. civ., art. 503).

A. – Les cas de nullité et les titulaires de l'action

387. – Nullité absolue et nullité relative. Toute action en nullité doit être fondée sur une cause qui est la violation d'une condition de formation

---

(605) Cass. 3ᵉ civ., 10 mai 2001 : *D.* 2001, 3156 et note P. LIPINSKI ; *JCP* 2001, IV, 2195.

(606) Cass. req. 24 mai 1898 : *S.* 1901, I, 335. – Cass. 1ʳᵉ civ., 29 mars 1950 : *Bull. civ.* I, n° 89 ; *RTD civ.* 1950, 514, obs. J. CARBONNIER. – M. BRUSCHI, *L'impossible oubli : pour l'application de la maxime « quae temporalia » aux délais préfix :* in Liber Amicorum *Benoît Savelli, Le droit dans le souvenir*, Presses Universitaires Aix-Marseille 1998, 183.

(607) O. GOUT, *Le juge et l'annulation du contrat*, préf. P. ANCEL, PUAM, 1999.

du contrat. Bien que les textes n'en fissent nulle part mention, la doctrine classique opposait traditionnellement la *nullité absolue* à la *nullité relative*. La nullité étant conçue comme un *état de l'acte*, on établissait une distinction suivant la gravité de l'irrégularité affectant l'acte : nullité absolue, inguérissable, pour les irrégularités les plus graves ; nullité relative, susceptible de guérison pour les irrégularités moindres.

On en déduisait des conséquences en ce qui concerne les conditions d'exercice de l'action : ses titulaires, la possibilité de confirmer l'acte annulable, le délai de prescription. En présence d'un cas de nullité absolue, l'action en nullité pouvait être exercée par tout intéressé, l'acte n'était susceptible ni de confirmation, ni de prescription. Les solutions étaient inverses pour la nullité relative qui ne pouvait être demandée que par la personne protégée et qui était susceptible de confirmation et de prescription.

Cette terminologie s'est perpétuée tout en recouvrant un contenu différent. D'entrée, il convient d'éviter une grave confusion sur le sens de ces expressions qui font supposer à tort des degrés dans les effets de la nullité. Qu'elle soit absolue ou relative, la nullité produit toujours les mêmes effets ; la différence est ailleurs, elle touche aux conditions d'exercice de la nullité.

La tendance moderne est de considérer qu'il n'y a pas de lien absolu entre le caractère de la nullité et les conditions d'exercice de l'action. Mais, sauf à sombrer dans une casuistique aux conséquences imprévisibles, il ne serait pas raisonnable de soutenir que chaque action en nullité a son régime propre. Aussi les auteurs s'accordent-ils sur un moyen terme qui rénove la distinction des nullités absolue et relative. On dira que la nullité a l'un ou l'autre caractère suivant que la condition violée protégeait l'*intérêt général* (nullité absolue) ou l'*intérêt d'une personne en particulier* (nullité relative).

Ce critère, satisfaisant dans l'ensemble, manque de rigueur dans la mesure où certaines conditions intéressent tout à la fois l'intérêt général et l'intérêt particulier. Il s'ensuit que l'hésitation est parfois permise tant sur ce qui relève de l'une et l'autre nullité que sur les conséquences qu'il convient d'en tirer au plan des titulaires de l'action, de la confirmation et de la prescription. À côté des cas où la qualification n'est pas contestée, il en est d'autres où elle est discutée (608).

388. – Les cas de nullité relative. Ici, l'exercice de l'action en nullité est réservé à la personne protégée ; à ce titulaire unique il faut ajouter ses créanciers (609) par la voie de l'action oblique (V. *infra*, nos 835 et s.), de son vivant, et ses héritiers et ayants cause universels après sa mort.

---

(608) Pour la discussion, V. Flour et Aubert, *Les obligations, L'acte juridique*, nos 334 et s.
(609) J.-L. Aubert, *Le droit pour le créancier d'agir en nullité des actes passés par son débiteur (Un aspect particulier de la théorie générale des nullités)* : RTD civ. 1969, 692.

Relèvent certainement de la nullité relative les cas traditionnels où la règle violée tend à protéger l'intérêt particulier de l'un des contractants. Tel est le cas pour la violation des règles relatives :

• à l'*incapacité d'exercice* : l'action en nullité est réservée à l'incapable ou à son représentant ; ou à l'*incapacité de jouissance* lorsqu'elle est établie dans l'intérêt d'une personne ;

• aux *vices du consentement* : action réservée à la victime de l'erreur, du dol, de la violence ; ou au *défaut de consentement* (C. civ., art. 489) ;

• à la *lésion*, ou aux *clauses abusives*.

Relèvent également de la nullité relative un certain nombre de cas pour lesquels il peut néanmoins y avoir difficulté :

• la violation d'une *règle d'ordre public de protection* : par exemple, l'action sera réservée au consommateur, ou au salarié, ou au locataire, etc. (610) ;

• la violation d'une *règle de forme*, mais dans le cas où la forme protégeait uniquement l'une des parties, ce qui peut faire l'objet de discussion.

389. – Les cas de nullité absolue. L'éventail des demandeurs possibles est à l'inverse très large lorsque la condition violée protégeait l'intérêt général. L'idée est que, l'ordre public étant mis en cause, il faut accroître les chances d'annulation d'un pareil contrat. C'est pourquoi l'action est ouverte à « tout intéressé ». En pratique, cela signifie que la nullité pourra être demandée par l'une ou l'autre des parties au contrat ou leurs créanciers (611), et non plus par une seule.

Traditionnellement, une nullité d'ordre public pouvait en outre être relevée d'office par un tribunal, soit *a priori*, soit pour le cas où le contrat vicié ferait l'objet d'une demande judiciaire en exécution par l'une des parties (612). Ce pouvoir du juge de soulever d'office une nullité a été étendu de manière générale à toutes les nullités, sous réserve de se fonder sur les seuls faits qui sont dans le débat (NCPC, art. 7, al. 1) et de respecter le principe du contradictoire (NCPC, art. 16).

Il y aura lieu à nullité absolue pour *illicéité* ou *immoralité* de l'objet ou de la cause, lorsque la règle violée est d'*ordre public économique ou de direction*.

---

(610) La jurisprudence en tire cette conséquence que la méconnaissance de la règle (en l'espèce, les articles L. 311-2 et L. 311-9 du Code de la consommation relatifs aux informations devant figurer dans l'offre préalable de crédit), même d'ordre public, ne peut être opposée qu'à la demande du consommateur protégé, et non à l'initiative du juge : Cass. 1re civ., 10 juill. 2002 : *D.* 2003, 549 et note critique O. Gout ; *RTD civ.* 2003, 85, obs. J. Mestre et B. Fages. Mais cette interprétation a été condamnée par la CJCE : CJCE 21 nov. 2002 : *D.* 2003, 486 et note C. Nourissat ; *JCP* E 2003, 278, note I. Fadlallah et Ch. Baude-Texidor ; *JCP* 2003, II, 142, nos 1 et s., obs. X. Lagarde.

(611) J.-L. Aubert, art. précité.

(612) P. Kayser, *Les nullités d'ordre public* : *RTD civ.* 1933, 1115. – Ch. Bertrand, *La notion d'ordre public en matière de nullité,* thèse Lille, 1939.

La jurisprudence considère également, malgré les critiques qui ont pu lui être adressées, qu'il y a nullité absolue en cas :

• de violation des règles de forme lorsqu'il s'agit d'un *acte solennel*, alors que cependant la forme peut ne protéger que l'intérêt privé ;

• d'absence de cause, alors que seul est en jeu l'intérêt du cocontractant dont l'obligation est sans cause.

B. – Extinction de l'action

390. – Peut-on réparer un contrat vicié ? Lorsqu'un contrat est affecté d'une cause de nullité, les parties peuvent-elles réparer le vice pour mettre le contrat à l'abri de toute critique ?

À cet effet, il est toujours possible de faire un nouveau contrat ayant le même objet (sauf si l'objet est en soi illicite), en veillant bien entendu à le modifier pour en écarter toute cause de nullité. Il s'agit alors d'une *réfection* du contrat, non d'une réparation du contrat initial ; il s'ensuit que le nouveau contrat prendra effet au jour de sa conclusion et n'aura pas d'effet rétroactif.

Outre cela, il est possible de consolider le contrat initial, de le valider rétroactivement, mais dans certaines circonstances seulement : parfois on pourra procéder à une *régularisation* ; d'autres fois, s'agissant d'un contrat nul de nullité relative, il pourra faire l'objet d'une *confirmation*.

Enfin, comme en toutes matières, l'action en nullité n'est ouverte que pendant un certain délai ; une fois le délai expiré, il y aura *prescription*. En pareil cas, le vice ne sera pas réparé, mais le contrat sera à l'abri de toute critique.

391. – La régularisation (613). Il y aura *régularisation* lorsqu'un élément manquant, essentiel à la validité du contrat, peut être apporté par la suite, permettant ainsi de valider un acte initialement nul. C'est une hypothèse relativement rare.

On en cite classiquement comme exemple le cas de la rescision pour lésion dans la vente d'immeuble, où l'acheteur bénéficiaire de la lésion peut faire échec à l'action en payant « le supplément du juste prix » (C. civ., art. 1681).

De même, dans le contrat de sous-traitance, le maître de l'ouvrage doit, à peine de nullité, fournir caution à son sous-traitant ; mais il peut régulariser la situation en fournissant la caution par la suite, à la condition que ce soit avant toute réclamation du sous-traitant sur ce point (L. 30 déc. 1975, art. 14). De même encore, si l'acte passé par un mandataire excédant ses pouvoirs est nul, le mandant peut le ratifier, ce qui lui donne plein effet.

---

(613) C. DUPEYRON, *La régularisation des actes nuls*, LGDJ, Droit privé, 1973.

On rencontre de nombreuses hypothèses de régularisation en matière de droit des sociétés, afin d'éviter des nullités en cascade. Il n'en reste pas moins que la régularisation a un domaine d'application limité.

392. – La confirmation (614). Confirmer, cela signifie renoncer au droit d'invoquer la nullité si bien que la validité de l'acte devient désormais indiscutable.

La confirmation doit émaner de celui que la nullité tendait à protéger et qui, par la confirmation, renonce à ce droit. Il s'ensuit qu'elle n'est possible que pour les actes affectés d'une nullité relative, où l'action en nullité est réservée à la personne protégée. Elle ne l'est pas dans le cas de la nullité absolue car, tout intéressé pouvant la demander, la confirmation de l'un ne saurait mettre l'acte à l'abri du droit de critique des autres. Ainsi, sauf exception (art. 1340, par ex.), les actes nuls d'une nullité absolue ne peuvent être « rattrapés » que par une réfection totale du contrat (V. *supra*, n° 390).

Art. 1338. – L'acte de confirmation ou ratification d'une obligation contre laquelle la loi admet l'action en nullité ou en rescision n'est valable que lorsqu'on y trouve la substance de cette obligation, la mention du motif de l'action en rescision, et l'intention de réparer le vice sur lequel cette action est fondée.

À défaut d'acte de confirmation ou ratification, il suffit que l'obligation soit exécutée volontairement après l'époque à laquelle l'obligation pouvait être valablement confirmée ou ratifiée.

La confirmation, ratification, ou exécution volontaire dans les formes et à l'époque déterminées par la loi emporte la renonciation aux moyens et exceptions que l'on pouvait opposer contre cet acte, sans préjudice néanmoins du droit des tiers.

La confirmation doit émaner de celui que la condition violée protégeait. Elle est subordonnée à une triple condition :

– la *connaissance du vice* par la personne protégée ; par exemple la victime d'une erreur s'est rendu compte de cette erreur ;

– l'*intention de le réparer*, en fait l'intention de renoncer à invoquer la nullité, étant précisé que la confirmation peut être expresse ou simplement tacite, à la condition qu'elle soit sans équivoque ; elle peut notamment résulter de l'exécution spontanée du contrat annulable, comme l'indique l'article 1338 : « à défaut d'acte de confirmation ou de ratification, il suffit que l'obligation soit exécutée volontairement après l'époque à laquelle l'obligation pouvait être valablement confirmée ou ratifiée » ;

– la *disparition de ce vice* lors de la confirmation : par exemple, le vice d'incapacité ne pourra être couvert par un mineur qu'une fois arrivé à la majorité.

Lorsqu'elle intervient, la confirmation interdit d'invoquer la nullité, que ce soit par voie d'action ou par voie d'exception.

---

(614) G. Couturier, *La confirmation des actes nuls*, LGDJ, Droit privé, 1972.

393. – La prescription (615). En principe, toutes les actions se prescrivent, c'est-à-dire s'éteignent par l'écoulement d'un certain délai (V. *infra*, nᵒˢ 849 et s.). De manière générale, la prescription trouve son fondement dans le besoin de sécurité juridique (616) : il ne faut pas que les contrats puissent être remis en cause de longues années après leur conclusion. À l'inverse la nullité tend à protéger le ou les titulaires de l'action et doit donc perdurer le plus longtemps possible. La prise en compte de ces perspectives antagonistes a conduit à un équilibre qui distingue suivant que l'action en nullité tend à protéger l'intérêt général (nullité absolue) ou l'intérêt particulier (nullité relative).

Le Code civil ne consacre qu'un seul article à la prescription de l'action en nullité, l'article 1304 qui, à la suite d'une modification intervenue en 1968, a ramené la prescription de dix ans à *cinq ans*.

> **Art. 1304.** – Dans tous les cas où l'action en nullité ou en rescision d'une convention n'est pas limitée à un moindre temps par une loi particulière, cette action dure cinq ans.
>
> Ce temps ne court dans le cas de violence que du jour où elle a cessé ; dans le cas d'erreur ou de dol, du jour où ils ont été découverts.
>
> Le temps ne court, à l'égard des actes faits par un mineur, que du jour de la majorité ou de l'émancipation ; et à l'égard des actes faits par un majeur protégé, que du jour où il en a eu connaissance, alors qu'il était en situation de les refaire valablement. Il ne court contre les héritiers de l'incapable que du jour du décès, s'il a commencé à courir auparavant.

Mais, compte tenu du contexte de l'époque et du libellé même du texte, l'article 1304 a toujours été interprété comme s'appliquant aux seules nullités relatives. Pour les nullités absolues, on applique donc la prescription de droit commun, c'est-à-dire le délai de *trente ans* de l'article 2262.

Ces deux délais représentent le droit commun en matière de prescription, droit commun qui peut être écarté par des dispositions particulières à telle ou telle cause de nullité. Ainsi de nombreux textes prévoient des délais plus brefs dans certains domaines : par exemple, deux ans pour l'action en rescision pour lésion dans la vente d'immeuble (C. civ., art. 1674), deux ans également pour le contrat d'assurance, etc.

Quant au *point de départ du délai*, le principe est qu'il court du jour du contrat. Mais, s'agissant des nullités relatives classiques visées à l'article 1304, le point de départ est retardé jusqu'au jour où la personne protégée était en mesure d'invoquer la nullité : du jour où le vice a cessé (pour la violence) ou a été découvert (pour l'erreur et le dol), ou du jour de la capacité (en cas d'incapacité). La question se pose de savoir si, lorsque la loi ne précise pas le point de départ de la prescription d'une action en nullité relative, il faut généraliser la solution de l'article 1304 ou, au

---

(615) M. BANDRAC, *La nature juridique de la prescription extinctive en matière civile*, préf. P. RAYNAUD, Economica, 1986.

(616) S'agissant de la nullité relative, on soutenait jadis qu'elle avait pour fondement une *présomption de confirmation* : si la victime n'a pas exercé l'action dans le délai imparti, c'est qu'elle a renoncé à l'invoquer. Mais ce fondement est aujourd'hui abandonné.

contraire, revenir à la règle générale que la prescription court du jour du contrat.

À la différence de la confirmation, la prescription ne met fin qu'à l'action en nullité, cependant que l'exception peut toujours être invoquée sans limitation de délai (V. *supra*, n° 384).

§ 2. – Les effets de la nullité

394. – Anéantissement du contrat. La nullité d'un contrat ne peut résulter que d'une décision judiciaire (617), quelle que soit la gravité du vice qui l'affecte. Tant qu'elle n'est pas prononcée le contrat demeure valable et obligatoire, sauf à exciper de l'exception de nullité. Il arrive ainsi que des contrats annulables soient menés à bonne fin parce que personne n'a jamais demandé leur nullité.

Une fois le jugement rendu, l'annulation produit le même effet, que la nullité soit relative ou absolue : l'anéantissement du contrat, en principe total et rétroactif (618). *Quod nullum est, nullum producit effectum* (619), disait-on jadis, formule que la jurisprudence a traduite dans un nouveau principe qui sert de visa aux arrêts : « Vu le principe selon lequel ce qui est nul est réputé n'avoir jamais existé » (620).

On constate en effet que la nullité ne s'étend pas toujours à l'ensemble du contrat : l'anéantissement peut être total ou partiel, suivant ce qui est nécessaire pour éliminer le vice. Lorsque l'anéantissement est total et rétroactif on se trouve confronté au problème des restitutions.

A. – L'étendue de la nullité : anéantissement total ou partiel ?

395. – Le principe : anéantissement total. Le principe est que le contrat nul ne produit aucun effet. En bref, le contrat est effacé dans son entier, à l'exception toutefois de certaines clauses qui sont autonomes par rapport au contrat ; ainsi en est-il de la clause compromissoire ou d'arbitrage (621) qui, sauf stipulation contraire, survit à la nullité du contrat.

Mais ce principe, qui conserve un domaine d'application très important, est néanmoins de plus en plus souvent battu en brèche. Dans certains cas, la

---

(617) O. Gout, *Le juge et l'annulation du contrat*, préf. P. Ancel, PUAM, 1999.
(618) L'effet est le même en cas d'exception de nullité : Cass. 1re civ., 16 juill. 1998 : *Defrénois* 1998, 1, 1413 et note J.-L. Aubert.
(619) A. Piédelièvre, *Quelques réflexions sur la maxime « Quod nullum est, nullum producit effectum » : in Mélanges Voirin*, p. 638.
(620) Cass. 3e civ., 2 oct. 2002 : *Contr. Conc. Consom.* 2003, comm. n° 23, obs. L. Leveneur.
(621) La solution, affirmée d'abord pour les contrats internationaux (Cass. 1re civ., 21 mai 1997 : *Bull. civ.* I, n° 159), a été ensuite étendue aux contrats internes (Cass. 2e civ., 4 avr. 2002 et Cass. com. 9 avr. 2002 : *JCP* 2002, II, 10154 et note S. Reifegerste ; *D.* 2003, 1117 et note L. Degos) ; *Rev. arb.* 2003, 103 et note P. Didier. – 20 mars 2003 : *JCP* 2003, IV, 1881.

nullité ne sera que partielle (622), notamment dans le cas où la nullité n'affecte qu'une clause du contrat qui serait illicite, abusive ou excessive. Les exceptions au principe peuvent être classées en trois catégories.

396. – Exception au principe : la clause réputée non écrite. La question de l'anéantissement total ou partiel du contrat se pose lorsqu'une seule clause du contrat est critiquable : par exemple, une clause d'exclusivité ou une clause monétaire, ou une clause de non-concurrence, etc. À supposer que la clause soit nulle comme contraire à l'ordre public de direction ou de protection, entraîne-t-elle la nullité du contrat dans son entier ? La question se pose fréquemment en pratique. Sur ce point précis, le Code civil fournit deux réponses contradictoires concernant les conditions insérées dans les actes à titre gratuit et dans les actes à titre onéreux.

Art. 900. – Dans toute disposition entre vifs ou testamentaires, les conditions impossibles, celles qui seront contraires aux lois ou aux mœurs, seront réputées non écrites.

Art. 1172. – Toute condition d'une chose impossible, ou contraire aux bonnes mœurs, ou prohibée par la loi, est nulle, et rend nulle la convention qui en dépend.

Ainsi, insérée dans une donation ou une libéralité, une condition illicite est réputée non écrite, cependant que subsiste la donation. Ici, la nullité est partielle, et ce pour une raison très simple : si on avait retenu la solution contraire, le bénéficiaire de la donation n'aurait pas critiqué la clause illicite dans la crainte de perdre le bénéfice de la donation. Mais, insérée dans un acte à titre onéreux, la même condition illicite entraîne la nullité de l'acte dans son entier.

Partant de ces dispositions contradictoires, la jurisprudence a finalement, par une interprétation audacieuse, retenu une solution identique pour tous les actes, suivant que la clause litigieuse a été ou non la cause impulsive et déterminante du contrat : la nullité s'étendra à l'ensemble du contrat si la clause a été déterminante du consentement des parties ; elle sera limitée à la clause, qui sera alors réputée non écrite, dans le cas contraire (623).

Ainsi, il appartient au juge saisi de l'action en nullité d'apprécier si la clause litigieuse a été, dans l'intention des parties, déterminante de leur consentement, ou si elle n'a été qu'un élément secondaire. Parfois, les parties s'en expliquent clairement dans le contrat, auquel cas le juge ne peut l'ignorer (624). Mais il arrive aussi que la partie la plus forte impose une clause illicite et stipule perfidement dans le contrat qu'elle en a été la cause déterminante, ceci afin de dissuader la partie faible de soulever une nullité qui lui ferait perdre le bénéfice du contrat dans son entier. En pareil cas, les juges n'hésitent pas, « nonobstant le fait que les parties

---

(622) Ph. SIMLER, *La nullité partielle des actes juridiques*, LGDJ, Droit privé, 1969.
(623) B. TEYSSIÉ, *Réflexions sur les conséquences de la nullité d'une clause d'un contrat : D.* 1976, chron. 281.
(624) Cass. com. 27 mars 1990 : *D.* 1991, 289 et note F.-X. TESTU ; *RTD civ.* 1991, 112, obs. J. MESTRE.

étaient convenues que cette clause était essentielle », à réputer non écrite la stipulation contraire à l'ordre public (625).

Allant plus loin dans la voie de la nullité partielle, le législateur moderne adopte très fréquemment la sanction de la « clause réputée non écrite » (626) pour éliminer d'un contrat les clauses illicites. Tel est notamment le cas pour les clauses abusives dans les contrats avec les consommateurs (C. consom., art. L 132-1). La tendance moderne est de limiter la nullité à ce qui est strictement nécessaire.

C'est également la solution retenue dans les principes d'Unidroit relatifs aux contrats du commerce international (art. 3-1-16) : « L'annulation se limite aux seules clauses du contrat visées par la cause d'annulation, à moins que, eu égard aux circonstances, il ne soit déraisonnable de maintenir les autres dispositions du contrat. »

397. – Exception au principe : la réduction de la clause excessive. Il se peut que, dans un contrat, une disposition dépasse le quantum qui est autorisé par la loi. La clause est alors illicite, non dans son principe, mais dans son montant si bien qu'il est possible de réparer ce vice en ramenant le montant à ce qui est autorisé.

Les parties pourraient le faire spontanément et procéder à la *régularisation* de l'acte (V. *supra*, n° 391). Mais parfois, la loi elle-même le prévoit ou y invite. Par exemple, une donation excédant la quotité disponible sera réduite, le montant du loyer excessif ou du taux d'intérêt usuraire sera ramené au montant ou au taux permis (C. consom., art. 313-4), la convention d'indivision supérieure à cinq ans sera limitée à ce délai, etc.

La jurisprudence a fait application de cette technique à une clause de non-concurrence excessive quant à son champ d'application territorial (627) ou encore dans le cas d'une reconnaissance de dette pour un montant excédant celui de la dette (628).

398. – Exception au principe : la conversion (629). La conversion est une technique juridique tendant à sauver un acte de la nullité. Par exem-

---

(625) Cass. 3ᵉ civ., 6 juin 1973 : *D.* 1974, 151 et note Ph. MALAURIE (clause d'indexation illicite dans un bail). – 31 janv. 2001 : *JCP* 2001, I, 354, obs. Y.-M. SÉRINET (clause de fourniture exclusive, générale et absolue, dans un bail, portant ainsi atteinte au droit au renouvellement).

(626) J. KULLMANN, *Remarques sur les clauses réputées non écrites : D.* 1993, chron. 59. – V. COTTEREAU, *La clause réputée non écrite : JCP* 1993, I, 3691. – R. BAILLOD, *À propos des clauses réputées non écrites :* in *Mélanges Boyer*, 1996.

(627) Cass. soc., 1ᵉʳ déc. 1982 : *Bull. civ.* V, n° 668, p. 493 ; *D.* 1983, IR, 418, obs. SERRA. – D. BAKOUCHE, *L'excès en droit civil*, thèse Paris II, 2001.

(628) Il y a alors fausseté partielle de la cause et réduction au montant réellement dû : Cass. 1ʳᵉ civ., 11 mars 2003 : *JCP* 2003, IV, 1818 ; *JCP* 2003, I, 142, nᵒˢ 5 et s.

(629) X. PERRIN, *La conversion par réduction des actes et des personnes juridiques. Essai d'une théorie en droit français*, thèse Dijon, 1911. – A. COURET, *La notion juridique de conversion :* in *Mélanges Vigreux*, t. 1, 1981, p. 219. – P. LIPINSKI, *La conversion des actes juridiques : RRJ*, Droit prospectif, 2002-3, p. 1167. – A. BOUJEKA, *La conversion par réduction : contribution à l'étude des nullités des actes juridiques formels : RTD com.* 2002, 223.

---

ple, un acte notarié qui serait nul faute de signature du notaire pourra être considéré comme un acte sous seing privé valable s'il comporte la signature des parties. Afin de sauver l'acte, on va le disqualifier en un autre acte, sous réserve qu'il réponde aux conditions de validité de cet autre acte et que ce nouvel acte corresponde bien à la volonté des parties.

On en trouve quelques exemples en jurisprudence. Ainsi, a-t-on admis la conversion d'une lettre de change incomplète en un billet à ordre (630), ou encore un contrat d'assurance nul en un contrat commutatif innomé (631).

En droit français, il s'agit d'exceptions fort rares. Mais on observera que le principe de la conversion est retenu en droit allemand (632) et en droit italien (633). Il est donc possible qu'à l'occasion d'une harmonisation du droit européen des contrats, un tel principe s'étende un jour au droit français.

B. – Le problème des restitutions

399. – Le principe de la rétroactivité de la nullité. Le problème des restitutions ne se pose que dans la mesure où la nullité du contrat se traduit par son anéantissement total. En vertu du principe « *Quod nullum est nullum producit effectum* », le contrat est censé n'avoir jamais existé.

Il en découle deux conséquences : le contrat n'aura pas d'effet dans l'avenir, et en outre il faudra effacer le passé. Si la première conséquence ne suscite aucune difficulté, il n'en va pas de même pour la seconde lorsque, au moment de l'annulation, le contrat a déjà fait l'objet d'une exécution, totale ou partielle.

Le principe de la rétroactivité conduit à ceci que les choses doivent être remises en l'état où elles étaient lors de la conclusion du contrat, comme si rien ne s'était passé. C'est dire que chacune des parties devra restituer à l'autre ce qu'elle a reçu ; il y aura lieu à des restitutions réciproques (634). Voilà qui n'est pas toujours simple : par exemple, en cas de nullité d'un bail, le bailleur peut aisément rendre le montant des loyers perçus, mais comment le locataire peut-il rendre sa jouissance des lieux ?

---

(630) Cass. com. 18 mars 1959 : *Bull. civ.* III, n° 148 ; *RTD com.* 1959, 909, obs. J. Becqué et M. Cabrillac.

(631) Paris 13 déc. 1851 : *DP* 1854, I, 369.

(632) BGB, art. 140 : « Lorsqu'un acte juridique nul remplit les conditions requises d'un autre acte juridique, ce dernier est valable s'il y a lieu d'admettre que, la nullité étant connue, cette validité aurait été voulue. »

(633) Art. 1424 du Code civil italien.

(634) Ph. Malaurie, *Les restitutions en droit civil*, Les cours du droit, 1975. – A. Bousiges, *Les restitutions après annulation ou résolution d'un contrat*, thèse Poitiers, 1982. – E. Poisson-Drocourt, *Les restitutions entre les parties consécutives à l'annulation d'un contrat : D.* 1983, chron. 85. – J. Schmidt-Szalewski, *Les conséquences de l'annulation d'un contrat : JCP* 89, I, 3397. – C. Guelfucci-Thibierge, *Nullité, restitutions et responsabilité*, pré. J. Ghestin, LGDJ, Droit privé, 1992. – M. Malaurie, *Les restitutions en droit civil*, préf. G. Cornu, éd. Cujas, 1991.

Par ailleurs, la rétroactivité va également atteindre les tiers dans la mesure où, par exemple, la chose faisant l'objet du contrat annulé a été prêtée, louée ou vendue à une tierce personne ; si on fait jouer ici à plein la rétroactivité, elle entraînera la nullité en cascade de tous les contrats successifs qui trouvaient leur support dans le contrat annulé.

Les restitutions soulèvent donc d'importantes difficultés, ce qui explique les exceptions ou atténuations qui y sont apportées.

1° La forme et l'étendue des restitutions

400. – Fondement juridique des restitutions. Par suite de l'annulation rétroactive du contrat, chacune des parties se trouve avoir reçu une chose, ou une somme d'argent, qui ne lui était pas due, et qu'elle doit donc restituer. Quelles sont les règles qui gouvernent ces restitutions ?

On aurait tendance à se référer aux règles édictées par les articles 1376 et suivants du Code civil en matière de *répétition de l'indu* (V. *infra*, nᵒˢ 756 et s.).

Telle n'est pas la position de la jurisprudence. Dans un récent arrêt relatif au délai de prescription de l'action en restitution des intérêts d'un prêt annulé, la Cour de cassation a rendu sa décision sous le visa suivant : « Attendu que les restitutions consécutives à une annulation ne relèvent pas de la répétition de l'indu mais seulement des règles de la nullité » (635). Et elle en a déduit que la prescription applicable était la prescription de cinq ans de l'article 1304, et non la prescription décennale de l'action en répétition de l'indu.

Même si ce n'est pas la seule décision en la matière (636), c'est la première qui pose de manière générale et absolue que les restitutions doivent être régies par les règles des nullités et non par celles de la répétition de l'indu. Toutefois, dans la mesure où il n'existe pas un corps de règles complet en matière de nullité, il est vraisemblable que certaines règles de la répétition de l'indu auront matière à s'appliquer (637).

401. – Principe de la restitution en nature. Le principe est que chacun doit restituer exactement ce qu'il a reçu à raison du contrat annulé.

S'il a reçu un *prix*, par exemple un prix de vente, un loyer, des intérêts, etc., en bref des *sommes d'argent*, le *principe du nominalisme monétaire* (638)

---

(635) Cass. 1ʳᵉ civ., 24 sept. 2002 : *Bull. civ.* I, n° 218, p. 168 ; *D.* 2002, 369 et note critique J.-L. AUBERT ; *JCP* 2002, IV, 2702.

(636) Il a été ainsi jugé qu'en cas de nullité d'un prêt faisant l'objet d'une caution, la caution continuait à garantie la restitution du capital : Cass. com. 17 nov. 1982 : *Bull. civ.* IV, n° 357 ; *D.* 1983, 127 et note M. CONTAMINE-RAYNAUD ; *JCP* 1984, II, 20216, note Ch. MOULY et Ph. DELEBECQUE. – 1ᵉʳ juill. 1997 : *D.* 1998, 32 et note L. AYNÈS.

(637) V. en ce sens J.-L. AUBERT, note précitée.

(638) Ce principe est tiré de l'article 1895 du Code civil suivant lequel « l'obligation qui résulte d'un prêt en argent, n'est toujours que de la somme numérique énoncée au contrat ».

postule qu'il restitue la somme même qu'il a reçue, et non pas un montant réévalué en fonction de l'érosion monétaire (639), ou diminué au motif que la chose vendue aurait entre-temps perdu une part de sa valeur (640). Ainsi, il se peut que les restitutions entraînent un préjudice pour l'une des parties, préjudice qui pourrait donner lieu à réparation dans le cas où la nullité est due à la faute de l'autre partie. Avec le prix devront être restitués ses accessoires, par exemple la TVA (641).

S'il a reçu une *chose*, il doit restituer la chose même qu'il a reçue, si elle existe encore. Si elle a subi des *dégradations* imputables à une faute du détenteur, ce dernier sera tenu d'une indemnité correspondant à la moins-value. La solution est plus douteuse dans le cas où la dégradation ou la perte est due à un cas fortuit ou de force majeure, ou encore à l'utilisation normale de la chose. On peut en effet soutenir que, le contrat étant censé n'avoir jamais existé, les risques de perte sont à la charge du propriétaire : *res perit domino*. Certaines décisions se sont prononcées en ce sens (642), et d'autres en sens contraire (643).

Corrélativement, si le détenteur de la chose a été amené à faire des frais pour sa conservation, il devra en être remboursé par le bénéficiaire de la restitution qui, par suite de la rétroactivité, est censé avoir toujours été propriétaire (644).

Cela dit, on constate que la restitution en nature ne permet pas de résoudre tous les problèmes. Si, par exemple, un contrat de vente d'un véhicule est annulé un an après la vente, la restitution du véhicule ne suffit pas à remettre les parties en l'état où elles auraient été si la vente n'avait pas eu lieu. En effet, le vendeur a été privé de la jouissance du véhicule pendant un an, cependant que l'acheteur en a profité pendant le même temps. Ne doit-il pas y avoir lieu à restitution de cette jouissance ? Certains arrêts ont admis le principe d'une indemnité compensant un enrichissement injuste (645), cependant que d'autres l'ont écarté (646).

---

(639) Cass. 1re civ., 7 avr. 1998 : *Bull. civ.* I, n° 142.

(640) Cass. 1re civ., 19 mars 1996 : *Bull. civ.* I, n° 139 (pour des actions ayant perdu leur valeur). – Cass. com. 19 mai 1998 : *Bull. civ.* IV, n° 160 (pour un fonds de commerce).

(641) Cass. com. 26 juin 1990 : *Bull. civ.* IV, n° 190.

(642) Cass. 1re civ., 6 déc. 1967 : *Bull. civ.* I, n° 358 ; *RTD civ.* 1968, 708, obs. J. CHEVALLIER. – 19 mars 1996 : *Bull. civ.* I, n° 137 (pour des actions ayant perdu l'essentiel de leur valeur)

(643) Cass. com. 21 juill. 1975 : *D.* 1976, 582, note P. DIENER et E. AGOSTINI. – Cass. 1re civ., 2 juin 1987 : *Bull. civ.* I, n° 183. – Cass. 1re civ., 4 oct. 1988 : *Bull. civ.* I, n° 274 ; *RTD civ.* 1989, 539, obs. Ph. RÉMY (pour le cas d'une dépréciation due à l'usage normal d'un véhicule entre le jour de la vente et celui de la résolution).

(644) Cass. 3e civ., 12 janv. 1994 : *Bull. civ.* III, n° 5.

(645) Cass. com. 16 déc. 1975 : *Bull. civ.* IV, n° 308. – 15 mars 1988 : *Bull. civ.* IV, n° 105. – Cass. 3e civ., 12 janv. 1988 : *Bull. civ.* III, n° 7 ; *D.* 1988, IR, 44 (sauf dans le cas où le vendeur serait de mauvaise foi).

(646) Cass. com. 11 mai 1976 : *Bull. civ.* IV, n° 162. – Cass. 1re civ., 2 juin 1987 : *Bull. civ.* I, n° 183.

---

402. – Restitution en valeur de la chose disparue ou consommée. Il est un certain nombre de cas où la restitution en nature est impossible. Elle s'opérera alors en valeur.

Cette situation se présente tout d'abord en cas de *disparition de la chose* qui ne peut donc plus être restituée en nature ; par exemple la chose a été détruite dans un accident, ou consommée, ou encore vendue à un tiers. En pareille circonstance, on considérait jadis que l'impossibilité de restitution en nature faisait obstacle à la nullité. Telle n'est plus la position de la jurisprudence qui décide que les « restitutions réciproques, conséquences nécessaires de la nullité d'un contrat […], peuvent être exécutées en nature ou en valeur » (647).

La jurisprudence décide généralement que la valeur à retenir est celle de la chose au jour de la vente (648), et non au jour de la restitution. Mais cette solution est critiquée ; parmi les autres formules possibles, une préférence semble se dégager en doctrine en faveur de la valeur de la chose au jour de la restitution, mais en l'état qui était le sien au jour de l'exécution de l'obligation de délivrance par le vendeur (649).

S'agissant d'une vente, on serait tenté de dire que la valeur à restituer correspond exactement au *prix versé*. Même s'il en ira souvent ainsi, ne serait-ce que par facilité, la règle est que le juge doit rechercher la *valeur réelle* de la chose vendue, sans s'arrêter au simple *prix* stipulé dans le contrat ; il se peut donc que la valeur retenue par le juge soit supérieure au prix (650).

403. – Restitution en valeur des prestations non restituables en nature. Il s'agit là souvent de contrats à exécution successive, tels le bail ou le contrat de travail. Si des contrats de ce type sont annulés après plusieurs mois ou plusieurs années d'exécution, le locataire ne peut pas restituer en nature la jouissance qu'il a eu de la chose (651), ni le patron la force de travail déployée par son salarié.

Pendant longtemps on a considéré que, pour ces contrats à exécution successive, la nullité n'avait d'effet que pour l'avenir, pas pour le passé. En bref, le contrat était annulé pour l'avenir, sans effet rétroactif.

---

(647) Cass. 1re civ., 11 juin 2002 : D. 2002, 3108 et note M.A. RAKOTOVAHINY. – V. déjà précédemment, Cass. com. 29 févr. 1972 : D. 1972, 623. – 11 mai 1976 : Bull. civ. IV, n° 162. – Cass. 1re civ. 26 avr. 1988 : D. 1988, IR, 134. – 16 juill. 1998 : D. 1999, 361.

(648) Cass. com. 19 janv. 1993 : Bull. civ. IV, n° 20.

(649) V. C. GUELFUCCI-THIBIERGE, op. cit., p. 494. – E. POISSON-DROCOURT, art. préc., p. 86-87. – M.A. Rakotovahiny, note précitée.

(650) Cass. 1re civ., 12 déc. 1979 : Bull. civ. I, n° 318. – Cass. com. 18 nov. 1974 : D. 1975, 625 et note Ph. MALAURIE. – 30 oct. 1984 : Bull. civ. IV, n° 292. – 23 juin 1992 : JCP 1992, II, 21974 et note M. BEHAR-TOUCHAIS. – Cass. 1re civ. 16 mars 1999 : Bull. civ. I, n° 95 ; Defrénois 1999, art. 37079, n° 93, obs. Ph. DELEBECQUE ; JCP 1999, IV, 1914 ; S. 1999, IR, 106.

(651) V. par ex. Cass. 3e civ., 12 mars 2003 : JCP 2003, IV, 1838 (indemnité d'occupation dans le cas de la nullité de la vente d'un appartement occupé pendant sept ans, sur le fondement de l'article 1371, c'est-à-dire l'enrichissement sans cause).

Telle n'est plus la position actuelle de la jurisprudence qui, à propos du contrat de bail, décide qu'il fait l'objet d'une annulation rétroactive (652) et qu'il incombe au juge de déterminer la valeur de l'avantage représenté par la jouissance du bien pendant la période visée, sans référence au loyer effectivement payé ; suivant les cas, la valeur locative réelle peut s'avérer supérieure ou inférieure au loyer stipulé.

Il en va de même pour le contrat de mise à disposition de travailleurs temporaires (653).

2° Atténuations et exceptions au principe de la rétroactivité

404. – Les contrats successifs. Jadis, on enseignait classiquement que, pour les contrats à exécution successive, la nullité n'opérait que pour l'avenir, sans rétroactivité, comme s'il s'agissait d'une résiliation.

La jurisprudence a abandonné cette position, au moins pour le contrat de bail (V. *supra*, n° 403), ce qui lui permet d'allouer, à titre de restitution, une somme différente du loyer stipulé. Cela dit, le juge considérera bien souvent que la somme versée à titre de loyer (ou à titre de rémunération pour un contrat de travail ou de prestation de services) correspond exactement à la prestation non restituable, par exemple à la jouissance dont a bénéficié le locataire, et qu'il n'y a pas lieu à restitution ; en pareil cas, tout se passe comme si le contrat était annulé pour l'avenir seulement, comme s'il y avait une simple résiliation du contrat.

D'ailleurs, la loi se prononce parfois expressément en ce sens pour certains contrats. Notamment pour le contrat de société, l'article 1844-15 dispose que « lorsque la nullité de la société est prononcée, elle met fin, sans rétroactivité, à l'exécution du contrat ».

La question peut également se poser pour le contrat d'entreprise de construction. Lorsqu'un tel contrat est annulé alors que les travaux sont déjà largement avancés, il va sans dire que le maître de l'ouvrage est dans l'impossibilité de restituer à l'entrepreneur les matériaux et le travail accompli. Mais faut-il en déduire pour autant que le contrat ne sera annulé que pour l'avenir et qu'en conséquence les travaux et prestations déjà effectués seront évalués par référence aux dispositions contractuelles relatives au prix ? La jurisprudence a déjà eu l'occasion de se prononcer sur ce point dans le cas où un contrat de sous-traitance est annulé à la demande du sous-traitant pour défaut de fourniture d'une caution par l'entrepreneur. Mais les solutions sont tout à la fois incertaines, et mal connues dans la mesure où elles sont souvent rendues par des juridictions arbitrales dont les sentences ne sont pas publiées.

---

(652) Cass. 3ᵉ civ., 13 juin 2001 : *Contr. Conc. Consom.* nov. 2001, comm. n° 155, obs. L. LEVENEUR.
(653) Cass. soc. 7 nov. 1995 : *JCP* 1996, II, 22626, note B. PETIT et M. PICQ.

Compte tenu de l'incertitude à laquelle conduit ici la rétroactivité, on peut se demander s'il ne serait pas plus opportun d'écarter purement et simplement la rétroactivité de la nullité dans les contrats successifs (654).

405. – Les fruits : acquisition par le possesseur de bonne foi. En cas d'annulation d'une vente, le principe de la rétroactivité de la nullité postule que l'acquéreur restitue non seulement la chose mais aussi les fruits et revenus qu'elle a produits pendant le temps où elle était en sa possession (655).

Cette conséquence est cependant écartée par une règle générale du droit des biens, la règle de l'acquisition des fruits par le possesseur de bonne foi (C. civ., art. 549). Si l'acquéreur ignorait que le contrat était affecté d'une cause de nullité, il est un possesseur de bonne foi au sens de l'article 549 et il « fait les fruits siens » jusqu'au jour où il a connaissance de la véritable situation (C. civ., art. 550), c'est-à-dire jusqu'au jour de l'action en nullité (656). Cette solution trouve son fondement dans l'idée que le possesseur de bonne foi, se croyant propriétaire, était en droit de consommer les fruits de la chose et qu'il serait injuste de l'obliger à les restituer.

406. – La restitution limitée des incapables. Dans le cas où un contrat est annulé pour incapacité, l'article 1312 du Code civil dispose que le remboursement de ce qui lui a été payé « ne peut en être exigé, à moins qu'il ne soit prouvé que ce qui a été payé a tourné à (son) profit ». Si, par exemple, l'incapable vend un bien pour un montant de 10000 €, et si la vente est annulée pour incapacité, l'incapable n'aura à restituer que la fraction du prix qui est effectivement demeurée dans son capital, soit en argent, soit par un bien utile acquis en remplacement. Cette règle protectrice s'explique aisément : si les incapables devaient restituer intégralement ce qu'ils ont reçu, ils ne seraient pas protégés contre les conséquences de leur inexpérience ou de leur faiblesse et, réciproquement, ceux qui acceptent de contracter avec eux en dehors des règles de protection n'encourraient ni risque, ni sanction.

Ainsi, il appartient au cocontractant de démontrer que l'opération a tourné au profit de l'incapable, et il faut se placer au jour de la demande en nullité, non au jour de la convention annulée.

Le résultat de la règle n'est cependant pas très moral dans la mesure où il avantage l'incapable qui dissipe vainement les sommes qui ont pu lui être remises en paiement, par rapport à l'incapable qui se montre bon gestionnaire. Il s'ensuit que seul l'incapable dissipateur a intérêt à demander la nullité, et bien entendu après avoir consommé inutilement les sommes remises.

---

(654) Voir en ce sens J.-L. Aubert, *Les obligations, L'acte juridique*, n° 366.
(655) Cass. 3e civ., 22 juill. 1992 : *Bull. civ.* III, n° 263.
(656) Paris, 22 nov. 1972 : *D.* 1974, 93 et note Ph. Malaurie.

407. – La règle « *Nemo auditur…* » (657). Il s'agit là d'une règle coutumière qu'on exprime sous la forme de deux adages dont la solution n'a pas été reprise dans le Code civil : « *Nemo auditur propriam turpitudinem allegans* » (658) (personne ne peut alléguer sa propre turpitude) et « *In pari causa turpitudinis cessat repetitio* » (659) (en égale turpitude, pas de répétition).

En application de cette règle, la jurisprudence décide que, lorsque la nullité d'un contrat est prononcée pour immoralité, celui qui se prévaut de l'immoralité ne peut obtenir la restitution de ce qu'il a fourni. Ainsi, la règle n'empêche pas à l'indigne de demander la nullité, mais elle lui interdit de réclamer restitution de sa prestation (660).

Faute de pouvoir lui trouver un meilleur fondement, on justifie la règle par l'effet dissuasif qu'elle devrait avoir sur les parties qui ont conclu un contrat immoral ; en effet, celui qui prend l'initiative d'exécuter un contrat immoral risque de ne pas pouvoir se faire restituer sa prestation en cas de demande en nullité émanant de son partenaire. Ainsi, la règle inciterait les parties à ne pas exécuter un tel contrat. On observera toutefois que pareil effet dissuasif ne peut jouer qu'à l'égard des parties qui connaissent l'adage « Nemo auditur », ce qui ne sera pas nécessairement le cas des parties à un contrat immoral…

Dans la pratique jurisprudentielle, le champ d'application de la règle est limité aux seuls contrats annulés pour *immoralité*, par opposition à la simple *illicéité* (661). Son domaine d'élection est celui de la vente d'un immeuble aux fins d'y installer une maison de tolérance (662) ou une maison de jeux. Même en cas d'immoralité, la règle n'est pas d'une fermeté absolue (663). L'incertitude qui règle à cet égard en jurisprudence s'explique probablement pour partie par le fait qu'il est souvent difficile de tracer une frontière précise entre l'illicite et l'immoral.

Même limitée au domaine de l'immoralité, la règle ne s'applique qu'aux contrats à titre onéreux, pas aux libéralités qui pourraient être annulées pour cause immorale (664).

---

(657) Ph. LE TOURNEAU, *La règle « Nemo auditur… »*, préf. P. RAYNAUD, LGDJ, Droit privé, 1970. – *La spécificité et la subsidiarité de l'exception d'indignité : D.* 1994, chron. 298.

(658) H. ROLAND et L. BOYER, *Adages du droit français*, n° 246, Litec, 4ᵉ éd., 1999.

(659) H. ROLAND et L. BOYER, *Adages du droit français*, n° 177.

(660) Cass. 1ʳᵉ civ., 25 janv. 1972 : *D.* 1972, 413 et note Ph. LE TOURNEAU.

(661) Cass. 1ʳᵉ civ., 18 juin 1969 : *JCP* 69, II, 16131, obs. P.L. – Paris 26 mai 1972 : *JCP* 73, II, 17419. – Cass. 1ʳᵉ civ., 27 nov. 1984 : *Gaz. Pal.* 1985, 1, pan. 135, obs. F. CHABAS. – Cass. com. 20 janv. 1987 : *JCP* 88, II, 20987, obs. G. GOUBEAUX.

(662) V. par ex. Cass. com. 27 avr. 1981 : *D.* 1982, 51 et note Ph. LE TOURNEAU (cas dans lequel il y avait turpitude réciproque)

(663) Cass. crim. 7 juin 1945 : *D.* 1946, 149 et note R. SAVATIER ; *JCP* 1946, II, 2255, obs. J. HÉMARD (qui permet à une prostituée de réclamer la restitution de ses gains à son souteneur).

(664) Cass. 1ʳᵉ civ., 25 janv. 1972 (sol. Implic.), précité. – Rouen 20 oct. 1973 : *D.* 1974, 378 et note Ph. LE TOURNEAU.

En pratique, les hypothèses auxquelles on appliquait jadis la règle *Nemo auditur* apparaissent quelque peu désuètes et ne se rencontrent plus guère aujourd'hui. Mais on peut imaginer des applications plus modernes, par exemple pour les affaires de *corruption* (665).

408. – La rétroactivité écartée ou limitée à l'égard des tiers. La question se pose lorsque, avant l'annulation du contrat, l'un des cocontractants a conféré à des tiers des droits sur la chose faisant l'objet du contrat annulé par la suite. En vertu du principe de la rétroactivité, la nullité du premier contrat devrait entraîner la nullité des contrats ultérieurs comme ayant été conclus par quelqu'un qui n'était pas le véritable propriétaire. Deux adages consacrent cette solution qui constitue l'état du droit, même si elle n'est pas expressément reprise dans le Code civil : *Nemo plus juris ad alium transferre potest quam ipse habet* (666) (Nul ne peut transférer à autrui plus de droit qu'il n'en a lui-même) et *Resoluto jure dantis resolvitur jus accipientis* (667) (Résolu le droit du cédant, résolu le droit du cessionnaire).

Une telle solution est de nature à entraîner une grave insécurité juridique pour les tiers qui, faute de connaître la cause de nullité infestant le contrat initial, étaient en droit de prendre pour certaine la situation juridique résultant de ce contrat. Le besoin de sécurité explique que tant la jurisprudence que la loi écartent la rétroactivité, permettant ainsi de maintenir les droits conférés aux tiers, à la condition toutefois qu'ils soient de bonne foi.

Les *actes d'administration* ou de *conservation* de la chose, mobilière ou immobilière, faisant l'objet du contrat annulé sont ainsi maintenus au profit d'un sous-contractant de bonne foi. Il s'ensuit que, la chose étant restituée au propriétaire initial, ce dernier devra exécuter ces contrats passés par celui dont le droit se trouve aujourd'hui annulé : par exemple, les contrats portant sur l'assurance, l'entretien, la réparation de la chose ; ou encore les contrats de bail (à la condition qu'ils ne soient pas des actes de disposition).

Les *actes de disposition portant sur des biens mobiliers* sont également maintenus en application de l'article 2279 au profit des tiers acquéreurs qui sont possesseurs de bonne foi : « En fait de meubles, la possession vaut titre. »

Les *actes de disposition portant sur des biens immobiliers*, en revanche, vont en principe subir le contrecoup de l'annulation et disparaître eux-mêmes (668). Toutefois, deux règles peuvent conduire à maintenir les droits des tiers. D'une part, par le jeu de l'*usucapion* (V. *Introduction,*

---

(665) Paris, 30 sept. 1993 : *D.* 1993, IR, 226.
(666) H. Roland et L. Boyer, *Adages du droit français*, n° 259.
(667) H. Roland et L. Boyer, *Adages du droit français*, n° 399.
(668) V. par exemple Cass. 3ᵉ civ., 15 janv. 1971 : *JCP* 1971, IV, 45.

n° 445), le tiers acquéreur qui, à raison de la nullité, a acquis *a non domino* va acquérir la propriété par la prescription de dix ou vingt ans, s'il est possesseur de bonne foi. D'autre part, la *théorie de l'apparence* permet de maintenir les actes, même de disposition, accomplis par le propriétaire apparent s'il y a tout à la fois bonne foi et erreur commune.

409. – La responsabilité en cas d'annulation d'un contrat. L'annulation peut fort bien causer un préjudice qui ne soit pas réparé par le jeu des restitutions. Par exemple, l'une des parties a perdu du temps et de l'argent à conclure et commencer à exécuter un contrat qui, en définitive, va être annulé ; ou bien les règles relatives aux restitutions n'ont pas permis d'indemniser l'une des parties. En pareil cas, la victime qui ignorait le vice du contrat peut-elle en demander réparation ?

Écartant la responsabilité contractuelle préconisée par Ihering (669), doctrine et jurisprudence s'accordent à considérer que la responsabilité ne peut ici être que *délictuelle*. Il s'ensuit qu'il incombe au demandeur de faire la preuve d'une *faute* de son partenaire, faute qui consiste à avoir conclu un contrat alors qu'il connaissait, ou qu'il aurait dû connaître, le vice qui affectait le contrat.

Quant au mode de réparation, on peut tout d'abord concevoir une *réparation en nature* qui consisterait à priver le responsable du vice du droit d'invoquer la nullité. Le Code civil en fait application dans l'article 1310 au mineur qui, allant au-delà d'une simple déclaration de majorité (C. civ., art. 1307), se livre à des manœuvres pour tromper son cocontractant sur son âge : en pareil cas, le mineur « n'est point restituable contre les obligations résultant de son délit ou quasi-délit » (670). De même, la jurisprudence écarte tout droit de demander la nullité à celui qui commet une *erreur inexcusable* (V. *supra*, n° 169).

Mais, de manière générale, la doctrine est hostile à ce type de réparation qui aboutit à maintenir un contrat vicié. La préférence va à une réparation en équivalent sous la forme de dommages-intérêts compensant le préjudice subi. Telle est d'ailleurs la seule sanction concevable lorsqu'on est en présence d'une nullité absolue que tout intéressé peut faire valoir.

Numéro 410 réservé.

---

(669) IHERING, *De la culpa in contrahendo ou des dommages-intérêts dans les conventions nulles ou restées imparfaites*. – SALEILLES, *De la responsabilité précontractuelle : RTD civ.* 1907, 697. – ROUBIER, *La responsabilité précontractuelle*, thèse Lyon, 1911. – V. aussi J. HUET, *Responsabilité contractuelle et responsabilité délictuelle*, thèse Paris II, 1978, nos 258 et s.

(670) Ph. MALINVAUD, *La responsabilité des incapables et de la femme dotale à l'occasion d'un contrat*, LGDJ, Droit privé, 1964.

Chapitre 2

LES EFFETS DU CONTRAT

411. – Plan. Un contrat a pour effet la création à la charge des uns d'obligations ou dettes qui sont autant de droits ou créances au profit des autres. Ces deux aspects – créance-dette – sont indissociables : ce qui est une créance pour l'un est une dette pour l'autre.

Ainsi a-t-on pu définir le contrat comme une convention génératrice d'obligations de donner, ou de faire, ou de ne pas faire (V. *Introduction*, n° 459 et *supra*, n° 54). À cela il faut ajouter que, s'agissant des obligations de donner, c'est-à-dire de transférer la propriété, le contrat fait souvent plus que les créer : il les exécute (1). En effet, dans les rapports entre les parties, l'accord des volontés suffit à opérer le transfert de propriété pour les *corps certains*. Et il existe dans l'arsenal juridique un certain nombre de contrats qui tendent directement à ce but : la vente, l'apport en société, la donation, l'échange.

Les effets du contrat s'inscrivent dans deux perspectives différentes. D'une part, dans la mesure où le contrat est une source d'obligations, quelle est la force de ces obligations pour les parties et en quoi intéressent-elles les tiers ? D'autre part, comment le droit résout-il les difficultés d'exécution des contrats ?

---

(1) J.-P. Chazal et S. Vicente, *Le transfert de propriété par l'effet des obligations dans le Code civil* : *RTD civ.* 2000, 477.

Section 1

LA FORCE DU CONTRAT

412. – Distinction entre les parties et les tiers. Qu'il crée des obligations ou transfère la propriété, le contrat produit ses effets entre les parties, qui seules seront créancières ou débitrices.

Mais, en outre, la situation contractuelle ainsi établie aura à coup sûr des effets à l'égard des tiers qui, sans être ni créanciers ni débiteurs, ne pourront méconnaître le nouvel état de droit créé par le contrat.

Sous-section 1

LA FORCE DU CONTRAT ENTRE LES PARTIES

§ 1. – Le principe de la force obligatoire du contrat (2)

413. – La force obligatoire entre les parties. Pour bien marquer à quel point les parties sont liées par le contrat passé, l'article 1134, alinéa 1 du Code civil, emploie une formule dont on se plaît à relever la vigueur. Ce texte pose ce qu'on appelle le principe de la force obligatoire, ou de l'effet obligatoire du contrat.

Art. 1134. – Les conventions légalement formées tiennent lieu de loi à ceux qui les ont faites. Elles ne peuvent être révoquées que de leur consentement mutuel, ou pour les causes que la loi autorise.

Elles doivent être exécutées de bonne foi.

Art. 1135. – Les conventions obligent non seulement à ce qui y est exprimé, mais encore à toutes les suites que l'équité, l'usage ou la loi donnent à l'obligation d'après sa nature.

Cela dit, la formule de l'article 1134 ne doit pas être prise au pied de la lettre ; nul n'a jamais soutenu que le contrat soit l'égal de la loi ; il lui est subordonné, il n'a de force que dans la mesure et dans la limite où la loi le permet (3).

---

(2) P. ANCEL, *Force obligatoire et contenu obligationnel du contrat* : RTD civ. 1999, 771.– G. WICKER, *Force obligatoire et contenu du contrat* : in *Les concepts contractuels français à l'heure des principes du droit européen des contrats*, Dalloz, 2003, p. 151.

(3) Sur les différentes lectures qu'on a pu faire de l'article 1134, voir Ch. JAMIN, *Une brève histoire politique des interprétations de l'article 1134 du Code civil* : D. 2002, chron. 901. – J.-P. CHAZAL, *De la signification du mot loi dans l'article 1134, alinéa 1, du Code civil* : RTD civ. 2001, 265.

La force obligatoire doit être comprise en ce sens que sont *obligées*, c'est-à-dire liées par les obligations créées, les seules parties au contrat, créancières ou débitrices.

L'obligation d'exécuter le contrat s'impose à toutes les parties, qu'elles aient été présentes lors de la conclusion du contrat ou seulement représentées ; on a vu en effet qu'en cas de représentation les créances ou dettes naissent directement en la personne du représenté, le représentant n'étant en quelque sorte qu'un porte-parole (V. *supra*, n°s 93 et s.). Ce sera, par exemple, la société elle-même, et non pas son président ou gérant, qui sera partie au contrat et qui en recueillera les avantages et les inconvénients.

414. – La force obligatoire à l'égard des ayants cause. Aux parties, il convient d'assimiler ceux qui sont appelés à prendre leur place. Ainsi, en cas de décès d'une personne, ses héritiers et légataires universels recueillent, sauf renonciation à la succession, le patrimoine du défunt ; par là même, ils deviennent d'une manière générale créancier ou débiteur à la place de leur auteur : on dit que ce sont les *ayants cause universels* du défunt. Ce qui est vrai des personnes physiques l'est aussi des personnes morales, en cas de fusion ou d'absorption d'une société par une autre.

Sont encore assimilables aux parties ceux qui bénéficient d'une *cession de créance* (V. *infra*, n°s 773 et s.), le *cessionnaire* devenant créancier aux lieu et place du *cédant*.

En revanche, les dettes ne peuvent pas normalement être cédées en droit français et on en a longtemps déduit que la *cession de contrat* était impossible dans la mesure où elle entraînait tout à la fois cession de créances et cession de dettes. Il n'en est plus de même aujourd'hui où on admet la cession de contrat (4), et cela même lorsqu'il s'agit d'un contrat *intuitu personae* ; la jurisprudence décide en effet que « le fait qu'un contrat ait été conclu en considération de la personne du cocontractant ne fait pas obstacle à ce que les droits et obligations de ce dernier soient

---

(4) Lapp, *Essai sur la cession de contrat synallagmatique à titre particulier*, thèse Strasbourg, 1950. – Becqué, *La cession de contrats*, Travaux de l'Institut de droit comparé de Paris, 1959, n° 15. – Ph. Malaurie, *La cession de contrat : Defrénois* 1976, I, 1009, art. 31194. – J. Neret, *Le sous-contrat*, Paris II, 1977. – L. Aynes, *La cession de contrat et les opérations juridiques à trois personnes*, 1984. – D. Fabiani, *La cession judiciaire des contrats*, Paris 1989. – M. Billiau, *Cession de contrat ou délégation de contrat ? Étude du régime juridique de la prétendue « cession conventionnelle de contrat »* : JCP 1994, 1, 3758. – Ch. Jamin, *Cession de contrat et consentement du cédé : D.* 1995, chron. 131. – M.-L. Izorche, *Information et cession de contrat : D.* 1996, chron. 347. – L. Aynes, *Cession de contrat : nouvelles précisions sur le rôle du cédé : D.* 1998, chron 25. – E. Jeuland, *Proposition de distinction entre la cession de contrat et la substitution de personnes : D.* 1998, chron. 356. – Ch. Lachièze, *L'autonomie de la cession conventionnelle de contrat : D.* 2000, chron. 184. – Ph. Le Tourneau, *Quelques remarques terminologiques autour de la vente :* in *Mélanges Catala*, p. 469. – M. Billiau, *La transmission des créances et des dettes*, LGDJ, 2002.

---

transférés à un tiers dès lors que l'autre partie y a consenti » (5). Cela dit, la cession de contrat suppose que le cocontractant cédé donne son consentement, et non pas une simple autorisation (6).

La cession du contrat emporte alors transmission de tous les droits et obligations découlant du contrat, et ce y compris ceux résultant d'une clause compromissoire (7).

Parfois, la loi elle-même valide expressément la cession de contrat, par exemple pour le contrat de vente d'immeuble à construire (C. civ., art. 1831-3).

En résumé, s'il est vrai que seules les parties sont tenues comme créancières ou débitrices, il faut étendre la notion de partie et dire que deviennent des parties leurs ayants cause universels et les cessionnaires de créances (C. civ., art. 1122) (8).

Cette substitution des ayants cause universels aux parties est une règle qui supporte des exceptions. Il est possible de stipuler une clause contraire et de décider par exemple dans les statuts d'une société de personnes ou d'une SARL qu'en cas de décès d'un associé, la société continuera ou ne continuera pas avec ses héritiers. En dehors même de toute clause particulière, la loi s'oppose à la continuation par l'héritier de contrats, tels le mandat (C. civ., art. 2003) ou le contrat d'entreprise (C. civ., art. 1795), qui ont été conclus en considération de la personne du défunt.

415. – *Quid* **au-delà ? Le cas des groupes de contrats** (9). Le champ d'application du principe de la force obligatoire du contrat se trouve parfois étendu par la jurisprudence qui consacre, au moins pour partie, la notion de groupe de contrats.

Ainsi, au sein d'un groupe de contrats tendant à la réalisation d'un objet unique, par exemple, un immeuble exécuté dans le cadre d'un contrat d'entreprise, la jurisprudence décide que le client – le maître de

---

(5) Cass. com. 7 janv. 1992 : *Bull. civ.* IV, n° 3 ; *RTD civ.* 1992, 762, obs. J. Mestre ; *D.* 1992, somm. 278, obs. L. Aynès ; *JCP* 1992, I, 3591, obs. Ch. Jamin. – Cass. 1re civ., 6 juin 2000 : *D.* 2001, 1345 et note D. Krajeski ; *RTD civ.* 2000, 571, obs. J. Mestre et B. Fages ; *Defrénois* 2000, art. 37237, n° 69, p. 1125, obs. Ph. Delebecque.

(6) Cass. com. 6 mai 1997 (deux arrêts) : *Bull. civ.* IV, n° 117-118 ; *D.* 1997, 588, note M. Billiau et Ch. Jamin ; *Contr. Conc. Consom.* 1997, comm. n° 146, obs. L. Leveneur ; *Defrénois* 1997, art. 36633, p. 977, obs. D. Mazeaud. – Cass. 3e civ., 12 déc. 2001 : *D.* 2002, 984, note M. Billiau et Ch. Jamin. V. aussi Ch. Jamin et M. Billiau, *Cession conventionnelle du contrat : la portée du consentement du cédé : D.* 1998, chron. 145.

(7) Cass. 1re civ., 6 févr. 2001 : *JCP* 2001, I, 10567 et note C. Legros ; *contra* Conc. consom. 2001, comm. n° 82, obs. L. Leveneur ; *D.* 2001, somm. 1135, obs. Ph. Delebecque. – 28 mai 2002 : *Bull. civ.* I, n° 146 ; *JCP* 2003, I, 105, n° 10, obs. C. Seraglini : *JCP* 2003, I, 142, n°s 20 et s., obs. A. Barthez. V. M.-E. Mathieu-Bouyssou, *La transmission de la clause compromissoire au cessionnaire de la créance : JCP* 2003, I, 116.

(8) C. Charbonneau et F.-J. Pansier, *Du renouveau de la notion de partie : Defrénois* 2000, 1, p. 284, art. 37110.

(9) J. Neret, *Le sous-contrat*, LGDJ, 1979. – B. Teyssié, *Les groupes de contrats*, LGDJ, 1975. – S. Bros, *L'interdépendance contractuelle*, thèse Paris II, 2001.

l'ouvrage – peut rechercher la responsabilité contractuelle des fabricants et fournisseurs de matériaux, bien qu'il n'ait pas traité directement avec eux, mais seulement avec l'entrepreneur (10) (V. *infra*, n° 465).

En revanche, mettant fin à une opposition entre la 1re et la 3e chambre civile de la Cour de cassation, la Cour suprême a décidé en assemblée plénière que la responsabilité des sous-traitants à l'égard du maître de l'ouvrage ne peut être que délictuelle parce qu'il n'existe pas de rapports contractuels entre eux (11). Ce faisant, la Cour de cassation s'en tient à la conception classique de l'effet relatif du contrat, et a mis un coup d'arrêt à l'expansion de la notion de groupe de contrats (V. *infra*, n° 465).

416. – La mesure de la force obligatoire. La résiliation amiable. Une fois précisé qui est obligé par le contrat, il reste à se demander quelle est la mesure de l'obligation : les parties ou l'une d'entre elles peuvent-elles échapper aux obligations souscrites ? La force obligatoire du contrat s'y oppose : le respect de la parole donnée et la sécurité des transactions postulent qu'on ne puisse revenir sur ce qui a été promis.

À la vérité, si tous les cocontractants en sont d'accord, ils sont libres de modifier les termes de leur contrat, et d'y mettre rétroactivement fin (12). Une *résiliation amiable* (13) est toujours possible, sauf pour certains contrats, par exemple le contrat de mariage.

---

(10) Cass. ass. plén. 7 févr. 1986 ; *JCP* 86, II, 20616, obs. Ph. Malinvaud ; *D.* 1986, 293 et note A. Bénabent. – Cass. 3e civ., 12 déc. 2001 : *RD imm.* 2002, 92, obs. Ph. Malinvaud. Mais la 3e chambre civile a limité la portée de cette jurisprudence en décidant que l'action du maître de l'ouvrage contre le fournisseur du sous-traitant (et non pas de l'entrepreneur) était de nature délictuelle : Cass. 3e civ., 28 nov. 2001 : *JCP* 2002, II, 10037 et note D. Mainguy ; *D.* 2002, 1442 et note J.-P. Karila ; *RD imm.* 2002, 92, obs. Ph. Malinvaud ; *Defrénois* 2002, 1, 255, art. 37486, obs. R. Libchaber ; *JCP* 2002, I, 186, nos 2 et s., obs. G. Viney ; *RTD civ.* 2002, 104, obs. P. Jourdain.

(11) Cass. 1re civ., 21 juin 1988 et Cass. 3e civ., 22 juin 1988 : *JCP* 88, II, 21125, obs. P. Jourdain. – Cass. ass. plén. 12 juill. 1991 ; *D.* 1991, 549 et note L. Ghestin ; *JCP* 91, II, 21743, obs. G. Viney ; *Defrénois* 1991, I, 1301 et note J.-L. Aubert ; *D.* 1992, somm. 119, obs. A. Bénabent. – Ch. Larroumet, *L'effet relatif des contrats et la négation de l'existence d'une action en responsabilité nécessairement contractuelle dans les ensembles contractuels : JCP* 91, I, 3531. – Ch. Jamin, *Une restauration de l'effet relatif du contrat : D.* 1991, chron. 257. – J.-P. Karila, *L'action directe du maître de l'ouvrage à l'encontre du sous-traitant est nécessairement de nature délictuelle : Gaz. Pal.* 8-9 janv. 1992. – B. Boubli, *Transfert de propriété et responsabilité dans les groupes de contrats : RD imm.* 1992, 27. – P. Jourdain, *La nature de la responsabilité civile dans les chaînes de contrats après l'arrêt de l'Assemblée plénière du 12 juillet 1991 : D.* 1992, chron. 149. – J. Djoudi, *La sous-traitance dans le contexte européen : D.* 1992, chron. 215. – C. Lisanti-Kalczynski, *L'action directe dans les chaînes de contrats ? Plus de dix ans après l'arrêt Besse : JCP* 2003, I, 102.

(12) A. Ghozi, *La modification de l'obligation par la volonté des parties*, préf. D. Tallon, LGDJ, 1980. Pour une application moderne, voir *infra* n° 488, dans le cas d'un plan de redressement conventionnel du débiteur surendetté.

(13) R. Vatinet, *Le mutuus dissensus : RTD civ.* 1987, 252. – G. Rouhette, *La révision conventionnelle du contrat : RID comp.* 1986, 369. – A. Arseguel, *Rupture d'un commun accord et transaction :* in *Mélanges Boyer*, 1996. La révocation d'un contrat par consentement mutuel des parties peut être tacite et résulter de circonstances de fait souverainement appréciées par les juges du fond, sans qu'il soit nécessaire d'en rapporter la preuve par écrit : Cass. 1re civ., 18 mai 1994 : *JCP* 1994, IV, 1817.

Les parties peuvent même se réserver à l'avance le droit de mettre fin au contrat ; c'est un usage courant pour le bail : un bail de 3, 6, 9 ans est un bail de 9 ans avec faculté de résiliation unilatérale après 3 ou 6 ans pour l'une ou les deux parties ; et pour l'assurance (faculté de résiliation annuelle, en général). On peut également le prévoir dans un mandat de gestion et l'assortir d'une indemnité qui est alors le prix de la faculté de résiliation unilatérale, et non pas une clause pénale (14).

Le fait de prévoir un *dédit* aboutit à un résultat identique (15) ; chacun est libre de se délier du contrat en payant à l'autre l'indemnité fixée (16) : l'exemple type est celui de la vente avec *arrhes* (C. civ., art. 1590). Ou encore, on peut subordonner la résiliation du contrat à la survenance d'une condition résolutoire (V. *infra*, n° 429).

Bien entendu, sans aller jusqu'à la résiliation, les parties peuvent aussi apporter d'un commun accord des modifications à la convention originaire. Si le principe ne fait aucun doute, son application soulève parfois des difficultés lorsque, comme il est fréquent, les parties tolèrent des latitudes par rapport à la lettre du contrat. Ces tolérances doivent-elles être analysées comme des modifications tacites apportées au contrat ? Il s'agit là d'une question de pur fait qui relève du pouvoir souverain des juges du fond, lesquels décideront en fonction des circonstances de la cause.

417. – La résiliation unilatérale. En théorie, le principe de la force obligatoire du contrat s'oppose à ce qu'il puisse être anéanti par l'une des parties, de manière unilatérale. Et telle est bien la règle, au moins dans les contrats synallagmatiques qui sont de loin les plus nombreux.

Néanmoins, la loi autorise à titre exceptionnel la *résiliation unilatérale*, chaque fois que la nature du contrat la rend légitime (17).

Tel est le cas pour le contrat de mandat. Parce qu'il repose sur la confiance placée en la personne du mandataire, il peut être librement résilié par le mandant qui a perdu confiance ; d'où la faculté de révocation ouverte au mandant par l'article 2004 du Code civil. Il en va de même pour le contrat de travail, lorsqu'il est à durée indéterminée. Même si le licenciement est encadré par les règles du droit du travail, il n'en demeure pas moins que l'employeur a le droit de résilier unilatéralement le contrat (C. civ., art. 1780) ; et réciproquement, le salarié a toute latitude de démis-

---

(14) Cass. 1re civ., 6 mars 2001 : *D.* 2001, somm. 3243, obs. Ph. DELEBECQUE.

(15) Y. DAGORNE-LABBÉ, *Contribution à l'étude de la faculté de dédit*, thèse Paris II, 1984. – L. BOYER, *La clause de dédit :* in *Mélanges Raynaud*, 1985, p. 41. – Cl. HUMANN, *La spécificité de la clause de dédit : RD imm.* 1997, 169.

(16) Allant à l'encontre de l'opinion générale de la doctrine, un arrêt de la Chambre commerciale a néanmoins décidé que la faculté de dédit peut être gratuite : Cass. com. 30 oct. 2000 : *D.* 2001, somm. 3241, obs. D. MAZEAUD.

(17) Ph. DELEBECQUE, *L'anéantissement unilatéral du contrat*, in L'unilatéralisme et le droit des obligations, p. 61, Economica, 1999. – O. LITTY, *Inégalité des parties et durée du contrat*, LGDJ, 1999, préf. J. GHESTIN.

---

sionner. Dans le contrat de bail, le locataire se voit également reconnaître la faculté de donner congé, c'est-à-dire de résilier avant l'arrivée du terme, sauf à respecter un délai de préavis ; cependant que le bailleur ne le peut pas. Enfin, dans le droit de la consommation, la loi ouvre très fréquemment au consommateur une faculté de rétractation qui s'apparente à une résiliation unilatérale du contrat : sept jours en cas de démarchage à domicile et de crédit à la consommation, quinze jours en cas de démarchage financier, trente jours en matière d'assurance-vie, etc. (V. *supra*, n° 223) (18).

En dehors de ces hypothèses, on admet également de manière générale que, dans les *contrats à durée indéterminée*, chacune des parties dispose d'une faculté de résiliation unilatérale, même si celle-ci n'est pas stipulée dans le contrat (19). Le juge n'exerce ici qu'un contrôle *a posteriori* des motifs de la rupture, contrôle qui s'opère classiquement sur le fondement de l'abus de droit (20).

S'agissant des *contrats à durée déterminée*, le principe était jusqu'ici qu'ils ne sont pas susceptibles de résiliation unilatérale. Mais la jurisprudence récente s'oriente dans le sens de l'octroi d'une faculté de résiliation unilatérale à raison soit de l'urgence, soit de la gravité du comportement de l'une des parties : « la gravité du comportement d'une partie à un contrat peut justifier que l'autre partie y mette fin de façon unilatérale à ses risques et périls » (21), « peu important que le contrat soit à durée déterminée ou non » (22). On semble donc s'orienter vers un principe de résiliation unilatérale du contrat, et ce malgré la résistance de certaines juridictions (23) et les réserves de la doctrine (24).

418. – L'exception d'inexécution : conditions. En dehors des hypothèses de résiliation conventionnelle ou unilatérale, le contrat s'impose

---

(18) R. BAILLOD, *Le droit de repentir : RTD civ.* 1984, 227. – Ph. MALINVAUD, *Droit de repentir et théorie générale des obligations :* in *Mélanges Sacco,* 1992.

(19) Ph. SIMLER, *L'article 1134 du Code civil et la résiliation unilatérale anticipée des contrats à durée déterminée : JCP* 71, I, 2413. – B. HOUIN, *La rupture unilatérale des contrats synallagmatiques,* thèse Paris II, 1973. – I. PETEL-TEYSSIÉ, *Les durées d'efficacité du contrat,* thèse Montpellier, 1984.

(20) Cass. 1re civ. 5 févr. 1985 : *Bull. civ.* I, n° 54 ; *RTD civ.* 1986, 105, obs. J. MESTRE. – Cass. com. 14 nov. 1989 : *Bull. civ.* IV, n° 286. – 31 mai 1994 : *JCP* 1994, IV, 1939. Un auteur a proposé d'exercer ce contrôle sur le fondement de l'intérêt légitime : B. LE BARS, *La résiliation unilatérale du contrat pour cause d'intérêt légitime : D.* 2002, chron. 381.

(21) Cass. 1re civ., 13 oct. 1998 : *Bull. civ.* I, n° 300 ; *D.* 1999, 197 et note Ch. JAMIN ; *JCP* 1999, II, 10133 et note N. RZEPECKI ; *Defrénois* 1999, art. 36954, n° 17, obs. D. MAZEAUD ; *D.* 1999, somm. 115, obs. Ph. DELEBECQUE. – Douai 9 juill. 1999 : *JCP* 1999, I, 191, n° 14, obs. Ch. JAMIN.

(22) Cass. 1re civ. 20 févr. 2001 : *Bull. civ.* I, n° 40 ; *D.* 2001, 1568 et note Ch. JAMIN ; *D.* 2001, somm. 3239, obs. D. MAZEAUD ; *Defrénois* 2001, art. 37365, n° 41, obs. E. SAVAUX ; *RTD civ.* 2001, 363, obs. J. MESTRE et B. FAGES. – 9 juill. 2002 : *Bull. civ.* I, n° 187, p. 145 ; *JCP* 2002, IV, 2525. – 14 janv. 2003, Contr. Conc. Consom. 2000, comm. n° 87.

(23) Nancy 20 nov. 2000 : *JCP* 2002, II, 10113 et note Ch. JAMIN.

(24) S. AMRANI-MEKKI, *La résiliation unilatérale des contrats à durée déterminée : Defrénois* 2003, 1, 369, art. 37688.

---

aux parties avec toute sa force obligatoire. Les parties doivent loyalement coopérer en vue de l'exécution du contrat (25).

Toutefois, la bonne foi qui doit présider à l'exécution des contrats conduit à tempérer cette rigueur en certaines circonstances. Ainsi, lorsqu'un même contrat impose à chacun des obligations réciproques, la jurisprudence admet que l'exécution doit se faire trait pour trait, donnant donnant. Dès lors, si l'un n'exécute pas, l'autre est en droit de s'en prévaloir pour différer l'accomplissement de sa prestation : par exemple, dans la vente au comptant, le vendeur n'est pas tenu de livrer la chose tant que l'acheteur n'en a pas payé le prix (C. civ., art. 1612). La jurisprudence a étendu cette solution à tous les contrats qui comportent des obligations réciproques, c'est-à-dire tous les contrats synallagmatiques (V. *supra*, n° 62).

Dans la terminologie juridique, on exprime cela en disant qu'une partie oppose l'*exception d'inexécution* à la demande de son cocontractant (26). Cette suspension d'exécution suppose la réunion de trois conditions qui peuvent faire l'objet d'un contrôle judiciaire *a posteriori* (27) :

1° qu'il y ait une inexécution soit totale, soit partielle mais grave, de l'obligation principale de l'autre car la bonne foi postule une certaine tolérance de la part du créancier ; ou encore qu'il y ait inexécution par anticipation, c'est-à-dire que le débiteur se soit mis dans l'impossibilité d'exécuter son obligation à terme (28) ;

2° qu'il s'agisse d'obligations réciproques nées du même contrat ;

3° et que ces obligations réciproques soient toutes deux arrivées à échéance ; ainsi, on ne peut pas opposer l'exception à celui qui dispose d'un terme pour exécuter, par exemple à l'acheteur à crédit (V. *infra*, n° 423).

Allant plus loin encore, la jurisprudence admet que la victime d'une inexécution contractuelle peut obtenir la déchéance complète ou partielle du bénéfice de la créance que le responsable possédait contre elle en

---

(25) M. GENDRE, *Collaboration et assistance entre parties au contrat*, thèse Clermont 1981. – Y. PICOD, *Le devoir de loyauté dans l'exécution du contrat*, LGDJ, 1989. – *L'obligation de coopération dans l'exécution du contrat* : JCP 88, I, 3318.

(26) R. CASSIN, *De l'exception tirée de l'inexécution dans rapports synallagmatiques*, thèse Paris, 1914. – J.-F. PILLEBOUT, *Recherches sur l'exception d'inexécution*, 1971. – H. THUILLIER, *L'exception d'inexécution dans la formation du contrat de vente d'immeuble. De la suspension de la vente à sa caducité* : JCP N 81, p. 337. – J. ROCHE-DAHAN, *L'exception d'inexécution, une forme de résolution unilatérale du contrat synallagmatique* : D. 1994, chron. 255. – C. MALECKI, *L'exception d'inexécution*, préf. J. GHESTIN, LGDJ 1999. – J. ROCHFELD, *Résolution et exception d'inexécution* : in *Les concepts contractuels français à l'heure des principes du droit européen des contrats*, Dalloz, 2003, p. 213. – V. aussi sur les conditions de l'exception Cass. com. 27 janv. 1970 : JCP 70, II, 16554, obs. A. HUET. – Cass. 1re civ., 5 mars 1974 : JCP 74, II, 17707, obs. J. VOULET. – Cass. 1re civ., 1er déc. 1999 : JCP 2000, I, 237, nos 10 à 13, obs. F. LABARTHE (qui laisse entendre que l'exception ne serait ouverte qu'en cas de clause contractuelle la prévoyant).

(27) Ch. ATIAS, *Les « risques et périls » de l'exception d'inexécution (limites de la description normative)* : D. 2003, chron. 1103.

(28) Sur le simple risque d'inexécution, voir A. PINNA, *L'exception pour risque d'inexécution : RTD civ.* 2003, 31.

---

contrepartie de l'obligation mal exécutée (29). Elle consacre ainsi l'existence d'une sanction de l'inexécution intermédiaire entre l'exception d'inexécution et la résolution du contrat.

419. – L'exception d'inexécution : rôles. L'exception d'inexécution, qui fait échec à la force obligatoire du contrat, joue deux rôles.

D'une part, elle est pour l'un une *garantie* contre l'insolvabilité de l'autre qui ne veut pas ou ne peut pas exécuter. En cela, elle se rapproche d'une institution voisine, le *droit de rétention*, c'est-à-dire le droit pour un créancier de retenir une chose de son débiteur jusqu'à complet paiement : par exemple, droit du réparateur de retenir la chose réparée, droit du comptable ou de l'avocat de retenir le dossier du client, etc. (30).

D'autre part, elle est entre les mains d'une des parties un *moyen de contrainte*, ou tout du moins d'incitation de l'autre à exécuter son obligation. Ce n'est toutefois qu'une situation d'attente et, à supposer que le débiteur persiste dans son refus d'exécuter, le créancier qui invoquait l'exception devra recourir à des moyens plus énergiques. Comme nul ne peut se faire justice soi-même (V. *Introduction*, n° 502), le créancier s'adressera au juge pour faire sanctionner la violation du contrat : une option lui est offerte entre poursuivre l'*exécution forcée* de l'obligation (*infra*, nᵒˢ 823 et s.), si cette exécution demeure possible, ou bien demander qu'il soit mis fin au contrat (*résolution* : V. *infra*, nᵒˢ 496 et s.). Dans ce dernier cas, le recours au juge peut être évité si on a pris la précaution d'insérer dans le contrat une clause expresse de résolution automatique pour inexécution (V. *infra*, n° 502).

§ 2. – Modalités de la force obligatoire

420. – Les clauses annexes ou accessoires à l'obligation principale. Tout contrat comporte toujours une ou plusieurs obligations principales en vue desquelles les parties ont contracté : dans la vente, par exemple, ce sera le paiement d'un prix pour l'un, et le transfert de la propriété d'une chose pour l'autre. On peut ainsi résumer chaque contrat en le ramenant à l'essentiel.

Mais en pratique, tout contrat comporte aussi des clauses annexes, accessoires à l'obligation principale, et qui revêtent parfois une grande

---

(29) Cass. 3ᵉ civ., 3 mai 2001 : *Bull. civ.* III, n° 57 ; *JCP* 200, IV, 2142 ; *JCP* 2002, I, 122, n° 6, obs. G. Viney. V. aussi G. Viney et P. Jourdain, *Les effets de la responsabilité*, 2ᵉ éd., n° 30-1.

(30) F. Derrida, *Le fonctionnement du droit de rétention*, Alger, 1940. – N. Catala, *De la nature juridique du droit de rétention* : *RTD civ.* 1967, 9. – F. Chabas et F.-J. Claux, *Disparition et renaissance du droit de rétention en cas de remise puis de restitution de la chose* : *D.* 1972, chron. 19. – J. Mande-Djapou, *La notion étroite du droit de rétention* : *JCP* 76, I, 2760. – Ch. Scapel, *Le droit de rétention en droit positif* : *RTD civ.* 1981, 539. – F. Alt-Maes, *Une évolution vers l'abstraction : de nouvelles applications de la détention* : *RTD civ.* 1987, 21. – Ph. Devesa, *La rétention de documents : contribution à la notion générale de rétention* : *Petites affiches*, 17 juin 1995, p. 11. – C. Pourquier, *La rétention du gagiste ou la supériorité du fait sur le droit* : *RTD com.* 2000, 569. – P.-M. Le Corre, *L'invincibilité du droit de rétention dans les procédures collectives de paiement* : *D.* 2001, doctr. 2815. – A. Ghozi, *Sur la dualité du droit de rétention* : in *Mélanges Catala*, p. 719.

importance pour les parties. Parmi les clauses courantes on peut citer, à titre d'exemple, la *clause compromissoire* (arbitrage : V. *Introduction*, n° 503), la *clause d'élection de domicile* (*Introduction*, n° 359 et 549), la *clause attributive de compétence territoriale* (*Introduction*, n° 549), la *clause de non-concurrence*, la *clause d'exclusivité*, la *clause pénale*, la *clause d'indexation*, etc.

CLAUSES FRÉQUENTES DANS LES CONTRATS	
CLAUSES ANNEXES DE L'OBLIGATION PRINCIPALE :	• clause d'exclusivité • clause de non-concurrence • clause d'inaliénabilité
MODALITÉS D'EXÉCUTION :	• terme suspensif ou extinctif • condition suspensive ou résolutoire • clause d'indexation
GARANTIES D'EXÉCUTION :	• clause stipulant la solidarité des codébiteurs ou cautions • cautionnement • sûretés réelles (gages, hypothèques, etc.) • dépôt de garantie
INEXÉCUTION OU MAUVAISE EXÉCUTION DU CONTRAT :	• clause de résolution de plein droit • clause de réserve de propriété • clause limitative de responsabilité ou de garantie • clause pénale
CONTENTIEUX	• clause d'élection de domicile • clause d'attribution de compétence • clause compromissoire

421. – Les clauses instituant des modalités de l'obligation : le terme et la condition. – Parmi ces clauses, les unes ont une vie propre et, en tout cas. n'ont pas d'effet direct sur l'obligation principale ; les autres ont pour but d'apporter des modalités à l'obligation principale : tel est le cas lorsqu'ont été stipulés soit un terme, soit une condition au contrat.

A. – Le terme (31)

422. – Définition. Le terme est une échéance, certaine dans son principe, et soit déterminée (par exemple, le 1er juin 2006), soit déterminable (par exemple, le jour du décès de M. X.) ; insérée dans un contrat, cette date pourra marquer soit le point de départ des effets du contrat *(terme suspensif)*, soit au contraire son point final *(terme extinctif)*.

Art. 1185. – Le terme diffère de la condition, en ce qu'il ne suspend point l'engagement, dont il retarde seulement l'exécution.

---

(31) C. Bloud, *Le terme dans le contrat*, thèse Paris II, 2001.

Art. 1186. – Ce qui n'est dû qu'à terme, ne peut être exigé avant l'échéance du terme ; mais ce qui a été payé d'avance ne peut être répété.

Art. 1187. – Le terme est toujours présumé stipulé en faveur du débiteur, à moins qu'il ne résulte de la stipulation, ou des circonstances, qu'il a été aussi convenu en faveur du créancier.

Art. 1188. – Le débiteur ne peut plus réclamer le bénéfice du terme lorsqu'il a fait faillite, ou lorsque, par son fait, il a diminué les sûretés qu'il avait données par le contrat à son créancier.

423. – Le terme suspensif. *Le terme suspensif* est celui qui suspend l'exécution de l'obligation jusqu'à l'arrivée du terme ; il peut être stipulé dans n'importe quel type de contrat. Par exemple, une vente étant conclue ce jour, les parties peuvent convenir que l'une des prestations, le prix ou la livraison, sera effectuée à une ou plusieurs dates ultérieures : la *vente à crédit* est une vente à terme. En pratique, l'usage du terme est constant dans le droit des affaires : ainsi, entre commerçants, les paiements se font presque toujours par *traite* à 30, 60 ou 90 jours ; de même la principale activité de la Bourse des valeurs est le *marché à terme* ; également, le paiement des intérêts d'un prêt ou du loyer est toujours stipulé à terme ; les livraisons de marchandises sont elles aussi souvent à terme, etc.

Les exemples précédents sont tous relatifs à des paiements ou à des livraisons affectés d'un terme. Mais on peut au même titre utiliser le terme suspensif pour retarder un transfert de propriété.

Parfois, ce retard découle de la nature des choses : ainsi, dans les ventes de *choses de genre* (V. *Introduction*, n° 429), le transfert ne s'opérera que plus tard, lorsque la chose vendue aura été individualisée, par la livraison en général ; de même, dans le cas où la vente porte sur des choses futures (V. *supra*, n° 246), navires ou immeubles à construire, le transfert s'accomplit « au fur et à mesure de l'exécution » des ouvrages ; ou encore lorsque le transfert de propriété est subordonné à une autorisation administrative ou à l'accomplissement d'une formalité.

Enfin, à supposer que soient réunies les conditions pour que le transfert s'opère au moment du contrat, les parties peuvent convenir qu'il sera retardé jusqu'à l'arrivée d'un certain terme : par exemple, en matière immobilière, le jour de la réalisation du « compromis de vente » par un acte notarié.

La stipulation d'un terme n'empêche pas la naissance immédiate de l'obligation promise ; elle affecte seulement son exigibilité. Le créancier à terme ne peut donc pas exiger son paiement avant l'écoulement du délai – à moins que le terme n'ait été stipulé en sa seule faveur (C. civ., art. 1187).

Il n'est fait échec à cette règle que si le bénéficiaire du terme y consent ou s'il en a été déchu. La déchéance du terme découle du règlement judiciaire pour les commerçants (32), de la déconfiture pour les non-commerçants ou de la diminution des sûretés par le fait du débiteur (C. civ., art. 1188).

---

(32) Le jugement d'ouverture du redressement judiciaire n'entraîne pas déchéance du terme (art. L. 621-49) ; celle-ci n'est encourue qu'en cas de cession de l'entreprise (art. L. 621-91) ou de liquidation judiciaire (art. L. 622-22).

424. – Le terme extinctif. *Le terme extinctif*, qui limite la durée du contrat, ne se conçoit que pour les contrats qui s'exécutent dans le temps, non pour ceux à exécution instantanée (V. *supra*, n° 66).

Lorsque les parties concluent un contrat à exécution successive, elles sont libres de fixer ou non un terme extinctif à leurs obligations ; suivant la décision prise, le contrat sera donc à durée soit déterminée s'il y a un terme, soit indéterminée en l'absence d'un terme. En pratique, cela dépend du contrat considéré et des circonstances de fait. Ainsi, en général, les contrats de bail, d'assurance, de société et de prêt sont conclus pour une durée déterminée ; les contrats de travail, de mandat, de dépôt sont le plus souvent à durée indéterminée.

Les règles ne sont pas les mêmes dans les deux cas, à de multiples égards.

Si un terme a été fixé, il ne saurait excéder 99 ans, faute de quoi il s'agirait d'un engagement perpétuel contraire à l'ordre public (*supra*, n° 265). Encore ce délai, peu usité, sauf pour les sociétés et les baux emphytéotiques, devra-t-il être réduit à la mesure des usages dans de nombreuses hypothèses : par exemple, pour les clauses d'exclusivité, ou de non-concurrence, etc.

Mais, si le délai fixé est conforme à la loi, aux usages ou à l'ordre public, il ne pourra être mis fin au contrat avant cette date, à moins que le bénéficiaire du terme n'y renonce ou qu'il ait commis une faute justifiant une rupture anticipée. L'arrivée du terme ne marque d'ailleurs pas toujours la fin des rapports contractuels : en effet, à défaut d'invoquer l'expiration du terme en donnant *congé*, ou par une *mise en demeure*, le contrat sera considéré comme reconduit dans certaines hypothèses : *tacite reconduction* (33) du bail, du contrat d'assurance, etc. Le silence va entraîner la tacite reconduction s'il y a volonté de poursuite de la relation contractuelle ; mais, en dépit de la terminologie employée, il ne s'agit pas de la prorogation du contrat primitif, mais d'un nouveau contrat (34).

Le terme extinctif joue donc un rôle tout à fait différent de celui du terme suspensif : il limite à une certaine durée l'exécution des contrats qui, par nature, s'accomplissent dans le temps. Mais, par là même, il confère au contrat une stabilité qu'autrement il n'aurait pas : s'agissant en effet d'un contrat à durée indéterminée, on sait (V. *supra*, n° 417) que chacune des parties a la liberté de rompre unilatéralement à tout moment, sauf à ne pas agir de manière abusive et à respecter certaines modalités (par exemple, le *délai-congé* en matière de contrat de travail).

---

(33) B. AMAR-LAYANI, *La tacite reconduction : D.* 1996, chron. 143.
(34) Cass. com. 13 mars 1990 : *D.* 1990, IR, 84 (pour un contrat d'assurance maritime). – 6 févr. 2001 : *JCP* 2001, I, 370, n° 24, obs. A. CONSTANTIN (disparition de la caution qui assortissait le contrat initial). À cet égard, il convient de distinguer la tacite reconduction de la prorogation qui est la continuation de la relation contractuelle originaire, et du renouvellement à l'occasion duquel les parties pourront modifier le contenu du contrat primitif.

B. – La condition (35)

§ 1. – De la condition en général, et de ses diverses espèces

Art. 1168. – L'obligation est conditionnelle lorsqu'on la fait dépendre d'un événement futur et incertain, soit en la suspendant jusqu'à ce que l'événement arrive, soit en la résiliant, selon que l'événement arrivera ou n'arrivera pas.

Art. 1169. – La condition *casuelle* est celle qui dépend du hasard, et qui n'est nullement au pouvoir du créancier ni du débiteur.

Art. 1170. – La condition *potestative* est celle qui fait dépendre l'exécution de la convention d'un événement qu'il est au pouvoir de l'une ou de l'autre des parties contractantes de faire arriver ou d'empêcher.

Art. 1171. – La condition *mixte* est celle qui dépend tout à la fois de la volonté d'une des parties contractantes et de la volonté d'un tiers.

Art. 1172. – Toute condition d'une chose impossible, ou contraire aux bonnes mœurs, ou prohibée par la loi, est nulle, et rend nulle la convention qui en dépend.

Art. 1173. – La condition de ne pas faire une chose impossible ne rend pas nulle l'obligation contractée sous cette condition.

Art. 1174. – Toute obligation est nulle lorsqu'elle a été contractée sous une condition potestative de la part de celui qui s'oblige.

Art. 1175. – Toute condition doit être accomplie de la manière que les parties ont vraisemblablement voulu et entendu qu'elle le fût.

Art. 1176. – Lorsqu'une obligation est contractée sous la condition qu'un événement arrivera dans un temps fixe, cette condition est censée défaillie lorsque le temps est expiré sans que l'événement soit arrivé. S'il n'y a point de temps fixe, la condition peut toujours être accomplie ; et elle n'est censée défaillie que lorsqu'il est devenu certain que l'événement n'arrivera pas.

Art. 1177. – Lorsqu'une obligation est contractée sous la condition qu'un événement n'arrivera pas dans un temps fixe, cette condition est accomplie lorsque ce temps est expiré sans que l'événement soit arrivé : elle l'est également, si avant le terme il est certain que l'événement n'arrivera pas ; et s'il n'y a pas de temps déterminé, elle n'est accomplie que lorsqu'il est certain que l'événement n'arrivera pas.

Art. 1178. – La condition est réputée accomplie lorsque c'est le débiteur, obligé sous cette condition, qui en a empêché l'accomplissement.

Art. 1179. – La condition accomplie a un effet rétroactif au jour auquel l'engagement a été contracté. Si le créancier est mort avant l'accomplissement de la condition, ses droits passent à son héritier.

Art. 1180. – Le créancier peut, avant que la condition soit accomplie, exercer tous les actes conservatoires de son droit.

425. – Définition et terminologie. Un contrat est soumis à une condition lorsque les parties conviennent de faire dépendre son existence d'un événement futur de réalisation incertaine.

La condition se distingue du terme à deux points de vue.

---

(35) J.-J. TAISNE, *La notion de condition dans les actes juridiques*, thèse Lille 1977. – O. MILHAC, *Contribution à l'étude de la notion de condition dans les contrats à titre onéreux*, LGDJ, 2001.

D'une part, le terme affecte seulement la durée du contrat en précisant son point de départ ou sa fin ; quelle que soit cette durée, le contrat existe ou a existé alors que la condition subordonne l'existence même du contrat : suivant que la condition se réalisera ou non, le contrat conclu existera ou sera censé n'avoir jamais existé.

D'autre part, l'arrivée d'un terme est toujours une certitude, parce qu'il s'agit d'une date précise ou, le cas échéant, d'un événement qui se produira à coup sûr, la mort d'une personne par exemple ; au contraire, étant un événement futur de réalisation incertaine, la condition prévue au contrat peut ou se réaliser, ou défaillir : par exemple, le mariage d'une personne, l'obtention d'un marché, etc. (36).

Un contrat conditionnel se trouve en conséquence soumis à un aléa qui est facteur d'insécurité pour les parties et même pour les tiers. L'incertitude est particulièrement gênante lorsqu'elle porte sur la propriété d'un bien, meuble ou immeuble, dont l'appartenance à l'une ou à l'autre partie pourra se trouver remise en cause.

Ainsi, la condition apparaît-elle comme une modalité un peu spéciale tandis que le terme est une clause usuelle.

À cet égard, une remarque de terminologie s'impose dans la mesure où la pratique utilise à tort le vocable « condition » pour désigner toute clause d'un contrat : dans les contrats d'assurance, ou de vente, on emploie souvent comme titre : conditions générales, conditions particulières. Clause et condition ne sont pas synonymes : la clause étant l'appellation générale, la condition en est une espèce qui répond à la définition précisée plus haut. Mais, si l'intention des parties n'est pas clairement exprimée, il est parfois difficile de savoir si telle clause est ou non une condition dont les cocontractants ont entendu faire dépendre l'existence du contrat. Pour éviter l'inconvénient d'une interprétation peut-être erronée par le tribunal, il est souhaitable de préciser dans l'écrit la portée attribuée à une telle clause : il vaut mieux dire que sous-entendre.

En pratique, le problème se pose dans le cas où une clause du contrat est annulée : la jurisprudence considère que la nullité de la clause entraîne ou non la nullité du contrat tout entier suivant que les parties ont entendu ou non en faire une condition dont dépendrait l'existence du contrat (V. *supra*, n° 396) (37).

---

(36) V. p. ex. Cass. 3ᵉ civ., 13 avr. 1999 : *JCP* 2000, II, 10309 et note A.S. Barthez (dans le cas où l'une des parties s'était obligée au paiement de charges tant que la situation prise en compte ne serait pas modifiée, modification qui était incertaine non seulement dans sa date mais aussi quant à sa réalisation, si bien qu'il s'agissait d'une condition et non pas d'un terme).

(37) Il s'agit d'une question de fait qui relève du pouvoir souverain des juges du fond. Pour des applications en matière de clauses d'indexation, V. Cass. 3ᵉ civ., 22 oct. 1970 : *JCP* 71, II, 16636 *bis*, obs. J.-Ph. Lévy. – Cass. 3ᵉ civ., 24 juin 1971 : *JCP* 72, II, 17191, obs. J. Ghestin. – Cass. 3ᵉ civ., 6 juin 1972 : *D.* 1973, 151 et note Ph. Malaurie. – B. Teyssié, *Réflexions sur les conséquences de la nullité d'une clause d'un contrat* : *D.* 1976, chron. 281.

426. – Validité de la condition. Malgré leur validité de principe, les conditions sont annulables dans deux cas.

D'une part, comme toute clause, une condition peut être annulée si elle est impossible, immorale ou illicite, c'est-à-dire contraire à l'ordre public (V. *supra*, nᵒˢ 262 et s.) : ainsi ont été annulées les clauses de célibat dans les contrats de travail, les clauses d'exclusivité non conformes aux usages.

D'autre part, sont également nulles les conditions dont la réalisation dépend de la seule volonté du débiteur (C. civ., art. 1174 : *condition purement potestative* de la part du débiteur (38)) ; sont au contraire valables les conditions dont la réalisation dépend du hasard (C. civ., art. 1169 : condition casuelle), ou de la volonté du créancier (C. civ., art. 1170 : condition potestative) ou de plusieurs éléments (C. civ., art. 1171 : condition mixte).

D'une importante jurisprudence il ressort qu'une condition est *purement potestative*, et donc nulle au regard de l'article 1174, lorsqu'elle ne dépend que de la seule volonté du débiteur qui est finalement libre d'échapper comme bon lui semble à l'exécution du contrat ; une telle condition est incompatible avec la force obligatoire du contrat pour les parties.

En revanche, la condition est valable si elle dépend, au moins pour partie d'un élément extérieur à la volonté du débiteur. Par exemple, l'achat d'un bien sous la condition que l'acheteur vende lui-même un autre bien n'est pas purement potestative parce qu'elle suppose l'accomplissement d'un fait extérieur, à savoir la découverte d'un acquéreur pour ce dernier bien (39).

De même, n'est pas purement potestative la clause permettant à l'installateur d'appareils de distribution d'aliments et de boissons de retirer ces appareils si leur exploitation s'avérait déficitaire, car cette donnée peut être vérifiée en justice (40).

427. – Les deux types des conditions (41). Si toutes les conditions affectent l'existence du contrat, les unes suspendent la naissance de l'obligation jusqu'à ce que l'événement prévu arrive (condition suspensive), les autres conditionnent la résiliation du contrat (condition résolutoire).

---

(38) J.-L. Costa, *Condition potestative et validité des contrats : Administrer*, nᵒ 155, mars 1985, p. 5. – J. Ghestin, *La notion de condition potestative au sens de l'article 1174 du Code civil : in Mélanges Weill*, p. 243.

(39) Cass. 3ᵉ civ., 22 nov. 1995, *D.* 1996, 604 et note Ph. Malaurie ; *Contr. Conc. Consom.* 1996, comm. nᵒ 19, note L. Leveneur. Cet arrêt rompt avec une jurisprudence en sens inverse : Cass. 3ᵉ civ., 8 oct. 1980 : *D.* 1981, IR, 441 et note B. Audit.

(40) Cass. com. 12 mai 1980 : *Bull. civ.* IV, nᵒ 190. Pour d'autres hypothèses, voir Cass. com. 22 nov. 1976 : *JCP* 1978, II, 18903, obs. B. Stemmer (achat sous condition d'obtention d'un prêt, tout en se réservant la faculté de demander la réalisation de la vente en cas de non-obtention du prêt). Cass. 3ᵉ civ. 4 déc. 1985 : *Bull. civ.* III, nᵒ 162, p. 123 ; *Defrénois* 1986, 1, 1103, obs. J.-L. Aubert (la vente d'un terrain moyennant la construction d'une maison sans que soit précisée de date limite, n'est pas affectée d'une condition purement potestative, mais assortie d'un terme à échéance incertaine pouvant être fixé judiciairement). Cass. 1ʳᵉ civ., 16 oct. 2001 : *JCP* 2001, IV, 2898 ; *JCP* 2002, I, 134, nᵒ 4, obs. J. Rochfeld ; *RTD civ.* 2002, 97, obs. J. Mestre et B. Fages (cessation d'un contrat de médecin en cas de fermeture de la clinique). V. J. Rochfeld, *Les droits potestatifs accordés par le contrat : in Études Ghestin*, 2001, LGDJ, p. 747.

(41) Ph. Derouin, *Pour une analyse « fonctionnelle » de la condition : RTD civ.* 1978, 1.

---

§ 2. – De la condition suspensive

Art. 1181. – L'obligation contractée sous une condition suspensive est celle qui dépend ou d'un événement futur et incertain, ou d'un événement actuellement arrivé, mais encore inconnu des parties.

Dans le premier cas, l'obligation ne peut être exécutée qu'après l'événement.

Dans le second cas, l'obligation a son effet du jour où elle a été contractée.

Art. 1182. – Lorsque l'obligation a été contractée sous une condition suspensive, la chose qui fait la matière de la convention demeure aux risques du débiteur qui ne s'est obligé de la livrer que dans le cas de l'événement de la condition.

Si la chose est entièrement périe sans la faute du débiteur, l'obligation est éteinte.

Si la chose s'est détériorée sans la faute du débiteur, le créancier a le choix ou de résoudre l'obligation, ou d'exiger la chose dans l'état où elle se trouve, sans diminution du prix.

Si la chose s'est détériorée par la faute du débiteur, le créancier a le droit ou de résoudre l'obligation, ou d'exiger la chose dans l'état où elle se trouve, avec des dommages-intérêts.

§ 3. – De la condition résolutoire

Art. 1183. – La condition résolutoire est celle qui, lorsqu'elle s'accomplit, opère la révocation de l'obligation, et qui remet les choses au même état que si l'obligation n'avait pas existé.

Elle ne suspend point l'exécution de l'obligation ; elle oblige seulement le créancier à restituer ce qu'il a reçu dans le cas où l'événement prévu par la condition arrive.

---

428. – La condition suspensive (42). Lorsqu'un contrat est conclu sous *condition suspensive*, commence une période d'incertitude sur la naissance de l'obligation ; par exemple, dans la vente à l'essai, ou à la dégustation ; ou encore lorsqu'un contrat de fournitures est adopté sous réserve que l'acheteur obtienne tel marché qu'il a en vue, ou telle autorisation administrative qui lui est nécessaire ; ou une vente de terrain à bâtir subordonnée à l'obtention du permis de construire, etc.

Parfois, la loi elle-même décide que certains contrats seront conclus sous condition suspensive. Ainsi en est-il en matière de crédit immobilier où la loi du 13 juillet 1979 relative à l'information et à la protection des emprunteurs dans le domaine immobilier édicte que la vente est conclue « sous la condition suspensive de l'obtention du ou des prêts qui en assurent le financement » (C. consom., art. L. 312-16) (43).

---

(42) G. Goubeaux, *Remarques sur la condition suspensive stipulée dans l'intérêt exclusif de l'une des parties* : Defrénois 1979, 1, 753, art. 31987. – V. aussi Cass. 3e civ., 13 oct. 1999 : *JCP* 2000, I, 237, n° 14 à 18, obs. J. Rochfeld (pour le cas où la condition est unilatérale, dans l'intérêt d'une seule des parties).

(43) Ch. Atias et Ch. Mouly, *Libres propos sur la condition suspensive d'obtention d'un prêt immobilier* : *JCP* N 1980, I, p. 205. – *Propos encore plus libres sur la condition suspensive d'obtention du prêt immobilier* : *JCP* N 1980, p. 303. – C.-A. Thibierge, *La condition suspensive de l'article 17 et les actes qui l'engendrent* : Defrénois 1980, 1, 1225, art. 32446. – L. Aynès, *La condition d'obtention d'un prêt dans une promesse unilatérale de vente* : *D.* 1988, chron. 283. – J.-L. Bergel, *La condition suspensive de l'obtention des prêts immobiliers* : *JCP* N 1988, I, 225. – D. Mazeaud, *La condition suspensive d'obtention d'un prêt immobilier à l'épreuve de la jurisprudence : vers un juste équilibre* : *JCP* N 1993, 345. – F. Steinmetz, *L'acquéreur, le vendeur, le prêteur et la condition suspensive de l'obtention du prêt* : RD imm. 1993, 305.

Afin d'éviter une trop longue expectative, il est fréquent que soit précisé un *terme* pour l'arrivée de la condition : par exemple, si tel événement se produit avant telle date. Néanmoins, si aucun terme n'est fixé, la condition n'en est pas moins valable ; en effet, l'absence de terme ne confère pas à l'obligation un caractère perpétuel et la condition ne sera censée défaillie que lorsqu'il sera devenu certain que l'événement posé en condition n'arrivera pas (44).

Si la condition attendue se réalise, le contrat jusqu'ici virtuel prend corps : de conditionnel il devient pur et simple et développe tous ses effets. Si, à l'inverse, la condition défaille, c'est-à-dire si l'événement ne se produit pas, tout se passe comme si le contrat n'avait jamais été conclu (45).

Toutefois, il n'y a pas défaillance si c'est le débiteur lui-même qui empêche l'événement de survenir. La solution découle de l'article 1178 suivant lequel « la condition est réputée accomplie lorsque c'est le débiteur, obligé sous cette condition, qui en a empêché l'accomplissement ». Cette disposition permet de faire échec à la mauvaise foi du débiteur qui, regrettant le contrat qu'il a conclu sous condition, cherche à échapper à son obligation en empêchant la condition de se réaliser. Ainsi en est-il de l'acquéreur d'un terrain sous condition suspensive d'obtention du permis de construire lorsque la demande est rejetée à raison du refus du pétitionnaire de respecter les règles relatives aux places de stationnement et à l'accessibilité de l'immeuble aux personnes handicapées (46) ; et de même d'un acquéreur sous condition suspensive d'obtention d'un prêt qui a refusé sans raison valable l'offre de prêt qui lui était faite par un organisme financier (47).

429. – La condition résolutoire. La *condition résolutoire* correspond à la situation inverse. Dans un premier temps, le contrat est comme un contrat pur et simple : il produit tous ses effets et, le cas échéant, entraîne transfert de propriété. Si la condition, l'événement résolutoire, ne se produit pas, la situation antérieure est définitivement consolidée puisque toute menace de résolution a disparu. Au contraire, l'arrivée de la condition entraîne d'office la résolution du contrat. Ainsi, on pourra conclure une vente sous condition résolutoire de la non-obtention des prêts prévus.

En pratique, on stipule assez souvent des conditions résolutoires. En effet, une condition résolutoire est, pour le créancier, un excellent moyen

---

(44) H. KENFACK, *La défaillance de la condition suspensive* : Defrénois 1997, 1, 833, art. 36604. – Cass. 1re civ., 4 juin 1991 : *D.* 1992, 170 et note M.-O. GAIN ; *RTD civ.* 1991, 738. – Cass. 3e civ., 24 juin 1998 : *D.* 1999, 403 et note H. KENFACK. – 19 déc. 2001, *D.* 2002, 1586 et note H. KENFACK ; *Contr. Conc. Consom.* 2002, comm. n° 57, obs. L. LEVENEUR ; *RTD civ.* 2002, 299, obs. crit. J. MESTRE et B. FAGES.

(45) Cass. 3e civ., 9 oct. 1974 : *JCP* 1975, II, 18149, obs. H. THUILLIER.

(46) Cass. 3e civ., 16 avr. 1986 : *JCP* 1988, II, 21033, obs. G. LIET-VEAUX.

(47) Cass. com. 31 janv. 1989 : *JCP* 1989, II, 21382, obs. Y. DAGORNE-LABBÉ. – Cass. 1re civ., 19 déc. 1992 et 20 janv. 1993 : *JCP* 1993, II, 22106 et note A. GOURIO.

de contraindre le débiteur à l'exécution de telle prestation annexe ; le contrat sera anéanti, à moins que le débiteur n'accomplisse, ou n'accomplisse pas, telle ou telle chose : par exemple, rester célibataire, se fournir exclusivement chez le vendeur, payer en monnaie étrangère ou suivant une clause d'échelle mobile. Outre qu'elle est un moyen de pression, la condition résolutoire présente un autre avantage, son automaticité : le contrat est résolu d'office par la survenance de la condition, en dehors de toute intervention du juge.

C'est pourquoi il est d'usage de stipuler dans les contrats une condition résolutoire expresse pour le cas où le débiteur n'exécuterait pas. Une telle clause permet au créancier d'échapper à l'application de l'article 1184 du Code civil, selon lequel la résolution du contrat pour inexécution ne peut être prononcée que par le juge (V. *infra*, n° 502) ; le législateur est d'ailleurs intervenu pour limiter les effets de cette clause dans certains contrats, notamment en matière de bail et de vente d'immeuble à construire, où elle apparaissait abusive. La stipulation d'une condition suspensive répond au contraire à des circonstances de fait spécifiques au contrat envisagé.

430. – Effets de la condition. Suspensive ou résolutoire, la condition, une fois accomplie, « a un effet rétroactif au jour auquel l'engagement a été contracté » (C. civ., art. 1179).

À supposer qu'il s'agisse d'une condition suspensive, on considérera que le contrat a toujours existé avec son plein effet *ab initio* (si la condition se réalise) ou, au contraire, que le contrat n'a jamais été conclu (si la condition défaille). Les solutions seront inverses pour la condition résolutoire : le contrat sera censé n'avoir jamais connu aucune menace (si la condition défaille), ou il sera effacé rétroactivement (si la condition se réalise).

En fait, cette rétroactivité n'aura pas lieu chaque fois que les prestations déjà accomplies seront irréversibles. On ne peut pas revenir par exemple sur ce fait matériel qu'un travailleur a œuvré, qu'un locataire a joui de l'appartement, etc., avant l'arrivée de la condition. En pareil cas, au lieu d'une *résolution* (rétroactive), on dira simplement qu'il y a *résiliation* (non rétroactive) pour l'avenir.

§ 3. – Les garanties de bonne exécution du contrat

431. – Présentation générale. Lorsque les contrats s'exécutent en un trait de temps, comme c'est le cas pour les actes de la vie courante, le contrat est exécuté en même temps qu'il est conclu et il n'y a pas lieu de se préoccuper de mettre en place des garanties de bonne exécution.

Il n'en va pas de même lorsque le contrat s'exécute dans le temps. Il y a alors deux risques de nature différente.

D'une part, le risque de l'inflation ou de l'érosion monétaire pour le cocontractant qui, en application du contrat, doit recevoir des sommes d'argent à des échéances échelonnées dans le temps. Pour pallier ce risque de dévaluation de la monnaie, on peut insérer au contrat des *clauses monétaires*.

D'autre part, le risque de l'insolvabilité du débiteur qui peut être limité par la mise en place de *garanties de paiement*, de sûretés.

A. – Les garanties contre l'érosion monétaire : les clauses monétaires (48)

432. – Les clauses dans les paiements internationaux. Pour se protéger des effets tant de l'érosion monétaire que des dévaluations, la pratique a imaginé des clauses d'indexation ou d'échelle mobile dont l'intérêt est évident pour tous les contrats comportant des paiements ou des restitutions en argent échelonnés dans le temps. L'exemple type est celui du contrat de prêt.

Pour les *paiements internationaux*, la validité de ces clauses n'a jamais été mise en doute (49). La solution contraire eût mis l'économie française dans une situation très désavantageuse dont les effets se seraient ressentis dans les contrats d'importation ou d'exportation et dans le placement à l'étranger des emprunts nationaux.

Sous réserve de la difficulté de définir ce qu'est un paiement international, toutes les clauses monétaires y sont permises. Peu importe qu'elles soient relatives à la monnaie de paiement : paiement en or (clause-or) ou en une quelconque monnaie étrangère ; ou à la monnaie de compte seulement, le paiement étant fait en argent français : clause valeur-or, clause de garantie de change. Il peut encore s'agir d'une *clause d'échelle-mobile* ou *d'indexation* en vertu de laquelle la somme due variera suivant un indice librement choisi par les parties : cours d'un produit ou d'un salaire, ou d'un indice publié par un organisme quelconque, etc.

---

(48) M. VASSEUR, *Le droit des clauses monétaires et les enseignements de l'économie politique :* RTD civ. 1952, 431. – P. DURAND (ouvrage collectif sous la direction de…), *Influence de la dépréciation monétaire sur la vie juridique privée.* – J.-P. DOUCET, *Les clauses d'indexation et les ordonnances du 30 déc. 1958 et du 4 déc. 1959*, 1965. – R. SAVATIER, *Dépréciation monétaire et vie juridique des contrats :* D. 1972, chron. 1. – *Les effets de la dépréciation monétaire sur les rapports juridiques contractuels :* in *Trav. ass. H. Capitant*, 1971, t. XXIII. – E.-S. DE LA MARNIERRE, *Observations sur l'indexation comme mesure de valeur :* RTD civ. 1977, 54. – R. TENDLER, *Indexation et ordre public. L'ordonnance du 30 décembre 1958 : majorité ou sénilité ? :* D. 1977, chron. 245. – J. HONORAT, *Les indexations contractuelles et judiciaires :* in *Études Flour*, 1979, p. 251. – L. BOYER, *À propos des clauses d'indexation : du nominalisme monétaire à la justice contractuelle :* in *Mélanges Marty*, p. 87. – P. CHAUVEL, *Indexation et baux commerciaux :* RTD com. 1986, 359.

(49) Cass. civ. 17 mai 1927 : *DP* 1928, 1, 25, concl. MATTER, et note CAPITANT ; *S.* 1927, 1, 289 et note ESMEIN. – Paris 11 avr. 1972 : *JCP* 73, IV, 312. – Cass. 1re civ., 15 juin 1983 : *JCP* 84, II, 20123, obs. J.-Ph. LÉVY. – Cass. 1re civ., 13 mai 1985 : *Gaz. Pal.* 1985, 2, pan., 361.

La jurisprudence définit le paiement international comme « un mouvement de flux et de reflux ou dessus des frontières avec des conséquences réciproques dans un pays et dans un autre » (50) ou, suivant une formule plus récente comme « un paiement destiné à financer une opération du commerce international » (51).

À la suite de la mise en place de la zone euro, on peut sérieusement se demander si les paiements entre États membres sont toujours des paiements internationaux, ou s'ils ne doivent pas être considérés comme des paiements internes au sens des ordonnances des 30 décembre 1958 et 4 février 1959.

433. – Les clauses dans les paiements internes. Les ordonnances de 1958-1959. Pour les *paiements internes* la question n'était jadis réglée par aucun texte, si ce n'est de manière indirecte par l'article 1895 du Code civil, toujours en vigueur et relatif au prêt d'argent : « l'obligation qui résulte d'un prêt en argent n'est toujours que de la somme numérique énoncée au contrat ». En dépit de ce texte qui semblait condamner les clauses monétaires, la jurisprudence avait en définitive admis leur validité de principe, sauf pour les clauses-or ou monnaie étrangère.

Par deux ordonnances des 30 décembre 1958 et 4 février 1959, le législateur a interdit pour l'avenir « toutes clauses prévoyant des indexations fondées sur le SMIG, sur le niveau général des prix ou des salaires, ou sur les prix de biens, produits ou services n'ayant pas de relation directe avec l'objet... de la convention ou avec l'activité de l'une des parties ». L'érosion monétaire comme la dévaluation étant des éléments d'une politique économique, le gouvernement a voulu interdire aux particuliers et aux organisations syndicales d'insérer dans les contrats ou les conventions collectives des clauses susceptibles de perturber le jeu des mécanismes économiques et monétaires et d'accélérer les mouvements inflationnistes.

Cette prohibition est d'ordre public, et sanctionnée par la nullité absolue ; toute clause nulle n'est donc susceptible ni de confirmation, ni de ratification (52).

Sont ainsi interdites dans les contrats internes les clauses d'indexation sur une monnaie étrangère (53). On rappellera à cet égard que la monnaie

---

(50) Cass. civ. 17 mai 1927, précité.
(51) Cass. 1re civ., 11 oct. 1989 : *JCP* 1990, II, 21393 et note J.-Ph. Lévy ; *D*. 1990, 167 et note E.-S. de la Marnierre.
(52) Cass. com. 3 nov. 1988 : *D*. 1989, 93 et note Ph. Malaurie.
(53) Cass. civ. 12 janv. 1988 : *D*. 1989, 80 et note Ph. Malaurie. – Cass. 1er civ., 11 oct. 1989 : *JCP* 89, II, 21393, obs. J.-Ph. Lévy ; *D*. 1990, 167 et note E.-S. de la Marnierre. – Bordeaux, 1re ch., 8 mars 1990 : *D*. 1990, 550 et note Ph. Malaurie. – V. aussi A.-M. Morgan de Rivery-Guillaud, *Quel avenir pour les clauses monétaires ? à propos de l'arrêt de la Cour de cassation, 1re Chambre civile, du 11 octobre 1989 : Gaz. Pal.* 1991, 1, doctr. 249.

française n'est plus le franc, mais l'euro, lequel n'est donc pas une monnaie étrangère (54).

Code monétaire et financier

Règles d'usage de la monnaie
Indexation

Art. L. 112-1. – Sous réserve des dispositions du premier alinéa de l'article L. 112-2 et des articles L. 112-3 et L. 112-4, l'indexation automatique des prix de biens ou de services est interdite.

Est réputée non écrite toute clause d'un contrat à exécution successive, et notamment des baux et locations de toute nature, prévoyant la prise en compte d'une période de variation de l'indice supérieure à la durée s'écoulant entre chaque révision.

Est interdite toute clause d'une convention portant sur un local d'habitation prévoyant une indexation fondée sur l'indice « loyers et charges » servant à la détermination des indices généraux des prix de détail. Il en est de même de toute clause prévoyant une indexation fondée sur le taux des majorations légales fixées en application de la loi n° 48-1360 du 1er septembre 1948, à moins que le montant initial n'ait lui-même été fixé conformément aux dispositions de ladite loi et des textes pris pour son application (Ord. n° 58-1374 du 30 déc. 1958, art. 79-1 et 3, al. 3 et 4).

Art. L. 112-2. – Dans les dispositions statutaires ou conventionnelles, est interdite toute clause prévoyant des indexations fondées sur le salaire minimum de croissance, sur le niveau général des prix ou des salaires, ou sur les prix de biens, produits ou services n'ayant pas de relation directe avec l'objet du statut ou de la convention ou avec l'activité de l'une des parties. Est réputée en relation directe avec l'objet d'une convention relative à un immeuble bâti toute clause prévoyant une indexation sur la variation de l'indice national du coût de la construction publié par l'Institut national des statistiques et des études économiques.

Les dispositions du précédent alinéa ne s'appliquent pas aux dispositions statutaires ou conventionnelles concernant les dettes d'aliments.

Doivent être regardées comme dettes d'aliments les rentes viagères constituées entre particuliers, notamment en exécution des dispositions de l'article 759 du Code civil.

Art. L. 112-3. – Par dérogation aux dispositions de l'article L. 112-1 et du premier alinéa de l'article L. 112-2 et selon des modalités fixées par décret, les titres de créance et les instruments financiers à terme mentionnés aux 2 et 4 du I de l'article L. 211-1 peuvent être indexés sur le niveau général des prix.

Art. L. 112-4. – Est autorisée l'indexation du salaire minimum de croissance selon les règles fixées par l'article L. 141-3 du Code du travail.

On peut toutefois de demander si ces ordonnances de 1958-1959, aujourd'hui codifiées aux articles L. 112-1 et suivants du Code monétaire et financier, qui font partie du droit monétaire, ne devraient pas être abrogées ou devenir caduques par suite du transfert des compétences monétaires à l'autorité communautaire, laquelle n'a, à ce jour, édicté aucune limitation à la validité des clauses monétaires (55).

---

(54) G. Gruber, *L'euro et les clauses d'indexation* : D. 1999, chron. 258. – Cass. 1re civ., 13 avr. 1999 : D. 1999, IR, 135 ; D. 2000, somm. 365, obs. R. Libchaber (décision rendue à propos de l'écu).
(55) F. Dion et C. Thierache, *Faut-il abroger les ordonnances de 1958 et 1959 sur les indexations* : D. 1995, chron. 55. – G. Gruber, *L'euro et les clauses indexation* : précité.

434. – Les ordonnances de 1958-1959. Articles L. 112-1 et s. Code monétaire et financier. Reprenant l'essentiel des textes des ordonnances de 1958-1959, l'article L. 112-1, alinéa 1 pose en principe que l'indexation automatique des prix de biens ou de services est interdite. Il n'y est dérogé que dans trois cas :

• Pour les dispositions relatives aux dettes d'aliments car, pour remplir son office, le montant de ces dettes doit suivre l'évolution du coût de la vie (art. L. 112-2, al. 2) ;

• Pour les titres de créances et les instruments financiers à terme émis par l'État et certaines personnes morales, afin que ces bénéficiaires puissent aisément se financer sur le marché (Art. L. 112-3) ; ces titres et instruments financiers peuvent être indexés sur le niveau général des prix (56).

• Enfin, plus généralement, les ordonnances de 1958-1959 (Art. L. 112-2, al. 1) réservent en termes exprès la validité des clauses d'indexation fondées sur le prix de biens, produits ou services lorsque l'indice choisi est *en relation directe avec soit l'objet du contrat* (57), *soit l'activité de l'une des parties* (58). En pratique, cette formule offre un éventail très large aux cocontractants et leur permet d'échapper aux graves conséquences d'une dévaluation survenant en cours de contrat. Par exemple, tous les contrats de vente d'immeuble à construire étaient indexés sur le coût de la construction et le sont désormais sur l'indice bâtiment BT 01. De même, malgré l'article 1895 du Code civil, le contrat de prêt lui-même peut être indexé, non pas sur l'objet du contrat (qui est la monnaie) mais sur la profession de l'emprunteur, ou sur le niveau général des prix si le prix répond aux conditions de l'article L. 112-2, alinéa 1. De même encore, pour les conventions relatives aux immeubles bâtis, l'article L. 112-2 répute en relation directe avec l'objet du contrat l'indexation sur l'indice national du coût de la construction publié par l'INSEE, et interdit en revanche le recours à certains indices (« loyers et charges » notamment) dans les conventions sur les locaux d'habitation.

---

(56) V. A. Couret, *Les dispositions de la loi n° 98-546 du 2 juillet 1998 portant DDOEF concernant le droit des sociétés : Bull. Joly* 1998, p. 709. Cette indexation sur le niveau général des prix peut être faite soit sur l'indice des prix à la consommation pour l'ensemble des ménages, hors tabac, publié mensuellement par l'INSEE (D. n° 98-816, 11 sept. 1998), soit sur l'indice harmonisé des prix à la consommation hors tabac de la zone Euro calculé mensuellement par l'Office européen statistique des CE (Eurostat) (D. n° 2001-966, 24 oct. 2001).

(57) V. Cass. 3ᵉ civ., 6 juin 1972 : *JCP* 72, II, 17255 ; *Defrénois* 1973, 1, 306 et note Ph. Malaurie. – Cass. 3ᵉ civ., 30 mai 1972 : *D.* 1973, 252 et note Ph. M. – Cass. 1ʳᵉ civ., 9 janv. 1974 : *JCP* 74, II, 17806 et note J.-Ph. Lévy. – Cass. 3ᵉ civ., 16 juill. 1974 : *D.* 1974, 681 et note Ph. Malaurie. – Cass. 1ʳᵉ civ., 18 févr. 1976 : *JCP* 76, II, 18465, obs. J.-Ph. Lévy.

(58) V. Cass. 3ᵉ civ., 15 févr. 1972 : *JCP* 72, II, 17094, obs. J.-Ph. Lévy ; *D.* 1973, 417 et note J. Ghestin ; *Defrénois* 1973, 1, 430 et note Ph. Malaurie. – Cass. 1ʳᵉ civ., 12 avr. 1972 : *JCP* 72, II, 17235, obs. J.-Ph. Lévy. – Sur la notion d'activité, voir Cass. 1ʳᵉ civ., 18 juin 1980 : *JCP* 80, IV, 332. – Cass. 1ʳᵉ civ., 6 juin 1984 : *JCP* 85, II, 20471, obs. J.-Ph. Lévy. – Paris 3ᵉ ch. B, 28 mars 1990 : *D.* 1990, IR, 109.

Indice du coût de la construction

I. Indice trimestriel publié par l'INSEE

Valable sur le plan national

• **Base 100 au 4ᵉ trimestre 1953**

Année	1er trimestre	JO*	Moyenne 1er trimestre	2e trimestre	JO*	Moyenne 2e trimestre	3e trimestre	JO*	Moyenne 3e trimestre	4e trimestre	JO*	Moyenne 4e trimestre
1990	939	18.07.90	929,75	9519	24.10.90	936,50	956	09.01.91	943,25	952	14.04.91	949,50
1991	972	18.07.91	957,75	992	19.10.91	968,00	996	09.01.92	978,00	1 002	16.04.92	990,50
1992	1 006	17.07.92	999,00	1 002	16.10.92	1 001,50	1 008	09.01.93	1 004,50	1 005	10.04.93	1 005,25
1993	1 022	13.07.93	1 009,25	1 012	15.10.93	1 011,75	1 017	11.01.94	1 014,00	1 016	13.04.94	1 016,75
1994	1 016	13.07.94	1 015,25	1 018	15.10.94	1 016,75	1 020	13.01.95	1 017,50	1 019	13.04.95	1 018,25
1995	1 011	18.07.95	1 017,00	1 023	17.10.95	1 018,25	1 024	10.01.96	1 019,25	1 013	17.04.96	1 017,75
1996	1 038	12.07.96	1 024,50	1 029	15.10.96	1 026,00	1 030	11.01.97	1 027,50	1 046	18.04.97	1 035,75
1997	1 047	16.07.97	1 038,00	1 060	22.10.97	1 045,75	1 067	13.01.98	1 055,00	1 068	11.04.98	1 060,50
1998	1 058	11.07.98	1 063,25	1 058	15.10.98	1 062,75	1 057	14.01.99	1 060,25	1 074	18.04.99	1 061,75
1999	1 071	14.07.99	1 065,00	1 074	13.10.99*	1 069,00	1 080	13.01.00	1 074,75	1 065	13.04.00	1 072,50
2000	1 083	13.07.00	1 075,50	1 089	13.10.00	1 079,25	1 093	12.01.01	1 082,50	1 127	13.04.01	1 098,00
2001	1 125	13.07.01	1 108,50	1 139	12.10.01	1 121,00	1 145	11.01.02	1 134,00	1 140	12.04.02	1 137,25
2002	1 159	12.07.02	1 145,75	1 163	15.10.02	1 151,75	1 170	11.01.03	1 158,00	1 172	11.04.03	1 166,00

* À compter de l'indice du 2ᵉ trimestre 1999, la date de référence n'est plus la date de parution au JO, mais la date de la publication de l'indice à l'information rapide de l'INSEE.

Indices, coefficients

I. Indice mensuel des prix à la consommation, base 100 en décembre 1998

• Ensemble des ménages (266 postes de dépenses série « ensemble »)

Années	Janv.	Févr.	Mars	Avril	Mai	Juin	Juillet	Août	Sept.	Oct.	Nov.	Déc.
2000	101,3	101,4	101,9	101,9	102,1	102,3	102,1	102,3	102,9	102,7	103,0	102,9
2001	102,5	102,8	103,2	103,7	104,4	104,4	104,2	104,2	104,4	104,5	104,2	104,3
2002	104,8	104,9	105,4	105,8	105,9	105,9	105,9	106,1	106,3	106,5	106,5	106,7

• Ensemble des ménages (295 postes de dépenses série « hors tabac »)

Années	Janv.	Févr.	Mars	Avril	Mai	Juin	Juillet	Août	Sept.	Oct.	Nov.	Déc.
2000	101,1	101,2	101,7	101,7	102,9	102,2	102,0	102,2	102,7	102,6	102,8	102,8
2001	102,3	102,5	103,0	103,5	104,2	104,2	104,0	104,0	104,2	104,3	104,0	104,1
2002	104,4	104,6	105,0	105,4	105,6	105,5	105,5	105,8	106,0	106,2	106,2	106,3

II. Plus-values privées – Coefficients d'érosion monétaire (BOI 8 M-4-02 du 3/12/02)

Année de l'acquisition ou de la dépense	Coefficient à appliquer au prix d'acquisition ou aux dépenses	Année de l'acquisition ou de la dépense	Coefficient à appliquer au prix d'acquisition ou aux dépenses	Année de l'acquisition ou de la dépense	Coefficient à appliquer au prix d'acquisition ou aux dépenses
1980	2,23	1988	1,30	1996	1,07
1981	1,96	1989	1,25	1997	1,06
1982	1,76	1990	1,21	1998	1,06
1983	1,60	1991	1,17	1999	1,05
1984	1,49	1992	1,15	2000	1,03
1985	1,41	1993	1,13	2001	1,02
1986	1,37	1994	1,11	2002	1,00
1987	1,33	1995	1,09		

Les cocontractants seront donc bien avisés de stipuler une clause d'échelle mobile dans tout contrat s'exécutant dans la durée et susceptible en conséquence de ressentir les effets des variations monétaires. La même prudence doit conduire à choisir un indice dont le rapport avec l'objet du contrat ou l'activité des parties soit incontestable ; on évitera ainsi les aléas d'une interprétation judiciaire et les inconvénients d'une nullité de la clause qui pourrait entraîner la nullité de l'ensemble du contrat si le tribunal y voyait une condition déterminante et résolutoire (V. *supra*, n° 425).

435. – L'appréciation du lien entre l'indice choisi et l'objet du contrat ou l'activité de l'une des parties. S'agissant d'une question de pur fait, les juges du fond disposent d'un pouvoir d'appréciation souverain et échappent donc en cette matière à une éventuelle censure de la Cour de cassation.

La tendance jurisprudentielle générale est à une application bienveillante de la loi. C'est ainsi que la Cour suprême déclare que la loi doit être interprété restrictivement parce qu'elle déroge au principe de la liberté de conventions. Et les juges ont aussi, par interprétation de la volonté des parties, donné validité à des clauses dont l'indice était ou inexistant, ou caduc, ou même en partie nul (59). De même, en cas de disparition de l'indice choisi par les parties, le juge peut lui substituer l'indice le plus conforme à la commune intention des parties (60).

La stipulation dans le contrat d'une clause d'indexation est une précaution d'autant plus élémentaire que le créancier de la somme d'argent ne serait pas admis à se prévaloir de son *imprévision* pour demander au juge la *révision* de la convention (V. *infra*, n° 486).

CLAUSE D'INDEXATION

Le loyer ci-dessus fixé ne subira aucune variation pendant la première année du contrat. À compter du début de la deuxième année, soit du 1er septembre 2001, il sera éventuellement révisé, en plus ou en moins, en fonction des variations de la moyenne sur quatre trimestres de l'indice national du coût de la construction publié par l'INSEE.

Pour l'application de la présente clause, il est précisé que :

– l'indice de base à retenir est celui du 1er trimestre 2000, soit 1089 ;

– la révision aura lieu le 1er septembre de chaque année, en fonction de l'indice du 1er trimestre ;

– en cas de modification ou de remplacement de l'indice, le nouvel indice sera substitué de plein droit à l'ancien dans les conditions et selon les coefficients de raccordement mentionnés par l'INSEE.

---

(59) Cass. 3e civ., 15 févr. 1972, précité. – Cass. 3e civ., 16 juill. 1974 : *D.* 1974, 681 et note Ph. MALAURIE. – Cass. com. 7 janv. 1975 : *D.* 1975, 516 et note Ph. MALAURIE ; *JCP* 75, II, 18167, obs. J. GHESTIN. – Cass. 3e civ., 19 avr. 1977 : *D.* 1977, IR 346. – Lyon (aud sol.) 9 juill. 1990 : *D.* 1991, 47 et note Ph. MALAURIE. – *Contra* Paris 10 oct. 1972 : *D.* 1972, 485 et note Y. LOBIN.

(60) Ph. MALINVAUD, *L'affaire du BT 01 : RD imm.* 1982, 9. Cass. 3e civ., 18 juill. 1985 : *Gaz. Pal.* 1985, 2, pan. 361, obs. A. PIÉDELIÈVRE. – Lyon (aud. sol.) 9 juill. 1990 : précité.

436. – Les clauses d'indexation spécifiquement réglementées. La réglementation issue des ordonnances de 1958-1959 est inspirée par un souci de lutter contre l'inflation et relève en conséquence de la politique monétaire de la France ou, aujourd'hui, de l'Union européenne.

À côté de cette réglementation de caractère général, le droit français a édicté un certain nombre d'interdictions ou de règles d'inspiration tout à fait différente puisqu'elles tendent à protéger la partie réputée faible dans le contrat. De ce fait elles ne relèvent pas de la compétence communautaire, mais du droit national.

C'est le cas notamment du bail d'habitation qui ne peut être indexé sur l'indice « loyers et charges » (L. 9 juill. 1970), du bail rural qui ne peut être indexé que sur le prix de certaines denrées agricoles (C. rur., art. 411-11), du prix du bail commercial dont la révision ne peut excéder la variation de l'indice du coût de la construction (C. com., art. L. 145-34), du prix dans le contrat de construction de maison individuelle et dans la vente d'immeuble à construire qui ne peut être indexé que sur l'indice BT 01 (CCH, art. L. 231-11 et L. 261-11-1) (61), etc.

Dans d'autres cas le législateur prévoit directement l'indexation, notamment pour les rentes viagères ou pour les dettes alimentaires.

Toute cette réglementation, qui trouvait son origine dans l'inflation qui sévissait en France, a perdu une large part de son intérêt aujourd'hui où cette inflation est devenue très faible.

B. – Les garanties contractuelles de paiement : les sûretés

437. – Obligations en nature et obligations de sommes d'argent. Il est assez difficile de se prémunir contre l'inexécution d'une obligation stipulée en nature car on ne peut guère forcer les autres à faire ce qu'ils ne veulent pas. On ne dispose que de moyens indirects tels que l'insertion dans le contrat d'une *condition résolutoire* (V. *supra*, n° 429) ou d'une *clause pénale*, indemnité forfaitaire qu'on choisira élevée (V. *infra*, nos 745 et s.). Encore faut-il préciser que ces moyens n'aboutissent nullement à l'exécution en nature de la prestation promise. Finalement, la meilleure précaution tient beaucoup plus à un choix éclairé du cocontractant.

S'il s'agit au contraire d'une obligation en argent, d'une créance de sommes d'argent, les garanties d'exécution sont plus faciles à trouver parce que tout, ou presque, peut se ramener à de l'argent, ce qui permet de donner au créancier une satisfaction équivalente. Au lieu de faire entière confiance au débiteur et de se contenter de son droit de gage général (V. *Introduction*, nos 412), le créancier peut subordonner son consentement à l'octroi d'une garantie de paiement, d'une sûreté réelle ou personnelle.

---

(61) Ph. MALINVAUD, *La révision du prix des contrats de construction d'une maison individuelle et de vente d'immeuble à construire : RD imm.* 1984, 381.

1° Les sûretés réelles

438. – Les *sûretés réelles* sont sans nul doute les plus efficaces puisque le créancier se voit consentir un *droit réel accessoire* de gage, hypothèque, etc., sur un bien de son débiteur ou d'un tiers. Si, à l'échéance, le débiteur ne paie pas sa dette, le créancier pourra saisir le bien en quelque main qu'il se trouve (*droit de suite*), le faire vendre et se payer sur le prix par préférence à tous autres créanciers (*droit de préférence*).

Sur le plan de la technique juridique, la démarche consiste à conclure deux contrats, le premier pour donner naissance à l'obligation qui constitue l'objectif principal, le second pour garantir le paiement de la dette découlant du premier. Ceci étant, l'éventail des sûretés possibles est très large et, suivant les circonstances, on pourra préférer une garantie portant sur des biens meubles ou sur des immeubles (sur l'ensemble de la question, V. *Introduction*, nos 453 et 454).

Parmi les sûretés réelles, il faut faire une place particulière à la *clause de réserve de propriété* par laquelle le vendeur se réserve la propriété de la chose vendue jusqu'à complet paiement du prix. Cette clause, consacrée par une loi du 12 mai 1980, permet au vendeur de se protéger contre l'insolvabilité éventuelle, et même contre le redressement judiciaire de l'acquéreur ; elle est aujourd'hui devenue d'usage courant dans le monde du commerce (62).

2° Les sûretés personnelles

439. – **Débiteurs principaux et débiteurs accessoires.** Les sûretés personnelles sont très pratiquées dans le monde des affaires. La garantie réside ici dans l'engagement de plusieurs débiteurs au paiement de la même dette, en dehors de toute affectation d'un bien : plus nombreux seront les débiteurs, plus grandes seront les chances d'être payé.

Parfois, lorsque le contrat aura été passé avec plusieurs personnes (63), il y aura tout naturellement plusieurs codébiteurs entre lesquels le créancier aura intérêt à exiger la *solidarité* et l'*indivisibilité*. Mais, qu'il y ait un ou plusieurs codébiteurs, le créancier peut aussi subordonner son accord à l'engagement d'une ou plusieurs *cautions*, débiteurs secondaires dont il peut être stipulé qu'ils seront tenus solidairement avec le débiteur principal.

Ces diverses techniques, qui peuvent être cumulées, tendent au même but : étaler sur plusieurs débiteurs, principaux ou accessoires, les risques d'insolvabilité de l'un. Moins solides que les sûretés réelles puisque tous les codébiteurs peuvent s'avérer insolvables, les sûretés personnelles sont en général plus faciles à constituer et à mettre en œuvre.

---

(62) Y. CHAPUT, *Les clauses de réserve de propriété (Commentaire de la loi n° 80-335 du 12 mai 1980)* : JCP 1981, I, 3017. – J. GHESTIN, *Réflexions d'un civiliste sur la clause de réserve de propriété* : D. 1981, chron. 1. – F. PEROCHON, *La réserve de propriété dans la vente de meubles corporels*, préf. F. DERRIDA, Litec, 1988.

(63) R. CABRILLAC, *L'acte juridique conjonctif en droit privé français*, préf. P. CATALA, LGDJ, 1990.

a) Pluralité de débiteurs principaux

440. – Obligations conjointes, solidaires, indivisibles. Lorsqu'une même obligation est due par plusieurs codébiteurs, par exemple quatre personnes ont contracté en commun un emprunt de *x* euros, le principe en droit civil est que chacun n'est tenu et ne peut être poursuivi en paiement que pour sa part, pour un quart dans l'exemple choisi ; aucun ne répondant de l'insolvabilité éventuelle de ses codébiteurs, on dit que l'obligation est *conjointe*.

---

§ 2. – De la solidarité de la part des débiteurs

Art. 1200. – Il y a solidarité de la part des débiteurs, lorsqu'ils sont obligés à une même chose, de manière que chacun puisse être contraint pour la totalité, et que le paiement fait par un seul libère les autres envers le créancier.

Art. 1201. – L'obligation peut être solidaire quoique l'un des débiteurs soit obligé différemment de l'autre au paiement de la même chose ; par exemple, si l'un n'est obligé que conditionnellement, tandis que l'engagement de l'autre est pur et simple, ou si l'un a pris un terme qui n'est point accordé à l'autre.

Art. 1202. – La solidarité ne se présume point ; il faut qu'elle soit expressément stipulée.

Cette règle ne cesse que dans les cas où la solidarité a lieu de plein droit, en vertu d'une disposition de la loi.

Art. 1203. – Le créancier d'une obligation contractée solidairement peut s'adresser à celui des débiteurs qu'il veut choisir, sans que celui-ci puisse lui opposer le bénéfice de division.

Art. 1204. – Les poursuites faites contre l'un des débiteurs n'empêchent pas le créancier d'en exercer de pareilles contre les autres.

Art. 1205. – Si la chose due a péri par la faute ou pendant la demeure de l'un ou de plusieurs des débiteurs solidaires, les autres codébiteurs ne sont point déchargés de l'obligation de payer le prix de la chose ; mais ceux-ci ne sont point tenus des dommages et intérêts.

Le créancier peut seulement répéter les dommages et intérêts tant contre les débiteurs par la faute desquels la chose a péri, que contre ceux qui étaient en demeure.

Art. 1206. – Les poursuites faites contre l'un des débiteurs solidaires interrompent la prescription à l'égard de tous.

Art. 1207. – La demande d'intérêts formée contre l'un des débiteurs solidaires fait courir les intérêts à l'égard de tous.

Art. 1208. – Le codébiteur solidaire poursuivi par le créancier peut opposer toutes les exceptions qui résultent de la nature de l'obligation, et toutes celles qui sont communes à tous les codébiteurs.

Il ne peut opposer les exceptions qui sont purement personnelles à quelques-uns des autres débiteurs.

L'obligation est au contraire *solidaire* (64) lorsque, chacun répondant de l'insolvabilité éventuelle de tous les autres, le créancier peut s'adresser

---

(64) M. MIGNOT, *Les obligations solidaires et les obligations* in solidum *en droit privé français*, Dalloz, 2002. – D.-R. MARTIN, *L'engagement de codébiteur solidaire adjoint : RTD civ.* 1994, 49. – M. OURY-BRULÉ, *L'engagement du codébiteur solidaire non intéressé à la dette. Article 1216 du Code civil*, LGDJ, Droit privé, 2002.

à l'un quelconque des codébiteurs pour la totalité de la dette (C. civ., art. 1200 et 1203). Celui qui aura ainsi payé le tout divisera son recours contre chacun des autres et les conséquences de l'insolvabilité de l'un seront réparties entre ceux qui sont solvables.

Cet effet est l'avantage principal de la solidarité ; elle produit aussi des effets secondaires qui tiennent à l'idée d'une représentation réciproque des codébiteurs (V. par ex., C. civ., art. 1206 et 1207).

En matière civile, la solidarité entre codébiteurs ne se présume pas ; elle doit être expressément stipulée (C. civ., art. 1202). En vertu d'une longue tradition, la règle est inverse en matière commerciale où elle est au contraire présumée (65). Mais, comme le caractère civil ou commercial d'un contrat est souvent incertain, la prudence doit conduire à toujours exprimer dans les termes du contrat la solidarité que l'on désire établir. En pratique, les clauses sont ainsi rédigées : « MM… s'engagent conjointement et solidairement… », l'adverbe conjointement étant d'ailleurs inutile en l'occurrence. On ajoutera souvent « et indivisément » pour renforcer les effets de la solidarité : en effet, l'*indivisibilité* (66) qui, à elle seule, ne produirait pas les effets secondaires de la solidarité, empêche, le cas échéant, la division de la dette entre les héritiers d'un débiteur décédé. L'obligation des codébiteurs est alors à la fois *solidaire* et *indivisible*, et non plus *conjointe*.

Section V
Des obligations divisibles et indivisibles

Art. 1217. – L'obligation est divisible ou indivisible selon qu'elle a pour objet une chose qui, dans sa livraison, ou un fait qui, dans l'exécution, est ou n'est pas susceptible de division soit matérielle, soit intellectuelle.

Art. 1218. – L'obligation est indivisible, quoique la chose ou le fait qui en est l'objet soit divisible par sa nature, si le rapport sous lequel elle est considérée dans l'obligation ne la rend pas susceptible d'exécution partielle.

Art. 1219. – La solidarité stipulée ne donne point à l'obligation le caractère d'indivisibilité.

....

§ 2. – Des effets de l'obligation indivisible

Art. 1222. – Chacun de ceux qui ont contracté conjointement une dette indivisible en est tenu pour le total, encore que l'obligation n'ait pas été contractée solidairement.

Art. 1223. – Il en est de même à l'égard des héritiers de celui qui a contracté une pareille obligation.

---

(65) F. Derrida, *De la solidarité commerciale : RTD com.* 1953, 329.
(66) J. Boulanger, *Usage et abus de la notion d'indivisibilité des actes juridiques : RTD civ.* 1950, 1. – J. Moury, *De l'indivisibilité entre les obligations et entre les contrats : RTD civ.* 1994, 255. – J.-B. Seube, *L'indivisibilité et les actes juridiques*, thèse Montpellier 1998. – S. Amrani-Mekki, *Indivisibilité et ensembles contractuels : l'anéantissement en cascade des contrats : Defrénois* 2002, 1, 355, art. 37505.

Si la solidarité résulte normalement d'une clause expresse ou tacite d'un contrat, elle est dans certains cas établie d'office par la loi, par exemple entre les co-emprunteurs d'une même chose (C. civ., art. 1887), ou entre les comandants (C. civ., art. 2002). De même, il est de principe que les associés dans les sociétés de personnes (V. *Introduction*, n° 304) sont tenus solidairement des dettes de la société, et que les signataires d'un effet de commerce garantissent solidairement son paiement au dernier porteur. Ou encore la loi pénale prévoit que les coauteurs d'une infraction doivent solidairement le paiement des amendes, dommages et frais.

441. – Obligation *in solidum* (67). Par une interprétation extensive de cette dernière règle, la jurisprudence admet que les coresponsables d'un dommage sont, même en dehors de toute faute pénale, solidairement obligés au paiement des dommages-intérêts : il s'agit de ce qu'on appelle une *obligation in solidum*, se distinguant de la solidarité en ce qu'elle en produit seulement l'effet principal, c'est-à-dire la faculté pour le créancier de s'adresser pour le tout au codébiteur de son choix (68). Cette responsabilité *in solidum* sanctionne tant les dommages causés dans l'exécution d'un contrat que ceux survenant en dehors de tout contrat : par exemple, en cas d'effondrement d'un immeuble dû à une faute commune de l'architecte et de l'entrepreneur dans la construction.

b) Adjonctions de débiteurs accessoires

442. – Le cautionnement (69). Qu'il y ait un ou plusieurs débiteurs principaux, solidaires ou non, le créancier en position de force peut exiger une *sûreté personnelle*. Or, si la solidarité joue un peu ce rôle, seul le cautionnement en mérite le titre. Du *cautionnement personnel*, on distingue le *cautionnement réel*, convention par laquelle un tiers à l'obligation va affecter l'un de ses biens à la garantie de son exécution (70).

Formule
ACTE DE CAUTION CONJOINTE ET SOLIDAIRE
Cas de plusieurs personnes physiques se portant caution conjointe et solidaire
Nous soussignés,
déclarons par la présente nous porter vis-à-vis de la Banque X, caution conjointe et solidaire de la Société Y, SARL au capital de ...

---

(67) M. Mignot, *Les obligations solidaires et les obligations* in solidum *en droit privé français*, Dalloz, 2002.
(68) F. Chabas, *L'influence de la pluralité des causes sur le droit à réparation*, LGDJ, Droit privé, t. 78. – F. Chabas, *Remarques sur l'obligation* in solidum : *RTD civ.* 1967, 310. – J. Boré, *Le recours entre co-obligés* in solidum : *JCP* 67, I, 2126. – P. Raynaud, *La nature de l'obligation des coauteurs d'un dommage. Obligation* in solidum *ou solidarité ?* : in *Mélanges Vincent*, p. 317.
(69) Ph. Simler, *Cautionnement et garanties autonomes*, Litec, 3e éd., 2000.
(70) F. Grua, *Le cautionnement réel* : *JCP* 1984, I, 3167. – J. François, *L'obligation de la caution réelle (À propos des arrêts rendus le 15 mai 2002 par la Première chambre civile de la Cour de cassation)* : *Defrénois* 2002, 1, 1208, art. 37604. – V. Brémond, *Le cautionnement réel est aussi un cautionnement... personnel (À propos de Cass.* 1re *civ., 15 mai 2002, 3 arrêts)* : *JCP* N 2002, 1640.

pour le remboursement de toutes les sommes qui sont ou seront dues à la Banque X par la Société Y.

pour quelque cause que ce soit, et notamment à raison de l'ouverture de crédit de 100 000 €

consentie par ladite Banque à cette société

mais sans que l'obligation totale résultant du présent engagement puisse dépasser pour les soussignés la somme de 50 000 € en principal, plus tous intérêts, frais, commissions et accessoires.

En conséquence, nous nous engageons, sous la même solidarité que celle ci-dessus indiquée, à rembourser à la Banque X sur sa demande par simple lettre recommandée, jusqu'à concurrence de ladite somme de 50 000 € (cinquante mille euros) en principal, plus tous intérêts, frais, commissions et accessoires, toutes sommes actuellement dues à cette dernière ou qui viendraient à l'être par la suite pour les causes sus-énoncées.

Les soussignés ne pourront faire cesser l'effet du présent cautionnement qu'en donnant avis de leur intention à l'avance et par lettre recommandée, le bénéfice de leur caution demeurant acquis à la Banque pour toutes les sommes qu'elle a ou aura avancées avant d'avoir reçu cet avis ainsi que pour les sommes avancées… pendant une période… après réception dudit avis.

Fait à … le …

Faire précéder les signatures de la mention :

« Bon pour caution conjointe et solidaire comme ci-dessus à concur-rence de (en toutes lettres) euros en principal, plus intérêts, frais, commis-sions et accessoires. »

Alors que la *solidarité* résulte de la loi ou d'une clause dans un contrat, le *cautionnement* est à lui seul un contrat par lequel un tiers s'engage à payer le créancier pour le cas où le débiteur principal manquerait à son obligation. L'opération se noue par deux contrats : l'un, entre le créancier et le débiteur, qui provoque la naissance d'une obligation ; l'autre, entre le créancier et la caution, qui assure la garantie du paiement ; enfin, dans les rapports entre le débiteur et la caution, c'est un service que la caution rend au débiteur, soit de manière désintéressée, soit à titre onéreux si par exemple la caution est un professionnel, notamment un banquier (C. civ., art. 2011 et s.).

Au contrat de cautionnement, on ajoute en général une clause de solidarité qui en renforce les effets : de simple, le cautionnement devient alors solidaire. Par cette stipulation, la caution perd le droit d'invoquer tant le bénéfice de discussion que celui de division.

La caution simple dispose en effet du *bénéfice de discussion*. On entend par là que la caution peut retarder les poursuites en paiement contre elle en invitant le créancier à « discuter » au préalable (c'est-à-dire saisir) les immeubles libres, et territorialement proches, du débiteur principal (C. civ., art. 2021 et s.). Quant au *bénéfice de division*, qui suppose une pluralité de cautions simples, il permet à chacune d'exiger du débiteur qu'il divise ses poursuites entre toutes les cautions. En pratique, ces deux règles n'ont guère l'occasion de jouer car la plupart des cautionnements sont stipulés solidaires.

443. – Les recours de la caution. La caution qui a dû payer pour le débiteur principal a un recours contre ce dernier. On dit qu'elle est *subrogée* (c'est-à-dire mise à la place) dans les droits du créancier, par le seul effet de la loi (sur la *subrogation*, V. *infra*, n° 795 et s.). À ce titre, la caution peut utiliser à son profit toutes les autres sûretés, sûretés réelles par exemple, hypothèque, gage, etc., qui garantissent le paiement de la dette et que le créancier doit lui transmettre. Si par hasard le créancier avait laissé disparaître ces sûretés, la caution qui jouit du *bénéfice de subrogation* pourrait s'en prévaloir pour refuser de payer (C. civ., art. 2037).

En matière commerciale, l'exemple le plus fréquent de cautionnement est l'*aval* des effets de commerce par lequel le signataire de l'aval garantit le paiement de la traite à l'échéance.

En pratique le cautionnement est très utilisé. Il a même donné lieu à des abus qui ont conduit le législateur à mettre en place des règles d'information et de protection des cautions personnes physiques (C. civ., art. 2016, al. 2 ; C. consom, art. L. 341-1 ; C. mon. et fin., art. L. 313-22).

GARANTIES D'EXÉCUTION DU CONTRAT

Tous créanciers : droit de gage général sur les biens du débiteur.

Créanciers munis de *sûretés conventionnelles.*

SÛRETÉS RÉELLES
– sur les immeubles : hypothèques
– sur les meubles
  – gage traditionnel (avec dépossession)
  – gage sans dépossession
  – gage automobile
  – nantissement (du fonds de commerce; de créances ou parts sociales, de l'outillage, etc.)
  – Warrant (agricole, hôtelier, pétrolier, industriel, etc.)

SÛRETÉS PERSONNELLES
– cautionnement simple ou solidaire (ex. : aval des effets de commerce)
– solidarité entre les codébiteurs

Certains créanciers bénéficient aussi de *sûretés légales.*

444. – Les garanties autonomes. Par opposition au cautionnement, la garantie autonome n'est pas accessoire au contrat principal ; elle est un engagement indépendant du contrat de base, si bien que le garant ne peut se prévaloir d'aucune exception tirée de ce contrat. Aussi la définit-on comme « un engagement de payer une certaine somme, pris en considération d'un contrat de base et à titre de garantie de son exécution, mais constitutif d'une obligation indépendante du contrat garanti et caractérisé par l'inopposabilité des exceptions tirées de ce contrat » (71).

Ce type de garantie est apparu d'abord dans les contrats internationaux et s'est étendu aux contrats de droit interne dans les années 1970. Sa spécificité a finalement été consacrée en 1982 par deux arrêts de la Cour de cassation (72).

Au plan terminologique, on donne à ces garanties des appellations diverses dont les plus connues sont : garanties à première demande, garanties indépendantes, ou encore garanties autonomes (73).

445. – Les lettres d'intention, de confort ou de patronage. Le terme de lettre d'intention est utilisé dans deux acceptions.

D'une part, on utilise cette appellation pour qualifier un accord précontractuel par lequel les contractants éventuels expriment leur intention de parvenir à la conclusion d'un contrat dont ils définissent les grandes lignes. Il s'agit alors d'un avant-contrat dont on se demande dans quelle mesure il engage ceux qui l'ont signé (V. *supra*, n° 57).

D'autre part, et plus fréquemment, on désigne par là le document par lequel un tiers, en général une société mère, expose à un banquier, futur créancier de sa filiale, son intention de soutenir sa filiale, de « faire tout le nécessaire » ou « tout le possible » afin de lui permettre de satisfaire à ses obligations. Ainsi, sans pour autant se porter caution, l'auteur de la lettre d'intention fournit une sorte de garantie « morale » afin de convaincre le banquier de prêter à sa filiale. D'où l'appellation alternative de lettre de confort ou de patronage (74).

La question est alors de savoir quelle est la portée de cet engagement. En cas de défaillance de la filiale débitrice, la société mère est-elle tenue de payer à sa place ? Pendant longtemps, la jurisprudence a analysé ces lettres d'intention comme constituant une simple obligation de moyens (75), mais elle y voit désormais une obligation de résultat (76).

---

(71) Ph. SIMLER, *op. cit.*, n° 857.

(72) Cass. com. 20 déc. 1982, deux arrêts : *Bull. civ.* IV, n° 417 ; *D.* 1983, 365 et note M. VASSEUR ; *JCP* CI 1983, II, 14001, n° 116, obs. Ch. GAVALDA et J. STOUFFLET ; *RTD com.* 1983, 446, obs. M. CABRILLAC et B. TEYSSIÉ.

(73) Ph. SIMLER, *op. cit.*, n⁰ˢ 856 et s. – A. PRUM, *Les garanties à première demande*, Litec, 1994, préf. B. TEYSSIÉ.

(74) Ph. SIMLER, *op. cit.*, n⁰ˢ 1008 et s. – I. NAJJAR, *L'autonomie de la lettre de confort : D.* 1989, chron. 217. – R. BAILLOD, *Les lettres d'intention : RTD com.* 1992, 547. – X. BARRÉ, *La lettre d'intention. Technique contractuelle et pratique bancaire*, éd. Economica, 1995. – D. MAZEAUD, *Variations sur une garantie épistolaire et indemnitaire : la lettre d'intention :* in *Mélanges Jeantin*, 3ᵉ partie.

(75) Cass. com. 26 janv. 1999 : *D.* 1999, 577 et note L. AYNÈS ; *JCP* E 1999, 674 et note D. LEGEAIS ; *Defrénois* 1999, art. 37008, n° 38, obs. D. MAZEAUD. – 18 avr. 2000 : *Contr. Conc. Consom.* 2000, comm. n° 123 et note L. LEVENEUR.

(76) Cass. com. 26 févr. 2002 : *D.* 2002, 1273, obs. A. LIENHARD ; *D.* 2002, somm. 3331, obs. L. AYNÈS. – 9 juill. 2002 : *JCP* 2002, II, 10166 et note G. FRANÇOIS ; *D.* 2002, 2327, obs. A. LIENHARD ; *D.* 2002, somm. 3332, obs. L. AYNÈS ; *D.* 2003, 545 et note B. DONDERO ; *Defrénois* 2002, 1, 1614, art. 37644, n° 93, obs. R. LIBCHABER.

Sous-section 2

LES EFFETS DU CONTRAT À L'ÉGARD DES TIERS

446. – L'effet relatif du contrat. Invoquant les termes de l'article 1165 du Code civil, les juristes se plaisent à dire que les conventions n'ont d'effet qu'entre les parties contractantes ; elles ne nuisent point aux tiers et elles ne leur profitent que dans le cas de *stipulation pour autrui (infra,* nᵒˢ 468 et s.). On désigne cette règle sous le nom d'*effet relatif du contrat,* relatif en ce sens qu'il ne concernerait que les parties (77).

Section VI
De l'effet des conventions à l'égard des tiers

Art. 1165. – Les conventions n'ont d'effet qu'entre les parties contractantes ; elles ne nuisent point au tiers, et elles ne lui profitent que dans le cas prévu par l'article 1121.

En fait, ce texte est bien loin de refléter la réalité. Et d'abord l'opposition des parties d'une part, et des tiers d'autre part, est beaucoup trop sommaire ; elle a d'ailleurs récemment suscité des controverses en doctrine (78). Aux parties, présentes ou représentées, doivent être assimilés leurs ayants cause universels, héritiers ou légataires (V. *supra*, n° 414). Il est plus délicat de déterminer qui doit figurer sous l'étiquette de tiers ; en tout cas, la catégorie n'est pas homogène et la notion de tiers peut varier suivant la règle de droit à appliquer, ce qui ne facilite pas les choses (79). De manière schématique, sont des tiers :

---

(77) R. Savatier, *Le prétendu principe de l'effet relatif des contrats : RTD civ.* 1934, 525. – A. Weill, *La relativité des contrats en droit privé français*, thèse Strasbourg, 1939. – Goutal, *Recherches sur le principe de l'effet relatif des contrats*, thèse Paris II, 1977. – Y. Flour, *L'effet des contrats à l'égard des tiers en droit international privé*, thèse Paris II, 1977. – G. Rouhette, *L'extension à des tiers des effets d'un accord de volonté (les accords collectifs en droit français) : RID comp.* vol. 1, p. 55, 1979. – B. Boubli, *La transmission de l'entreprise et le sort des emplois : Gaz. Pal.* 1989, 2, doctr. 359. – Ch. Jamin, *Une restauration de l'effet relatif du contrat (à propos de l'arrêt Cass. ass. plén., 12 juillet 1991, Besse) : D.* 1991, chron. 257. – M. Bacache-Gibeilli, *La relativité des conventions et les groupes de contrats*, préf. Y. Lequette, LGDJ 1996. – *La relativité des contrats :* in *Trav. Assoc. H. Capitant*, Nantes, 1999, LGDJ, 2000. – Ph. Didier, *L'effet relatif :* in *Les concepts contractuels français à l'heure des principes du droit européen des contrats*, Dalloz, 2003, p. 187.

(78) J.-L. Aubert, *À propos d'une distinction renouvelée des parties et des tiers : RTD civ.* 1993, 263. – C. Guelfucci-Thibierge, *De l'élargissement de la notion de partie au contrat... à l'élargissement de la portée du principe de l'effet relatif : RTD civ.* 1994, 275. – J. Ghestin, *Nouvelles propositions pour un renouvellement de la distinction des parties et des tiers : RTD. civ.* 1994, 777. – C. Charbonneau et F.-J. Pansier, *Du renouveau de la notion de partie : Defrénois* 2000, 1, 284, art. 37110. – Ph. Delmas Saint-Hilaire, *Le tiers à l'acte juridique*, LGDJ, Droit privé, 2000, préf. J. Hauser. – M.-L. Mathieu-Izorche, *Une troisième personne bien singulière ou « 2+1 = tout autre chose » : RTD civ.* 2003, 51.

(79) Par exemple, les membres d'une association syndicale libre sont des tiers par rapport aux contrats passés par cette association et ils ne sont donc pas tenus de son passif : Cass. 3ᵉ civ. 12 juin 2002 : *JCP* 2002, II, 10005 et note E. Derrieurx.

1) les tiers au sens étroit du terme, c'est-à-dire ceux qui n'ont aucun rapport avec l'une ou l'autre partie ;

2) les créanciers de chacune des parties ;

3) les ayants cause à titre particulier, c'est-à-dire ceux qui ont acquis un bien (ou plusieurs, mais pas une universalité) de l'une des parties.

447. – Exceptions et nuances. Outre qu'il ne distingue pas entre les divers tiers, le prétendu principe de l'effet relatif du contrat est trop abrupt pour être exact.

Sans doute les contrats ne peuvent-ils en principe rendre créancier ou débiteur que les parties ; mais il y est fait exception dans la mesure où certains tiers peuvent bénéficier ou souffrir d'un contrat conclu par d'autres (§ 2).

Par ailleurs, l'affirmation appelle également des nuances. En effet, même si les tiers ne sont pas directement concernés par le contrat, ils ne peuvent pas pour autant l'ignorer : pour eux, le contrat est au moins un fait qui leur est opposable et qu'ils peuvent opposer aux parties ; encore cette opposabilité se présente-t-elle en des termes différents suivant que le contrat considéré ne fait que créer des obligations ou emporte en plus transfert d'un droit réel (§ 1).

§ 1. – Les contrats sont opposables à tous les tiers

A. – L'opposabilité aux tiers des obligations résultant d'un contrat

448. – L'opposabilité aux créanciers chirographaires. Le contrat est au premier chef une convention génératrice d'obligations, et donc de créances. Or, la naissance de créances et surtout d'obligations sur la tête d'une personne peut avoir une incidence plus ou moins marquée sur un nombre indéterminé de tiers.

Ainsi, les *créanciers chirographaires* des cocontractants, c'est-à-dire ceux qui, à défaut de sûreté, n'ont que leur droit de gage général sur le patrimoine de leur débiteur (V. *Introduction*, n°s 412), vont pâtir ou bénéficier des contrats passés ou à passer par leur débiteur, car ces contrats entraînent des fluctuations du patrimoine sur lequel ils ont action. En bref, les créanciers chirographaires ressentent le contrecoup de tous les événements qui affectent la fortune de leurs débiteurs, et donc des contrats qu'ils passent. C'est là une évidence.

À cette règle sont apportées deux exceptions. D'une part, en cas de *simulation*, les créanciers peuvent considérer que soit l'acte apparent, soit l'acte secret, leur est inopposable (V. *supra*, n°s 289 et s.). D'autre part, ils peuvent exercer l'*action paulienne* pour faire juger inopposables à eux les contrats que leurs débiteurs auraient conclus en fraude de leurs droits (V. *infra*, n°s 838 et s.).

La loi instaure même une présomption de fraude pour certains actes accomplis par un commerçant pendant la *période suspecte* qui précède le dépôt de bilan. Jadis ces actes étaient déclarés inopposables à la masse des créanciers. La loi du 25 janvier 1985 relative au redressement et à la liquidation judiciaire des entreprises a remplacé ici la sanction de l'inopposabilité par celle de la nullité (C. com., art. L. 621-107 et L. 621-108).

449. – L'opposabilité aux ayants cause à titre particulier. Quant aux *ayants cause à titre particulier* des parties, le problème pour eux se pose dans des termes différents suivant le contrat qu'on veut leur opposer.

En effet, tenant un bien meuble ou immeuble du vendeur, ils ne sont ayants cause à titre particulier que relativement au bien transmis (*propter rem*) et aux actes accomplis sur ce bien par leur auteur : on verra que ces actes font plus que leur être opposables (*infra*, n°s 462 et s.).

Et vis-à-vis des actes de leur auteur non relatifs au bien transmis, ils sont de simples tiers (V. *infra*, n° 450), non plus des ayants cause à titre particulier.

450. – Le principe de l'opposabilité et les tiers. Si les tiers ne peuvent devenir créanciers ou débiteurs en raison d'un contrat auquel ils n'ont pas été parties, cela n'implique pas que ce contrat ne puisse avoir, à leur égard, aucune répercussion. Le principe de l'effet relatif des contrats, qui concerne les parties, a pour corollaire le principe de l'opposabilité du contrat qui, lui, concerne les tiers. Pour les tiers au sens étroit du terme, le contrat – et son exécution ou son inexécution – est un fait pur et simple qui, le cas échéant, s'imposera à eux, à leur détriment comme à leur profit, bien qu'ils ne soient ni créanciers, ni débiteurs.

Ce principe de l'opposabilité est unanimement admis tant en jurisprudence qu'en doctrine. Il est exposé par tous les auteurs de la même manière (80), à quelques nuances près, et il a fait l'objet de nombreuses études (81). Et tous les auteurs sont d'accord pour considérer que le principe de l'opposabilité a deux facettes : l'opposabilité du contrat par les parties aux tiers, et l'opposabilité du contrat par les tiers aux parties.

451. – L'opposabilité du contrat par les parties aux tiers. C'est l'aspect qui a été le premier mis en lumière. La jurisprudence en fait application en décidant qu'engage sa responsabilité le tiers qui, sciemment, se rend

---

(80) V. par ex. GHESTIN, JAMIN et BILLIAU, *Les effets du contrat*, 3e éd., n°s 724 et s.

(81) F. BERTRAND, *L'opposabilité du contrat aux tiers*, thèse Paris II, 1979. – J. DUCLOS, *L'opposabilité. Essai d'une théorie générale*, LGDJ, Droit privé, 1984, préf. D. MARTIN. – M. FONTAINE, J. GHESTIN et autres, *Les effets du contrat à l'égard des tiers. Comparaisons franco-belges*, LGDJ, 1993. – M.L. IZORCHE, *Les effets des conventions à l'égard des tiers : l'expérience française : Cahiers des écoles doctorales*, Montpellier, n° 1, 2000, p. 453.

complice de la violation d'un contrat (82). On cite traditionnellement deux exemples parmi les plus fréquents (83).

D'une part, le fait de débaucher en connaissance de cause un salarié lié à une autre entreprise par un contrat de travail non encore expiré constitue une faute, et le second patron devra indemniser le premier du dommage causé bien qu'il soit un tiers par rapport au contrat rompu. D'autre part, à supposer qu'un immeuble ait fait l'objet d'une promesse unilatérale de vente à une personne moyennant un prix raisonnable, le fait d'un tiers bien informé qui proposerait un prix supérieur et déciderait le vendeur à rompre sa promesse serait aussi une faute (84).

De même, il a été jugé que l'entrepreneur principal peut faire supporter à son sous-traitant les pénalités de retard dues au maître de l'ouvrage en application du contrat principal, mais à la condition que ce sous-traitant en ait connu ou ait dû en connaître l'existence et le montant (85).

En clair, cela signifie que les cocontractants peuvent opposer aux tiers les droits et obligations qu'ils tiennent d'un contrat. Par exemple, celui qui est lié à un acheteur ou à un vendeur par une clause d'exclusivité valable peut refuser de traiter avec un tiers.

452. – L'opposabilité du contrat par les tiers aux parties. C'est le second volet de l'opposabilité. À l'origine, la jurisprudence y voyait une simple faculté ouverte au juge : les arrêts indiquaient en effet que le juge « pouvait » prendre en considération le contrat invoqué par le tiers, ce qui impliquait qu'il n'y était pas nécessairement tenu (86). Depuis lors, cette restriction a été levée, la Cour de cassation décidant que « s'ils ne peuvent être constitués ni débiteurs, ni créanciers, les tiers à un contrat peuvent invoquer à leur profit, comme un fait juridique, la situation créée par le contrat » (87). La jurisprudence en a tiré trois conséquences.

Tout d'abord, et en toute hypothèse, le contrat peut être utilisé comme un élément de preuve pour les tiers. Suivant la formule d'un auteur, le contrat constitue une sorte de « banque de données pour les tiers » (88).

---

(82) P. HUGUENEY, *La responsabilité du tiers complice de la violation d'une obligation contractuelle*, thèse Dijon, 1910. – E. LALOU, *1382 contre 1165 ou la responsabilité délictuelle des tiers à l'égard d'un contractant et d'un contractant à l'égard des tiers* : DH 1928, chron. 69. – B. STARCK, *Des contrats conclus en violation des droits contractuels d'autrui* : JCP 54, I, 1180. – F. BERTRAND, thèse préc.

(83) Pour une application au contrat d'édition, voir Cass. 1re civ. 17 oct. 2000, D. 2001, 952, note M. BILLIAU et J. MOURY ; JCP 2001, I, 338, n° 6, obs. G. VINEY (article de presse reprenant des informations contenues dans un ouvrage à paraître).

(84) E. DU PONTAVICE, *Fraude dans les transferts immobiliers et sécurité des tiers* : RTD civ. 1963, 649.

(85) Cass. com. 20 nov. 1979 : Bull. civ. IV, n° 299. – Paris 25e ch. B, 20 janv. 1988 : JCP 1988, II, 21045, obs. E. ROBINE et A. VIANDIER.

(86) Cass. com. 19 oct. 1954 : DS 1956, 78. – Cass. 3e civ., 15 févr. 1972 : Bull. civ. III, n° 95.

(87) Cas. Com., 22 oct. 1991 : Bull. civ. IV, n° 302, p. 209 ; D. 1993, 181 et note J. GHESTIN.

(88) Ph. DELEBECQUE, in Defrénois 1996, 1022.

En second lieu, un tiers peut invoquer le non-respect par l'une des parties à un contrat, si ce manquement lui a causé un dommage. Au regard de ce tiers, la seule méconnaissance d'une obligation contractuelle suffit à constituer une faute au sens de l'article 1382 du Code civil. Telle est la position de la Première chambre civile de la Cour de cassation qui, sous le visa des articles 1165 et 1382 du Code civil, pose le principe : « les tiers à un contrat sont fondés à invoquer l'exécution défectueuse de celui-ci lorsqu'elle leur a causé un dommage » (89), et ce « sans avoir à rapporter d'autre preuve » (90). Sans reprendre cet attendu de principe, la Troisième chambre civile en a également fait application en considérant que la mauvaise exécution d'un contrat de sous-traitance, qui est une faute contractuelle à l'égard de l'entrepreneur principal, peut être invoquée par le maître de l'ouvrage comme étant une faute délictuelle (91). Ainsi, alors que, précédemment, le tiers ne pouvait obtenir réparation que s'il démontrait l'existence d'« une faute délictuelle envisagée en elle-même, indépendamment de tout point de vue contractuel », désormais tout manquement à un contrat est une faute délictuelle au regard des tiers étrangers à ce contrat.

Enfin, un tiers peut également invoquer un contrat pour échapper à une obligation dont il serait sinon tenu. Par exemple, l'assureur de responsabilité peut se prévaloir d'une transaction par laquelle l'assuré et sa victime sont convenus d'une limitation du montant du préjudice, faute de quoi l'assuré s'enrichirait indûment (92).

Ainsi, au total, un tiers est admis à opposer à son profit le contrat à l'encontre d'un contractant, alors qu'il n'était juridiquement lié à aucune des parties au contrat conclu par celui-ci. Suivant la formule d'un auteur, « on voit ainsi l'opposabilité se concrétiser de façon tout à fait significative :

---

(89) Cass. 1re civ. 15 déc. 1998 : *Bull. civ.* I, n° 368 ; *Defrénois* 1999, art. 37008 et note D. MAZEAUD ; *Contr. Conc. Consom.* 1999, comm. n° 37, obs. L. LEVENEUR (action de l'assureur du bailleur qui invoquait à l'encontre de l'entreprise de rénovation les dispositions du CCAP figurant dans le contrat entre cette entreprise et le preneur).

(90) Cass. 1re civ. 18 juill. 2000 : *Bull. civ.* I, n° 221, p. 144 ; *Contr. Conc. Consom.* 2000, comm. n° 175, obs. L. LEVENEUR. – 13 févr. 2001 : *JCP* 2002, II, 10099 et note C. LISANTI-KALCZYNSKI ; *JCP* 2001, I, 338, n° 8, obs. G. VINEY ; *Defrénois* 2001, 712, art. 37365 ; *D.* 2001, somm. 2234, obs. Ph. DELEBECQUE (action des parents, victimes par ricochet, du fait de l'inexécution du contrat d'hospitalisation de l'enfant victime dans le premier cas ; et du fait de la fourniture de sang contaminé par le Sida lors d'une transfusion dans le second).

(91) Cass. 3e civ., 10 janv. 2001 : *RD imm.* 2001, 179, obs. Ph. MALINVAUD ; *D.* 2001, IR, 832 ; *JCP* 2001, IV, 1378. – 28 nov. 2001 : *RD imm.* 2002, 92, obs. Ph. MALINVAUD. V. également Cass. 2e civ., 28 mars 2002 : *Contr. Conc. Consom.* 2002, comm. n° 105, obs. L. LEVENEUR (responsabilité délictuelle du contrôleur technique à l'égard de l'acquéreur du véhicule).

(92) Cass. 1re civ. 23 juin 1998 : *Bull. civ.* I, n° 224. V. aussi Cass. 1re civ., 5 oct. 1999 : *Bull. civ.* I, n° 253. De même encore, il a été jugé que le fabricant d'une chose est en droit d'opposer au sous-acquéreur exerçant contre lui l'action contractuelle directe, non seulement les clauses figurant dans le contrat conclu entre le vendeur initial et le vendeur intermédiaire, mais également celles inscrites dans le contrat conclu entre le vendeur intermédiaire et l'acquéreur : Cass. 1re civ., 8 mars 1988, *RTD civ.* 1988, 764, obs. P. JOURDAIN (cette solution, rendue dans les rapports entre un maître de l'ouvrage et un sous-traitant, a été rendue caduque par l'arrêt Besse en matière de sous-traitance, mais elle demeure applicable dans une chaîne de ventes).

le contrat peut être invoqué par un tiers, non seulement comme un élément de preuve, mais beaucoup plus directement pour se constituer un droit contre l'une des parties » (93).

B. – L'opposabilité aux tiers des transferts de propriété (ou de droits réels)

1° Position du problème

453. – Les contrats emportant transfert de propriété. On a vu que, si tous les contrats donnaient naissance à des obligations (de donner, de faire ou de ne pas faire ; en nature ou en argent), certains accomplissaient en plus l'obligation de donner et emportaient transfert de propriété, ou de tout autre droit réel (V. *Introduction*, nos 459).

Certains contrats sont spécialisés en ce sens. Même en laissant de côté la donation, parce qu'elle est un contrat à titre gratuit, on peut citer l'*apport en société* et surtout la *vente* qui est sans nul doute le contrat le plus pratiqué. Le plus souvent, ces contrats portent sur des choses corporelles, soit meubles, soit immeubles. Outre cette hypothèse, qui sera seule retenue ici, le transfert peut aussi porter sur des choses incorporelles, par exemple des créances, ou des parts d'intérêts, des actions ou des obligations de société : il s'agit alors de transferts, non de droits réels, mais de droits personnels et on parle de *cession de créance* (V. *infra*, nos 773 et s.).

Ces divers contrats ne sont d'ailleurs pas les seuls moyens de transférer la propriété : le même résultat découlera par exemple du décès d'une personne dont le patrimoine échoira par succession à ses héritiers ou à ses légataires.

454. – Exemple de la vente. Pour se borner à la vente qui constitue l'exemple type, ce contrat entraîne nettement deux sortes d'effets : création d'obligations d'une part, transfert de propriété d'autre part.

Au titre des obligations, il faut citer à la charge de l'acheteur l'obligation de payer le prix convenu et, à la charge du vendeur, l'obligation de livrer la chose et celle de garantie : garantie des *vices* qui rendraient la chose impropre à l'usage auquel on la destine ; garantie contre l'*éviction*, c'est-à-dire contre les troubles qui pourraient être apportés par le vendeur ou par des tiers à la jouissance paisible de l'acheteur sur la chose.

À ces obligations, il faut ajouter celle de transférer la propriété et, par voie de conséquence, les risques qui s'y rapportent : risques de dommages causés à la chose ou par elle, à couvrir le cas échéant par une assurance. C'est ici qu'apparaît l'intérêt de rendre le transfert opposable aux tiers. S'agissant des obligations énoncées à l'alinéa précédent, peu importe

---

(93) FLOUR, AUBERT et SAVAUX, *Les obligations, 1. L'acte juridique*, n° 433.

qu'elles soient ou non opposables aux tiers car on ne pourra en principe en demander l'exécution qu'au débiteur. Au contraire, parce que le respect des tiers est essentiel à l'exercice du droit de propriété, il est fondamental que l'acheteur puisse opposer à tous le droit réel qu'il vient d'acquérir sur la chose (V. *Introduction*, n° 455).

Dans les rapports entre les parties au contrat, le transfert s'opère en principe du seul fait de l'échange des consentements (V. *supra*, n° 411) à moins qu'il n'ait été retardé par une clause du contrat ou par la nature des choses (*supra*, n° 423). Mais à lui seul le contrat, aurait-il date certaine (V. *supra*, n° 366), ne suffit pas à rendre le transfert opposable aux tiers ; il faut quelque chose de plus, pour que les tiers soient officiellement prévenus du changement de propriétaire.

Par ces précautions supplémentaires, la loi veut protéger les tiers contre un certain type de fraude : craignant que, faute d'une publicité adéquate, un tiers ne soit amené à acheter un bien qui a déjà été vendu à un premier acquéreur, la loi vient au secours du second acheteur en décidant que la première vente lui est inopposable si les formalités de publicité n'ont pas été accomplies.

Envisageant la situation sous l'angle de celui qui achète un bien, il faut dire que, pour rendre la vente opposable non seulement au vendeur mais à tout le monde, il convient de satisfaire dans les meilleurs délais aux exigences de publicité destinées à prévenir les tiers. Ces formalités diffèrent suivant qu'il s'agit de la propriété immobilière ou de la propriété mobilière.

2° Transfert de la propriété immobilière à l'égard des tiers

455. – La publicité foncière. Lorsque le contrat translatif porte sur un immeuble, l'opposabilité aux tiers découle de la publicité de l'acte à la Conservation des hypothèques.

Cette publicité a d'ailleurs un domaine d'application beaucoup plus large que la matière des contrats. Ayant pour but de dresser la situation juridique de chaque immeuble, la Conservation des hypothèques centralise la publicité de tous les événements entraînant constitution ou transfert de droit réel : cela vise, outre les contrats de vente, apport en société, échange, donation, constitution d'hypothèque, d'usufruit, de servitude, de bail à construction, de concession immobilière, etc., toutes les successions, les partages, les privilèges, les jugements, etc., ayant une incidence sur les immeubles. Même les baux de plus de 12 ans doivent faire l'objet d'une publicité. Une longue liste des actes soumis à publicité figure aux articles 28 et suivants du décret du 4 janvier 1955 (mod. par D. 7 janv. 1959).

Tous ces actes, et donc les contrats translatifs de droits réels, ne sont opposables aux tiers que du jour de leur dépôt à la Conservation des hypothèques. Seuls les actes authentiques pouvant être publiés, la formalité incombe au notaire qui aura rédigé le contrat (V. *supra*, n° 370).

456. – Effet de la publicité. Dès l'instant qu'un acte a été publié, il devient opposable à tous les tiers, et spécialement à tous ceux qui, par la suite, acquerraient du même propriétaire des droits sur le même immeuble. Ainsi a-t-on vu qu'en cas d'hypothèques successives sur un immeuble, leur rang est déterminé non par la date des divers contrats, mais par la date d'inscription à la Conservation des hypothèques ; c'est ce qu'on appelle la règle de *la priorité des inscriptions* (V. *Introduction*, n° 453). Cette règle s'applique à tous les conflits entre ceux qui tiennent leurs droits du même auteur : par exemple, entre deux acheteurs successifs, sera préféré celui qui aura transcrit son droit le premier.

Ces solutions découlent toutes de l'idée que la publicité est la condition de l'opposabilité aux tiers ; tant que cette publicité n'a pas été accomplie, les tiers sont en droit de considérer que le contrat translatif de propriété, bien que parfait entre les parties, n'existe pas à leur égard.

C'est pourquoi, avant d'acheter un immeuble ou de prendre une hypothèque, il est d'usage de demander au conservateur un état hypothécaire. Et, en pratique, le prix ne sera payé ou le prêt délivré que si, au jour de la *transcription* de la vente ou de l'*inscription* de l'hypothèque, aucune transcription ou inscription n'a été prise entre-temps. En fait, il se produit assez peu de mauvaises surprises et il est rare qu'un propriétaire de mauvaise foi vende deux fois le même immeuble à des acheteurs différents.

3° Transfert de la propriété mobilière à l'égard des tiers

457. – La difficulté d'organiser une publicité. Une publicité des transferts mobiliers se heurte à des difficultés souvent insurmontables.

Pour les immeubles, l'organisation de la publicité est assez simple car on peut procéder selon un principe de localisation géographique : il y a une Conservation des hypothèques par arrondissement, qui réunit tous les renseignements afférents aux immeubles du ressort.

Au contraire, les meubles étant par définition mobiles dans l'espace, il est impossible de réaliser une publicité pour tous les meubles, alors surtout qu'ils sont infiniment plus nombreux et variés que les immeubles. Aussi bien n'a-t-il pu être organisé de publicité que pour certains meubles bien déterminés dans leur espèce, tels que les avions, les navires, les films. C'est précisément cette difficulté qui, on l'a vu (V. *Introduction*, n° 454), a fait obstacle au développement des sûretés réelles sur les meubles.

Il s'ensuit que l'opposabilité aux tiers des transferts de propriété mobilière diffère suivant que le meuble considéré est ou non soumis à une publicité. Une seule règle est commune : à lui seul, le contrat ne suffit pas à rendre le transfert opposable aux tiers ; comme pour les immeubles il faut quelque chose de plus, tantôt une publicité, tantôt une mise en possession de la chose.

458. – Cas des meubles soumis à publicité. S'agissant des meubles pour lesquels existe une publicité – et ils sont pour l'instant l'exception – on peut en général transposer les règles appliquées aux immeubles : le transfert est opposable aux tiers à compter non du jour du contrat, mais du jour de la publicité.

Ainsi en est-il, parmi les meubles corporels, pour les navires, les bateaux de rivière, les avions ou aéronefs. Mais il n'en est pas de même pour les véhicules soumis à immatriculation : il s'agit d'une formalité de police qui, en l'état actuel, n'a pas d'incidence sur la propriété de la chose, même si la jurisprudence considère que le vendeur doit délivrer non seulement la chose elle-même, mais aussi les documents administratifs du véhicule considérés comme des accessoires. Le registre est toutefois utilisé pour la publicité des gages automobiles.

De nombreux meubles incorporels font aussi l'objet d'une publicité dont la réalisation entraîne l'opposabilité aux tiers : par exemple, les fonds de commerce, les titres nominatifs des sociétés, les droits de propriété industrielle, les droits sur les films cinématographiques, etc.

459. – Cas des meubles non soumis à publicité. Pour tous les autres meubles, dont la transmission n'est astreinte à aucune publicité, la règle est posée par l'article 1141 du Code civil à propos du conflit entre deux acquéreurs successifs du même meuble : est considéré comme propriétaire celui qui, de bonne foi, a été mis en possession du meuble, sans qu'importe la date respective des deux titres d'acquisition.

Art. 1141. – Si la chose qu'on s'est obligé de donner ou de livrer à deux personnes successivement, est purement mobilière, celle des deux qui en a été mise en possession réelle est préférée et en demeure propriétaire, encore que son titre soit postérieur en date, pourvu toutefois que la possession soit de bonne foi.

C'est là une application du principe bien connu de l'article 2279 du Code civil : « En fait de meubles, la possession vaut titre » (V. *Introduction*, n° 445). On part de l'idée qu'en matière mobilière l'acheteur n'a ni le temps ni la possibilité de vérifier les droits du vendeur sur la chose, et qu'il est donc contraint de se fier à l'apparence du droit, c'est-à-dire à la possession. Pour protéger l'acheteur contre une revendication émanant d'un tiers qui se prétendrait le véritable propriétaire, la loi décide que la mise en possession d'un acquéreur de bonne foi vaut propriété.

Retournant le principe pour l'appliquer à une situation non conflictuelle, on tiendra le langage suivant : dans les rapports entre les parties, le contrat vaut transfert de la propriété mobilière, sauf clause de réserve de propriété ; mais ce transfert ne devient opposable aux tiers que du jour où l'acheteur a été mis en possession.

Cette mise en possession de l'acheteur, jointe à la dépossession corrélative du vendeur, joue vis-à-vis des tiers le rôle d'une publicité qui, en l'espèce, n'a pas pu être réalisée faute d'un registre adéquat. C'est pourquoi on exige une livraison matérielle du bien, et non pas seulement une transmission symbolique, invisible aux yeux des tiers, qui résulterait par exemple de la remise d'un titre de propriété. Il en irait autrement et la transmission symbolique serait suffisante si le titre était vraiment représentatif du bien ou de la marchandise : par exemple, titres au porteur (V. *Introduction*, n° 423), warrants, lettres de voiture, connaissements, etc.

On en tirera cette conclusion pratique qu'en cas d'acquisition d'une chose mobilière, l'acheteur aura intérêt à en exiger la livraison immédiate pour rendre le transfert opposable aux tiers et, notamment, pour éviter que le vendeur demeuré en possession ne vende à nouveau la chose et la livre à une tierce personne de bonne foi. Sans doute cette déloyauté entraînerait-elle la condamnation du vendeur à des dommages-intérêts pour inexécution dolosive du premier contrat, mais cette indemnité ne remplacerait peut-être pas, dans le patrimoine du premier acheteur, le bien mobilier.

460. – Conclusion. Il n'est donc pas réaliste de dire que les contrats n'ont d'effet qu'entre les parties, non à l'égard des tiers. L'expérience montre à chaque instant l'inexactitude de cette proposition. Tout contrat passé par une personne a des incidences plus ou moins directes sur un nombre plus ou moins important de tiers : en première ligne, les créanciers des parties qui sont toujours concernés ; puis les tiers à qui les transferts de propriété seront opposables, et qui pourront opposer ou se voir opposer certaines obligations résultant de contrats auxquels ils sont étrangers.

Il est même des contrats qui créent des personnes nouvelles. Ainsi toute *société* ou toute *association* naît d'un contrat de société ou d'association. Bien qu'un tel contrat soit conclu entre un nombre limité d'individus, les associés ou sociétaires, son effet de création d'une personne morale s'impose comme un fait à tous les tiers qui entreront en contact avec le groupement.

Dans un ordre d'idées quelque peu différent, un contrat de mandat va aussi produire ses effets à l'égard des tiers puisque, précisément, il a été conclu pour que le mandataire puisse représenter le mandant auprès de tiers contractants (V. *supra*, n° 94).

§ 2. – Les contrats rendent créancier ou débiteur certains tiers

461. – Contrats collectifs et contrats individuels. En définitive, le principe de l'effet relatif du contrat signifie seulement que les contrats ne peuvent rendre créancier ou débiteur que les parties elles-mêmes, non les tiers. Ainsi limitée, la solution paraît raisonnable ; c'est une application du principe de l'autonomie de la volonté (V. *supra*, n°s 70 et s.) : nul ne saurait être engagé par un contrat qu'il n'a pas conclu, car il le serait en dehors de sa volonté. Si on peut à la rigueur admettre qu'un contrat rende un tiers créancier, il paraît intolérable qu'il puisse le rendre débiteur.

Et pourtant, cela se produit parfois. Chacun sait par exemple qu'à la différence des contrats individuels, les *contrats collectifs* (V. *supra*, n° 61) peuvent conférer des droits ou imposer des obligations à des personnes qui ne sont pas affiliées aux groupements signataires. Notamment, les *conventions collectives* de travail engagent tous les employeurs et salariés de la branche considérée, même s'ils ne sont pas affiliés aux syndicats signataires, et même s'ils ne sont inscrits à aucun syndicat. Il en va de même des accords collectifs de location prévus par la loi du 22 juin 1982, et repris par la loi du 6 juillet 1989.

Les *contrats individuels* eux-mêmes peuvent, dans certaines circonstances, engager soit les ayants cause à titre particulier des parties au contrat, soit des tiers au sens étroit du terme. Toutefois, alors que les ayants cause peuvent être créanciers ou débiteurs du fait des contrats passés par leurs auteurs, les tiers véritables peuvent seulement être rendus créanciers.

A. – Les contrats peuvent rendre créancier ou débiteur les ayants cause particuliers des parties

462. – Les contrats constitutifs ou translatifs de droits réels. Est ayant cause particulier d'une personne celui qui tient un bien meuble ou immeuble de cette personne en vertu par exemple d'un contrat de vente, d'un apport en société, d'une donation, etc. Ce qui constitue le lien entre ces deux personnes, l'ayant cause particulier et son auteur, c'est la chose transmise à l'un par l'autre.

La question est de savoir dans quelle mesure les contrats passés sur la chose par l'ancien propriétaire vont rejaillir sur le nouveau propriétaire. Il faut distinguer suivant la nature de ces contrats.

Si les contrats passés par le précédent propriétaire sont constitutifs ou translatifs de droits réels, ils s'imposent au nouveau propriétaire comme à n'importe quel tiers et il suffit donc d'appliquer les règles d'opposabilité dégagées plus haut (V. *supra*, n°s 453 et s.) pour les meubles comme pour les immeubles. À supposer par exemple un immeuble vendu, toutes les constitutions d'hypothèques, d'usufruit, de servitudes, de concession immobilière, etc., consenties par le premier propriétaire, seront opposables au second si elles ont été publiées à la Conservation des hypothèques avant que le second n'ait lui-même publié son titre d'acquisition.

Si les contrats passés par le précédent propriétaire sont relatifs à l'administration du bien, par exemple un contrat de bail, alors la question du transfert des droits et obligations qui en résultent se pose dans les mêmes termes que pour les contrats seulement générateurs d'obligations.

463. – Les contrats générateurs d'obligations. Les cas réglés par la loi.
La véritable difficulté apparaît pour les contrats générateurs de créances ou d'obligations. Lorsque des contrats de ce genre sont conclus par le premier propriétaire relativement au bien transmis, le bénéfice ou la charge de ces contrats passent-ils ou non sur la tête du nouvel acquéreur ? Ce dernier est-il créancier ou débiteur dans un contrat qu'il n'a pas signé ?

A priori, on aurait tendance à répondre par la négative. Pourquoi le nouveau propriétaire « chausserait-il les bottes » du précédent ? Et pourtant, la loi se prononce en ce sens dans certaines hypothèses.

a) Le contrat de bail, lorsqu'il a date certaine (V. *supra*, n° 366), se poursuit avec tous les propriétaires successifs de l'immeuble : « Si le bailleur vend la chose louée, l'acquéreur ne peut expulser le fermier, le colon partiaire ou le locataire qui a un bail authentique ou dont la date est certaine » (C. civ., art. 1743, al. 1). C'est tout le contrat qui est transmis, avec ses créances (droit de percevoir le loyer) et ses dettes (obligation d'assurer au locataire une jouissance paisible des lieux). Cette règle s'explique pour une large part par la nature du droit de bail : conformément à la tradition, on continue à dire qu'il s'agit d'un simple droit personnel et non pas d'un droit réel sur les locaux ; mais, compte tenu de l'importance des droits conférés au locataire, le bail se rapproche beaucoup dans ses effets d'un droit réel. Cette solution s'applique sans distinction aux baux civils, commerciaux et ruraux (94).

b) Pour des raisons plus évidentes encore, le *contrat de travail* qui lie les salariés au patron de l'entreprise survit en cas de transfert de l'entreprise à un nouveau titulaire, individu ou société. Il en est ainsi en cas de cession, de fusion ou de regroupement d'entreprises : la cession ne met pas fin aux contrats en cours et le nouveau patron sera à la fois débiteur des salaires et créancier du temps de travail de ses employés (95). La solution est édictée par l'article L. 122-12, alinéa 2, du Code du travail. En application de ce texte, la jurisprudence décide que le transfert d'une « unité économique autonome » entraîne de plein droit le maintien, avec le nouvel employeur, des contrats de travail qui y sont attachés ; il en résulte notamment que les licenciements prononcés par le cédant pour motif économique sont sans effet (96).

c) Enfin, en cas d'aliénation d'une chose assurée, le *contrat d'assurance* est maintenu au profit de l'acquéreur qui devra en contrepartie payer les primes. Cette transmission du contrat dans son entier ne s'applique toutefois qu'à défaut de résiliation par l'assureur ou par l'acquéreur ; sous le bénéfice de cette observation, elle concerne toutes les assurances de

---

(94) *La vente de l'immeuble loué* : *JCP* N 2003, 1283.
(95) B. Boubli, *La transmission de l'entreprise et le sort des emplois* : *Gaz. Pal.* 1989, 2, doctr. 359.
(96) V. en cas de changement de concessionnaire exclusif : Cass. soc. 11 juin 2002 : *D.* 2003, 792 et note E. Blary-Clément. V. aussi Cass. soc. 11 mars 2003 : *Bull. civ.* V, à paraître.

choses, à l'exception des véhicules terrestres à moteur ou de leurs remorques (C. ass., art. L. 121-10).

464. – Les contrats générateurs d'obligations. Les cas non réglés par la loi. Dans les autres cas, non réglés par le législateur, la jurisprudence a dû se prononcer au coup par coup, si bien que la matière reste dans une grande incertitude et n'est pas exempte de contradictions (97).

La question est pourtant importante en pratique. Par exemple, l'obligation de non-concurrence souscrite par le vendeur d'un fonds de commerce ou par un ingénieur ou technicien bénéficie-t-elle à tous les propriétaires successifs du fonds ou à celui seulement qui a signé le contrat la contenant ? Ou, à l'inverse, le contrat de fourniture exclusive (contrat de bière, notamment) s'impose-t-il au seul commerçant signataire du contrat ou à tous ses successeurs dans le fonds de commerce ?

Tout en posant le principe de l'intransmissibilité à l'acquéreur tant des créances que des dettes relatives à la chose vendue, la jurisprudence lui apporte d'assez larges tempéraments.

465. – Les cas non réglés par la loi : la transmission des créances. S'agissant des *créances* attachées au bien aliéné, la jurisprudence admet souvent leur transmission, en la fondant sur l'interprétation de la volonté des parties.

Par exemple, on décidera que la clause de non-concurrence insérée dans une vente de fonds de commerce ou dans un contrat de travail bénéficie au sous-acquéreur du fonds ou de l'entreprise si telle a été l'intention des rédacteurs de la clause (qui auraient alors fait une stipulation pour autrui au bénéfice de tous les propriétaires successifs ; *infra*, nos 468 et s.) ou si le bénéfice de cette clause a été cédé au sous-acquéreur par le titulaire du fonds (c'est-à-dire une *cession de créance* ; *infra*, nos 773 et s.).

S'agissant de dommages affectant un immeuble vendu, il convient de distinguer (98).

Si les dommages affectaient déjà l'immeuble antérieurement à la vente, la vente de l'immeuble n'emporte pas de plein droit cession, au profit de l'acquéreur, des droits et actions à fins de dommages-intérêts ; selon un arrêt de la Troisième chambre civile, cette cession ne peut résulter que d'une clause expresse du contrat (99).

---

(97) LEPARGNEUR, *De l'effet à l'égard de l'ayant cause particulier des contrats générateurs d'obligations relatifs au bien transmis* : RTD civ. 1924, 481. – DU GARREAU DE LA MÉCHENIE, *La vocation de l'ayant cause particulier aux droits et obligations de son auteur* : RTD civ. 1944, 219.

(98) J.-M. DELPERIER et J.-D. ROCHÉ, *La transmission des actions judiciaires en matière immobilière* : Defrénois 2003, 1, 351, art. 37687.

(99) Cass. 3e civ., 4 déc. 2002 : JCP 2003, II, 10058 et note P. JOURDAIN ; Defrénois 2003, 1, 245, art. 37676, n° 11, obs. R. LIBCHABER.

S'agissant des dommages qui pourraient apparaître postérieurement à la vente, on s'accorde à reconnaître que la *garantie des vices cachés* par le vendeur, parce qu'elle s'identifie à la chose dont elle est un *accessoire*, se transmet avec elle au profit de tous les propriétaires successifs, et ce même en l'absence de toute volonté expresse ou tacite des parties (100). Cette solution, affirmée par la loi en ce qui concerne la garantie dans la vente d'immeuble à construire (C. civ., art. 1646-1, al. 3), a été appliquée par la jurisprudence à la garantie des vices de construction par les architectes et entrepreneurs avant d'être consacrée par la loi du 4 janvier 1978 (C. civ., art. 1792).

Cette solution a été généralisée par la jurisprudence qui décide que l'action du propriétaire actuel contre le fabricant ou un maillon quelconque de la chaîne de commercialisation est nécessairement de nature contractuelle. La solution a d'abord été affirmée dans le cas d'une chose transmise par une suite de ventes successives (101). Après une controverse entre deux chambres de la Cour de cassation (102), elle a finalement été étendue au cas où, après des ventes successives, la chose est parvenue au propriétaire actuel par le biais d'un contrat d'entreprise : « comme le sous-acquéreur, le maître de l'ouvrage dispose de tous les droits et actions attachés à la chose transmise par son auteur » (103). Cette jurisprudence, dont on a pu craindre qu'elle soit remise en cause par l'arrêt *Besse* (V. alinéa suivant), se poursuit à ce jour (104) ; toutefois, par un arrêt très critiqué (105), la Troisième chambre civile a écarté la transmission de

---

(100) Cass. 1re civ., 4 févr. 1963 : *JCP* 63, II, 13159 et obs. R. Savatier. – Cass. 1re civ. 5 janv. 1972 : *JCP* 73, II, 17340, obs. Ph. Malinvaud. – V. cependant, dans un sens différent : Cass. com. 27 févr. 1973 : *JCP* 73, II, 17445, obs. R. Savatier ; *D.* 1974, 138 et note Ph. Malinvaud. – B. Boubli, Soliloque sur la transmission de l'action en garantie (à propos de l'arrêt de Cass. 3e civ. du 9 juin. 1973) : *JCP* 74, I, 2646. – V. aussi G. Bonet et B. Gross, La réparation des dommages causés aux constructions par les vices des matériaux : *JCP* 74, I, 2602.

(101) Cass. 1re civ., 9 oct. 1979 : *Gaz. Pal.* 1980, 1, 249 ; *D.* 1980, IR, 222, note Ch. Larroumet. – Cass. com. 17 mai 1982 : *JCP* 82, IV, 268 ; *D.* 1983, IR, 479, obs. Ch. L. – Cass. 1re civ., 21 janv. 2003 : *Bull. civ.* I, n° 18, p. 14. – La Cour de Justice des Communautés européennes a cependant rendu une décision en sens contraire, à propos de l'application de l'article 5-1º de la Convention du 27 septembre 1968 concernant la compétence judiciaire et l'exécution des décisions en matière civile et commerciale : CJCE 17 juin 1992 : *JCP* 92, II, 21927, obs. Ch. Larroumet.

(102) Cass. 1re civ., 29 mai 1984 et Cass. 3e civ., 19 juin 1984, *JCP* 1985, II, 20387 et note Ph. Malinvaud ; *D.* 1985, 213 et note A. Bénabent. V. aussi Cass. com. 17 mars 1970 : *JCP* 70, II, 16453. – Cass. 3e civ., 21 janv. 1971 : *JCP* 71, II, 16729, obs. P. L. – V. Ph. Malinvaud, *L'action directe du maître de l'ouvrage contre les fabricants et fournisseurs de matériaux* : *D.* 1984, chron. 41.

(103) Cass. ass. plén. 7 févr. 1986, 2 arrêts : *JCP* 86, II, 20616, obs. Ph. Malinvaud ; *D.* 1986, 293 et note A. Bénabent.

(104) Cass. 3e civ., 12 déc. 2002 : *RD imm.* 2002, 92, obs. Ph. Malinvaud ; *RTD civ.* 2002, 303, obs. P. Jourdain.

(105) Cass. 3e civ., 28 nov. 2001 : *JCP* 2002, II, 10037 et note D. Mainguy ; *D.* 2002, 1442 et note J.-P. Karila ; *RD imm.* 2002, 92, obs. Ph. Malinvaud ; *Defrénois* 2002, 1, 255, art. 37486, obs. R. Libchaber ; *RTD civ.* 2002, 104, obs. P. Jourdain ; *JCP* 2002, I, 186, n° 2, obs. G. Viney. Suivant cet arrêt, le sous-traitant engageant sa responsabilité à l'égard du maître de l'ouvrage sur le plan délictuel, « le fournisseur de ce sous-traitant doit, à l'égard du maître de l'ouvrage, répondre de ses actes sur ce même fondement ». V. aussi C. Laronde-Clérac, *La nature toujours controversée de la responsabilité dans les chaînes contractuelles : Contr. Conc. Consom.* 2003, chron. n° 6.

© Éditions du Juris-Classeur

l'action dans le cas où un matériau a été fourni par le vendeur, non à l'entrepreneur, mais à l'un de ses sous-traitants.

La même évolution s'était amorcée en ce qui concerne l'action en responsabilité intentée par le maître de l'ouvrage contre un sous-traitant (106). Mais, mettant fin à une opposition entre la 1re et la 3e chambre civile de la Cour de cassation, la Cour suprême a décidé en Assemblée plénière que la responsabilité des sous-traitants à l'égard du maître de l'ouvrage ne peut être que délictuelle, faute de rapports contractuels entre eux (107). Ce faisant, la Cour de cassation est revenue à la conception classique et stricte de l'effet relatif du contrat.

466. – Les cas non réglés par la loi : la transmission des dettes. Quant aux *dettes* attachées au bien aliéné, la jurisprudence est plus réticente pour admettre qu'elles puissent incomber à un tiers du seul fait de l'acquisition d'un bien. Suivant la formule même de la jurisprudence, l'acquéreur d'un bien à titre particulier ne succède pas de plein droit aux obligations personnelles de son auteur, même si celles-ci sont nées à l'occasion du bien transmis (108).

Ainsi, en dehors d'une acceptation au moins implicite de l'acheteur du bien, on considérera que l'obligation, résultant par exemple d'une clause de non-concurrence, ne pèse pas sur le nouveau titulaire du bien, à moins qu'elle ne constitue une véritable servitude non détachable de la chose sur laquelle elle porte (109). La question se pose notamment pour les galeries marchandes où il est d'usage que le promoteur vendeur assure à chacun

---

(106) La 1re Chambre civile se prononçait en faveur de l'action directe contractuelle (Cass. 1re civ., 21 juin 1988 : JCP 88, II, 21125, 1re esp., obs. P. JOURDAIN ; JCP E 1988, II, 15294 et note Ph. DELEBECQUE ; D. 1989, 5 et note Ch. LARROUMET). Cependant la 3e Chambre civile se prononçait en sens contraire, en ouvrant seulement l'action en responsabilité délictuelle (Cass. 3e civ., 22 juin 1988 : JCP 88, II, 21125, 2e esp., obs. P. JOURDAIN). – V. Ch. LARROUMET, *L'action de nature nécessairement contractuelle et la responsabilité civile dans les ensembles contractuels* : JCP 88, I, 3357. – B. BOUBLI, *Réflexions sur les obligations des parties dans la sous-traitance de marchés de travaux immobiliers* : RD imm. 1988, 391.

(107) Cass. ass. plén. 12 juill. 1991, *Besse* : D. 1991, 549 et note J. GHESTIN ; JCP 91, II, 21743, obs. G. VINEY ; *Defrénois* 1991, 1, 1301 et note J.-L. AUBERT ; D. 1992, somm. 119, obs. A. BÉNABENT. – V. cependant Cass. com. 22 mai 2002 : Bull. civ. IV, n° 89 ; D. 2002, somm. 2843 ; RTD civ. 2003, 94, obs. P. JOURDAIN. – Ch. LARROUMET, *L'effet relatif des contrats et la négation de l'existence d'une action en responsabilité nécessairement contractuelle dans les ensembles contractuels* : JCP 91, I, 3531. – Ch. JAMIN, *Une restauration de l'effet relatif du contrat* : D. 1991, chron. 257. – J.-P. KARILA, *L'action directe du maître de l'ouvrage à l'encontre du sous-traitant est nécessairement de nature délictuelle* : Gaz. Pal. 8-9 janv. 1992. – B. BOUBLI, *Transfert de propriété et responsabilité dans les groupes de contrats* : RD imm. 1992, 27. – P. JOURDAIN, *La nature de la responsabilité civile dans les chaînes de contrats après l'arrêt de l'Assemblée plénière du 12 juillet 1991* : D. 1992, chron. 149. – J. DJOUDI, *La sous-traitance dans le contexte européen* : D. 1992, chron. 215. – C. LISANTI-KALCZYNSKI, *L'action directe dans les chaînes de contrats ? Plus de dix ans après l'arrêt Besse* : JCP 2003, I, 102.

(108) Cass. 3e civ., 16 nov. 1988 : D. 1989, 157, 1re esp., note Ph. MALAURIE (à propos de l'obligation souscrite par le constructeur d'un immeuble de réserver un certain nombre de logements aux familles désignées par l'organisme finançant la construction).

(109) Douai 21 mai 1973 : JCP 74, II, 17595 et obs. J. PERSONNAZ. – Cass. 3e civ., 24 mars 1993 : JCP N 1994, I, II, p. 94 et note J.-G. RAFFRAY.

des acquéreurs l'exclusivité de l'exercice de tel ou tel commerce et, corrélativement, interdit aux autres acquéreurs l'exercice de ce commerce. Élargissant la notion de servitude, la jurisprudence décide dans des circonstances de ce genre que l'interdiction faite à l'acquéreur d'un fonds immobilier de l'affecter à un usage déterminé, bien qu'étant une obligation personnelle, est une véritable servitude se transmettant avec le fonds (110).

On voit qu'il y a là, pour les tribunaux, une marge d'appréciation qui est un facteur d'insécurité. Aussi est-il préférable d'indiquer clairement dans le contrat originaire le sort de toutes ces créances et obligations.

B. – Les contrats peuvent rendre créanciers certains tiers

467. – Présentation générale. Si les ayants cause peuvent dans une certaine mesure devenir débiteurs parce qu'ils ont entre leurs mains un bien en quelque sorte affecté d'une charge, en revanche il ne saurait en être de même des tiers au sens étroit du terme. Sauf le cas des contrats collectifs qui s'imposent à toute une catégorie professionnelle (V. *supra*, n° 461), nul ne saurait être rendu débiteur par contrat sans l'avoir voulu.

Sans doute a-t-on déjà vu qu'en cas de mandat le mandant se trouve engagé par le mandataire (V. *supra*, n°s 93 et s.). Mais il n'y a pas là une exception à la règle sus-énoncée. Si le mandant est engagé, c'est parce qu'il l'a voulu : le mandataire n'a été que son porte-parole. Le fait que le représenté ne soit pas engagé lorsque le représentant a excédé ses pouvoirs en est une confirmation éclatante.

Art. 1119. – On ne peut, en général s'engager, ni stipuler en son propre nom, que pour soi-même.

Art. 1120. – Néanmoins, on peut se porter fort pour un tiers, en promettant le fait de celui-ci ; sauf l'indemnité contre celui qui s'est porté fort ou qui a promis de faire ratifier, si le tiers refuse de tenir l'engagement.

Art. 1121. – On peut pareillement stipuler au profit d'un tiers, lorsque telle est la condition d'une stipulation que l'on fait pour soi-même ou d'une donation que l'on fait à un autre. Celui qui a fait cette stipulation ne peut plus la révoquer, si le tiers a déclaré vouloir en profiter.

Art. 1122. – On est censé avoir stipulé pour soi et pour ses héritiers et ayants cause, à moins que le contraire ne soit exprimé ou ne résulte de la nature de la convention.

Une autre preuve en est fournie par les règles de la *promesse de porte-fort* (C. civ., art. 1120). Celui qui conclut un contrat en se portant fort qu'une tierce personne ratifiera ne rend pas débiteur autrui puisque le tiers demeure libre de ratifier ou non (V. *supra*, n°s 101 et s. – V. aussi *infra*, n° 754, à propos de la gestion d'affaires).

---

(110) Cass. 3e civ., 4 juill. 2001 : *D.* 2002, 433 et note R. Liobchaber ; *D.* 2002, somm. 2513, obs. N. Reboul-Maupin. V. aussi J.-F. Astruc, *La clause de non-concurrence accessoire au contrat de cession d'un bien immobilier : D.* 2002, chron. 908.

En revanche, rien ne s'oppose à ce que deux cocontractants conviennent que le bénéfice de leur contrat reviendra à un tiers. L'hypothèse est expressément prévue par l'article 1165 qui renvoie à l'article 1121 du Code civil : il s'agit de l'opération connue sous le nom de *stipulation pour autrui* (assurance-vie, par exemple).

De cette stipulation contractuelle il faut rapprocher l'*action directe*, qui procède de la même idée et qui, accordée par la loi, permet à certains tiers de réclamer directement au débiteur l'exécution d'un contrat conclu par d'autres : par exemple, l'action directe de la victime contre l'assureur de l'auteur du dommage.

1° La stipulation pour autrui (111)

468. – Opération à trois personnages. La stipulation pour autrui est traditionnellement présentée comme une opération à trois personnages : d'un côté deux cocontractants, le *stipulant* et le *promettant*, de l'autre le *tiers bénéficiaire* en faveur de qui le contrat est conclu. Pour imager ce schéma, il suffit de prendre l'exemple simple de l'assurance-vie d'un père de famille au profit de son conjoint ou de ses enfants. Le contrat est passé entre le père de famille, *stipulant*, et une compagnie d'assurance, *promettant*, laquelle, moyennant le versement de primes, s'engage à payer, en cas de décès du stipulant, un certain capital à son conjoint ou à ses enfants, les *tiers bénéficiaires*.

Assuré — Stipulant ✕————————✕ Compagnies d'assurances — Promettant

✕ Enfant ou conjoint de l'assuré — Tiers bénéficiaire

---

(111) E. Lambert, *Du contrat en faveur des tiers*, thèse Paris, 1893. – *La stipulation pour autrui et ses principales applications :* in *Trav. ass. H. Capitant*, t. VII, 1952. – Ch. Larroumet, *Les opérations juridiques à trois personnes*, thèse Bordeaux, 1968. – G. Venandet, *La stipulation pour autrui avec obligation acceptée par le tiers bénéficiaire : JCP* 89, I, 3391. – D.-R. Martin, *La stipulation de contrat pour autrui : D.* 1994, chron. 145. – J. François, *Les opérations triangulaires attributives (stipulation pour autrui et délégation de créances)*, thèse Paris II, 1994. – J.-M. Roux, *Le rôle créateur de la stipulation pour autrui*, préf. J. Mestre, PUAM, 2001. – R.-M. Rampelberg, *Brève perspective comparative sur les destinées de la règle* alteri stipulari nemo potest : in *Les concepts contractuels français à l'heure des principes du droit européen des contrats*, Dalloz, 2003, p. 143.

Avant que l'assurance-vie n'ait été réglementée par la loi du 13 juillet 1930, sa validité avait longtemps été contestée car elle n'entrait pas dans les prévisions de l'article 1121 du Code civil. En effet, tel qu'il est encore rédigé, ce texte subordonne la validité de la stipulation pour autrui à certaines conditions qui ne sont pas remplies dans le contrat d'assurance-vie.

Bien que cet article n'ait pas été modifié, la jurisprudence a, par une interprétation audacieuse, supprimé ces conditions. La seule exigence est que le stipulant ait un intérêt personnel à l'opération, serait-il seulement un intérêt moral ; or, sauf insanité d'esprit, il en est toujours ainsi.

469. – Applications pratiques. Cette jurisprudence prétorienne a permis à la stipulation pour autrui de connaître un essor considérable en pratique. Outre l'hypothèse, envisagée à l'origine, de la *donation avec charge* au profit d'un tiers, de nombreuses opérations sont fondées sur la stipulation pour autrui :

– l'*assurance-vie* classique en faveur du conjoint survivant, ou des enfants nés ou à naître ; plus récemment, l'assurance-vie de l'emprunteur au profit de l'organisme de crédit, pour le montant du prêt (les deux contrats, de prêt et d'assurance-vie, sont liés de telle manière qu'en cas de décès de l'emprunteur, soit versé au prêteur un capital correspondant au crédit non encore remboursé ; ainsi, la famille qui a perdu son soutien sera au moins déchargée du souci pécuniaire d'un emprunt) ;

– l'*assurance passagers* au bénéfice de ceux qui sont transportés à titre gratuit ;

– l'*assurance individuelle accidents* que les chefs d'entreprise peuvent souscrire au profit de leurs employés pour compléter les prestations de la Sécurité sociale ;

– l'*assurance pour le compte de qui il appartiendra,* en cas de perte ou détérioration des marchandises au cours d'un transport maritime, c'est-à-dire pour le compte de l'acheteur, encore inconnu, qui en sera devenu propriétaire au jour de l'accident éventuel, etc.

De même, le fabricant ou le vendeur d'une marchandise qui en confie la livraison à un transporteur professionnel fait une stipulation pour l'acheteur destinataire. Également, toute concession de service public contient des stipulations au profit des usagers ; ou encore les cahiers des charges des marchés de travaux publics au bénéfice des ouvriers, etc.

La stipulation pour autrui peut aussi servir de support juridique à un changement de contractant. Par exemple, un professionnel de l'immobilier conclura une promesse de vente d'un immeuble avec faculté de substitution, ce qui lui permettra de la céder à un tiers. On est ici entre la cession de contrat et la stipulation pour autrui (112).

---

(112) E. Jeuland, *Essai sur la substitution de personne dans un rapport d'obligation*, LGDJ, 1999 ; *Proposition de distinction entre la cession de contrat et la substitution de personne* : D. 1998, chron. 356. – D.-R. Martin, *Du changement de contractant* : D. 2001, chron. 3144.

Enfin, alors même que le contrat n'a rien prévu à cet égard, les tribunaux admettent sans grande difficulté l'existence de stipulations tacites au profit de tiers : par exemple, dans le contrat de transport de personnes, en faveur des proches parents de la victime, etc. La multiplicité et la diversité de ces exemples montrent combien il est fréquent qu'un contrat puisse rendre créancier un tiers.

470. – Effets. Ainsi définie, la stipulation pour autrui peut soit réaliser une donation indirecte (assurance-vie au profit de la famille), soit éteindre une dette vis-à-vis du tiers bénéficiaire (assurance-vie au profit d'un prêteur d'argent). Ses effets tournent autour de deux grandes idées.

D'une part, le stipulant peut modifier la désignation du bénéficiaire tant que ce dernier n'a pas accepté le bénéfice de la stipulation ; mais une acceptation tacite, sinon même un silence circonstancié, serait ici suffisante (V. *supra*, n° 127) pour paralyser la *faculté de révocation*. Cette acceptation suppose évidemment que le bénéficiaire ait eu connaissance de la stipulation faite à son profit, ce qui ne sera pas toujours le cas : l'existence d'une assurance-vie ne sera le plus souvent découverte qu'après le décès du stipulant. Toutefois, parce que la stipulation ne s'analyse pas comme une offre faite au tiers bénéficiaire, le décès du stipulant n'entraîne nullement la caducité de la stipulation, alors qu'il entraînerait celle d'une offre (V. *supra*, n° 121). Il sera donc toujours temps d'accepter, à moins qu'une révocation ne soit déjà intervenue. Toutefois, si le bénéficiaire décède avant d'avoir accepté, le bénéfice de la stipulation revient, non à ses héritiers, mais aux personnes désignées par le stipulant à titre subsidiaire (113).

D'autre part, le tiers bénéficiaire recueille dans le contrat un *droit direct* contre le promettant : cette créance lui est acquise du jour de la stipulation, et non de l'acceptation, laquelle consolide son droit en éloignant toute menace de révocation, mais ne le crée pas (114). Ainsi, dans l'assurance-vie, le capital versé ou à verser va directement de l'assurance au tiers bénéficiaire, sans passer dans le patrimoine de l'assuré ; on en tire cette conséquence que ce capital échappe au droit de gage général des créanciers du stipulant, qu'il ne peut pas être saisi par eux. Par exemple, à supposer qu'un commerçant assuré sur la vie tombe en faillite et décède, le tiers bénéficiaire percevra le capital sans avoir à redouter les poursuites des créanciers du défunt à moins que le contrat d'assurance

---

(113) Cass. 1re civ., 10 juin 1992 : *D.* 1992, 493 et note J.-L. Aubert. – 9 juin 1998 : *Defrénois* 1998, 1, 1416, obs. Ph. Delebecque.
(114) Cass. 1re civ., 12 juill. 1956 : *D.* 1956, J, 749 et note Radouant. Mais peu importe que l'acceptation soit concomitante ou postérieure au contrat comportant stipulation pour autrui : Cass. 1re civ., 19 déc. 2000 : *D.* 2001, 3482 et note I. Ardeef.

n'apparaisse comme une fraude à leur égard (V. *infra*, action paulienne, n°s 838 et s.) (115).

2° L'action directe (116)

471. – Définition et hypothèses. L'action directe permet à un tiers au contrat d'exercer les droits du créancier à l'encontre du débiteur. Par exemple, le sous-traitant impayé par l'entrepreneur va demander son paiement au maître de l'ouvrage ; bien que tiers au contrat de construction, il va exercer contre le maître de l'ouvrage le droit de se faire payer dont disposait l'entrepreneur.

À la différence du tiers bénéficiaire d'une stipulation pour autrui, le titulaire d'une action directe tient son droit non d'une clause contractuelle, mais de la loi elle-même. Il n'y a donc d'action directe que là où la loi l'accorde (sous réserve du transfert des actions en responsabilité, V. *supra*, n° 465). À ceci près, la technique est très voisine ; il suffit pour s'en convaincre de passer en revue les principaux exemples d'action directe.

Art. 1753 du Code civil. – Un propriétaire loue un local à un locataire, lequel le sous-loue à un sous-locataire. Voilà deux contrats distincts et il n'y a aucun lien de droit entre le propriétaire et le sous-locataire puisqu'ils ne sont pas partie au même contrat. Néanmoins, à défaut de paiement du loyer par le locataire, le bailleur peut s'adresser directement au sous-locataire en exerçant l'*action directe* que lui confère le code ; la loi lui permet de se comporter comme s'il était le créancier du sous-locataire.

Art. 1798 du Code civil. – Le propriétaire d'un terrain s'adresse à un entrepreneur pour élever une construction ; pour bâtir, l'entreprise embauche des ouvriers qu'elle omet de payer. Ceux-ci peuvent demander le paiement de leurs salaires au maître de l'ouvrage, à concurrence des sommes dues à l'entrepreneur.

Transposant cette solution au contrat de sous-traitance, la loi du 31 décembre 1975 accorde au sous-traitant non payé par l'entrepreneur principal une action directe contre le maître de l'ouvrage (117).

---

(115) V. Cass. civ. 2 nov. 1937 : *D.* 1938, 1, 57, rendu sur la demande des héritiers légitimes qui critiquaient une libéralité indirecte réalisée sous la forme d'une assurance-vie. La Cour a décidé que les primes d'assurances ne pouvaient être soumises à rapport ou réduction que si elles étaient « manifestement exagérées eu égard aux facultés » de l'assuré, c'est-à-dire si elles empiétaient sur le capital.

(116) H. SOLUS, *L'action directe et l'interprétation des articles 1753, 1798, 1994 du Code civil*, thèse Paris, 1914. – M. COZIAN, *L'action directe*, 1969. – Ch. JAMIN, *La notion d'action directe*, LGDJ, 1991.

(117) G. FLECHEUX, *La loi n° 75-1334 du 31 décembre 1975 relative à la sous-traitance* : JCP 76, I, 2791. – La sous-traitance de marchés de travaux et de services, 1978. – J. NERET, Le sous-contrat, LGDJ, 1979, préf. P. CATALA. – H. SYNVET, *Nouvelles variations sur le conflit opposant banquiers et sous-traitants* : JCP 90, 1, 3425. – A. BÉNABENT, *Le conflit entre banquiers et sous-traitants* : RD imm. 1990, 149. – A.-M. ROMANI, *La protection des sous-traitants de marchés privés titulaires de l'action directe dans le conflit les opposant aux banquiers bénéficiaires de transferts de créances* : D. 1990, chron. 179. – D. RAMBURE, *Le paiement du sous-traitant* : EJA 1990.

Art. 1994 du Code civil. – Le mandant peut agir directement contre la personne que le mandataire s'est substitué (sous-mandataire) (118).

L'action directe est enfermée dans la *double limite* de ce qui est dû par le débiteur dans le contrat, et de ce qui est dû au bénéficiaire de l'action. S'agissant par exemple du sous-traitant, il ne peut demander au maître de l'ouvrage plus que ce dernier ne reste devoir à l'entrepreneur, ni plus que ce qui est dû au sous-traitant par l'entrepreneur. Il s'ensuit, dans ce même exemple, que le maître de l'ouvrage peut opposer au sous-traitant toutes les *exceptions* qu'il aurait pu faire valoir à l'encontre de l'entrepreneur, son cocontractant : malfaçons de l'ouvrage, non-conformités, etc. ; il en va différemment toutefois en ce qui concerne l'action directe en matière d'assurance de responsabilité.

472. – L'action directe dans l'assurance de responsabilité. L'exemple de très loin le plus fréquent se rencontre en matière d'assurance de responsabilité. La victime d'un dommage dispose, outre son recours contre l'auteur du dommage, d'une action directe contre l'assureur du responsable (119). L'hypothèse est ici plus éloquente que les précédentes parce que l'assureur ne doit verser l'indemnité qu'à la victime elle-même et non à son propre assuré. Pourtant cette victime est un tiers par rapport au contrat d'assurance. Tout se passe comme si l'assurance de responsabilité comportait une stipulation pour autrui au profit des victimes éventuelles.

En fait, malgré sa technique identique, l'action directe joue un rôle différent de celui de la stipulation pour autrui. Alors que le droit du tiers bénéficiaire d'une stipulation pour autrui a été voulu par les parties au contrat (bien souvent le contrat n'aura même que ce seul but), au contraire l'action directe est imposée par la loi, en dehors de toute volonté des parties, sinon même contre leur volonté.

Pour une large part, l'action directe apparaît surtout comme une sûreté personnelle accordée à certains créanciers pour se protéger contre l'insolvabilité du débiteur : tel était par exemple l'objet de la loi du 31 décembre 1975 qui tendait à conférer au sous-traitant des garanties de paiement pour pallier les conséquences de l'insolvabilité fréquente des entrepreneurs. S'apparentant à la stipulation pour autrui par sa technique, elle a aussi beaucoup de points communs avec les privilèges, ou même avec la saisie pour l'assurance, par son effet.

---

(118) B. Mallet-Bricout, *La substitution de mandataire*, préf. Ch. Larroumet, éd. Panthéon-Assas, 2000. L'action directe ne peut toutefois être exercée qu'autant que l'action du mandataire intermédiaire n'est pas elle-même éteinte : Cass. com. 3 déc. 2002 : D. 2003, 786 et note B. Mallet-Bricout.

(119) B. Atallah, *Le droit propre de la victime et son action directe contre l'assureur de la responsabilité automobile obligatoire*, 1969. – Abandonnant sa jurisprudence antérieure (Cass. civ., 13 déc. 1938, 3 arrêts : *DP* 1939, 1, 3, note Picard), la Cour de cassation décide désormais que la recevabilité de cette action directe « n'est pas subordonnée à l'appel en la cause de l'assuré par la victime » (Cass. 1re civ., 7 nov. 2000 : *JCP* 2001, II, 10456. – J. Bigot, *Assurances de responsabilité. Action directe : feu la mise en cause de l'assuré* : *JCP* 2001, Act., n° 3, p. 113).

Section 2

LES DIFFICULTÉS D'EXÉCUTION
DU CONTRAT

473. – Le juge et la pathologie du contrat. Une fois le contrat conclu, il développe sa force obligatoire entre les parties et s'impose aux tiers suivant les modalités précisées plus haut. Dans l'immense majorité des cas, tout se déroule sans incident notable et les rapports civils ou commerciaux établis par le contrat restent sur un plan juridique. C'est au plan judiciaire ou arbitral qu'apparaît la pathologie du contrat car, nul ne pouvant se faire justice à soi-même (V. *Introduction*, n° 502), tout différend non résolu à l'amiable relève de la compétence du juge.

Toutes les difficultés en la matière tiennent au fait que l'une ou l'autre des parties (mais pas les deux, sinon elles décideraient d'un commun accord une résiliation amiable, *supra*, n° 416) ne peut pas ou ne veut pas exécuter le contrat tel qu'il a été conclu. Alors, à moins qu'on ne se trouve dans une hypothèse où la résiliation unilatérale est possible (en vertu d'une clause du contrat, clause de dédit par exemple ; ou en raison de la nature du contrat : mandat, contrat à durée indéterminée, etc. V. *supra*, n° 417), il faudra s'adresser au juge ou à l'arbitre.

474. – Interprétation, révision, résolution du contrat. Les problèmes suscités par l'exécution d'un contrat sont multiples, mais ils se ramènent le plus souvent à trois grandes hypothèses.

Ou bien, scrutant les termes de l'accord, on interrogera le juge sur la nature ou l'étendue des obligations convenues : il s'agit alors d'un problème d'*interprétation*.

Ou bien, sans contester l'existence ni le contenu du contrat on demandera au juge la *révision* de certains de ses aspects, soit le prix, soit le délai fixé pour l'exécuter. C'est déjà revenir sur la parole donnée et mettre en cause la force obligatoire du contrat (*supra*, n°s 413 et s.).

Ou bien enfin, c'est la mise à néant du contrat qui sera requise. On ne parlera plus ici de l'*annulation* du contrat, qui sanctionne l'inobservation des conditions de formation du contrat, cette question ayant été étudiée à la suite de ces conditions (V. *supra*, n°s 381 et s.). Il sera en revanche question de la *résolution* du contrat, qui est la sanction naturelle de l'inexécution des obligations, du moins pour les contrats synallagmatiques. Sans doute a-t-on vu que le créancier peut invoquer l'exception d'inexécution (V. *supra*, n°s 418 et s.), mais ce n'est qu'une solution provisoire, un préalable soit à la résolution, soit à l'exécution forcée.

475. – Questions réservées : l'exécution forcée ; la responsabilité **contractuelle.** Les questions relatives à l'*exécution forcée* des contrats seront envisagées plus loin, dans le cadre de l'exécution des obligations en général (V. *infra*, nᵒˢ 823 et s.), car la nature contractuelle d'une obligation est sans grande influence sur ses modalités d'exécution. Il n'y a donc pas lieu de lui consacrer ici une place spéciale.

La même remarque doit être faite à propos des dommages-intérêts auxquels un débiteur contractuel négligent peut être condamné : la *responsabilité contractuelle* et la *responsabilité délictuelle* présentent des similitudes telles qu'elles méritent d'être étudiées ensemble (*infra*, nᵒˢ 512 et s.).

§ 1. – L'interprétation des contrats (120)

476. – Présentation générale. Si la contestation porte sur l'existence même du contrat, l'un niant s'être engagé envers l'autre, le problème n'est pas d'interprétation mais de preuve. Semblable difficulté risque d'apparaître chaque fois que la convention aura été simplement verbale ; on n'insistera jamais assez sur l'intérêt de préconstituer une preuve sur support papier ou électronique (*supra*, nᵒˢ 351 et s.).

À supposer que l'existence du contrat soit démontrée, un désaccord peut s'élever entre les cocontractants sur le sens ou la portée du contrat. Une clause peut être ambiguë ou obscure (121) ; ou encore, le contrat comporte des lacunes telles qu'il y a incertitude sur la volonté des parties. Il y a alors matière à interprétation et, à défaut d'accord amiable, il faudra recourir au juge.

Interprète de la loi, le juge est aussi celui du contrat ; mais sa démarche ne sera pas identique dans un cas et dans l'autre. Alors que les textes sont très lacunaires sur la manière dont il convient d'interpréter la loi, ils édictent à l'intention du juge des règles générales d'interprétation des conventions ; les parties peuvent elles-mêmes mettre ces règles en application et, par un accord amiable, faire l'économie d'une instance judiciaire. Bien qu'une telle instance puisse se poursuivre jusque devant la Cour de cassation, le rôle de cette dernière est ici très effacé, alors qu'il est fondamental en matière d'interprétation de la loi.

---

(120) G. Marty, *La distinction du fait et du droit*, thèse Toulouse, 1929. – *Le rôle du juge dans l'interprétation des contrats* : in *Trav. ass. H. Capitant*, t. V, 1949, p. 84. – Y. Paclot, *Recherche sur l'interprétation juridique*, thèse Paris II, 1988.
(121) Th. Ivainer, *L'ambiguïté dans les contrats* : D. 1976, chron. 153. – G. Nicolau, *L'équivoque entre vice et vertu* : RTD civ. 1996, 57.

A. – Les règles générales d'interprétation (122)

Art. 1156. – On doit dans les conventions rechercher quelle a été la commune intention des parties contractantes, plutôt que de s'arrêter au sens littéral des termes.

Art. 1157. – Lorsqu'une clause est susceptible de deux sens, on doit plutôt l'entendre dans celui avec lequel elle peut avoir quelque effet, que dans le sens avec lequel elle n'en pourrait produire aucun.

Art. 1158. – Les termes susceptibles de deux sens doivent être pris dans le sens qui convient le plus à la matière du contrat.

Art. 1159. – Ce qui est ambigu s'interprète par ce qui est d'usage dans le pays où le contrat est passé.

Art. 1160. – On doit suppléer dans le contrat les clauses qui y sont d'usage, quoiqu'elles n'y soient pas exprimées.

Art. 1161. – Toutes les clauses des conventions s'interprètent les unes par les autres en donnant à chacune le sens qui résulte de l'acte entier.

Art. 1162. – Dans le doute, la convention s'interprète contre celui qui a stipulé, et en faveur de celui qui a contracté l'obligation.

Art. 1163. – Quelque généraux que soient les termes dans lesquels une convention est conçue, elle ne comprend que les choses sur lesquelles il paraît que les parties se sont proposé de contracter.

Art. 1164. – Lorsque dans un contrat, on a exprimé un cas pour l'explication de l'obligation, on n'est pas censé avoir voulu par là restreindre l'étendue que l'engagement reçoit de droit aux cas non exprimés.

477. – La recherche de la volonté des parties. Les articles 1156 à 1164 du Code civil donnent aux magistrats des directives générales qui répondent à deux idées.

En premier lieu, la loi pose en principe la *recherche de la volonté des parties*.

Ainsi le juge est-il invité à « rechercher quelle a été la commune intention des parties contractantes, plutôt que de s'arrêter au sens littéral des termes » (123) (art. 1156). À cette règle de base qui trouve son inspiration dans la notion de bonne foi, s'ajoutent quelques recettes particulières. Ainsi, toute clause doit s'interpréter en fonction des autres clauses du contrat, du contexte contractuel (art. 1161) ; dans un langage plus moderne, on dira aujourd'hui que le contrat doit être interprété en considération de son *économie* (124). De même, quand une clause est susceptible de deux sens, il faut plutôt l'entendre dans celui qui convient le plus à la matière du contrat (art. 1158).

C'est toujours en vertu de cette prééminence de la volonté des parties qu'en cas de contradiction entre les *clauses manuscrites* et des *clauses*

---

(122) J. DUPICHOT, *Pour un retour aux textes : défense et illustration du petit guide-âne des articles 1156 à 1164 du Code civil* : in *Études Flour*, 1979, p. 179.

(123) Th. IVAINER, *La lettre et l'esprit de la loi des parties* : JCP 81, I, 3023.

(124) J. MOURY, *Une embarrassante notion : l'économie du contrat* : D. 2000, chron. 382. – A. ZELCEVIC-DUHAMEL, *La notion d'économie du contrat en droit privé* : JCP 2001, I, 300.

imprimées, la jurisprudence fait prévaloir les premières parce qu'elles ont sans doute été plus fortement voulues. Et peu importe que la clause imprimée ait par avance dénié toute valeur aux clauses manuscrites (125).

En revanche, les *clauses usuelles ou de style*, si elles ne sont pas démenties par ailleurs, ont le même effet que les clauses originales insérées à l'acte : il appartient à chacun de lire ce qu'il s'apprête à signer et de dénoncer les clauses, seraient-elles de style, auxquelles il se refuse à souscrire (126).

La volonté des parties peut notamment être recherchée dans les documents préparatoires du contrat, et ce alors que parfois le document définitif dénie toute valeur aux documents antérieurs (127).

478. – La recherche de l'utilité sociale. En second lieu, pour le cas où la recherche de la volonté des parties apparaît très aléatoire, l'ambiguïté du contrat doit être levée par la *recherche de l'utilité sociale*. Cette situation se présente souvent lorsque les parties, une fois d'accord sur les grandes lignes du contrat, ont laissé dans l'ombre tout le reste. L'article 1135 du Code civil édicte alors que :

« les conventions obligent non seulement à ce qui y est exprimé, mais encore à toutes les suites que l'équité, l'usage ou la loi donnent à l'obligation d'après sa nature »

L'appel fait à la loi s'adresse plus précisément aux lois dites supplétives de volonté (V. *Introduction*, n° 47). Ces textes, nombreux en matière de contrat, ont précisément été édictés dans le but de combler des oublis qu'on analyse comme une référence implicite des cocontractants à la loi supplétive. Ainsi le Code civil consacre au contrat de vente de très nombreux articles dont la plupart ne sont applicables qu'à défaut de clause contraire.

À cet égard, il convient de noter une tendance générale à transformer ces règles pour leur donner un caractère impératif. Par exemple, parce que les juges considèrent comme essentielle la garantie due par les vendeurs professionnels, ils dénient toute valeur aux clauses limitatives qu'ils pourraient insérer dans leurs contrats (128). Cette jurisprudence se trouve aujourd'hui confirmée par le décret du 24 mars 1978, pris en application de la loi du 10 janvier 1978 sur la protection et l'information des

---

(125) E.-H. Perreau, *Clauses manuscrites et clauses imprimées : RTD civ.* 1927, 303.

(126) A. Lecomte, La clause de style : *RTD civ.* 1935, 305. – B. Boccara, *Le clair et l'obscur (À propos de l'interprétation judiciaire des clauses types) : JCP* 1978, I, 2910. – D. Denis, *La clause de style :* in *Études Flour,* 1979, p. 117. – Cass. com. 7 janv. 1969 : *JCP* 69, II, 16121, obs. R. Prieur. À cette occasion, on observera que la pratique a inventé de toutes pièces des mentions manuscrites que tout le monde finit par croire obligatoires alors qu'elles ne sont nullement requises ; tel est notamment le cas des formules « Lu et approuvé » ou « Bon pour pouvoir » : V. sur cette pratique, S. Jacopin, *Les mentions contractuelles « coutumières ». Un droit imaginaire ? À propos des mentions manuscrites « hors la loi » : JCP* 2001, 1, 288.

(127) V. E. Rawach, *La portée des clauses tendant à exclure le rôle des documents précontractuels dans l'interprétation du contrat : D.* 2001, chron., 223.

(128) Ph. Malinvaud, *Pour ou contre la validité des clauses limitatives de la garantie des vices cachés dans la vente : JCP* 75, I, 2690.

consommateurs ; ce texte, devenu l'article R. 132-1 du Code de la consommation, interdit en effet comme abusive « la clause ayant pour objet ou pour effet de supprimer ou de réduire le droit à réparation du non-professionnel ou consommateur en cas de manquement par le professionnel à l'une quelconque de ses obligations » (V. *supra*, n° 323).

L'utilité sociale se trouve également consacrée dans les *usages* auxquels renvoient les articles 1135, 1159 et 1160 du Code civil. En pratique, ces usages tiennent lieu de lois supplétives dans de nombreux domaines, professionnels et commerciaux (V. *Introduction*, n° 192).

479. – L'utilité sociale et l'équité. Enfin, en dernier recours, le juge peut interpréter les contrats en fonction de l'équité (129). C'est une invite à la protection du faible contre le fort, dont l'article 1162 du Code civil donne d'ailleurs un exemple : dans le doute, le contrat devra être interprété en faveur du débiteur, dit le texte, en faveur du cocontractant le plus faible, traduit la jurisprudence. On retrouve une solution identique dans l'article L. 133-2 du Code de la consommation, en faveur du consommateur ou non-professionnel (130).

Art. L. 133-2. – Les clauses des contrats proposés par les professionnels aux consommateurs ou aux non-professionnels doivent être présentées et rédigées de façon claire et compréhensible.

Elles s'interprètent en cas de doute dans le sens le plus favorable au consommateur ou au non-professionnel. Le présent alinéa n'est toutefois pas applicable aux procédures engagées sur le fondement de l'article L. 421-6.

Dans ce même esprit, les tribunaux ajoutent souvent à la lettre des contrats et, par une interprétation pour le moins audacieuse de la volonté des parties, découvrent des obligations à la charge de celui qui a dicté ses conditions à l'autre. L'exemple le plus connu est celui de l'*obligation de sécurité* que la jurisprudence a introduite, par le biais de l'interprétation, dans les contrats de transport qui ne la mentionnaient nullement.

C'est encore la recherche de l'utilité sociale qui explique le désir, manifesté dans l'article 1157 du Code civil, de sauver les contrats : quand une clause est susceptible de deux sens, il faut plutôt l'entendre dans celui où elle peut avoir quelque effet, que dans celui où elle serait nulle ou sans effet.

B. – Rôle respectif des juges du fond et de la Cour de cassation

480. – Le pouvoir souverain des juges du fond. La Cour de cassation est l'organe suprême chargé d'assurer l'unité d'interprétation de la loi sur tout le territoire (V. *Introduction*, n° 208). En revanche, l'interprétation des

---

(129) E. AGOSTINI, *L'équité : D.* 1978, chron. 7. – P. BELLET, *Le juge et l'équité :* in *Études Rodière*, p. 9. – N. DION, *Le juge et le désir du juste : D.* 1999, chron. 195. – Ch. ALBIGES, *De l'équité en droit privé,* LGDJ, 2000, préf. R. CABRILLAC.
(130) Pour une application de ce texte, voir Cass. 1re civ., 21 janv. 2003 : *Bull. civ.* I, n° 19, p. 14 ; *D.* 2003, 693, obs. V. AVENA-ROBARDET.

contrats n'est pas du ressort de la Cour suprême qui, en cette matière, s'efface devant le pouvoir souverain des juges du fond.

Ce renversement apparent de la hiérarchie s'explique très simplement. Interpréter la loi est une question de droit et le principe de l'unité de législation postule qu'il y ait une seule interprétation, donnée par une juridiction unique, la Cour de cassation. Interpréter un contrat est une question de fait puisqu'il s'agit avant tout de rechercher la volonté des parties ; plus proches des justiciables, les juges du fond sont les mieux placés pour cette recherche ; et le principe de l'unité de législation n'étant pas en cause (le contrat n'est que la loi des parties : C. civ., art. 1134), il n'y a pas matière, pour la Cour de cassation, à réaliser une quelconque unité d'interprétation.

481. – Le contrôle de la Cour de cassation. À ce principe de la compétence exclusive des juges du fond pour l'interprétation des conventions, sont apportés quelques tempéraments.

Ainsi, la Cour suprême contrôle la *qualification* donnée au contrat par les premiers juges (131). Déterminer la catégorie juridique à laquelle appartient telle convention litigieuse est une question de droit parce que cela conditionne l'application des règles de tel ou tel type de contrat. La question s'est posée par exemple pour le crédit-bail avant qu'il n'ait été réglementé ; elle se pose aussi pour les cartes de crédit : quelle est la nature du contrat qui unit le titulaire de la carte et l'organisme de crédit ?

De même, la Cour a un rôle à jouer en ce qui concerne l'interprétation des *contrats-types* diffusés à des milliers ou millions d'exemplaires (132) : les contrats d'assurance ou de transport, par exemple. Il y a en cette matière un besoin d'unité d'interprétation parce que, comme pour la loi, il serait très regrettable que plusieurs interprétations puissent coexister en France. Cela mènerait droit à l'injustice puisque la solution de chaque litige dépendrait du tribunal compétent, c'est-à-dire, en définitive, des règles de compétence territoriale.

Enfin, le pouvoir souverain des juges du fond ne les autorise pas à dénaturer les clauses claires et précises d'un contrat. Une clause claire et précise s'applique, elle ne s'interprète pas, même pour des motifs d'équité. Aussi, en exerçant un *contrôle de la dénaturation*, la Cour de cassation tient la main à ce que les juges du fond ne refassent pas, sous prétexte d'interprétation, les contrats qui leur paraissent injustes ou déséquilibrés (133).

---

(131) F. TERRÉ, *L'influence de la volonté individuelle sur les qualifications*, 1957. – Ph. JESTAZ, *La qualification en droit civil* : Droits, 1994, 45. – X. HENRY, *La technique des qualifications contractuelles*, thèse Nancy, 1992.

(132) J. LEAUTÉ, *Les contrats-types* : RTD civ. 1953, 429. – P. MALINVERNI, *Les conditions générales de vente et les contrats-types des chambres syndicales*, 1978. – B. BOCCARA, *Le clair et l'obscur (À propos de l'interprétation judiciaire des clauses-types)* : JCP 78, I, 2910.

(133) J. VOULET, *Le grief de dénaturation devant la Cour de cassation* : JCP 71, I, 2410. – J. BORÉ, *Un centenaire : le contrôle par la Cour de cassation de la dénaturation des actes* : RTD civ. 1972, 249. – C. MARRAUD, *La notion de dénaturation en droit privé français*, thèse Nancy, 1972.

Si l'interprétation peut permettre des ajustements, elle ne saurait être un biais pour opérer la révision des contrats.

§ 2. – La révision des contrats

482. – Échec à la force obligatoire des contrats. On sait que « les conventions légalement formées tiennent lieu de loi à ceux qui les ont faites » (C. civ., art. 1134). En vertu de ce principe de la force obligatoire des contrats, les parties ne peuvent modifier leurs engagements, ou les supprimer, que de leur consentement mutuel (V. *supra*, n° 416).

Mais, ce que l'une des parties ne peut faire unilatéralement, pourrait-elle le demander au juge ? En bref, le principe de la force obligatoire qui s'impose aux parties s'impose-t-il de manière identique au juge et même au législateur ?

La réponse, affirmative dans sa ligne générale, doit être nuancée. En effet, il est un certain nombre d'hypothèses dans lesquelles soit le législateur, soit le juge à la demande de l'une des parties, va modifier un élément du contrat (134). En pratique, il faut distinguer suivant qu'il s'agit d'une révision du prix ou d'une révision du terme fixé pour l'exécution.

A. – La révision du prix

483. – Les hypothèses de révision. En principe, la révision du prix suppose un déséquilibre entre ce prix et la prestation correspondante fournie par l'autre partie. Lié par le prix stipulé, le débiteur doit en principe s'exécuter. La rigueur de cette règle diffère suivant que le déséquilibre était initial ou qu'il est survenu en cours de contrat.

À cette hypothèse classique de déséquilibre entre les prestations réciproques il faut désormais ajouter un autre cas de révision dans la mesure où la loi a ouvert au juge la faculté de moduler ou réduire les engagements du débiteur en cas de surendettement.

1° Révision en cas de déséquilibre initial

484. – Rappel et renvoi. La justice contractuelle n'est pas une condition de validité des contrats si bien qu'un déséquilibre entre les prestations réciproques n'entraîne pas *ipso facto* la nullité de la convention. Même en matière de protection des consommateurs, « l'inadéquation du prix ou de la rémunération au bien vendu ou au service offert » n'est pas considérée comme abusive dès lors que la clause était rédigée de façon claire et compréhensive (C. consom., art. L. 132-1, al. 7). Néanmoins, une évolution s'est produite parallèlement qui a accru la protection des faibles contre les forts et supprimé des occasions de lésion (V. *supra*, n°s 292 et s.). Divers moyens sont offerts à ceux qui souffriraient d'un contrat déséquilibré dès l'origine.

---

(134) F. Brunet, *Le pouvoir modificateur du juge*, thèse Paris, 1973.

Ainsi l'*action en rescision pour lésion* est accordée contre toute convention lésionnaire aux mineurs non émancipés, et aux majeurs placés sous sauvegarde de justice ou en curatelle. Elle est également ouverte dans certains types de conventions : au profit du vendeur dans la vente d'immeuble, en matière de partage, etc. (V. *supra*, n°s 299 et s., pour l'énumération des cas).

En principe, la lésion est sanctionnée par la nullité de l'acte, mais le plus souvent l'exercice, par le bénéficiaire de la lésion, d'une faculté de rachat conduit au maintien du contrat moyennant une révision du prix. La réduction du prix est d'ailleurs la formule que choisit le législateur pour sanctionner les cas de lésion nouvellement créés.

Bien que la liste de ces cas soit limitative, la jurisprudence procède parfois à des réductions de prix sur un autre fondement juridique, l'*absence de cause* prise au sens de *contrepartie* (*supra*, n°s 301 et 305 et s.) : tel est le cas lorsque certains professionnels, mandataires, avocats, agents d'affaires, réclament des honoraires excessifs.

Enfin, de ces hypothèses on peut rapprocher l'*action estimatoire* qui permet à un acheteur de demander une réduction de prix lorsque la marchandise livrée est affectée de vices cachés qui en diminuent l'intérêt et l'usage (C. civ., art. 1641).

2° Révision en cas de déséquilibre ultérieur

485. – L'imprévision. Cette hypothèse correspond à une situation assez différente de la précédente.

Lorsqu'il y a dès l'origine déséquilibre entre les prestations d'un contrat, cela s'explique le plus souvent par l'inexpérience de l'une des parties ou par une contrainte résultant d'un rapport de forces défavorable. On peut presque dire qu'il s'agit d'un vice du consentement qui serait défini par son effet, la lésion, alors que les autres le sont par leur cause, l'erreur, le dol, la violence.

Au contraire, un déséquilibre survenant par la suite s'explique par un défaut de prévision (135). Souvent, il s'agit d'un contrat de longue durée comportant des prestations réciproques, les unes en nature, les autres en argent, et le créancier des sommes d'argent n'a pas songé à se prémunir contre les effets de l'érosion monétaire. Ou encore un fabricant de produits finis, qui aura promis de livrer une quantité importante à un prix déterminé, va se trouver affecté par une hausse brutale des matières premières ou des taux de change si bien qu'au lieu de réaliser un bénéfice, il va devoir vendre à perte ; or, l'expérience démontre qu'il est malaisé de prévoir l'évolution des prix des matières premières, qu'il s'agisse de produits pétroliers ou de métaux rares, et tout autant des taux

---

(135) H. Lécuyer, *Le contrat, acte de prévision :* in *Mélanges Terré*, p. 643.

de change (136). D'où le terme d'*imprévision* dont on qualifie les déséquilibres postérieurs à la conclusion du contrat (137).

En pratique, les hypothèses d'imprévision tenant aux variations de valeur de la monnaie ne se rencontrent plus guère de nos jours car l'érosion monétaire et la variation des taux de change ne sont plus des phénomènes imprévisibles contre lesquels on ne puisse se protéger.

Notamment, dans tout contrat de quelque importance comportant des prestations échelonnées dans le temps, les parties introduisent une clause d'indexation calquée sur la valeur de la prestation qui permet d'échapper aux conséquences néfastes de l'érosion monétaire (V. *supra*, n°s 432 et s., sur les clauses monétaires et leurs conditions de validité). Cette précaution est indispensable compte tenu de la position de la jurisprudence en cas d'imprévision.

Mais, outre l'érosion monétaire, de nombreux événements imprévus peuvent affecter l'équilibre du contrat, tel qu'il avait été voulu initialement par les parties, spécialement lorsque le contrat s'exécute sur une longue durée (138).

On note à cet égard une différence fondamentale entre la jurisprudence des juridictions de l'ordre judiciaire et la jurisprudence administrative.

486. – L'imprévision devant le juge judiciaire. L'imprévision n'étant envisagée par aucun texte, les tribunaux judiciaires ont appliqué purement et simplement le principe de la force obligatoire des conventions (*supra*, n°s 214 et s.). Chacun doit exécuter la prestation promise, sans qu'il y ait lieu de s'attacher à cette circonstance que cela risque de conduire l'une des parties à la ruine ; on n'est pas dispensé d'exécuter par cela seul que l'exécution est devenue plus difficile par suite de circonstances imprévues (139). Telle est la position retenue par la Cour de cassation dès 1876 dans le célèbre arrêt *Canal de Craponne*, position qui n'a jamais varié depuis.

---

(136) Cl. MÉNARD, *Imprévision et contrats de longue durée : un économiste à l'écoute du juriste* : in *Mélanges Ghestin*, 2001, p. 661.

(137) P. VOIRIN, *De l'imprévision dans les rapports de droit privé*, thèse Nancy, 1922. – E. DE GAUDIN DE LAGRANGE, *La crise du contrat et le rôle du juge*, thèse Montpellier, 1935. – DELMAS SAINT-HILAIRE, *L'adaptation du contrat aux circonstances économiques* : in *La tendance à la stabilité du rapport contractuel*, 1960. – EL GAMAL, *L'adaptation du contrat aux circonstances économiques*, 1967. – *Force majeure et imprévision*, éd. CCI, 1985. – D.-M. PHILIPPE, *Changement de circonstances et bouleversement de l'économie contractuelle*, Bruxelles, 1986. – J.-M. MOUSSERON, *La gestion des risques par le contrat : RTD civ.* 1988, 481. – Ph. STOFFEL-MUNCK, *Regards sur la théorie de l'imprévision. Vers une souplesse contractuelle en droit privé français contemporain*, préf. R. BOUT, Presses Universitaires Aix-Marseille, 1994. – L. GRYNBAUM, *Le contrat contingent. L'adaptation du contrat par le juge sur habilitation du législateur*, thèse Paris, II, 1998.

(138) Cl. WITZ, *Force obligatoire et durée du contrat* : in *Les concepts contractuels français à l'heure des principes du droit européen des contrats*, Dalloz, 2003, p. 175.

(139) Cass. civ. 6 mars 1876 : *D.* 1876, I, 193 ; *S.* 1876, 1, 161. – Cass. civ. 6 juin 1921 : *D.* 1921, 1, 73 et rapport COLIN ; *S.* 1921, 1, 193 et note HUGUENEY. – Cass. civ. 30 mai 1922 : *D.* 1922, 1, 69 ; *S.* 1922, 1, 289 et note HUGUENEY. – Cass. civ. 15 nov. 1933 : *Gaz. Pal.* 1934, 1, 58. – Cass. civ. 18 janv. 1950 : *D.* 1950, 1, 227. – Cass. com. 18 déc. 1979 : *JCP* 80, IV, 89.

Mais, sur le premier moyen du pourvoi : – Vu l'article 1134 du Code civil ; – Attendu que la disposition de cet article n'étant que la reproduction des anciens principes constamment suivis en matière d'obligations conventionnelles, la circonstance que les contrats dont l'exécution donne lieu au litige sont antérieurs à la promulgation du Code civil ne saurait être, dans l'espèce, un obstacle à l'application dudit article ; – Attendu que la règle qu'il consacre est générale, absolue, et régit les contrats dont l'exécution s'étend à des époques successives de même qu'à ceux de toute autre nature ; Que, dans aucun cas, il n'appartient aux tribunaux, quelque équitable que puisse leur paraître leur décision, de prendre en considération le temps et les circonstances pour modifier les conventions des parties et substituer des clauses nouvelles à celles qui ont été librement acceptées par les contractants ; – Qu'en décidant le contraire et en élevant à 30 centimes de 1834 à 1874, puis à 60 centimes à partir de 1874, la redevance d'arrosage, fixée à 3 sols par les conventions de 1560 et 1567, sous prétexte que cette redevance n'était plus en rapport avec les frais d'entretien du canal de Craponne, l'arrêt attaqué a formellement violé l'article 1134 ci-dessus visé ; – Par ces motifs, casse, dans la disposition relative à l'augmentation du prix de la redevance d'arrosage, l'arrêt rendu entre les parties par la cour d'appel d'Aix le 31 décembre 1873.

Cass. civ. 6 mars 1876 : *D.* 1876, 1, 193 ; *S.* 1876, 1, 161.

Cette jurisprudence, constante malgré les dévaluations successives de jadis, n'est pas à l'abri de toute critique sur le plan juridique et ne donne que d'amères satisfactions sur le plan de l'équité (140). Toutefois, cette attitude des tribunaux peut se justifier d'un point de vue économique : dans la mesure où les variations monétaires sont des mécanismes d'une politique économique, le juge risquerait de les perturber si, de sa propre autorité, il posait un principe général de révision des contrats.

Cela dit, en dépit de son aspect quelque peu obsolète, cette jurisprudence ne suscite plus désormais de gêne véritable au plan économique, du moins en ce qui concerne les variations monétaires. En revanche, la difficulté subsiste dans certains contrats, notamment dans les marchés de construction à forfait lorsque surviennent des « sujétions imprévues » tenant par exemple à la nature inattendue du sol (141).

487. – L'imprévision devant le juge administratif. On observera que la question se pose dans des termes voisins à propos des concessions de service public devant la juridiction administrative, et que cette dernière donne une solution différente. En effet, sans modifier le prix fixé par le contrat pour les fournitures aux particuliers, le Conseil d'État n'hésite pas à condamner l'autorité concédante à verser au concessionnaire une indemnité « pour charges extracontractuelles ayant bouleversé l'économie du contrat » (142). Cette solution est dictée par le souci de la continuité du service public, qui ne se retrouve pas pour les contrats de droit

---

(140) Ch. JAMIN, *Révision et intangibilité du contrat, ou la double philosophie de l'article 1134 du Code civil :* in *Que reste-t-il de l'intangibilité du contrat ? : Dr. et patrimoine* 1998, p. 50.

(141) C. SAMSON, *La remise en cause du prix par les sujétions imprévues : oui mais... (Vers une régulation contractuelle du bouleversement de l'économie du marché) : Constr. urb.,* avr. 2003, chron. n° 14.

(142) CE, 30 mars 1916, Gaz. de Bordeaux : *D.* 1916, 3, 25 ; *S.* 1916, 3, 17 et note HAURIOU. – CE, 9 déc. 1932, *Tramways de Cherbourg :* D. 1933, 3, 17 et note PELLOUX : *S.* 1933, 3, 9 et note LAROQUE. – CE, 15 juill. 1949 : *S.* 1950, 3, 61 et note MESTRE.

privé. L'État se trouve ainsi placé devant une alternative : ou bien il paie l'indemnité, ou bien il accepte un relèvement des tarifs.

Cette jurisprudence a été consacrée par une circulaire du 20 novembre 1974 relative à l'indemnisation des titulaires de marchés publics en cas d'accroissement imprévisible de leurs charges économiques (application de la théorie de l'imprévision) (143). Plus récemment, un décret est venu poser les règles selon lesquelles les marchés publics peuvent tenir compte des variations des conditions économiques (144).

Ce n'est plus une question de droit, mais de politique économique. Dans cette perspective, le législateur intervient parfois lui-même pour réviser certains contrats par des dispositions soit permanentes : prix de certains loyers, SMIC ; soit particulières : revalorisation des rentes viagères.

3° La révision du prix en cas de surendettement des particuliers

488. – L'adaptation du contrat par le juge. La loi du 31 décembre 1985, modifiée par deux lois des 8 février 1995 et 23 janvier 1998, a organisé une sorte de procédure collective en cas de surendettement des ménages ; il s'agit là d'une mesure de protection, non pas des créanciers, mais des débiteurs de bonne foi pour leurs dettes non professionnelles (C. consom., art. L. 331-2). Suivant cette disposition, il y a surendettement en cas d'« impossibilité manifeste pour le débiteur de bonne foi de faire face à l'ensemble de ses dettes non professionnelles exigibles et à échoir ».

Au *surendettement actif*, dû à des achats à crédit inconsidérés, qui était principalement visé à l'origine, s'ajoute désormais le *surendettement passif* qui frappe les accidentés de la vie, c'est-à-dire les victimes de la maladie, des accidents et plus encore du chômage. Pour traiter le surendettement, la loi a mis en place une procédure à deux étapes.

Dans une première étape, la commission départementale de surendettement « a pour mission de concilier les parties en vue de l'élaboration d'un plan conventionnel de redressement approuvé par le débiteur et les principaux créanciers », plan qui « peut comporter des mesures de report ou de rééchelonnement des paiements des dettes, de remise des dettes, de réduction ou de suppression du taux d'intérêt, de consolidation, de création ou de substitution de garantie » (C. consom., art. L. 331-6). En cas d'approbation de ce plan, on se trouve en présence d'une modification du contrat par les parties elles-mêmes, qui ne porte donc pas atteinte au principe de la force obligatoire du contrat (V. *supra*, n° 416).

En cas d'échec de cette phase amiable de la procédure, la commission peut recommander les diverses mesures visées à l'article L. 331-6 ; en présence d'une insolvabilité complète du débiteur, elle peut également

---

(143) *JO* 30 nov. 1974, p. 11971 ; *JCP* 74, III, 42248 ; *Gaz. Pal.* 1974, 2, L, 362.
(144) D. n° 2001-738 du 23 août 2001 : *JO* 24 août 2001, p. 13593 ; D. 2001, L, 2643.

recommander la suspension de l'exigibilité des créances pendant trois ans et, *in fine*, l'effacement de la dette si la situation du surendetté ne s'est pas améliorée (C. consom., art. L. 331-7-1). La décision finale appartiendra alors au juge de l'exécution, qui est donc libre de modifier les obligations contractuelles initialement souscrites.

Il s'agit là indéniablement d'un nouveau pouvoir accordé au juge de modifier un contrat, spécialement d'en modifier le prix, ou d'en reporter l'exigibilité (145). Un membre du Gouvernement propose aujourd'hui de remplacer ce système par un mécanisme dit « de rétablissement personnel » dérivé de la faillite civile en vigueur dans le droit local d'Alsace-Moselle.

B. – La révision du terme

489. – Caractère obligatoire du terme fixé au contrat. Le terme fixé pour l'exécution d'un contrat est un élément de la convention au même titre que le prix ; il est aussi obligatoire que le prix, même si parfois son importance est moindre dans l'esprit des parties.

Le cocontractant qui n'exécute pas à la date convenue commet donc une faute contractuelle susceptible d'engager sa responsabilité, si du moins il a été *mis en demeure* d'exécuter (V. *infra*, n° 715). En fait, il est assez fréquent dans le monde des affaires qu'un retard soit toléré par le créancier ; cette tolérance équivaut en pratique à un accord amiable par lequel créancier et débiteur conviendraient d'un report du délai.

À défaut, le débiteur en retard peut être autorisé à surseoir au paiement, soit par les tribunaux, soit par la loi.

1° Le report du terme par les tribunaux

490. – Divers textes permettent aux juges d'accorder des délais à un débiteur en difficulté. Quelles que soient les conditions d'octroi, les effets sont toujours identiques : le débiteur bénéficie d'un nouveau délai pendant lequel les poursuites des créanciers seront suspendues.

491. – Les délais de l'article 1184. D'abord, le juge saisi d'une demande en exécution forcée ou en résolution d'un contrat dispose d'un large pouvoir d'appréciation pour « accorder au défendeur un délai selon les circonstances » (C. civ., art. 1184, al. 3 ; V. *infra*, n° 501).

492. – Les délais de grâce. Des *délais de grâce* peuvent être octroyés par le juge en application des articles 1244-1 et suivants du Code civil (146).

---

(145) L GRYNBAUM, *La mutation du droit des contrats sous l'effet du traitement du surendettement* : Contr. Conc. Consom. 2002, chron. n° 16.

(146) G. RIPERT, *Le droit de ne pas payer ses dettes* : DH 1936, 57. – A. SÉRIAUX, *Réflexions sur les délais de grâce* : RTD civ. 1993, 789. – E. PUTMAN, *Retour sur le droit de ne pas payer ses dettes, in memoriam G. Ripert* : RRJ 1994, 109. – Ph. SOUSTELLE, *Les délais judiciaires différant l'exécution de l'obligation*, thèse Saint-Étienne, 1996.

Ils peuvent être demandés à toute juridiction, y compris au juge des référés en cas d'urgence (147), et pour toute dette contractuelle ou non (148), sauf exception en matière de lettre de change, billet à ordre, chèque, dépôt, etc.

La matière a été réformée par la loi du 9 juillet 1991 relative aux procédures civiles d'exécution (149).

Précédemment l'article 1244 du Code civil édictait que les délais devaient être accordés « en considération de la position du débiteur et compte tenu de la situation économique ». Les juges disposaient ainsi, en fait, d'un pouvoir souverain d'appréciation, dont ils usaient avec modération. Une limite dans le temps y était, toutefois, apportée : si le délai devait emprunter sa mesure aux circonstances, il ne pouvait cependant excéder deux ans. En pratique, cette durée se trouvait parfois augmentée en matière d'expulsion en raison des sursis accordés par l'administration.

Désormais, l'article 1244 est remplacé par quatre nouveaux articles (1244 à 1244-3). Les trois derniers concernent les délais de grâce, et mettent en place un système qui s'inspire de celui institué par la loi du 31 décembre 1989 sur le surendettement des particuliers et des familles.

Art. 1244-1. – Toutefois, compte tenu de la situation du débiteur et en considération des besoins du créancier, le juge peut, dans la limite de deux années, reporter ou échelonner le paiement des sommes dues.

Par décision spéciale et motivée, le juge peut prescrire que les sommes correspondant aux échéances reportées porteront intérêt à un taux réduit qui ne peut être inférieur au taux légal ou que les paiements s'imputeront d'abord sur le capital.

En outre, il peut subordonner ces mesures à l'accomplissement, par le débiteur, d'actes propres à faciliter ou à garantir le paiement de la dette.

Art. 1244-2. – La décision du juge, prise en application de l'article 1244-1, suspend les procédures d'exécution qui auraient été engagées par le créancier. Les majorations d'intérêts ou les pénalités encourues à raison du retard cessent d'être dues pendant le délai fixé par le juge.

Art. 1244-3. – Toute stipulation contraire aux dispositions des articles 1244-1 et 1244-2 est réputée non écrite.

De manière générale, les pouvoirs du juge se trouvent accrus. Ainsi, il peut, non seulement accorder des délais, mais aussi échelonner le paiement des sommes dues, le tout dans la même limite de deux ans que précédemment. En cas de report des échéances, il pourra, « par décision spéciale et motivée », réduire le taux d'intérêt jusqu'à la limite, du taux légal, ou même décider de l'imputation des paiements sur le capital.

---

(147) Ph. SOUSTELLE, *Le retour de la compétence du juge des référés pour octroyer un délai de grâce* : D. 1999, chron. 517.

(148) Par exemple pour les cotisations sociales impayées : Soc. 19 juill. 2001 : *JCP* 2002, II, 10098 et note A. BUGADA.

(149) H. CROZE, *La loi n° 91-650 du 9 juillet 1991 portant réforme des procédures civiles d'exécution : le nouveau droit commun de l'exécution forcée* : JCP 92, I, 3555 (V. n° 21).

Sa décision devra être prise « compte tenu de la situation du débiteur et en considération des besoins du créancier » ; à ce dernier égard, c'est là une nouveauté appréciable qui devrait rendre le juge attentif au sort du créancier. Dans ce même intérêt du créancier, le juge peut subordonner les mesures ci-dessus à l'accomplissement, par le débiteur, d'actes propres à faciliter ou à garantir le paiement de la dette (art. 1244-1).

Quelle qu'elle soit, la décision prise par le juge entraîne suspension des procédures d'exécution qui auraient été engagées par le créancier, par exemple suspension de la réalisation et des effets d'une clause de résiliation (150) ; de même, les majorations d'intérêts ou les pénalités encourues à raison du retard cessent d'être dues pendant le délai fixé par le juge (art. 1244-2).

Enfin, l'ensemble de ce dispositif est d'ordre public, toute stipulation contraire étant réputée non écrite (art. 1244-3). Ce système, qui a vocation à s'appliquer de manière générale à toutes les dettes (sauf les dettes d'aliments), y compris celles professionnelles, risque de soulever des problèmes de coordination avec les procédures collectives applicables aux professions commerciales, artisanales ou agricoles, et avec la procédure de redressement civil.

493. – La suspension des poursuites en cas de « faillite ». Les articles 1244-1 et suivants du Code civil visent l'hypothèse d'une dette isolée et, par là même, son intérêt est moindre pour les professionnels que pour les autres personnes. En effet, lorsqu'un professionnel est en difficulté, il l'est pour toute une litanie de dettes, non pour une seule. C'est dans cette optique qu'une ordonnance du 23 septembre 1967 avait permis au juge de prononcer une *suspension provisoire des poursuites* au profit des « entreprises en situation financière difficile mais non irrémédiablement compromise, dont la disparition serait de nature à causer un trouble grave à l'économie nationale ou régionale et pourrait être évitée dans des conditions compatibles avec l'intérêt des créanciers ».

La loi du 25 janvier 1985 relative au redressement et à la liquidation judiciaire des entreprises a mis en place un système différent, mais qui comporte également suspension des poursuites individuelles à compter du jugement d'ouverture du redressement judiciaire.

494. – La suspension des poursuites et les reports et rééchelonnements en cas de surendettement des particuliers. En cas de surendettement des particuliers, la loi prévoit la possibilité pour le juge d'adapter le contrat, adaptation qui peut aller jusqu'à la remise de dettes. Corrélativement, le juge peut, « si la situation du débiteur l'exige », prononcer la

---

(150) Cass. 3ᵉ civ., 2 avr. 2003 (à la condition toutefois que la résiliation n'ait pas été constatée ou prononcée par une décision de justice ayant acquis l'autorité de la chose jugée).

suspension provisoire » des poursuites pour une durée ne pouvant excéder un an (C. consom., art. L. 331-5). Mais ce n'est là qu'une situation transitoire, dans l'attente de mesures définitives qui seront proposées par la Commission : parmi celles-ci figurent le report ou le rééchelonnement des dettes, et un moratoire pouvant aller jusqu'à trois ans (C. consom., art. L. 331-7-1).

2° Le report du terme par la loi

495. – Il arrive que le législateur intervienne dans des circonstances exceptionnelles pour accorder des *moratoires*, c'est-à-dire des délais de paiement. Ces mesures, qui ont toujours un caractère législatif, peuvent viser soit une catégorie de personnes, les rapatriés d'Algérie, par exemple, soit une catégorie de dettes, les loyers, par exemple.

En dehors de ces moratoires qui correspondent à des périodes troublées, le législateur est aussi intervenu d'une manière générale en matière de bail pour conférer au locataire en place, qu'il soit civil, commercial ou rural, le droit au *maintien dans les lieux* à l'expiration du contrat. C'est le terme extinctif du contrat qui se trouve ici repoussé *sine die*, et il en résulte une véritable transformation de la nature du droit du preneur : son droit ne s'exerce plus seulement à l'encontre du bailleur, mais directement sur les lieux loués (V. *Introduction*, n° 145).

§ 3. – La résolution des contrats (151)

496. – **Que faire en cas d'inexécution ?** Comme la nullité, la résolution aboutit à un anéantissement, en principe rétroactif, du contrat (V. *supra*, n° 399). Mais ce même effet est dû à des causes différentes : le contrat sera résolu, non parce qu'il lui manque une condition de validité, mais tout simplement parce que l'une des parties ne veut pas ou ne peut pas l'exécuter.

Sur un plan pratique, le problème de la résolution se pose pour les contrats qui comportent des obligations réciproques. Lorsque l'un des cocontractants n'exécute pas, que peut faire l'autre ?

À supposer que lui-même n'ait pas déjà fourni sa prestation, il peut adopter une position d'attente ; et si son cocontractant a le front de lui demander l'exécution, il invoquera l'*exception d'inexécution* pour s'y soustraire (V. *supra*, n°s 418 et s.). Mais il est évident qu'une pareille situation ne peut pas se prolonger indéfiniment. Une solution rapide est encore plus nécessaire si l'un a, sans attendre, exécuté ses obligations. Il serait

---

(151) J. ROCHFELD, *Résolution et exception d'inexécution* : in *Les concepts contractuels français à l'heure des principes du droit européen des contrats*, Dalloz, 2003, p. 213.

légitime qu'il reçoive la contrepartie ou qu'à défaut sa prestation lui soit rendue (152).

497. – L'option entre l'exécution forcée et la résolution. Pour sortir de l'impasse, celui qui est disposé à exécuter a une option entre deux demandes judiciaires : ou bien il réclame l'*exécution forcée* de l'obligation de l'autre, en nature ou en équivalent, ou bien, choisissant la voie de la *résolution*, il requiert l'anéantissement du contrat et, le cas échéant, la restitution de sa prestation (C. civ., art. 1184).

> **Art. 1184.** – La condition résolutoire est toujours sous-entendue dans les contrats synallagmatiques, pour le cas où l'une des deux parties ne satisfera point à son engagement.
>
> Dans ce cas, le contrat n'est point résolu de plein droit. La partie envers laquelle l'engagement n'a point été exécuté a le choix ou de forcer l'autre à l'exécution de la convention lorsqu'elle est possible, ou d'en demander la résolution avec dommages et intérêts.
>
> La résolution doit être demandée en justice, et il peut être accordé au défendeur un délai selon les circonstances.

Parce que l'exécution forcée se présente dans les mêmes termes pour toutes les obligations, même non contractuelles, cette question sera envisagée plus loin à propos de la mise en œuvre du rapport d'obligation (V. *infra*, n°s 823 et s.). La résolution du contrat trouve au contraire sa place naturelle ici pour une double raison : d'une part, elle ne concerne que les contrats, d'autre part, elle poursuit non pas l'accomplissement du contrat mais son anéantissement, c'est-à-dire la mise à néant de sa force obligatoire.

L'action en résolution appartient au cocontractant victime de l'inexécution (153) ; mais elle peut aussi être exercée par ses créanciers agissant par la voie oblique (V. *infra*, n°s 835 et s.).

A. – Conditions d'exercice de la résolution

498. – Fondement de la résolution. La résolution ne peut intervenir que dans certains contrats, pour certaines causes, et à la suite d'une décision judiciaire.

Sur un plan théorique, trois explications ont été avancées pour justifier la résolution. L'explication historiquement la meilleure figure dans le

---

(152) M. PICARD et A. PRUDHOMME, *De la résolution judiciaire pour inexécution des obligations* : RTD civ. 1912, 61. – R. CASSIN, *Réflexions sur la résolution judiciaire des contrats pour inexécution* : RTD civ. 1945, 159. – *Les sanctions attachées à l'inexécution des obligations contractuelles* : in Trav. Ass. H. Capitant, 1964, t. XVII. – R. DESGORCES, *La combinaison des remèdes en cas d'inexécution du contrat imputable au débiteur* : in Mélanges D. Tallon. – C. RIGALLE, *La résolution partielle du contrat*, Dalloz, 2003.

(153) Un arrêt a néanmoins admis la recevabilité de l'action exercée par un syndicat de copropriété en résolution du bail à usage d'habitation consenti par l'un des copropriétaires, dans un cas où le locataire y exerçait une activité professionnelle en contravention avec l'article L. 631-7 CCH, disposition d'ordre public aux termes de laquelle les locaux à usage d'habitation ne peuvent être ni affectés à un autre usage ni transformés, sauf dérogation par autorisation administrative préalable et motivée : Cass. 3e civ., 15 janv. 2003 : *Bull. civ.* III, n° 8, p. 8.

Code civil, à l'article 1184 : « La condition résolutoire est toujours sous-entendue dans les contrats synallagmatiques, pour le cas où l'une des deux parties ne satisfera point à son engagement » ; mais elle est devenue inconciliable avec les termes du code qui exigent l'intervention du juge et lui accordent un large pouvoir d'appréciation. S'il s'agissait bien d'une condition résolutoire, son effet devrait être automatique.

C'est pourquoi les auteurs ont proposé d'autres explications : par suite de l'inexécution de l'une des obligations, l'autre perdrait sa *cause*, sa contrepartie et le contrat serait donc nul (H. Capitant) ; ou encore, l'idée, plus large et moins technique, d'une *interdépendance* (154) entre les obligations réciproques.

1° Les contrats susceptibles de résolution

499. – Contrats synallagmatiques et contrats réels. La résolution est fondée sur une idée de bon sens : l'obligation de l'un n'a plus de raison d'être lorsque l'autre n'en fournit pas la contrepartie. Ce fondement permet de délimiter le champ d'application de cette sanction : elle a sa place naturelle pour tous les contrats comportant des obligations réciproques, et pour eux seuls.

Tel est bien le principe. Cela vise tous les contrats *synallagmatiques*, vente, louage, mandat, etc., sauf quelques rares exceptions motivées par des causes particulières : cession d'office ministériel, partage avec soulte, rente viagère.

Mais sont également concernés tous les *contrats réels*, gage, prêt, etc., qui se forment par la remise d'une chose (V. *supra*, n° 59) ; bien qu'étant une condition de formation du contrat, cette remise de la chose introduit un élément de réciprocité qui justifie l'application éventuelle de la résolution (155).

Ainsi, en définitive, la quasi-totalité des contrats peut être résolue.

2° Les causes de résolution

500. – Inexécution grave. La bonne foi comme la sécurité des transactions postulent qu'un cocontractant ne puisse prendre prétexte de la moindre bavure dans l'exécution d'un contrat pour obtenir la résolution : il faut justifier d'une inexécution grave.

Faut-il, en outre, que l'inexécution soit imputable à faute au débiteur (156) ? Cette condition, souhaitée par la doctrine, n'est pas exigée par

---

(154) S. Bros, *L'interdépendance contractuelle*, thèse Paris II, 2001.

(155) V. Larribau-Terneyre, *Le domaine de l'action résolutoire : recherches sur le contrat synallagmatique*, thèse Pau, 1988.

(156) B. Fages, *Le comportement du contractant*, préf. J. Mestre, PUAM, 1997. – C. Chabas, *L'inexécution licite du contrat*, LGDJ, 2002.

la jurisprudence qui prononce la résolution même dans le cas d'une inexécution non fautive, due à un cas de force majeure. En pratique, la querelle est plus terminologique que réelle car elle est sans influence sur les solutions : simplement les auteurs parlent alors de *théorie des risques* là où la jurisprudence parle de résolution.

La mise en œuvre de la résolution soulève des difficultés lorsque l'inexécution, au lieu d'être totale, n'est que partielle. Il appartient alors au juge d'apprécier dans chaque cas si l'inexécution est telle que la résolution doive être prononcée ou si, au contraire, la prestation fournie présente un intérêt suffisant pour le créancier, quitte à lui allouer des dommages-intérêts pour compenser la différence (157).

Tout ici est question d'espèce, et il est en conséquence difficile de poser des principes très fermes. Par exemple, un retard minime dans l'exécution d'un contrat peut être indifférent dans un cas, et revêtir une importance majeure dans un autre : il suffit de supposer un ordre de bourse exécuté avec retard, à un moment où les cours se seront peut-être effondrés. Ainsi, suivant les circonstances, une inexécution partielle en quantité ou en qualité, ou encore l'inexécution d'une obligation accessoire, pourront entraîner soit la résolution, soit seulement des dommages-intérêts.

Lorsque, dans un contrat de vente, l'inexécution tient à l'existence de *vices cachés*, la résolution est remplacée par une procédure plus spécialisée (C. civ., art. 1641 et s.) par laquelle l'acheteur peut demander, à son choix, la résolution de la vente (*action rédhibitoire*) ou la réduction du prix (*action estimatoire*).

3° Nécessité d'une décision judiciaire et résolution de plein droit

501. – Les pouvoirs du juge. Le principe est que la résolution ne découle pas automatiquement de l'inexécution ; elle doit être demandée au tribunal et elle n'est pas une issue inéluctable.

D'abord le créancier peut préférer poursuivre l'exécution forcée du contrat plutôt que demander la résolution. À supposer que cette dernière voie soit choisie, le débiteur peut encore l'éviter en offrant d'exécuter, même en cours d'instance.

Ensuite, en raison de son pouvoir d'appréciation, le juge n'est jamais contraint de prononcer la résolution.

Il peut accorder au débiteur « un délai selon les circonstances » (art. 1184, al. 3) pour exécuter et ce délai ne se confond pas avec les délais

---

(157) Dans les contrats à exécution échelonnée, la jurisprudence décide que la résolution pour inexécution partielle atteint l'ensemble du contrat, ou certaines de ses tranches seulement, suivant que les parties ont voulu faire une convention indivisible ou fractionnée en une série de contrats (Cass. 1re civ., 3 nov. 1983 : *Bull. civ.* I, n° 252, p. 227 ; *Defrénois* 1984, 1, 1014, obs. J.-L. AUBERT. – 13 janv. 1987 : *JCP* 87, II, 20860, obs. G. GOUBEAUX).

de grâce de l'article 1244-1 du Code civil. Il s'ensuit qu'ici le juge est libre d'accorder un délai pour l'exécution sans avoir à observer les règles des articles 1244-1 et suivants (V. *supra*, n° 492).

Il peut allouer des dommages-intérêts ou, ultime décision, prononcer la résolution avec ou sans indemnité. La condamnation à dommages-intérêts suppose que soient réunies les conditions de la responsabilité civile, à savoir une inexécution fautive (et non pas due à un cas de force majeure) ayant provoqué un préjudice que l'indemnité a précisément pour but de réparer.

En pratique, la décision du juge dépend de la mesure de l'inexécution, et de la bonne ou mauvaise foi des parties. Il en résulte une certaine incertitude sur le sort du contrat, aggravée par les lenteurs inhérentes à toute procédure. Cet inconvénient est apparu si gênant, notamment dans le droit des affaires, que la pratique a imaginé d'insérer dans les contrats des *clauses de résolution de plein droit*.

502. – **Les clauses de résiliation de plein droit** (158).

RÉSILIATION DE PLEIN DROIT

En cas de non-paiement à son échéance de l'une des sommes dues par le locataire au titre du loyer ou des charges récupérables et deux mois après un commandement de payer resté sans effet, la présente location sera résiliée de plein droit, si bon semble au bailleur, et l'expulsion du locataire poursuivie, s'il y a lieu, sur simple ordonnance de référé, sauf l'effet d'une demande de délai par le locataire, conformément à l'article 24 de la loi du 6 juillet 1989.

De même, en cas de défaut d'assurance du locataire contre les risques dont il doit répondre en sa qualité de locataire et un mois après un commandement de s'assurer resté sans effet, la présente location sera résiliée de plein droit, si bon semble au bailleur, conformément à l'article 7 de la loi précitée, et l'expulsion du locataire poursuivie, s'il y a lieu, sur simple ordonnance de référé.

Le commandement de payer sera nul et sans effet s'il ne contient pas la reproduction des quatre premiers alinéas dudit article 24 et du dernier paragraphe dudit article 7.

Ces clauses, qui s'analysent comme des conditions résolutoires en cas d'inexécution (V. *supra*, n° 429), sont en principe valables, sauf exception pour des motifs d'ordre social, par exemple dans le bail à ferme. S'il est stipulé en termes exprès que tel fait d'inexécution constaté de telle manière entraînera de plein droit la résolution du contrat, les effets de cette clause seront les suivants : le créancier, bénéficiaire de la clause, conserve le libre choix entre l'exécution forcée et la résolution ; s'il choisit la résolution, le débiteur ne peut l'éviter en proposant d'exécuter ; le juge

---

(158) J. Borricand, *La clause résolutoire dans les contrats* : RTD civ. 1957, 433. – J. Viatte, *La clause de résiliation de plein droit dans les baux commerciaux* : Gaz. Pal. 1981, 1, doctr. 314. – C. Paulin, *La clause résolutoire*, LGDJ, 1996.

n'a pas à intervenir, sauf en cas de contestation sur le fait matériel de l'inexécution (159).

Cet usage permet d'éviter l'aléa tenant au pouvoir d'appréciation du juge. Il suffit pour cela de préciser le seuil, défaut de paiement du prix à telle date, ou inexécution de la prestation *x* jours après une mise en demeure par exemple, à partir duquel la résolution est encourue. Pour retenir la qualification de clause de résolution de plein droit la jurisprudence exige que soit exprimée, de manière expresse et non équivoque, la commune intention des parties de mettre fin de plein droit à leur convention (160).

Par ailleurs, la jurisprudence considère que la mise en œuvre de la clause résolutoire par une partie n'empêche ni cette partie, ni l'autre partie, d'exercer ultérieurement l'action en résolution (161).

La généralisation de ces clauses de résolution de plein droit les fait parfois considérer comme abusives et a entraîné une réaction du législateur et des tribunaux. C'est ainsi que, par exemple, en matière de bail, de vente d'immeuble à construire et de contrat de promotion immobilière, la loi reporte l'effet de ces clauses un mois après mise en demeure restée infructueuse et permet au défendeur de demander, pendant ce mois, un délai de grâce qui peut atteindre deux ans (162).

503. – Autres cas de résolution de plein droit. En dehors même de toute clause de ce genre, la résolution est aussi de plein droit dans certaines situations pour lesquelles une solution immédiate est nécessaire. Faute de pouvoir attendre l'issue d'un procès, on admet que le créancier est en droit de considérer le contrat comme résolu, sauf à saisir ensuite le juge pour apprécier la légitimité des motifs de cette résolution unilatérale.

Ainsi, en matière de vente de marchandises avec stipulation que l'acheteur en prendra livraison dans un certain délai, le défaut de *retirement* à la date convenue entraîne la résolution automatique au profit du vendeur

---

(159) Ainsi, le juge ne peut pas octroyer de délai (Cass. 3e civ., 26 avr. 1989 : *JCP* 89, IV, 239), ni modérer l'effet de la clause résolutoire qui ne saurait être analysée comme une clause pénale au sens de l'article 1152 du Code civil (Cass. 3e civ., 20 juill. 1989 : *JCP* 89, IV, 358). Mais il peut néanmoins tenir compte de la bonne foi de celui qui a manqué à son obligation (Cass. 3e civ., 13 avr. 1988 : *D.* 1989, 334 et note J.-L. AUBERT, V. F. OSMAN, *Le pouvoir modérateur du juge dans la mise en œuvre de la clause de résolution de plein droit :* Defrénois 1993, 1, 65, art. 35433).
(160) Cass. 3e civ., 7 déc. 1988 : *D.* 1988, IR, 299. – Cass. 1re civ., 13 déc. 1988 : *JCP* 89, II, 21349, obs. M. BÉHAR-TOUCHAIS. – Cass. 3e civ., 12 oct. 1994 : *JCP* 1994, IV, 2509 ; *JCP* 1995, I, 3828, n° 11 à 15, obs. Ch. JAMIN.
(161) Cass. 3e civ., 4 mai 1994 : *JCP* 1995, II, 22380 et note B. BOCCARA. – 24 nov. 1999 : *Bull. civ.* III, n° 228, p. 159.
(162) Y. PICOD, *La clause résolutoire et la règle morale :* JCP 90, 1, 3447. – J.-M. LEGRAND, *La clause résolutoire n'est plus ce qu'elle était :* Administrer, avr. 1990, p. 15. – A. JACQUIN, *La modification des clauses résolutoires :* Gaz. Pal. 1990, doctr. 408. – Ch. PAULIN, *La clause résolutoire dans les baux immobiliers. Étude de jurisprudence :* Droit et Ville 1998, n° 46, p. 203.

(C. civ., art. 1657). Dans le même esprit, et par une sorte de réciprocité, la jurisprudence permet à l'acheteur de marchandises non livrées dans le délai prescrit de « se remplacer » en achetant ailleurs, en cas d'urgence (163).

Enfin, il faut ici rappeler que la résolution est également unilatérale et de plein droit dans les contrats fondés sur des rapports de confiance, dont la continuation pendant une procédure de résolution serait inconcevable : par exemple, le mandat (*supra*, n° 417).

Cela dit, en dépit du caractère normalement judiciaire de la résolution, la jurisprudence admet la validité d'une résiliation unilatérale en cas de faute particulièrement grave de l'autre partie ou à raison de l'urgence (164) (V. *supra*, n° 417).

B. – Les effets de la résolution

504. – Les règles générales. L'exercice de l'action en résolution présente un intérêt tout particulier lorsqu'il s'agit d'une vente d'objets mobiliers à un commerçant en état de cessation de paiements. Si l'action est intentée avant que l'acheteur n'ait été déclaré en faillite, le vendeur pourra reprendre en nature les marchandises vendues et échappera ainsi aux conséquences de l'insolvabilité de son débiteur. La *clause de réserve de propriété* jusqu'à complet paiement du prix permet également d'échapper à l'insolvabilité de l'acheteur, même en cas de faillite depuis la loi du 12 mai 1980 (165).

On enseigne que la résolution du contrat produit des effets identiques à ceux d'une annulation : il y a anéantissement rétroactif du contrat, et

---

(163) Cass. com. 12 nov. 1969 : *D.* 1970, somm. 103 (transport maritime paralysé par une grève et pèlerinage à une date fixe). – Colmar 7 févr. 1975 : *D.* 1978, 169 et note P. ORTSCHEIDT. – D. PLAN-TAMP, *Le particularisme du remplacement dans la vente commerciale* : *D.* 2000, doctr. 243.

(164) TERRÉ, SIMLER et LEQUETTE, *Obligations*, n° 660. – J. GHESTIN, CH. JAMIN et M. BILLIAU, *Les effets du contrat*, 3e éd., nos 472 et s.

(165) R. HOUIN, *L'introduction de la clause de réserve de propriété dans le droit français de la faillite* : JCP 80, I, 2978. – F. DERRIDA, *La clause de réserve de propriété et le droit des procédures collectives* : *D.* 1980, chron. 293. – J. GHESTIN, *Réflexions d'un civiliste sur la clause de réserve de propriété* : *D.* 1981, chron. 1. – Y. CHAPUT, *Les clauses de réserve de propriété (Commentaire de la loi n° 80-335 du 12 mai 1980)* : JCP 81, I, 3017. – W. GARCIN et J. THIEFFRY, *La clause de réserve de propriété*, 1981. – Y. DEMOURES, *La vente avec réserve de propriété et la loi du 12 mai 1980* : RTD com. 1982, 33. – Ph. BÉNÉZÉRA, *Réserve de propriété et procédure collective. Contribution à la mise en œuvre du droit de revendication* : Gaz. Pal. 1989, 1, doctr. 1. – F. PÉROCHON, *La réserve de propriété dans la vente de meubles corporels*, préf. F. DERRIDA, Litec, 1988. – Th. MARGELLOS, *La protection du vendeur à crédit d'objets mobiliers corporels à travers la clause de réserve de propriété (étude de droit comparé)*, préf. J.-M. BISCHOFF, LGDJ, 1990. – E. ROBINE, *La clause de réserve de propriété depuis la loi du 12 mai 1980*, Litec, 1991. – G. PONCEBLANC et T. MONOD, *La clause de réserve de propriété ou l'émergence des garanties « frustres » sur les garanties réelles* : Gaz. Pal. 12-13 août 1992. – F. PEROCHON, *La revendication favorisée (loi n° 94-475 du 10 juin 1994)* : *D.* 1994, chron. 251. – Cl. OPHELE ROSSETTO, *Clause de réserve de propriété et protection pénale des biens* : RTD com. 1995, 87. – E. CHARLERY, *L'efficacité de la réserve de propriété en cas de redressement judiciaire de l'acquéreur (À propos de Cass. com. 9 janv. 1996)* : JCP 1997, I, 4013. – D. VOINOT, *Le refus par l'acheteur de la clause de réserve de propriété en droit des procédures collectives* : *D.* 1997, chron. 312.

---

chacun restitue ce qu'il a reçu (166). Toutefois, la rétroactivité rencontre ici les mêmes obstacles qu'en matière de nullité, et elle est beaucoup plus contestée dans la mesure où le contrat a pu être exécuté de manière satisfaisante pendant un certain temps, jusqu'au jour de l'inexécution justifiant la résolution ; le contrat disparaît alors du jour de cette inexécution (167). Par ailleurs, on admet que la rétroactivité supporte divers tempéraments (168).

C'est ainsi que la restitution des prestations sera éludée pour les *contrats successifs* (169) : les comptes seront arrêtés au jour de la résolution ; pour manifester que l'abrogation concerne l'avenir seulement, et que les actes passés sont maintenus, on dit qu'il y a *résiliation*.

Les mêmes solutions doivent être transposées aux contrats translatifs de propriété lorsque, avant la résolution, des tiers ont légitimement acquis, du nouveau propriétaire, des droits sur le bien transmis (170). Pour toutes ces questions, on se reportera utilement à ce qui a été dit à propos des effets de la nullité (V. *supra*, nos 399 et s.).

Enfin, et de manière plus générale, on admet également que la résolution n'atteint pas les clauses du contrat qui, ayant leur propre autonomie, peuvent être détachées des obligations essentielles du contrat : par exemple une clause compromissoire (171), ou une clause attributive de compétence (172). Survivent également à la résolution les clauses qui ont pour objet de régler les conséquences de l'inexécution (173). Tel est notamment le cas des *clauses pénales* qui ont précisément été établies pour le cas où le contrat ne serait pas exécuté ; si elles ne survivaient pas à la résolution du contrat, elles seraient le plus souvent inutiles, ce qui irait à l'encontre de la volonté des parties qui, en stipulant de telles clauses, avaient en tête de les voir appliquer le moment venu (174).

---

(166) La restitution sera assortie le cas échéant d'une indemnité pour dépréciation (Cass. 1re civ., 4 oct. 1988 : *D.* 1988, IR, 256) ou pour occupation (Cass. 3e civ., 12 janv. 1988 : *JCP* 88, IV, 109). – 30 avr. 2003 : *D.* 2003, IR, 1408.

(167) Cass. 3e civ., 28 janv. 1975 ; *Bull. civ.* III, n° 33. – Cass. com. 28 janv. 1992 : *Bull. civ.* IV, n° 34. – Cass. 1re civ., 27 janv. 1998 : *Bull. civ.* I, n° 29.

(168) C. RIGALLE, *La résolution partielle du contrat*, Dalloz, 2003.

(169) J. GHESTIN, *L'effet rétroactif de la résolution des contrats à exécution successive* : in *Mélanges Raynaud*, p. 203.

(170) Cass. 3e civ., 15 janv. 1971 : *D.* 1971, somm. 152. – Cass. com. 3 janv. 1972 : *D.* 1972, 649 et note M. TROCHU. – Cass. 3e civ., 14 mai 1974 : *Gaz. Pal.* 1974, 2, 879 et note A. PLANCQUEEL.

(171) Cass. com. 12 nov. 1968 : *D.* 1969, 238.

(172) Cass. 2e civ., 11 janv. 1978 : *Bull. civ.* II, n° 13.

(173) V. en ce sens Cass. ch. mixte, deux arrêts, 23 nov. 1990 : *D.* 1991, 121 et note Ch. LARROUMET : « Vu l'article 1184 c. civ. ; Attendu que la résolution du contrat de vente entraîne nécessairement la résiliation du contrat de crédit-bail, sous réserve de clauses ayant pour objet de régler les conséquences de cette résiliation. »

(174) Ch. HUGON, *Le sort de la clause pénale en cas d'extinction du contrat* : *JCP* 1994, I, 3790.

505. – La charge des risques de perte de la chose (175). Il convient de préciser la solution d'un cas particulier, bien qu'assez fréquent : celui où une chose, meuble ou immeuble, faisant l'objet d'un contrat translatif périt entre le jour de la vente et celui de la livraison. Comment faut-il régler les restitutions en pareille circonstance où, précisément, l'une des prestations a disparu ? L'acheteur qui n'a pas reçu livraison peut-il exiger qu'on lui restitue le prix payé ? Ou, en d'autres termes, sur qui pèsent les risques de perte de la chose ?

Section II
De l'obligation de donner

Art. 1136. – L'obligation de donner emporte celle de livrer la chose et de la conserver jusqu'à la livraison, à peine de dommages et intérêts envers le créancier.

Art. 1137. – L'obligation de veiller à la conservation de la chose, soit que la convention n'ait pour objet que l'utilité de l'une des parties, soit qu'elle ait pour objet leur utilité commune, soumet celui qui en est chargé à y apporter tous les soins d'un bon père de famille. Cette obligation est plus ou moins étendue relativement à certains contrats, dont les effets, à cet égard, sont expliqués sous les titres qui les concernent.

Art. 1138. – L'obligation de livrer la chose est parfaite par le seul consentement des parties contractantes.

Elle rend le créancier propriétaire et met la chose à ses risques dès l'instant où elle a dû être livrée, encore que la tradition n'en ait point été faite, à moins que le débiteur ne soit en demeure de la livrer ; auquel cas la chose reste aux risques de ce dernier.

Ces risques sont en principe à la charge du propriétaire de la chose au moment du sinistre, et c'est à lui qu'il appartient d'assurer la chose : assurance de dommages causés à la chose et assurance de responsabilité du fait de la chose. D'où l'intérêt de savoir à quel moment le transfert de propriété s'est opéré (176). On sait que le changement de propriétaire s'accomplit pour les *corps certains* au moment même du contrat à moins qu'un terme n'ait été stipulé (V. *supra*, n° 423), et pour les *choses de genre* au moment de leur individualisation, c'est-à-dire le jour de la livraison le plus souvent.

Appliquant ces principes, on tiendra le langage suivant :

a) le vendeur de choses de genre, par exemple de marchandises, en demeure propriétaire tant qu'elles ne sont pas livrées. Si un sinistre les anéantit, la perte est pour lui. En cas de résolution du contrat, le vendeur

---

(175) Sur l'obligation de conservation de la chose, voir Cl. Pons-Brunetti, *L'obligation de conservation de la chose dans les contrats*, thèse Paris II, 1992. – D. Desrayaux, *École de l'exégèse et interprétations doctrinales de l'article 1137 du Code civil* : RTD civ. 1993, 535. – M.-L. Morançais-Demeester, *La responsabilité des personnes obligées à restitution* : RTD civ. 1993, 757.

(176) J.-P. Chazal et S. Vicente, *Le transfert de propriété par l'effet des obligations dans le Code civil* : RTD civ. 2000, 477.

devra restituer le prix à l'acheteur si ce dernier a déjà payé ; et si l'acheteur n'a pas payé, il en sera dispensé ;

b) le vendeur de corps certains, par exemple d'immeubles, en perd la propriété du jour du contrat, à moins que le transfert de propriété n'ait été expressément retardé. Qu'un sinistre survienne et la perte est pour l'acheteur, sauf clause contraire (C. civ., art. 1138). En cas de résolution, le vendeur conservera le prix ; il n'en irait autrement que si la perte de la chose lui était imputable, s'il n'avait pas livré malgré une mise en demeure, ou encore si le sinistre était dû à sa propre faute. Il s'agirait alors d'une question de responsabilité.

Numéros 506 à 510 réservés.

Titre 2

LES OBLIGATIONS LÉGALES

511. – Présentation générale. En présentant les sources des obligations (V. *supra*, nᵒˢ 20 ct s.), on a déjà vu qu'elles pouvaient être ramenées à deux. Une personne peut être obligée, soit parce qu'elle l'a voulu, soit parce que la loi le lui impose.

Dans le premier cas, l'obligation est voulue par les parties et, sur le plan de la technique juridique, elle résulte le plus souvent d'un contrat (V. *supra*, Titre I, nᵒˢ 52 et s.) qui est la forme la plus répandue des *actes juridiques*.

Dans le second cas, l'obligation est imposée par la loi et elle est attachée d'office à certains *faits juridiques* dont il importe peu qu'ils aient été voulus ou non par ceux qui les ont accomplis. Par exemple, la loi assortit la filiation d'une obligation alimentaire entre parents et enfants ; et, dans un autre ordre d'idées, elle crée une obligation de réparer les préjudices injustement causés. Ces obligations découlent de la loi elle-même, sans qu'il y ait lieu de rechercher si les père et mère d'une part, l'auteur du fait dommageable d'autre part, ont entendu ou non les assumer.

Le point de vue est donc bien différent de celui qui anime la matière des contrats : peu importe ici la volonté des personnes, l'un devient créancier et l'autre débiteur par la seule force de la loi.

En pratique, les faits qui, par application de la loi, donnent naissance à des obligations, sont très nombreux et divers. Ils touchent tous les domaines, patrimonial, extrapatrimonial et de la famille, et il n'est pas question d'en dresser une liste exhaustive.

On retiendra seulement ici les obligations légales de nature patrimoniale qui revêtent une portée suffisamment générale pour intéresser toutes les branches de l'activité juridique et économique. Il s'agit essentiellement de l'obligation de réparer le dommage injustement causé à autrui et, à un moindre titre, de l'obligation de compenser l'avantage reçu injustement d'autrui. Dans la terminologie juridique, la première est connue sous le titre de « responsabilité civile » et la seconde sous celui, fort ambigu, de « quasi-contrat ».

Chapitre 1

L'OBLIGATION DE RÉPARER LE DOMMAGE INJUSTEMENT CAUSÉ À AUTRUI : LA RESPONSABILITÉ CIVILE

512. – Du dommage en général et de sa réparation. La vie s'accompagne inéluctablement de dommages qui vont frapper telle ou telle personne.

C'est là une donnée de fait sur laquelle on peut agir dans une certaine mesure. Ainsi les mesures de *prévention* des accidents permettent d'éviter des dommages, qu'il s'agisse des accidents du travail, des accidents de la route, des accidents médicaux, etc. En ce sens on peut dire que la loi sur la « violence routière » est une loi sur la sécurité routière qui permettra d'économiser des vies humaines, de diminuer le nombre des blessés, donc de réduire globalement les dommages dus à la circulation routière. Mais, quelles que soient les précautions prises, on ne parviendra jamais au risque zéro. Il y aura toujours des dommages dont certains se trouveront être les victimes, plus ou moins innocentes suivant les cas.

Face à cette donnée de fait, la question est de savoir qui doit en supporter la charge. C'est à la loi qu'il incombe de le dire.

Si la loi ne dit rien, si elle ne prévoit aucun mécanisme d'indemnisation, le dommage qui s'est réalisé pèsera entièrement et exclusivement sur la victime. Or, si jadis on acceptait les coups du sort, la fatalité, dans le monde actuel, du moins le monde occidental, le dommage est ressenti comme inacceptable. D'une manière ou d'une autre il faut indemniser la victime. Comment y procéder ?

On peut tout d'abord imaginer et mettre en place un mécanisme de solidarité nationale, en général sous l'égide de l'État (1). C'est ainsi que sont réparés les *accidents du travail* et la *maladie* par le biais de la Sécurité sociale et, plus récemment, les dommages affectant les *victimes d'infractions* ou les conséquences des *catastrophes naturelles* (par un prélèvement sur les primes d'assurances) (2). De même, les lois des 4 mars 2002 et 30 décembre 2002 sur la responsabilité médicale ont édicté qu'ouvrirait droit à réparation au titre de la *solidarité nationale*, notamment le préjudice subi par l'enfant né handicapé (3), et les dommages résultant d'infections nosocomiales (4) entraînant un taux d'incapacité permanente supérieur à 25 % ou *a fortiori* le décès.

On peut également faire peser la charge de la réparation sur le *responsable* du dommage, à supposer bien évidemment que le dommage puisse être imputé à telle personne déterminée. Là encore, seule la loi et la jurisprudence peuvent déterminer les conditions de cette *responsabilité* : par exemple faut-il une faute ou un simple fait du responsable ? Dans la perspective d'assurer la réparation de ces dommages la loi a imposé une obligation d'*assurance de responsabilité* à ceux qui se livrent à certaines activités : assurance automobile, chasse, construction, etc.

Enfin, mais c'est là dans une large mesure de la prospective, on pourrait envisager que soit rendue obligatoire, non plus pour les auteurs mais pour les victimes potentielles de dommages, une *assurance de dommages* dans les domaines où le risque de dommages est le plus important (5). C'est déjà le cas en matière de construction où la réparation des dommages est préfinancée par l'assurance dommages-ouvrage, l'assureur pouvant ensuite exercer un recours contre les éventuels responsables.

Dans le cadre du présent chapitre, on ne traitera que de la responsabilité qui, seule, est une source d'obligations.

---

(1) R. GARNIER, *Les fonds publics de socialisation des risques* : JCP 2003, I, 143.

(2) H. GROUTEL, *L'indemnisation des victimes d'infraction et l'assurance de responsabilité civile* : in *Mélanges Lapoyade-Deschamps*, 2003. – A. SCHNEIDER, *La faute de la victime devant la CIVI* : D. 2003, chron. 1185.

(3) Y. LAMBERT-FAIVRE, *La loi n° 2002-303 du 4 mars 2002 relative aux droits des malades et à la qualité du service de santé, I, La solidarité envers les personnes handicapées* : D. 2002, chron. 1217. – C. LABRUSSE-RIOU, *L'indemnisation du handicap de naissance et la question de l'eugénisme* : in *Mélanges Lambert*, 2002. – P. MISTRETTA, *La loi n° 2002-303 du 4 mars 2002 relative aux droits des malades et à la qualité du service de santé. Réflexions critiques sur un droit en pleine mutation* : JCP 2002, I, 141. – Y. LAMBERT-FAIVRE, *La responsabilité médicale : la loi du 30 décembre modifiant la loi du 4 mars 2002* : D. 2003, chron. 361.

(4) Y. LAMBERT-FAIVRE, *La loi n° 2002-303 du 4 mars 2002 relative aux droits des malades et à la qualité du service de santé, III, L'indemnisation des accidents médicaux* : D. 2002, chron. 1367. – P. MISTRETTA, art. préc. – P. SARGOS, *Le nouveau régime des infections nosocomiales. Loi n° 2002-303 du 4 mars 2002* : JCP 2002, act., 276. – D. DENDONCKER, *Les infections nosocomiales, la jurisprudence et la loi n° 2002-303 du 4 mars 2002* : Gaz. Pal. 2003, doctr. 4-5 et 9-10 avril.

(5) V. en ce sens Ch. RUSSO, *L'avance sur recours, une solution à l'indemnisation des victimes d'accidents médicaux ?* : D. 2001, chron. 3211.

513. – Responsabilité civile et responsabilité pénale (6). Dans la mesure où on sera sans cesse amené à parler de responsabilité dans ce chapitre, il convient de régler d'entrée une question qui est source de nombreuses confusions. Il s'agit de la distinction entre la responsabilité pénale et la responsabilité civile.

514. – L'objet de la responsabilité pénale. Le droit pénal réprime un certain nombre de comportements asociaux ou antisociaux et édicte des peines destinées à châtier les coupables. Ces comportements répréhensibles sont déterminés et définis de manière limitative par la loi qui, dans le même temps, précise la peine applicable à chaque infraction considérée. Suivant la gravité de la peine retenue pour l'infraction, on sera en présence d'une *contravention*, d'un *délit* on d'un *crime*, et la compétence pour en juger appartiendra au tribunal de police, au tribunal correctionnel ou à la Cour d'assises (V. *Introduction*, n° 518). Ces infractions, qu'elles soient contre les biens (vol, escroquerie, abus de confiance, banqueroute, abus de biens sociaux, etc.), contre les personnes (assassinat, homicide, coups et blessures par imprudence, etc.), contre les mœurs (viol, exhibition sexuelle, agression sexuelle, etc.), engagent la responsabilité pénale de leurs auteurs.

Cette responsabilité pénale a pour seul et unique but de punir un coupable d'une peine, d'une sanction (prison, amende, par exemple), et non pas de réparer un préjudice causé à un particulier. Lorsqu'un individu est condamné à une peine de prison, cela donne peut-être une satisfaction morale à la victime, mais sans faire entrer un sou dans son escarcelle ; et de même pour les amendes, qui sont prononcées au profit de l'État. Ainsi, la responsabilité pénale ne répond pas du tout à l'idée d'une obligation de réparer un dommage injustement causé à autrui ; elle n'est pas une source d'obligations puisqu'une condamnation pénale n'établit pas un lien de créancier à débiteur entre la victime et le coupable.

515. – L'objet de la responsabilité civile. Parallèlement au droit pénal, le droit civil impose à celui qui cause un dommage à autrui l'obligation de le réparer. De ce point de vue, il ne se préoccupe nullement de châtier un coupable mais d'indemniser une victime, en lui allouant par exemple des dommages-intérêts qui ne doivent pas être compris comme une sanction (à la différence de l'amende) mais comme la juste et exacte réparation d'un préjudice.

---

(6) Sur la responsabilité civile, voir : H. et L. Mazeaud, *Traité théorique et pratique de la responsabilité civile, délictuelle et contractuelle*, 6ᵉ éd., 4 vol. – R. Savatier, *Traité de la responsabilité civile en droit français civil, administratif, professionnel et procédural*, 2ᵉ éd., 2 vol. – Ph. Le Tourneau et L. Cadiet, *Droit de la responsabilité* : Dalloz Action, 2002-2003. – G. Viney, *Introduction à la responsabilité*, 2ᵉ éd. 1995. – G. Viney et P. Jourdain, *Les conditions de la responsabilité*, 2ᵉ éd., 1998. – G. Viney et P. Jourdain, *Les effets de la responsabilité*, 2ᵉ éd. 2001. – Y. Chartier, *La réparation du préjudice*, 1983.

Tel est l'objet de la responsabilité civile qui se propose l'indemnisation de tous les dommages injustes, qu'ils aient été causés par une infraction pénale ou, comme c'est le cas le plus souvent, par un comportement non réprimé par la loi pénale. Par exemple, en matière de contrats, celui qui n'exécute pas dans les délais, ou mal, ou pas du tout, cause un préjudice à son cocontractant sans encourir pour autant en général une condamnation pénale ; et de même, en dehors de tout contrat, l'entreprise qui émet des bruits ou des odeurs gênants pour les voisins, et celui qui cause des dégâts purement matériels à autrui. L'originalité de la responsabilité civile se marque en outre sur le plan de la procédure qui est profondément différente et qui se déroule en principe devant les juridictions civiles ou commerciales.

516. – Les liens entre responsabilité civile et responsabilité pénale. Maintenant que responsabilité civile et responsabilité pénale ont été clairement dissociées, il importe d'apporter quelques nuances.

D'abord, d'un point de vue historique, elles ont été à l'origine confondues et toute l'évolution a consisté dans la conquête progressive d'une indépendance réciproque.

Mais surtout, la plupart des infractions pénales entraînent un préjudice au détriment d'un particulier, si bien que les deux responsabilités sont encourues à la fois par la même personne. Compte tenu de la différence des règles des deux matières, cela n'est pas sans entraîner d'importantes interactions (7) au niveau de l'action en réparation. Notamment, la juridiction pénale sera souvent saisie à la fois de l'*action publique* tendant au prononcé d'une peine (responsabilité pénale) et de l'*action civile* en réparation du dommage (responsabilité civile). La confusion parfois commise dans le public entre ces deux types de responsabilité découle sans doute de cette faculté offerte à la victime de porter son action civile en réparation devant la juridiction pénale et de déclencher par là même l'action publique. Il n'en demeure pas moins que ce sont deux questions bien distinctes.

517. – Responsabilité contractuelle et responsabilité délictuelle. Au contraire, l'opposition faite, au sein de la responsabilité civile, entre responsabilité *contractuelle* et responsabilité *délictuelle* est loin d'avoir la même portée. Il s'agit dans les deux cas d'une obligation de réparer, même s'il existe quelques différences tenant à ce que le fait dommageable est tantôt l'inexécution ou la mauvaise exécution d'un contrat, tantôt la violation du devoir général de ne pas nuire à autrui (8).

---

(7) Y. LAMBERT-FAIVRE, *L'éthique de la responsabilité : RTD civ.* 1998, 1.

(8) Certaines dispositions récentes ont instauré des cas de responsabilité qui échappent à la distinction entre responsabilité contractuelle et responsabilité délictuelle. Tel est notamment le cas des articles 1386-1 et s. sur la responsabilité du fait des produits défectueux.

Il a toutefois été fait observer que la responsabilité contractuelle remplit une double fonction : d'une part elle a une fonction de *paiement* en ce qu'elle assure l'exécution par équivalent de l'obligation contractuelle inexécutée, et d'autre part une fonction de *réparation* en ce qu'elle réalise l'indemnisation des dommages causés par l'inexécution ou la mauvaise exécution du contrat (9).

Partant de là, certains auteurs ont soutenu que la responsabilité contractuelle n'était que *l'exécution forcée* de l'obligation inexécutée, même par équivalent, et non pas une réparation. En bref la prétendue responsabilité contractuelle serait un faux concept (10). L'opinion majoritaire n'est cependant pas en ce sens (11). S'il est bien exact que la responsabilité contractuelle remplit une double fonction, la fonction d'exécution forcée s'opère par les techniques de la responsabilité et, allant au-delà de la simple exécution par équivalent, elle s'ouvre sur la réparation (V. cep. *infra*, n° 542).

C'est à l'étude de cette seule responsabilité civile, tant contractuelle que délictuelle, que sera consacré le présent chapitre, comme le marque bien l'intitulé choisi. La responsabilité pénale ne sera abordée que de manière latérale dans la mesure où ses règles rejaillissent sur l'action en réparation.

518. – Fondement de l'obligation de réparer : faute et risque. Avec l'article 544 du Code civil qui définit le droit de propriété, le texte le plus connu du Code civil est sans nul doute l'article 1382 aux termes duquel : « Tout fait quelconque de l'homme, qui cause à autrui un dommage, oblige celui par la faute duquel il est arrivé, à le réparer. »

Bien que ce principe général de responsabilité civile soit complété par quelques textes, relatifs les uns à la responsabilité pour inexécution des contrats, les autres à la responsabilité en dehors de tout contrat, des hésitations ont surgi quant aux conditions de l'obligation de réparer. Ces conditions dépendent pour une large part du fondement qu'on assigne à la responsabilité civile. Une évolution s'est faite et se poursuit qui tend à substituer à une responsabilité subjective fondée sur l'idée morale de faute,

---

(9) J. Huet, *Responsabilité contractuelle et responsabilité délictuelle. Essai de délimitation entre les deux ordres de responsabilité*, thèse Paris II, 1978.

(10) D. Tallon, *L'inexécution du contrat : pour une autre présentation : RTD civ.* 1994, 223. – *Pourquoi parler de faute contractuelle ? : in Mélanges Cornu*, 1994, p. 429. – Ph. Rémy, *La « responsabilité contractuelle » : histoire d'un faux concept : RTD civ.* 1997, 323.

(11) P. Jourdain, *Réflexion sur la notion de responsabilité contractuelle : in Les métamorphoses de la responsabilité*, PUF 1998, p. 65. – E. Savaux, *La fin de la responsabilité contractuelle ? : RTD civ.* 1999, 1. – Ch. Larroumet, *Pour la responsabilité contractuelle : in Mélanges Catala*, p. 543. – G. Viney, *La responsabilité contractuelle en question : in Mélanges Ghestin*, 2001, p. 921. – V. aussi P. Ancel, *La responsabilité contractuelle : in Les concepts contractuels français à l'heure des principes du droit européen des contrats*, Dalloz, 2003, p. 243.

une responsabilité objective reposant sur une notion assez imprécise de garantie des risques (théorie du risque) (12).

Pendant très longtemps on a considéré qu'obliger les individus en dehors de leur volonté devait être exceptionnel ; il fallait une justification impérieuse qu'on s'accordait à trouver dans l'idée de faute, et dans elle seule. La démarche consistait à se tourner vers l'auteur du dommage et à porter une appréciation sur sa conduite. Tel était l'esprit du Code civil, et cette conception a donné pleine satisfaction pendant plus d'un siècle.

L'insuffisance de ce fondement est apparue sur un plan pratique avec la multiplication de dommages « anonymes » pour lesquels il est très difficile de discerner une faute au sens fort de ce mot.

Tel était plus spécialement le cas des accidents dus à des choses et consécutifs au machinisme, à l'industrialisation, etc. Dans ces diverses hypothèses, en l'absence de faute prouvable, la victime n'était pas indemnisée. Cela fut ressenti d'autant plus durement que notre époque se caractérise par un souci toujours accru de sécurité. Plutôt que de rechercher une faute en la personne de l'auteur du dommage, on se penche plus volontiers vers la victime, dans le désir de lui assurer une garantie d'indemnisation. Par là même, la responsabilité civile dont l'objet est de réparer un préjudice, s'éloigne de plus en plus de la responsabilité pénale, laquelle se propose de punir un coupable.

On peut schématiser cette opposition entre la théorie de la faute et celle du risque de la manière suivante : dans la première conception, seule la faute justifie que l'auteur d'un dommage soit rendu débiteur ; dans la seconde, le dommage à lui seul justifie que la victime soit rendue créancière.

Ainsi, suivant que l'on s'attache à l'auteur du dommage ou à la victime, la perspective change. L'auteur ne peut être tenu responsable que si le dommage lui est imputable (13), mais la victime doit être indemnisée du seul fait qu'elle subit un préjudice injuste.

À cet égard, on notera que la Convention européenne des droits de l'homme invite à prendre en considération les droits de la victime dans la mesure où, précisément, elle consacre certains droits dont la violation doit emporter responsabilité (14). Spécialement, lorsqu'elle proclame que

---

(12) F. Gény, *Risques et responsabilité, à propos de deux thèses récentes* : RTD civ. 1902, 812. – L. Bach, *Réflexions sur le problème du fondement de la responsabilité civile en droit français* : RTD civ. 1977, p. 17 et 221. Parmi les tenants de la responsabilité fondée sur le risque, voir B. Starck, *Essai d'une théorie générale de la responsabilité civile, considérée en sa double fonction de garantie et de peine privée*, thèse Paris, 1947. – *Domaine et fondement de la responsabilité sans faute* : RTD civ. 1958, 475. Et parmi ceux de la responsabilité pour faute : H. Mazeaud, *La faute « objective » et la responsabilité sans faute* : D. 1985, chron. 13.

(13) P. Jourdain, *Recherche sur l'imputabilité en matière de responsabilité civile et pénale*, thèse Paris II, 1982.

(14) O. Lucas, *La convention européenne des droits de l'homme et les fondements de la responsabilité civile* : JCP 2002, I, 111.

« Le droit de toute personne à la vie est protégé par la loi » et que « Toute personne physique ou morale a droit au respect de ses biens », elle ouvre une large voie à un développement de la responsabilité.

519. – Glissement de la faute au risque. Dans le droit positif actuel, ces deux fondements coexistent, la faute expliquant certaines solutions cependant que l'idée de risque ou de garantie en fonde d'autres. Il est certain que le domaine de la faute tend à se réduire au profit de celui du risque (15), mais on ne saurait pour autant considérer que la responsabilité peut être totalement détachée de l'idée de faute (16).

Cela se manifeste en législation où des textes de plus en plus nombreux édictent une obligation de réparer en l'absence même de faute, par exemple pour la responsabilité du fait des produits défectueux (C. civ., art. 1386-1 et s.). La même tendance guide la jurisprudence qui donne, des textes existants, une interprétation volontiers favorable à une indemnisation systématique des victimes, par exemple pour la responsabilité des parents du fait de leurs enfants mineurs. L'existence et la généralisation des assurances de responsabilité n'a fait qu'accentuer ce mouvement.

Il est très délicat d'établir une hiérarchie entre les deux fondements car cela dépend du point de vue auquel on se place. Sur un plan théorique, on peut encore dire qu'en droit commun une faute est nécessaire pour que soit engagée la responsabilité civile d'une personne ; mais il faut ajouter tout de suite que se multiplient les exceptions fondées sur l'idée de risque qui réduisent considérablement la règle de droit commun (17).

520. – Cas de responsabilité pour risque. Ainsi, en matière d'accidents du travail, le patron, c'est-à-dire l'entreprise, est responsable de plein droit, en dehors de toute faute, des dommages survenus aux salariés à l'occasion de leur travail (L. 9 avril 1898, mod. 30 oct. 1946).

De même, les entreprises de transport aérien ont à leur charge, de plein droit, les dommages causés par les avions aux personnes ou aux biens se trouvant au sol ; de même pour les producteurs et utilisateurs d'énergie nucléaire, en cas de sinistre atomique ; de même pour les déments qui sont responsables des préjudices qu'ils occasionnent alors que leur inconscience est incompatible avec l'idée de faute.

---

(15) Y. LAMBERT-FAIVRE, *L'évolution de la responsabilité civile d'une dette de responsabilité à une créance d'indemnisation* : RTD civ. 1987, 1. – C. THIBIERGE, *Libres propos sur l'évolution du droit de la responsabilité (vers un élargissement de la fonction de la responsabilité civile)* : RTD civ. 1999, 561.

(16) Ph. LE TOURNEAU, *La verdeur de la faute dans la responsabilité civile (ou de la relativité de son déclin)* : RTD civ. 1988, 505. – Ch. RADÉ, *L'impossible divorce de la faute et de la responsabilité civile* : D. 1998, chron. 301. – *Réflexions sur les fondements de la responsabilité civile* : D. 1999, chron. 313 et 323.

(17) G. VINEY, *Pour ou contre un principe général de responsabilité pour faute ?* : in *Mélanges Catala*, p. 555.

Plus récemment cette évolution s'est concrétisée de manière éclatante dans la loi du 5 juillet 1985 tendant à l'amélioration de la situation des victimes d'accidents de la circulation et à l'accélération des procédures d'indemnisation (V. *infra*, nᵒˢ 641 et s.) (18), et dans celle du 19 mai 1998 sur la responsabilité du fait des produits défectueux (C. civ. art. 1386-1 et s.) (V. *infra*, nᵒˢ 671 et s.).

À ces textes qui écartent la faute comme condition de la responsabilité civile, s'ajoutent tous ceux qui présument, de manière souvent irréfragable, l'existence de cette faute ou même de la responsabilité. Ainsi le gardien d'une chose, d'un bâtiment ou d'un animal, c'est-à-dire celui qui en a l'usage, la direction et le contrôle, est responsable des dommages causés par cette chose ; de même les patrons sont civilement responsables des actes dommageables de leurs salariés, les artisans de ceux de leurs apprentis, les parents de ceux de leurs enfants. En matière de contrat, l'inexécution d'une obligation de résultat est présumée fautive. Il s'ensuit qu'en pratique la plupart des jugements de condamnation sont obtenus sans qu'il soit nécessaire de faire la preuve d'une faute.

521. – Influence de l'assurance de responsabilité. La notion de faute paraît aujourd'hui d'autant plus obsolète que l'assurance de la responsabilité civile connaît un développement considérable. À la limite, tout le monde sera bientôt assuré contre les conséquences de sa responsabilité civile ; en revanche l'assurance de la responsabilité pénale n'est pas admise, même pour les amendes. La loi oblige à s'assurer là où le risque de sinistre est particulièrement important : ainsi pour les accidents du travail, les accidents de voiture et de chasse ; dans ces deux derniers cas, la loi a institué un fonds de garantie, alimenté par des prélèvements sur les primes versées, pour indemniser ceux qui seraient victimes d'automobilistes ou de chasseurs insolvables et non assurés. Plus récemment la loi du 4 janvier 1978 a rendu obligatoire l'assurance de responsabilité, et même l'assurance de dommage en matière de construction de bâtiments.

L'assurance de responsabilité aboutit à faire supporter par la compagnie d'assurance, ou par la collectivité des assurés dans les mutuelles, les indemnités mises à la charge de chaque assuré, moyennant le paiement de primes. Un tel système de collectivisation ou de mutualisation des risques est excellent en ce qu'il garantit aux victimes l'indemnisation de leur préjudice, alors surtout que la loi leur accorde un droit direct contre l'assureur (V. *supra*, nᵒ 472), mais il dilue la notion de responsabilité et

---

(18) A. Tunc et autres, *Pour une loi sur les accidents de la circulation*, 1981. – A. Tunc, *Accidents de la circulation : faute ou risque : D.* 1982, chron. 103. – F. Chabas, *Le droit des accidents de la circulation après la réforme du 5 juillet 1985*, 2ᵉ éd., Litec. – G. Viney, *L'indemnisation des victimes d'accidents de la circulation*, LGDJ, 1992. – P. Jourdain, *Domaine et conditions d'application de la loi du 5 juillet 1985 : Gaz. Pal.* 1995, 1, doctr. 18-20 juin.

efface son caractère individuel. Or, dès l'instant qu'on établit par le biais de l'assurance une collectivisation des risques, il apparaît injuste de conditionner sa mise en œuvre par l'existence d'une faute, et non pas seulement d'un dommage (19).

522. – Caractère judiciaire de la responsabilité civile. Lorsque deux personnes concluent un contrat, les obligations stipulées naissent du seul fait du contrat, en dehors de toute intervention judiciaire ; tout au plus faudra-t-il sacrifier à quelques formalités, par exemple établir un acte écrit afin de se réserver la preuve du contrat, ou passer l'acte par-devant notaire. S'il en est ainsi, c'est qu'une telle obligation est conventionnelle : elle découle de la volonté, non de la loi.

Au contraire, l'obligation de réparer imposée par la loi implique presque toujours un recours judiciaire pour sa constatation officielle. Sans doute peut-il en être autrement, surtout lorsque le dommage résulte de l'inexécution d'un contrat. En effet, libres de prévoir les termes de leur accord, les parties peuvent aussi décider quelles seront les conséquences d'un éventuel manquement au contrat ; elles peuvent par exemple évaluer d'avance et forfaitairement le préjudice dans une *clause pénale* (V. *infra*, nos 745 et s.), ce qui évite les aléas d'une évaluation judiciaire. Ce peut être là une sage précaution. En outre, que le dommage soit intervenu ou non dans le cadre d'un contrat, auteur et victime peuvent convenir d'une réparation amiable par une *transaction* (V. *infra*, n° 747), sorte de contrat par lequel les parties, se faisant des concessions réciproques, terminent une contestation née ou préviennent une contestation à naître.

Mais, le plus souvent, les litiges de responsabilité civile se terminent devant le juge ; ce domaine est sans aucun doute l'un de ceux où on plaide le plus et il représente une part importante de l'activité judiciaire, même si la loi sur l'indemnisation des victimes d'accidents de la circulation a quelque peu allégé le contentieux.

523. – Plan. Il paraît nécessaire de présenter l'obligation de réparer dans son cadre naturel, qui est judiciaire, quitte à passer plus vite sur ce qui est technique pure. C'est ainsi que la responsabilité civile sera envisagée comme une action en justice (sect. 1), soumise à certaines conditions (sect. 2) et tendant à la réparation (sect. 3) d'un préjudice.

---

(19) G. Viney, *Le déclin de la responsabilité individuelle*, 1965.

Section 1

L'ACTION EN RESPONSABILITÉ CIVILE

524. – Nécessité d'une action en justice. À défaut d'accord antérieur (clause pénale dans un contrat) ou postérieur à la réalisation du dommage (transaction), la victime ne peut obtenir satisfaction que par un recours judiciaire, en l'espèce une action en responsabilité civile. Cette procédure, quel qu'en soit l'intérêt pour un futur avocat ou magistrat, ne sera pas présentée ici dans sa technicité mais en ce qu'elle peut intéresser tout juriste.

Sans entrer dans des subtilités de procédure, on exposera les règles relatives aux parties à l'action, à la compétence, à la cause de la demande et à la prescription. Ces règles, qui normalement relèvent du droit commun de la procédure civile, se trouvent perturbées lorsque le fait dommageable constitue à la fois une infraction pénale et une cause de responsabilité civile.

§ 1. – Les parties à l'action

A. – Le demandeur

525. – La victime. Dans toute action en justice, il y a un demandeur et un défendeur. Le demandeur, dans l'action en responsabilité civile, est en principe la victime du dommage ; peu importe qu'il s'agisse d'une personne physique ou d'une personne morale, une société par exemple, cette dernière agissant par l'intermédiaire de son représentant légal, président-directeur général ou gérant suivant les cas.

Le même acte dommageable peut d'ailleurs faire plusieurs victimes. Il faut penser ici non seulement à l'événement qui entraîne la mort ou l'incapacité de plusieurs personnes, mais aussi à celui qui fait une *victime immédiate* et des *victimes par ricochet*. Par exemple, à supposer qu'un ingénieur, directeur d'un laboratoire de recherches, soit la victime immédiate d'un accident qui lui fasse perdre sa force de travail intellectuel, seront victimes par ricochet sa famille dont il était le soutien et aussi l'entreprise à laquelle il appartenait et qui mettra peut-être plusieurs mois avant de le remplacer. L'action en responsabilité civile est ouverte à toutes les victimes, le seraient-elles *par ricochet* (V. *infra*, n° 550).

526. – Les ayants cause de la victime. Outre les victimes elles-mêmes, peuvent se porter demandeurs ses héritiers le cas échéant, et toutes les personnes qui auraient été *subrogées* dans leurs droits (sur la *subrogation*, V. *infra*, n°s 795 et s.).

En pratique, cela vise toutes les personnes qui auraient déjà indemnisé en tout ou en partie le préjudice subi et qui peuvent se retourner contre le responsable dans la limite des prestations versées : par exemple, la caisse de sécurité sociale qui a remboursé les frais médicaux ou pharmaceutiques d'un assuré accidenté par la faute d'un tiers, l'assureur qui garantissait un bien meuble ou immeuble incendié par suite d'une négligence d'un voisin, etc.

Enfin, l'obligation de réparer pouvant être cédée comme n'importe quelle autre créance, le *cessionnaire* de la créance, c'est-à-dire celui qui l'acquiert, peut aussi intenter l'action. Il en va de même des créanciers de la victime qui peuvent agir par la voie de *l'action oblique* (V. *infra*, n°s 835 et s.).

B. – Le défendeur

527. – Le défendeur en matière pénale. Le défendeur sera le responsable ; ce terme bien vague appelle quelques explications.

En matière pénale, où la responsabilité est en principe toujours personnelle puisqu'il s'agit assez largement de châtier un coupable, le responsable est celui qui a commis l'infraction et lui seul ; cela est si vrai que le décès de l'auteur de l'infraction éteint *l'action publique*. De toute évidence, la règle a été conçue pour les personnes physiques ainsi qu'en témoigne la peine d'emprisonnement prévue pour la majorité des infractions réprimées.

Sa transposition aux personnes morales soulève d'importantes difficultés, ce qui explique que la question soit restée longtemps en suspens en France. Tel n'est plus le cas aujourd'hui où l'article 121-2 du Code pénal retient le principe de la responsabilité pénale des personnes morales – à l'exception de l'État – pour les « infractions commises, pour leur compte, par leurs organes ou représentants ». Cette responsabilité pénale n'est pas générale, mais ne concerne que les infractions – à dire vrai fort nombreuses – pour lesquelles la loi le prévoit expressément (20).

Bien entendu, le législateur a prévu un système de sanctions spécifiques, adaptées à la nature des personnes morales (C. pén., art. 131-37 et s.). Elles vont de l'amende (majorée par rapport aux personnes physiques) jusqu'à la dissolution, véritable mort civile de la personne morale, en passant par diverses interdictions, déchéances ou exclusions temporaires ou définitives.

On remarquera, pour terminer, que la loi nouvelle prévoit en outre que la responsabilité pénale des personnes morales « n'exclut pas celle des

---

(20) B. Bouloc, Y. Guyon, G. Couturier et autres, *La responsabilité pénale des personnes morales* : Rev. sociétés 1993, 229. – Cl. Mouloungui, *L'élément moral dans la responsabilité pénale des personnes morales* : RTD com. 1994, 441. – N. Ronstchevsky, *La responsabilité pénale des personnes morales* : in *La responsabilité, Aspects nouveaux* : in Trav. Ass. H. Capitant, tome L,, LGDJ, 2003.

personnes physiques auteurs ou complices des mêmes faits » (C. pén., art. 121-2 al. 3).

528. – Le défendeur en matière civile. En matière civile, le responsable est en principe celui, personne physique ou morale, qui a accompli l'acte dommageable ; peu importe qu'il soit poursuivi pour son fait personnel ou pour le fait des choses, animaux, bâtiments, dont il a la garde.

Mais la loi offre parfois à la victime deux défendeurs possibles : l'auteur du dommage et une tierce personne, *civilement responsable* dit-on. Ainsi les parents sont civilement responsables du fait de leurs enfants mineurs, et les patrons ou les entreprises du fait de leurs salariés. Cette dualité de responsables constitue pour la victime une garantie de paiement et, en pratique, la victime poursuivra de préférence les parents ou l'employeur alors surtout que ce dernier sera toujours assuré.

Le décès du responsable, qui met fin à *l'action publique*, laisse subsister l'action en réparation qui sera alors dirigée contre ses héritiers, à moins qu'ils n'aient renoncé à la succession.

Enfin, si le responsable a assuré sa responsabilité civile, la victime a intérêt à exercer contre la compagnie d'assurance l'action directe (V. *supra*, n° 472) qui lui permettra à coup sûr d'être indemnisé, en évitant le concours avec les autres créanciers de l'auteur du dommage.

§ 2. – Le tribunal compétent

529. – Compétence d'attribution et compétence territoriale. Les règles de compétence varient suivant que le comportement dommageable est ou non constitutif d'infraction pénale. Mais, en toute hypothèse, les questions de compétence se posent toujours à deux niveaux (V. *Introduction*, nos 548 et 549, sur les principes relatifs à la compétence des juridictions) :

– d'une part la *compétence d'attribution* : quelle catégorie de tribunaux doit être saisie du litige ?

– d'autre part, la *compétence territoriale* : au sein de telle catégorie de tribunaux, lequel est territorialement compétent (compétence territoriale) ?

A. – Le tribunal compétent en cas de responsabilité civile à l'état pur

530. – Fait dommageable non constitutif d'une infraction pénale. On raisonne ici sur l'hypothèse où le fait dommageable ne constitue pas une infraction pénale. Sur un plan quantitatif, cette situation est la plus fréquente, surtout lorsque le problème de responsabilité apparaît dans l'exécution d'un contrat.

La compétence d'attribution dépend de la *nature civile ou commerciale* du litige. S'il s'agit d'une responsabilité pour inexécution d'un contrat commercial, le litige ressortit en principe à la compétence du tribunal de commerce. En toute autre matière, responsabilité en dehors de tout contrat ou dans un contrat civil, la compétence appartient, conformément aux règles de procédure civile, soit au tribunal d'instance, soit au tribunal de grande instance suivant l'intérêt du litige. Toutefois certaines actions, notamment celles en réparation des dommages causés par un accident de la circulation, sont de la compétence exclusive du tribunal de grande instance.

Une fois déterminé le type de tribunal compétent, il faut choisir celui qui l'est territorialement.

L'article 46 du nouveau Code de procédure civile règle la question de la manière suivante :

« Le demandeur peut saisir à son choix, outre la juridiction du lieu où demeure le défendeur :
– en matière contractuelle, la juridiction du lieu de la livraison effective de la chose ou du lieu de l'exécution de la prestation de service ;
– en matière délictuelle, la juridiction du lieu du fait dommageable ou celle dans le ressort de laquelle le dommage a été subi ;
– … »

B. – Le tribunal compétent en cas de responsabilité civile mélangée de responsabilité pénale

531. – Fait dommageable constitutif d'une infraction pénale. L'hypothèse visée est celle où le fait dommageable est en même temps réprimé par la loi pénale. En pareil cas, le *ministère public* qui représente la société (V. *Introduction*, n°s 535 et s.) peut déclencher l'*action publique* et poursuivre l'auteur de l'infraction devant la juridiction pénale compétente, mais il peut aussi ne pas le faire s'il estime que des poursuites seraient inopportunes (*principe de l'opportunité des poursuites*). Parallèlement, la victime qui ne représente qu'elle-même, peut intenter l'*action civile* (21), c'est-à-dire l'action en réparation du dommage qui, normalement, relève de la compétence d'une juridiction civile. Ces deux actions, bien qu'elles poursuivent des buts différents, ne peuvent être totalement indépendantes puisqu'elles sont fondées sur un même fait ; cela se sent déjà sur le plan de la compétence.

Ainsi, alors que l'action publique ne peut être portée que devant la juridiction pénale, la victime est libre de saisir soit la juridiction civile (et alors sont applicables les règles exposées *supra*, n° 530), soit la juridiction pénale. Dans ce dernier cas, si le ministère public a intenté l'action publique, la victime y joindra son action civile ; sinon, elle portera plainte et se

---

(21) Ph. BONFILS, *L'action civile. Essai sur la nature juridique d'une institution*, PUAM, 2001, préf. S. CIMAMONTI.

constituera partie civile, ce qui aura pour effet de déclencher aussi l'action publique. À cet égard, la *constitution de partie civile* devant la juridiction pénale est, entre les mains de la victime, un moyen de forcer le ministère public à exprimer sa position sur la culpabilité de l'auteur d'une infraction. De manière plus générale, le choix de la voie pénale présente certains intérêts (notamment sur le plan de la preuve) et inconvénients dont l'exposé n'a pas sa place dans un ouvrage de droit civil.

Quant à la compétence territoriale, elle est celle exposée plus haut si l'action est portée devant la juridiction civile ; elle appartient au tribunal du lieu de l'infraction, ou de la résidence du prévenu, ou du lieu d'arrestation de ce dernier, si c'est une juridiction pénale qui est saisie.

§ 3. – La cause de la demande en justice

532. – La notion de cause de la demande. On entend ici par *cause* de la demande le motif juridique invoqué et, plus précisément encore, le texte de loi ou l'article du code sur lequel se fonde la demande et qui sera expressément visé dans l'*assignation* et dans la décision rendue.

Du point de vue procédural, cette mention de la cause de la demande présente une importance particulière dans le cas où il existe plusieurs articles de loi ou de code entre lesquels il convient de choisir. La pratique élude souvent la difficulté en invoquant à la fois tous les textes susceptibles de s'appliquer, laissant ainsi aux juges le soin de faire le tri. Toutefois, le problème ne se pose pas dans les mêmes termes devant le juge civil et devant le juge pénal.

A. – La cause de la demande devant le juge civil : responsabilité contractuelle et délictuelle

533. – Principe du non-cumul de la responsabilité contractuelle et de la responsabilité délictuelle. Lorsqu'un procès en responsabilité se présente devant le juge civil, deux séries de textes peuvent être invoquées :

– d'une part, les articles 1146 à 1155 du Code civil relatifs à la *responsabilité contractuelle* : « Des dommages et intérêts résultant de l'inexécution de l'obligation » dit le code ;

– d'autre part, les articles 1382 à 1386 du Code civil relatifs à la responsabilité en dehors de tout contrat : « Des délits et des quasi-délits » dit le code ; d'où l'expression classique de *responsabilité délictuelle et quasi délictuelle*, le terme de délit étant d'ailleurs très ambigu, puisqu'il désigne ici non pas l'infraction pénale du même nom, mais la faute civile.

En pratique, il est important de savoir si la responsabilité civile encourue est contractuelle ou délictuelle car les règles de l'une et de l'autre, si elles se rejoignent dans les principes, diffèrent parfois sur des points importants.

Pour s'en tenir à l'essentiel, il faut signaler que la réparation du dommage est totale en matière délictuelle, limitée au *préjudice prévisible* (sauf faute intentionnelle) en matière contractuelle (C. civ., art. 1150) ; que les *clauses limitatives de responsabilité* ou de garantie ne sont valables que dans les contrats, et sous certaines conditions ; que la preuve du fait dommageable obéit à des règles différentes, etc. (22).

Suivant les circonstances de fait, cette diversité des règles donne un intérêt à la victime à invoquer tantôt la responsabilité contractuelle et tantôt la responsabilité délictuelle. Or, malgré les tentatives qui ont été faites en ce sens, la jurisprudence maintient ferme le principe que la victime n'a pas le choix entre les deux types de responsabilité : elle doit agir sur le fondement de la responsabilité contractuelle si le dommage est dû à l'inexécution d'une obligation du contrat. C'est le principe dit du non-cumul ; en dépit des exceptions qui lui sont parfois apportées (23), il est toujours affirmé par la jurisprudence, ce qui donne tout son intérêt à une délimitation précise des domaines respectifs des deux responsabilités (24).

Ce principe du *non-cumul* ne s'applique que dans les rapports entre cocontractants, non dans les rapports entre un cocontractant et un tiers. Ainsi il n'interdit nullement à un cocontractant victime d'un dommage causé par un tiers, par exemple à un acheteur qui reçoit une marchandise abîmée en cours de transport, de rechercher la responsabilité délictuelle de ce transporteur qui n'est pas son cocontractant, mais celui du vendeur (25).

En revanche, le principe s'applique en cas de chaîne de contrats translatifs de propriété. L'acheteur final recevant avec la chose les droits et actions qui lui sont attachés, son action en responsabilité ou en garantie contre le vendeur originaire est nécessairement contractuelle (26) ; il ne peut donc pas répudier cette action et invoquer sa qualité de tiers au contrat pour rechercher la responsabilité délictuelle du vendeur.

---

(22) H. Mazeaud, *Responsabilité contractuelle et responsabilité délictuelle* : RTD civ. 1929, 551. – A. Brun, *Rapports et domaines des responsabilités contractuelle et délictuelle*, thèse Lyon, 1931. – R. Rodière, *Étude sur la dualité des régimes de responsabilité* : JCP 50, I, 861 et 868. – J. Huet, *Responsabilité contractuelle et responsabilité délictuelle. Essai de délimitation*, thèse Paris II, 1978. – G. Durry, *La distinction de la responsabilité contractuelle et de la responsabilité délictuelle*, Mac Gill, 1986. Sur la contestation de l'existence d'une responsabilité contractuelle, voir *supra* n° 517 et les références citées.

(23) L'option est ainsi possible en cas d'infraction pénale ; quelques décisions l'ont également admise en cas de faute dolosive : V. Cass. 3e civ., 18 déc. 1972 : D. 1973, 272 et note J. Mazeaud. – Rappr. CE 24 mai 1974 : JCP 75, II, 17907, obs. G. Liet-Veaux.

(24) E.-N. Martine, *L'option entre la responsabilité contractuelle et la responsabilité délictuelle*, 1957. – M. Espagnon, *La règle du non-cumul des responsabilités délictuelle et contractuelle en droit civil français*, thèse Paris I, 1980. Parmi les arrêts récents, V. Cass. civ. 16 janv. 1951 : JCP 51, II, 6163, obs. R. Rodière. – Cass. 1re civ., 9 oct. 1962 : D. 1963, 1 et note G. Liet-Veaux ; JCP 62, II, 12910, obs. P. Esmein. – 30 oct. 1962 : JCP 62, II, 12924, obs. R. Savatier. – Cass. 1re civ., 19 mars 2002 : Contr. Conc. Consom. 2002, comm. n° 106 et note L. Leveneur. – 9 juill. 2002 : Bull. civ. I, n° 188, p. 145.

(25) Cass. com. 9 juill. 2002 : Contr. Conc. Consom. 2002, comm. n° 172 et note L. Leveneur.

(26) Cass. 1re civ., 9 oct. 1979 : Bull. civ. I, n° 241 ; RTD civ. 1980, 354, obs. G. Durry.

534. – Distinction entre responsabilité contractuelle et responsabilité délictuelle. À cet égard, on peut poser en règle que la responsabilité délictuelle et quasi délictuelle constitue le droit commun ; ne lui échappe que ce qui relève de la responsabilité contractuelle. Il suffit donc, pour trancher le problème de la délimitation, de définir cette dernière : la responsabilité contractuelle est celle qui résulte de l'inexécution d'un contrat valable entre l'auteur et sa victime. S'il manque une condition, s'il n'y a pas de contrat, ou pas de contrat valable, ou pas de contrat entre l'auteur et la victime, ou encore si le préjudice ne résulte pas de l'inexécution du contrat, alors la responsabilité est délictuelle (27).

Par exemple, pour prendre des hypothèses limites, sont délictuels le dol ou la violence commis dans la conclusion d'un contrat ; plus généralement la *responsabilité* dite *précontractuelle*, c'est-à-dire celle survenant pendant la période de discussion ou de préparation du contrat est une responsabilité délictuelle parce qu'il n'y a pas encore de contrat, si bien que la faute commise ne saurait être la violation d'une obligation résultant du contrat (28).

De même, la faute intervenue dans un contrat annulé par la suite n'est pas la violation d'une obligation contractuelle puisque le contrat a été rétroactivement annulé ; la responsabilité est donc délictuelle. De même encore, si un entrepreneur est contractuellement responsable à l'égard de son client, propriétaire de l'immeuble, il le sera délictuellement vis-à-vis des locataires ou des tiers qui souffriraient des travaux.

On ajoutera que, dans la législation récente, certaines actions sont ouvertes à toute victime, qu'elle soit ou non liée par un contrat à l'auteur du dommage ; elles échappent de ce fait à la distinction traditionnelle contractuelle-délictuelle. Tel est notamment le cas de l'action en responsabilité du fait des produits défectueux introduite dans notre droit par la loi du 19 mai 1998 (C. civ., art. 1386-1 et s.).

535. – La cause de la demande en matière contractuelle et en matière délictuelle. En matière contractuelle, on serait tenté de dire qu'il y a une seule cause possible de la demande, l'article 1147 du Code civil, les autres articles n'en étant que le complément ; mais cela n'est exact que pour la responsabilité de droit commun. Or, à côté de la responsabilité contractuelle de droit commun, certains textes édictent des règles spécifiques. Par exemple, les articles 1792 à 1792-6 régissent de manière particulière la responsabilité des constructeurs à l'égard du maître de l'ouvrage ; de

---

(27) L. Leturmy, *La responsabilité délictuelle du contractant : RTD civ.* 1998, 839.

(28) J. Schmidt, *La sanction de la faute précontractuelle*, RTD civ. 1974, 46. – J. Schmidt-Szalewski, *La période précontractuelle en droit français : RIDC* 1990.545. – P. Mousseron, *Conduite des négociations contractuelles et responsabilité civile délictuelle : RTD com.* 1998, 243. – D. Mazeaud, *Mystères et paradoxes de la période précontractuelle :* in *Mélanges Ghestin,* 2000, p. 637. Pour un exemple récent, voir Cass. com. 12 févr. 2002 : *Contr. Conc. Consom.* 2002, comm. n° 90, obs. L. Leveneur.

même, les articles 1641 et suivants édictent des règles relatives à la garantie due par le vendeur. Ce sont là autant de causes différentes possibles d'une demande en justice : ce qui, par exemple, a été jugé sur le fondement de l'article 1792 n'empêche pas d'exercer une nouvelle action sur le fondement de la responsabilité de droit commun.

Il en va de même, et de manière plus nette encore, en matière délictuelle. Les articles 1382 et 1383 (responsabilité du fait personnel), l'article 1384, alinéa 1 (responsabilité du fait des choses et du fait d'autrui), l'article 1384, alinéas 4 et 5 (responsabilité du fait des enfants mineurs et du fait des préposés), l'article 1385 (responsabilité du fait des animaux) et l'article 1386 (responsabilité du fait des bâtiments) sont autant de causes différentes. Il s'ensuit que la chose jugée sur l'un, par exemple, sur le fondement de l'article 1382 du Code civil, n'empêche pas un second procès fondé sur l'article 1384, alinéa 1. Mais cette solution est souvent critiquée et pourrait connaître une évolution.

En pratique, afin d'éviter toute erreur ou omission, il est fréquent que l'avocat du demandeur invoque cumulativement l'ensemble des textes susceptibles de trouver application en l'espèce. À supposer même que l'action ait été initiée sur une cause qui s'avère erronée, la jurisprudence considère que l'action en justice interrompt la prescription sur tous les fondements possibles dès l'instant que la demande formulée est la même (29).

Par ailleurs, le juge peut *relever d'office* des moyens de droit non invoqués par les parties, sauf à inviter celles-ci à présenter leurs observations afin de respecter le principe de la contradiction (NCPC, art. 16, al. 3).

B. – La cause de la demande devant le juge pénal

536. – De l'identité à la distinction des fautes civile et pénale. À l'inverse de la responsabilité civile qui peut être encourue en dehors de toute faute, notamment pour risque, la responsabilité pénale suppose en principe une faute que la jurisprudence criminelle qualifie de délictuelle, même si elle prend naissance dans un contrat. Ainsi en est-il des infractions à la personne, blessures ou homicide, qui pourront avoir été commis soit volontairement, soit par imprudence.

Par un arrêt du 19 décembre 1912 la jurisprudence avait posé le principe de l'identité des fautes civile et pénale, plus précisément de l'identité de la faute pénale d'imprudence et de la faute civile d'imprudence visée à l'article 1383 du Code civil (30). Il s'ensuivait des conséquences de fond et de procédure.

---

(29) Cass. 3e civ., 22 juill. 1998, Constr. Urb. nov. 1998, p. 11 ; *RD imm.* 1999, 105. – 26 juin 2002 : *RD imm.* 2002, 419, obs. Ph. MALINVAUD.

(30) Cass. civ., 19 déc. 1912 : *S.* 1914, 1, 249 et note R.L. MOREL. – A. PIROVANO, *Faute civile et faute pénale*, 1966.

Au fond, le juge pénal a été amené à qualifier de faute toute négligence ou imprudence, même la plus légère, comme l'impliquait l'article 1383. Ceci a conduit à retenir, d'une manière qui a été ressentie comme tout à fait excessive, la responsabilité pénale des « décideurs » – c'est-à-dire des maires et des chefs d'entreprise – pour blessures ou homicide, alors que les dommages étaient dus à un dysfonctionnement du service ou à la faute de leurs subordonnés. Au plan procédural, le principe de l'identité des fautes entraînait de multiples conséquences, et spécialement la prééminence et l'autorité de la chose jugée au criminel sur le civil.

Ce principe est aujourd'hui écarté pour les délits par la loi du 10 juillet 2000 qui a modifié l'article L. 121-3 du Code pénal ; et la nouvelle définition de la faute pénale non intentionnelle a été étendue par un décret du 20 septembre 2001 « aux contraventions pour lesquelles le règlement exige une faute d'imprudence ou de négligence » (C. pén., art. R. 610-2). Désormais la faute pénale d'imprudence des « décideurs » n'est donc plus la faute de l'article 1383 du Code civil, mais une faute lourde, sinon même inexcusable (31).

CODE PÉNAL

Art. 121-3. – Il n'y a point de crime ou de délit sans intention de le commettre.

(*L. n° 96-393 du 13 mai 1996*) « Toutefois, lorsque la loi le prévoit, il y a délit en cas de mise en danger délibérée de la personne d'autrui. »

(*L. n° 2000-647 du 10 juill. 2000*) « Il y a également délit, lorsque la loi le prévoit, en cas de faute d'imprudence, de négligence ou de manquement à une obligation de prudence ou de sécurité prévue par la loi ou le règlement, s'il est établi que l'auteur des faits n'a pas accompli les diligences normales compte tenu, le cas échéant, de la nature de ses missions ou de ses fonctions, de ses compétences ainsi que du pouvoir et des moyens dont il disposait.

« Dans le cas prévu par l'alinéa qui précède, les personnes physiques qui n'ont pas causé directement le dommage, mais qui ont créé ou contribué à créer la situation qui a permis la réalisation du dommage ou qui n'ont pas pris les mesures permettant de l'éviter, sont responsables pénalement s'il est établi qu'elles ont, soit violé de façon manifestement délibérée une obligation particulière de prudence ou de sécurité prévue par la loi ou le règlement, soit commis une faute caractérisée et qui exposait autrui à un risque d'une particulière gravité qu'elles ne pouvaient ignorer. »

Il n'y a point de contravention en cas de force majeure.

CODE DE PROCÉDURE PÉNALE

Art. 4-1. – (*L. n° 2000-647 du 10 juill. 2000*) L'absence de faute pénale non intentionnelle au sens de l'article 121-3 du Code pénal ne fait pas obstacle à l'exercice d'une action devant les juridictions civiles afin d'obtenir la réparation d'un dommage sur le fondement de l'article 1383 du Code civil si l'existence de la faute civile prévue par cet article est établie ou en application de l'article L. 452-1 du Code de la sécurité sociale si l'existence de la faute inexcusable prévue par cet article est établie.

---

(31) Ph. SALVAGE, *La loi n° 2000-647 du 10 juillet 2000 : Retour vers l'imprudence pénale* : JCP 2000, I, 281. – F. DESPORTES, *La responsabilité pénale en matière d'infractions non intentionnelles*, Rapport Cour de cassation, 2002, p. 185.

L'article 4-1 du Code de procédure pénale en tire les conséquences au plan procédural (32). Si le juge pénal ne retient pas l'existence d'une infraction à la charge du « décideur », la victime est libre de demander réparation de son dommage devant le juge civil sur le fondement de l'article 1383, ou des articles 1384 et s. (33) ; il n'y a en effet d'autorité de la chose jugée qu'en cas d'identité de parties, de cause et d'objet de la demande (C. civ., art. 1351). En revanche, en cas de condamnation, la décision pénale qui admet l'existence d'une faute pénale d'imprudence s'impose au juge civil.

§ 4. – La prescription de l'action

537. – Diversité des délais. Toutes les actions en justice se prescrivent par l'écoulement d'un délai qui est de trente ans (C. civ., art. 2262), sauf pour certaines matières pour lesquelles la loi a prévu un délai plus bref ; par exemple, il n'est que de dix ans en matière obligations nées à l'occasion de leur commerce entre commerçants ou entre commerçants et non-commerçants (C. com., art. L. 110-4). Ces règles s'appliquent aux actions en responsabilité civile.

CODE CIVIL

Art. 2262. – Toutes les actions, tant réelles que personnelles, sont prescrites par trente ans, sans que celui qui allègue cette prescription soit obligé d'en rapporter un titre, ou qu'on puisse lui opposer l'exception déduite de la mauvaise foi.

Art. 2270-1. – (*L. n° 85-677 du 5 juill. 1985*) Les actions en responsabilité civile extracontractuelle se prescrivent par dix ans à compter de la manifestation du dommage ou de son aggravation.

(*L. n° 98-468 du 17 juin 1998, art. 43*) Lorsque le dommage est causé par des tortures et des actes de barbarie, des violences ou des agressions sexuelles commises contre un mineur, l'action en responsabilité civile est prescrite par vingt ans.

CODE DE COMMERCE

Art. L. 110-4. – I. Les obligations nées à l'occasion de leur commerce entre commerçants ou entre commerçants et non-commerçants se prescrivent par dix ans si elles ne sont pas soumises à des prescriptions spéciales plus courtes.

Le délai, surtout celui de trente ans, est plus que suffisant en toutes circonstances mais il ne s'applique plus que pour la responsabilité contractuelle, et sauf en matière commerciale où le délai est de dix ans. S'agissant de la responsabilité délictuelle, la loi du 5 juillet 1985 a ramené ce délai, qui était précédemment de trente ans, à dix ans à compter de la

---

(32) Ch. DESNOYER, *L'article 4-1 du Code de procédure pénale. La loi du 10 juillet 2000 et les ambitions du législateur : l'esprit contrarié par la lettre : D.* 2002, chron. 979.

(33) Cass. 1re civ. 30 janv. 2001 : *D.* 2001, IR, 677 ; *D.* 2001, somm. 2232, obs. P. JOURDAIN ; *JCP* 2001, I, 338, n° 4, obs. G. VINEY. – Cass. crim. 4 juin 2002 : *D.* 2002, 95 et note S. PETIT.

manifestation du dommage ou de son aggravation (C. civ., art. 2270-1). Il s'ensuit désormais une distorsion à cet égard entre les deux types de responsabilité civile.

En revanche, en matière pénale, l'action publique se prescrit par un an pour les contraventions, trois ans pour les délits et dix ans pour les crimes (C. proc. pén., art. 7 et s.).

Jadis la loi posait en principe que l'action civile ne pouvait plus être exercée lorsque l'action publique était éteinte. En vertu de ce principe de la *solidarité des prescriptions* civile et pénale, la victime d'une infraction devait donc intenter son action civile avant que ne soit expiré la prescription pénale, et ceci même devant la juridiction civile.

La loi du 23 décembre 1980 a mis fin à cette règle. Il n'y a plus désormais de solidarité des prescriptions, sauf lorsqu'un texte spécial le prévoit, comme en matière de presse, par exemple. L'action civile peut donc être exercée alors que l'action publique est éteinte, mais en pareil cas elle ne peut l'être que devant la juridiction civile (34).

Section 2

LES CONDITIONS DE LA RESPONSABILITÉ CIVILE

538. – Règles de preuve. Dans ce qui va suivre, il ne sera plus question de la responsabilité pénale, mais uniquement de la *responsabilité civile*, c'est-à-dire de la réparation des dommages injustement causés à autrui. Encore sera-t-il fait abstraction des interférences avec le droit pénal signalées à la section précédente et qui peuvent se manifester à d'autres égards, notamment sur le plan de la preuve. En effet, alors que devant la juridiction pénale la réunion des éléments de preuve (pour et contre) incombe à un magistrat, le juge d'instruction, et/ou aux enquêteurs, gendarmes ou policiers, devant la juridiction civile c'est à la victime qu'il appartient de démontrer que sont réunies les conditions de la responsabilité civile (V. *Introduction*, n°s 554 et 567, sur le caractère accusatoire ou inquisitoire de la procédure).

539. – Le fait à prouver. Les questions de preuve se posent ici en des termes qui diffèrent de la preuve des contrats. Cela tient à la nature même du fait à prouver, et aux circonstances qui ont présidé à sa naissance.

S'agissant d'un contrat, *acte juridique* entre plusieurs personnes, les parties ont eu tout le loisir de matérialiser sur support papier ou électronique les termes de leur accord de volonté. Du moins en est-il ainsi en

---

(34) M. Roger, *La réforme du délai de prescription de l'action civile* : D. 1981, chron., 175.

matière civile, et c'est pourquoi l'article 1341 du Code civil pose en règle que les contrats doivent être prouvés par écrit (V. *supra*, nᵒˢ 354 et s.). Si, pour des motifs tenant à la nécessaire rapidité des transactions commerciales, la même exigence n'est pas imposée aux commerçants, on constate qu'en fait ils s'y soumettent spontanément pour éviter toute difficulté future (V. *supra*, n° 360). Il est donc exceptionnel que les parties fassent appel à des témoins, des présomptions ou indices.

C'est tout le contraire pour les *faits juridiques* (par opposition aux actes juridiques, aux contrats), dont la responsabilité civile est le meilleur exemple. Cela est évident pour la responsabilité délictuelle qui met face à face deux personnes étrangères l'une à l'autre, et que le hasard a fait se rencontrer : lorsque deux véhicules se percutent à un carrefour, on ne peut exiger de leurs conducteurs une preuve écrite qu'ils ne pouvaient préconstituer avant l'accident et que l'un d'eux refuse peut-être d'établir après coup. Et il en est de même pour la responsabilité contractuelle. Sans doute y a-t-il un contrat dont on pourra et devra faire la preuve écrite ; mais la violation du contrat, sa mauvaise exécution, qui donne naissance à une responsabilité, est un fait matériel au même titre que le fait dommageable survenu en dehors de tout contrat. Un tel fait ne se prête pas à l'établissement préalable d'un écrit et nul n'acceptera, après la réalisation d'un dommage, de signer un écrit susceptible de servir de preuve contre lui.

540. – Le principe de la liberté de la preuve et les conditions de la responsabilité. Il s'ensuit qu'en matière de responsabilité la preuve est libre ; on dit qu'elle peut être faite *par tous moyens*.

En pratique, ces moyens varient en fonction de l'objet de la preuve. S'il s'agit de démontrer l'étendue d'un *dommage*, la victime pourra demander au juge de désigner un huissier pour faire un *constat* ou, mieux encore, un expert ; suivant les cas, il s'agira d'un expert-comptable, d'un ingénieur, d'un architecte, d'un médecin, etc. S'il s'agit de prouver la *faute* ou, de manière plus générale, le *fait dommageable* et les circonstances dans lesquelles il est intervenu, on recourra tout naturellement à une enquête ordonnée par le juge pour entendre des témoins, ou encore à une expertise. Enfin *le lien de causalité* entre le fait et le dommage sera le plus souvent tiré de *présomptions ou indices* soumis à l'appréciation des magistrats.

Ces trois éléments : le dommage, le fait qui l'a provoqué, et le lien de causalité entre les deux, sont les conditions posées par la loi pour qu'une personne soit responsable, c'est-à-dire obligée à réparation.

De ces trois conditions, deux, le dommage et le lien de causalité, sont considérées comme des constantes de la responsabilité civile ; on veut dire par là qu'elles se présentent dans les mêmes termes, que la responsabilité soit fondée sur l'article 1147 (contractuelle) ou sur les articles 1382-1383, l'article 1384, etc. (délictuelle).

Au contraire, le « fait dommageable » est un terme plus imprécis qui recouvre des réalités variables suivant la cause de la demande (V. *supra*, nᵒˢ 533 et s.) : la responsabilité d'une personne sera retenue tantôt pour un fait qui lui est personnel, tantôt pour le fait d'une personne dont elle doit répondre, tantôt pour le fait d'une chose qu'elle a sous sa garde.

Sous-section 1

LE DOMMAGE OU PRÉJUDICE

541. – Règle générale : nécessité d'un dommage réparable. Les deux termes étant généralement considérés comme synonymes, on parle indifféremment de dommage ou de préjudice. La responsabilité civile, qui est une obligation de réparer, ne peut naître que s'il y a quelque chose à réparer : c'est là une condition première et essentielle, sur laquelle on ne saurait trop insister. Une faute, si grossière et répréhensible soit-elle, qui ne causerait aucun dommage, pourrait le cas échéant entraîner la responsabilité pénale de son auteur si elle constituait une infraction, mais sûrement pas sa responsabilité civile (35). D'ailleurs, les dommages-intérêts étant destinés à compenser le dommage, comment pourrait-on les évaluer s'il n'y a pas de dommage ?

Cela dit, dans certains domaines comme la concurrence déloyale, la jurisprudence pose une présomption de dommage (36), soit de trouble commercial (37), soit de préjudice moral (38), mais qui tombe devant la preuve contraire (39).

Cette nécessité d'un dommage met en pleine lumière la fonction fondamentale de réparation en vue de laquelle est organisée la responsabilité civile.

542. – Un dommage est-il nécessaire en matière contractuelle ? À la différence de la Première chambre civile de la Cour de cassation qui subordonne la responsabilité contractuelle à l'existence d'un dommage (40), et allant à l'encontre de la doctrine unanime (41), la Troisième chambre civile

---

(35) V. par ex., Cass. 3ᵉ civ., 19 févr. 1980 : *JCP* 80, IV, 177 (pour la responsabilité d'un avocat ou d'un médecin).

(36) « Un trouble commercial s'infère nécessairement d'un acte de concurrence déloyal » : Cass. com. 9 oct. 2001 : *Contr. Conc. Consom.* 2002, comm. n° 6, obs. M. Malaurie-Vignal ; *RTD civ.* 2002, 304, obs. P. Jourdain.

(37) Cass. com. 22 oct. 1985 : *Bull. civ.* IV, n° 245. – 25 févr. 2002 : *Bull. civ.* IV, n° 88. – 18 oct. 1994 : *RJDA* 1995, n° 237. – 9 oct. 2001, préc.

(38) Cass. com. 9 nov. 1993 : *Bull. civ.* IV, n° 53 ; *JCP* E 1994, II, 945 et note C. Danglehant. – 22 févr. 2000 : *Contr. Conc. Consom.* 2000, comm. n° 81, obs. M. Malaurie-Vignal.

(39) Cass. com. 25 févr. 1992, précité.

(40) Cass. 1ʳᵉ civ., 18 nov. 1997 : *Bull. civ.* I, n° 317 ; *Resp. civ. et assur.* 1998, comm. n° 53. – 26 févr. 2002 : *Bull. civ.* I, n° 68 ; *Defrénois* 2002, 758, obs. E. Savaux.

(41) V. notamment G. Viney et P. Jourdain, *Les conditions de la responsabilité*, p. 247.

a rendu plusieurs arrêts récents retenant la responsabilité contractuelle en l'absence d'un dommage (42). Spécialement, dans le cas d'espèce tranché par l'arrêt du 30 janv. 2002 relatif à l'inexécution par le locataire des réparations locatives, les juges d'appel avaient écarté la responsabilité du locataire au motif que, l'immeuble précédemment loué ayant été vendu à un promoteur qui l'avait fait démolir pour reconstruire à sa place une résidence, le propriétaire vendeur n'avait subi aucun préjudice du fait de l'inexécution des réparations locatives ; l'arrêt est cassé, sous le visa des articles 1147 et 1731 du Code civil, au motif « qu'en statuant ainsi alors que l'indemnisation du bailleur en raison de l'inexécution par le preneur des réparations locatives prévues au bail n'est subordonnée ni à l'exécution de ces réparations, ni à la justification d'un préjudice, la cour d'appel a violé les textes susvisés ».

On peut se demander si, ce faisant, la Troisième chambre civile n'a pas confondu deux problèmes : le droit à l'exécution du contrat, et le droit à la réparation des conséquences de l'inexécution. En effet, le créancier a droit à l'*exécution forcée* du contrat sans avoir à faire la preuve d'un préjudice car c'est l'exécution de ce qui a été promis et non une question de responsabilité. En revanche, s'il demande réparation des conséquences de l'inexécution, il doit justifier de l'existence d'un dommage qui fournira la mesure de l'indemnisation.

Il est vrai toutefois que ce dommage est souvent présumé, ou plutôt impliqué par l'inexécution, et que la jurisprudence s'en contente dans le cas où la preuve s'en avère trop difficile (43) ; mais si la preuve est rapportée de l'absence de dommage, la présomption de dommage tombe (44).

Dans le cas présent, il semble plutôt que la Troisième chambre civile ait décidé de s'affranchir de la condition de dommage pour retenir la responsabilité contractuelle, ce qui pourrait être interprété comme un ralliement à l'idée que la responsabilité contractuelle serait un faux concept (45), qu'elle ne serait que l'exécution forcée non pas en nature mais par équivalent de d'obligation inexécutée, et non pas une réparation (V. *supra*, n° 517).

En ce sens on peut citer un autre arrêt de la même chambre. Dans une espèce où les juges d'appel avaient, faute de la preuve d'un préjudice, écarté la réparation de la non-conformité architecturale de la toiture d'une

---

(42) Cass. 3e civ., 13 nov. 1997, *RTD civ.* 1998, 124 et 696, obs. P.-Y. Gautier. – 30 janv. 2002 : *Bull. civ.* III, n° 17 ; *D.* 2002, 888, obs. Y. Rouquet ; *D.* 2002, 2288 et note J.-L. Elhoueiss ; *Petites affiches*, 13 sept. 2002, note S. Beaugendre ; *RTD civ.* 2002, 321, obs. P.-Y. Gautier ; *RTD civ.* 2002, 816, obs. P. Jourdain ; *JCP* 2002, I, 186, n° 7, obs. G. Viney.

(43) Cass. com. 9 oct. 2001 : *RTD civ.* 2002, 304

(44) Cass. com. 25 févr. 1992 : *Bull. civ.* IV, n° 88.

(45) D. Tallon, *L'inexécution du contrat : pour une autre présentation* : *RTD civ.* 1994, 223. – *Pourquoi parler de faute contractuelle ?* : in *Mélanges Cornu*, 1994, p. 429. – Ph. Rémy, *La « responsabilité contractuelle » : histoire d'un faux concept*, *RTD civ.* 1997, 323.

maison, la Troisième chambre civile casse la décision au visa de l'article 1147 du Code civil au motif « qu'en statuant ainsi, sans rechercher, comme il le lui était demandé [...], si la différence d'architecture des toitures ne constituait pas une non-conformité aux stipulations contractuelles pouvant être indemnisée en l'absence de tout désordre, la cour d'appel n'a pas donné de base légale à sa décision » (46).

§ 1. – Les différentes catégories de dommages réparables

543. – Généralisation de la réparation à tous les dommages. L'évolution générale a tendu vers une réparation de tous les dommages, à quelque catégorie qu'ils appartiennent, à la condition qu'ils présentent certains caractères. C'est à la victime qu'il incombe de démontrer l'existence d'un dommage répondant à ces caractères.

À cet égard, la jurisprudence a été amenée à se prononcer sur le point de savoir si la naissance d'un enfant, et spécialement d'un enfant handicapé, pouvait constituer un dommage susceptible de réparation. Cette question appelle quelques développements à raison de la vive controverse à laquelle elle a donné lieu et de la loi qu'elle a suscitée.

On énoncera ensuite les diverses classifications des dommages en signalant au passage les difficultés auxquelles ils donnent lieu.

544. – Le dommage dû à la naissance d'un enfant handicapé : la jurisprudence « Perruche ». Dans un premier temps, la Cour de cassation a écarté la demande d'une mère qui recherchait la responsabilité d'un médecin au motif qu'en dépit de l'interruption de grossesse pratiquée (et ratée) un enfant lui était né ; elle s'est alors fondée sur l'idée que, quelle que soit l'erreur du médecin, « l'existence de l'enfant qu'elle a conçue ne peut, à elle seule, constituer pour sa mère un préjudice juridiquement réparable » (47).

Mais en revanche, elle a admis l'action de la mère dans le cas où, par suite d'une erreur de diagnostic sur l'existence d'une rubéole, il n'avait pas été recouru à une interruption de grossesse et l'enfant était né handicapé (48) ; en pareil cas, la mère subissait en effet un préjudice dans la mesure où ce handicap de l'enfant entraînait d'évidence des coûts supplémentaires.

---

(46) Cass. 3e civ., 22 oct. 2002 : *RD imm.* 2003, 95, Ph. MALINVAUD.
(47) Cass. 1re civ., 25 juin 1991 : *D.* 1991, 566 et note Ph. LE TOURNEAU ; *JCP* 1992, II, 21784 et note J.-F. BARBIERI. V. dans le même sens, CE 2 juill. 1982 : *Rec.* p. 266 ; *Gaz. Pal.* 14 avr. 1983 et note F. MODERNE.
(48) Cass. 1re civ., 16 juill. 1991 : *Bull. civ.* I, n° 248.

Plus récemment, par deux arrêts du 26 mars 1996, et toujours à propos de la naissance d'enfants handicapés, la cour de cassation a admis la réparation du préjudice subi, non seulement par la mère, mais aussi par l'enfant lui-même dont la vie se trouvait gâchée (49). Dans le même temps, le Conseil d'État écartait cette solution au motif qu'il n'y avait pas de *lien de causalité* entre l'erreur commise lors d'une amniocentèse et le préjudice souffert par un enfant trisomique (50).

Par suite de la rébellion de la cour de renvoi, l'une des affaires jugées le 26 mars 1996 allait revenir devant l'assemblée plénière de la cour de cassation qui, reconnaissant l'existence d'un lien de causalité entre l'erreur de diagnostic de rubéole et la naissance d'un enfant handicapé, a admis l'action en responsabilité de ce dernier (51). C'est le fameux arrêt « Perruche » du 17 novembre 2000.

CASS. ASS. PLÉN., 17 NOV. 2000

Vu les articles 1165 et 1382 du Code civil ; – Attendu qu'un arrêt rendu le 17 décembre 1993 par la Cour d'appel de D a jugé, de première part, que M. Y, médecin, et le laboratoire de biologie médicale de B, aux droits duquel est M. A, avaient commis des fautes contractuelles à l'occasion de recherches d'anticorps de la rubéole chez Mme X alors qu'elle était enceinte, de deuxième part, que le préjudice de cette dernière, dont l'enfant avait développé de graves séquelles consécutives à une atteinte *in utero* par la rubéole, devait être réparé dès lors qu'elle avait décidé de recourir à une interruption volontaire de grossesse en cas d'atteinte rubéolique et que les fautes commises lui avaient fait croire à tort qu'elle était immunisée contre cette maladie, de troisième part, que le préjudice de l'enfant n'était pas en relation de causalité avec ces fautes ; que cet arrêt ayant été cassé en sa seule disposition relative au préjudice de l'enfant, l'arrêt attaqué de la cour de renvoi dit que « l'enfant N. X ne subit pas un préjudice indemnisable en relation de causalité avec les fautes commises » par des motifs tirés de la circonstance que les séquelles dont il était atteint avaient pour seule cause la rubéole transmise par sa mère et non ces fautes et qu'il ne pouvait se prévaloir de la décision de ses parents quant à une interruption de grossesse ;

Attendu, cependant, que dès lors que les fautes commises par le médecin et le laboratoire dans l'exécution des contrats formés avec Mme X avaient empêché celle-ci d'exercer son choix d'interrompre sa grossesse afin d'éviter la naissance d'un enfant atteint d'un handicap, ce dernier peut demander la réparation du préjudice résultant de ce handicap et causé par les fautes retenues.

...

Par ces motifs : – Casse et annule.

Cette décision a immédiatement soulevé une très vive polémique, au plan tant éthique et philosophique que juridique. Au plan juridique, l'arrêt a été critiqué au motif que l'erreur médicale n'était pas la cause du

---

(49) Cass. 1re civ., 26 mars 1996 : *Bull. civ.* I, n° 155 et 156.

(50) CE 14 févr. 1997 : Rec. p. 44 ; *RFDA* 1997, 374, concl. V. PÉCRESSE et note MATHIEU.

(51) Cass. ass. plén., 17 nov. 2000 : *JCP* 2000, II, 10438, rapport P. SARGOS, concl. J. SAINTE-ROSE et note F. CHABAS ; *D.* 2001, 332, note D. MAZEAUD et note P. JOURDAIN ; *Gaz. Pal.* 24-25 janv. 2001, rapport P. SARGOS, concl. J. SAINTE-ROSE et note J. GUIGUE.

handicap et que la vie, même handicapée, n'était pas en soi un dommage ; au plan éthique et philosophique, on a pu y voir une invitation à l'avortement et à l'eugénisme (52).

En dépit de la polémique suscitée et d'un projet de loi en préparation, la Cour de cassation allait à nouveau rendre le 13 juillet 2001 en Assemblée plénière trois décisions affirmant le lien de causalité entre la faute médicale et le handicap et maintenant le principe de l'indemnisation de l'enfant handicapé, tout en l'écartant au motif qu'en l'espèce les conditions légales de l'interruption thérapeutique de grossesse n'étaient pas réunies (53).

CASS. ASS. PLÉN., 13 JUILL. 2001

Mais attendu que l'enfant handicapé peut demander la réparation du préjudice résultant de son handicap si ce dernier est en relation de causalité directe avec les fautes commises par le médecin dans l'exécution du contrat formé avec sa mère et qui ont empêché celle-ci d'exercer son choix d'interrompre la grossesse ; que, dans le cas d'une interruption pour motif thérapeutique, il doit être établi que les conditions médicales prescrites par l'article L. 2213-1 du Code de la santé publique étaient réunies ; qu'ayant constaté qu'il n'en avait pas été ainsi, la cour d'appel a, par ce seul motif, légalement justifié sa décision.

Enfin, deux nouveaux arrêts de l'Assemblée plénière du 28 nov. 2001 se prononçaient dans le même sens, indemnisant dans le premier cas les parents pour le préjudice matériel résultant du handicap de leur enfant, dans le second l'enfant lui-même (54).

Cette jurisprudence a été brisée par la loi n° 2002-303 du 4 mars 2002.

545. – Le dommage dû à la naissance d'un enfant handicapé : la loi du 4 mars 2002. La loi du 4 mars 2002 relative aux droits des malades et à la qualité du système de santé comporte un titre 1 qui n'était nullement prévu à l'origine et qui tend à régler d'une manière autre que l'avait fait la

---

(52) F. TERRÉ, *Le prix de la vie* : JCP 2000, Act, n° 50, p. 2267. – G. MÉMETEAU, *L'action de vie dommageable* : JCP 2000, I, 279. – M. GOBERT, *La Cour de cassation mérite-t-elle le pilori ? : Petites affiches*, 8 déc. 2000, p. 4. – G. VINEY, *Brèves remarques à propos d'un arrêt qui affecte l'image de la justice dans l'opinion*. Cass. ass. plén., 17 nov. 2000 : JCP 2001, I, 286. – P.-Y. GAUTIER, « *Les distances du juge* » *à propos d'un débat éthique sur la responsabilité civile* : JCP 2001, I, 287. – J. SAINTE-ROSE, *La réparation du préjudice de l'enfant empêché de ne pas naître handicapé. Conclusions orales prises dans l'affaire P...* : D. 2001, 316. – J.-L. AUBERT, *Indemnisation d'une existence handicapée qui, selon le choix de la mère, n'aurait pas dû être (à propos de l'arrêt de l'Ass. plén. du 17 nov. 2000)* : D. 2001, chron. 489. – L. AYNÈS, *Préjudice de l'enfant né handicapé : la plainte de Job devant la Cour de cassation* : D. 2001, chron. 492. – B. MARKESINIS, *Réflexions d'un comparatiste anglais sur et à partir de l'arrêt Perruche*, RTD civ. 2001, 77. – P. KAYSER, *Un arrêt de l'Assemblée plénière de la Cour de cassation sans fondement juridique ?* : D. 2001, chron. 1889. – A SÉRIAUX, « *Perruche et autres* ». *La Cour de cassation entre mystère et mystification* : D. 2002, chron. 1996. – B. EDELMAN, *L'arrêt « Perruche » : une liberté pour la mort ?* : D. 2002, chron. 2349.
(53) Cass. ass. plen. 13 juill. 2001, trois arrêts : JCP 2001, II, 10601, concl. J. SAINTE-ROSE et note F. CHABAS ; D. 2001, 2325 et note P. JOURDAIN.
(54) Cass. ass. plén. 28 nov. 2001, deux arrêts : JCP 2002, II, 10018, concl. J. SAINTE-ROSE et note F. CHABAS ; D. 2001, IR, 3587 et 3588.

Cour de cassation le cas des enfants nés handicapés (55). Ces dispositions ont été ajoutées à raison de l'émotion suscitée par la jurisprudence « Perruche », de la vive polémique à laquelle est a donné lieu et surtout de la pression des assureurs qui refusaient d'assurer le risque découlant de cette jurisprudence et des médecins qui, faute d'assurance, menaçaient d'abandonner cette spécialité.

Art. 1, I. – Nul ne peut se prévaloir d'un préjudice du seul fait de sa naissance.

La personne née avec un handicap dû à une faute médicale peut obtenir la réparation de son préjudice lorsque l'acte fautif a provoqué directement le handicap ou l'a aggravé, ou n'a pas permis de prendre les mesures susceptibles de l'atténuer.

Lorsque la responsabilité d'un professionnel ou d'un établissement de santé est engagée vis-à-vis des parents d'un enfant né avec un handicap non décelé pendant la grossesse à la suite d'une faute caractérisée, les parents peuvent demander une indemnité au titre de leur seul préjudice. Ce préjudice ne saurait inclure les charges particulières découlant, tout au long de la vie de l'enfant, de ce handicap. La compensation de ce dernier relève de la solidarité nationale.

Les dispositions du présent I sont applicables aux instances en cours, à l'exception de celles où il a été irrévocablement statué sur le principe de l'indemnisation.

II. – Toute personne handicapée a droit, quelle que soit la cause de sa déficience, à la solidarité de l'ensemble de la collectivité nationale.

III. – Le Conseil national consultatif des personnes handicapées est chargé, dans des conditions fixées par décret, d'évaluer la situation matérielle, financière et morale des personnes handicapées en France et des personnes handicapées de nationalité française établies hors de France prises en charge au titre de la solidarité nationale, et de présenter toutes les propositions jugées nécessaires au Parlement, visant à assurer, par une programmation pluriannuelle continue, la prise en charge de ces personnes [...].

La loi distingue donc entre le droit à réparation de l'enfant né handicapé, et celui de ses parents.

S'agissant de l'enfant, il ne peut demander réparation au praticien que si son handicap est « dû à une faute médicale », si « l'acte fautif a provoqué directement le handicap ou l'a aggravé ou n'a pas permis de prendre les mesures susceptibles de l'atténuer ». De telles hypothèses sont en fait fort rares, mais elles peuvent se rencontrer (56) ; en pareil cas, la réparation due par le praticien sera intégrale, c'est-à-dire couvrira tous les préjudices économiques ou moraux. À défaut d'une telle faute causale, la prise en charge des préjudices liés au handicap relève de la solidarité nationale ; il reste à attendre la mise en œuvre de cette solidarité. Cela concerne au premier chef les arrêts « Perruche et autres » où la faute médicale tenait à ce que le handicap ou le risque de handicap n'avait pas été diagnostiqué.

---

(55) Y. LAMBERT-FAIVRE, *La loi n° 2002-303 du 4 mars 2002 relative aux droits des malades et à la qualité du système de santé. I. – La solidarité envers les personnes handicapées* : D. 2002, chron. 1217 – G. MÉMETEAU, *La jurisprudence dite « Perruche ». Fallait-il légiférer ? Opinions très personnelles* : Gaz. Pal. 2002, 2, doctr. 16-17 oct. – P. JOURDAIN, *Loi anti-Perruche : une loi démagogique* : D. 2002, 891. – V. aussi Ch. RADÉ, *Retour sur le phénomène Perruche : vrais enjeux et faux-semblants* : in *Mélanges Lapoyade-Deschamps*, 2003.

(56) CE 27 sept. 1989, Rec., p. 176 ; D. 1991, 80 et note VERPEAUX ; RFDA 1991, 316, obs. P. DELVOLVÉ. – Cass. 1re civ., 16 juill. 1991 : JCP 1992, II, 21947 et note DORSNER-DOLIVET. – 26 mars 1996, deux arrêts : *Bull. civ.* I, n° 155 et 156 ; D. 1997, 35 et note J. ROCHE-DAHAN.

S'agissant des parents, la responsabilité du praticien est engagée dans le cas où, l'enfant étant né avec un handicap non décelé pendant la grossesse (hypothèse des arrêts « Perruche et autres »), ce défaut de diagnostic est dû à une « faute caractérisée » du praticien. Il reste à savoir comment la jurisprudence définira cette faute caractérisée, catégorie qui n'existe pas à ce jour. Quant au préjudice ainsi réparé, il est considérablement limité puisqu'il ne peut comprendre « les charges particulières découlant, tout au long de la vie de l'enfant, de ce handicap » ; le plus souvent, il s'agira donc seulement de la réparation du préjudice moral subi par les parents.

Conformément au dernier alinéa de l'article 1, I, ces dispositions ont été appliquées aux instances en cours sans attendre qu'aient été déterminées les modalités de prise en charge par la solidarité nationale des personnes nées handicapées (57).

A. – Préjudice matériel et préjudice moral. Préjudice corporel

546. – Diversité des préjudices. On a longtemps opposé préjudice matériel et préjudice moral, par suite d'une controverse sur l'opportunité de réparer le dommage moral. Sur ces catégories classiques est venue s'en greffer une nouvelle, relative au préjudice corporel, qui participe de l'une et de l'autre.

547. – Le préjudice matériel. Le *préjudice matériel* peut être défini comme un dommage objectif portant atteinte au patrimoine, et susceptible d'être directement évalué en argent ; d'où le qualificatif de dommage *pécuniaire* qui lui est parfois donné. Il revêt diverses formes, suivant le point de vue auquel on se place (58).

Ainsi peut-il s'agir indifféremment d'une *perte* (*damnum emergens*) ou d'un *manque à gagner* (*lucrum cessans*) : en cas de destruction d'une machine, par exemple, le préjudice est à la fois de la valeur de la machine, et du bénéfice que celle-ci aurait permis de réaliser ; pour ce dernier on parlera de pertes d'exploitation (59). L'article 1149 du Code civil le dit expressément pour la responsabilité contractuelle, mais la règle s'applique également en matière délictuelle.

> **Art. 1149.** – Les dommages et intérêts dus au créancier sont, en général, de la perte qu'il a faite et du gain dont il a été privé, sauf les exceptions et modifications ci-après.

---

(57) Sur la compatibilité de ces dispositions avec la Convention européenne des droits de l'homme, voir l'Avis du Conseil d'État du 6 décembre 2002 : Ph. MALAURIE, *L'handicap de l'enfant : un droit désemparé. À propos de l'avis du Conseil d'État du 6 décembre 2002 : JCP* 2003, I, 110.

(58) Ch. LAPOYADE-DESCHAMPS, *La réparation du préjudice économique pur en droit français : RIDC* 1998, 367. – A. VIALARD, *Le préjudice économique pur. Variations maritimistes :* in *Mélanges Lapoyade-Deschamps*, 2003.

(59) Y. CHARTIER, *L'évaluation du préjudice en cas de perte de gains : RIDC* 1986, 441.

Le préjudice matériel peut découler d'une *atteinte à des biens* : dégâts matériels, vol, escroquerie, incendie, etc. ; ou *à des personnes* : frais médicaux, chirurgicaux et pharmaceutiques, incapacité de travail partielle ou totale, provisoire ou définitive ; ou même *à certains droits* : concurrence déloyale, publicité fausse ou de nature à induire en erreur, campagne de dénigrement, etc.

Ainsi défini, le préjudice matériel peut être évalué et traduit en argent sans trop de difficultés. Il n'en va pas de même pour le préjudice moral.

548. – Le préjudice moral. Le *préjudice moral* est celui, subjectif, qui, ne portant pas atteinte au patrimoine, ne se prête guère à une évaluation en argent (60).

Il résulte en principe d'une atteinte à un *droit extrapatrimonial*, par exemple, à l'honneur d'une personne, au droit qu'elle a sur son nom (par une usurpation), sur son image ou sur sa vie privée (par une publication ou une divulgation intempestives), etc. ou d'une atteinte à son intégrité corporelle (douleur physique ou psychique), ou encore, le plus souvent peut-être, d'une atteinte à ses sentiments d'affection (décès accidentel d'un être cher). Il peut également s'agir du préjudice d'agrément, résultant de la perte de certaines joies de la vie (61).

En l'absence de texte sur ce point, la jurisprudence et la doctrine ont été longtemps hostiles à la réparation en argent d'un tel préjudice, en raison du caractère inadéquat de l'indemnisation pécuniaire de la douleur. Le principe de la réparation du préjudice moral a cependant été acquis, d'abord devant les juridictions judiciaires, puis devant les juridictions administratives (62). On considère en général que l'argent, s'il n'efface pas le dommage, constitue tout de même une satisfaction de remplacement pour la victime, et une sorte d'amende, de peine privée, pour l'auteur. On pourrait aussi envisager, là où c'est possible, une réparation plus adaptée et plus proche d'une réparation en nature (63).

---

(60) F. GIVORD, *La réparation du préjudice moral*, thèse Grenoble, 1939. – G. RIPERT, *Le prix de la douleur* : D. 1948, chron. 1. – P. ESMEIN, *La commercialisation du dommage moral* : D. 1954, chron. 113. – R. SAVATIER, *Le dommage et la personne* : D. 1955, chron. 1. – G. MÉMETEAU. *La réparation du préjudice d'affection ou : la pierre philosophale* : Gaz. Pal. 1978, 2, doctr. 400.

(61) M. LE ROY, *La réparation des dommages en cas de lésions corporelles : préjudice d'agrément et préjudice économique* : D. 1979, chron. 49. – M. DANGIBEAUD et M. RUAULT, *Les désagréments du préjudice d'agrément* : D. 1981, chron. 157. – M. BOURRIÉ-QUENILLET, *Le préjudice sexuel : preuve, nature juridique et indemnisation* : JCP 1996, I, 3986.

(62) Les juridictions judiciaires l'admettent depuis longtemps : V. par ex. Cass. civ. 13 févr. 1923 : D. 1923, 1, 52 et note LALOU ; S. 1926, 1, 325 ; dans une affaire qui a eu un certain retentissement à l'époque, il a même été admis que puisse être réparée la douleur causée par la perte d'un cheval (Cass. civ. 16 janv. 1962 : D. 1962, 199 et note R. RODIÈRE ; JCP 62, II, 12557) ou d'un chien (Cass. 1re civ., 27 janv. 1982 : JCP 83, II, 19923, obs. F. CHABAS). Les juridictions administratives l'admettent depuis l'arrêt *Letisserand* : CE 24 nov. 1961 : D. 1962, 35 et concl. HEUMANN ; JCP 62, II, 12425, obs. LUCE ; S. 1962, 82, concl. HEUMANN et note VIGNES.

(63) M.D. DOUAOUI, *La réparation du trouble médiatique* : D. 2001, chron. 1333.

© Éditions du Juris-Classeur

En pratique, parce qu'une évaluation objective est impossible, les juges dosent souvent ces dommages-intérêts en fonction de la gravité de la faute commise.

549. – Le préjudice corporel. Le *préjudice corporel* ne s'oppose ni au préjudice matériel, ni au préjudice moral. Il emprunte aux deux puisque tout dommage corporel porte atteinte à la fois au patrimoine, frais médicaux, perte de gains ou salaires correspondant à l'incapacité de travail, et aux sentiments, souffrances physiques, morales, esthétiques. La tendance actuelle est de ranger le préjudice corporel dans une catégorie à part pour mettre en valeur sa fréquence et ses particularités, notamment du point de vue de l'évaluation (V. *infra*, n° 727).

B. – Préjudice immédiat et préjudice médiat ou par ricochet (64)

550. – Le préjudice par ricochet. En règle générale, le préjudice est *immédiat* en ce sens qu'il atteint la victime dans sa personne ou dans ses biens, sans intermédiaire. La réparation de ce préjudice a toujours été admise sans difficulté.

Le préjudice est au contraire *médiat*, ou par *ricochet*, lorsqu'il est la conséquence d'un préjudice immédiat frappant une première personne. Exemple : une personne blessée ou tuée dans un accident subit un dommage immédiat évident ; mais du fait de ces blessures ou de ce décès, ses proches vont éprouver un dommage médiat à la fois matériel (perte du soutien de famille) et moral (atteinte aux sentiments d'affection portés à la victime).

À la suite d'une longue évolution marquée par le désir d'éviter une multiplication abusive des victimes par ricochet (tout le monde pourrait se prétendre atteint dans ses sentiments d'affection : les cousins éloignés, les amis, etc.), la jurisprudence a fini par décider que la qualité de victime par ricochet n'est pas réservée aux parents, et n'est pas subordonnée à l'existence d'un lien de droit entre le défunt et le demandeur en indemnisation. C'est à cette occasion que, dans un premier temps, la jurisprudence avait exigé que le demandeur victime justifie d'un *intérêt juridique légitimement protégé* (V. *infra*, n° 555).

---

(64) Y. LAMBERT-FAIVRE, *Le dommage par ricochet*, thèse Lyon, 1959. – J. DUPICHOT, *Des préjudices réfléchis nés de l'atteinte à la vie ou à l'intégrité corporelle*, 1969. – N. GOMAA, *La réparation du dommage et l'exigence d'un intérêt légitime juridiquement protégé : D.* 1970, chron. 145. – J. VIDAL, *L'arrêt de la chambre mixte du 27 février 1970, le droit à réparation de la concubine et le concept de dommage réparable : JCP* 71, I, 2390. – G. VINEY, *L'autonomie du droit à réparation de la victime par ricochet par rapport à celui de la victime initiale : D.* 1974, chron. 3. – M. BOURRIE-QUENILLET, *À propos d'une étude sur l'indemnisation des proches d'une victime décédée accidentellement : JCP* 85, I, 3212. – *Le préjudice moral des proches d'une victime blessée : Dérive litigieuse ou prix du désespoir : JCP* 1998, I, 186.

Sont aujourd'hui admis à se présenter comme victimes par ricochet tous ceux qui peuvent justifier d'un préjudice matériel ou moral consécutif au décès d'une personne : par exemple une fiancée, une concubine, et plus généralement tous les proches. Il va sans dire qu'il en irait de même dans le cas de décès accidentel d'une personne liée par un pacte civil de solidarité.

C. – Préjudice individuel et préjudice collectif

551. – Le préjudice collectif. Le préjudice *individuel*, sur lequel on a implicitement raisonné jusqu'ici, est celui éprouvé par une ou plusieurs personnes déterminées. L'expression de préjudice *collectif* vise le dommage éprouvé par un groupement, en dehors de tout individu déterminé. Si la réparation du préjudice individuel ne fait pas de difficultés, il n'en va pas de même pour le dommage, notamment le dommage moral, invoqué par une collectivité qui, par exemple, se prétendrait atteinte dans les buts qu'elle poursuit.

Certains cas sont réglés par la loi. Ainsi, les syndicats, comme les ordres professionnels (65), ont le droit d'agir en réparation de tout préjudice, direct ou indirect, porté à l'intérêt collectif de la profession qu'ils représentent (C. trav., art. L. 411-11). Et de même pour certaines associations familiales, ou de défense des consommateurs ou de la moralité, ou de lutte contre l'alcoolisme, la pollution, etc.

En dehors de ces hypothèses spécialement prévues et autorisées, la jurisprudence est très restrictive sur la possibilité pour les associations de demander en justice la réparation d'un préjudice moral. Cette réserve s'explique sans peine : il est apparu en effet que de nombreuses associations à but vertueux invoquaient un prétendu préjudice moral (le franc symbolique de dommages-intérêts) devant la juridiction pénale à seule fin de se substituer au ministère public et de déclencher de manière systématique l'action publique contre tous les auteurs d'infractions aux mœurs (V. *supra*, n° 531). C'est pourquoi on exige des associations qu'elles justifient d'un *préjudice personnel* directement causé par l'infraction et qui soit distinct du préjudice social dont le ministère public a la charge de poursuivre la réparation (66).

Cette situation aurait pu évoluer si on avait octroyé aux associations de consommateurs l'action de groupe connue aux États-Unis ; il s'agit d'une action collective aboutissant à une condamnation en faveur de l'ensemble des consommateurs lésés, dont chacun pourrait individuellement recueillir

---

(65) Cl. Campredon, *L'action collective ordinale* : JCP 79, I, 2943.

(66) R. Vouin, *De la recevabilité de l'action « syndicale » des associations* : JCP 55, I, 1207. – J. Audinet, *La protection judiciaire des fins poursuivies par les associations* : RTD civ. 1955, 213. – J. Larguier, *L'action publique menacée* : D. 1958, chron. 30. – L. Boré, *La défense des intérêts collectifs par les associations devant les juridictions administratives et judiciaires*, préf. G. Viney, LGDJ, 1977.

---

le bénéfice. Certains en avaient émis le vœu (67). Mais le législateur n'est pas allé jusque-là, et s'est borné à accorder, par la loi du 18 janvier 1992, une action en représentation conjointe (68) qui déroge seulement à la règle que « nul ne plaide par procureur » (V. *supra*, n° 209).

§ 2. – Les caractères généraux du dommage réparable

552. – Préjudice direct. Énonçant les caractères généraux du dommage réparable, on dit souvent que, pour être réparable, le dommage doit être *direct*, et *certain*. À ces caractères, dont le premier est contesté, il faut ajouter que le dommage ne doit pas avoir été déjà réparé par une autre source juridique.

Quand on dit que le dommage doit être *direct*, cela signifie qu'il doit découler directement du fait dommageable. En définitive, ce n'est pas là une qualité particulière du préjudice, mais le rappel du *lien de causalité* qui doit exister entre la faute et le dommage (sur le lien de causalité, V. *infra*, n°s 695) (69).

553. – Préjudice certain : le cas du préjudice futur. Le dommage doit être *certain*. La condition est sans nul doute remplie lorsque le préjudice est actuel, déjà réalisé. À la certitude dans le présent peut être assimilée la certitude dans l'avenir : aussi répare-t-on le préjudice *futur* s'il apparaît comme la prolongation certaine et directe d'un état de choses actuel ; par exemple, en cas d'incapacité permanente d'un accidenté, on réparera tout de suite un préjudice – la perte de salaires – qui n'apparaîtra que mois après mois.

Au préjudice futur dont la réalisation à venir est certaine, on oppose le préjudice *éventuel*, c'est-à-dire de réalisation incertaine, qui ne sera réparé que s'il survient effectivement. Par exemple, le propriétaire qui, pour l'entretien des câbles aériens qui traversent sa propriété, doit souffrir le passage des agents de l'EDF à époques régulières, éprouve un préjudice futur ; mais le risque de chute des câbles ou d'incendie est un préjudice seulement éventuel. De même, il a été jugé qu'en cas de séropositivité, la survenance du Sida n'a pas un caractère certain (70).

---

(67) R. et J. MARTIN, *L'action collective* : JCP 84, I, 3162. – F. CABALLERO, *Plaidons par procureur ! De l'archaïsme procédural à l'action de groupe* : RTD civ. 1985, 247. – R. MARTIN, *Le recours collectif au Québec et prospective pour la France* : JCP 86, I, 3255. – N.-J. MAZEN, *Le recours collectif : réalité québécoise et projet français* : RID comp. 1987, 373.
(68) S. GUINCHARD, *L'action de groupe en procédure civile française* : RID comp. 1990, 599. – R. MARTIN, *L'action en représentation conjointe des consommateurs* : JCP 1994, I, 3756. – L. BORÉ, *L'action en représentation conjointe : class action française ou action mort-née ?* : D. 1995, chron. 267.
(69) A. JOLY, *Essai sur la distinction du préjudice direct et du préjudice indirect*, thèse Caen, 1939.
(70) Cass. 2e civ., 20 juill. 1993, D. 1993, 526 et note Y. CHARTIER.

La question du préjudice futur soulève un problème particulièrement délicat en matière de responsabilité des constructeurs. En effet, suivant l'article 1792 du Code civil, les constructeurs sont tenus des dommages « qui compromettent la solidité de l'ouvrage ou qui, l'affectant dans l'un de ses éléments constitutifs ou l'un de ses éléments d'équipement, le rendent impropre à sa destination » ; et cette responsabilité est enfermée dans un délai de prescription de dix ans. Que décider lorsque des désordres affectent l'ouvrage dans les dix ans (par exemple la dégradation des toitures ou des façades), mais vont se poursuivre au-delà, alors que la prescription sera acquise ? S'agissant de dommages évolutifs, la jurisprudence fait ici une subtile distinction : si les dommages revêtaient ou devaient à coup sûr revêtir dans les dix ans la gravité requise par l'article 1792, ils seront réparés y compris pour les désordres qui surviendront postérieurement à la prescription ; si, à l'inverse, les dommages ne revêtaient pas ou ne devaient pas revêtir dans les dix ans la gravité requise par l'article 1792, ils ne seront pas réparés au titre de ce texte, mais ils pourraient l'être en application de la responsabilité contractuelle de droit commun (71).

554. – Préjudice certain : le cas de la perte d'une chance. La jurisprudence considère comme un préjudice certain la *perte d'une chance*, car cette chance – de gagner un procès, de réussir un examen, d'enlever un marché, etc. – constitue à elle seule une valeur patrimoniale susceptible d'évaluation par un calcul de probabilités (72).

Cette question de la perte d'une chance donne lieu à de très nombreux litiges. La jurisprudence a admis à ce titre la réparation de la perte d'une chance de survie découlant de l'insuffisance des soins donnés à un malade (73), de la perte d'une chance de gain aux courses à la suite d'une faute d'un jockey (74), de la perte d'une chance d'obtenir une aide alimentaire d'une victime qui aurait pu avoir un bel avenir (75), de la perte d'une chance de gagner un procès (76), etc.

---

(71) Cass. 3e civ., 25 sept. et 23 oct. 2002 : *RD imm.* 2003, 87, obs. Ph. Malinvaud. – 3 déc 2002 et 29 janv. 2003 (trois arrêts) : *RD imm.* 2003, 185, obs. Ph. Malinvaud : *JCP* 2003, II, 10077, avis av. gén. D. Guérin.

(72) A. Bénabent, *La chance et le droit*, 1973. – M. Laroque, *La réparation de la perte de chances* : *Gaz. Pal.* 1985, doctr. 607.

(73) Cass. 1re civ., 27 janv. 1970, 2 arrêts : *JCP* 70, II, 16422, obs. A. Rabut. – 27 mars 1973 : *D.* 1973, 595 et note J. Penneau ; *JCP* 74, II, 17643, 1re esp., obs. R. Savatier. – 2 mai 1978 : *JCP* 78, II, 18966, obs. R. Savatier. – 8 janv. 1985 : *D.* 1986, 390, 1er esp. et note J. Penneau. – 7 juin 1989 : *D.* 1991, 158 et note J.-P. Couturier. – 10 juill. 2002 : *Bull. civ.* I, n° 197, p. 151

(74) Cass. 2e civ., 25 janv. 1973 : *JCP* 74, II, 17641, obs. A. Bénabent ; *D.* 1974, 230 et note P. Porcher.

(75) Cass. crim., 24 févr. 1970 : *JCP* 70, II, 16456, obs. Ph. Le Tourneau. – 23 nov. 1971 : *D.* 1972, 225 et rapport P. Lecourtier. – Cass. 2e civ., 22 janv. 1975 : *Gaz. Pal.* 1975, 1, 373. – Cass. crim. 3 nov. 1983 : *JCP* 85, II, 20360, 2e esp., obs. Y. Chartier.

(76) Cass. 1re civ., 18 oct. 1978 : *Gaz. Pal.* 1979, 1, 118 et note A. Damien. – 4 avr. 2001, *JCP* 2001, II, 10640 et note C. Noblot.

Bien évidemment, la réparation doit être mesurée à la chance perdue, et non à l'avantage qu'aurait procuré cette chance si elle s'était réalisée (77). S'agissant par exemple de la perte d'une chance de réussite d'une action en justice, le caractère réel et sérieux de la chance perdue doit s'apprécier au regard de la probabilité de succès de cette action (78). Finalement, l'évaluation de la chance et par là même du dommage réparable relève de l'appréciation souveraine des juges du fond (79).

555. – Préjudice légitime. Cette condition a évolué dans le temps. Elle est apparue dans les années 1960 à propos de la concubine victime par ricochet d'un accident mortel survenu à son concubin, concubine dont l'action a longtemps été écartée au motif qu'elle ne justifiait pas « de la lésion d'un intérêt légitime juridiquement protégé ».

Tranchant l'opposition de jurisprudence entre la Deuxième chambre civile et la Chambre criminelle de la cour de cassation, l'arrêt de la Chambre mixte du 27 février 1970 a admis qu'une concubine puisse obtenir réparation en cas de décès accidentel de son concubin lorsque le concubinage « offrait des garanties de stabilité et ne présentait pas de caractère délictueux », c'est-à-dire n'impliquait pas d'adultère (80). Par la suite la jurisprudence de la chambre criminelle a évolué dans le sens d'une prise en considération du dommage même en cas d'adultère (81), alors surtout qu'il n'est plus une infraction pénale depuis la loi du 11 juillet 1975.

La question de l'intérêt légitime ne se pose donc plus aujourd'hui pour la concubine. Mais, même s'il règne une grande incertitude en jurisprudence, la condition de légitimité n'a pas pour autant disparu ainsi qu'en témoigne un arrêt de la Deuxième chambre civile du 24 janvier 2002. Dans cette espèce, relative à la réparation d'un accident de la circulation dont avait été victime une femme de ménage, la cour d'appel avait indemnisé la perte des revenus de la victime, y compris les heures de travail qu'elle accomplissait « au noir ». L'arrêt a été cassé, au visa de l'article 1382, au motif de principe suivant : « Attendu qu'une victime ne peut obtenir la réparation de la perte de ses rémunérations que si celles-ci sont licites » (82).

---

(77) Cass. 1re civ., 15 janv. 2002 : *Contr. Conc. Consom.* 2002, comm. n° 73, obs. L. Leveneur. – 9 avr. 2002 : *D.* 2002, IR, 1469. V. J. Boré, *L'indemnisation pour les chances perdues : une forme d'appréciation quantitative de la causalité d'un fait dommageable : JCP* 74, I, 2620.

(78) Cass. 1re civ., 4 avr. 2001, précité.

(79) Cass. 1re civ., 10 juill. 2002 : *Bull. civ.* I, n° 197, p. 151.

(80) Cass. ch. mixte 27 févr. 1970 : *D.* 1970, 201 et note R. Combaldieu ; *JCP* 1970, II, 19972, obs. Ph. Le Tourneau. – Cass. crim. 2 mars 1982 : *JCP* 83, II, 19972, obs. Ph. Le Tourneau. Il y avait au contraire précarité en cas de pluralité de concubines (Cass. crim. 8 janv. 1985 : *JCP* 86, II, 20588, obs. G. Endréo).

(81) Cass. crim. 20 avr. 1972 : *JCP* 72, II, 17278, obs. J. Vidal. – Cass. crim. 14 juin 1973 : *D.* 1973, 585 et note P.M. – Cass. crim. 19 juin 1975 : *D.* 1975, 679 et note A. Tunc. – Paris 10 nov. 1976 : *JCP* 78, II, 18859, obs. R. Savatier ; *D.* 1978, 458 et note J. Bosquet-Denis.

(82) Cass. 2e civ., 24 janv. 2002 : *JCP* 2002, II, 10118 et note Ch. Boillot ; *D.* 2002, somm. 621 ; *Defrénois* 2002, 1, 786, art. 37558, obs. R. Libchaber ; *Dr. et patr.* 2002, n° 3061, p. 92, obs. F. Chabas ; *RTD civ.* 2002, 306, obs. P. Jourdain. Rappr. Cass. 2e civ., 27 mai 1999, *RTD civ.* 1999, 637.

Il reste à définir le critère justifiant le refus de réparation. Ce critère semble tenir, non au simple fait que la victime serait en situation irrégulière ou se livrerait à une activité illicite au moment de l'accident, mais au lien existant entre cette situation irrégulière ou illicite et le préjudice subi.

Sont ainsi indemnisés les dommages corporels subis par un voyageur sans billet (83), du passager d'un véhicule volé (84), de la prostituée victime d'un accident sur son lieu de travail (85), ou du toxicomane blessé alors qu'il venait acheter sa drogue (86), parce qu'il n'y a pas de lien direct entre le dommage et l'activité irrégulière.

En revanche, ne sera pas indemnisée la privation de revenus tirés d'une activité illicite par un commerçant étranger en situation irrégulière expulsé par son bailleur (87), ou par un forain non autorisé empêché d'étaler son éventaire par le propriétaire d'un immeuble (88).

556. – Préjudice non déjà réparé. Enfin, parce qu'on ne répare pas deux fois le même préjudice, le dommage ne doit pas avoir été déjà indemnisé par une autre source juridique. La situation se rencontre lorsque les conséquences d'un accident ont été, en tout ou en partie, couvertes par des prestations versées par l'État, les organismes de sécurité sociale ou les assurances.

En ce qui concerne l'État (pensions d'invalidité ou de retraite proportionnelle) ou la sécurité sociale (remboursements, rente d'accident du travail, capital décès), on admet qu'ils sont subrogés dans les droits de la victime à concurrence des prestations versées à titre indemnitaire. Autrement dit, la victime ne pourra pas cumuler les indemnités, et le responsable sera poursuivi par l'État ou l'organisme en paiement des prestations allouées, et par la victime pour le surplus du dommage non indemnisé par les prestations.

En matière d'assurance, la règle est différente. Pour les *assurances de personnes*, la victime cumule le bénéfice de son assurance-vie ou de son assurance individuelle accident et l'indemnité due par le responsable. La subrogation de l'assureur dans les droits de la victime est ici interdite. Elle est au contraire licite, et même d'usage, pour les *assurances de choses* : lorsqu'une chose, assurée pour sa valeur, est détruite par la faute d'un tiers, le propriétaire sera indemnisé par son propre assureur, lequel se retournera contre le tiers responsable ou l'assureur de ce dernier.

---

(83) Cass. 2ᵉ civ., 19 févr. 1992 : *JCP* 1993, II, 22170 et note Casile-Hugues.
(84) Cass. 1ʳᵉ civ., 17 nov. 1993 : *RTD civ.* 1994.115.
(85) Cass. 2ᵉ civ., 7 juill. 1993 : *Resp. civ. et ass.* 1993, comm. n° 300.
(86) Cass. 2ᵉ civ., 2 févr. 1994 : *Resp. civ. et ass.* 1994, comm. n° 176.
(87) Cass. 2ᵉ civ., 30 janv. 1959 : *Bull. civ.* II, n° 116.
(88) Cass. 2ᵉ civ., 18 nov. 1959 : *Bull. civ.* II, n° 754.

LE FAIT DOMMAGEABLE

557. – La notion de fait dommageable. Tous les régimes de responsabilité civile, sur quelque texte qu'ils soient fondés, requièrent l'existence d'un dommage. Mais tous n'exigent pas vraiment une faute, avec toute la coloration morale dont ce mot demeure chargé dans notre langue. C'est pourquoi, sans qu'il soit besoin d'entrer dans la controverse relative au fondement de la responsabilité civile (faute ou risque ? V. *supra*, n° 314), on a préféré employer le terme, plus neutre, de fait dommageable.

Ce fait est exigé pour que soit engagée tant la responsabilité contractuelle que celle délictuelle. Mais il n'a pas toujours la même définition. Suivant l'admirable formule de l'article 1384, alinéa 1 du Code civil, « on est responsable non seulement du dommage que l'on cause par son propre fait, mais encore de celui qui est causé par le fait des personnes dont on doit répondre, ou des choses que l'on a sous sa garde ».

À la vérité, cette formule relative aux délits et quasi-délits ne peut être transposée telle quelle à la responsabilité contractuelle. Dans le cadre d'un contrat, on n'est responsable que de son propre fait, ou du fait des subordonnés chargés d'exécuter le contrat, mais en principe pas du fait des choses qu'on a sous sa garde ; en pratique, cette différence est très estompée en raison des règles applicables à la preuve de la faute contractuelle.

Sous le bénéfice de cette observation, le fait dommageable sera envisagé dans ses divers aspects : le fait personnel, le fait d'autrui, le fait des choses.

§ 1. – Le fait personnel : la faute

558. – Présentation générale. Dans notre droit positif, le fait personnel ne peut être que la faute. Cette responsabilité constitue aujourd'hui encore le droit commun en matière délictuelle comme en matière contractuelle.

> **Art. 1147.** – Le débiteur est condamné, s'il y a lieu, au payement de dommages et intérêts, soit à raison de l'inexécution de l'obligation, soit à raison du retard dans l'exécution, toutes les fois qu'il ne justifie pas que l'inexécution provient d'une cause étrangère qui ne peut lui être imputée, encore qu'il n'y ait aucune mauvaise foi de sa part.

> **Art. 1382.** – Tout fait quelconque de l'homme, qui cause à autrui un dommage, oblige celui par la faute duquel il est arrivé, à le réparer.

On envisagera successivement la définition de la faute, puis ses variétés et sa preuve.

A. – Définition de la faute

559. – Les deux éléments de la faute. La loi n'ayant pas défini la faute, il appartient à l'interprète de le faire, de manière que chacun sache quels sont les actes susceptibles d'entraîner sa responsabilité. Malgré les incertitudes qui planent sur la notion de faute, on peut la cerner en distinguant en elle deux éléments, l'un objectif, l'autre subjectif.

1° L'élément objectif : le fait illicite (89)

560. – Les critères de la faute. La définition de cet élément objectif soulève des difficultés quasi insurmontables. À la vérité, il faut se méfier des formules qui ne fournissent pas de critère précis, et elles foisonnent dans cette matière, sans parvenir à y apporter toute la clarté désirable. Il faut peut-être en conclure qu'il n'y a pas de critère précis de la faute et que la marge d'appréciation laissée au juge est plus large ici qu'ailleurs.

Suivant les auteurs, la faute est définie comme un *fait illicite*, ou comme *la violation d'une obligation préexistante*, ou encore comme *une erreur de conduite*. L'ambiguïté n'est pas pour autant levée. Qu'est-ce qu'un fait illicite ? Quelles sont les obligations préexistantes ? Quelle est la conduite de référence ? Dans l'absolu, la difficulté n'est pas résolue, mais reportée.

1) En pratique, ces définitions permettent dans la plupart des cas de décider s'il y a faute : en effet, le droit pose un grand nombre de règles de conduite et toute violation d'une règle constitue une faute.

Ainsi en est-il des règles contractuelles auxquelles les parties se sont volontairement soumises : il y a faute à ne pas respecter les engagements souscrits et les obligations qui en découlent. Sans doute les contrats ne prévoient-ils pas toutes les situations, mais ce n'est là qu'affaire d'interprétation (V. *supra*, nos 476 et s.).

Par ailleurs, de très nombreuses règles légales imposent des devoirs aux particuliers dans les domaines les plus divers. Peu importe que ces règles figurent dans des lois, des décrets ou des arrêtés. Toute violation d'un texte impératif est une faute susceptible d'engager la responsabilité de son auteur s'il en résulte un dommage. Cela vise toutes les lois pénales, les lois sociales, celles relatives à la constitution et au fonctionnement des sociétés, aux banques, à l'épargne publique, etc., et, de la même manière, le Code de la route ou les multiples arrêtés municipaux.

---

(89) P. ESMEIN, *La faute et sa place dans la responsabilité civile : RTD civ.* 1949, 481. – G. MARTY, *Illicéité et responsabilité :* in *Mélanges Julliot de la Morandière,* p. 339. – M. PUECH, *L'illicéité dans la responsabilité civile extracontractuelle,* 1973.

Il existe aussi des règles coutumières (V. *Introduction*, n°s 191 et s.), des usages professionnels ou commerciaux, des règles de déontologie (90), de conscience, de loyauté, de bonnes mœurs (91), etc., auxquels chacun est tenu de se conformer.

2) Outre ces règles précises et faciles à connaître, on admet qu'existe dans notre droit un devoir général de ne pas nuire à autrui, sanctionné par l'article 1382 du Code civil.

Le soin de déterminer l'étendue de ce devoir appartient aux tribunaux qui disposent à cet égard d'un large pouvoir d'appréciation pour décider s'il y a faute. En pratique, il n'est pas toujours aisé de tracer la frontière entre le licite et l'illicite. Par exemple la publicité faite pour un dentifrice a été considérée comme licite alors qu'elle mentionnait le pouvoir détachant de ce dentifrice à l'égard d'un certain produit alimentaire, la Cour ayant considéré qu'il n'y avait pas là dénigrement dudit produit alimentaire, mais simple information objective (92). En revanche, le *parasitisme économique*, et notamment le fait pour un fabricant d'imiter ou de copier un objet non protégé par un droit de propriété intellectuelle, est constitutif d'une faute (93).

Plus généralement, la jurisprudence considère que les abus de la liberté d'expression prévus et réprimés par la loi du 29 juillet 1881 sur la liberté de la presse, ne peuvent être réparés sur le fondement de l'article 1382 du Code civil (94).

561. – L'abus du droit et les troubles de voisinage. Enfin, il peut même y avoir faute dans l'exercice d'un droit, lorsqu'il y a *abus du droit* (95).

---

(90) Sur le point de savoir si le manquement à une règle déontologique constitue une faute civile, voir J. Moret-Bailly, *Règles déontologiques et fautes civiles* : D. 2002, chron. 2820.

(91) Il a toutefois été jugé que le seul fait d'entretenir une liaison avec un homme marié ne constituait pas une faute de nature à engager la responsabilité de son auteur à l'égard de l'épouse ; mais il pourrait en aller différemment dans le cas où l'amante aurait par ses manœuvres détourné le mari de son épouse ou aurait créé du scandale (Cass. 2e civ., 5 juill. 2001 : *JCP* 2001, IV, 2624).

(92) Cass. com. 15 janv. 2002 : *Bull. civ.* IV, n° 9 ; *JCP* 2002, I, 186, n° 14, obs. G. Viney. Si en revanche le produit mis en cause avait été un produit concurrent, par exemple un autre dentifrice, la question aurait été réglée par application des règles sur la publicité comparative.

(93) Cass. com. 30 janv. 1996 : *D.* 1997, 232 et note Y. Serra. – 30 janv. 2001 : *Bull. civ.* IV, N° 27 ; *JCP* 2001, I, 340, n° 29, obs. G. Viney, cassant Paris 18 oct. 2000 : *D.* 2001, 850 et note J. Passa. V. en faveur de la responsabilité : Ph. Le Tourneau, *Le parasitisme*, Litec, 1998. – *Retour sur le parasitisme* : *D.* 2000, chron. 403. – C. Hueber et S. Binn, *Comment sauver la théorie du parasitisme* : *Contr. Conc. Consom.* 2000, chron. n° 13. – Ph. Le Tourneau, *Le bon vent du parasitisme* : *Contr. Conc. Consom.* 2001, chron. n° 1. – *Peut-on entonner le requiem du parasitisme ?* : *D.* 2001, chron. 1226. V. en sens contraire : J. Passa, *Propos dissidents sur la sanction du parasitisme économique* : *D.* 2000, chron. 297.

(94) Cass. 2e civ., 23 janv. 2003 : *Bull. civ.* II, n° 16, p. 13. – 6 févr. 2003 : *Bull. civ.* II, n° 32, p. 29.

(95) J. Charmont, *L'abus du droit* : *RTD civ.* 1902, 113. – H. Capitant, *Sur l'abus du droit* : *RTD civ.* 1928, 365. – L. Josserand, *De l'esprit des droits et de leur relativité (théorie dite de l'abus des droits)*, 1929. – G. Ripert, *Abus ou relativité des droits* : *Rev. crit. lég. et jur.* 1929, 33. – H. de la Massüe, *Responsabilité contractuelle et responsabilité délictuelle sous la notion de l'abus de droit* : *RTD civ.* 1948, 27. – A. Pirovano, *La fonction sociale des droits : réflexions sur le destin des théories de Josserand* : *D.* 1972, chron. 67. – M. Rotondi, *Le rôle de la notion de l'abus du droit* : *RTD civ.* 1980, 66. – J. Karila de Van, *Le droit de nuire* : *RTD civ.* 1995, 533.

En effet, bien qu'il n'y ait aucun texte sur cette question, la jurisprudence considère que, si quelques rares droits sont *discrétionnaires* (96), d'autres plus nombreux ne sont que *relatifs* et donc susceptibles d'abus. Tel est le cas du droit de propriété (97), du droit d'ester en justice (98), du droit de ne pas contracter, du droit de résilier un contrat à durée indéterminée (*supra*, n° 218), et même du droit d'exiger la stricte exécution du contrat (99).

Reste à déterminer à quel moment l'exercice d'un droit cesse d'être légitime pour devenir abusif ; car il ne suffit pas, pour engager la responsabilité, que l'exercice d'un droit entraîne un dommage : encore faut-il que cet exercice soit fautif.

La faute est patente si le droit a été exercé dans le seul but de nuire à autrui. L'hypothèse est fréquente en ce qui concerne la propriété, par exemple constructions ou plantations destinées à gêner les voisins, la preuve de l'intention de nuire résultant de l'inutilité pour le propriétaire des travaux accomplis ; de même en ce qui concerne le droit de résiliation d'un contrat de travail exercé à tort pour des motifs politiques ou syndicaux, ou celui d'ester en justice.

Dans d'autres hypothèses, la jurisprudence se contente d'une faute, même d'imprudence, dans l'exercice d'un droit pour engager la responsabilité de son auteur : ainsi le fait de résilier à contretemps un contrat de travail ou un contrat de société à durée indéterminée.

562. – La théorie des troubles de voisinage. Il faut rappeler ici qu'en dehors de toute idée de faute, celui qui cause à ses voisins un préjudice (bruits, odeurs, etc.) excédant la mesure des *obligations ordinaires du voisinage* doit le faire cesser ou le réparer ; cette jurisprudence trouve bien souvent application en matière d'entreprises industrielles et

---

(96) A. Rouast, *Les droits discrétionnaires et les droits contrôlés : RTD civ.* 1944, 1. – D. Roets, *Les droits discrétionnaires : une catégorie juridique en voie de disparition ? : D.* 1997, doctr. 92.

(97) R. Martin, *De l'usage des droits et particulièrement du droit de propriété : RTD civ.* 1975, 52. – Cass. req. 3 août 1915 : *D.* 1917, 1, 79. – Cass. 1re civ., 20 janv. 1964 : *D.* 1964, 518. – TGI Paris 6 févr. 1976 : *D.* 1976, 459 et note G. Liet-Veaux.

(98) R. Martin, *De l'abus du droit d'action à l'article 700 du nouveau Code de procédure civile :* JCP 76, IV, 287. – J. Viatte, *L'amende civile pour abus du droit de plaider :* Gaz. Pal. 1978, 1, doctr. 305. – Y. Desdevises, *L'abus du droit d'agir en justice avec succès :* D. 1979, chron. 21. – F.-J. et M. Pansier, *Abus de procédure, Nouveau Code de procédure civile, article 700, et référé :* JCP 83, I, 3105. – M. Raimon, *L'abus du droit d'action dans les litiges internationaux :* JCP 2000, I, 256. – Cass. crim., 13 nov. 1969 : *D.* 1970, 208 ; *JCP* 70, II, 16292, obs. P. Chambon.

(99) J. Ghestin, *L'abus dans les contrats :* Gaz. Pal. 20 août 1981. – P. Stoffel-Munck, *L'abus dans le contrat, Essai d'une théorie,* LGDJ, 2000, préf. R. Bout. – A. Karimi, *Les clauses abusives et l'abus du droit,* LGDJ, 2001, préf. Ph. Simler. – Cass. 3e civ., 12 oct. 1971 : *JCP* 72, II, 16966. – Paris 27 sept. 1977 : *D.* 1978, 690 et note H. Souleau. – V. aussi Cass. 2e civ., 13 déc. 1972 : *D.* 1973, 493 et note Ch. Larroumet. À propos de l'obligation pour les pompistes de restituer en nature les cuves fournies par les pétroliers, V. Cass. com. 22 juill. et 18 déc. 1986, 6 janv. et 10 févr. 1987 : *D.* 1988, somm. 21 et note D. Ferrier. – Paris 5e ch. B, 13 mai 1987 : *D.* 1987, IR, 149. – Paris 1er ch. A, 5 mai 1988 : *Gaz. Pal.* 1988, 2, 578, note O. Douvreleur et J.-P. Marchi.

commerciales (100). Il s'agit là d'une source autonome de responsabilité qui repose sur la *théorie des troubles de voisinage*.

LA COUR ; – *Sur le moyen unique :* – Vu les articles 544 et 1382 du Code civil ; – Attendu que le droit pour un propriétaire de jouir de sa chose de la manière la plus absolue, sauf usage prohibé par la loi ou les règlements est limité par l'obligation qu'il a de ne causer à la propriété d'autrui aucun dommage dépassant les inconvénients normaux du voisinage ; – Attendu que pour rejeter la demande en dommages-intérêts formée par les époux Vullion contre la société Vernet Saint-Christophe, à raison des désordres provoqués dans l'immeuble appartenant auxdits époux par la construction de bâtiments sur le terrain voisin, la cour d'appel énonce qu'en l'absence de toute faute démontrée à l'encontre de la Société Vernet Saint-Christophe, maître de l'ouvrage, sa responsabilité ne pouvait être retenue ; Qu'en statuant ainsi, alors qu'il résultait des propres constatations de l'arrêt que la Société Vernet Saint-Christophe avait enfreint l'obligation à laquelle elle était tenue de ne pas causer au voisin un trouble dépassant les inconvénients normaux du voisinage, la cour d'appel a violé les textes susvisés ;

Par ces motifs : – Casse et annule l'arrêt rendu le 13 mars 1969 entre les parties par la cour d'appel de Paris, et renvoie devant la cour d'appel de Reims.

(Cass. 3e civ., 4 févr. 1971 : *JCP* 71, II, 16781, 1re esp., note Lindon).

Depuis un arrêt du 13 novembre 1986 (101), les décisions en la matière ne sont plus rendues sous le visa de l'article 1382, mais sous celui d'un nouveau principe général du droit selon lequel « Nul ne doit causer à autrui un trouble anormal de voisinage. »

2° L'élément subjectif : l'imputabilité (102)

563. – Nécessité de l'élément subjectif ? Dans l'opinion générale, un fait illicite ne suffit pas à constituer une faute ; il faut en outre qu'il soit imputable à son auteur. Cette imputabilité suppose en principe chez l'auteur du dommage *la conscience et la liberté de ses actes,* car on ne saurait reprocher à quelqu'un un comportement inconscient ou auquel il a été contraint.

En fait, cette conception de la faute, qui est celle de la morale, est largement démentie sur le premier point (la conscience) par le droit positif français ; mais elle subsiste sur le second.

---

(100) C.-P. Yocas, *Les troubles de voisinage,* thèse Paris, 1964. – J.-B. Blaise, *Responsabilité et obligations coutumières dans les rapports de voisinage : RTD civ.* 1965, 261. – J.-P. Théron, *Responsabilité pour trouble anormal de voisinage en droit public et en droit privé : JCP* 76, I, 2802. – M.-F. Nicolas, *La protection du voisinage : RTD civ.* 1976, 675. – F. Caballero, *Essai sur la notion juridique de nuisance,* LGDJ, 1981. – M.-C. Lambert-Pieri, *Construction immobilière et dommages aux voisins,* Économica, 1982. – R. Mevoungou Nsana, *Le préjudice causé par un ouvrage immobilier : réparation en nature ou par équivalent ? : RTD civ.* 1995, 733. – A. Lepage, *Le voisinage : Defrénois,* 1999, 1, 257, art. 36943. – P. Villien, *Vers une unification des régimes de responsabilité en matière de troubles de voisinage dans la construction immobilière : RD imm.* 2000, 275. – Ph. Malinvaud, *Les dommages aux voisins dus aux opérations de construction : RD imm.* 2001, 479. V. Aix 17 févr. 1966 : *D.* 1966, 281 et note F. Derrida, et, sur pourvoi, Cass. 2e civ., 8 mai 1968 : *JCP* 68, II, 15595, obs. M. de Juglart et E. du Pontavice (rendu à propos de l'aéroport de Nice). – CE 10 janv. 1969 : *Gaz. Pal.* 1969, 2, 161. – Cass. 2e civ., 30 mai 1969 : *JCP* 69, II, 16069, obs. L. Mourgeon. – Cass. 3e civ., 4 févr. 1971 : *JCP* 71, II, 16781, 1re esp., obs. R. Lindon.

(101) Cass. 3e civ., 13 nov. 1986 : *Bull. civ.* III, n° 172. – 28 juin 1995 : *Bull. civ.* III, n° 222. – Cass. 1re civ., 18 sept. 2002 : *RD imm.* 2003, 96, obs. Ph. Malinvaud.

(102) P. Jourdain, *Recherche sur l'imputabilité en matière de responsabilité civile et pénale,* thèse Paris II, 1982. – H. Mazeaud, *La « faute objective » et la responsabilité sans faute : D.* 1985, chron. 13.

564. – Responsabilité des déments, des *infans* et des personnes morales. La *conscience* de ses actes n'est pas nécessaire pour engager sa responsabilité.

L'article 489-2 du Code civil, dû à la loi du 3 janvier 1968, le proclame expressément pour les déments (103).

Art. 489-2. – Celui qui a causé un dommage à autrui alors qu'il était sous l'empire d'un trouble mental, n'en est pas moins obligé à réparation.

Ce texte fait peser sur ces personnes ce qu'on appelle volontiers une responsabilité objective, dénuée de tout fondement moral et qui, en pratique, oblige l'entourage à contracter au nom du dément une assurance de responsabilité. La jurisprudence a été amenée à préciser que l'article 489-2 n'instituait aucune responsabilité nouvelle et qu'il s'appliquait en conséquence à toutes les responsabilités relevant des articles 1382 et suivants du Code civil (104).

En l'absence de texte, la solution était discutée pour les enfants en bas âge qui causent des dommages aux tiers, en dehors de tout contrat bien entendu. La jurisprudence était hostile à la responsabilité de l'*infans* sans discernement et elle avait refusé d'étendre l'application de l'article 489-2 à cette hypothèse. Cette solution a été renversée par la Cour de cassation qui, dans cinq arrêts rendus en Assemblée plénière le 9 mai 1984, a décidé que l'*infans* pouvait commettre une faute, ou être gardien d'une chose, même en l'absence de discernement (105). C'est dire qu'il n'est nul besoin d'avoir conscience de ses actes pour engager sa responsabilité ; la faute devient alors une notion objective, et s'apprécie par référence au comportement d'un homme normal. Il serait souhaitable que cette responsabilité, qui peut

---

(103) R. Savatier, *Le risque, pour l'homme, de perdre l'esprit et ses conséquences en droit civil :* D. 1968, chron. 109. – J.-J. Burst, *La réforme du droit des incapables majeurs et ses conséquences sur le droit de la responsabilité civile extracontractuelle :* JCP 70, I, 2307. – G. Viney, *Réflexions sur l'article 489-2 du Code civil :* RTD civ. 1970, 251. – N. Gomaa, *La réparation du préjudice causé par les malades mentaux :* RTD civ. 1971, 29. – Ph. Le Tourneau, *La responsabilité civile des personnes atteintes d'un trouble mental :* JCP 71, I, 2401. – J.-F. Barbieri, *Inconscience et responsabilité dans la jurisprudence civile : l'incidence de l'article 489-2 du Code civil après une décennie :* JCP 82, I, 3057. – M. Daury-Fauveau, *Trouble mental et responsabilité : La faute de l'aliéné et le contrat :* JCP 1998, I, 160.

(104) Cass. 1re civ., 20 juill. 1976 : JCP 78, II, 18793, 1re esp., obs. N. Dejean de la Bâtie. – Cass. 2e civ., 4 mai 1977 : D. 1978, 393 et note R. Legeais. – Cass. 2e civ., 21 avr. 1982 : D. 1982, 403 et note Ch. Larroumet. – Cass. 1re civ., 17 mai 1982 : Gaz. Pal. 12 avr. 1983, note P. Jourdain. – Cass. 1re civ., 9 nov. 1983 : D. 1984, 139 et note F. Derrida ; JCP 84, II, 20316, obs. P. Jourdain. – Cass. 2e civ., 24 juin 1987 : JCP 87, IV, 304.

(105) Cass. ass. plén. 9 mai 1984, 5 arrêts : D. 1984, 525, concl. Cabannes et note F. Chabas ; JCP 84, II, 20255 et obs. N. Dejean de la Bâtie, 20256 et obs. P. Jourdain, 20291 et rapport Fedou ; RTD civ. 1984, 508, obs. J. Huet. – R. Legeais, *Un gardien sans discernement. Progrès ou régression dans le droit de la responsabilité civile ? :* D. 1984, chron. 237. – H. Mazeaud, *La « faute objective » et la responsabilité sans faute :* D. 1985, chron. 13. – G. Viney, *La réparation des dommages causés sous l'empire d'un état d'inconscience : un transfert nécessaire de la responsabilité vers l'assurance :* JCP 85, I, 3189. – R. Legeais, *Responsabilité civile des enfants et responsabilité civile des parents :* Défrénois 1985, 1, 557, art. 33508. – F. Alt-Maes, *Les nouveaux droits reconnus à la victime d'un mineur :* JCP 1992, I, 3627. – R. Legeais, *Le mineur et la responsabilité civile :* in Mélanges Cornu, p. 253.

---

s'avérer extrêmement lourde, soit couverte par un système d'assurance de manière à ne pas obérer l'avenir de l'*infans* tenu responsable.

La solution est la même, *a fortiori*, pour les jeunes en âge de comprendre la portée de leurs actes ; leur minorité ne les empêche pas d'être responsables au même titre que les majeurs, y compris pour l'inexécution des contrats, lorsque ceux-ci ont été valablement passés.

Enfin, bien que les *personnes morales* n'aient pas, à proprement parler, conscience des actes accomplis par leurs organes, la jurisprudence admet que la faute des dirigeants est celle de la société et que cette dernière peut en conséquence être poursuivie sur le fondement de l'article 1382 du Code civil, par exemple. Cette responsabilité n'exclut évidemment pas celle personnelle des dirigeants sociaux (106), même si, pour des raisons de solvabilité, les victimes recherchent plus volontiers la responsabilité de la personne morale (107). En pratique, le plus souvent, la responsabilité de la personne morale sera recherchée de préférence sur le fondement de l'article 1384, alinéa 5 du Code civil (responsabilité du fait des préposés : V. *infra*, n°s 591 et s.).

565. – Pas de responsabilité en cas de cause étrangère. La *liberté* de ses actes est en revanche une condition d'existence de la faute.

Il n'y a pas faute si l'auteur du dommage s'est trouvé, par suite des circonstances, dans l'impossibilité absolue de respecter les règles contractuelles, ou légales, ou autres qui s'imposaient à lui. Ainsi en est-il d'une grève sauvage ou d'une maladie brutale qui empêche l'exécution d'un contrat, d'un phénomène naturel (tempête, séisme, etc.) ou de toute autre cause (fait d'un tiers ou faute de la victime) *imprévisible* et *irrésistible* ; on dit alors qu'on est en présence d'un *cas fortuit ou de force majeure*.

En pareille hypothèse, l'auteur matériel du dommage n'en a été que l'instrument mais non la cause, qui lui est étrangère. C'est en définitive un problème de *causalité* plus que de faute : en dépit des apparences, le dommage est dû à une *cause étrangère*. Il s'ensuit que toute personne, convaincue d'avoir accompli un fait objectivement illicite, peut s'exonérer de sa responsabilité en démontrant qu'elle a agi sous la contrainte d'un cas fortuit ou de force majeure (V, *infra*, n°s 697 et s.).

B. – Les diverses catégories de fautes

566. – Classifications. On peut classer les fautes suivant divers critères : leur origine (contractuelle ou délictuelle), leur forme (faute de

---

(106) Suivant la jurisprudence, « la responsabilité personnelle d'un dirigeant à l'égard des tiers ne peut être retenue que s'il a commis une faute séparable de ses fonctions ; il en est ainsi lorsque le dirigeant commet intentionnellement une faute d'une particulière gravité incompatible avec l'exercice normal des fonctions sociales » : Cass. com., 20 mai 2003 : *D.* 2003, 1502, obs. A. Lienhard. – V. aussi Cass. com., 28 avr. 1998 : *JCP* 1998, II, 10177 et note D. Ohl : *RTD com.* 1998, 623, obs. B. Petit et Y. Reinhard.

(107) F. Descorps-Declère, *Pour une réhabilitation de la responsabilité civile des dirigeants sociaux* : *RTD com.* 2003, 25. – J.-F. Barbieri, *Responsabilité de la personne morale ou responsabilité de ses dirigeants ? La responsabilité personnelle à la dérive* : in *Mélanges Guyon*, 2003.

commission et faute par omission), leur gravité (fautes intentionnelle et non intentionnelle).

1° Faute contractuelle et faute délictuelle ou quasi délictuelle

567. – Définitions. Est une faute *contractuelle* l'inexécution ou la mauvaise exécution d'une obligation résultant d'un contrat valable. Toute autre faute, notamment en dehors de tout contrat, est *délictuelle* ou *quasi délictuelle* ; de manière traditionnelle quoique fort ambiguë, on lui donne le nom de *délit* ou *quasi-délit* (à ne pas confondre avec le délit du droit pénal). La nature, contractuelle ou délictuelle, de la faute est l'un des éléments qui permettent de dire si s'appliqueront les règles de la responsabilité contractuelle ou celles de la responsabilité délictuelle (V. *supra*, n° 533).

On rappellera à cette occasion que la faute intervenant au cours de la période de formation du contrat, n'étant pas la violation d'une obligation contractuelle, relève de la responsabilité délictuelle (108) (V. *supra*, n° 534).

2° Faute de commission et faute par omission

568. – La faute de *commission*, c'est-à-dire celle qui s'accomplit par un acte positif, ne soulève pas de réel problème. Il ne fait pas de doute qu'elle engage la responsabilité de son auteur dès l'instant qu'elle contrevient à une obligation de ne pas faire, légale ou contractuelle.

On s'est au contraire demandé si une *omission*, une simple abstention, pouvait constituer une faute. Une réponse affirmative s'impose si cette abstention viole une règle faisant obligation d'agir. De telles obligations d'agir sont fréquentes dans les contrats : celui qui n'accomplit pas son obligation de faire commet indiscutablement une faute ; et il doit en outre l'accomplir loyalement. Elles sont à l'inverse l'exception en dehors des contrats car il est rare que la loi impose aux particuliers l'accomplissement de prestations positives (109) ; aussi, hormis les cas expressément prévus (par ex., obligation de porter secours aux personnes en danger), les tribunaux recherchent dans chaque cas si l'omission constitue ou non une erreur de conduite : par exemple, omission d'un hôtel sur une liste établie par un syndicat d'initiative, omission d'une entreprise sur une énumération faite à la télévision, etc. (110).

---

(108) J. SCHMIDT, *La sanction de la faute précontractuelle* : RTD civ. 1974, 46. – P. MOUSSERON, *Conduite des négociations contractuelles et responsabilité civile délictuelle* : RTD com. 1998, 243. – D. MAZEAUD, *Mystères et paradoxes de la période précontractuelle* : in *Mélanges J. Ghestin*, LGDJ, 200, p. 637.

(109) P. APPLETON, *L'abstention fautive en matière délictuelle, civile et pénale* : RTD civ. 1912, 693. – J. CARBONNIER, *Le silence et la gloire* : D. 1951, chron. 119. – N. KASIRER, *Agapé* : RIDC 2001, 575.

(110) V. pour des abstentions fautives : Cass. 1re civ., 27 févr. 1951 : D. 1951, 329 et note DESBOIS ; JCP 51, II, 6793, obs. MIHURA. – TGI Lyon 7 nov. 1973 : JCP 74, II, 17665, obs. R.-L. ; et, pour des abstentions non fautives : Cass. 2e civ., 17 juill. 1953 : D. 1954, 533 et note J. CARBONNIER ; JCP 53, II, 7751. – Cass. 1re civ., 3 déc. 1968 : D. 1969, 253 et note P. COUVRAT ; JCP 69, II, 15787, obs. R.-L.

3° Faute intentionnelle et faute non intentionnelle

a) La faute intentionnelle (111)

569. – Définition. La faute intentionnelle est appelée *délit* en matière délictuelle et *dol* ou faute dolosive en matière contractuelle. Il s'agit bien évidemment du *dol dans l'exécution du contrat* et non pas du *dol dans la conclusion du contrat* qui est une cause de nullité (V. *supra*, n°s 174 et s.).

La définition de la faute intentionnelle diffère suivant qu'elle est intervenue ou non dans le cadre d'un contrat.

En dehors de tout contrat, il y a *faute intentionnelle ou délit* lorsque l'auteur a accompli l'acte illicite avec l'intention de produire le dommage ; il a voulu non seulement l'acte, mais aussi son résultat (sinon, ce ne serait qu'un quasi-délit) : par exemple, le dénigrement des produits fabriqués par un concurrent.

Au contraire, la *faute intentionnelle ou dol* dans l'exécution d'un contrat n'exige pas une véritable intention de nuire ; suivant la jurisprudence, il y a dol d'un cocontractant lorsque, « de propos délibéré, il se refuse à exécuter ses obligations contractuelles, même si ce refus n'est pas dicté par l'intention de nuire ». Telle est la notion que retient la jurisprudence de manière générale, notamment lorsqu'il s'agit de définir la faute dolosive faisant échec à une clause limitative de responsabilité (112). C'est cette notion qu'a également retenue la Cour de cassation en matière de responsabilité des constructeurs (113) alors que, précédemment, elle exigeait la volonté de réaliser le dommage (114), ou même l'intention de nuire (115).

Mais elle revient à la notion classique – faute commise avec l'intention de produire le dommage – en matière d'assurance pour l'application de l'article L. 113-1 du Code des assurances : « Toutefois l'assureur ne répond pas des pertes et dommages provenant d'une faute intentionnelle

---

(111) G. Viney, *Remarques sur la distinction entre faute intentionnelle, faute inexcusable et faute lourde : D.* 1975, chron. 263.

(112) Ségur, *La notion de faute contractuelle en droit civil français*, thèse Paris, 1954. – D. Nguyen Thanh-Bourgeais, *Contribution à l'étude de la faute contractuelle : la faute dolosive et sa place actuelle dans la gamme des fautes : RTD civ.* 1973, 496. – Cass. 1re civ., 4 févr. 1969 : *D.* 1969, 601 et note J. Mazeaud ; *JCP* 1969, II, 16030 et note Prieur. – Cass. 1re civ., 22 oct. 1975 : *D.* 1976, 151 et note J. Mazeaud.

(113) Cass. 3e civ., 27 juin 2001 : *JCP* 2001, II, 10626 et note Ph. Malinvaud ; *D.* 2001, 2995, concl. J.-F. Weber et note J.-P. Karila ; *JCP* 2002, I, 124, n° 18, obs. G. Viney.

(114) Cass. 3e civ., 26 mai 1988 : *JCP* 1988, IV, 267. – 7 févr. 2001 : *RD imm.* 2001, 176, obs. Ph. Malinvaud.

(115) Cass. 1re civ., 18 déc. 1996 : *Bull. civ.* I, n° 239 ; *D.* 1997, somm. 289, obs. Ph. Delebecque ; *RD imm.* 1997, 243, obs. Ph. Malinvaud

ou dolosive de l'assuré » (116). Ici, l'appréciation du caractère intentionnel de la faute de l'assuré relève du pouvoir souverain des juges du fond (117).

570. – Assimilation de la faute lourde au dol. Pour écarter une clause limitative de responsabilité, il n'est même pas nécessaire de qualifier de faute intentionnelle l'inexécution délibérée d'un contrat. Il suffit d'y voir une *faute lourde*, car, en matière contractuelle, la faute lourde, c'est-à-dire celle si grossière qu'elle paraît faite exprès (118), est suivant une longue tradition équipollente au dol pour certains effets, et spéciale-ment pour écarter tant les clauses limitatives de garantie que la limita-tion de réparation prévue par l'article 1150 du Code civil. S'il n'y avait cette assimilation, les cocontractants malhonnêtes pourraient trop faci-lement invoquer une prétendue incurie pour échapper aux conséquences de leur mauvaise foi (119).

Il en va toutefois autrement en matière de responsabilité des construc-teurs où, « si lourde que soit la faute », l'assimilation au dol est écar-tée (120) ; cette solution particulière s'explique par le souci d'éviter que la prescription de dix ans de l'article 2270 ne soit systématiquement écartée au motif que la faute d'un professionnel serait toujours une faute lourde.

En pratique, la définition de la faute lourde varie suivant le domaine dans lequel on se trouve. Ainsi, s'agissant de la responsabilité de l'État pour mauvais fonctionnement du service de la justice, la jurisprudence décide que constitue une faute lourde « toute déficience caractérisée par un fait ou une série de faits traduisant l'inaptitude du service public de la justice à remplir la mission dont il est investi » (121).

---

(116) G. BRIÈRE DE L'ISLE, *La faute intentionnelle (à propos de l'assurance de la responsabilité civile professionnelle)* : D. 1973, chron. 259. – J. GHESTIN, *La faute intentionnelle du notaire dans l'exécution de ses obligations contractuelles et l'assurance responsabilité* : D. 1974, chron. 31. – H. MARGEAT et A. FAVRE-ROCHEX, *Faute intentionnelle en assurance et péripéties jurisprudentielles* : Gaz. Pal. 1976, 2, doctr. 569. – G. BRIÈRE DE L'ISLE, *La faute dolosive, Tentative de clarification* : D. 1980, chron. 133. – *La faute intentionnelle ou cent fois sur le métier... (Réflexions à propos d'un arrêt : Cass. 1re civ., 17 déc. 1991)* : D. 1993, chron. 75. – Cass. 1re civ., 15 oct. 1975 : D. 1976, 149 et note J.-L. AUBERT. – Cass. 1re civ., 25 mars et 7 mai 1980 : D. 1981, 21 et note G. BRIÈRE DE L'ISLE. – Cass. 1re civ., 20 janv. 1981 : D. 1981, 605 et note G. BRIÈRE DE L'ISLE.

(117) Cass. 1re civ., 4 juill. 2000 : Bull. civ. I, n° 203, p. 133 ; JCP 2000, I, 340, n° 30, obs. crit. G. VINEY. – Cass. 3e civ., 9 janv. 2002 : Bull. civ. III, n° 1, p. 1 ; JCP 2002, I, 186, n° 16, obs. crit. G. VINEY.

(118) Voir par ex. : Cass. com. 3 avr. 1990 : D. 1990, IR, 114.

(119) L. MAZEAUD, *L'assimilation de la faute lourde au dol* : DH 1933, chron. 49. – R. ROBLOT, *De la faute lourde en droit privé français* : RTD civ. 1943, 1. – R. JAMBU-MERLIN, *Dol et faute lourde* : D. 1955, chron. 84. – G. VINEY, *Remarques sur la distinction entre faute intentionnelle, faute inexcusable et faute lourde* : D. 1975, chron. 263.

(120) Cass. 3e civ., 12 oct. 1994 : Bull. civ. III, n° 171. – 18 juill. 1984 : RD imm. 1985, 65, obs. Ph. MALINVAUD. – Cass. 1re civ., 28 nov. 1967 : Bull. civ. I, n° 349 ; D. 1968, 199. – 30 mai 1978 : D. 1978, IR, 228.

(121) Cass. ass. plén. 23 févr. 2001 : D. 2001, 1752 et note Ch. DEBBASCH ; JCP 2001, I, 340, nos 26-28, obs. G. VINEY. – O. RENARD-PAYEN et Y. ROBINEAU, *La responsabilité de l'État pour faute du fait du fonctionnement défectueux du service public de la justice judiciaire et administrative*, Rapport Cour de cassation, 2002, p. 59.

571. – Conséquences communes aux responsabilités contractuelle et délictuelle. Si toute faute engage la responsabilité de son auteur, la faute intentionnelle ou dolosive est, dans certains cas, considérée avec plus de sévérité que la faute simple.

Certaines différences concernent tant la responsabilité délictuelle que celle contractuelle. Ainsi, les dommages découlant d'une faute intentionnelle sont toujours à la charge personnelle du responsable sans qu'il puisse s'en faire couvrir par une assurance (C. ass., art. L. 113-1, al. 2) ; l'assurance de responsabilité ne peut jouer que pour les conséquences d'une faute non intentionnelle : quasi-délit en dehors de tout contrat, faute simple ou même lourde dans un contrat.

572. – Conséquences propres à la responsabilité contractuelle. D'autres différences n'intéressent que la responsabilité contractuelle.

Ainsi, en matière délictuelle, le dommage est toujours réparé dans son entier, qu'il soit dû à un délit ou à un quasi-délit. En matière contractuelle, au contraire, la réparation n'est complète qu'en cas de dol ou de faute lourde équipollente au dol ; si la faute est légère, l'article 1150 du Code civil limite l'indemnisation au *dommage prévisible* lors du contrat (V. *infra*, n° 731).

De même, les clauses limitatives de responsabilité, qui peuvent être insérées dans certains contrats (V. *infra*, n°s 741 et s.), ne permettent pas de s'exonérer des conséquences dommageables de ses fautes intentionnelles ou lourdes ; il est en effet admissible de stipuler par avance l'absolution de ses maladresses ou imprudences, mais pas de sa mauvaise foi.

La jurisprudence fait une application sévère de cette règle aux fabricants et aux vendeurs professionnels ; ces professionnels étant « censés connaître les vices » des produits qu'ils fabriquent ou qu'ils vendent, et même « tenus de les connaître », ils ne peuvent éluder leur responsabilité par des clauses limitatives, sauf à l'égard d'autres *professionnels de même spécialité* (122). Cette jurisprudence a été consacrée en matière de vente aux consommateurs par le décret du 24 mars 1978, aujourd'hui l'article R. 132-1 du Code de la consommation, qui interdit comme abusive « la clause ayant pour objet ou pour effet de supprimer ou de réduire le droit à réparation du non-professionnel ou consommateur en cas de manquement par le professionnel à l'une quelconque de ses obligations » (V. *supra*, n° 323).

---

(122) Cass. 3e civ., 22 janv. 1974 : *D.* 1974, 288. – Cass. com. 29 janv. 1974 : *D.* 1974, 268. – Ph. MALINVAUD, *Pour ou contre la validité des clauses limitatives de la garantie des vices cachés dans la vente* : *JCP* 75, I, 2690. Il en va différemment en matière de vente internationale de marchandises : K. MISSAOUI, *La validité des clauses aménageant la garantie des vices cachés dans la vente internationale de marchandises* : *JCP* 1996, I, 3927.

573. – Suite : la faute inexcusable. Dans un ordre d'idées voisin, il arrive que la loi elle-même tienne quitte certains contractants de leur faute légère pour ne retenir que leur faute lourde, ou encore leur faute inexcusable.

Ainsi, en matière de *transport aérien*, la responsabilité des compagnies en cas de décès accidentel des passagers est limitée par la loi à un forfait, à moins que l'accident ne soit dû à une *faute inexcusable*, c'est-à-dire une « faute délibérée qui implique la conscience de la probabilité du dommage et son acceptation téméraire sans raison valable » (123). Il en va de même en matière d'*accidents de la circulation* où seule la faute inexcusable de la victime est une cause d'exonération de la responsabilité du conducteur (V. *infra*, n° 660).

Également, en matière d'*accidents du travail*, les salariés indemnisés forfaitairement par la Sécurité sociale bénéficient d'indemnités complémentaires dues par l'employeur en cas de « faute inexcusable de l'employeur ou de ceux qu'il s'est substitué dans la direction de l'entreprise » (C. sec. Soc., art. L. 452-1 et s.). Élargissant la notion de faute inexcusable, la jurisprudence récente considère que l'employeur est tenu envers le salarié d'une obligation de sécurité de résultat et que le manquement à cette obligation constitue une faute inexcusable lorsque « l'employeur avait ou aurait dû avoir conscience du danger auquel était exposé le salarié et qu'il n'a pas pris les mesures nécessaires pour l'en préserver » (124).

Enfin, et en dehors de toute règle de droit, les tribunaux, d'une manière générale, usent de leur pouvoir d'appréciation dans le sens d'une plus grande sévérité à l'encontre de celui qui commet une faute intentionnelle. Cette tendance se manifeste notamment dans l'évaluation du préjudice moral, qui est souvent fonction de la gravité de la faute commise (V. *supra*, n° 340 et *infra*, n° 725), et en matière de partage de responsabilités.

---

(123) G. BRIÈRE DE L'ISLE, *La faute inexcusable* : D. 1970, chron. 73. – R. RODIÈRE, *La faute inexcusable du transporteur aérien* : D. 1978, chron. 31. – A. CŒURET, *La faute inexcusable et ses applications jurisprudentielles* : Gaz. Pal. 19 déc. 1987. – G. DE MONTEYNARD, *Responsabilité et limitation en droit des transports*, Rapport cour de cassation, 2002, p. 247. – Cass. 1re civ., 24 juin 1968 : D. 1968, 569 ; JCP 69, II, 15704, obs. M. DE JUGLART et E. DU PONTAVICE.

(124) Cass. soc. 21 févr. 2002 (6 arrêts) : JCP 2002, II, 10053 et concl. A. BENMAKHLOUF ; Gaz. Pal. 2002, 1, 5-7 mai, concl. BENMAKHLOUF et note S. PETIT ; D. 2002, 2696, 1re esp. et note X. PRETOT ; RTD civ. 2002, 310, obs. P. JOURDAIN (pour les maladies professionnelles dues à l'amiante). – 11 avr. 2002 : D. 2002, 2215 et note Y. SAINT-JOURS ; D. 2002, 2696, 2e esp. et note X. PRETOT (pour les accidents du travail). Sur l'ensemble de la question, voir G. VINEY, *La responsabilité de l'employeur pour atteinte à la sécurité des salariés : la faute inexcusable* : JCP 2002, I, 186, nos 23 et s. – P. SARGOS, *L'évolution du concept de sécurité au travail et ses conséquences en matière de responsabilité* : JCP 2003, I, 104. – P. OLLIER, *La responsabilité de l'employeur en matière d'accidents du travail et de maladies professionnelles*, Rapport Cour de cassation, 2002, p. 109.
Au plan de la causalité, il suffit que la faute inexcusable soit une cause nécessaire de l'accident pour que la responsabilité de l'employeur soit engagée, alors même que d'autres fautes auraient concouru au dommage : Cass. soc. 31 oct. 2002 : D. 2003, 644 et note Y. SAINT-JOURS.

Dans la mesure où la faute intentionnelle se caractérise par des éléments psychologiques internes à son auteur, l'intention de nuire, la mauvaise foi, elle doit être recherchée et appréciée par référence à celui qui l'a commise, « in concreto » dit-on. Cette appréciation relève du pouvoir souverain des juges du fond (125).

b) La faute non intentionnelle

574. – Le principe. Cette faute est appelée *quasi-délit* en matière délictuelle, et *faute* en matière contractuelle.

On la définit comme la maladresse, l'imprudence ou la négligence ; la définition est la même, qu'il y ait ou non contrat. Ce sera, par exemple, la livraison négligente de marchandises défectueuses, le retard d'un paiement par suite d'oubli, etc.

Si on se place sur un plan moral, ces actes ont une moindre gravité que les précédents puisqu'ils ne sont chargés d'aucune mauvaise foi ou intention de nuire. Ils ne sont que des manifestations de légèreté.

Le droit pénal tient compte de cette différence parce que l'intention est un élément constitutif de toute infraction pénale. Chacun sait par exemple qu'il y a une gradation entre l'homicide par imprudence, le meurtre et l'assassinat alors que le résultat, le décès de la victime, est pourtant le même dans les trois hypothèses. Mais, s'il est naturel que la *sanction* pénale soit fonction de la gravité de la faute, en revanche la *réparation* civile due à la victime ne doit être fonction que du préjudice subi. C'est pourquoi, hormis les quelques différences citées précédemment (*supra*, n°^{os} 361 et 362), la responsabilité civile est la même, que la faute soit ou non intentionnelle.

575. – Applications. La solution ne fait aucun doute pour la responsabilité délictuelle : elle est engagée pour toute faute, même très légère, car la diligence exigée des tiers en dehors de tout contrat est toujours maximale. Tel est du moins le principe mais, en pratique, les juges usent parfois de leur pouvoir d'appréciation pour nier l'existence d'une faute, lorsque celle-ci paraît très minime (126).

Il en est de même en matière de contrats, à ceci près que la diligence exigée du cocontractant aura pu être fixée conventionnellement à un niveau plus ou moins élevé. Il conviendra donc de se reporter aux clauses du contrat pour savoir si le comportement dommageable constitue ou non une faute par rapport à ce qui a été prévu ; si, par exemple, la convention

---

(125) Cass. 1re civ., 4 juill. 2000 : *Bull. civ.*, I, n° 203, p. 133.

(126) V. par exemple Cass. com. 23 oct. 2001 : *JCP* 2002, II, 10013 et note L. DE GENTILINI-PICARD ; *JCP* 2002, I, 186, n° 12, obs. crit. G. VINEY (qui a écarté la qualification de faute pour la négligence imputable à une banque pour avoir omis de déclarer sa créance en temps utile au passif de la liquidation juridicaire du codébiteur, ce qui « ne révélait de sa part ni un manquement à son obligation de bonne foi, ni une manifestation de déloyauté à l'égard de ses cocontractants »).

ne requiert du débiteur qu'une diligence moyenne, celle dont il fait preuve dans ses propres affaires notamment, on ne saurait lui imputer à faute une inattention très légère (127).

Ces principes trouvent une conséquence quant à l'appréciation de la faute. Pour savoir si un acte dommageable constitue ou non une faute, il faut le rapprocher, non pas des capacités ou aptitudes du fautif considéré, mais d'une *norme*. Cette norme de référence est soit celle fixée au contrat (diligence variable, suivant les cas), soit, en dehors de tout contrat, le type abstrait que constitue un homme normalement prudent et diligent placé dans les mêmes circonstances. Pour désigner ce modèle idéal, le code recourt à la notion de *bon père de famille* ; d'où certaines expressions familières aux juristes : se comporter, ou jouir, en bon père de famille, etc. (128).

C. – La preuve de la faute

576. – Détermination de l'obligation violée. La faute étant l'inexécution d'une obligation, il va de soi que la victime doit d'abord démontrer l'existence de l'obligation. Cette première exigence n'a de portée que pour les obligations résultant d'un contrat, lequel devra être prouvé conformément aux règles exposées lors de l'étude de la forme du contrat (V. *supra*, nos 351 et s.).

Quant aux obligations légales, elles n'ont pas besoin d'être prouvées ; il suffit d'indiquer le texte ou le principe d'où elles découlent : l'article 1147 pour la responsabilité contractuelle ou l'article 1382 du Code civil pour la responsabilité délictuelle.

577. – Charge de la preuve en matière délictuelle. Une fois démontrée l'existence de l'obligation, il reste à prouver le caractère fautif de l'inexécution. Qui doit rapporter cette preuve ? C'est le problème de la charge de la preuve ; il se pose en des termes différents suivant que la responsabilité est délictuelle ou contractuelle.

Lorsqu'un dommage survient en dehors d'un contrat, c'est en principe à la victime de démontrer que l'auteur a manqué au devoir général de ne pas nuire à autrui inscrit à l'article 1382 ; à elle seule, la réalisation d'un préjudice ne fait pas présumer la faute. Cette règle, qui paraît sévère pour la victime, est en fait tempérée par l'existence de *présomptions de responsabilité* – responsabilité du fait d'autrui et du fait des choses – qui renversent la charge de la preuve ; elles seront étudiées aux deux paragraphes suivants.

---

(127) R. RODIÈRE, *Une notion menacée : la faute ordinaire dans les contrats : RTD civ.* 1954, 201.
(128) N. DEJEAN DE LA BÂTIE, *Appréciation* in abstracto et *appréciation* in concreto *en droit civil français*, 1965.

578. – Charge de la preuve en matière contractuelle : obligations de moyens et obligations de résultat. En matière contractuelle, le texte de base en matière de responsabilité est l'article 1147 suivant lequel, en cas d'inexécution ou de mauvaise exécution de l'obligation, il appartient au débiteur de justifier « que l'inexécution provient d'une cause étrangère qui ne peut lui être imputée, encore qu'il n'y ait aucune mauvaise foi de sa part ». Ici, la responsabilité est présumée et la charge de la preuve pèse sur celui qui n'a pas exécuté ou a mal exécuté.

Mais d'autres dispositions du Code civil, et notamment l'article 1137 relatif à « l'obligation de veiller à la conservation de la chose », édicte que le débiteur est tenu d'y apporter « tous les soins d'un bon père de famille ». Ici, c'est au créancier de l'obligation de démontrer que le débiteur n'a pas agi en bon père de famille, en bref qu'il a commis une faute.

À partir de ces textes, la doctrine a dégagé au cours du XXᵉ siècle la distinction des obligations de moyens et des obligations de résultat (129).

Si le cocontractant n'a pas promis un résultat mais seulement de mettre en œuvre les moyens tendant à l'obtenir, alors la règle est la même qu'en matière délictuelle : il appartient à la victime de prouver que l'inexécution est due à la faute du débiteur. Si, au contraire, c'est le résultat lui-même qui a été promis, le fait qu'il n'ait pas été atteint suffit à constituer le débiteur en faute puisqu'il est d'ores et déjà démontré qu'il a manqué à ses obligations.

En pratique, la difficulté tient à ce que ni les contractants, ni la loi à titre supplétif, ne précisent si les obligations souscrites sont de moyens ou de résultat.

Parfois, la solution relève de l'évidence. Ainsi, toutes les *obligations de donner* ou *de ne pas faire* sont des obligations de résultat parce qu'a été promis un résultat absolu, non susceptible de plus ou de moins : transférer la propriété, ne pas faire concurrence, ne pas se servir ailleurs, etc.

Au contraire, les *obligations de faire* peuvent être, suivant les cas, de moyens ou de résultat. L'exemple classique est celui qui oppose l'obligation du transporteur à celui du médecin : le transporteur s'engage (ou est censé s'engager) à transporter d'un point à un autre un voyageur sain et sauf ; le médecin s'engage non pas à guérir, mais à mettre en œuvre tous les moyens propres à améliorer l'état du malade, compte tenu de l'état actuel de la science. Mais à ce schéma de base il convient d'apporter des

---

(129) G. Marton, *Obligations de résultat et obligations de moyens : RTD civ.* 1935, 499. – H. Mazeaud, *Essai de classification des obligations : RTD civ.* 1936, 1. – A. Tunc, *Distinction des obligations de moyens et des obligations de diligence : JCP* 1945, I, 449. – P. Esmein, *Remarques sur de nouvelles classifications des obligations :* in *Études Capitant*, p. 235. – J. Frossard, *La distinction des obligations de moyens et des obligations de résultat*, LGDJ, – A. Plancqueel, *Obligations de moyens, obligations de résultat : RTD civ.* 1972, 334. – J. Bellissent, *Contribution à l'analyse de la distinction des obligations de moyens et des obligations de résultat*, LGDJ, 2001. – V. Malabat, *De la distinction des obligations de moyens et des obligations de résultat :* in *Mélanges Lapoyade-Deschamps*, 2003.

nuances. Ainsi, l'obligation du transporteur n'est de résultat que pendant la durée du trajet, pas avant l'embarquement ni après le débarquement ; et de même, la jurisprudence fait peser sur le médecin une obligation de résultat pour une fraction de son activité, par exemple pour les matériels qu'il utilise, les produits qu'il emploie, ou pour les infections nosocomiales (130).

Affinant encore la distinction, la jurisprudence a ajouté, notamment en ce qui concerne les obligations de sécurité, des obligations de moyens renforcées ou de résultat atténuées, ce qui permet d'écarter la responsabilité en faisant la preuve de l'absence de faute (131).

579. – Obligations de moyens et obligations de résultat. Critère de distinction. Il n'y a évidemment pas de problème si la loi précise elle-même l'intensité de l'obligation, ce qui est infiniment rare. À défaut, les parties peuvent également le faire, mais c'est également rare et, en outre, la qualification retenue par les parties ne lie pas le juge. En définitive, c'est donc le plus souvent le juge saisi d'un litige qui aura à se prononcer sur l'étendue de l'obligation.

Le critère premier est celui de l'*aléa*. Si l'obligation souscrite n'est soumise à aucun aléa particulier, on dira qu'on est en présence d'une obligation de résultat. Tel est le cas de l'obligation du *transporteur*, ou du *constructeur*, car dans l'un et l'autre cas le risque est – ou devrait être – faible sinon inexistant.

En second lieu, on prend en considération le *rôle actif ou passif de la victime*. Ainsi, on opposera le touriste que l'on juche sur un âne pour la visite d'un site escarpé dont le rôle est purement passif, au cavalier expérimenté qui loue un cheval dans un manège, qui conduit l'animal à son gré et joue donc un rôle actif.

580. – Modes de preuve. Quant aux modes de preuve, ils sont libres (V. *supra*, n° 540). Ainsi pourra-t-on faire entendre des témoins dans le cadre d'une enquête, ou demander une expertise pour éclairer le tribunal, etc.

À supposer que la faute soit ainsi prouvée, la responsabilité contractuelle ou délictuelle sera établie à moins que l'auteur ne puisse dénier l'existence d'un lien de causalité entre sa faute et le dommage. Ainsi pourra-t-il échapper à sa responsabilité si sa faute n'a pas été la cause du dommage ou encore si son acte illicite lui a été imposé par un cas de force majeure (V. *infra*, nos 697 et s. à propos du lien de causalité).

---

(130) Les lois des 4 mars et 30 décembre 2002 mettent désormais ces infections nosocomiales pour partie à la charge de la « solidarité nationale » : V. Y. LAMBERT-FAIVRE, *La responsabilité médicale : la loi du 30 décembre modifiant la loi du 4 mars 2002* : D. 2003, chron. 361. – D. DUVAL-ARNOULD, *La responsabilité civile des professionnels de santé et des établissements de santé privés à la lumière de la loi du 4 mars 2002*, Rapport Cour de cassation, 2002, p. 213.

(131) V. par ex., Cass. 1re civ., 16 oct. 2001 : *JCP* 2002, II, 10194 et note Ch. LIÈVREMONT ; *RTD civ.* 2002, 107, obs. P. JOURDAIN (obligation de moyens renforcée à la charge du moniteur d'un sport dangereux, en l'espèce le pilote de l'avion remorquant un planeur).

---

§ 2. – Le fait d'autrui

A. – Le principe général de responsabilité du fait d'autrui

581. – L'article 1384 du Code civil. En matière pénale où la responsabilité est toujours personnelle, nul ne saurait en principe être condamné à une peine pour une infraction commise par autrui (sous réserve de certains cas de responsabilité pénale des chefs d'entreprise). Ce principe ne se retrouve pas en matière civile où l'article 1384 pose une règle inverse dans ses alinéas 1, 4 et 5.

> **Art. 1384.** – On est responsable non seulement du dommage que l'on cause par son propre fait, mais encore de celui qui est causé par le fait des personnes dont on doit répondre, ou des choses que l'on a sous sa garde.
>
> ....
>
> *(L. n° 70-459 du 4 juin 1970)* « Le père et la mère, en tant qu'ils exercent *(L. n° 2002-305 du 4 mars 2002, art. 8-V)* l'autorité parentale, sont solidairement responsables du dommage causé par leurs enfants mineurs habitant avec eux. »
>
> Les maîtres et les commettants, du dommage causé par leurs domestiques et préposés dans les fonctions auxquelles ils les ont employés ;
>
> Les instituteurs et les artisans, du dommage causé par leurs élèves et apprentis pendant le temps qu'ils sont sous leur surveillance.
>
> *(L. 5 avr. 1937)* « La responsabilité ci-dessus a lieu, à moins que les père et mère et les artisans ne prouvent qu'ils n'ont pu empêcher le fait qui donne lieu à cette responsabilité.
>
> « En ce qui concerne les instituteurs, les fautes, imprudences ou négligences invoquées contre eux comme ayant causé le fait dommageable, devront être prouvées, conformément au droit commun, par le demandeur, à l'instance. »

Ainsi, un père peut être condamné à réparer le préjudice causé par son enfant mineur, et un patron celui provoqué par ses ouvriers et employés.

Qu'un chauffeur en état d'ébriété cause un grave accident entraînant le décès d'une personne, la situation se présentera de la manière suivante : sur le plan pénal, seul le chauffeur pourra encourir une peine de prison ou d'amende et il la purgera personnellement ; sur le plan civil, la victime pourra, à son choix, demander réparation (dommages-intérêts) soit au chauffeur lui-même pour son fait personnel (132), soit à l'entreprise pour le fait de son chauffeur, soit aux deux ensemble.

Originairement, et parfois encore, cette responsabilité du fait d'autrui trouve son fondement dans l'*obligation de surveillance* (133). Mais, le plus souvent, le but poursuivi est d'offrir à la victime, outre un éventuel recours contre l'auteur du dommage, un second recours contre une personne supposée plus solvable que la première et qui jouera un *rôle de*

---

(132) Cass. ass. plén., 14 déc. 2001 : *JCP* 2002, II, 10026 et note M. BILLIAU. Cet arrêt retient la responsabilité civile du préposé à l'égard des tiers lorsqu'il fait l'objet d'une condamnation pénale. À défaut d'une telle condamnation pénale, la responsabilité civile du préposé à l'égard des tiers est écartée si le préposé a agi « sans excéder les limites de la mission qui lui a été impartie par son commettant » : Cass. ass. plén., 25 févr. 2000 : *JCP* 2000, II, 10295, concl. R. KESSOUS et note M. BILLIAU ; *D.* 2000, 673 et note Ph. BRUN ; *Gaz. Pal.* 23-24 août 2000 et note F. RINALDI. – *RTD civ.* 2000, 582, obs. P. JOURDAIN ; G. VINEY, obs. *JCP* 2000, I, 241, n° 16 et s. V. *infra*, n° 597.

(133) C. COULON, *L'obligation de surveillance. Essai sur la prévention de fait d'autrui*, thèse Lille, 2001.

garantie à l'égard des tiers (134). Il convient d'ajouter que le garant condamné à payer pour autrui peut dans certains cas, se retourner contre le véritable responsable ; en pratique, pour des motifs divers, insolvabilité du responsable, assurance du garant excluant le recours, il est rare que cette action récursoire soit mise en œuvre.

La responsabilité du fait d'autrui se rencontre tant en matière délictuelle qu'en matière contractuelle.

582. – Responsabilité délictuelle du fait d'autrui. En matière délictuelle, la jurisprudence a très longtemps considéré que l'article 1384, alinéa 1, s'il exprimait un principe général de responsabilité du fait des choses, ne posait aucunement un principe général de responsabilité du fait d'autrui.

Elle en déduisait que ce texte n'avait pas de portée propre en matière de responsabilité du fait d'autrui, qu'il annonçait seulement les cas énoncés aux alinéas suivants, lesquels étaient en conséquence considérés comme limitatifs. Ainsi, les seules personnes responsables du fait d'autrui étaient les parents du fait de leurs enfants mineurs, les artisans du fait de leurs apprentis, et surtout les commettants, c'est-à-dire les patrons, du fait de leurs préposés. À cela il faut ajouter que l'État est responsable du fait de ses fonctionnaires et agents, sauf en cas de faute personnelle, détachable du service.

Compte tenu de la formulation de l'article 1384, alinéa 1, il paraissait pourtant difficile – sinon même contradictoire – d'interpréter ce texte d'une manière tantôt extensive, et tantôt restrictive, suivant qu'il s'agissait de responsabilité du fait des choses ou de responsabilité du fait d'autrui.

583. – Suite : l'arrêt Blieck et la jurisprudence récente. Cette situation a cependant duré près de 190 ans, jusqu'à l'arrêt Blieck de l'Assemblée plénière de la Cour de cassation du 29 mars 1991 (135).

LA COUR ; – *Sur le moyen unique :* Attendu, selon l'arrêt confirmatif attaqué (C. Limoges, 1re ch., 23 mars 1989), que Joël Weevauters, handicapé mental, placé au Centre d'aide par le travail de Sornac, a mis le feu à une forêt appartenant aux consorts Blieck ; que ceux-ci ont demandé à l'Association des centres éducatifs du Limousin, qui gère le centre de Sornac, et à son assureur, la réparation de leur préjudice ;

Attendu qu'il est fait grief à l'arrêt d'avoir condamné ces derniers à des dommages-intérêts par application de l'art. 1384, alinéa 1er, C. civ., alors qu'il n'y aurait de responsabilité du fait d'autrui que dans les cas prévus par la loi et que la cour d'appel n'aurait pas constaté à quel titre l'association devrait répondre du fait des personnes qui lui sont confiées ;

Mais attendu que l'arrêt relève que le centre géré par l'association était destiné à recevoir des personnes handicapées mentales, encadrées dans un milieu protégé, et que Joël Weevauters était soumis à un régime comportant une totale liberté de circulation dans la journée ; qu'en l'état de

---

(134) P. JOURDAIN, *La responsabilité du fait d'autrui à la recherche de ses fondements :* in *Mélanges Lapoyade-Deschamps*, 2003.
(135) Cass. ass. plén. 29 mars 1991 : *JCP* 91, II, 21673, concl. D. DONTENWILLE et note J. GHESTIN ; *D.* 1991, 324 et note Ch. LARROUMET ; *Defrénois* 1991, 1, 729, art. 35062, n° 44, obs. J.-L. AUBERT ; *Gaz. Pal.* 5-6 août 1992 et note F. CHABAS. – G. VINEY, *Vers un élargissement de la catégorie des « personnes dont on doit répondre » : la porte entrouverte sur une nouvelle interprétation de l'article 1384, al. 1, du Code civil : D.* 1991, chron. 157. – H. GROUTEL, *La responsabilité du fait d'autrui : un arrêt (à moitié) historique : Resp. civ. et assur.* avr. 1991, chron.

ces constatations, d'où il résulte que l'association avait accepté la charge d'organiser et de contrôler, à titre permanent, le mode de vie de ce handicapé, la cour d'appel a décidé, à bon droit, qu'elle devait répondre de celui-ci, au sens de l'art. 1384, alinéa 1er, C. civ., et qu'elle était tenue de réparer les dommages qu'il avait causés ; d'où il suit que le moyen n'est pas fondé ;

Par ces motifs, rejette.

À la vérité, cet arrêt ne décidait pas expressément que l'alinéa 1er de l'article 1384 posait un principe général de responsabilité du fait d'autrui. Mais la solution était nécessairement implicite dans la mesure où la Cour suprême approuvait les juges du fond d'avoir décidé qu'une association gérant un centre d'aide par le travail devait répondre, au sens de l'article 1384, alinéa 1er, des dommages causés par un handicapé mental sous sa garde.

Depuis lors, la cour de cassation a retenu, par application de l'article 1384, alinéa 1, la responsabilité des associations sportives du fait de leurs membres (136), de la personne physique ou morale assurant la garde d'un mineur en danger (137), même lorsqu'il réside chez ses parents (138), ou encore du tuteur du fait du mineur à lui confié (139).

On peut donc considérer que la jurisprudence consacre un principe général de responsabilité du fait d'autrui (140), étant précisé que cette responsabilité de plein droit ne tombe pas devant la preuve de l'absence de faute (141) du présumé responsable. En revanche, il reste à préciser si cette responsabilité suppose une faute de la personne gardée, ou un simple fait causal comme en matière de responsabilité des parents du fait de leurs enfants mineurs (142).

L'affirmation d'un tel principe général revêt un grand intérêt, notamment pour le cas où des jeunes, des malades, des handicapés, des délinquants, etc., sont placés de manière temporaire ou continue sous la garde d'institutions.

---

(136) Cass. 2e civ., 22 mai 1995 : *JCP* 1995, II, 22550 et note J. Mouly ; *Gaz. Pal.* 7-9 janv. 1996 et note F. Chabas ; *D.* 1996, somm. 29 et note F. Alaphilippe. – 3 févr. 2000 : *JCP* 2000, II, 10316 et note J. Mouly ; *D.* 2000, 862 et note S. Denoix de Saint-Marc ; *D.* 2000, somm. 465, obs. P. Jourdain ; *Defrénois* 2000, p. 724, art. 37188, n° 44 et note D. Mazeaud. V. aussi pour une association de majorettes : Cass. 2e civ., 12 déc. 2002 : *JCP* 2003, IV, 1220.

(137) Cass. crim. 10 oct. 1996 : *JCP* 1997, II, 22833 et note F. Chabas ; *D.* 1997, 309 et note M. Huyette. – Cass. 2e civ., 20 janv. 2000 : *D.* 2000, 571 et note M. Huyette. – Cass. crim. 15 juin 2000 : *D.* 2001, 653 et note Huyette.

(138) Cass. 2e civ., 6 juin 2002, 2 arrêts : *D.* 2002, 2750 et note M. Huyette ; *JCP* 2003, II, 10068, notes A. Gouttenoire-Cornut et N. Roget ; *RTD civ.* 2002, 825, obs. P. Jourdain.

(139) Cass. crim. 28 mars 2000 : *JCP* 2001, II, 10457 et note C. Robaczewski ; *JCP* 2000, I, 241, n° 9 et s., obs. G. Viney ; *D.* 2000, somm. 466, obs. D. Mazeaud. – *Contra* : Cass. 2e civ., 25 févr. 1998, *D.* 1998, 315, concl. R. Kessous ; *JCP* 1998, II, 10149 et note G. Viney pour un majeur en tutelle. A.M. Galliou-Scanvion, *L'article 1384, alinéa 1er, et la responsabilité du fait d'autrui : un fardeau non transférable sur les épaules du tuteur* : *D.* 1998, chron. 240.

(140) J.-P. Gridel, *Glose d'un article imaginaire inséré dans le Code civil en suite de l'arrêt Blieck* : « Chacun répond, de plein droit, du dommage causé par celui dont il avait mission de régler le mode de vie ou contrôler l'activité » : in *Mélanges Drai*, 2000. – M. Josselin-Gall, *La responsabilité du fait d'autrui sur le fondement de l'article 1384, alinéa 1, Une théorie générale est-elle possible ?* : *JCP* 2000, I, 268. – J. Julien, *La responsabilité civile du fait d'autrui. Rupture et continuités*, PUAM, 2001, préf. Ph. Le Tourneau.

(141) Cass. crim. 26 mars 1997 : *JCP* 1997, II, 22868, rapport F. Desportes ; *D.* 1997, 496 et note P. Jourdain ; *JCP* 1997, I, 4070, n° 19 et s., obs. G. Viney.

(142) V. exigeant une faute : CA Aix-en-Provence, 27 févr. 2002 : *JCP* 2003, II, 10097 et note C. Bloch.

---

584. – Responsabilité contractuelle du fait d'autrui. Certains textes édictent également une responsabilité du fait d'autrui en matière contractuelle pour les dommages causés à un cocontractant. Cela vise le cas où l'exécution d'un contrat, confiée à un représentant ou préposé par l'un des contractants, a entraîné un préjudice pour l'autre.

Ainsi, un locataire est responsable à l'égard du propriétaire du fait des sous-locataires ou autres occupants (C. civ., art. 1735) ; un entrepreneur est responsable vis-à-vis de son client du fait des personnes qu'il emploie (C. civ., art. 1797) ; de même un hôtelier est responsable des vols commis par ses employés au détriment des clients (C. civ., art. 1953) ; et, à l'égard du mandant, le mandataire du fait des sous-mandataires (C. civ., art. 1994).

À partir de ces exemples, certains auteurs considèrent qu'il y a un principe général de responsabilité contractuelle du fait d'autrui (143). Cette position se trouve aujourd'hui grandement confortée par jurisprudence instituant un principe général de responsabilité du fait d'autrui en matière délictuelle. Le principal intérêt de la question est relatif aux entreprises dont les membres, dirigeants ou employés, peuvent causer des préjudices à des cocontractants de l'entreprise dans l'exécution d'un contrat (144). En pareil cas, la responsabilité de l'entreprise ne fait aucun doute, même en l'absence de texte précis ; on transpose en général les règles édictées par l'article 1384, alinéa 5 du Code civil pour les dommages causés par les préposés à des tiers.

Sans passer en revue tous les cas de responsabilité du fait d'autrui, on présentera ici les hypothèses qui demeurent les plus courantes et les plus typiques.

B. – La présomption de responsabilité des parents et des artisans

585. – Évolution : d'une présomption de faute à une présomption de responsabilité. Cette responsabilité du fait d'autrui est longtemps restée très proche de la responsabilité du fait personnel. Elle reposait sur l'idée que l'acte dommageable de l'enfant ou de l'apprenti laisse supposer chez les parents ou les artisans une faute soit de surveillance, soit d'éducation (pour les parents seulement) (145).

---

(143) E. BECQUÉ, *De la responsabilité du fait d'autrui en matière contractuelle* : RTD civ. 1914, 251. – R. RODIÈRE, *Y a-t-il une responsabilité contractuelle du fait d'autrui ?* : D. 1952, chron. 79. – G. BAUMET, *La responsabilité contractuelle du fait d'autrui*, thèse Nice, 1977.

(144) Cass. soc. 10 mai 2001 : D. 2002, 1167 et note I. DESBARATS (responsabilité de l'employeur du fait des personnes qui exercent, de fait ou de droit, une autorité sur les salariés).

(145) P.-D. OLLIER, *La responsabilité civile des père et mère. Étude critique de son régime légal,* (C. civ., art. 1384, al. 4 et 7), 1961. – L. MARTIN, *La responsabilité des parents du fait de leurs enfants mineurs* : JCP 63, I, 1755. – R. LEGEAIS, *La responsabilité civile introuvable ou les problèmes de la réparation des dommages causés par les mineurs* : in Mélanges Marty, p. 775. – B. PUILL, *Vers une réforme de la responsabilité des père et mère du fait de leurs enfants ?* : D. 1988, chron. 185. – Ch. LAPOYADE-DESCHAMPS, *Les petits responsables (Responsabilité civile et responsabilité pénale de l'enfant)* : D. 1988, chron. 229. – F. ALT-MAES, *Les nouveaux droits reconnus à la victime d'un mineur,* JCP 1992, I, 3627.

Depuis l'arrêt *Bertrand* du 19 février 1997 la jurisprudence en a fait une présomption de responsabilité déconnectée de toute idée de faute présumée des parents, et reposant uniquement sur la garde (146).

La victime pourra intenter l'action en responsabilité contre le mineur ou l'apprenti sur le fondement des articles 1382 ou 1383 du Code civil (147). Mais elle pourra en outre rechercher la garantie des parents ou des artisans en vertu de l'article 1384, alinéas 4, 6 et 7 du Code civil ; cette garantie est toutefois subordonnée à certaines conditions.

1° Conditions de la présomption

586. – Responsabilité personnelle de l'enfant ? S'il s'agit de garantie, la responsabilité des parents ne saurait être engagée que si celle de l'enfant mineur ou de l'apprenti l'est également. Cela suppose donc qu'il y ait un dommage, un fait dommageable et un lien de causalité entre les deux.

Pendant longtemps, la jurisprudence a exigé une faute de l'enfant. Puis, elle s'est contentée d'un fait objectivement illicite, sans connotation morale : peu importe donc qu'il s'agisse d'un enfant en bas âge, privé de discernement (*arrêt Fullenwarth*) (148) ; il suffit même que l'enfant soit responsable en dehors de toute faute prouvée, par exemple, en tant que gardien, sur le fondement de l'article 1384, alinéa 1 (*arrêt Gabillet*) (149).

Poursuivant cette évolution, la Deuxième chambre civile a, dans un arrêt du 10 mai 2001 (*arrêt Levert*), retenu la responsabilité des parents pour l'accident causé par leur enfant à un autre, en dehors de toute faute, à l'occasion d'une partie de rugby amicale entre collégiens : « Attendu que la responsabilité de plein droit encourue par les père et mère du fait des dommages causés par leur enfant mineur habitant avec eux n'est pas subordonnée à l'existence d'une faute de l'enfant » (150).

---

(146) Cass. 2ᵉ civ., 19 févr. 1997 : *JCP* 1997, II, 22848, concl. R. Kessous et note G. Viney ; *D.* 1997, 265 et note P. Jourdain. – Ch. Radé, *Le renouveau de la responsabilité du fait d'autrui (apologie de l'arrêt Bertrand)* (Cass. 2ᵉ civ., 19 févr. 1997) : *D.* 1997, chron. 279.

(147) J. Castaignède, *Les petits responsables. Réflexions sur la responsabilité pénale et la responsabilité civile du mineur* : in *Mélanges Lapoyade-Deschamps*, 2003.

(148) Cass. ass. plén. 9 mai 1984 : *D.* 1984, 525, concl. Cabannes et note F. Chabas ; *JCP* 1984, II, 20255 et note N. Dejean de la Bâtie ; 20256 et note P. Jourdain : « Attendu que, pour que soit présumée, sur le fondement de l'article 1384, al. 4, du Code civil, la responsabilité des père et mère d'un mineur habitant avec eux, il suffit que celui-ci ait commis un acte qui soit la cause directe du dommage invoqué par la victime ; que par ce motif de pur droit, substitué à celui critiqué par le moyen, l'arrêt se trouve légalement justifié. »

(149) Cass. 1ʳᵉ civ., 20 déc. 1960 : *D.* 1961, 141 et note P. Esmein ; *JCP* 61, II, 12031, obs. A. Tunc. – Cass. 2ᵉ civ., 10 févr. 1966 : *D.* 1966, 333 et concl. Schmelck ; *JCP* 68, II, 15506, obs. A. Plancqueel. – Cass. 2ᵉ civ., 8 avr. 1976 : *JCP* 76, IV, 180. – J. Boré, *La responsabilité des parents pour le fait des choses ou des animaux dont leur enfant mineur a la garde* : *JCP* 68, I, 2180.

La Cour de cassation retient la même solution lorsque l'enfant est un enfant en bas âge, privé de discernement : Cass. ass. plén. 9 mai 1984, précité : « Attendu qu'en retenant que le jeune Éric avait l'usage, la direction et le contrôle du bâton, la cour d'appel qui n'avait pas, malgré le très jeune âge de ce mineur, à rechercher si celui-ci avait un discernement, a légalement justifié sa décision. »

Cette position se trouve aujourd'hui confirmée par deux arrêts de l'Assemblée plénière du 13 décembre 2002 (151) :

Vu l'article 1384, alinéas 1, 4 et 7 du Code civil ;

Attendu que, pour que la responsabilité de plein droit des père et mère exerçant l'autorité parentale sur un mineur habitant avec eux puisse être recherchée, il suffit que le dommage invoqué par la victime ait été directement causé par le fait, même non fautif, du mineur ; que seule la cause étrangère ou la faute de la victime peut exonérer les père et mère de cette responsabilité.

Il s'ensuit que désormais les parents sont garants de tous les dommages causés par leurs enfants mineurs, que ces dommages résultent d'un acte anormal (152) (faute objective de l'enfant, fait de la chose dont il est gardien) ou d'un acte normal (l'exercice d'un sport de contact par l'enfant, tout en respectant les règles du jeu).

587. – Condition de minorité. En ce qui concerne les parents, la présomption pèse sur le père et la mère, solidairement, en tant qu'ils exercent le droit de garde (153), aujourd'hui *l'autorité parentale*, à l'exclusion de toute autre personne. Cette autorité parentale appartient en principe aux père et mère jusqu'à la majorité ou l'émancipation de l'enfant (C. civ. art. 371-1), mais elle peut n'appartenir qu'à l'un d'entre eux dans certaines circonstances, notamment en cas de décès ou de séparation des parents (C. civ. art. 372 et s.). En toute hypothèse, la présomption disparaît donc en même temps que l'autorité parentale, le jour de l'émancipation ou, au plus tard, de la majorité.

Nulle autre personne ne peut être poursuivie sur le fondement de l'article 1384, alinéa 4. Par exemple, les grands-parents ou le tuteur ne pourraient être poursuivis que pour une faute prouvée (154), sauf dans la mesure où la jurisprudence leur appliquerait le principe général de responsabilité du fait d'autrui (V. *supra*, n° 583).

588. – La condition de cohabitation. Suivant l'article 1384, alinéa 4, les parents ne répondent que des dommages causés par « leurs enfants mineurs habitant avec eux ». C'est la condition de cohabitation qui était traditionnellement exigée et qui était liée à l'idée initiale que les parents sont tenus d'une obligation de surveillance sur leurs enfants mineurs,

---

(150) Cass. 2ᵉ civ., 10 mai 2001 : *JCP* 2001, II, 10613 et note J. Mouly ; *D.* 2001, 2851, rapport P. Guerder et note O. Tournafond ; *RTD civ.* 2001, 602, obs. P. Jourdain ; *JCP* 2002, I, 124, n° 20, obs. G. Viney. V. aussi E. Savaux : *Defrénois* 2001, art. 37423.

(151) Cass. ass. plén. 13 déc. 2002 : *D.* 2002, 231 et note P. Jourdain ; *JCP* 2003, II, 10010 et note A. Hervio-Lelong.

(152) J.-Ch. Saint-Pau, *Responsabilité civile et anormalité :* in *Mélanges Lapoyade-Deschamps*, 2002.

(153) F. Alt-Maes, *La garde, fondement de la responsabilité du fait des mineurs :* JCP 1998, I, 154. – Cass. 2ᵉ civ., 18 sept. 1996 : *D.* 1998, 118 et note M. Rebourg.

(154) Cass. 1ʳᵉ civ., 7 févr. 1967 : *D.* 1967, 367. – Cass. 2ᵉ civ., 2 nov. 1971 : *D.* 1972, 75. – 18 sept. 1996 : *D.* 1998, 118 et note M. Rebourg. – G. Blanc, *À propos de la responsabilité des grands parents… (brève contribution à la réflexion sur la responsabilité du fait d'autrui) :* D. 1997, chron. 327.

obligation qui cessait lorsque l'enfant était à l'école ou confié à ses grands parents, etc. Atténuant singulièrement la portée de cette condition, la jurisprudence décide désormais qu'elle résulte de la résidence habituelle de l'enfant au domicile de ses parents ou de l'un d'eux, et qu'elle ne cesse pas du fait que l'enfant a été confié à ses grands parents (155), ou qu'il est dans un établissement scolaire (156), même en régime d'internat (157), ou dans un organisme de vacances non chargé d'organiser et de contrôler à titre permanent le mode de vie de l'enfant (158).

À la vérité, dès l'instant qu'il s'agit d'une responsabilité déconnectée de toute idée de faute dans l'éducation ou la surveillance, la condition de cohabitation posée par l'article 1384, alinéa 4, n'a plus aucune justification.

589. – Responsabilité du fait des apprentis. La présomption de responsabilité pèse également sur celui, artisan, commerçant ou industriel, qui donne une formation professionnelle à un apprenti (par opposition à un ouvrier ou à un employé, même mineur). Et elle est limitée dans le temps à la période pendant laquelle l'apprenti est sous la surveillance du maître ; dans la conception actuelle de l'apprentissage où l'apprenti ne loge que rarement chez son patron, cela ne vise plus guère que les heures de travail.

À l'origine, les solutions retenues pour les pères et mères s'appliquaient de la même manière aux artisans, notamment en ce qui concerne la force de la présomption. Mais en pratique, l'absence de jurisprudence relative à la responsabilité du fait des apprentis ne permet pas de se prononcer sur le point de savoir si l'évolution constatée en matière de responsabilité des parents doit être étendue ici.

2° Force de la présomption

590. – Force majeure ou faute de la victime. Parce qu'elle reposait sur une présomption de faute, cette responsabilité s'effaçait devant la preuve de l'absence de faute. Suivant les termes mêmes de l'article 1384, alinéa 7 du Code civil, « la responsabilité ci-dessus a lieu, à moins que les père et mère et les artisans ne prouvent qu'ils n'ont pu empêcher le fait qui donne lieu à cette responsabilité ». La jurisprudence s'est longtemps montrée bienveillante envers les parents dont la preuve se trouvait ainsi facilitée (159).

---

(155) Cass. 2e civ., 20 janv. 2000 : *D.* 2000, somm. 469, obs. D. MAZEAUD ; *JCP* 2000, I, 241, n° 20 (enfant confié dix jours à sa grand-mère).

(156) Cass. 2e civ., 4 juin 1997 : *D.* 1997, IR, 159. – 20 avr. 2000 : *D.* 2000, somm. 468, obs. P. JOURDAIN.

(157) Cass. 2e civ., 16 nov. 2000 : *Resp. civ. et assur.* 2001, comm. n° 37 ; *JCP* 2001, I, 340, n° 18, obs. G. VINEY. – 29 mars 2001 : *Bull. civ.* II, n° 69 ; *JCP* 2002, II, 10071 et note S. PRIGENT : *D.* 2001, IR, 1285.

(158) Cass. crim. 29 oct. 2002 : *Bull. crim.*, n° 197 ; *D.* 2003, 41 ; *RTD civ.* 2003, 101, obs. P. JOURDAIN.

(159) Cass. 2e civ., 2 nov. 1960 et 8 juin 1961 : *D.* 1961, 770 ; *JCP* 62, II, 12499, obs. P. ESMEIN. – Cass. 2e civ., 29 avr. 1976 : *JCP* 78, II, 18793, 2e esp., obs. N. DEJEAN DE LA BÂTIE. – R. RODIÈRE, *La disparition de l'alinéa 4 de l'article 1384* : *D.* 1961, chron. 207.

Cette époque est désormais révolue. Écartant la présomption simple impliquée par l'article 1384, alinéa 7, la cour de cassation a posé en principe dans l'*arrêt Bertrand* qu'il s'agissait d'une « responsabilité de plein droit » ne tombant que devant la preuve de « la force majeure ou la faute de la victime » (160). Cette solution a été maintes fois reprise depuis lors, notamment par l'arrêt de l'Assemblée plénière du 13 décembre 2002 (V. *supra*, n° 586).

BERTRAND c/DOMINGUES ET AUTRES – ARRÊT

Attendu qu'il est fait grief à l'arrêt d'avoir retenu la responsabilité de M. Jean-Claude Bertrand, alors, selon le moyen, que la présomption de responsabilité des parents d'un enfant mineur prévue à l'article 1384, alinéa 4, du Code civil, peut être écartée non seulement en cas de force majeure ou de faute de la victime mais encore lorsque les parents rapportent la preuve de n'avoir pas commis de faute dans la surveillance ou l'éducation de l'enfant ; qu'en refusant de rechercher si M. Jean-Claude Bertrand justifiait n'avoir pas commis de défaut de surveillance au motif que seule la force majeure ou la faute de la victime pouvait l'exonérer de la responsabilité de plein droit qui pesait sur lui, la cour d'appel a violé l'article 1384, alinéa 4, du Code civil ;

Mais attendu que, l'arrêt ayant exactement énoncé que seule la force majeure ou la faute de la victime pouvait exonérer M. Jean-Claude Bertrand de la responsabilité de plein droit encourue du fait des dommages causés par son fils mineur habitant avec lui, la cour d'appel n'avait pas à rechercher l'existence d'un défaut de surveillance du père ;

D'où il suit que le moyen n'est pas fondé ;

Cass. 2ᵉ civ., 19 févr. 1997 : *JCP* 1997, II, 22848, concl. R. Kessous et note G. Viney ; *D.* 1997, 265 et note P. Jourdain ; *Gaz. Pal.* 1997, 572 et note F. Chabas.

Par suite de cette évolution la présomption de responsabilité des parents est devenue d'abord une responsabilité objective, et désormais une véritable garantie parentale des dommages causés par l'enfant (161) qui devrait être couverte par une assurance de responsabilité obligatoire (162).

En pratique, cette garantie se trouve amoindrie du fait de l'abaissement de l'âge de la majorité à 18 ans et de la possibilité d'émanciper les enfants à 16 ans. Les victimes n'ont alors d'autre issue que de s'adresser à l'adolescent lui-même ou à l'apprenti sur le fondement des articles 1382 et 1383 du Code civil.

---

(160) Cass. 2ᵉ civ., 19 févr. 1997, : *JCP* 1997, II, 22848, concl. R. Kessous et note G. Viney ; *D.* 1997, 265 et note P. Jourdain ; *D.* 1997, 265 et note P. Jourdain ; *Gaz. Pal.* 1997, 572 et note F. Chabas. – Ch. Radé, *Le renouveau de la responsabilité du fait d'autrui (apologie de l'arrêt Bertrand) (Cass. 2ᵉ civ., 19 févr. 1997)* : *D.* 1997, chron. 279. – Ch. Caron, *La force majeure : talon d'Achille de la responsabilité des père et mère ?* : *Gaz. Pal.* 9-10 sept. 1998, doctr. – Cass. 2ᵉ civ., 2 déc. 1998, *JCP* 1999, II, 10165 et note M. Josselin-Gall. – 20 avr. et 18 mai 2000 : *D.* 2000, somm. 468, obs. P. Jourdain.

(161) J.-Ch. Saint-Pau, *La responsabilité du fait d'autrui est-elle devenue une responsabilité personnelle et directe ?* : *Resp. civ. et assur.* 1998, chron. 22. – D. Mazeaud, *Famille et responsabilité (Réflexions sur quelques aspects de « l'idéologie de la réparation »)* : in *Mélanges Catala*, 2001, p. 569. – J.-C. Bizot, *La responsabilité civile des père et mère du fait de leur enfant mineur : de la faute au risque*, Rapport Cour de cassation, 2002, p. 157.

(162) Dans son rapport pour l'année 2002 (p. 23), la Cour de cassation suggère l'instauration d'une assurance obligatoire et d'un fonds de garantie intervenant en cas d'absence d'assurance ou de déchéance de garantie.

C. – La présomption de responsabilité des commettants du fait de leurs préposés

591. – Comparaison avec la responsabilité de l'État du fait de ses agents. Les maîtres et commettants, c'est-à-dire les patrons, sont responsables du dommage causé par leurs domestiques et préposés dans les fonctions auxquelles ils les ont employés (C. civ., art. 1384, al. 5) (163).

Inscrite dans le Code civil au chapitre des délits et quasi-délits, cette règle ne concerne que les patrons du secteur privé par opposition à l'État ou à ses émanations, et que les dommages causés par les employés et ouvriers à des tiers par opposition aux cocontractants. Néanmoins, le principe de la responsabilité des patrons du fait de leurs préposés a été généralisé.

C'est ainsi que le droit administratif a établi une responsabilité de l'État pour les dommages causés par ses fonctionnaires et agents. Cette responsabilité obéit à des règles, différentes de celles du droit privé, qu'il serait trop long d'exposer ici. Signalons seulement que le caractère de responsabilité pour autrui y est plus accentué puisque l'État conserve à sa charge définitive les conséquences des *fautes de service* ; il ne peut exercer d'action récursoire contre le fonctionnaire ou l'agent public qu'en cas de *faute personnelle* détachable du service, c'est-à-dire une faute intentionnelle ou lourde (164). Cette distinction de la faute personnelle et de la faute de service est spéciale à la responsabilité de l'Administration ; elle n'a pas à ce jour d'application en droit privé, mais certains auteurs l'appellent de leurs vœux (165).

592. – Dommages causés aux tiers et aux cocontractants. La responsabilité des patrons du fait de leurs préposés a également été étendue au cas de dommages causés par les préposés ou agents non plus à des tiers, mais à des cocontractants de l'entreprise. Dans toute entreprise de quelque importance, les contrats sont exécutés par des employés qui, dans l'accomplissement de leur mission, peuvent causer des dommages aux cocontractants. Il est évident, et de bonne justice, que l'entreprise doit être responsable de tous les actes dommageables causés par les préposés dans l'exercice de leurs fonctions, sans qu'il y ait lieu de distinguer suivant la qualité – cocontractant ou tiers – de la victime. À supposer, par exemple,

---

(163) J. Flour, *Les rapports de commettant à préposé dans l'article 1384 du Code civil*, thèse Caen, 1933. – E. Bertrand, *Les aspects nouveaux de la notion de préposé ; l'idée de représentation dans l'article 1384, § 5 du Code civil*, thèse Aix, 1935. – M.-Th. Rives-Lange, *Contribution à l'étude de la responsabilité des maîtres et commettants (pour une nouvelle approche de la question)* : JCP 70, I, 2309.

(164) J.-P. Maublanc et L.-V. Fernandez-Maublanc, *La faute personnelle de l'agent public : une notion juridique indéfinissable* : in *Mélanges Lapoyade-Deschamps*, 2003.

(165) G. Viney : JCP 2000, I, 241, n° 16 et s. – B. Puill, *Les fautes du préposé : s'inspirer de certaines solutions du droit administratif ?* : JCP 1996, I, 3939.

qu'un chauffeur d'une entreprise de transport en commun cause par imprudence un accident, il est normal que l'entreprise garantisse toutes les conséquences de l'accident, tant sur le plan contractuel (les dommages causés aux passagers : inexécution d'un contrat de transport, C. civ., art. 1147) que sur le plan délictuel (les dommages causés à des tiers victimes de la collision : inexécution du devoir général de ne pas nuire à autrui, C. civ., art. 1382 et 1383).

On s'accorde ainsi à reconnaître, parallèlement à la responsabilité délictuelle des patrons du fait de leurs préposés (C. civ., art. 1384, al. 5), une responsabilité contractuelle du fait d'autrui que la jurisprudence tend à calquer sur la première (166) (V. *supra*, n° 584).

Le plus souvent, toute victime contractuelle ou délictuelle d'un préposé néglige l'action en responsabilité contre ce dernier, supposé peu solvable, et dirige son recours contre le commettant, le chef d'entreprise ou l'entreprise elle-même si elle est une personne morale.

1° Conditions de la présomption

a) Existence d'un lien de subordination (ou de préposition)

593. – Critère de l'autorité. La condition de subordination se présente comme une lapalissade : la responsabilité des commettants du fait de leurs préposés suppose que les premiers soient bien des *commettants*, et les seconds des *préposés*. Il n'y aurait pas lieu d'insister sur ce point si le lien de commettant à préposé était clairement défini, ce qui n'est pas le cas.

En l'absence de texte, la jurisprudence considère que ce lien est caractérisé lorsque existent entre deux personnes des *rapports d'autorité et de subordination*, ou encore suivant une autre formule, de dépendance économique et sociale. D'une manière plus précise, est un commettant toute personne qui a le *droit ou le pouvoir* de donner à une autre des ordres et instructions relatifs à la fois au but à atteindre et aux moyens à employer. Cela dit, l'existence d'un lien de préposition n'implique pas nécessairement chez le commettant les connaissances techniques pour pouvoir donner des ordres avec compétence (167).

Compte tenu de cette définition, toutes les personnes liées par un *contrat de travail* sont toujours dans un rapport de commettant à préposé : ainsi les patrons au regard des salariés, ouvriers ou employés. À l'inverse, l'entrepreneur ou l'artisan, si modeste soit-il, le médecin (168), le comptable,

---

(166) F. Chabas, *Cent ans de responsabilité civile* : Gaz. Pal. 23-24 août 2000, doctr., n° 68 et 69.
(167) Cass. 2e civ., 11 oct. 1989 : JCP 89, IV, 397.
(168) V. pour un médecin salarié : Cass. crim., 5 mars 1992 (JCP 1993, II, 22013 et note F. Chabas ; RTD civ. 1993, 137, obs. Jourdain) qui décide que l'indépendance professionnelle dont jouit le médecin dans l'exercice de son art n'est pas incompatible avec l'état de subordination qui résulte d'un contrat de louage de services le liant à un tiers, en l'espèce à la Croix-Rouge. V. aussi Cass. 1re civ., 13 nov. 2002 : D. 2003, IR, 40.

le notaire, etc., ne sont jamais des préposés de leurs clients parce que, leur assignerait-on le but à atteindre, ils demeureraient libres des moyens à employer.

Entre ces deux extrêmes se situent les mandataires et représentants de l'entreprise à propos desquels il peut y avoir incertitude. Mais, s'agissant des mandataires sociaux et des organes des sociétés, il est admis qu'ils représentent la personne morale et qu'à ce titre leur faute est celle de la société elle-même. En pratique, on pourra poursuivre la société soit pour son fait personnel (elle s'identifie alors à ses organes), soit pour le fait de ses organes (considérés comme des préposés extérieurs à elle).

594. – Cas de fractionnement de l'autorité. Des difficultés surgissent parfois, tenant à un fractionnement de l'autorité entre plusieurs commettants sur un même préposé. L'exemple classique est celui du préposé mis à la disposition d'un tiers : personnel intérimaire, ou personnel mis en commun entre plusieurs entreprises, ou encore en matière de location de voiture avec chauffeur. La question sera tranchée en fonction du critère d'autorité : sera présumé responsable le commettant qui avait l'autorité effective sur le préposé au moment où la faute a été commise (169).

595. – Cas du préposé occasionnel. Outre le cas de ces préposés liés au commettant par un contrat, la jurisprudence retient aussi la responsabilité des commettants du fait d'un préposé « occasionnel », c'est-à-dire d'une personne qui, en dehors de tout contrat, va se trouver momentanément placée sous l'autorité d'une autre ; aussi le conducteur qui confie le volant à l'un de ses passagers, ou celui à qui son voisin rend un service d'ami (170).

b) Responsabilité personnelle du préposé ? (171)

596. – Condition de faute du préposé. La responsabilité des commettants jouant un rôle de garantie à l'égard des tiers de l'activité dommageable des préposés, on en déduisait classiquement que la responsabilité des patrons du fait de leurs préposés ne pouvait être recherchée que si celle du préposé était elle-même engagée à l'égard du tiers demandeur, et qui plus est sur le fondement de la faute (art. 1382 et 1383), non sur celui de la garde d'une chose (art. 1384, al. 1).

---

(169) Cass. req., 1er mai 1930 : *D.* 1930, 1, 137 et note R. SAVATIER (chauffeur bénévole). – Cass. 1re civ., 15 nov. 1955 : *D.* 1956, 113 et note R. SAVATIER ; *JCP* 56, II, 9006, obs. R. RODIÈRE (infirmière). – Cass. com., 22 mai 1970 : *JCP* 72, II, 17032, obs. M. BOITARD (commis d'agent de change). – Cass. crim., 29 nov. 1973 : *D.* 1974, 194 et note B. DAUVERGNE (personnel intérimaire). – Cass. com., 26 janv. 1976 : *D.* 1976, 449, rapport J. MÉRIMÉE. – Cass. crim., 10 mai 1976 : *Gaz. Pal.* 1976, 2, 587. – Orléans, 21 avr. 1986 : *Gaz. Pal.* 1986, 628 et note F. LÉVY. – Cass. 1re civ., 18 janv. 1989, *JCP* 89, IV, 104. – F. GAUDU, *La responsabilité civile du prêteur de main-d'œuvre* : *D.* 1988, chron. 235.

(170) Cass. 2e civ., 20 juill. 1970 : *Gaz. Pal.* 17 nov. 1970, somm. – 26 févr. 1986 : *Gaz. Pal.* 1986, 1, pan. 109. – Cass. crim., 14 juin 1990 : *D.* 1990, IR, 208.

(171) G. VINEY, *La responsabilité personnelle du préposé* : in *Mélanges Lapoyade-Deschamps*, 2003.

En effet, suivant la jurisprudence, le préposé, se servant de la chose suivant les instructions de son patron, ne saurait être gardien, faute de disposer de la liberté nécessaire à la qualité de gardien : on exprime cela en disant que les qualités de préposé et de gardien sont incompatibles (172). Le commettant demeure donc gardien de la chose, par exemple du véhicule dont il confie l'usage à son préposé ; il s'ensuit qu'en cas d'accident causé par le préposé conducteur, le commettant en est responsable en sa qualité de gardien du véhicule (art. 1384, al. 1), et non pas en qualité de commettant du conducteur (art. 1384, al. 5) (V. *infra*, n° 623).

On enseigne en conséquence que la présomption de responsabilité du commettant suppose que le dommage soit dû à une faute – intentionnelle ou non – commise par le préposé et prouvée conformément aux règles de la responsabilité du fait personnel (V. *supra*, n°s 576 et s.) ; il peut s'agir aussi d'une faute au sens de l'article 489-2 commise par un préposé en état de démence (*supra*, n° 353). Il doit également y avoir un lien de causalité entre la faute et le dommage.

Cette solution classiquement admise se trouve partiellement remise en cause par la jurisprudence récente qui écarte la responsabilité du préposé à l'égard des tiers dans le cas où ce préposé a agi « sans excéder les limites de la mission qui lui a été impartie par son commettant » (*arrêt Costedoat*). Désormais il faut dire que la responsabilité du commettant suppose une faute du préposé, mais une faute qui n'engage pas nécessairement la responsabilité du préposé à l'égard des tiers. La responsabilité du commettant est donc désormais déconnectée de la responsabilité personnelle du préposé.

597. – La responsabilité personnelle du préposé à l'égard du tiers victime. Un arrêt de la chambre commerciale du 12 octobre 1993 avait tout d'abord écarté cette responsabilité au motif que le préposé n'avait pas outrepassé les limites de sa mission si bien « qu'aucune faute personnelle susceptible d'engager » sa responsabilité n'était caractérisée à l'encontre de ce préposé (173). C'était là une invitation à distinguer, comme le fait la juridiction administrative, entre la *faute personnelle* qui engage son auteur et la *faute de service* dont les conséquences dommageables sont à la seule charge de l'Administration.

Plus récemment, un arrêt de l'assemblée plénière de la cour de cassation du 25 février 2000 (*Costedoat*), relatif à la responsabilité du pilote de l'hélicoptère à l'égard d'un propriétaire victime du traitement herbicide

---

(172) M.-A. Peano, *L'incompatibilité entre la qualité de gardien et de préposé* : D. 1991, chron. 51.
(173) Cass. com., 12 oct. 1993 : *D.* 1994, 125 et note G. Viney ; *JCP* 1995, II, 22494 et note F. Chabas ; *RTD civ.* 1994, 111, obs. P. Jourdain. V. M.-Th. Rives-Lange, *Contribution à l'étude de la responsabilité des maîtres et commettants (Pour une nouvelle approche de la question)* : *JCP* 1970, I, 2309.

des rizières, a décidé « que n'engage pas sa responsabilité à l'égard des tiers le préposé qui agit sans excéder les limites de la mission qui lui a été impartie par son commettant » (174).

LA COUR – […] Attendu, selon l'arrêt attaqué, que la SCA du mas de Jacquines et M. Bortino ont demandé à la société Gyrafrance de procéder, par hélicoptère, à un traitement herbicide de leurs rizières ; que, sous l'effet du vent, les produits ont atteint le fonds voisin de M. Girard, y endommageant des végétaux ; que celui-ci a assigné en réparation de son préjudice la SCA du Mas de Jacquines, les époux Reynier, M. Bortino, M. Costedoat, pilote d'hélicoptère, et la société Gyrafrance ;

– Vu les articles 1382 et 1384, alinéa 5, du Code civil ;

– Attendu que n'engage pas sa responsabilité à l'égard des tiers le préposé qui agit sans excéder les limites de la mission qui lui a été impartie par son commettant ;

– Attendu que, pour retenir la responsabilité de M. Costedoat, l'arrêt énonce qu'il aurait dû, en raison des conditions météorologiques, s'abstenir de procéder ce jour-là à des épandages de produits toxiques ;

– Qu'en statuant ainsi, alors qu'il n'était pas prétendu que M. Costedoat eût excédé les limites de la mission dont l'avait chargé la société Gyrafrance, la cour d'appel a violé les textes susvisés.

Par ces motifs :

– Casse et annule, en ses seules dispositions concernant la responsabilité de M. Costedoat, l'arrêt rendu le 26 mars 1997, entre les parties, par la Cour d'appel d'Aix-en-Provence ;

Cass. ass. plén., 25 févr. 2000 : *JCP* 2000, II, 10295, concl. R. Kessous et note M. Billiau ; *Gaz. Pal.* 23-24 août 2000 et note F. Rinaldi ; G. Viney, obs. *JCP* 2000, I, 241, nᵒˢ 16 et s.).

Il reste à définir le critère de la faute personnelle qui permet à la victime d'engager la responsabilité personnelle du préposé.

À cet égard, l'arrêt *Cousin* de l'Assemblée plénière du 14 décembre 2001 a apporté une première précision, ou rectification, en décidant que « le préposé condamné pénalement pour avoir intentionnellement commis, fût-ce sur l'ordre du commettant, une infraction portant préjudice à un tiers, engage sa responsabilité civile à l'égard de celui-ci » (175). En l'espèce, le préposé, comptable salarié d'une société, avait bien agi dans la limite de sa mission mais, ce faisant, il avait commis une faute d'une particulière gravité en réalisant des faux afin de permettre à sa société d'obtenir des subventions destinées à financer de faux contrats de qualification. Faut-il voir dans cet arrêt une invitation à distinguer suivant que l'infraction est intentionnelle ou non intentionnelle ? On inclinerait plutôt à penser que c'est la nature et la gravité de la faute qui

---

(174) Cass. ass. plén., 25 févr. 2000 : *JCP* 2000, II, 10295, concl. R. Kessous et note M. Billiau ; *D.* 2000, 673 et note Ph. Brun ; G. Viney, obs. *JCP* 2000, I, 241, n° 16 et s. ; *Gaz. Pal.* 23-24 août 2000 et note F. Rinaldi ; *RTD civ.* 2000, 582, obs. P. Jourdain. V. aussi Ch. Radé, *Les limites de l'immunité civile du préposé : Resp. civ. et assur.* 2000, chron. n° 22. – R. Kessous et F. Desportes, *Les responsabilités civile et pénale du préposé et l'arrêt de l'assemblée plénière du 25 février 2000*, Rapport C. cass. 2000, p. 257.

(175) Cass. ass. plén. 14 déc. 2001 : *JCP* 2002, II, 10026 et note M. Billiau ; *JCP* 2002, I, 124, n° 22, obs. G. Viney ; *D.* 2002, 1230 et note J. Julien ; *D.* 2002, somm. 1317, obs. D. Mazeaud ; *D.* 2002, 2117, obs. B. Thuillier ; *Bull. inf. C. cass.* mars 2002, p. 4, concl. av. gén. M. de Gouttes ; *RTD civ.* 2002, 109, obs. P. Jourdain ; *JCP* 2003, II, 10096 et note M. Billiau.

ont conduit la Cour de cassation à y voir une faute personnelle (176) ; pour employer la terminologie du droit administratif, on dirait qu'il s'agissait d'une *faute personnelle non dépourvue de tout lien avec le service* (177).

Une telle faute permet la mise en jeu de la responsabilité personnelle du préposé à l'égard de la victime. Mais elle n'exclut nullement une action de la victime contre le commettant.

598. – L'influence de cette jurisprudence sur le recours du commettant contre le préposé. Tant que la responsabilité du commettant supposait la responsabilité personnelle du préposé, on considérait que, au même titre que le tiers victime, le commettant pouvait exercer un recours contre son préposé fautif, même en l'absence d'une faute lourde (178).

Dès lors que, désormais, la responsabilité du commettant suppose seulement un fait illicite du préposé, même si ce fait n'engage pas la responsabilité du préposé à l'égard du tiers victime, le recours du commettant contre le préposé ne peut plus être ouvert de manière automatique. En bonne logique, le commettant condamné à l'égard d'un tiers ne devrait pouvoir se retourner contre son préposé que dans le cas où ce dernier a commis une faute personnelle engageant sa responsabilité à l'égard du tiers.

La jurisprudence est assez difficile à interpréter. Dans une espèce où une clinique et un médecin salarié avaient été condamnés à l'égard d'une victime, la première sur le fondement de la responsabilité contractuelle, le second pour faute quasi délictuelle (maladresse fautive), la Première chambre civile de la Cour de cassation a admis le recours de la clinique contre le praticien, au motif que la cour d'appel avait retenu la responsabilité de la clinique sur le fondement contractuel et non sur celui de l'article 1384, alinéa 5 (179). Plus récemment, cette même solution a été reprise, mais sur un motif différent tiré de l'indépendance du corps médical : « si l'établissement de santé peut être déclaré responsable des fautes commises par un praticien salarié à l'occasion d'actes médicaux d'investigation et de soins pratiqués sur un patient, ce principe ne fait pas obstacle au recours de l'établissement de santé et de son assureur, en raison de

---

(176) Dans une situation voisine, la Chambre commerciale avait mis hors de cause un VRP et un responsable régional d'une société, dans l'action dirigée contre celle-ci pour utilisation illicite de marques et concurrence déloyale, au motif que ces salariés, ayant agi dans le cadre de la mission qui leur avait été impartie par leur employeur et sans en outrepasser les limites, n'avaient commis aucune faute personnelle susceptible d'engager leur responsabilité : Cass. com. 12 oct. 1993 : *D.* 1994, 124 et note G. VINEY ; *JCP* 1995, II, 22493 et note F. CHABAS ; *RTD civ.* 1994, 111, obs. P. JOURDAIN.

(177) B. PUILL, *Les fautes du préposé : s'inspirer de certaines solutions du droit administratif ?* : *JCP* 1996, I, 3939.

(178) Cass. 1re civ., 20 mars 1979 : *D.* 1980, 29 et note Ch. LARROUMET.

(179) Cass. 1re civ., 9 avr. 2002 : *Bull. civ.* I, n° 114 ; *Resp. civ. et assur.* 2002, chron. n° 13 et note Ch. RADÉ ; *JCP* 2002, I, 186, n° 20, obs. G. VINEY ; *RTD civ.* 2002, 516, obs. J. MESTRE et B. FAGES.

---

l'indépendance professionnelle intangible dont bénéficie le médecin, même salarié, dans l'exercice de son art » (180).

En pratique, si le commettant est assuré, la loi écarte le recours de l'assureur contre le préposé, sauf en cas de malveillance (C. ass., art. L. 121-12, al. 3). Enfin, il est en toute hypothèse rendu le plus souvent illusoire par la distorsion existant entre la solvabilité du salarié et le montant des dommages qu'il est susceptible de causer dans l'exercice de ses fonctions.

c) Fait dommageable commis dans l'exercice des fonctions

599. – La condition posée par l'article 1384, alinéa 5. Les maîtres et les commettants sont responsables « du dommage causé par leurs domestiques et préposés dans les fonctions auxquelles ils les ont employés ».

La condition que le dommage ait été causé par le préposé dans les fonctions auxquelles il était employé se justifie aisément. Il est normal que le patron assume la garantie des dommages causés par ses préposés dans l'exercice de leurs fonctions, puisque ces fonctions sont accomplies dans l'intérêt de l'entreprise et pour le plus grand bénéfice du patron. Aucun motif, en revanche, ne justifierait qu'il ait à sa charge les conséquences dommageables des activités extraprofessionnelles de ses salariés.

Si le principe ne fait pas difficulté, il n'en va pas de même de sa mise en œuvre. Sans doute y a-t-il des hypothèses où l'hésitation n'est pas permise ; tel est le cas lorsque l'acte préjudiciable se situe dans l'accomplissement de la mission : par exemple, accident de la circulation provoqué par un livreur au cours de ses livraisons ; ou, à l'inverse, lorsqu'il n'a strictement aucun rapport avec les fonctions du préposé : par exemple, accident de la circulation provoqué par un salarié pendant ses vacances.

Mais, entre les deux, il y a une marge où se situe l'*abus des fonctions*. La plupart des cas qui se présentent devant les tribunaux sont relatifs soit à des accidents de voiture consécutifs à des « emprunts » de véhicules par des préposés infidèles, soit à des infractions pénales, détournements de fonds, coups et blessures ou homicides à la suite de rixes sur le lieu ou au temps de travail.

Cette question a fait l'objet depuis 1960 de plusieurs arrêts de l'Assemblée plénière de la Cour de cassation qui ont marqué l'évolution de la jurisprudence, sans pour autant parvenir à des solutions absolument certaines.

600. – L'abus de fonctions : l'arrêt des Chambres réunies du 9 mars 1960. Il existait en cette matière une opposition de tendance entre les juridictions civile et criminelle qui, toutes deux, peuvent avoir à connaître de tels litiges. La chambre criminelle de la Cour de cassation considérait que

---

(180) Cass. 1re civ., 13 nov. 2002 : *D.* 2003, 580 et note S. Deis-Beauquesne ; *D.* 2003, somm. 459, obs. P. Jourdain ; *JCP* 2003, II, 10096 et note M. Billiau.

le patron était responsable dès l'instant que le préposé avait commis une faute *à l'occasion de ses fonctions* ou par *abus de fonctions*. À l'opposé, la chambre civile, plus restrictive, exigeait qu'il y ait un *lien de causalité ou de connexité* entre la faute commise et les fonctions du préposé.

L'arrêt des Chambres réunies de la Cour de cassation du 9 mars 1960, qui tendait à briser cet antagonisme, a distingué suivant que l'acte dommageable était ou non « indépendant du rapport de préposition qui l'unissait à son employeur » (181). Dans cette espèce, à l'insu de son patron, un ouvrier agricole non titulaire du permis de conduire s'était emparé de la camionnette de son patron et avait causé un accident. L'arrêt rejette le pourvoi contre l'arrêt d'appel qui avait écarté la responsabilité de l'employeur.

> Mais attendu que les juges du fond, observant que la conduite de la camionnette ayant produit le dommage ne rentrait pas dans les attributions d'Abos, lequel, non titulaire d'un permis de conduire, avait utilisé ledit véhicule à des fins personnelles, au mépris des ordres et à l'insu de son commettant, la responsabilité de celui-ci ne pouvait résulter du seul fait qu'Abos avait accès, en raison de son emploi, au hangar où se trouvait l'instrument du dommage ; que de ces constatations et énonciations qui impliquent qu'Abos avait accompli un acte indépendant du rapport de préposition qui l'unissait à son employeur, la cour d'appel a pu déduire qu'Huret n'était pas civilement responsable des agissements de son préposé ; qu'elle a ainsi, sans encourir les reproches du pourvoi, donné une base légale à sa décision ;
>
> Par ces motifs, rejette.

Malheureusement, cet arrêt ne mit pas fin au conflit entre les deux chambres de la Cour de cassation. La Chambre civile et la Chambre criminelle ont en fait maintenu leurs solutions antérieures, mais en les habillant de la formulation retenue par les Chambres réunies : le patron est ou non responsable suivant que l'acte dommageable du préposé est dépendant ou « indépendant du rapport de préposition qui l'unissait à l'employeur » (182).

601. – L'abus de fonctions (suite) : l'arrêt de l'Assemblée plénière du 10 juin 1977. La Cour de cassation statuant en assemblée plénière est à nouveau intervenue en 1977, mais sur la question, limitée, de l'utilisation par le préposé d'un véhicule de fonctions à des fins personnelles. Se prononçant en faveur d'une interprétation restrictive, la Cour a décidé que « le commettant n'est pas responsable du dommage causé par le préposé qui utilise, sans autorisation, à des fins personnelles, le véhicule à lui confié pour l'exercice de ses fonctions » (183).

---

(181) Cass. ch. réunies 9 mars 1960 : *D.* 1960, 329 et note R. SAVATIER ; *JCP* 1960, II, 11559, obs. R. RODIÈRE.

(182) Cass. ch. réunies 9 mars 1960 : *D.* 1960, précité.

(183) Cass. ass. plén. 10 juin 1977 : *D.* 1977, 465 et note Ch. LARROUMET ; *JCP* 77, II, 18730, concl. P. GULPHE ; *Gaz. Pal.* 1977, 2, 441.

Attendu qu'il est reproché à la cour d'appel d'avoir refusé de mettre les conséquences de cet accident à la charge de la Société Albagnac et Florange, alors, selon le pourvoi, que, d'une part, l'interdiction faite à Gaulard par son commettant d'utiliser le véhicule de service à des fins personnelles ne pouvait faire disparaître la responsabilité du commettant ; que, d'autre part, Gaulard était le conducteur habituel du véhicule, qu'il l'utilisait pour aller au travail et en revenir, qu'il le garait à son domicile et qu'il en avait donc la garde continue ; qu'enfin, même s'il est sorti de ses fonctions en utilisant la camionnette à des fins personnelles, ce sont ses fonctions qui lui ont permis la réalisation du dommage, de telle sorte qu'en statuant comme ils l'ont fait, les juges du fond ont violé les dispositions de l'article 1384-5° du Code civil ; – Mais attendu que le commettant n'est pas responsable du dommage causé par le préposé qui utilise, sans autorisation, à des fins personnelles, le véhicule à lui confié pour l'exercice de ses fonctions ; que, dès lors, la décision de la cour d'appel est légalement justifiée.

Par ces motifs, rejette.

Cet arrêt n'a mis fin à l'antagonisme entre les deux chambres de la Cour de cassation que pour l'hypothèse limitée sur laquelle il avait statué (184) ; pour les autres hypothèses, la Chambre criminelle a continué à faire preuve de bienveillance à l'égard des victimes (185).

602. – L'abus de fonctions (suite) : l'arrêt de l'Assemblée plénière du 17 juin 1983. Un nouvel arrêt de l'Assemblée plénière rendu le 17 juin 1983 et décidé qu'il n'y a pas lieu à responsabilité du commettant « en cas de dommages causés par le préposé qui, agissant, sans autorisation, à des fins étrangères à ses attributions, s'est placé hors des fonctions auxquelles il était employé » (186).

Mais attendu que les dispositions de l'article 1384, alinéa 5 du Code civil ne s'appliquent pas au commettant en cas de dommages causés par le préposé qui, agissant, sans autorisation, à des fins étrangères à ses attributions, s'est placé hors des fonctions auxquelles il était employé ; – Que, dès lors, après avoir constaté que la cause des dommages résidait dans un acte délibéré, étranger à ses fonctions, accompli par M. Caille à des fins personnelles, la cour d'appel a décidé à bon droit que la responsabilité de la Société d'Exploitation des Transports Chamiot n'était pas engagée ; D'où il suit que le moyen n'est pas fondé ;

Par ces motifs, rejette.

Dans un premier temps, cette décision a été suivie tant par la Chambre criminelle que par la Chambre civile de la Cour de cassation (187). Puis la Chambre criminelle a repris sa motivation antérieure, ce qui a fait douter de l'unification de la jurisprudence (188).

---

(184) Cass. crim., 15 mars 1978 : D. 1978, 412. – 18 juill. 1978 : JCP 78, IV, 304. – Cass. 2ᵉ civ., 7 mars 1979 : JCP 79, IV, 170.

(185) V. par ex. Cass. crim., 20 juill. 1977 : JCP 77, IV, 254. – 18 juill. 1978 : JCP 78, IV, 304. – 3 mai 1979 : JCP 79, IV, 219. – Th. HASSLER, La responsabilité des commettants. La jurisprudence de la Chambre criminelle depuis l'arrêt de l'Assemblée plénière du 10 juin 1977 : D. 1980, chron. 125.

(186) Cass. ass. plén. 17 juin 1983 : JCP 83, II, 20120, concl. SADON et note F. CHABAS ; D. 1984, 134 et note D. DENIS.

(187) Cass. crim. 27 oct. 1983 et Cass. 2ᵉ civ., 7 déc. 1983 : D. 1984, 170 et note Ch. LARROUMET.

(188) Cass. crim. 28 févr. 1984 : Bull. crim., n° 82. – Cette décision semble toutefois être un accident de parcours, la jurisprudence postérieure se conformant à la jurisprudence de l'Assemblée plénière, soit de 1977 (Cass. crim., 4 août 1984 : Bull. crim., n° 270), soit de 1983 (Cass. crim., 2 mai 1984 : Bull. crim., n° 152).

603. – L'abus de fonctions (suite) : l'arrêt de l'Assemblée plénière du 19 mai 1988. Face à cette ambiguïté, l'Assemblée plénière a repris sa motivation de 1983 dans un arrêt du 15 novembre 1985 (189). Et elle est intervenue à nouveau, pour préciser le sens de la solution retenue, par un arrêt du 19 mai 1988 (190).

> Mais attendu que le commettant ne s'exonère de sa responsabilité que si son préposé a agi hors des fonctions auxquelles il était employé, sans autorisation, et à des fins étrangères à ses attributions ; – Et attendu que l'arrêt relève que M. Héro, en faisant souscrire à Mme Guyot des contrats de capitalisation, était dans l'exercice de ses fonctions et avait agi avec autorisation conformément à ses attributions ; que Mme Guyot avait la certitude qu'il agissait pour le compte de « La Cité », laquelle avait, au surplus, régulièrement enregistré les souscriptions et en avait tiré profit ; que ces énonciations, d'où il résulte que M. Héro, en détournant des fonds qui lui avaient été remis dans l'exercice de ses fonctions, ne s'était pas placé hors de celles-ci, la cour d'appel a exactement déduit que la société La Cité ne s'exonérait pas de sa responsabilité civile ; d'où il suit que le moyen n'est pas fondé ;
> Par ces motifs, rejette.

De cette décision, il résulte que, pour écarter la présomption de responsabilité, trois conditions doivent être cumulativement réunies :

– le préposé a agi *hors de ses fonctions :* par exemple, il a accompli un acte étranger à ses fonctions, sans rapport avec celles-ci ;

– le préposé a agi *sans autorisation :* par exemple, il a utilisé un véhicule autre que celui autorisé par l'employeur ;

– le préposé a agi *à des fins étrangères à ses attributions,* c'est-à-dire le plus souvent à des fins personnelles (191).

604. – Suite, mais pas fin… Ainsi l'Assemblée plénière a maintenu une interprétation plus étroite que la Chambre criminelle dont la tendance était d'étendre largement le champ d'application de la présomption.

À la suite de ce dernier arrêt la Chambre criminelle reprend fidèlement la formule de l'Assemblée plénière et décide que « le commettant ne s'exonère de sa responsabilité qu'à la triple condition que son préposé ait agi en dehors des fonctions auxquelles il était employé, sans autorisation et à des fins étrangères à ses attributions » (192). Mais, en dépit de sa précision, cette formule laisse une certaine marge d'appréciation dont les

---

(189) Cass. ass. plén. 15 nov. 1985 : *D.* 1986, 81 et note J.-L. AUBERT : *JCP* 86, II, 20568, obs. G. VINEY ; *Defrénois* 1986, I, 386, obs. J.-L. AUBERT. – Y. LAMBERT-FAIVRE, *L'abus de fonctions (à propos de l'arrêt de l'Assemblée plénière du 15 novembre 1985) : D.* 1986, chron. 143. – M. DELMAS-MARTY, *Le droit pénal, l'individu et l'entreprise : culpabilité « du fait d'autrui » ou du « décideur » : JCP* 85, I, 3218.

(190) Cass. ass. plén. 19 mai 1988 : *D.* 1988, 513 et note Ch. LARROUMET ; *Gaz. Pal.* 1988, 640, concl. DORWLING-CARTER.

(191) V. par ex., Cass. 2e civ., 6 févr. 2003 : *JCP* 2003, IV, 1572 (« prêtre de l'Église néo-apostolique » qui commet une escroquerie dans le cadre, non de son ministère religieux, mais de son activité professionnelle en matière de construction immobilière).

(192) Cass. crim., 23 juin 1988 (9 arrêts) : *Gaz. Pal.* 1989, 13 et note J.-P. DOUCET ; *JCP* 88, IV, 310 ; *D.* 1988, IR, 236 et 243. – 16 févr. 1999 : *Bull. crim.*, n° 23 ; *RTD civ.* 1999, 409, obs. P. JOURDAIN. *JCP* 2000, I, n° 11, obs. G. VINEY.

juridictions pénales profitent souvent pour décider qu'il n'y a pas abus de fonctions et qu'il y a donc lieu à responsabilité du commettant dans des circonstances où le préposé semble pourtant avoir agi « hors des fonctions, auxquelles il était employé, sans autorisation, et à des fins étrangères à ses attributions ». On ne saurait donc considérer que la jurisprudence est définitivement fixée.

Ces règles, dégagées par la jurisprudence en matière délictuelle, ne s'appliquent pas lorsque le préposé a causé un dommage à un cocontractant de son employeur (193).

Quant au fondement de la responsabilité des commettants du fait des préposés, il résulte de l'arrêt de l'assemblée plénière du 25 février 2000 (*supra*, n° 597) que la présomption de responsabilité de l'article 1384, al. 5, ne repose plus sur la seule idée de garantie. La jurisprudence semble s'orienter vers l'idée que le commettant – c'est-à-dire le plus souvent l'entreprise – doit être directement responsable des conséquences dommageables de son activité, et qu'il doit prendre l'assurance couvrant ce risque.

En pratique, le plus souvent, les véritables intéressés sont les compagnies d'assurances ; pour échapper au paiement de l'indemnité, elles tentent de démontrer que les conditions de la responsabilité du commettant ne sont pas réunies et, notamment, que l'acte dommageable du préposé n'a pas été commis dans l'exercice des fonctions.

2° Force de la présomption

605. – Présomption irréfragable. En l'absence de texte sur ce point, la jurisprudence décide que la présomption de responsabilité, qui pèse automatiquement sur le commettant lorsque les conditions précisées plus haut sont réunies, est irréfragable.

Ainsi, les commettants ne peuvent échapper à leur responsabilité par la preuve de l'absence de faute ; de même, à la différence des parents ou des artisans, ils ne peuvent invoquer un cas fortuit ou de force majeure.

Le seul moyen possible est de démontrer que les conditions de la présomption ne sont pas réunies : soit que le préposé n'a pas commis de fait illicite dommageable, soit qu'il n'y a pas de lien de subordination, soit que le fait dommageable n'a pas été commis dans l'exercice des fonctions.

Ce caractère irréfragable conduit à affirmer que la responsabilité des patrons n'est pas fondée sur une idée de faute, faute de surveillance, ou dans le choix du préposé, comme on le soutenait jadis. Elle repose sur l'idée que les commettants, profitant de l'activité de leurs préposés, doivent garantir les conséquences de leurs actes dommageables.

---

(193) Cass. 1re civ., 11 et 18 janv. 1989 : *JCP* 89, II, 21326, obs. Ch. LARROUMET.

Cette fonction de garantie est elle-même remise en cause par l'arrêt *Costedoat* du 25 février 2000 dans la mesure où il peut y avoir responsabilité des commettants là où il n'y a pas de responsabilité personnelle du préposé (V. *supra*, n°s 596 et s.). La jurisprudence semble ainsi s'orienter vers l'idée que le commettant – c'est-à-dire le plus souvent l'entreprise – doit être directement responsable des conséquences dommageables de son activité, et qu'il doit prendre l'assurance couvrant ce risque.

En pratique, c'est ce que font les commettants en contractant une assurance qui les couvre des condamnations encourues. Dès lors, le recours possible contre le préposé responsable demeure très théorique. Il semble devoir être écarté dans le cas où le préposé a bien agi dans les limites de sa mission : si, en pareil cas, il n'est pas responsable à l'égard des tiers, il ne saurait l'être non plus à l'égard de son commettant (V. *supra*, n° 598). Par ailleurs, le recours est aussi écarté, sauf cas de malveillance, à l'égard de l'assureur du commettant (C. ass., art. L. 121-12, al. 3).

Numéros 606 à 610 réservés.

§ 3. – Le fait des choses

611. – L'évolution. « *On est responsable* non seulement du dommage que l'on cause par son propre fait, mais encore de celui qui est causé par le fait des personnes dont on doit répondre, ou *des choses que l'on a sous sa garde.* » Cette proclamation inscrite à l'article 1384, alinéa 1 du Code civil, n'était pour les rédacteurs du Code civil qu'un chapeau sans valeur propre, une formule destinée à annoncer divers cas particuliers de responsabilité du fait d'autrui ou du fait des choses.

Cela est si vrai qu'on lui a longtemps dénié toute valeur de principe en ce qui concerne la responsabilité du fait d'autrui : le revirement jurisprudentiel sur ce point ne date que de 1991 (V. *supra*, n° 583).

L'évolution a été plus rapide pour la responsabilité du fait des choses. À l'origine, l'article 1384, alinéa 1, n'était qu'une introduction aux articles 1385 et 1386 du Code civil, qui édictaient et édictent aujourd'hui encore une présomption de responsabilité du fait des animaux ou des bâtiments. C'était suffisant en 1804 où peu nombreuses étaient les choses susceptibles de produire des dommages. Et tous les autres litiges étaient tranchés par application des règles de la responsabilité du fait personnel.

Ce système a donné satisfaction jusqu'à ce que la France entre dans l'ère du machinisme. Avec l'industrialisation se sont multipliés les accidents anonymes dus à des machines, pour lesquels il était impossible de démontrer l'existence d'une faute de quiconque. Ainsi en était-il en matière d'accidents du travail : les ouvriers n'étaient pas indemnisés pour n'avoir pas rapporté la preuve d'une faute du patron.

612. – La consécration d'un principe général. C'est à cette époque (1896) et pour cette raison que la jurisprudence donna une valeur propre à l'article 1384, alinéa 1, et y vit un principe général de responsabilité du fait des choses (194). Bien que les accidents du travail aient été dès 1898 soumis à une législation spéciale, les applications de l'article 1384, alinéa 1, se sont multipliées à un point tel que la responsabilité du fait personnel est passée au second plan.

Dès l'instant qu'une chose a participé à la réalisation d'un dommage, la victime a meilleur compte à invoquer la responsabilité du fait des choses plutôt que celle du fait personnel : elle évite ainsi la charge de la preuve d'une faute (V. *supra*, n° 577). Par exemple, tous les accidents dus à des véhicules relevaient de la responsabilité du fait des choses jusqu'à ce qu'intervienne la loi du 5 juillet 1985 relative à l'indemnisation des victimes d'accidents de la circulation ; cela demeure exact pour les machines autres que les véhicules à moteur.

Contrairement à certaines prévisions, ces diverses lois spéciales, si elles ont limité le contentieux, n'ont pas pour autant vidé de son intérêt la responsabilité du fait des choses (195).

613. – *Quid* en matière de contrats ? Toutefois, parce qu'elle est stipulée à l'article 1384 du Code civil relatif aux délits et quasi-délits, la responsabilité du fait des choses n'est pas applicable dans les rapports entre contractants.

Par exemple, s'il survient un accident de train à un passage à niveau, seuls les tiers au contrat de transport, les piétons blessés ou les occupants d'un véhicule percuté, pourront invoquer l'article 1384 contre la SNCF, non les passagers blessés. La solution doit être généralisée à tous les contrats (196).

En pratique, cette différence, qui se situe au plan de la preuve, a été estompée par la jurisprudence qui interprète bon nombre de contrats comme comportant une obligation de sécurité. Ainsi en est-il pour le contrat de transport : l'obligation de sécurité y est une obligation de résultat : le seul fait d'un accident constitue une présomption de responsabilité du transporteur à l'égard des passagers transportés (V. *supra*, n° 578), et la

---

(194) Cass. civ., 16 juin 1896 : D. 97, I, 433, note SALEILLES et concl. SARRUT ; S. 97, I, 17 et note A. ESMEIN. – SALEILLES, *Les accidents du travail et la responsabilité civile*. – L. JOSSERAND, *De la responsabilité du fait des choses inanimées*, 1897.
(195) V. la démonstration faite par G. DURRY, *L'irremplaçable responsabilité du fait des choses* : in *Mélanges Terré*, 1999, p. 707.
(196) V. cependant Cass. 1re civ., 17 janv. 1995 : D. 1995, 350 et note P. JOURDAIN ; JCP 1995, I, 3853, n° 9, obs. G. VINEY. – P. RÉMY, *Nouveaux développements de la responsabilité civile* : RGAT 1995, 529. – F. LEDUC, *La spécificité de la responsabilité contractuelle du fait des choses* : D. 1996, chron. 164. – *Contra* : Cass. 1re civ., 25 févr. 1997 : Gaz. Pal. 1997, 1, 273. – 9 nov. 1999 : Gaz. Pal. 8 févr. 2000.

présomption ne tombe que devant la démonstration d'un cas de force majeure (197).

Ainsi, par le biais de l'interprétation, la jurisprudence introduit dans les contrats des obligations de sécurité qui équivalent en fait à une responsabilité contractuelle du fait des choses.

Sous le bénéfice de ces observations, on étudiera d'abord le principe général, puis les cas particuliers de responsabilité du fait des choses.

A. – Le principe général de responsabilité du fait des choses

614. – Plan. En vertu de ce principe énoncé à l'article 1384, alinéa 1 du Code civil et développé par la jurisprudence, le gardien d'une chose est présumé responsable du fait dommageable de cette chose. C'est donc à nouveau une présomption de responsabilité dont il convient de déterminer les conditions et la force.

1° Conditions de la présomption de responsabilité

615. – Interprétation de l'article 1384, alinéa 1. Alors que l'article 1384, alinéa 1 du Code civil n'avait d'autre sens que celui d'une phrase introductive, la jurisprudence en a fait l'exégèse pour dégager les conditions de cette présomption. Partant de ce texte, et lui appliquant une interprétation sans cesse extensive, la jurisprudence a suivi une évolution dont on ne décrira que le point d'arrivée. À ce jour, pour qu'il y ait responsabilité du fait des choses, il suffit d'une chose quelconque, d'un fait dommageable de cette chose, et d'un gardien qui sera le responsable.

a) Une chose quelconque

616. – Il ne reste pas grand-chose aujourd'hui du désir originaire de limiter le domaine d'application quant aux choses. N'échappent au principe que les choses qui en ont été expressément exclues pour être soumises à un régime particulier (V. *infra*, nos 631 et s.) : les animaux (C. civ., art. 1385 ; mais leur régime est le même que celui des choses), les bâtiments tombant en ruine (C. civ., art. 1386), les aéronefs, les téléphériques, l'énergie nucléaire et aujourd'hui les véhicules terrestres à moteur.

Ceci étant, l'article 1384, alinéa 1 du Code civil s'applique à toutes les choses, sans distinction aucune ; le terme est suffisamment large pour comprendre tout ce qu'on peut imaginer.

Peu importe notamment que la chose soit *un meuble ou un immeuble*. Pour le cas où il s'agirait d'un immeuble, ne sont exclus que les dommages résultant de la ruine d'un bâtiment, qui relèvent de l'article 1386 du Code

---

(197) V. par exemple Cass. 1re civ., 3 juill. 2002 : *D.* 2002, 2631 et note J.-P. GRIDEL (responsabilité de la SCNF à l'égard de la passagère d'un train blessée et dépouillée de ses bijoux par un individu non identifié, agression non imprévisible contre laquelle la SNCF n'avait pris aucune mesure de prévention).

civil. S'il n'y a pas ruine (198), ou s'il ne s'agit pas d'un bâtiment, ou si la personne assignée n'est pas le propriétaire (199), le principe général reprend son empire. On a ainsi appliqué la responsabilité du fait des choses à l'éboulement d'une falaise (200) ou de rochers (201), à un glissement de terrain (202), à l'effondrement de chambres minières (203), etc. En matière de meubles, l'article 1384, alinéa 1, peut s'appliquer à toutes sortes de choses, sans aucune limitation (204).

Peu importe également que la chose soit *dangereuse ou non*. Sans doute les choses dangereuses nécessitent-elles une surveillance plus attentive, mais ce ne saurait être un argument en faveur d'une exonération de responsabilité pour les choses non dangereuses ; d'ailleurs, le fait de provoquer un dommage démontre *a posteriori* que la chose était en fait dangereuse (205).

b) Un fait quelconque de la chose

Sur ce point encore, les tentatives d'interprétation restrictive ont été vaines.

617. – Peu importe que la chose ait été ou non affectée d'un vice interne. C'est ainsi que, contrairement à l'un des tout premiers arrêts (1896) qui avait lié la responsabilité au vice d'une chaudière, peu importe désormais que le fait dommageable soit dû ou non à un vice inhérent à la chose (206).

Cette solution demeure inchangée en dépit de l'introduction en droit français d'une responsabilité du fait des produits défectueux (art. 1386-1 et s.) ; la victime d'un produit défectueux pourra donc agir sur le fondement soit de l'article 1384, al. 1, soit de l'article 1386-1 (V. *infra*, n°s 671 et s.).

618. – Peu importe que la chose ait été ou non actionnée par l'homme. Pendant longtemps, les dommages causés par des choses actionnées par l'homme, spécialement par les véhicules automobiles, ont été traités sous l'angle de la responsabilité du fait personnel du conducteur. Mais, depuis le célèbre arrêt *Jand'heur* du 13 février 1930, on y a vu un cas de responsabilité

---

(198) L'article 1384, alinéa 1, est inapplicable en cas de ruine d'un bâtiment qui constitue le domaine d'application de l'article 1386 : Cass. 2ᵉ civ., 12 juill. 1966 : *JCP* 67, II, 15185, obs. N. Dejean de la Bâtie.

(199) Cass. 2ᵉ civ., 23 mars 2000 : *JCP* 2000, II, 10379 et note Y. Dagorne-Labbé.

(200) Cass. civ., 25 juin 1952 : *D.* 1952, 614 ; *JCP* 52, II, 7338, obs. P. Esmein. – Cass. 2ᵉ civ., 29 nov. 1967, *JCP* 1968, II, 15446 et note L. Mourgeon. – 26 sept. 2002 : *D.* 2002, 1257 et note O. Audic.

(201) Cass. 2ᵉ civ., 27 févr. 1991 : *D.* 1991, IR, 88.

(202) Cass. 2ᵉ civ., 20 nov. 1968 : *JCP* 70, II, 16567, obs. N. Dejean de la Bâtie.

(203) Cass. 2ᵉ civ., 17 oct. 1990 : *JCP* 90, IV, 403.

(204) V. par exemple une application récente à l'amiante : Caen 20 nov. 2001 : *JCP* 2002, II, 10045 et note F.G. Trébulle (responsabilité de l'entreprise du mari en cas d'asbestose contractée par la femme par suite des poussières d'amiante dans les vêtements du mari).

(205) Cass. ch. réunies, 13 févr. 1930 : *D.* 1930, I, 57, note G. Ripert et concl. Matter ; *S.* 1930, 1, 121 et note P. Esmein (automobile). – Cass. 2ᵉ civ., 26 juin 1953 : *D.* 1954, 181 et note R. Savatier ; *S.* 1954, 1, 41 et note H. Mazeaud ; *JCP* 53, II, 7801, obs. R. Rodière (bouteille de vin). – V. P. Esmein, *Le diable dans la bouteille* : *JCP* 54, I, 1163.

(206) Cass. civ., 16 nov. 1920 : *D.* 1920, I, 169 et note R. Savatier.

---

du fait des choses, ce qui constitue un avantage et une faveur pour les victimes. Peu importe donc que la chose soit ou non actionnée par l'homme.

LA COUR ; – *Statuant toutes chambres réunies ;* – Sur le moyen du pourvoi : – Vu l'art. 1384, al. 1er, C. civ. ; Attendu que la présomption de responsabilité établie par cet article à l'encontre de celui qui a sous sa garde la chose inanimée qui a causé un dommage à autrui ne peut être détruite que par la preuve d'un cas fortuit ou de force majeure ou d'une cause étrangère qui ne lui soit pas imputable ; qu'il ne suffit pas de prouver qu'il n'a commis aucune faute ou que la cause du fait dommageable est demeurée inconnue ; – Attendu que, le 22 avril 1925, un camion automobile appartenant à la Société *Aux Galeries belfortaises* a renversé et blessé la mineure Lise Jand'heur ; que l'arrêt attaqué a refusé d'appliquer le texte susvisé par le motif que l'accident causé par une automobile en mouvement, sous l'impulsion et la direction de l'homme, ne constituait pas, alors qu'aucune preuve n'existe qu'il soit dû à un vice propre de la voiture, le fait de la chose que l'on a sous sa garde dans les termes de l'art. 1384, § 1er, et que, dès lors, la victime était tenue, pour obtenir réparation du préjudice, d'établir à la charge du conducteur une faute qui lui fût imputable ; – Mais attendu que la loi, pour l'application de la présomption qu'elle édicte, ne distingue pas suivant que la chose qui a causé le dommage était ou non actionnée par la main de l'homme ; qu'il n'est pas nécessaire qu'elle ait un vice inhérent à sa nature et susceptible de causer le dommage, l'art. 1384 rattachant la responsabilité à la garde de la chose, non à la chose elle-même ; – D'où il suit qu'en statuant comme il l'a fait, l'arrêt attaqué a interverti l'ordre légal de la preuve et violé le texte de loi susvisé ; – Par ces motifs, casse…, renvoie devant la cour d'appel de Dijon.

(Ch., réun. 13 févr. 1930, *Jand'heur* : S. 1930, I, 121, note P. ESMEIN ; *DP* 1930, 1, 57, note G. RIPERT, concl. MATTER.)

619. – Peu importe que la chose ait été ou non en contact avec la victime. Il importe peu que le dommage ait été causé par un contact matériel avec la chose, ou en dehors de tout contact. Certes, le plus souvent, le dommage sera dû à un choc, une collision. Mais il peut tout aussi bien se produire en l'absence de contact : par exemple, l'accident s'est produit parce que la victime a voulu éviter un obstacle, ou a été éblouie par les phares du véhicule venant en sens inverse, et ce sans que ce dernier soit matériellement intervenu dans la collision (207).

En revanche, la *communication d'incendie* suit des règles spéciales (C. civ., art. 1384, al. 2), depuis que la loi du 7 novembre 1922 a subordonné la responsabilité à la preuve d'une faute (208). Cette dérogation au principe général a suscité d'importantes critiques, notamment de la part de la Cour de cassation qui en a suggéré l'abrogation dans ses rapports de 1991, 1996, 1997, 1999, 2001 et 2002.

620. – Peu importe que la chose ait été inerte ou en mouvement. Certes, en règle générale, les choses en mouvement causent plus d'accidents que

---

(207) Cass. civ., 2 févr. 1940 : DC 1941, 101 et note R. SAVATIER. – Cass. req. 19 juin 1945 : *JCP* 46, II, 3009, obs. R. RODIÈRE. – Cass. 2e civ., 10 mars 1971 : *D.* 1971, 540. – V. cependant, Lyon, 12 janv. 1972 : *D.* 1972, 739 et note C. et Ch. BRYON.

(208) Ph. CASSON, *La communication d'incendie : une législation en attente d'abrogation : Petites affiches*, 15 juill. 1996. La règle de l'alinéa 1 est écartée au profit de celle de l'alinéa 2 de l'article 1384 dès l'instant que l'incendie est né dans l'immeuble ou les biens mobiliers de celui-ci, « peu important que l'incendie soit lié à une chose dont l'occupant a la garde » : Cass. 2e civ., 24 juin 1999 : *JCP* 2001, I, 10483 et note J.-Y. MARÉCHAL. – 13 mars 2003 : *D.* 2003, IR, 1009 (dans le cas d'une communication souterraine).

les choses inertes : une voiture en mouvement est plus dangereuse qu'une voiture en stationnement. Mais il est toujours possible de trébucher sur une marche d'escalier, de heurter une porte vitrée, de glisser sur un morceau de journal, une feuille de salade ou autre détritus sur le sol d'un magasin ou sur le trottoir. Là encore il y a place pour une responsabilité du fait des choses (209).

Toutefois, le comportement de la chose n'est pas indifférent, si bien que la distinction ci-dessus reprend son intérêt au plan de la causalité (V. *infra*, n° 622).

621. – Nécessité d'un lien de causalité entre la chose et le dommage. En définitive, il y a fait de la chose dès l'instant qu'elle est intervenue d'une manière quelconque dans la production du dommage.

En ce qui concerne la preuve, la question se dédouble : on distingue la preuve de *l'intervention matérielle de la chose* et celle de son *rôle causal*.

C'est à la victime qu'il incombe de démontrer que la chose est matériellement intervenue dans la production du dommage (210). Cette preuve facile une fois rapportée, on soutient généralement que la chose est présumée être la cause génératrice du dommage (211). Ainsi présume-t-on non seulement la faute du gardien, mais aussi le lien de causalité entre cette faute présumée et le dommage : c'est pourquoi on parle de présomption de responsabilité.

Il y a effectivement présomption de causalité lorsque, comme c'est le plus souvent le cas, on est en présence d'une chose en mouvement et que cette chose est entrée en contact avec la personne blessée ou la chose endommagée.

La situation est plus complexe dans le cas d'une *chose inerte*, et également dans l'hypothèse où le dommage s'est produit sans contact avec la chose. À la vérité la jurisprudence est assez confuse si bien qu'il est difficile de dire si la question se présente sur le terrain de la *preuve de la causalité* ou sur celui des *causes d'exonération*.

622. – La question du rôle actif ou passif de la chose. Un arrêt du 19 juin 1941 avait initialement posé en principe que « la chose est présumée être la cause génératrice du dommage dès lors qu'inerte ou non, elle est intervenue dans sa réalisation » ; en l'espèce, il s'agissait d'une cliente d'un établissement de bains brûlée par une canalisation d'eau chaude sur laquelle elle était tombée.

Mais par la suite, écartant cette présomption de causalité, la jurisprudence a exigé que la victime fasse la preuve du *rôle actif* de la chose,

---

(209) Cass. civ., 24 févr. 1941 : S. 1941, 1, 201 et note P. ESMEIN ; DC. 1941.85 et note J. FLOUR. – Cass. 2e civ., 4 mai 1966 : JCP 67, II, 13139, obs. E. BLOCH. – 28 avr. et 30 juin 1971 : D. 1972, 461 et note A.-D. – 16 mars 1994 : *Bull. civ.* II, n° 94. – 11 janv. 1995 : *Bull. civ.* II, n° 18.

(210) Cass. 2e civ., 5 mai 1993 : *Bull. civ.* II, n° 168.

(211) Cass. civ., 30 oct. 1957 : D. 1958, 280.

en pratique qu'elle démontre une *anomalie* ou une *anormalité* tenant soit à un défaut de la chose (212), soit à sa dangerosité (213), soit à sa position (214). À défaut d'une telle preuve, on conclut « qu'il n'est pas établi que la chose ait été *l'instrument du dommage* » (215).

Cela dit, dans le même temps, dans des hypothèses où il n'était relevé aucune anomalie ni de la chose, ni de son comportement ou de sa position, d'autres décisions ont conclu de manière radicalement inverse que la chose avait été l'instrument du dommage (216).

D'autres arrêts enfin se placent au plan des causes d'exonération et considèrent que le gardien peut s'exonérer de cette présomption en démontrant que la chose n'a joué qu'un *rôle passif* ou, suivant une autre formule, que la chose a eu un *comportement normal* (217).

En bref, compte tenu de la diversité de la jurisprudence, on ne saurait dire à ce jour si, s'agissant des dommages imputés à des choses inertes ou à des choses sans contact matériel :

– il y a ou non présomption de causalité, présomption que la chose a été l'instrument du dommage ;

– et, s'il y a présomption, si elle peut être renversée par la preuve du rôle passif de la chose qui démontrerait qu'elle n'a pas été l'instrument du dommage.

---

(212) Fragilité d'une paroi vitrée de grande dimension : Cass. 2ᵉ civ., 16 nov. 1978 : *Bull. civ.* II, n° 240. – 7 mars 1979 : *Bull. civ.* II, n° 75.

(213) Verrière, invisible à raison de la poussière, ayant cédé sous le poids de la victime : Cass. 2ᵉ civ., 16 mars 1994 : *Bull. civ.* II, n° 94 ; *D.* 1994, IR, 88. – 26 sept. 2002 : *Bull. civ.* II, n° 198 ; *RTD civ.* 2003, 100, obs. P. Jourdain (risque d'éboulement d'une falaise ayant nécessité des travaux de confortement et ayant entraîné, par voie d'arrêté municipal, la fermeture d'un établissement en contrebas).

(214) Cass. 2ᵉ civ., 22 nov. 1984, deux arrêts : *JCP* 1985, II, 20477, obs. N. Dejean de la Bâtie (distinction suivant que la voiture est en stationnement ou en mouvement).

(215) Cass. 2ᵉ civ., 7 mai 2002 : *JCP* 2002, IV, 2037 ; *D.* 2003, somm. 462, obs. P. Jourdain (chute dans l'escalier d'un hôtel dont les marches ne présentaient aucun caractère dangereux). – 11 juill. 2002 : *Bull. civ.* II, n° 175, p. 139 ; *D.* 2003, somm. 462, obs. P. Jourdain ; *JCP* 2002, IV, 2547 (chute sur une rampe inclinée ne présentant ni défaut d'entretien, ni vice interne). V. aussi Cass. 2ᵉ civ., 8 juill. 1971 : *D.* 1971, 690 (ouvrier travaillant en bordure d'une voie ferrée, blessé lors du passage d'un train).

(216) Cass. 2ᵉ civ., 15 juin 2000 : *Bull. civ.* II, n° 103 ; *D.* 2001, 886 et note G. Blanc ; *Resp. civ. et assur.* 2000, comm. 292, obs. H. Groutel ; *RTD civ.* 2000, 849, obs. P. Jourdain (blessure par une paroi latérale en verre qui ne présentait ni vice, ni défaut d'entretien, ni aucune anomalie). – 25 oct. 2001 : *D.* 2002, 1450 et note C. Prat ; *JCP* 2002, I, 122, n° 9, obs. G. Viney ; *RTD civ.* 2002, 108, obs. P. Jourdain (passant s'étant blessé sur une boîte aux lettres conforme à la réglementation des PTT, et occupant une position normale, sans débordement excessif sur le trottoir).

(217) H. Mazeaud, *Le fait actif de la chose* : in *Études Capitant*, p. 517. – M. Vray, *À propos d'un petit bonhomme prématurément enterré : le rôle passif en matière de responsabilité du fait des choses* : *Gaz. Pal.* 1968, 1, doctr. 131. Cass. civ. 19 févr. 1941 : DC 1941, 85 et note J. Flour. – Cass. req. 13 févr. 1942 : *JCP* 42, II, 2037, obs. R. Rodière. – Cass. civ., 23 janv. 1945 : DC 1945, 317 et note R. Savatier ; *S.* 1946, 1, 57 et note Hébraud. – Cass. 2ᵉ civ., 31 mai 1965 : *JCP* 66, II, 14672, obs. J. Boré. – 28 avr. et 30 juin 1971 : *D.* 1972, 461 et note A.D. – 16 janv. 1985 : *Gaz. Pal.* 1985, pan. 140. – 28 mai 1986 : *JCP* 86, IV, 228. — 13 oct. 1982 : *JCP* 83, IV, 7. – 14 déc. 2000, deux arrêts : *JCP* 2001, I, 338, n° 13, obs. G. Viney ; *Resp. civ. et assur.* 2001, comm. n° 16, obs. H. Groutel. Mais certains arrêts dénient le caractère exonératoire du rôle passif : Cass. 2ᵉ civ., 12 mai 1980 : *JCP* 81, II, 19684, obs. N. Dejean de la Bâtie.

c) Le gardien de la chose

623. – La notion de garde. La notion de garde (218) est une notion juridique sans rapport avec le sens de ce terme dans la langue courante. Il convient donc de prêter attention à cette difficulté de terminologie.

Dans le langage courant, un gardien est un employé auquel aura été confié le soin de veiller sur une chose. En droit, un employé ne peut jamais être gardien d'une chose de son patron ; c'est ce dernier qui le demeure parce qu'il conserve l'autorité. On exprime cela en disant que *les qualités de préposé et de gardien s'excluent* (219) (V. *supra*, n° 596).

Il suffit de prendre un exemple pour le comprendre. À supposer qu'un ouvrier d'une entreprise provoque un dommage en faisant tomber une échelle, le tiers victime peut intenter diverses actions :

– contre l'ouvrier : l'action en responsabilité du fait personnel, s'il a excédé les limites de la mission qui lui a été impartie par son commettant ou s'il a commis une infraction pénale (V. *supra*, n° 597), mais pas l'action en responsabilité du fait des choses parce que la garde de la chose demeure entre les mains du patron ;

– contre le chef d'entreprise : soit l'action en responsabilité du fait d'autrui (C. civ., art. 1384, al. 5), qui suppose un fait illicite du préposé (V. *supra*, n° 597) ; soit l'action en responsabilité du fait des choses (C. civ., art. 1384, al. 1) parce qu'il est le gardien de l'échelle.

Cette solution jurisprudentielle a été édictée dans le souci de permettre à la victime de rechercher directement la responsabilité du commettant, pris en sa qualité de gardien de la chose.

624. – Définition du gardien. La définition du gardien au sens de l'article 1384, alinéa 1 du Code civil, a été établie par la Cour de cassation dans l'arrêt *Franck* du 2 décembre 1941 : a la garde d'une chose celui qui en a l'*usage*, la *direction* et le *contrôle*. Un tel pouvoir confère en effet à celui qui le détient la possibilité de contrôler la chose et d'empêcher qu'elle n'entraîne des dommages à autrui.

Cet arrêt a mis fin à la controverse sur le point de savoir s'il fallait s'attacher à la *garde juridique*, c'est-à-dire au caractère régulier du pouvoir exercé sur la chose, ou à la *garde matérielle*, c'est-à-dire à la simple détention matérielle de la chose ; mais en retenant comme critère le pouvoir, régulier ou non, exercé sur la chose, il n'épouse vraiment ni l'une ni l'autre théorie.

---

(218) A. Besson, *La notion de garde dans la responsabilité du fait des choses*, thèse Dijon, 1927. – B. Goldman, *La détermination du gardien responsable du fait des choses inanimées*. thèse Lyon 1946. – A. Tunc, *La détermination du gardien dans la responsabilité du fait des choses inanimées* : JCP 60, I, 1592. – D. Mayer, *La « garde » en commun* : RTD civ. 1975, 197.

(219) Jurisprudence constante. V. en dernier Cass. 3ᵉ civ., 24 janv. 1973 : JCP 73, IV, 95. – V. aussi Cass. civ., 30 déc. 1936 : D. 1937, 1, 5 et note R. Savatier ; S. 1937, 1, 137 et note H. Mazeaud. – M.-A. Peano, *L'incompatibilité entre les qualités de gardien et de préposé* : D. 1991, chron. 51.

LA COUR ; – *Sur le moyen unique pris en sa première branche :* – Attendu qu'il résulte des énonciations de l'arrêt attaqué que, dans la nuit du 24 au 25 décembre 1929, une voiture automobile, appartenant au docteur Franck, et que celui-ci avait confiée à son fils Claude, alors mineur, a été soustraite frauduleusement par un individu demeuré inconnu, dans une rue de Nancy où Claude Franck l'avait laissée en stationnement ; qu'au cours de la même nuit, cette voiture, sous la conduite du voleur, a, dans les environs de Nancy, renversé et blessé mortellement le facteur Connot ; que les consorts Connot, se fondant sur les dispositions de l'art. 1384, al. 1er, C. civ., ont demandé au docteur Franck réparation du préjudice résultant pour eux de la mort de Connot ; – Attendu que, pour rejeter la demande des consorts Connot, l'arrêt déclare qu'au moment où l'accident s'est produit, Franck, dépossédé de sa voiture par l'effet du vol, se trouvait dans l'impossibilité d'exercer sur ladite voiture aucune surveillance ; qu'en l'état de cette constatation, de laquelle il résulte que Franck, privé de l'usage, de la direction et du contrôle de sa voiture, n'en avait plus la garde et n'était plus dès lors soumis à la présomption de responsabilité édictée par l'art. 1384, al. 1er, C. civ., la cour d'appel, en statuant ainsi qu'elle l'a fait, n'a point violé le texte précité ;

Sur le moyen pris en sa seconde branche :…

Par ces motifs, déclare le moyen mal fondé dans sa première branche et, pour être statué sur la seconde branche dudit moyen, renvoie la cause et les parties devant la chambre civile.

(Cass. ch. réunies 2 déc. 1941 : *DC* 1942, 25 et note G. Ripert ; *S.* 1941, 1, 217 et note H. Mazeaud.

En pratique, le propriétaire est présumé gardien (220) et il le demeure lorsqu'il confie la chose à un préposé. On considère ici, de manière quelque peu artificielle, que le préposé, s'il a bien l'usage de la chose, exerce cet usage sous la direction et le contrôle de son commettant. Cette solution s'applique également au préposé occasionnel, par exemple au cas où le propriétaire d'un véhicule confie le volant à l'un de ses passagers qui le relaie (221). Cela dit, peu importe que ce propriétaire soit mineur ou même dément, ou encore enfant en bas âge (222).

Dans certains cas, il faudra tenir compte des usages ; par exemple, en matière de course en mer, le gardien est le skipper car il a le commandement du voilier, chacun de ses coéquipiers effectuant sa tâche à la place qui lui a été affectée dans l'équipe, sous le contrôle et la direction du skipper (223).

Pour échapper à cette présomption, le propriétaire réputé gardien doit rapporter la preuve qu'il n'avait pas la maîtrise de la chose au moment du fait dommageable par suite, soit d'un fait matériel (p. ex. un vol), soit d'un acte juridique emportant transfert de la garde.

625. – Le transfert de la garde. Le propriétaire peut transférer la garde à une tierce personne. Tel est le cas lorsque, par un contrat de prêt ou de

---

(220) J.-M. Florand, *La présomption de garde*, thèse Paris XII, 1985. Il y a cependant des limites naturelles à la présomption ; ainsi la propriétaire d'un immeuble n'est pas gardienne des gravats provenant de l'explosion de son habitation que son mari séparé de corps a fait sauter par explosifs et qui ont endommagé un immeuble voisin : Cass. 2e civ., 4 mars 1998 : *D.* 1999, 217 et note Y. Dagorne-Labbé.

(221) Cass. 1re civ., 8 nov. 1989 : *Bull. civ.* I, n° 344.

(222) Cass. ass. plén. 9 mai 1984 : *D.* 1984, 525, 3e esp., concl. Cabannes et note F. Chabas. – Cass. 2e civ., 24 mai 1991 : *JCP* 91, IV, 278. – R. Legeais, *Un gardien sans discernement. Progrès ou régression dans le droit de la responsabilité civile* : *D.* 1984, chron. 237.

(223) Cass. 2e civ., 8 mars 1995 : *JCP* 1995, II, 22499 et note J. Gardach.

louage (224), il investit son cocontractant des pouvoirs d'usage, de direction et de contrôle de telle sorte que ce dernier a « toute possibilité de prévenir lui-même le préjudice que la chose peut causer (225).

Il y aura ainsi transfert de la garde au locataire d'un appartement (226) ; à l'entrepreneur de construction qui a la maîtrise du chantier (227) ; à l'ami ou au parent qui, dans le cadre d'une convention d'assistance, utilise une échelle (228) ou un outil de bûcheronnage (229) ; au client d'un supermarché qui utilise un chariot (230), etc. En revanche, il n'y aura pas transfert de la garde d'un immeuble à l'entreprise qui en assure la surveillance (231), ou des cuves au pompiste (232), ou des gravats contenant un détonateur à l'ouvrier qui y jette les siens propres (233), et ce parce qu'ils n'ont pas le contrôle et la direction de la chose. De même, l'alpiniste n'est pas gardien de la pierre sur laquelle il prend prise ou marche, et qui, se détachant, va blesser un autre alpiniste (234).

On admet également qu'il y a transfert de la garde pour certains contrats comme le dépôt (235) ou le contrat de transport (236), alors que dépositaire et transporteur n'ont pas l'usage de la chose, mais seulement la direction et le contrôle.

En cas de dépossession involontaire de la chose, vol par exemple, la garde passe du propriétaire à l'usurpateur : ainsi le propriétaire d'une machine volée n'est pas responsable en tant que gardien de dommages causés par le voleur.

626. – La garde collective ou garde en commun. Lorsque plusieurs personnes se servent dans le même temps de la même chose et que cette

---

(224) J.-M. FLORAND, *La détermination du gardien d'une chose prêtée, louée ou déposée : Petites affiches*, 5 nov. 1986.

(225) Cass. 2e civ., 11 juin 1953 : *D*. 1954, 21 et note R. RODIÈRE ; *JCP* 53, II, 7825, obs. A. WEILL. – Cass. ch. mixte 26 mars 1971 : *JCP* 72, II, 16957, obs. N. DEJEAN DE LA BÂTIE. – Cass. 1re civ., 16 oct. 1990 : *D*. 1990, IR 254. – Cass. 1re civ., 9 juin 1993 : *JCP* 1994, II, 22202 et note G. VINEY ; *D*. 1994, 80 et note Y. DAGORNE-LABBÉ.

(226) Cass. 2e civ., 12 déc. 2002 : *D*. 2003, 454 et note N. DAMAS.

(227) Cass. 3e civ., 10 déc. 1970 : *Bull. civ*. III, n° 690. – 20 oct. 1971 : *D*. 1972, 444 et note LAPOYADE-DESCHAMPS. – Cass. 2e civ., 17 janv. 1985 : *Bull. civ*. II, n° 15, p. 11. Voir cep. Cass. 3e civ., 17 mars 1999 : *JCP* 2000, II, 10427 et note V. LASBORDES.

(228) Cass. 2e civ., 10 juin 1998 : *JCP* 1999, II, 10042 et note F. MANDIN.

(229) Cass. 2e civ., 28 nov. 2002 : *Bull. civ*. II, n° 273, p. 214.

(230) Cass. 2e civ., 14 janv. 1999 : *JCP* 2000, II, 10245 et note S. REIFEGERSTE.

(231) Cass. 1re civ., 16 juin 1998 : *Bull. civ*. I, n° 217 ; *RTD civ*. 1998, 917, obs. P. JOURDAIN.

(232) Cass. 1re civ., 9 juin 1993 : *JCP* 1994, II, 22202 et note G. VINEY. – 12 oct. 2000 : *Resp. civ. et assur*. 2000, comm. n° 357 ; *JCP* 2001, I, 338, n° 15, obs. G. VINEY.

(233) Cass. 2e civ., 23 janv. 2003 : *Bull. civ*. II, n° 19, p. 15.

(234) Cass. 2e civ., 24 avr. 2003 : *D*. 2003, IR, 1340 ; *JCP* 2003, IV, 2032 et 2034.

(235) Cass. 2e civ., 13 oct. 1965 : *JCP* 1966, II, 14503 et note P. ESMEIN. – 21 nov. 1973 : *Bull. civ*. II, n° 303.

(236) Cass. civ. 16 nov. 1920 : *S*. 1922, 1, 97 et note L. HUGUENEY ; *DP* 1920, 1, 169 et note R. SAVATIER. – 15 mars 1921 : *S*. 1922, 1, 100 ; *DP* 1922, 1, 25 et note G. RIPERT. – Cass. 2e civ., 9 nov. 1966 : *Bull. civ*. II, n° 895.

---

chose produit un dommage, la jurisprudence admet que la garde puisse être exercée collectivement, *en commun*, par les divers participants (237).

L'intérêt de la solution est que, chacun des co-gardiens étant tenu à la réparation intégrale du dommage, la victime – qui peut être un membre du groupe – a une meilleure chance d'obtenir réparation effective de son préjudice.

La jurisprudence en a fait application à un groupe de chasseurs qui se voit reconnaître la garde collective des fusils ou de la gerbe de plombs, lorsque l'auteur du coup de fusil malheureux ne peut être identifié (238) ; et, plus souvent encore aux enfants qui se livrent à des activités ou des jeux collectifs et dangereux (239).

Mais il n'y a plus garde en commun lorsqu'au moment du dommage il n'y a plus véritablement activité collective : ainsi en est-il du briquet qui, après avoir servi à un jeu collectif (faire des ronds de fumée !), est ensuite utilisé par un seul enfant qui provoque un incendie (240) ; ou encore dans le cas d'un jeu inspiré du base-ball où la balle de tennis envoyée par l'un des joueurs blesse l'autre à l'œil (241).

De même, l'idée de garde collective a été écartée pour un voilier en régate car les règles et usages en la matière confèrent la direction et le contrôle, donc la garde, au seul skipper (242) (V. *supra*, n° 624).

627. – Garde de la structure et garde du comportement. Suivant en cela une suggestion doctrinale (243), la jurisprudence a également admis, pour certaines choses, un fractionnement de la garde entre deux personnes : elle oppose ainsi la garde de la structure interne de la chose et la garde de son utilisation (244). L'idée est que le fabricant demeure gardien

---

(237) D. MAYER, *La « garde » en commun* : RTD civ. 1975, 197. – J.-M. FLORAND, *Bilan des applications jurisprudentielles de la théorie de la co-garde* : Petites affiches, 19 mai 1986.

(238) Cass. 2ᵉ civ., 5 févr. 1960 : D. 1960, 365 et note H. ABERKANE. – 11 févr. 1966 : D. 1966, 228 et note R. SCHMELCK. – 13 mars 1975 : D. 1975, IR, 124, obs. G. DURRY ; RTD civ. 1975, 543.

(239) Cass. 2ᵉ civ., 15 déc. 1980 : D. 1981, 455 et note E. POISSON-DROCOURT. – Cass. 2ᵉ civ., 14 juin 1984 : Gaz. Pal. 1984, pan. 299 et note F.C. – Cass. 2ᵉ civ., 7 nov. 1988 : JCP 89, IV, 14. – Lyon, 16 nov. 1989 : D. 1990, 207 et note A. VIALARD. – Cass. 2ᵉ civ., 24 mai 1991 : JCP 91, IV, 278.

(240) Cass. 2ᵉ civ., 11 juill. 2002 : D. 2002, 3297 et note Y. DAGORNE-LABBÉ ; RTD civ. 2002, 823, obs. P. JOURDAIN.

(241) Cass. 2ᵉ civ., 28 mars 2002 : D. 2002, 3237 et note D. ZEROUKI ; RTD civ. 2002, 520, obs. J. MESTRE et B. FAGES.

(242) Cass. 2ᵉ civ., 9 mai 1990 : D. 1991, 367 et note Y. DAGORNE-LABBÉ. – 8 mars 1995 : JCP 1995, II, 22499 et note J. GARDACH.

(243) B. GOLDMAN, *La détermination du gardien responsable du fait des choses inanimées*, thèse Lyon, 1946. – *Garde de la structure et garde du comportement* : in Mélanges Roubier, t. II, p. 51. – A. TUNC, *Garde du comportement et garde de la structure dans la responsabilité du fait des choses inanimées* : JCP 57, I, 1384. – P. DUPICHOT, *La garde de la structure et la garde du comportement dans la responsabilité civile*, thèse Paris XII, 1984.

(244) Cass. com. 30 juin 1953 : JCP 53, II, 7811, obs. R. SAVATIER. — Cass. 2ᵉ civ., 10 juin 1960 : D. 1960, 609 et note R. RODIÈRE ; JCP 60, II, 11814, obs. P. ESMEIN. – Cass. 1ʳᵉ civ., 12 nov. 1975, et Paris 5 déc. 1975 : JCP 76, II, 18479, obs. G. VINEY. – V. aussi obs. G. DURRY : RTD civ. 1970, p. 361 ; 1971, p. 151 ; 1972, p. 139.

---

de la structure de la chose vendue, cependant que l'acquéreur n'aurait que la garde du comportement.

Cela vise en fait les choses dangereuses susceptibles de provoquer des dommages en raison soit d'une modification spontanée de leur structure interne (le *dynamisme propre*), soit de la manière dont elles sont utilisées. Par exemple, on dira qu'en cas d'explosion d'une bouteille d'oxygène liquide en cours de transport, le gardien responsable sera ou le transporteur ou le propriétaire, suivant que l'explosion aura été due à des conditions de transport ou de manutention défectueuses, ou à un vice de la bouteille (245).

Cet affinement de la notion de garde procède de l'idée qu'il serait inéquitable de présumer la responsabilité d'un gardien (ici, le transporteur) lorsque l'origine du dommage ne peut manifestement pas lui être imputée à faute. Par cela, on s'aperçoit que la responsabilité du fait des choses, tout en étant fondée sur une idée de garantie des risques, demeure encore teintée par la faute.

Ce fractionnement de la garde, qui a eu son heure de gloire dans les années 1970, a été par la suite très critiqué en doctrine en ce qu'il invitait le juge à une délicate casuistique et qu'il compliquait inutilement la situation de la victime. Même si on en trouve encore quelques applications (246), cette jurisprudence peut être considérée comme étant sur son déclin (247).

À cela il faut ajouter qu'il y a désormais un autre moyen juridique de reporter la responsabilité sur la tête du fabricant. En effet, transposant la directive européenne sur la responsabilité du fait des produits défectueux, la loi du 19 mai 1998 permet de rechercher la responsabilité du fabricant dans le cas où le dommage est causé par un produit défectueux, c'est-à-dire un produit qui « n'offre pas la sécurité à laquelle on peut légitimement s'attendre » (C. civ., art. 1386-1 et s. V. *infra*, n° 671 et s.).

2° Force de la présomption

628. – Preuve de l'absence de faute (non). Pas plus qu'elle n'indique la force de la présomption de responsabilité des commettants (V. *supra*, n° 605), la loi ne précise celle de la présomption de responsabilité du fait des choses. C'est la jurisprudence qui a dû se prononcer à cet égard.

---

(245) *Affaire de l'Oxygène liquide* : Cass. 2e civ., 5 janv. 1956 : *D.* 1957, 261 et note R. RODIÈRE ; *JCP* 56, II, 9085, obs. R. SAVATIER.

(246) Cass. 2e civ., 21 janv. 1981 : *Gaz. Pal.* 1981, pan. 184 et 29 avr. 1982 ; *Gaz. Pal.* 1982, pan. 331 et note F. CHABAS (pour une bombe aérosol). – 20 juill. 1981 : *JCP* 1982, II, 19848, obs. F. CHABAS, et 4 juin 1984 : *Gaz. Pal.* 16 oct. 1984 et note F. CHABAS (pour une bouteille de boisson gazeuse). – 30 nov. 1988 : *D.* 1989, 381 et note Ph. MALAURIE (pour l'implosion d'un téléviseur).

(247) V. par exemple Orléans 10 sept. 2001 : *JCP* 2002, II, 10133 et note B. DAILLE-DUCLOS qui a écarté l'application du fractionnement de la garde dans un cas où les parents d'une victime d'un cancer du poumon recherchaient la responsabilité de la SEITA comme gardien de la structure du tabac).

Il est admis depuis longtemps (1919) que la preuve de l'absence de faute du gardien est inopérante. Il faut toutefois réserver l'hypothèse où l'auteur du dommage a agi en état de légitime défense, auquel cas son absence de faute conduit à écarter la responsabilité fondée sur la garde de l'arme (248).

Cette solution laisse penser que la responsabilité du fait des choses n'est pas fondée sur une faute présumée du gardien (249). Dans l'opinion générale, cette responsabilité trouverait son fondement dans l'idée de risque : celui qui, par intérêt ou par plaisir, utilise des choses susceptibles d'entraîner des dommages, fait courir à autrui des risques dont il doit assumer les conséquences (250).

629. – Rôle passif de la chose. Selon une jurisprudence, le gardien peut échapper à sa responsabilité s'il démontre que la chose n'a eu qu'un *rôle passif* dans la production du dommage ou, suivant une autre formule, que la chose a eu un *comportement normal*. Cette jurisprudence s'applique tout particulièrement au cas où le dommage a été causé par une chose inerte, le sol par exemple, ou encore lorsqu'il n'y a pas eu de contact matériel entre la chose et la victime du dommage. Tel est par exemple le cas du passant qui, sans raison apparente, fait une chute et se blesse sur le sol ou sur une bordure de trottoir, etc. Le sol, ou tout autre objet de même nature, n'a eu ici qu'un rôle passif, un comportement normal.

L'opinion générale en doctrine est que la question doit être traitée au plan de la preuve de la causalité, et non pas à celui des causes d'exonération. Selon certains auteurs il n'y a pas de présomption de causalité lorsqu'il s'agit d'une chose inerte ou d'une chose qui n'est pas entrée en contact avec l'objet du dommage ; il appartiendrait à la victime de démontrer que la chose a eu un rôle actif dans la production du dommage, qu'elle a été l'instrument du dommage (V. supra, n° 622).

Mais la situation est beaucoup moins nette en jurisprudence, et certains arrêts considèrent qu'il y a présomption de causalité tout en faisant du rôle passif une cause d'exonération. À supposer qu'il s'agisse bien d'une cause d'exonération, elle est assez ambiguë en ce qu'elle se rapproche fâcheusement de l'absence de faute : démontrer que la chose a eu un rôle passif ou un comportement normal, n'est-ce pas prouver que le gardien n'a commis aucune faute ? Pour éviter cette ambiguïté, il est préférable de traiter la question sous l'angle du lien de causalité qui doit exister entre le

---

(248) Cass. 2ᵉ civ., 22 avr. 1992 : D. 1992, 353 et note J.-F. Burgelin.
(249) H. Mazeaud, *La faute dans la garde : RTD civ.* 1925, 793.
(250) R. Rodière, *De l'obligation de sécurité due par le gardien d'une chose inanimée et de ses degrés : RTD civ.* 1947, 406. – J. Déjardin, *Le fondement de l'article 1384, al. 1, et la théorie du risque créé : RTD civ.* 1949, 491.

fait et le dommage, et d'imposer à la victime d'une chose inerte la charge de prouver que la chose inerte a joué un rôle actif et, de ce fait, a été le véritable instrument du dommage.

630. – La cause étrangère. La présomption de responsabilité de l'article 1384, alinéa 1, tombe devant la preuve de la *cause étrangère*. Il incombe alors au gardien de prouver que, en dépit des apparences, le dommage est dû en tout ou en partie à un cas de force majeure, ou au fait d'un tiers, ou à la faute de la victime.

Cette matière sera développée à propos du lien de causalité qui est le troisième élément de la responsabilité civile (V. *infra*, nos 696 et s.).

B. – Les cas particuliers de responsabilité du fait des choses

631. – Diversité des cas. Toutes les choses qui causent un dommage à autrui peuvent en principe entraîner la responsabilité de leur gardien. N'y échappent que les choses qui n'ont pas de gardien : l'air, l'eau, la neige, les animaux sauvages, etc.

Ainsi, une personne victime d'une chose peut toujours se placer sur le terrain de la responsabilité du fait des choses et éviter la charge de prouver une faute du propriétaire. Il n'y est fait exception que pour la *communication d'incendie* par une chose, qui, en vertu de l'article 1384, alinéa 2, doit être traitée sur le plan de la responsabilité du fait personnel du propriétaire ou gardien (V. *supra*, n° 619).

Ceci étant, il existe des cas particuliers de responsabilité du fait des choses qui échappent au principe général précédemment étudié pour être soumis à des règles propres. Les uns datent du Code civil et sont en retrait par rapport au principe général ; d'autres sont dus à des lois récentes intervenues pour protéger les particuliers contre des risques nouveaux.

On se bornera à présenter les cas les plus importants, sans prétendre à l'exhaustivité.

1° La responsabilité du fait des animaux

632. – La responsabilité du fait des *animaux* n'est citée que pour mémoire (251). Elle était déjà prévue en 1804 en des termes qui n'ont pas changé :

C. civ., art. 1385. – Le propriétaire d'un animal, ou celui qui s'en sert pendant qu'il est à son usage, est responsable du dommage que l'animal a causé, soit que l'animal fût sous sa garde, soit qu'il fût égaré ou échappé.

---

(251) GROUZEL, *La responsabilité du fait des animaux dans la doctrine classique : RTD civ.* 1923, 23. – J.-P. MARGUÉNAUD, *L'animal en droit privé*, PUF.

En fait, cette hypothèse qui a pu apparaître comme un cas particulier est devenue aujourd'hui une simple application du principe général. Il suffit donc de renvoyer à celui-ci, sauf à préciser que sont concernés seulement les *animaux appropriés* (252), par opposition à ceux qui vivent à l'état sauvage, comme le gibier pour lesquels il existe un régime particulier de réparation en cas de dommages causés aux cultures (253).

Se pose donc le problème de détermination du gardien et du transfert de la garde, la solution variant suivant les circonstances de fait et le type d'animal. Ainsi que le précise l'article 1385, la responsabilité est encourue même si l'animal échappe à la surveillance de son gardien (254). On rencontre également la question de la garde commune, lorsque le dommage est causé par un groupe d'animaux appartenant à plusieurs propriétaires (255).

Cette présomption tombe également devant la preuve de la cause étrangère, notamment la faute de la victime (256).

2° La responsabilité du fait de la ruine d'un bâtiment

633. – La responsabilité du fait de la ruine des *bâtiments* (257) qui, avec la précédente, était la seule hypothèse de responsabilité du fait des choses prévue en 1804, est demeurée un cas particulier (258).

L'article 1386 du Code civil l'exprime en ces termes :

C. civ., art. 1386. – Le propriétaire d'un bâtiment est responsable du dommage causé par sa ruine, lorsqu'elle est arrivée par une suite du défaut d'entretien ou par le vice de sa construction.

La force de cette présomption est la même que celle relative au principe général (V. *supra*, nos 628 et s.), mais ses conditions sont plus étroites à deux points de vue.

---

(252) Ce qui inclut les pigeons d'un pigeonnier, par opposition aux pigeons sauvages : Cass. 2e civ., 24 mai 1991 : *D.* 1991, IR, 181. – Ou les abeilles d'une ruche : Cass. 2e civ., 6 mai 1970 : *D.* 1970, 528.

(253) Cass. 2e civ., 9 janv. 1990 : *JCP* 1991, IV, 86.

(254) Cass. 2e civ., 5 mars 1953 : *D.* 1953, 473 et note R. Savatier. – Cass. 2e civ., 1er mars 1972 : *D.* 1972, 467. – Cass. 2e civ., 9 janv. 1990 : *JCP* 91, IV, 86. – Cass. 2e civ., 24 mai 1991 : *D.* 1991, IR, 181. Une personne morale peut être gardien d'un animal : Cass. 2e civ., 22 févr. 1984 : *D.* 1985, 19 et note E. Agostini.

(255) Cass. 2e civ., 14 déc. 1983 : *Bull. civ.* II, n° 197 ; *RTD civ.* 1984, 316, obs. G. Durry. – 15 mars 2001 : *D.* 2001, IR, 1145 ; *JCP* 2002, I, 122, n° 11, obs. crit. G. Viney. V. aussi TGI Draguignan 11 juill. 2000 : *D.* 2001, 3004 et note A. Bugada (responsabilité *in solidum* de dix-huit villageois ayant acquis un couple de paons pour les nuisances causées aux voisins).

(256) Cass. crim. 15 sept. 1986 : *Gaz. Pal.* 28 mars 1987 et note F.C. – Cass. 2e civ., 8 févr. 1989, deux arrêts : *Gaz. Pal.* 1989, 1, somm. 90. – 1er avr. 1999 : *JCP* 1999, II, 10218 et note R. Reboul. – 15 avr. 1999 : *JCP* 2000, II, 10317 et note D. Antoine (acceptation des risques).

(257) La notion de bâtiment a été entendue au sens large par la jurisprudence : par exemple, mur de clôture (Cass. 3e civ., 1er juill. 1971 : *D.* 1971, 672), pont (Angers 4 nov. 1971 : *D.* 1972, 169 et note J.-L.).

(258) R. Roubier, *L'article 1386, C. civ. et sa portée dans le droit contemporain* : *JCP* 49, I, 768. – Ph. Casson, *La responsabilité du fait des bâtiments* : *Petites affiches*, 19 et 26 juin 1995.

D'une part, la présomption pèse exclusivement sur le *propriétaire* pris en cette qualité, non sur le gardien ; il s'ensuit que le gardien non propriétaire d'un bâtiment, en l'espèce simple titulaire d'un droit d'usage, ne peut voir sa responsabilité recherchée que sur le fondement de l'article 1384, alinéa 1 (259).

D'autre part, le fait de la chose susceptible d'entraîner la présomption doit être la *ruine* du bâtiment. La ruine s'entend « non seulement de sa destruction totale, mais encore de la dégradation partielle de toute partie de la construction et de tout élément mobilier ou immobilier qui y est incorporé de façon intégrale et permanente » (260) ; mais elle implique nécessairement la chute d'un élément de construction (261).

En outre, la ruine doit être due exclusivement à un *défaut d'entretien* ou à un *vice de construction* (262). La responsabilité du propriétaire du bâtiment étant subordonnée à la preuve du défaut d'entretien ou du vice, la victime de la ruine d'un bâtiment se trouve moins bien traitée qu'en droit commun où il suffit de démontrer qu'il y a eu fait de la chose ; et, pour conserver un domaine d'application à l'article 1386, la jurisprudence interdit à la victime d'invoquer l'article 1384, alinéa 1, lorsqu'elle se trouve dans le champ d'application de l'article 1386 (*supra*, n° 390) (263).

La survie de ce régime, moins favorable aux victimes que le droit commun de l'article 1384, alinéa 1, est aujourd'hui très souvent critiquée par la doctrine (264). Son abrogation a été suggérée par la Cour de cassation dans son rapport pour l'année 2000 (265).

3° **Responsabilité du fait des aéronefs et des téléphériques**

634. – La responsabilité du fait des *aéronefs* et des *téléphériques* obéit à des règles spéciales.

La *responsabilité contractuelle* du transporteur aérien de personnes est limitée par la convention internationale de Varsovie du 12 octobre 1929 (266) à un forfait de x € par personne décédée (V. *infra*, n° 734, à

---

(259) Cass. 2e civ., 23 mars 2000 : *JCP* 2000, II, 10379 et note Y. DAGORNE-LABBÉ ; *D.* 2000, somm. 467, obs. D. MAZEAUD ; *D.* 2001, 586 et note N. GARÇON. V. précédemment *contra* : Cass. 2e civ., 30 nov. 1988 : *JCP* 1989, II, 21319, obs. C. GIRAUDEL (pour un locataire).

(260) Cass. 2e civ., 4 mai 1972 : *JCP* 1972, IV, 159.

(261) Cass. 2e civ., 3 mars 1993 : *JCP* 1993, IV, 1172 (ce qui n'est pas le cas de simples fissures dans un conduit de cheminée). – Cass. 1re civ., 11 oct. 1967 : *D.* 1968, 106 (chute de la balustrade d'un balcon).

(262) Cass. 2e civ., 28 nov. 1968 : *JCP* 69, IV, 12 ; *D.* 1969, somm. 71. – Cass. 2e civ., 10 juill. 1978 : *JCP* 78, IV, 294. – 15 mars 2000 : *JCP* 2000, IV, 1794.

(263) Cass. 2e civ., 12 juill. 1966 : *JCP* 67, II, 15185, obs. N. DEJEAN DE LA BÂTIE. – Cass. 2e civ., 26 avr. 1972 : *JCP* 72, IV, 144 ; *D.* 1972, somm. 150.

(264) V. DEPADT-SEBAG, *La justification du maintien de l'article 1386 du Code civil*, LGDJ, Droit privé, t. 344, 2000.

(265) Rapport, p. 13.

(266) La Convention, qui régissait les transports internationaux, a été étendue aux transports internes par la loi du 2 mars 1957 (C. aviat. civ., art. L. 321-3).

---

propos des limitations au principe de la réparation intégrale du dommage), à moins que l'accident ne soit dû à une *faute inexcusable* qui est définie comme celle impliquant la conscience de la probabilité du dommage et son acceptation téméraire sans raison valable (V. *supra*, n° 573).

En matière délictuelle, le législateur s'est montré plus sévère. Les compagnies aériennes sont responsables de plein droit des « dommages causés par les évolutions de l'appareil ou par les objets qui s'en détacheraient aux personnes et aux biens situés à la surface » (C. aviat. civ., art. L. 141-2). Et il en va de même pour les constructeurs et exploitants de téléphériques pour les « dommages causés aux personnes et aux biens par le passage des câbles et cabines ou par les objets qui s'en détachent » (L. 8 juill. 1941, art. 6).

Cette présomption de responsabilité est plus forte que celle du droit commun : elle ne tombe pas devant la preuve de la force majeure (tempête, foudre) ou du fait d'un tiers ; elle ne s'efface que devant *la faute de la victime*. Ces règles ont notamment été appliquées aux dégâts causés par les bangs supersoniques ainsi qu'aux troubles apportés aux riverains des aérodromes par les avions à réaction (267).

4° Responsabilité du fait de l'énergie nucléaire

635. – La responsabilité du fait de l'*énergie nucléaire* a été réglementée de manière spéciale pour les *exploitants de navires et d'installations nucléaires*. Cette responsabilité est de plein droit, c'est-à-dire automatique, tout en demeurant limitée par un plafond. Elle ne disparaît que devant la faute intentionnelle de la victime et certains cas de force majeure.

Cette responsabilité répond à l'idée de risque. Sur le plan de la technique de réparation, elle est à rapprocher de la législation sur les accidents du travail : la responsabilité de celui qui fait courir des risques à autrui est automatique dès l'instant que le risque se réalise, mais la réparation du dommage est forfaitaire ou limitée par un plafond (268).

---

(267) J.-P. EZANO, *Les conséquences soniques de la navigation aérienne en droit français*, thèse Paris, 1967. – J. CAUSSE et R. COMBALDIEU, *Les « bangs supersoniques » et leurs effets nocifs* : D. 1967, chron. 65. – Cass. 2e civ., 13 oct. 1971 : *D.* 1972, 117 ; *JCP* 72, II, 17044, obs. M. DE JUGLART et E. DU PONTAVICE. – Cass. 2e civ., 17 déc. 1974, 2 arrêts : *D.* 1975, 441 et note Ch. LARROUMET. – Cass. 2e civ., 17 déc. 1974, 2 arrêts : *D.* 1975, 462 et note Ch. LARROUMET.

(268) L. n° 90-488 du 16 juin 1990 modifiant la loi n° 68-943 du 30 octobre 1968 relative à la responsabilité civile dans le domaine de l'énergie nucléaire : *JO* 17 juin 1990 ; *Gaz. Pal.* 1990, L. 375 ; *JCP* 90, III, 63946. – J. DEPRIMOZ, *Les innovations apportées par la loi n° 90-488 du 16 juin 1990 à la mise en jeu de la responsabilité civile des exploitants nucléaires* : *JCP* 90, I, 3467.

5° Responsabilité pour troubles de voisinage

636. – La théorie des troubles de voisinage (269). On rappellera ici la jurisprudence relative aux *troubles de voisinage* (V. *supra*, n° 562 et *Introduction*, n° 437) : on sait que toute personne, et notamment les entreprises industrielles et commerciales, qui cause à ses voisins un préjudice (bruits, odeurs, fumées, retombées, etc.) *excédant la mesure des obligations ordinaires du voisinage*, doit le réparer ou, mieux encore, le faire cesser, même s'il n'y a pas faute de sa part.

Il s'agit là d'une source de *responsabilité autonome* que la jurisprudence rattachait initialement à l'article 1382 du Code civil et pour laquelle elle a édicté un nouveau principe sous le visa duquel sont désormais rendues les décisions : « Vu le principe suivant lequel nul ne doit causer à autrui un trouble anormal de voisinage » (270).

637. – Autres hypothèses. Outre les hypothèses ci-dessus dont le champ d'application est relativement limité, il convient de citer d'une part la loi du 5 juillet 1985 instituant un régime spécial d'indemnisation des *accidents de la circulation*, d'autre part la loi du 19 mai 1998 qui a transposé en droit français la directive relative à la *responsabilité du fait des produits défectueux*.

À raison de leur importance, ces deux régimes feront l'objet d'une étude particulière (*infra*, n°ˢ 641 et s.).

Numéros 638 à 640 réservés.

---

(269) C.-P. Yocas, *Les troubles de voisinage*, thèse Paris, 1964. – J.-B. Blaise, *Responsabilité et obligations coutumières dans les rapports de voisinage* : RTD civ., 1965, 261. – M.-F. Nicolas, *La protection du voisinage* : RTD civ. 1976, 675. – F. Caballero, *Essai sur la notion juridique de nuisance*, LGDJ, 1981. – H. Mayer, *Les rapports de voisinage dans les immeubles divisés par appartements, notamment dans les grands ensembles*, LGDJ, 1982. – M. Cl. Lambert-Pieri, *Construction immobilière et dommages aux voisins*, Economica, 1982. – *La responsabilité envers les voisins du fait de la construction* : RD imm. 1980, 367. – A. Lepage, *Le voisinage* : Defrénois 1999, 1, 257, art. 36943. – Ph. Malinvaud, *Les dommages aux voisins dus aux opérations de construction* : RD imm. 2001, 479.
(270) Cass. 2ᵉ civ., 19 nov. 1986 : *Bull. civ.* II, n° 172.

C. – L'indemnisation des victimes d'accidents de la circulation (271) (272)

LOI n° 85-677 DU 5 JUILLET 1985
Tendant à l'amélioration de la situation des victimes d'accidents de la circulation et à l'accélération des procédures d'indemnisation

Chapitre 1er. – Indemnisation des victimes d'accidents de la circulation.

Art. 1er. – Les dispositions du présent chapitre s'appliquent, même lorsqu'elles sont transportées en vertu d'un contrat, aux victimes d'un accident de la circulation dans lequel est impliqué un véhicule terrestre à moteur ainsi que ses remorques ou semi-remorques, à l'exception des chemins de fer et des tramways circulant sur des voies qui leur sont propres.

Art. 2. – Les victimes, y compris les conducteurs, ne peuvent se voir opposer la force majeure ou le fait d'un tiers par le conducteur ou le gardien d'un véhicule mentionné à l'article 1er.

Art. 3. – Les victimes, hormis les conducteurs de véhicules terrestres à moteur, sont indemnisées des dommages résultant des atteintes à leur personne qu'elles ont subis, sans que puisse leur être opposée leur propre faute à l'exception de leur faute inexcusable si elle a été la cause exclusive de l'accident.

Les victimes désignées à l'alinéa précédent, lorsqu'elles sont âgées de moins de seize ans ou de plus de soixante-dix ans, ou lorsque, quel que soit leur âge, elles sont titulaires, au moment de l'accident, d'un titre leur reconnaissant un taux d'incapacité permanente ou d'invalidité au moins égal à 80 p. 100, sont, dans tous les cas, indemnisées des dommages résultant des atteintes à leur personne qu'elles ont subis.

Toutefois, dans les cas visés aux deux alinéas précédents, la victime n'est pas indemnisée par l'auteur de l'accident des dommages résultant des atteintes à sa personne lorsqu'elle a volontairement recherché le dommage qu'elle a subi.

Art. 4. – La faute commise par le conducteur du véhicule terrestre à moteur a pour effet de limiter ou d'exclure l'indemnisation des dommages qu'il a subis.

Art. 5. – La faute, commise par la victime a pour effet de limiter ou d'exclure l'indemnisation des dommages aux biens qu'elle a subis. Toutefois, les fournitures et appareils délivrés sur prescription médicale donnent lieu à indemnisation selon les règles applicables à la réparation des atteintes à la personne.

Lorsque le conducteur d'un véhicule terrestre à moteur n'en est pas le propriétaire, la faute de ce conducteur peut être opposée au propriétaire pour l'indemnisation des dommages causés à son véhicule. Le propriétaire dispose d'un recours contre le conducteur.

Art. 6. – Le préjudice subi par un tiers du fait des dommages causés à la victime directe d'un accident de la circulation est réparé en tenant compte des limitations ou exclusions applicables à l'indemnisation de ces dommages.

---

(271) Cette partie, relative à l'indemnisation des victimes d'accidents de la circulation, a été rédigée par Mme M.-Cl. LAMBERT-PIERI, professeur à l'Université de Dijon, auteur de cette rubrique au *Répertoire civil Dalloz*, que l'auteur remercie vivement pour sa collaboration.

(272) F. CHABAS, *Le droit des accidents de la circulation après la réforme du 5 juillet 1985*, Litec, 2e éd., 1988. – H. GROUTEL, *Le droit à indemnisation d'un accident de la circulation*, éd. Assurance Française. – R. LEGEAIS, *Circulation routière, Indemnisation des victimes d'accidents. Commentaire de la loi du 5 juillet 1985 et des textes qui l'ont complétée*, Sirey 1986. – Y. CHARTIER, *Accidents de la circulation. Accélération des procédures d'indemnisation : D.* 1986, n° spécial. — G. VINEY, *L'indemnisation des victimes d'accidents de la circulation*, LGDJ 1992. – F. CHABAS, *Les accidents de la circulation*, Coll. Connaissance du droit, Dalloz, 1995. – M.-Cl. LAMBERT-PIERI, *Responsabilité. Régime des accidents de la circulation*, 2002 : *Rép. civ. Dalloz.*

641. – La loi du 5 juillet 1985. Pour améliorer et accélérer l'indemnisation des victimes d'accidents de la circulation dans lesquels est intervenu un véhicule terrestre à moteur (VTAM), la loi du 5 juillet 1985 a instauré au profit de ces victimes un régime d'indemnisation spécifique qui leur permet d'engager, du seul fait du VTAM impliqué dans l'accident, la responsabilité du conducteur ou du gardien de ce véhicule et qui impose à l'assureur couvrant cette responsabilité d'adresser dans un bref délai une offre d'indemnité aux victimes.

On examinera d'abord le champ d'application de ce régime d'indemnisation puis la responsabilité du fait du véhicule impliqué.

1° Champ d'application du régime d'indemnisation instauré par la loi du 5 juillet 1985

642. – Ce régime d'indemnisation s'applique « même lorsqu'elles sont transportées en vertu d'un contrat, aux victimes d'un accident de la circulation dans lequel est impliqué un VTAM ainsi que ses remorques ou semi-remorques, à l'exception des chemins de fer et des tramways circulant sur des voies qui leur sont propres » (art. 1).

Ce régime exige ainsi pour son application la réunion d'un certain nombre de conditions dont certaines sont relatives aux événements et les autres aux personnes.

a) Conditions d'application relatives aux événements

643. – La loi du 5 juillet 1985 ne peut être invoquée par les victimes que si un *VTAM* tel qu'il est visé par l'article 1 est *impliqué* dans un accident de la *circulation*.

644. – VTAM concerné. La notion de VTAM doit s'entendre, par référence au droit des assurances, d'un engin circulant sur le sol, muni d'une force motrice et pouvant transporter des choses ou des personnes. Sont donc notamment concernés, et quand bien même leur moteur serait au moment de l'accident à l'arrêt ou en panne (273), les automobiles, autobus, camions, vélomoteurs, tracteurs agricoles, engins de chantier, etc.

Aux VTAM, la loi du 5 juillet 1985 a assimilé les remorques ou semi-remorques.

N'entrent pas en revanche dans le domaine d'application de la loi, les chemins de fer et tramways circulant sur des voies qui leur sont propres,

---

(273) Cass. 2e civ., 21 juill. 1986 : *Gaz. Pal.* 1986, 2, 651, note F. CHABAS ; *JCP* 87, II, 20769, note G. DURRY. – 14 janv. 1987 : *JCP* 87, II, 20768, obs. F. CHABAS. – 25 mai 1994 : *Bull. civ.* II, n° 132.

et ce parce qu'ils font alors courir aux particuliers moins de risques que lorsqu'ils sont mêlés à la circulation de ceux-ci (274).

645. – Accident de la circulation. La notion d'accident soulève une difficulté. Suivant en cela l'opinion doctrinale majoritaire, la jurisprudence décide qu'un acte volontairement dommageable commis à l'aide d'un VTAM n'est pas un accident de la circulation au sens de la loi (275).

En revanche, il n'est pas contesté que la condition de circulation est remplie lorsqu'au moment de l'accident le VTAM, soit se déplaçait sur une voie publique ou dans un lieu privé, même pour y effectuer un travail (276), soit se trouvait à l'arrêt sur une voie publique (277) ou était immobilisé momentanément dans un lieu privé (278).

Quant aux accidents résultant de l'incendie ou de l'explosion d'un VTAM ils sont traités comme n'importe quel autre accident de la circulation dans lequel est impliqué un VTAM (279). Ne fait pas non plus sortir du domaine d'application de la loi du 5 juillet 1985 la circonstance que ce soit au cours d'une compétition sportive qu'ait eu lieu l'accident dans lequel est intervenu le VTAM d'un concurrent, si la victime est un spectateur (280), alors que cette loi est écartée entre les concurrents d'une telle compétition (281).

---

(274) La Cour suprême a eu l'occasion de préciser que même à un passage à niveau un train circulait sur des voies qui lui sont propres (Cass. 2e civ., 17 mars 1986 : *Bull. civ.* II, n° 40 ; D. 1987, 49, note H. Groutel ; *RTD civ.* 1987, 329 obs. J. Huet). – Cass. 2e civ., 19 mars 1997 : *Bull. civ.* II, n° 78.

(275) Cass. crim., 10 juin 1987 : *Gaz. Pal.* 1988, I, somm. 73. – Cass. 2e civ., 6 déc. 1991 : *Bull. civ.* II, n° 328. – 5 oct. et 30 nov. 1994 : *Bull. civ.* II, n° 191 et 243. – 30 nov. 2000 : *JCP* 2001, IV, 1152. – 15 mars 2001 : *Bull. civ.* II, n° 50 ; *Resp. civ. et assur.* 2001, comm. n° 186, obs. H. Groutel ; *RTD civ.* 2001, 606, obs. P. Jourdain. – 12 déc. 2002 : *JCP* 2003, IV, 1217. – 23 janv. 2003 : *JCP* 2003, IV, 1429.

(276) Cass. 2e civ., 26 mars 1997 : *Bull. civ.* II, n° 90. – 31 mai 2000 : *Resp. civ. et assur.* 2000, comm. n° 295.

(277) Cass. 2e civ., 22 nov. 1995 : *Bull. civ.* II, n° 285, 286 et 287 ; D. 1996, 163 et note Jourdain (1re esp) ; *JCP* 1996, II, 22656 et note J. Mouly (2e esp). – 14 déc. 2000 : *Resp. civ. et assur.* 2001, comm. n° 82, obs. H. Groutel (véhicule immobilisé dans le parc de stationnement d'un centre commercial).

(278) Toutefois, lorsqu'au moment de l'accident le VTAM utilisé pour effectuer un travail était immobilisé et que seule une partie étrangère à sa fonction de déplacement a provoqué l'accident, la qualification d'accident de la circulation est écartée (Cass. 2e civ., 13 janv. 1988 : *Bull. civ.* II, n° 12. – 9 juin 1993 : *Bull. civ.* II, n° 98. – 5 nov. 1998 : *Bull. civ.* II, n° 256 ; D. 1999, 256 et note J. Mouly. – 8 mars 2001 : *Bull. civ.* II, n° 42 et 43 ; *Resp. civ. et assur.* 2001, comm. n° 184 et 185 ; *RTD civ.* 2001, 607, obs. P. Jourdain). En revanche, si ne sont pas réunies les deux conditions : absence de mouvement du véhicule outil et mise en cause d'un élément étranger à sa fonction de déplacement, l'accident dans lequel intervient un tel véhicule reste un accident de la circulation : Cass. 2e civ., 19 févr. 1997 : *Bull. civ.* II, n° 42. – 26 mars 1997 : *Bull. civ.* II, n° 271. – 6 juin 2002 : D. 2002, IR, 2029.

(279) Cass. 2e civ., 8 janv. 1992 : *Bull. civ.* II, n° 5 ; D. 1993, 375 et note Y. Dagorne-Labbé ; *RTD civ.* 1992, 401, obs. P. Jourdain. – 22 nov. 1995, 3 arrêts : *Bull. civ.* II, n° 285, 286 et 287. – 21 juin 2001, D. 2001, IR, 2243 ; *RTD civ.* 2001, 901, obs. P. Jourdain.

(280) Cass. 2e civ., 13 janv. 1988 : *Bull. civ.* II, n° 11. – 10 mars 1988 : *Bull. civ.* II, n° 59 ; D. 1988, IR, 87.

(281) Cass. 2e civ., 28 févr. 1996 : *Bull. civ.* II, n° 37 ; D. 1996, 438 et note Mouly ; *Resp. civ. et assur.* 1996, comm. n° 168 et chron. 22 par H. Groutel ; *RTD civ.* 1996, 641, obs. P. Jourdain.

---

646. – Implication du VTAM dans l'accident de la circulation.
L'implication d'un VTAM dans l'accident de la circulation est une condition nécessaire à l'application du régime d'indemnisation instauré par la loi du 5 juillet 1985, mais elle constitue aussi, comme cela sera précisé ultérieurement (V. *infra* n° 653), le fait générateur de la responsabilité du conducteur ou du gardien du VTAM précisément impliqué dans l'accident de la circulation.

La loi n'ayant pas défini la notion d'implication, la jurisprudence en a retenu une conception à la fois matérielle et pragmatique.

C'est ainsi que la jurisprudence a consacré l'indépendance de la notion d'implication par rapport à celle de la causalité juridique et à celle de rôle actif du VTAM. Un VTAM peut ainsi être considéré comme impliqué dans un accident de la circulation, même si ce dernier est dû à un cas de force majeure (282), au fait d'un tiers (283), ou au fait de la victime imprévisible et irrésistible (284), ou même si le VTAM n'a joué aucun rôle actif dans l'accident (285).

647. – La jurisprudence, renonçant à donner une définition précise de l'implication, a résolu les problèmes y relatifs de façon pragmatique, en distinguant suivant qu'il y a eu ou non contact entre le VTAM et le siège du dommage.

Lorsqu'il y a eu contact, ou choc, la jurisprudence a toujours considéré que tout VTAM en mouvement était nécessairement « impliqué » dans l'accident (286). La difficulté a porté sur le point de savoir si le VTAM à l'arrêt ou en stationnement peut également être « impliqué », et à quelles conditions. Après avoir, dans un premier temps, subordonné l'implication à la condition que le VTAM ait perturbé la circulation, la Cour de cassation admet désormais qu'est impliqué dans l'accident tout véhicule qui a été heurté, « qu'il soit à l'arrêt ou en mouvement » (287). Il n'y a donc plus lieu de distinguer suivant que le VTAM est en mouvement ou à l'arrêt.

S'il n'y a pas eu contact, il peut néanmoins y avoir implication. Mais la victime doit alors prouver que le VTAM, en mouvement ou non, a « joué un rôle » dans l'accident (288) ; toutefois, la condition est entendue largement, en ce sens que le VTAM doit être intervenu « à quelque titre que ce

---

(282) Cass. 2ᵉ civ., 6 nov. 1985 : *Bull. civ.* II, n° 166. – 17 mars 1986, *ibid.*, II, n° 38.
(283) Cass. 2ᵉ civ., 6 nov. 1985 : *Bull. civ.* II, n° 167. – Cass. 2ᵉ civ., 16 mars 1988 : *Gaz. Pal.* 1988, 2, 560, note Archambaud. – Cass. soc., 28 mars 1996, *D.* 1996, 544 et note Ch. Radé.
(284) Cass. 2ᵉ civ., 23 oct. 1985 : *Bull. civ.* II, n° 158. – 5 févr. 1986 : *JCP* 86, IV, 103.
(285) Cass. 2ᵉ civ., 19 févr. 1986 : *Bull. civ.* II n° 19 ; *Defrénois* 1986, art. 33795, n° 84, obs. J.-L. Aubert ; *RTD civ.* 1987, 331, obs. J. Huet. – 20 janv. 1993 : *Bull. civ.* II, n° 19 ; *D.* 1994, somm. 17, obs. J.-L. Aubert.
(286) Cass. 2ᵉ civ., 19 févr. 1986 : *Bull. civ.* II, n° 19. – 20 avr. 1988 : *Bull. civ.* II, n° 89.
(287) Cass. 2ᵉ civ., 25 janv. 1995 : *Bull. civ.* II, n° 27 ; *Gaz. Pal.* 1995, 1, 315 et note F. Chabas ; *RTD civ.* 1995, 382, obs. P. Jourdain.
(288) Cass. 2ᵉ civ., 25 mai 1994 : *Bull. civ.* II, n° 133.

soit » dans la survenance de l'accident (289). Tel sera le cas si le VTAM, par sa présence ou par son comportement – même normal – a eu un rôle quelconque dans l'accident (effet de surprise chez la victime, éblouissement, etc.).

b) Conditions d'application relatives aux personnes

648. – Le régime d'indemnisation instauré par la loi du 5 juillet 1985 régit les rapports de la victime d'un accident de la circulation avec l'auteur de l'accident qui était conducteur ou gardien d'un VTAM impliqué dans cet accident.

649. – Conditions relatives aux victimes. Les dispositions de la loi du 5 juillet 1985 qui créent un régime spécifique d'indemnisation s'appliquent, même lorsqu'elles sont transportées en vertu d'un contrat, aux victimes d'un accident de la circulation dans lequel est impliqué un VTAM autre qu'un chemin de fer ou tramway circulant sur des voies qui leur sont propres (art. 1).

Aussi bien, et plus généralement, la réalisation d'un accident de la circulation dans le cadre de l'exécution d'un contrat ne constitue pas, sauf si l'accident est soumis à une législation spéciale, un obstacle à l'application de la loi de 1985 (290). Bénéficient ainsi de ce régime d'abord les victimes initiales de l'accident de circulation, et ce, qu'elles aient été au moment de l'accident à l'extérieur d'un VTAM, comme un piéton, un cycliste, ou qu'elles se soient trouvées dans ou sur un VTAM en tant que conducteurs, gardiens ou passagers de ce véhicule.

Mais profitent également de ce même régime, comme le confirme l'article 6 de la loi, les tiers qui subissent un préjudice du fait du dommage causé à ces victimes initiales, autrement dit les victimes par ricochet.

650. – Conditions relatives à l'auteur de l'accident. La victime d'un accident de la circulation dans lequel est impliqué un VTAM ne peut se prévaloir du régime spécifique d'indemnisation que contre « le conducteur ou le gardien » (art. 2 de la loi) du VTAM impliqué dans l'accident. Il est en effet désormais bien acquis en jurisprudence que l'implication d'un VTAM dans un accident de la circulation n'autorise pas la victime à invoquer les dispositions de la loi du 5 juillet 1985 contre un coauteur de l'accident qui n'était pas conducteur ou gardien d'un VTAM impliqué.

---

(289) Cass. 2ᵉ civ., 15 janv. 1997 : *JCP* 1997, II, 22883 et note F. CHABAS. – 1ᵉʳ avr. 1999 : *Bull. civ.* II, n° 62. – 6 janv. 2000 : *Bull. civ.* II, n° 1 ; *RTD civ.* 2000, 348, obs. P. JOURDAIN. – 14 nov. 2002 : *JCP* 2003, IV, 1014.

(290) Cass. 2ᵉ civ., 21 juin 2001 : *Bull. civ.* II, n° 122 ; *RTD civ.* 2001, 901, obs. P. JOURDAIN : condamnation sur le fondement de la loi de 1985, du preneur à ferme qui en effectuant des travaux d'ensilage avec un tracteur, a provoqué l'incendie du bâtiment du bailleur.

Contre un tel coauteur, la victime ne peut alors se prévaloir que des principes du droit commun de la responsabilité (291).

Il en résulte notamment que la victime d'un accident de la circulation dans lequel est seul impliqué le VTAM dont elle était à la fois conducteur et gardien n'a d'action en réparation contre l'auteur de l'accident, par hypothèse ni conducteur ni gardien d'un VTAM, mais par exemple, piéton ou cycliste, que fondée sur le droit commun de la responsabilité (292).

Limité ainsi aux seuls rapports des victimes d'accident de la circulation avec le conducteur ou le gardien d'un VTAM impliqué dans cet accident, le régime d'indemnisation instauré par cette loi fait peser sur ce conducteur ou gardien une responsabilité du fait du VTAM impliqué.

2° La responsabilité du fait du VTAM impliqué

651. – Il convient de préciser les conditions de cette responsabilité avant d'envisager les causes d'exonération.

a) Conditions de la responsabilité du fait du VTAM impliqué

652. – L'implication du VTAM dans l'accident de circulation entraîne à l'égard de la victime de cet accident la responsabilité de celui qui, au moment de l'accident, était le conducteur ou le gardien du véhicule (293).

653. – Implication du VTAM dans l'accident et imputabilité du dommage. L'implication, dont la notion a déjà été précisée (V. *supra*,

---

(291) Cass. 2ᵉ civ., 17 mars 1986 : *D.* 1987, 49, note H. Groutel ; *RTD civ.* 1987, 329, obs. J. Huet. – 4 mars 1992 : *D.* 1993, 396, 2ᵉ esp. et note Y. Dagorne-Labbé ; *JCP* 1992, II, 21941 et note N. Dejean de la Batie ; *Gaz. Pal.* 1993, 1, 204 et note F. Chabas. – 4 mars 1999 : *Bull. civ.* II, n° 36. – 13 juill. 2000 : *Bull. civ.* II, n° 126 ; *Resp. civ. et assur.* 2000, comm. n° 324, obs. H. Groutel ; *RTD civ.* 2000, 847, obs. P. Jourdain.

(292) Cass. 2ᵉ civ., 28 janv. 1987 : *Bull. civ.* II, n° 28. – 7 oct. 1987, *ibid.* II, n° 181. – 11 mars 1987 : *D.* 1987, IR, 69. – 2 avr. 1997 : *Bull. civ.* II, n° 110. – 18 mars 1998 : *Bull. civ.* II, n° 87. – 4 mars 1999 : *D.* 1999, IR, 90. Mais la victime gardienne au moment de l'accident, et non conducteur du véhicule impliqué, peut invoquer les dispositions de la loi du 5 juillet 1985 contre le conducteur (Cass. 2ᵉ civ., 3 oct. 1990 : *Bull. civ.* II, n° 174 ; *RTD civ.* 1991, 129, obs. P. Jourdain. – 10 juin 1998 : *Bull. civ.* II, n° 178 ; *RTD civ.* 1999, 123, obs. P. Jourdain. – Cass. 1ʳᵉ civ., 29 févr. 2000 : *Bull. civ.* I, n° 61 ; *RTD civ.* 2000, 589, obs. P. Jourdain). Et, de la même façon, la victime qui lors de l'accident était conducteur mais non gardien du seul VTAM impliqué est admise à se prévaloir de la loi du 5 juillet 1985 contre le gardien (Cass. 2ᵉ civ., 2 juillet 1997 : *Bull. civ.* II, n° 209 ; *D.* 1997, 448 et note H. Groutel ; *RTD civ.* 1997, 959, obs. P. Jourdain. – 28 janv. 1998 : *Bull. civ.* II, n° 32. – 10 juin 1999 : *Resp. civ. et assur.* 1999, comm. n° 291. – Mais *contra* : Cass. crim., 29 juin 1999 : *Bull. crim.* n° 156 ; *JCP* 2000, II, 10290 et note Abravanel-Joly ; *Resp. civ. et assur.* 1999, chron. 27, obs. H. Groutel ; *RTD civ.* 2000, 131, obs. P. Jourdain).

(293) Et dans le cas où précisément les deux qualités se trouveraient dissociées au moment de l'accident, le conducteur et le gardien du VTAM impliqué sont tenus *in solidum* envers la victime : Cass. 2ᵉ civ., 6 juin 2002 : *D.* 2002, IR, 2029. Cependant la victime d'un accident de la circulation s'est vue refuser le droit d'agir sur le fondement de la loi de 1985 contre le conducteur *préposé* auquel la garde du VTAM impliqué n'avait pas été transférée : Cass. 2ᵉ civ., 11 avr. 2002 : *D.* 2002, IR, 1598 ; *JCP* 2002, I, 186, n° 33, obs. G. Viney ; *Resp. civ. et assur.* 2002, chron. n° 9, par H. Groutel ; *RTD civ.* 2002, 519, obs. P. Jourdain.

---

n°s 646 et 647), constitue le fait générateur de la responsabilité que le conducteur ou le gardien du VTAM ainsi impliqué dans l'accident de circulation encourt envers la victime de cet accident (294).

La responsabilité qui pèse ainsi en raison de l'implication dans l'accident du VTAM sur son conducteur ou gardien repose sur le risque créé par la circulation de ce véhicule et elle est indépendante des principes du droit commun de la responsabilité.

La Cour suprême en effet a consacré le caractère autonome et exclusif de la responsabilité du fait du VTAM impliqué, en affirmant que l'action en réparation exercée par la victime d'un accident de la circulation contre le gardien ou le conducteur de VTAM impliqué dans cet accident ne saurait être fondée sur les articles 1382, 1384, alinéas 1 et suivants, ou 1147 du Code civil (295). La responsabilité du conducteur ou du gardien de VTAM se trouve ainsi subordonnée à la preuve, qui pèse alors sur les victimes (296), de l'implication de son VTAM dans l'accident, et elle ne saurait être subordonnée à la démonstration de la faute du conducteur ou du rôle causal dans l'accident du VTAM du gardien.

Toutefois la responsabilité du conducteur ou du gardien de VTAM impliqué dans l'accident suppose que les dommages dont la victime lui demande réparation aient un lien de causalité avec cet accident. L'exigence d'un tel lien, au demeurant largement entendu par la jurisprudence (297), implique que le conducteur ou le gardien d'un VTAM intervenu dans l'accident ne peut être tenu de l'obligation de réparer des dommages qui ne sont pas imputables à cet accident (298).

Mais précisément l'imputabilité du dommage a soulevé deux difficultés différentes.

---

(294) Cass. 2e civ., 28 mai 1986 : *Bull. civ.* II, n° 83 ; *D.* 1987, 160, note H. GROUTEL.

(295) Cass. 2e civ., 4 mai 1987 : *D.* 1987, IR, 144 ; *Gaz. Pal.* 1987, 2, 428, note F. CHABAS. – 29 janv. 1997 : *Bull. civ.* II, n° 23. – 7 mai 2002 : *JCP* 2002, IV, 2035. – 23 janv. 2003 : *JCP* 2003, IV, 1430.

(296) Cass. 2e civ., 21 juill. 1986 : *D.* 1987, 160, note H. GROUTEL. – Cass. 2e civ., 5 déc. 1990 : *Bull. civ.* II, n° 251. – 25 mai 1994 : *Bull. civ.* II, n° 133.

(297) Ainsi l'accident de circulation a été considéré comme la cause du dommage (cécité, ou contamination par le virus de l'hépatite C) résultant pour la victime de l'intervention chirurgicale ou de la transfusion sanguine, rendue nécessaire par l'accident : Cass. 2e civ., 27 janv. 2000 : *Bull. civ.* II, n° 20 ; *JCP* 2000, II, 10363 et note Ph. CONTE ; *JCP* 2000, I, 241, n° 7, obs. G. VINEY ; *D.* 2001, 2073 et note L. CHAKIRIAN ; *RTD civ.* 2000, 335, obs. P. JOURDAIN. – Cass. 1re civ., 4 déc. 2001 : *Bull. civ.* I, n° 310 ; *D.* 2002, 3044 et note M. DE LAMBERTYE-AUTRAND ; *JCP* 2002, I, 186, n° 10, obs. G. VINEY ; *JCP* 2002, II, 10198 et note O. GOUT ; *Resp. civ. et assur.* 2002, comm. n° 126, obs. H. GROUTEL ; *RTD civ.* 2002, 308, obs. P. JOURDAIN. – 2 juill. 2002, *JCP* 2002, IV, 2476.

(298) Cass. 2e civ., 28 juin 1989 : *Bull. civ.* II, n° 141 ; *Gaz. Pal.* 1989, 2, 858, note CHABAS ; *JCP* 90, II, 21508, note MONTANIER. – Cass. 2e civ., 8 nov. 1989 : *Bull. civ.* II, n° 200 ; *RTD civ.* 1990, 94, obs. P. JOURDAIN. V. aussi, H. GROUTEL, *L'extension du rôle de l'implication du véhicule* : *D.* 1990, chron. 264. – Ph. CONTE, *Le législateur, le juge, la faute et l'implication* : *JCP* 90, I, 3471. – M. BEHAR-TOUCHAIS, *Observations sur l'exigence de l'imputabilité du dommage à l'accident* : *JCP* 91, I, 3492. – R. RAFFI, *Implication et causalité dans la loi du 5 juillet 1985* : *D.* 1994, chron. 158. – P. JOURDAIN, *Implication et causalité dans la loi du 5 juillet 1985* : *JCP* 1994, I, 3794.

La première concerne le moment de la survenance du dommage. Si, en effet, l'implication du VTAM fait présumer que le dommage contemporain de l'accident ou qui survient dans un bref délai est imputable à l'accident (299), cette présomption ne joue pas si le dommage intervient après l'écoulement d'un certain temps depuis l'accident (300) ou si le dommage n'apparaît pas comme une conséquence normalement prévisible de l'accident (301) ; et il appartient alors à la victime de démontrer que son dommage est imputable à l'accident.

La deuxième difficulté est apparue à propos des collisions en chaîne, carambolages ou accidents successifs comme dans l'hypothèse où un piéton est retrouvé mort après avoir été heurté par un premier puis par un second véhicule. Le problème s'est en effet posé de savoir si le véhicule du défendeur devait alors être impliqué non pas seulement dans *l'accident*, mais aussi dans *le dommage* dont la victime lui demande réparation.

Dans un premier temps, la jurisprudence a divisé *l'accident complexe* en une série d'accidents distincts, en considérant que le véhicule du défendeur devait être impliqué dans *l'accident particulier* d'où était résulté le dommage, c'est-à-dire être impliqué dans le dommage dont la victime demandait réparation (302).

Puis la jurisprudence a retenu une conception globale de l'accident complexe. Celui-ci est désormais analysé comme un accident unique dans lequel se trouvent impliqués tous les VTAM intervenus à quelque titre que ce soit dans une de ses séquences et auquel se rattachent toutes les conséquences dommageables envers la victime. Celle-ci peut donc demander à n'importe quel conducteur ou gardien, du seul fait de l'implication de son véhicule dans l'accident complexe, réparation du dommage imputable à cet accident (303).

---

(299) Cass. 2e civ., 16 oct. 1991 : *Bull. civ.* II, n° 253 ; *D.* 1992, somm. 273, obs. J.-L. AUBERT ; *JCP* 1992, II, 21934 et note Ph. CONTE ; *Gaz. Pal.* 1992, 2, somm. 283, obs. F. CHABAS ; *Resp. civ. et assur.* 1992, comm. n° 16 et chron. n° 4 par H. GROUTEL ; *RTD civ.* 1992, 125, obs. P. JOURDAIN. – 19 févr. 1997 : *Bull. civ.* II, n° 41 ; *D.* 1997, 384 et note Ch. RADÉ ; *JCP* 1998, II, 10005 et note Ph. BRUN ; *Resp. civ. et assur.* 1997, comm. n° 163, obs. H. GROUTEL.

(300) Cass. 2e civ., 24 janv. 1996 : *Bull. civ.* II, n° 15 ; *D.* 1997, somm. 30, obs. D. MAZEAUD ; *Resp. civ. et assur.* 1996, comm. n° 131 et chron. n° 18 par H. GROUTEL ; *RTD civ.* 1996, 406, obs. P. JOURDAIN. – 6 nov. 1996 : *Resp. civ. et assur.* 1997, comm. n° 18.

(301) Cass. 2e civ., 13 nov. 1991 : *Resp. civ. et assur.* 1992, comm. n° 16 et chron. n° 4 par H. GROUTEL ; *RTD civ.* 1992, 125, obs. P. JOURDAIN. – Cass. crim. 13 juin 1991 : *Bull. crim.*, n° 250 ; *Resp. civ. et assur.* 1991, comm. n° 283 et chron. 26 par H. GROUTEL ; *RTD civ.* 1992, 125, obs. P. JOURDAIN.

(302) Cass. 2e civ., 28 juin 1989 : *Bull. civ.* II, n° 141 ; *JCP* 1990, II, 21501 et note MONTANIER ; *Gaz. Pal.* 1989, 1, 898 et note F. CHABAS ; *Resp. civ. et assur.* 1989, comm. n° 304 par H. GROUTEL ; *RTD civ.* 1990, 94, obs. P. JOURDAIN. – 16 mars 1994 : *Bull. civ.* II, n° 90 ; *JCP* 1994, I, 3773, n° 16, obs. G. VINEY. – 7 févr. 1996 : *Bull. civ.* II, n° 32 ; *RTD civ.* 1996, 406, obs. P. JOURDAIN.

(303) Cass. 2e civ., 24 juin 1998 : *Bull. civ.* II, n° 205 ; *JCP* 1998, I, 187, n° 35, obs. G. VINEY ; *Resp. civ. et assur.* 1998, chron. 19 par H. GROUTEL ; *RTD civ.* 1998, 922, obs. P. JOURDAIN. – 6 janv. 2000 : *Bull. civ.* II, n° 1 ; *RTD civ.* 2000, 748, obs. P. JOURDAIN. – 24 févr. 2000, deux arrêts : *Bull. civ.* II, n° 30 et 31 ; *RTD civ.* 2000, 348, obs. P. JOURDAIN. – 12 oct. 2000 : *Resp. civ. et assur.* 2001, comm. n° 16 par H. GROUTEL. – 11 janv. 2001 : *Resp. civ. et assur.* 2001, comm. n° 81 par H. GROUTEL. – 27 sept. 2001 : *Resp. civ. et assur.* 2001, comm. n° 361. – 20 juin 2002 : *Resp. civ. et assur.* 2002, comm. n° 288 ; *RTD civ.* 2002, 827, obs. P. JOURDAIN. – 11 juill. 2002 : *Resp. civ. et assur.* 2002, comm. n° 331 ; *JCP* 2002, IV, 2546.

654. – Les qualités de conducteur et de gardien du VTAM impliqué.
Parce qu'elle trouve son fondement dans le risque que crée la circulation
des VTAM, la responsabilité du fait du VTAM impliqué pèse sur ceux qui
créent ce risque, c'est-à-dire sur celui qui, au moment de l'accident, était
soit le conducteur soit le gardien du VTAM impliqué dans l'accident.

La qualité de conducteur de VTAM doit, selon la jurisprudence, être
reconnue à celui qui au moment de l'accident se trouvait aux commandes
du VTAM dont il avait la maîtrise (304), peu important que ce véhicule ait
alors été ou non en mouvement (305) ou même remorqué (306).

La qualité de gardien du VTAM s'interprète – bien que la responsabilité du fait du VTAM impliqué soit indépendante de la responsabilité du
fait des choses – par référence aux critères que la jurisprudence a dégagés
pour préciser, dans le cadre de cette responsabilité, cette notion de
gardien (V. *supra*, n°s 623 et s.).

b) Causes d'exonération

655. – En principe, aucune cause étrangère, sauf la faute de la victime
quand elle peut lui être opposée, n'exonère le conducteur ou le gardien de
la responsabilité qu'il encourt du fait du VTAM impliqué.

1) Inopposabilité des causes étrangères autres que la faute de la victime

656. – Contrairement au droit commun de la responsabilité du fait des
choses, l'article 2 de la loi du 5 juillet 1985 interdit au conducteur ou au
gardien du VTAM impliqué dans l'accident de circulation de s'exonérer
de sa responsabilité par la preuve que l'accident trouve sa cause dans un
cas de force majeure ou dans le fait d'un tiers.

Cette interdiction profite, quelle que soit la nature de leurs dommages, à
toutes les victimes de l'accident de circulation, qu'il s'agisse des victimes
initiales (et ce même si elles étaient elles-mêmes au moment de l'accident
conductrices ou gardiennes d'un VTAM) ou des victimes par ricochet.

Toutefois la loi a apporté une exception à l'inopposabilité à la victime
du fait d'un tiers : lorsque le conducteur d'un VTAM n'en était pas le
propriétaire, la faute de ce conducteur peut être opposée au propriétaire
pour l'indemnisation des dommages causés à son véhicule, le propriétaire
disposant alors d'un recours contre le conducteur de son véhicule (art. 5,
al. 2). Cette disposition vise en fait le cas du propriétaire qui confie la

---

(304) Ce critère joue un rôle déterminant. Ainsi, si la maîtrise du véhicule est conservée par un
passager qui donne une leçon de conduite à une personne se trouvant aux commandes du véhicule,
c'est le premier qui demeure conducteur : Cass. 2e civ., 27 nov. 1991 : *Bull. civ.* II, n° 321. – 29 juin
2000 : *Bull. civ.* II, n° 205 ; *Resp. civ. et assur.* 2000, comm. n° 294 par H. GROUTEL ; *JCP* 2001, II, 10571
et note D. BAILLOEUIL.
(305) Cass. 2e civ., 13 janv. 1988 : *Bull. civ.* II, n° 14 ; *D.* 1988, IR, 32. – Cass. crim. 10 janv. 2001 :
D. 2001, IR, 982.
(306) Cass. 2e civ., 14 janv. 1987 : *Bull. civ.* II, n° 2 ; *JCP* 87, II, 20768, note F. CHABAS.

conduite de son véhicule à un tiers. En cas d'accident, le conducteur de l'autre VTAM pourra opposer au propriétaire qui lui demande l'indemnisation des dommages à son véhicule, la faute du tiers (307) ; et il appartiendra alors à ce propriétaire d'exercer contre ce tiers un recours sur le fondement du droit commun.

2) La faute de la victime, cause éventuelle d'exonération

657. – Les articles 3 à 6 de la loi au 5 juillet 1985 ont précisé les conséquences que la faute de la victime initiale pouvait avoir d'une part sur l'indemnisation de ses propres dommages, d'autre part sur l'indemnisation des dommages subis par les victimes par ricochet.

658. – Influence de la faute de la victime initiale sur l'indemnisation de ses dommages. Le législateur a opéré, au sein des victimes fautives, une distinction lorsqu'elles demandent au conducteur ou gardien du VTAM impliqué réparation des dommages résultant d'atteintes à leur personne ; en revanche, aucune discrimination n'est faite parmi les victimes fautives lorsqu'elles lui demandent l'indemnisation des dommages aux biens.

659. – Influence de la faute de la victime initiale sur l'indemnisation des dommages résultant d'atteintes à sa personne. Selon qu'elles étaient ou non conducteurs d'un VTAM au moment de l'accident, les victimes qui ont commis une faute sont traitées différemment lorsqu'elles recherchent la responsabilité du conducteur ou de gardien du VTAM impliqué dans l'accident pour obtenir réparation des dommages résultant d'atteintes à leur personne (308).

660. – Suite : la faute de la victime non conducteur. Les *victimes non conducteurs* de VTAM lors de l'accident ne peuvent en effet, aux termes de l'article 3, alinéa 1 de la loi, se voir opposer leur faute, par le défendeur conducteur ou gardien du VTAM impliqué, sauf dans deux hypothèses où leur comportement exonère alors totalement ce défendeur.

La première hypothèse est celle où la victime a volontairement recherché le dommage qu'elle a subi, ce qui correspond en pratique au suicide ou à la tentative de suicide (art. 3, al. 3) (309).

La seconde hypothèse est celle où la victime a commis une faute inexcusable qui est en outre la cause exclusive de l'*accident*. Une telle faute ne peut pas cependant être opposée à la victime qui en est l'auteur si, au

---

(307) V. par ex., Cass. 2ᵉ civ., 4 déc. 1985 : *Bull. civ.* II, n° 186 ; *Defrénois* 1986, art. 33795, n° 85, obs. J.-L. Aᴜʙᴇʀᴛ. – 28 juin 1995 : *Bull. civ.* II, n° 203.
(308) Aux dommages à la personne, l'article 5 de la loi assimile les dommages aux fournitures et appareils délivrés sur prescription médicale.
(309) Cass. 2ᵉ civ., 24 févr. 1988 : *Bull. civ.* II, n° 49. – 21 juillet 1992 : *Bull. civ.* II, n° 218 ; *D.* 1993, somm. 212, obs. J.-L. Aᴜʙᴇʀᴛ. – 24 juin 1996 : *D.* 1998, IR, 191. – 24 juin 1998 : *Bull. civ.* II, n° 204. – 31 mai 2000 : *Bull. civ.* II, n° 90 ; *JCP* 2001, II, 10577 et note Ch. Bᴜᴛʀᴜɪʟʟᴇ-Cᴀʀᴅᴇᴡ ; *D.* 2001, IR, 185.

moment de l'accident, elle avait moins de seize ans ou plus de soixante-dix ans, ou si elle était titulaire d'un titre lui reconnaissant un taux d'incapacité permanente ou d'invalidité au moins égal à 80 %.

La faute inexcusable n'ayant pas été définie par la loi, la Cour suprême a précisé qu'il s'agissait d'une « faute volontaire d'une exceptionnelle gravité, exposant sans raison valable son auteur à un danger dont il aurait dû avoir conscience » (310). L'exigence de l'exceptionnelle gravité aboutit le plus souvent à nier le caractère inexcusable de la faute de la victime (311).

Quant au rôle exclusivement causal dans l'accident de la faute inexcusable de la victime, il supposerait non seulement qu'aucune autre cause, telle que la faute du défendeur, n'ait participé à l'accident, mais encore que la faute inexcusable de la victime ait été soit imprévisible, soit irrésistible pour le défendeur, conducteur ou gardien du VTAM impliqué dans l'accident (312). Mais la réunion de ces deux caractères n'est plus exigée par la jurisprudence pour retenir le rôle exclusivement causal de la faute inexcusable de la victime (313).

661. – Suite : la faute de la victime conducteur. La *victime conducteur* de VTAM au moment de l'accident, et qui a commis une faute, se trouve traitée beaucoup plus sévèrement par le législateur que la victime non conducteur (314).

---

(310) Cass. 2e civ., 20 juill. 1987, 10 arrêts : *Bull. civ.* II, nos 160 et 161 ; *Gaz. Pal.* 1988, 1, 26, note F. Chabas ; *Defrénois* 1987, art. 34049, n° 73, obs. J.-L. Aubert ; *D.* 1987, IR, 194. – Cass. ass. plén., 10 nov. 1995 ; *D.* 1995, 633 et rapport Y. Chartier ; *JCP* 1996, II, 22564, concl. M. Jeol et note G. Viney.
(311) V. par ex. : Cass. 2e civ., 12 nov. 1987 : *Bull. civ.* II, n° 122. – Cass. 2e civ., 20 avr. 1988 : *Bull. civ.* II, n° 86. – Cass. 2e civ., 10 mai 1989 : *Gaz. Pal.* 1989, 2, somm. 462, obs. F.-C. – Cass. 2e civ., 10 avr. 1991, 10 mai 1991, 24 mai 1991 : *D.* 1992, somm. comm. 209, obs. Couvrat et Massé. – Cass. 2e civ., 22 janv. 1992 : *Bull. civ.* II, n° 22 ; *D.* 1992, IR, 71. – 7 févr. 1996 : *Bull. civ.* II, n° 33. – 20 mars 1996 : *Bull. civ.* II, n° 68. – 6 nov. 1996 : *Bull. civ.* II, n° 240. – 28 janv. 1998 : *Bull. civ.* II, n° 31. – 1er avr. 1998 : *Bull. civ.* II, n° 112. – 14 janv. 1999 : *Resp. civ. et assur.* 1999, comm. 66. – 20 janv. 2000 : *Bull. civ.* II, n° 13. – 11 avr. 2002, *JCP* 2002, IV, 1912. Cf. ayant retenu une faute inexcusable : Cass. 2e civ., 15 juin 1988 (2 arrêts) : *Bull. civ.* II, n° 138. – 28 juin 1989 : *Bull. civ.* II, n° 137. – 7 juin 1990 : *Bull. civ.* II, n° 123. – Cass. 2e civ., 13 févr. 1991 : *Bull. civ.* II, n° 50. – Cass. 2e civ., 8 janv. 1992 : *Bull. civ.* II, n° 11 ; *D.* 1992, somm. comm. 208, obs. Couvrat et Massé. – 27 oct. 1993 : *Bull. civ.* II, n° 295. – 25 oct. 1995 : *D.* 1995, IR, 253. – 6 déc. 1995 : *JCP* 1995, IV, 258. – 19 nov. 1997 : *D.* 1998, IR, 15. – 10 déc. 1998 : *Resp. civ. et assur.* 1999, comm. 66. – 27 mai 1999 : *Bull. civ.* II, n° 99. – 15 nov. 2000 : *Resp. civ. et assur.* 2001, comm. n° 41 par H. Groutel. V. S. Bories, *Les confins de l'irresponsabilité de la victime d'un accident de la circulation ou la faute inexcusable devant le juge du premier degré* : *Gaz. Pal.* 1992, 2, doctr. 18 sept.
(312) Cass. 2e civ., 2 déc. 1987 : *Bull. civ.* II, n° 253. – Cass. 2e civ., 17 févr. 1988 : *Gaz. Pal.* 1988, 1, pan. 97. – Cass. 2e civ., 7 juin 1989 : *D.* 1989, 559, note J.-L. Aubert. – Cass. 2e civ., 7 mars 1990 : *JCP* 1990, IV, 175. – Cass. 2e civ., 9 janv. 1991 : *Bull. civ.* II, n° 1. – Cass. 2e civ., 13 févr. 1991 : *Bull. civ.* II, n° 50 ; *D.* 1992, somm. comm. 208, obs. Couvrat et Massé. – 8 nov. 1993 : *Bull. civ.* II, n° 316. – 6 déc. 1995 : *JCP* 1996, IV, 258. – 19 nov. 1997 : *D.* 1998, IR, 15. – 27 mai 1999 : *Bull. civ.* II, n° 99.
(313) Cass. 2e civ., 25 oct. 1995, précité.
(314) F. Chabas, *La situation faite au conducteur fautif de véhicule terrestre à moteur* : *Gaz. Pal.* 2-3 févr. 1994, doctr. – H. Groutel, *La faute du conducteur victime, dix ans après (plaidoyer pour l'absent de la fête)* : *D.* 1995, chron. 335. – *Le conducteur rétabli dans ses droits* : *D.* 1997, chron. 18. – B. Lelièvre-Boucharat, *Le régime québécois d'indemnisation des victimes d'accidents de la route est-il un exemple à suivre pour le droit français ?* : *RIDC* 2003, 177.

En effet, aux termes de l'article 4 de la loi, la faute de la victime conducteur de VTAM limite ou exclut l'indemnisation des dommages, autrement dit exonère partiellement ou totalement le conducteur ou gardien de VTAM de la responsabilité qu'il encourt du fait de l'implication de son VTAM dans l'accident. La faute du conducteur victime n'est toutefois retenue que si elle est en relation de causalité avec le *dommage* (315).

Il s'ensuit que, en l'absence de preuve de la faute de la victime conducteur de VTAM, le défendeur conducteur, ou gardien d'un VTAM impliqué dans l'accident, doit intégralement indemniser cette victime de ses dommages (316). En revanche il sera totalement ou partiellement libéré de cette obligation de réparation s'il démontre la faute de cette victime, dont il lui incombe alors de prouver qu'elle avait lors de l'accident la qualité de conducteur (317).

Mais suivant quel critère va-t-on décider que l'exonération doit être totale et non partielle ?

La jurisprudence a d'abord considéré que la faute de la victime conductrice était de nature à la priver de toute indemnisation lorsque cette faute avait été la cause exclusive de son dommage ((318) : ce qui supposait, dans ses premiers arrêts, l'imprévisibilité et l'irrésistibilité, pour le défendeur, de la faute de cette victime et dans les arrêts postérieurs, que la faute de la victime ait été la seule cause fautive, autrement dit l'absence de faute du défendeur ((319). Finalement, la Cour Suprême a affirmé que les juges, pour décider de supprimer ou réduire l'indemnisation de la victime conducteur fautive, devaient faire abstraction du comportement du défendeur, et donc de ce que la faute de la victime

---

(315) Selon la Cour suprême, la faute de la victime conducteur de VTAM a une incidence sur son droit à indemnisation dès lors qu'elle a contribué à la réalisation du *dommage* (par ex. : absence du port d'un casque pour un cyclomotoriste souffrant, à la suite d'une collision avec un VTAM, d'un traumatisme crânien) : Cass. 2ᵉ civ., 16 oct. 1991 : *Bull. civ.* II, n° 254 ; *D.* 1992, somm. comm. 275, obs. J.-L. AUBERT. V. aussi : Cass. 2ᵉ civ., 2 déc. 1987 : *Bull. civ.* II, n° 254. – 5 oct. 1994 : *Bull. civ.* II, n° 187 ; *RTD civ.* 1995, 385, obs. P. JOURDAIN. – 18 mars 1998 : *Bull. civ.* II, n° 85. – 27 janv. 2000 : *Bull. civ.* II, n° 16. – 4 juill. 2002 : *D.* 2003, 859 et note H. GROUTEL ; *RTD civ.* 2002, 829, obs. P. JOURDAIN.

(316) Cass. 2ᵉ civ., 12 mai 1986 : *Bull. civ.* II, n° 74. – 24 juin 1987 : *Bull. civ.* II, n° 136.

(317) Cass. 2ᵉ civ., 9 juill. 1986 : *D.* 1987.1 et note H. GROUTEL ; *JCP* 1987, II, 20747 et note F.C. – Cass. crim. 21 mars 1991 : *Bull. crim.* n° 137 ; *Resp. civ. et assur.* 1991, comm. n° 183 par H. GROUTEL. – Cass. 2ᵉ civ., 6 nov. 1996 : *Bull. civ.* II, n° 241. Dans l'hypothèse où les circonstances ne permettent pas de déterminer qui parmi les occupants du VTAM était conducteur, chaque occupant est considéré comme non conducteur, y compris celui qui était gardien ou propriétaire du véhicule : Cass. 2ᵉ civ., 21 juill. 1987 : *RGAT* 1987, 572 et note F. CHAPUISAT. – Cass. crim., 21 mars 1991, précité. – Cass. 2ᵉ civ., 14 juin 1995 : *Resp. civ. et assur.* 1995, comm. n° 298 et chron. 42 par H. GROUTEL.

(318) Cass. 2ᵉ civ., 23 avr. 1986 : *Bull. civ.* II, n° 58 ; *D.* 1987, somm. 89, 3ᵉ esp., obs. H. GROUTEL. – 14 janv. 1987 : *Bull. civ.* II, n° 2 ; *JCP* 87, II, 20768, note F. CHABAS.

(319) V. notamment exigeant l'imprévisibilité de la faute de la victime pour la qualification de cause exclusive : Cass. 2ᵉ civ., 27 mai 1988 : *Bull. civ.* II, n° 119. – 21 nov. 1990 : *Bull. civ.* II, n° 137. – 13 févr. 1991 : *Bull. civ.* II, n° 50. V. notamment requérant l'absence de faute du défendeur : Cass. 2ᵉ civ., 10 oct. 1985 : *Bull. civ.* II, n° 150. – 22 janv. 1992 : *Bull. civ.* II, n° 21.

serait ou non la seule cause fautive de son dommage, et qu'ils étaient – à condition de ne pas recourir à un tel motif – souverains pour apprécier si la faute de la victime conductrice devait exclure ou limiter son indemnisation (320).

662. – Influence de la faute de la victime initiale sur l'indemnisation des dommages aux biens subis par elle. Le législateur a traité d'égale manière les victimes fautives qui demandent au conducteur ou gardien du VTAM impliqué dans l'accident réparation de leurs dommages aux biens (321).

Quels que soient la qualité, l'âge, le handicap de la victime, sa faute, si elle a contribué à la réalisation de son *préjudice* (322), limite ou exclut l'indemnisation de cette catégorie de dommages (art. 5).

Mais, là encore, suivant quel critère va-t-on décider que l'exonération doit être totale, et non partielle ? Après avoir distingué suivant que la faute de la victime était ou non la cause exclusive de l'accident (323), la Cour de cassation s'en remet désormais au pouvoir souverain des juges du fond (324).

663. – Influence de la faute de la victime initiale sur l'indemnisation des préjudices subis par la victime par ricochet. Aux termes de l'article 6 de la loi « le préjudice subi par un tiers du fait des dommages causés à la victime directe d'un accident de la circulation est réparé en tenant compte des limitations ou exclusions applicables à l'indemnisation de ces dommages ».

Il s'ensuit que le défendeur, conducteur ou gardien d'un VTAM impliqué dans l'accident de circulation, pourra opposer aux victimes par ricochet la faute de la victime initiale, dans la mesure seulement où cette faute pouvait être opposée à cette victime initiale.

En bref, l'action en réparation de la victime par ricochet se trouve calquée sur celle de la victime initiale (325).

---

(320) Cass. crim., 22 mai 1996 : *D.* 1997, 138 et note F. CHABAS ; *RTD civ.* 1997, 153, obs. P. JOURDAIN. – Cass. ch. mixte, 28 mars 1997 : *Bull. civ.*, n° 1 ; *D.* 1997, 294 et note H. GROUTEL ; *D.* 1997, somm. 291, obs. D. MAZEAUD ; *JCP* 1997, I, 4025, n° 25, obs. G. VINEY ; *RTD civ.* 1997, 681, obs. P. JOURDAIN. – Cass. 2e civ., 4 juin, 3 et 9 juill. 1997 : *Bull. civ.* II, n°s 163, 214 et 216. – 14 janv., 28 janv. (3 arrêts) et 5 nov. 1998 : *Bull. civ.* II, n°s 7, 26, 27, 28 et 254. – 15 nov. 2001 : *D.* 2001, IR, 3588. – 20 juin 2002, *JCP* 2002, IV, 2392 ; *RTD civ.* 2002, 827, obs. P. JOURDAIN. – 11 juill. 2002 : *D.* 2003, 859 et note H. GROUTEL. – 14 nov. 2002 : *D.* 2002, IR, 3245.
(321) Le dommage aux biens désigne le dommage causé à des biens matériels, et non le préjudice économique ou moral résultant d'une atteinte à la personne (Cass. 2e civ., 24 janv. 1990 : *JCP* 90, II, 21581, obs. BARBIERI. – Cass. 2e civ., 24 oct. 1990 : *JCP* 91, II, 21769, obs. BARBIERI).
(322) Cass. 2e civ., 28 janv. 1988 : *Bull. civ.* II, n° 30.
(323) Cass. 2e civ., 12 nov. 1986 : *D.* 1987, 160, 3e esp., note H. GROUTEL. – 11 oct. 1989 : *Bull. civ.* II, n° 159. – 16 janv. 1991 : *Bull. civ.* II, n° 16.
(324) Cass. 2e civ., 28 janv. 1998 : *Bull. civ.* II, n° 30. – 25 mars 1998 : *JCP* 1998, IV, 2154.
(325) Cass. 2e civ., 4 nov. 1987 : *Bull. civ.* II, n° 217. – 21 mai 1990 : *Bull. civ.* II, n° 112. – Cass. crim. 10 janv. 2001 : *D.* 2001, IR, 982.

Le problème s'est posé cependant de savoir si la faute commise par la victime par ricochet, notamment en tant que coauteur de l'accident de circulation subi par la victime initiale, pouvait limiter ou exclure l'indemnisation de son préjudice par ricochet. La Cour de cassation a d'abord écarté cette solution en se fondant sur l'article 6 de la loi (326) ; elle l'admet désormais, du moins dans le cas où la victime par ricochet était elle-même conducteur d'un VTAM impliqué dans l'accident (327).

Numéros 633 à 670 réservés.

D. – La responsabilité du fait des produits défectueux (328)

671. – La loi du 19 mai 1998. Cette loi est la transposition, intervenue avec plus de dix ans de retard (329), d'une directive communautaire du 25 juillet 1985 qui, suivant l'un de ses considérants, tendait à « un rapprochement des législations des États membres en matière de responsabilité du producteur pour les dommages causés par le caractère défectueux de ses produits » de manière à remédier à une disparité « susceptible de fausser la concurrence, d'affecter la libre circulation des marchandises... et d'entraîner des différences dans le niveau de protection du consomma-

---

(326) Par ex., une mère, dont l'enfant en traversant brusquement la rue est tué par un VTAM, peut-elle lorsqu'elle demande réparation au conducteur ou gardien de ce VTAM impliqué se voir opposer la faute de surveillance qu'elle a commise ? La Cour de cassation a répondu par la négative (Cass. 2e civ., 8 mars 1989 : *D.* 1990, 245, note J.-L. Aubert. V. aussi, Cass. 2e civ., 6 déc. 1989 : *D.* 1991, 205, et note Ph. Durnerin. – Cass. 2e civ., 11 déc. 1991 : *Bull. civ.* II, n° 336).

(327) Cass. crim., 15 mars 1995 : *Bull. crim.*, n° 103. – Cass. ch. mixte, 28 mars 1997 : *Bull. civ.*, n° 1 ; *D.* 1997, 294 et note H. Groutel ; *JCP* 1997, I, 4025, n°s 32 et s., obs. G. Viney ; *RTD civ.* 1997, 681, obs. P. Jourdain. – Cass. 2e civ., 5 nov. 1998 : *Bull. civ.* II, n° 254 ; *Resp. civ. et assur.* 1999, comm. n° 9.

(328) J.-Cl. Montanier, *Les produits défectueux*, Litec, 2000. La loi du 19 mai 1998 a fait l'objet de très nombreux commentaires : G. Raymond, *Premières vues sur la loi n° 98-389 du 19 mai 1998 relative à la responsabilité du fait des produits défectueux* : *Contr. Conc. Consom.* 1998, chron. n° 7. – J. Ghestin, *Le nouveau titre IV bis du Livre III du Code civil « De la responsabilité du fait des produits défectueux ». L'application en France de la directive sur la responsabilité du fait des produits défectueux après l'adoption de la loi n° 98-389 du 19 mai 1998* : *JCP* 1998, I, 148. – P. Storrer, *Bon an mal an, la loi relative à la responsabilité du fait des produits défectueux* : *Rev. Lamy, droit aff.* juill. 1998, n° 7, p. 3. – G. Viney, *L'introduction en droit français de la directive européenne du 25 juillet 1985 relative à la responsabilité du fait des produits défectueux* : *D.* 1998, chron. 291. – F.-X. Testu et J.-H. Moitry, *La responsabilité du fait des produits défectueux. Commentaire de la loi n° 98-389 du 19 mai 1998*, D. aff. 16 juill. 1998. – F. Chabas, *La responsabilité pour défaut de sécurité des produits dans la loi du 19 mai 1998* : *Gaz. Pal.* 1998, 2, doctr. 9-10 sept. – Ch. Larroumet, *La responsabilité du fait des produits défectueux après la loi du 19 mai 1998* : *D.* 1998, chron. 311. – P. Jourdain, *Aperçu rapide sur la loi n° 98-389 du 19 mai 1998 relative à la responsabilité du fait des produits défectueux* : *JCP* N 1998, I, 1055. – Y. Dagorne-Labbé, *La loi du 19 mai 1998 relative à la responsabilité du fait des produits défectueux* : *Defrénois* 1998, 1, 1265, art. 36888. – Ch. Larroumet, A. Outin-Adam, D. Mazeaud, N. Molfessis, L. Leveneur, *La responsabilité du fait des produits défectueux*, Colloque Paris-II du 27 oct. 1998 : *Petites affiches*, n° 155, 28 déc. 1998. – P. Jourdain, *Commentaire de la loi n° 98-389 du 19 mai 1998 relative à la responsabilité du fait des produits défectueux* : *JCP* N 1999, 1089. – J.-P. Beraudo, *L'application internationale des nouvelles dispositions du Code civil sur la responsabilité du fait des produits défectueux* : *JCP* 1999, I, 140.

(329) La transposition devait en effet intervenir avant le 31 juillet 1988, ce qui a valu à la France d'être condamnée par les instances européennes.

---

teur contre les dommages causés à sa santé et à ses biens par un produit défectueux » (330).

Elle est aujourd'hui codifiée aux articles 1386-1 à 1386-18 du Code civil.

La loi est applicable aux produits dont la mise en circulation est postérieure à la date d'entrée en vigueur de la loi (23 mai 1998), même s'ils ont fait l'objet d'un contrat antérieur.

Art. 1386-1. – Le producteur est responsable du dommage causé par un défaut de son produit, qu'il soit ou non lié par un contrat avec la victime.

Art. 1386-2. – Les dispositions du présent titre s'appliquent à la réparation du dommage qui résulte d'une atteinte à la personne ou à un bien autre que le produit défectueux lui-même.

Art. 1386-3. – Est un produit tout bien meuble, même s'il est incorporé dans un immeuble, y compris les produits du sol, de l'élevage, de la chasse et de la pêche. L'électricité est considérée comme un produit.

Art. 1386-4. – Un produit est défectueux au sens du présent titre lorsqu'il n'offre pas la sécurité à laquelle on peut légitimement s'attendre.

Dans l'appréciation de la sécurité à laquelle on peut légitimement s'attendre, il doit être tenu compte de toutes les circonstances et notamment de la présentation du produit, de l'usage qui peut en être raisonnablement attendu et du moment de sa mise en circulation.

Un produit ne peut être considéré comme défectueux par le seul fait qu'un autre, plus perfectionné, a été mis postérieurement en circulation.

Art. 1386-5. – Un produit est mis en circulation lorsque le producteur s'en est dessaisi volontairement.

Un produit ne fait l'objet que d'une seule mise en circulation.

Art. 1386-6. – Est producteur, lorsqu'il agit à titre professionnel, le fabricant d'un produit fini, le producteur d'une matière première, le fabricant d'une partie composante.

Est assimilée à un producteur pour l'application du présent titre toute personne agissant à titre professionnel :

1° Qui se présente comme producteur en apposant sur le produit son nom, sa marque ou un autre signe distinctif ;

2° Qui importe un produit dans la Communauté européenne en vue d'une vente, d'une location, avec ou sans promesse de vente, ou de toute autre forme de distribution.

Ne sont pas considérées comme producteurs, au sens du présent titre, les personnes dont la responsabilité peut être recherchée sur le fondement des articles 1792 à 1792-6 et 1646-1.

Art. 1386-7. – Le vendeur, le loueur, à l'exception du crédit-bailleur ou du loueur assimilable au crédit-bailleur, ou tout autre fournisseur professionnel est responsable du défaut de sécurité du produit dans les mêmes conditions que le producteur.

Le recours du fournisseur contre le producteur obéit aux mêmes règles que la demande émanant de la victime directe du défaut. Toutefois, il doit agir dans l'année suivant la date de sa citation en justice.

Art. 1386-8. – En cas de dommage causé par le défaut d'un produit incorporé dans un autre, le producteur de la partie composante et celui qui a réalisé l'incorporation sont solidairement responsables.

Art. 1386-9. – Le demandeur doit prouver le dommage, le défaut et le lien de causalité entre le défaut et le dommage.

---

(330) S. TAYLOR, *L'harmonisation communautaire de la responsabilité du fait des produits défectueux. Étude comparative du droit anglais et du droit français*, LGDJ, Droit privé, 2001.

Art. 1386-10. – Le producteur peut être responsable du défaut alors même que le produit a été fabriqué dans le respect des règles de l'art. ou de normes existantes ou qu'il a fait l'objet d'une autorisation administrative.

Art. 1386-11. – Le producteur est responsable de plein droit à moins qu'il ne prouve :

1º Qu'il n'avait pas mis le produit en circulation ;

2º Que, compte tenu des circonstances, il y a lieu d'estimer que le défaut ayant causé le dommage n'existait pas au moment où le produit a été mis en circulation par lui ou que ce défaut est né postérieurement ;

3º Que le produit n'a pas été destiné à la vente ou à toute autre forme de distribution ;

4º Que l'état des connaissances scientifiques et techniques, au moment où il a mis le produit en circulation, n'a pas permis de déceler l'existence du défaut ;

5º Ou que le défaut est dû à la conformité du produit avec des règles impératives d'ordre législatif ou réglementaire.

Le producteur de la partie composante n'est pas non plus responsable s'il établit que le défaut est imputable à la conception du produit dans lequel cette partie a été incorporée ou aux instructions données par le producteur de ce produit.

Art. 1386-12. – Le producteur ne peut invoquer la cause d'exonération prévue au 4º de l'article 1386-11 lorsque le dommage a été causé par un élément du corps humain ou par les produits issus de celui-ci.

Le producteur ne peut invoquer les causes d'exonération prévues aux 4º et 5º de l'article 1386-11 si, en présence d'un défaut qui s'est révélé dans un délai de dix ans après la mise en circulation du produit, il n'a pas pris les dispositions propres à en prévenir les conséquences dommageables.

Art. 1386-13. – La responsabilité du producteur peut être réduite ou supprimée, compte tenu de toutes les circonstances, lorsque le dommage est causé conjointement par un défaut du produit et par la faute de la victime ou d'une personne dont la victime est responsable.

Art. 1386-14. – La responsabilité du producteur envers la victime n'est pas réduite par le fait d'un tiers ayant concouru à la réalisation du dommage.

Art. 1386-15. – Les clauses qui visent à écarter ou à limiter la responsabilité du fait des produits défectueux sont interdites et réputées non écrites.

Toutefois, pour les dommages causés aux biens qui ne sont pas utilisés par la victime principalement pour son usage ou sa consommation privée, les clauses stipulées entre professionnels sont valables.

Art. 1386-16. – Sauf faute du producteur, la responsabilité de celui-ci, fondée sur les dispositions du présent titre, est éteinte dix ans après la mise en circulation du produit même qui a causé le dommage à moins que, durant cette période, la victime n'ait engagé une action en justice.

Art. 1386-17. – L'action en réparation fondée sur les dispositions du présent titre se prescrit dans un délai de trois ans à compter de la date à laquelle le demandeur a eu ou aurait dû avoir connaissance du dommage, du défaut et de l'identité du producteur.

Art. 1386-18. – Les dispositions du présent titre ne portent pas atteinte aux droits dont la victime d'un dommage peut se prévaloir au titre du droit de la responsabilité contractuelle ou extracontractuelle ou au titre d'un régime spécial de responsabilité.

Le producteur reste responsable des conséquences de sa faute et de celle des personnes dont il répond.

672. – Caractères de la nouvelle action : ni contractuelle, ni délictuelle.

Comme la directive elle-même, l'article 1386-1 précise que « le producteur est responsable du dommage causé par un défaut de son produit, qu'il soit ou non lié par un contrat avec la victime ». Il faut ici comprendre que, comme en matière d'accidents de la circulation, l'action nouvelle échappe à la distinction classique qui oppose responsabilité contractuelle et responsabilité délictuelle : les mêmes règles s'appliqueront, quelle que soit la qualité de la victime. C'est là un progrès dont on ne peut que se réjouir.

À cet égard, l'action nouvelle est très proche de celle reposant sur l'*obligation de sécurité* instituée par la jurisprudence qui, dans son dernier état, l'exprime en ces termes : « tout producteur est responsable des dommages causés par un défaut de son produit, tant à l'égard des victimes immédiates que des victimes par ricochet, sans qu'il y ait lieu de distinguer selon qu'elles ont la qualité de partie contractante ou de tiers » (331). Au lendemain de la loi, on a même pu se demander si cette jurisprudence, fondée sur « les articles 1147 et 1384, alinéa 1, du Code civil, interprétés à la lumière de la Directive CEE n° 85/374 du 25 juillet 1985 », ne devait pas se fondre dans la loi nouvelle et, par là même, perdre son autonomie (332). D'autres raisons conduisent aujourd'hui à la même conclusion (V. *infra*, n° 673).

673. – Caractères de la nouvelle action : action supplémentaire. CJCE 25 avril 2002, Aff. C. 183/00. En principe, la Directive ouvrait une action nouvelle aux victimes, tout en leur laissant la possibilité de recourir au droit commun national. En effet, l'article 13 de la Directive laissait aux personnes lésées la faculté d'invoquer, à la place de la loi de transposition, le « droit de la responsabilité contractuelle ou délictuelle » ou « un régime spécial de responsabilité existant au moment de la notification de la directive ». Le législateur français a consacré cette latitude dans l'article 1386-18.

Mais, répondant à une question préjudicielle posée par une juridiction espagnole, un arrêt de la Cour de justice du 25 avril 2002 (Aff. C. 183/00) (333) a décidé que « l'article 13 de la directive […] doit être interprété en ce sens que les droits conférés par le législateur d'un État membre aux victimes d'un dommage causé par un produit défectueux, au titre d'un régime général de responsabilité ayant le même fondement que celui mis en place par la directive peuvent se trouver limités ou restreints à la suite de la transposition de celle-ci dans l'ordre juridique interne dudit État ». Précisant sa pensée, la CJCE ajoutait que, s'il « n'exclut pas l'application d'autres régimes de responsabilité contractuelle ou extracontractuelle reposant sur des fondements différents, tels que la garantie des vices cachés ou la faute », « l'article 13 ne saurait être interprété comme laissant aux États membres la possibilité de maintenir

---

(331) Cass. 1ʳᵉ civ., 3 mars 1998 : *JCP* 1998, II, 10049, rapport P. Sargos.
(332) V. J. Ghestin, préc. : *JCP* 1998, I, 148, n° 26 et 27. – G. Viney, préc., *D.* 1998, chron. 291, n° 25.
(333) CJCE, 5ᵉ ch., 25 avr. 2002, *Maria Victoria Gonzalez Sanchez c/Medecina Asutriana SA* : *D.* 2002, 2462 et note Ch. Larroumet ; D 2002, somm. 2937, obs. J.-P. Pizzio ; *RTD civ.* 2002, 523, obs. J. Mestre et B. Fages ; et 868, obs. J. Raynard.

un régime général de responsabilité du fait des produits défectueux différent de celui prévu par la directive » et reposant sur le même fondement. Ce faisant, la CJCE invitait clairement le juge espagnol à ne pas appliquer la loi espagnole de protection des consommateurs et à s'en tenir à la loi de transposition qui était moins favorable (334).

Appliquée au droit français, la solution de cet arrêt conduit à dire que, si la victime peut invoquer l'action en garantie des vices cachés des articles 1641 et suivants, ou la responsabilité pour faute, en revanche, il est fort douteux qu'elle puisse invoquer *l'obligation de sécurité* instituée par la jurisprudence à la charge des vendeurs et fabricants pour manquement à « l'obligation de livrer un produit exempt de tout vice ou de tout défaut de nature à créer un danger pour les personnes ou pour les biens » (335). En bref, il est à craindre que la CJCE ait sonné le glas de l'obligation de sécurité du vendeur professionnel (336), alors surtout que la jurisprudence la distingue soigneusement de l'action en garantie des vices (337).

674. – Condamnation de la transposition faite par la France. CJCE 25 avril 2002 (Aff. C. 52/00). D'abord critiquée par la Commission européenne (338), la transposition faite par la France et par la Grèce a été condamnée par deux autres décisions du 25 avril 2002 (339). Finalement, la CJCE reproche à la France d'être allée au-delà des exigences de la directive, ce dans un souci de meilleure protection du consommateur. Dans son dispositif, l'arrêt relève que la France a manqué à ses obligations en s'écartant des dispositions de la directive sur trois points :

---

(334) C. Brynfogel, *La mise en œuvre de la directive sur la responsabilité du fait des produits défectueux. Heurs et malheurs de l'harmonisation européenne : Gaz. Pal.* 2003, 1 doctr. 18-20 mai.

(335) Cass. 1re civ., 20 mars 1989 : *D.* 1989, 381 et note Ph. Malaurie. – 22 janv. 1991 : *Bull. civ.* I, n° 30. – 11 juin 1991 : *Bull. civ.* I, n° 201. – 27 janv. 1993 : *Bull. civ.* I, n° 44. – 15 oct. 1996 : *Bull. civ.* I, n° 354,. – 3 mars 1998 : *JCP* 1998, II, 10049 et rapport P. Sargos ; *D.* 1999, 36, note C. Pignarre et Ph. Brun. Sur l'obligation de sécurité, voir les travaux du colloque publié à *Gaz. Pal.* 21-23 sept. 1997.

(336) G. Viney, *L'interprétation par la CJCE de la directive du 25 juillet 1985 sur la responsabilité du fait des produits défectueux : JCP* 2002, I, 177. – J. Calais-Auloy, *Menace européenne sur la jurisprudence française concernant l'obligation de sécurité du vendeur professionnel (CJCE, 25 avril 2002) : D.* 2002, chron. 2458. V. pour des décisions rendues antérieurement sur l'obligation de sécurité : TGI Montpellier 9 juill. 2002 : *JCP* 2002, II, 10158 et note F. Vialla ; *RTD civ.* 2002, 818, obs. P. Jourdain (à propos de l'hormone de croissance). – TGI Nanterre 24 mai 2002 : *D.* 2002, IR, 1885 (décision rendue sur le fondement de l'article L. 221-1 du Code de la consommation, à propos du distilbène). – V. N. Jonquet, A.-C. Maillols et F. Vialla, *Les victimes de produits de santé épargnées par la CJCE : D.* 2003, pt de vue, 1299, qui soutiennent que l'obligation de sécurité pourrait survivre pour les produits de santé.

(337) Cass. 1re civ., 14 juin 2000 : *Contr. Conc. Consom.* 2000, comm. n° 158, obs. L. Leveneur. – 16 oct. 2001 : *Contr. Conc. Consom.* 2002, comm. n° 4, obs. L. Leveneur.

(338) V. Ch. Laporte, *Responsabilité du fait des produits défectueux : la France à nouveau épinglée :* Contrats, conc., consom. 2000, chron. 11. – G. Viney, *JCP* 2000, I, 280, n° 25.

(339) CJCE 25 avr. 2002, Commission c. République française : *D.* 2002, 1670 et note C. Rondey ; *Contr. Conc. Consom.* 2002, comm. n° 117 et note G. Raymond ; *D.* 2002, 2462 et note Ch. Larroumet ; *D.* 2002, somm. 2935, obs. J.-P. Pizzio ; *D.* 2002, somm. 463, obs. D. Mazeaud ; *RTD civ.* 2002, 523, obs. J. Mestre et B. Fages ; et 868, obs. J. Raynard. V. aussi, G. Viney, art. précité. – Ch. Laporte, *Responsabilité du fait des produits défectueux : la France condamnée : Contr. Conc. Consom.* 2002, chron. n° 20.

– « en incluant, dans l'article 1386-2 du Code civil français, les dommages inférieurs à 500 € ;

– en considérant, à l'article 1386-7, premier alinéa, du même code, que le distributeur d'un produit défectueux est responsable dans tous les cas et au même titre que le producteur, et

– en prévoyant, à l'article 1386-12, second alinéa, dudit code, que le producteur doit prouver qu'il a pris les dispositions propres à prévenir les conséquences d'un produit défectueux afin de pouvoir se prévaloir des causes d'exonération prévues à l'article 7, sous d) et e), de la directive… »

À l'appui de cette condamnation, la CJCE invoque le fait que la directive a été arrêtée par le Conseil sur le fondement de l'article 100 du Traité CEE « relatif au rapprochement de dispositions législatives, réglementaires et administratives des États membres qui ont une incidence directe sur l'établissement et le fonctionnement du Marché commun », base juridique qui, à la différence de l'article 100 A, « ne prévoit aucune faculté, pour les États membres de maintenir ou d'établir des dispositions s'écartant des mesures d'harmonisation communautaires ».

En bref, il s'agit d'un ordre public communautaire tendant « à assurer une concurrence non faussée entre les opérateurs économiques, à faciliter la libre circulation des marchandises et à éviter les différences dans le niveau de protection des consommateurs ».

1° Champ d'application de la loi

a) Quant aux produits

675. – Les produits. La responsabilité nouvelle s'applique au cas où le dommage a été causé par un produit défectueux mis en circulation ; chacun de ces éléments appelle quelques précisions.

La notion de produit est définie de manière très large par l'article 1386-3 : « Est un produit tout bien meuble, même s'il est incorporé dans un immeuble, y compris les produits du sol, de l'élevage, de la chasse et de la pêche. L'électricité est considérée comme un produit. »

La loi s'applique donc à tous les produits mobiliers, quels qu'ils soient, sans distinction entre les produits naturels (340) et ceux industriels, les produits finis et ceux composites, et même les produits du corps humain (arg. art. 1386-12).

D'un arrêt de la CJCE du 10 mai 2001, on peut inférer que la responsabilité du fait des produits défectueux est applicable à la fabrication et à l'utilisation par les médecins de produits défectueux à des fins thérapeutiques ; auquel cas il resterait à s'interroger sur la compatibilité de la juris-

---

(340) La loi devrait s'appliquer aux matières premières agricoles : Directive 99/34/CE.

prudence et de la loi française sur la responsabilité médicale avec la directive (341).

676. – La notion de défectuosité. La notion de défectuosité, qui est nouvelle dans notre droit, est définie par l'article 1386-4 : « Un produit est défectueux au sens du présent titre lorsqu'il n'offre pas la sécurité à laquelle on peut légitimement s'attendre. »

De la formule employée il résulte que la défectuosité doit être appréciée de manière abstraite, par référence au public en général. La loi apporte néanmoins quelques éléments complémentaires : « Pour l'appréciation de la sécurité à laquelle on peut légitimement s'attendre, il doit être tenu compte de toutes les circonstances et notamment de la présentation du produit, de l'usage qui peut en être raisonnablement attendu et du moment de sa mise en circulation. » Le dernier alinéa ajoute de manière opportune qu'« un produit ne peut être considéré comme défectueux par le seul fait qu'un autre, plus perfectionné, a été mis postérieurement en circulation » ; en bref, l'obsolescence n'est pas un défaut.

La notion de défectuosité diffère de celle de vice à laquelle les juristes français sont habitués. La démonstration du vice suppose une analyse de la chose vicieuse, ce qui requiert souvent une expertise, alors que la défectuosité résulte d'une donnée objective : vicieuse ou non, la chose n'offre pas la sécurité à laquelle on peut légitimement s'attendre (342).

677. – La mise en circulation. Quant à la notion de mise en circulation, elle est définie par l'article 1386-5 : « Un produit est mis en circulation lorsque le producteur s'en est dessaisi volontairement. »

Dans la mesure où la loi ne s'applique qu'aux professionnels (V. *infra*, n° 678), on peut dire que la mise en circulation équivaut à la mise sur le marché, à la commercialisation (343). L'alinéa 2 précise qu'un « produit ne fait l'objet que d'une seule mise en circulation », laquelle intervient donc au moment où le producteur met sur le marché le produit même qui a causé le dommage. En pratique, la notion de mise en circulation est très importante en ce qu'elle est tout à la fois une condition de la responsabilité et le point de départ de la prescription (344).

---

(341) CJCE, 5ᵉ ch., 10 mai 2001 : *D.* 2001, 3065 et note P. KAYSER ; *JCP* 2002, II, 10141 et note H. GAUMONT-PRAT (préparation d'un rein en vue de sa transfusion avec un liquide défectueux). V. aussi A. LAUDE, *La responsabilité des produits de santé : D.* 1999, chron. 189.

(342) TGI Aix-en-Provence, 2 oct. 2001 : *D.* 2001, IR, 3092.

(343) Pour l'arrêt de la CJCE du 10 mai 2001, précité, « un produit défectueux (en l'espèce un liquide de perfusion destiné au rinçage d'un rein) est mis en circulation lorsqu'il est utilisé à l'occasion d'une prestation de service concrète, de nature médicale, consistant à préparer un organe humain en vue de sa transplantation et que le dommage causé à celui-ci est consécutif à cette préparation ».

(344) J. Ph. CONFINO, *La mise en circulation dans la loi du 19 mai 1998 sur la responsabilité du fait des produits défectueux : Gaz. Pal.* 2001, 1, doctr., 2-3 févr.

b) Quant aux responsables

678. – Les professionnels producteurs. La loi ne s'applique qu'aux professionnels, qu'ils soient producteurs, fournisseurs ou assimilés.

La loi s'applique d'abord au producteur, que l'article 1386-6 définit comme « le fabricant d'un produit fini, le producteur d'une matière première, le fabricant d'une partie composante ». Ce même texte assimile au producteur, « toute personne agissant à titre professionnel » :

– qui, bien que n'étant pas le producteur lui-même, se présente en fait comme tel en apposant sur le produit son nom, sa marque ou tout autre signe distinctif ;

– qui importe un produit dans la Communauté européenne en vue d'une vente, d'une location ou de toute autre forme de distribution.

En revanche, le dernier alinéa prend bien soin de préciser que « ne sont pas considérées comme producteurs… les personnes dont la responsabilité peut être recherchée sur le fondement des articles 1792 à 1792-6 et 1646-1 », c'est-à-dire les constructeurs au sens de l'article 1792-1 et le vendeur d'immeuble à construire. L'idée est que ces constructeurs d'immeubles ou assimilés, dont la responsabilité relève de textes spécifiques en droit français, et qui ne sont pas des producteurs de meubles, doivent échapper à la loi nouvelle lorsqu'ils incorporent un meuble dans un immeuble.

679. – Les professionnels fournisseurs. La loi vise également et de la même manière le simple fournisseur, qu'il s'agisse d'un vendeur, d'un loueur (à l'exception du crédit-bailleur) ou de tout autre fournisseur professionnel (art. 1386-7) (345), étant toutefois précisé que le fournisseur dont la responsabilité est recherchée par la victime peut exercer sur le même fondement un recours contre le producteur, dans l'année suivant la date de sa citation en justice. Cette extension est aujourd'hui condamnée par l'arrêt de la CJCE du 25 avril 2002 (V. *supra*, n° 674).

On peut se demander si cette condamnation ne pourrait pas s'étendre à l'importateur assimilé au producteur qui apparaît bien comme un « distributeur » au sens de cet arrêt ; il n'échapperait alors à la censure que dans l'hypothèse visée par la directive, c'est-à-dire dans le cas où le producteur est inconnu.

680. – Les professionnels incorporateurs. La loi s'applique enfin à l'incorporateur, c'est-à-dire à celui qui incorpore une partie composante défectueuse dans un produit qu'il va commercialiser ; en pareil cas, si un

---

(345) C'est ainsi qu'un boucher chevalin ayant vendu de la viande affectée par des larves de trichine a pu être considéré comme producteur au sens des articles 1386-6 et 1386-7 (Toulouse 22 févr. 2000 : JCP 2000, II, 10429 et note Ph. Le Tourneau ; Contr. Conc. Consom. 2001, comm. n° 52, obs. G. Raymond).

dommage est causé par le défaut du produit incorporé, « le producteur de la partie composante et celui qui a réalisé l'incorporation sont solidairement responsables » (art. 1386-8). Cette disposition soulève des difficultés importantes dans le cas où le meuble a été incorporé dans un immeuble, car il faut alors concilier cette règle avec celle de l'article 1386-6, dernier alinéa, qui dénie la qualité de producteur aux constructeurs dont la responsabilité peut être recherchée sur le fondement des articles 1792 et suivants (346).

On peut penser que, à la différence d'un simple fournisseur, l'incorporateur est un producteur d'un produit dans lequel il intègre des parties composantes. En tout cas, il ne s'est pas attiré les foudres de la CJCE.

c) Quant aux dommages

681. – Dommages autres que ceux causés au produit défectueux lui-même. Allant plus loin que la directive transposée, l'article 1386-2 décide que cette responsabilité particulière s'applique « à la réparation du dommage qui résulte d'une atteinte à la personne ou à un bien autre que le produit défectueux lui-même ». Peu importe donc que les biens endommagés soient des biens destinés à l'usage ou à la consommation privés (cas visé par la directive) ou des biens à caractère professionnel. Cette extension a été critiquée par la Commission européenne, mais elle n'a pas été condamnée par l'arrêt de la CJCE du 25 avril 2002.

Ne sont exclus que les dommages causés au produit défectueux lui-même, dommages dont la réparation relèvera du droit commun, c'est-à-dire le plus souvent de la garantie des vices cachés des articles 1641 et suivants du Code civil.

682. – Dommages d'un montant égal ou supérieur à 500 €. Cette limitation ne figurait pas dans la loi de transposition. La France a précisément été condamnée sur ce point par l'arrêt de la CJCE du 25 avril 2002 (V. *supra*, n° 674).

Il s'ensuit que les dommages d'un montant inférieur à 500 € ne relèvent pas des articles 1386-1 et suivants, mais de la responsabilité de droit commun.

2° Régime de la responsabilité

683. – Responsabilité de plein droit et preuve à rapporter. À propos des causes d'exonération, l'article 1386-11 énonce que « le producteur est

---

(346) Ph. MALINVAUD, *La loi du 19 mai 1998 relative à la responsabilité du fait des produits défectueux et le droit de la construction* : D. 1999, 85. – A. VALDÈS, *L'incidence de la loi n° 98-389 du 19 mai 1998 relative à la responsabilité du fait des produits défectueux sur la responsabilité des constructeurs* : Administrer, n° 324, juill. 2000, p. 8. – V. en faveur de l'application des articles 1386-1 et suivants à la responsabilité des fabricants à l'égard des maîtres d'ouvrage, C. LARONDE-CLÉRAC, *La nature toujours controversée de la responsabilité dans les chaîne contractuelles* : Contr. Conc. Consom. 2003, chron. n° 6.

responsable de plein droit à moins qu'il ne prouve... ». De cette formule on pourrait conclure qu'il s'agit d'une présomption de responsabilité ; cette conclusion doit toutefois être relativisée dans la mesure où l'article 1386-9 décide que « le demandeur doit prouver le dommage, le défaut et le lien de causalité entre le défaut et le dommage ».

L'obligation de prouver le dommage et le lien de causalité existe également en droit commun, même en présence d'une présomption de responsabilité. L'originalité tient ici à l'obligation de prouver le défaut du produit, c'est-à-dire qu'il « n'offre pas la sécurité à laquelle on peut légitimement s'attendre ». Suivant les cas, le demandeur devra donc prouver soit le vice caché du produit (comme pour l'application des articles 1641 et suivants), soit l'inadéquation entre les caractéristiques du produit et l'attente légitime de sécurité.

684. – Causes d'exonération de droit commun. En droit commun, la responsabilité est écartée en tout ou en partie en cas de force majeure, de faute de la victime, et de fait d'un tiers.

La loi nouvelle ne cite pas expressément la *force majeure*, mais elle en retient deux applications qui figurent dans les causes spécifiques d'exonération : l'ordre de la loi (art. 1386-11, 5°) et le risque de développement (art. 1386-11, 4°). Bien que la liste apparaisse limitative, on peut se demander si cela interdit au juge de retenir comme exonératoire tout autre cas de force majeure ; mais c'est peut-être là une question d'école.

Suivant l'article 1386-14, le *fait d'un tiers* n'est pas une cause d'exonération de la responsabilité du producteur : « La responsabilité du producteur envers la victime n'est pas réduite par le fait d'un tiers ayant concouru à la réalisation du dommage. » Cela dit, l'article 1386-14 vise le cas où le dommage a été causé cumulativement par le défaut du produit et par le fait du tiers ; la solution serait différente, et il pourrait y avoir exonération si le producteur démontrait que le dommage n'est nullement dû à un défaut de son produit, mais au seul fait d'un tiers. D'ailleurs l'article 1386-11 en fournit lui-même un exemple lorsqu'il permet au producteur d'une partie composante de s'exonérer en démontrant que le défaut n'est pas dû à lui, mais à l'incorporateur.

Quant à la *faute de la victime*, l'article 1386-13 en fait une cause d'exonération, tout en laissant au juge une large marge d'appréciation : « La responsabilité du producteur peut être réduite ou supprimée, compte tenu de toutes les circonstances, lorsque le dommage est causé conjointement par un défaut du produit et par la faute de la victime ou d'une personne dont la victime est responsable. »

Enfin, confirmant la solution du droit commun, l'article 1386-10 rappelle que n'est pas une cause d'exonération le fait « que le produit a été fabriqué dans le respect des règles de l'art. ou de normes existantes ou qu'il a fait l'objet d'une autorisation administrative ».

685. – Causes d'exonération spécifiques. Six causes d'exonération figurent à l'article 1386-11. Cinq d'entre elles n'appellent pas de commentaire particulier : « Le producteur est responsable de plein droit à moins qu'il ne prouve :

– « *1°* Qu'il n'avait pas mis le produit en circulation ;

– « *2°* Que, compte tenu des circonstances, il y a lieu d'estimer que le défaut ayant causé le dommage n'existait pas au moment où le produit a été mis en circulation par lui ou que ce défaut est né postérieurement ;

– « *3°* Que le produit n'a pas été destiné à la vente ou à toute autre forme de distribution (347) ;

– « *5°* Ou que le défaut est dû à la conformité du produit avec des règles impératives d'ordre législatif ou réglementaire. » Toutefois, cette dernière cause est, comme celle attachée au risque de développement, subordonnée par l'article 1386-12, alinéa 2, à une obligation de suivi qui a été condamnée par la CJCE (V. *infra*, n° 686).

– « Le producteur de la partie composante n'est pas non plus responsable s'il établit que le défaut est imputable à la conception du produit dans lequel cette partie a été incorporée ou aux instructions données par le producteur de ce produit. »

686. – Causes d'exonération spécifiques (suite) : le risque de développement. Beaucoup plus intéressante est la quatrième cause visée par l'article 1386-11 : « 4° Que l'état des connaissances scientifiques et techniques, au moment où il a mis le produit en circulation, n'a pas permis de déceler l'existence d'un défaut. » En bref, le risque de développement est une cause d'exonération de la responsabilité du fait des produits défectueux.

Suivant la CJCE, l'appréciation du risque de développement doit être faite « en considération de l'état objectif des connaissances scientifiques et techniques dont le producteur est présumé être informé ; ce dernier aspect laisse subsister des difficultés d'interprétation que, en cas de litige, le juge national devra trancher en faisant, le cas échéant, usage de l'article 177 du Traité CE » (348). Un premier arrêt se montre plus sévère en considérant, à propos d'un boucher chevalin ayant vendu de la viande affectée de trichinose, que l'appréciation des connaissances scientifiques

---

(347) Cette cause d'exonération est l'application de l'article 7, sous c), de la directive. Sur ce point, l'arrêt de la CJCE du 10 mai 2001 a jugé, à propos d'un produit utilisé pour perfuser un rein avant sa transplantation, que l'article 7, sous c), « doit être interprété en ce sens que l'exonération de responsabilité pour absence d'activité dans un but économique ou d'activité professionnelle ne s'applique pas au cas d'un produit défectueux qui a été fabriqué et utilisé dans le cadre d'une prestation médicale concrète qui est entièrement financée par des fonds publics et pour laquelle le patient ne doit verser aucune contrepartie » (CJCE, 5ᵉ ch., 10 mai 2001 : *D.* 2001, 3065 et note P. KAYSER ; *JCP* 2002, II, 10141 et note H. GAUMONT-PRAT).
(348) CJCE, 29 mai 1997 : *D.* 1998, 488 et note A. PENNEAU.

---

et techniques doit être faite de façon *purement objective*, sans tenir compte des qualités et des aptitudes du producteur, et que l'état de ces connaissances est celui situé au niveau mondial le plus avancé tel qu'il existait au moment où le produit en cause a été mis en circulation (349).

En toute hypothèse, la loi nouvelle est moins protectrice des intérêts de la victime que le droit commun, c'est-à-dire en fait la jurisprudence qui, le plus souvent, écarte le risque de développement comme cause d'exonération (350). Ainsi la victime aura meilleur compte à invoquer le droit commun plutôt que la loi nouvelle, option que lui permet l'article 1386-18 (351). Il reste toutefois à se demander si cette jurisprudence ne tombe pas sous le coup de la condamnation de l'arrêt de la CJCE du 25 avril 2002 (V. *supra*, n° 673).

L'article 1386-12 met une double limite à l'admission du risque de développement. Cette cause d'exonération est écartée :

– d'une part, « lorsque le dommage a été causé par un élément du corps humain ou par les produits issus de celui-ci », exception qui vise notamment l'hypothèse du Sida d'origine transfusionnelle ;

– d'autre part, « si, en présence d'un défaut qui s'est révélé dans un délai de dix ans après la mise en circulation du produit, il n'a pas pris les dispositions propres à en prévenir les conséquences dommageables » ; ce faisant la loi impose aux fabricants une obligation de suivi de leurs produits.

Cette obligation de suivi a été condamnée par l'arrêt de la CJCE du 25 avril 2002 (V. *supra*, n° 674). Il s'ensuit que le producteur peut invoquer le risque de développement même s'il n'a pas satisfait à l'obligation de suivi.

687. – Les clauses relatives à la responsabilité. L'article 1386-15 pose en son alinéa 1 le principe que « les clauses qui visent à écarter ou à limiter la responsabilité du fait des produits défectueux sont interdites et réputées non écrites ». Mais l'alinéa 2 y apporte immédiatement une exception en décidant que : « pour les dommages causés aux biens qui ne sont pas utilisés par la victime principalement pour son usage ou sa consommation privée, les clauses stipulées entre professionnels sont valables ».

---

(349) Toulouse, 22 févr. 2000, précité.

(350) V. O. BERG, *La notion de risque de développement en matière de responsabilité du fait des produits défectueux* : JCP 1996, I, 3945. V. par ex. Cass. 1re civ., 9 juill. 1996, 2e esp. : D. 1996, 610 et note Y. LAMBERT-FAIVRE (arrêt rendu avant transposition de la directive et qui écarte le risque de développement comme cause d'exonération).

(351) Un premier arrêt rendu en la matière se montre très restrictif dans l'admission du risque de développement. Il considère, à propos d'un boucher chevalin ayant vendu de la viande affectée de trichinose, que l'appréciation des connaissances scientifiques et techniques doit être faite de façon purement objective, sans tenir compte des qualités et des aptitudes du producteur, et que l'état de ces connaissances est celui situé au niveau mondial le plus avancé tel qu'il existait au moment où le produit en cause a été mis en circulation (Toulouse, 22 févr. 2000, préc.).

Il faut donc distinguer suivant que la victime, dont on rappellera qu'elle peut ne pas être le cocontractant du producteur, est ou non un professionnel.

Si elle est un profane, et notamment un consommateur, la clause limitative ne s'appliquera pas parce qu'elle sera réputée non écrite. À cet égard, la règle fait doublon avec celle de l'article R. 132-1 du Code de la consommation qui déclare abusive « la clause ayant pour objet ou pour effet de supprimer ou de réduire le droit à réparation du non-professionnel ou consommateur en cas de manquement par le professionnel à l'une quelconque de ses obligations ».

Si la victime est un professionnel, la clause relative à la responsabilité s'appliquera, mais seulement pour les dommages causés aux biens utilisés à des fins autres que l'usage et la consommation privée. Cette solution quelque peu complexe semble en lien avec la notion jurisprudentielle du consommateur, tout professionnel étant considéré comme consommateur sauf pour les « contrats de fournitures de biens ou de services qui ont un rapport direct avec (son) activité professionnelle » (V. *supra*, n° 319).

688. – Prescription. Suivant en cela fidèlement la directive, la loi instaure deux délais.

D'une part, l'article 1386-17 édicte un *délai de prescription* de l'action en réparation : « L'action en réparation fondée sur les dispositions du présent titre se prescrit dans un délai de trois ans à compter de la date à laquelle le demandeur a eu ou aurait dû avoir connaissance du dommage, du défaut et de l'identité du producteur. » Ce faisant, on échappe au grief souvent adressé à l'article 1648 du Code civil qui, en matière de garantie des vices due par le vendeur, retient un « *bref délai* » dont la durée indéterminée dépend du pouvoir souverain des juges du fond. On remarquera à cet égard que, dans son rapport pour l'année 2002, la Cour de cassation suggère d'aligner le délai de l'article 1648 sur celui des articles 1386-16 et 1386-17.

D'autre part, les auteurs de la directive ont considéré que la sévérité du régime de responsabilité imposé au producteur devait être compensée par une limitation dans le temps, alors surtout que nombre de produits perdent inéluctablement leurs qualités avec le temps. D'où la règle de l'article 1386-16 suivant laquelle « sauf faute du producteur, la responsabilité de celui-ci (le producteur), fondée sur le présent titre, est éteinte dix ans après la mise en circulation du produit même qui a causé le dommage à moins que, durant cette période, la victime n'ait engagé une action en justice ». Il s'agit là d'une sorte de *délai de forclusion*. Autrement dit, si le défaut apparaît plus de dix ans après la mise en circulation (ou si la victime n'exerce pas son action dans ce délai), la responsabilité du producteur ne peut plus être recherchée sur le fondement des articles 1386-1 et suivants ; en revanche elle peut encore l'être sur le fondement de la responsabilité de droit commun, à supposer que la prescription de droit commun ne soit pas acquise.

Cette possibilité de recourir au droit commun rend sans intérêt la réserve « sauf faute du producteur » exprimée par l'article 1386-16.

689. – Solidarité et recours. Lorsque la loi désigne plusieurs responsables pour le même dommage ceux-ci sont tenus *in solidum* à l'égard de la victime, conformément au droit commun. En l'occurrence, la responsabilité *in solidum* aurait pu s'appliquer au cas où le producteur et le fournisseur auraient été tenus responsables ; mais cette situation ne devrait pas se rencontrer, le fournisseur ayant été écarté de la liste des responsables par l'arrêt de la CJCE du 25 avril 2002 (V. *supra*, nᵒˢ 674 et 679). En revanche, dans le cas d'un dommage causé par le défaut d'un produit incorporé dans un autre, l'article 1386-8 prévoit que le producteur et l'incorporateur seront tenus *solidairement*.

La loi règle également, dans l'article 1386-7, le recours du fournisseur contre le producteur ; ce recours sera fondé sur la responsabilité de plein droit édictée par les articles 1386-1 et suivants en faveur de la victime, mais il devra être exercé « dans l'année suivant la date de sa citation en justice ».

Les autres recours seront régis par le droit commun, notamment ceux entre le producteur de l'ensemble et celui de la partie composante, qui susciteront probablement d'importantes difficultés.

Sous-section 3

LE LIEN DE CAUSALITÉ

690. – L'exigence d'un lien de causalité. L'exigence d'un *lien de causalité* – ou *de cause à effet* – entre le fait et le dommage est une condition de bon sens. Elle n'est d'ailleurs qu'implicitement rappelée par les textes, lorsque ceux-ci parlent du dommage *causé* par le fait personnel, ou le fait d'autrui, ou le fait des choses. Chacun est donc responsable du dommage qu'il cause, et de celui-là seulement (352).

Or, les circonstances dans lesquelles est survenu un dommage ne sont pas toujours très claires. Plusieurs personnes ont pu être impliquées,

---

(352) G. Marty, *La relation de cause à effet comme condition de la responsabilité civile* : RTD civ. 1939, 685. – A. Joly, *Vers un critère juridique du rapport de causalité au sens de l'art. 1384, al. 1, C. civ.* : RTD civ. 1942, 257. – P. Esmein, *Le nez de Cléopâtre ou les affres de la causalité* : D. 1964, chron. 205. – F. Chabas, *Bilan de quelques années de jurisprudence en matière de rôle causal* : D. 1970, chron. 113. – R. Barrot et B. Nicourt, *Le lien de causalité*, Masson, 1986. – Y. Lambert-Faivre, *De la poursuite à la contribution : quelques arcanes de la causalité* : D. 1992, chron. 311.

plusieurs choses ont pu intervenir, entre lesquelles il va falloir choisir ou partager.

En pratique, le problème de la causalité, comme le dommage et le fait dommageable, se pose en des termes de preuve. C'est en principe à la victime qu'il appartient de rapporter cette preuve en matière de responsabilité du fait personnel ; au contraire, la causalité est présumée dès l'instant qu'une chose est intervenue dans la production d'un dommage.

Mais, dans la réalité judiciaire, chacun prouve ce qu'il peut. À supposer qu'un litige soit circonscrit sur ce point, l'un cherchera à établir la causalité (§ 1), l'autre tentera d'y échapper en démontrant que le dommage est dû, en tout ou en partie, à une cause étrangère (§ 2).

§ 1. – Définition et preuve de la causalité

691. – Il est impossible de définir de manière abstraite et mathématique le lien de causalité parce qu'il s'y mêle toujours des considérations de fait ou d'opportunité morale. En vérité, un dommage est toujours dû à une conjonction fâcheuse de plusieurs causes entre lesquelles le juge est invité à choisir. À cet égard, il aura une tendance naturelle à trouver la causalité du côté où est la faute : la faute montre du doigt le responsable ; mais ce guide ne lui sera plus d'aucune utilité dans les cas de responsabilité sans faute et, en particulier, de responsabilité du fait des choses.

Celui qui doit faire la preuve du lien de causalité peut rencontrer deux types de problèmes, suivant que le dommage est dû à plusieurs causes concomitantes ou à plusieurs causes successives (353).

A. – Pluralité de causes concomitantes

692. – **Causalité adéquate ou équivalence des conditions ?** De manière imagée, on peut dire que tout dommage résulte d'une rencontre de deux personnes, ou de deux événements, ou de deux choses, ou d'une personne et d'une chose, etc. Par exemple, un passager attendant son train au bord du quai est effrayé par deux molosses se battant un peu plus loin et, faisant un écart tombe sur la voie au moment où le train arrive. Il y a ici conjonction de plusieurs facteurs : les deux molosses qui se rencontrent et se battent sur le quai, le passager qui prend peur et chute sur la voie, et le train qui survient au même moment.

---

(353) P. ESMEIN, *Trois problèmes de responsabilité civile : causalité, concours de responsabilités, conventions d'irresponsabilité : RTD civ.* 1934, 317. – F. CHABAS, *L'influence de la pluralité de causes sur le droit à réparation*, thèse Paris, 1965.

Parmi ces causes possibles, le juge doit-il choisir, et dans l'affirmative, comment ? En l'absence de texte précisant un critère, la doctrine a dégagé deux conceptions possibles : la causalité adéquate et l'équivalence des conditions.

La *théorie de l'équivalence des conditions* consiste à placer sur un pied d'égalité toutes les conditions qui ont concouru à la production du dommage et à dire que chacune d'entre elles a été la cause du dommage. Elle repose sur cette constatation très simple que, si l'une des conditions avait manqué, le dommage ne se serait pas produit ; on en déduit que, objectivement, toutes les conditions sont équivalentes. Cette théorie conduit à ouvrir très largement l'éventail des responsables potentiels : dans l'exemple choisi, le piéton, les propriétaires des molosses et la SNCF.

La théorie de la causalité adéquate consiste à retenir, parmi les causes, la *cause génératrice* du dommage, c'est-à-dire l'événement qui était de nature à produire normalement le dommage et qui a joué un rôle prépondérant dans sa réalisation : dans l'exemple choisi, les propriétaires des molosses qui n'ont pas maîtrisé leurs chiens.

On enseigne généralement que les décisions recherchent le plus souvent la cause génératrice du dommage et que, de ce fait, elles consacrent implicitement la théorie de la causalité adéquate. En fait, les juges ne font jamais référence à l'une ou à l'autre théorie, probablement de manière à se laisser la plus grande marge possible d'appréciation. Il s'ensuit que, si de nombreuses décisions semblent s'inspirer de la causalité adéquate, de nombreuses autres retiendront comme équivalentes les diverses causes possibles (354). En pratique, tout dépend des circonstances et de l'appréciation ponctuelle qu'en fera le juge.

693. – Cas où la causalité peut être établie. Si la causalité est établie à l'égard d'un seul, c'est celui-là seulement qui sera tenu pour responsable (355) ; si c'est la victime, elle conservera l'entier dommage à sa charge.

---

(354) V. par ex. Cass. soc. 31 oct. 2002 : *D.* 2003, 644 et note Y. SAINT-JOURS, qui retient la responsabilité de l'employeur pour faute inexcusable, même si elle n'a pas été la cause déterminante de l'accident, dès l'instant qu'elle en a été une cause nécessaire et alors même que d'autres fautes auraient concouru au dommage. V. aussi *infra*, n° 695 et les références citées en note.

(355) V. par ex. la causalité établie (ou plutôt présumée) de la contamination par l'hépatite C à la suite de transfusions sanguines, lorsque la victime ne présente aucun mode de contamination qui lui soit propre : Cass. 1re civ., 9 mai 2001 : *D.* 2001, 2150 et rapport P. SARGOS ; 17 juill. 2001 : *JCP* 2001, IV, 2731 ; 10 juill. 2002 : *Contr. Conc. Consom.* 2002, comm. n° 171 et note L. LEVENEUR. V.Y. LAMBERT-FAIVRE, *L'hépatite C post-transfusionnelle et la responsabilité civile : D.* 1993, chron. 291.

Si elle est établie à l'égard de plusieurs qui ont contribué à causer le même dommage à un tiers, le tribunal condamnera les coresponsables *in solidum* (356) ; il s'ensuit que la victime pourra s'adresser pour le tout à l'un des responsables, lequel fera son affaire des recours contre les autres (357).

Enfin, la responsabilité peut aussi être partagée entre l'auteur et la victime du dommage s'ils ont l'un et l'autre participé à sa production ; en pratique, ce partage se traduira par une indemnisation partielle, la victime conservant à sa charge la part de dommage qui lui est imputable.

694. – Cas où la causalité ne peut être établie. À l'inverse, il peut arriver que la causalité soit impossible à établir avec certitude. L'exemple-type est celui de l'accident de chasse lorsque plusieurs chasseurs ont tiré en même temps et que le plomb reçu par la victime n'a pas pu être identifié. Pour assurer néanmoins l'indemnisation de la victime dans ces accidents de groupe, les tribunaux admettent volontiers l'idée soit d'une mauvaise organisation de la chasse ou du jeu, soit d'une *garde en commun* et donc d'une responsabilité collective (358) (V. *supra*, n° 626). S'agissant des accidents de chasse, le problème a perdu de son acuité depuis la création d'un fonds de garantie (D. 19 févr. 1968).

Enfin, il est un problème très controversé ; c'est celui de savoir ce qu'il faut décider lorsque l'une des causes du dommage est un événement de force majeure (V. *infra*, n° 703).

B. – Pluralité de causes successives

695. – Le dommage qui est la suite immédiate et directe. Il arrive parfois qu'un préjudice final soit dû à une série de causes s'enchaînant les

---

(356) F. Chabas, *L'influence de la pluralité des causes sur le droit à réparation*, LGDJ, Droit privié, 1967. – F. Chabas, *Remarques sur l'obligation* in solidum : *RTD civ.* 1967, 310. – P. Raynaud, *La nature de l'obligation des coauteurs d'un dommage. Obligation* in solidum *ou solidarité ? :* in *Mélanges Vincent*, p. 317. – M. Mignot, *Les obligations solidaires et les obligations* in solidum *en droit privé français*, Dalloz, 2002.

(357) Cass. 2ᵉ civ., 23 avr. 1971 : *JCP* 72, II, 17086, 3ᵉ esp., obs. J. Boré. – J. Boré, *Le recours entre co-obligés* in solidum : *JCP* 67, I, 2126. – Ce recours soulève des difficultés particulières en matière d'accidents du travail : B. Lambert, *La solidarité des auteurs d'accidents du travail. Un revirement de la Cour suprême (Cass. ass. plén. 22 déc. 1988) :* Gaz. Pal. 1989, doctr. 401. – N. Dejean de la Bâtie, *La responsabilité du tiers coauteur d'un accident du travail :* JCP 89, I, 3402. – H. Groutel, *Les recours entre coauteurs (suite et fin ?), Cass. ass. plén. 31 oct. 1991 :* D. 1992, chron. 19.

(358) Cass. 2ᵉ civ., 5 juin 1957 : *D.* 1957, 493 et note R. Savatier ; *JCP* 57, II, 10205, obs. P. Esmein. – Cass. 2ᵉ civ., 5 févr. 1960 : *D.* 1960, 305 et note Aberkane. – Cass. 2ᵉ civ., 12 juill. 1971 : *D.* 1972, 227. – Cass. 2ᵉ civ., 19 mai 1976 : *D.* 1976, 629 et note D. Mayer ; *JCP* 78, II, 18773, obs. N. Dejean de la Bâtie ; Gaz. Pal. 1977, 1, 79 et note E. Alauze. – Cass. 2ᵉ civ., 15 déc. 1980 : *D.* 1981, 455 et note E. Poisson-Drocourt. – Cass. 2ᵉ civ., 14 juin 1984 : *Gaz. Pal.* 1984, pan. 299 et note F.-C. – Cass. 2ᵉ civ., 7 nov. 1988 : *JCP* 89, IV, 14. – Lyon 16 nov. 1989 : *D.* 1990, 207 et note A. Vialard. – Cass. 2ᵉ civ., 24 mai 1990 : *JCP* 91, IV, 278. – 2 avr. 1997, *JCP* 1997, IV, 1156. – I.-E. Postacioglu, *Faits simultanés et le problème de la responsabilité collective :* RTD civ. 1954, 438. – H. Aberkane, *Du dommage causé par une personne indéterminée dans un groupe déterminé de personnes :* RTD civ. 1958, 516. – D. Mayer, *La « garde » en commun :* RTD civ. 1975, 197. – J.-M. Florand, *Bilan des applications jurisprudentielles de la théorie de la co-garde :* Petites affiches, 19 mai 1986.

---

unes les autres dans le temps. Par exemple, par suite de la défaillance d'un fournisseur, une entreprise ne peut faire face à ses engagements vis-à-vis d'un client important, perd ce client, d'où elle est contrainte à s'endetter pour poursuivre et, compte tenu à la fois d'un incendie volontaire commis par un employé licencié et de la conjoncture économique soudain défavorable, elle cesse ses paiements et tombe en faillite, etc.

Parmi ces causes successives, le juge ne doit-il retenir que la dernière, la plus proche du dommage ? Ou peut-il remonter de quelques degrés dans l'échelle des causes ?

Art. 1151. – Dans le cas même où l'inexécution de la convention résulte du dol du débiteur, les dommages et intérêts ne doivent comprendre à l'égard de la perte éprouvée par le créancier et du gain dont il a été privé, que ce qui est une suite immédiate et directe de l'inexécution de la convention.

La solution est donnée par l'article 1151 du Code civil *en matière contractuelle*, mais on s'accorde à l'étendre à la responsabilité en dehors des contrats : seuls sont réparés les dommages qui sont la suite immédiate et directe du fait dommageable. C'est cela qu'on veut dire lorsqu'on déclare que, pour être réparé, le préjudice doit être *direct* (V. *supra*, n° 552).

Il suffit de retourner la formule pour raisonner en termes de causalité : ne peut être retenue comme cause que celle dont le dommage est la *suite immédiate et directe*, ou encore la *suite nécessaire*. C'est une invitation à retenir soit le dernier événement (*la suite immédiate*), soit un événement antérieur dont le rôle causal serait particulièrement marqué (*la suite nécessaire*) (359), soit les deux.

Si les principes sont bien fixés, leur application soulève parfois de grandes difficultés (360).

Par exemple, dans un arrêt très critiqué, la cour de cassation a reconnu l'existence d'un lien de causalité entre l'erreur commise par un laboratoire et un médecin sur la protection immunitaire d'une femme contre la rubéole

---

(359) Voir, par exemple, certaines décisions relatives à un Sida contracté à la suite de transfusions rendues nécessaires par un accident : Versailles, 1re ch., 30 mars 1989 : *JCP* 90, II, 21505, obs. A. Dorsner-Dolivet. – Paris, 20e ch. B, 7 juill. 1989 : *Gaz. Pal.* 1989, 30 sept. et concl. av. gén. G. Pichot. – Rennes, 7e ch., 23 oct. 1990 : *Gaz. Pal.* 1991, 7-9 avr. – Cass. 1re civ., 17 févr. 1993 : *JCP* 1994, II, 22226 et note A. Dorsner-Dolivet. – 4 déc. 2001 : *Bull. civ.* I, n° 310, p. 197 ; *D.* 2002, 3044 et note M.-Ch. de Lambertye-Autrand ; *JCP* 2002, II, 10198 et note O. Gout ; *RTD civ.* 2002, 308, obs. P. Jourdain ; *JCP* 2002, I, 186, n° 10, obs. G. Viney ; *Gaz. Pal.* 21-23 avr. 2002 et note C. Caseau-Roche ; *Resp. civ. et assur.* 2002, comm. n° 126, obs. H. Groutel.

(360) Par exemple : accident consécutif à un vol facilité par la négligence du propriétaire : Cass. 2e civ., 20 févr. 1963 : *JCP* 63, II, 13199. – Cass. 2e civ., 20 déc. 1972 : *JCP* 73, II, 17541, obs. N. Dejean de la Bâtie. – Cass. 2e civ., 27 oct. 1975 : *Gaz. Pal.* 1976, 1, 169 et note A. Plancqueel. – Cass. 2e civ., 17 mars 1977 : *D.* 1977, 631 et note A. Robert ; *JCP* 78, II, 18828, obs. Cl. et Ch. Bryon. – Ou décès consécutif à une intervention chirurgicale nécessitée par un accident : Cass. 1re civ., 16 juin 1969 : *D.* 1969, 586 ; *JCP* 70, II, 16402, obs. Savatier. – Ou hépatite C contractée à l'occasion d'une transfusion sanguine rendue nécessaire par un accident : Cass. 1re civ., 4 déc. 2001, précité.

et la naissance d'un enfant handicapé, la femme ayant conçu un enfant et contracté la rubéole au cours de sa grossesse (361) (V. *supra*, n° 544).

On s'interroge également sur le point de savoir si les prédispositions de la victime, par exemple son tempérament suicidaire, doivent ou non être retenues comme l'une des causes du dommage ; on admet généralement que la responsabilité de l'auteur du dommage n'est pas diminuée du fait des prédispositions de la victime (362), solution qui s'inspire de la théorie de l'équivalence des conditions.

§ 2. – La preuve de la non-causalité : la cause étrangère

696. – La cause étrangère. Lorsqu'il y a un dommage et que le fait dommageable (suivant les cas, la faute, le fait d'autrui ou le fait des choses) est établi, le responsable en puissance ne peut s'exonérer de sa responsabilité qu'en déniant le lien de causalité. Il lui faut pour cela démontrer qu'au-delà d'apparences trompeuses le dommage est dû, en tout ou en partie, à une cause étrangère qui ne lui est pas imputable. Le Code civil pose la règle en matière de responsabilité contractuelle, mais on s'accorde à y voir une règle générale.

Art. 1147. – Le débiteur est condamné, s'il y a lieu, au payement de dommages et intérêts, soit à raison de l'inexécution de l'obligation, soit à raison du retard dans l'exécution, toutes les fois qu'il ne justifie pas que l'inexécution provient d'une cause étrangère qui ne peut lui être imputée, encore qu'il n'y ait aucune mauvaise foi de sa part.

Art. 1148. – Il n'y a lieu à aucuns dommages et intérêts lorsque, par suite d'une force majeure ou d'un cas fortuit, le débiteur a été empêché de donner ou de faire ce à quoi il était obligé, ou a fait ce qui lui était interdit.

Cette cause étrangère peut être soit la force majeure, soit le fait d'un tiers, soit la faute de la victime.

Pour être parfaitement exact, il faut préciser que parfois la preuve de l'absence de faute suffit : c'était le cas jadis pour la responsabilité des parents du fait de leurs enfants ; et que d'autres fois la preuve de la force

---

(361) Cass. ass. plén. 17 nov. 2000 ; *JCP* 2000, II, 10438, rapport P. SARGOS, concl. J. SAINTE-ROSE et note F. CHABAS.

(362) Cass. ass. plén. 27 nov. 1970 : *D.* 1971, 181 et concl. R. LINDON ; *JCP* 72, II, 17063, obs. J.-P. BRUNET (rendu en matière d'accident du travail). V. écartant le lien de causalité entre l'accident et le suicide de la victime : Cass. 2e civ., 13 mai 1969 : *JCP* 70, II, 16470, obs. N. DEJEAN DE LA BÂTIE. – et l'admettant : Cass. crim. 14 janv. 1971 : *D.* 1971, 164 et rapport ROBERT. – Cass. 2e civ., 26 oct. 1972 : *D.* 1973, somm. 51. — Contre la prise en considération des prédispositions de la victime : Cass. crim., 10 avr. 1973 : *Gaz. Pal.* 9 oct. 1973. – 29 avr. 1981, *JCP* 1981, IV, 251. – Cass. 2e civ., 13 janv. 1982 : *JCP* 83, II, 20025, obs. N. DEJEAN DE LA BÂTIE. V. aussi NAYRAL DE PUYBUSQUE et MELENNEC, *Suicide, traumatisme et prédispositions : Gaz. Pal.* 1975, doctr. 2 déc. – J. NGUYEN THANH NHA, *L'influence des prédispositions de la victime sur l'obligation à réparation du défendeur à l'action en responsabilité : RTD civ.* 1976, 1. – A. MARAIS, *La prédisposition génétique*, thèse Paris II, 2000.

majeure est insuffisante : responsabilité des commettants du fait de leurs préposés, responsabilité du fait des aéronefs et de l'énergie nucléaire.

A. – La force majeure (363)

1° Les caractères de la force majeure

697. – Définition de la force majeure. La *force majeure* et le *cas fortuit* sont présentés comme une cause d'exonération en matière contractuelle par l'article 1148 du Code civil ; la solution a été étendue ensuite en matière délictuelle. Aujourd'hui les deux termes de cas fortuit et force majeure sont devenus synonymes.

On définit généralement la force majeure comme étant un événement imprévisible, irrésistible, et extérieur à l'activité du débiteur.

Il peut s'agir de phénomènes naturels, par exemple le verglas qui est à l'origine d'un accident (364), un cyclone (365), des chutes de neige jamais vues (366), etc. Mais on notera aussi que, contrairement à une opinion répandue, la déclaration de *catastrophe naturelle* par un arrêté préfectoral n'implique pas nécessairement qu'il y ait force majeure (367) ; pareille déclaration a seulement pour effet de déclencher la prise en charge du sinistre par l'assurance au titre des catastrophes naturelles. Mais il peut également s'agir d'autres événements tels que la grève.

Jadis on exigeait le cumul des trois caractères – imprévisibilité, irrésistibilité et extériorité – pour qu'il y ait exonération. Aujourd'hui la jurisprudence est devenue beaucoup plus incertaine. D'une part, la jurisprudence apprécie différemment les caractères de la force majeure suivant qu'on est en matière délictuelle ou en matière contractuelle. D'autre part et surtout, l'irrésistibilité est devenue le critère fondamental de l'exonération pour cause de force majeure, même dans des cas où il n'y avait peut-être pas imprévisibilité et extériorité (V. *infra*, n° 699).

---

(363) R. Savatier, *L'état de nécessité et la responsabilité civile extracontractuelle :* in *Études Capitant,* p. 729. – A. Tunc, *Force majeure et absence de faute en matière contractuelle : RTD civ.* 1945, 235. – A. Tunc, *Force majeure et absence de faute en matière délictuelle : RTD civ.* 1946.171. – P.-H. Antonmattei, *Contribution à l'étude de la force majeure,* LGDJ, Droit privé, t. 220, 1992. – Ch. Radé, *La force majeure :* in *Les concepts contractuels français à l'heure des principes du droit européen des contrats,* Dalloz, 2003, p. 201.

(364) Avant la loi sur les accidents de la circulation le verglas était retenu ou non comme cause d'exonération suivant qu'il était imprévisible (Cass. crim., 18 déc. 1978 : *JCP* 1980, II, 19261, obs. N. Alvarez. – Cass. 2e civ., 6 févr. 1980 : *JCP* 1980, IV, 157) ou prévisible (Cass. 2e civ., 30 juin 1971 : *D.* 1971, somm. 135. – 18 oct. 1972 : *D.* 1973, somm. 4).

(365) TA Fort-de-France, 29 nov. 1980 : *JCP* 1981, II, 19653 et concl. Schwarz. – Cass. 3e civ., 29 juin 1988 : *JCP* 1988, IV, 318 ; *D.* 1988, IR, 216. – mais pas une simple tempête : Cass. 2e civ., 17 avr. 1975 : *D.* 1975, 465 et note A.D.

(366) Cass. 3e civ., 7 mars 1979 : *D.* 1979, IR, 380. – 28 oct. 1992 : *Gaz. Pal.* 1er avr. 1993, pan.

(367) Cass. 3e civ., 24 mars 1993 : *JCP* 1993, IV, 1379. – 14 févr. 1996 : *RD imm.* 1996, 239, obs. G. Leguay. – 18 déc. 2001 : *RD imm.* 2002, 152. – 10 déc. 2002 : *D.* 2002, IR, 106 ; *Defrénois* 2003, 1, 262, art. 37676, obs. E. Savaux.

À cela il faut ajouter qu'en matière contractuelle certains contrats définissent parfois des causes d'exonération spécifiques. Notamment, les contrats de construction qui prévoient la livraison de l'ouvrage à une date déterminée stipulent le plus souvent des « causes d'allongement du délai » qui sont en fait des causes d'exonération de l'obligation de livrer.

698. – Le caractère d'imprévisibilité. L'imprévisibilité de l'événement s'oppose à ce qu'on puisse reprocher à quiconque de n'avoir pas pris les précautions utiles : nul ne saurait en effet se prémunir contre ce qui est imprévisible.

En matière contractuelle l'imprévisibilité doit en principe être absolue, c'est-à-dire à l'égard de tout le monde. Si l'événement était prévisible, il appartenait au débiteur, qui doit être particulièrement prévoyant, soit de ne pas s'engager, soit de prendre les mesures nécessaires pour éviter la réalisation du dommage. Par exemple, une grève ne justifiera pas l'inexécution d'un contrat, à moins qu'il ne s'agisse d'une grève « sauvage » tout à fait imprévisible (368) ; et de même pour la maladie (369). S'agissant de contrat de construction, l'élévation de la nappe phréatique entraînant des désordres dans les sous-sols d'une construction n'est jamais retenue comme force majeure, car jamais imprévisible et irrésistible (370) ; et de même pour des pluies ou des sécheresses exceptionnelles (371).

Cela dit, dans un certain nombre d'hypothèses, la jurisprudence décide que « l'irrésistibilité de l'événement est, à elle seule, constitutive de la force majeure, lorsque sa prévision ne saurait permettre d'en empêcher les effets, sous réserve que le débiteur ait pris toutes les mesures requises pour éviter la réalisation de l'événement » (372).

En matière délictuelle les tribunaux se montrent en général moins sévères et admettent comme suffisante une imprévisibilité normale (373). Mais, là

---

(368) Cass. com. 12 nov. 1969 et Paris 13 févr. 1970 : *JCP* 71, II, 16791, obs. M. DE JUGLART et E. DU PONTAVICE. – Cass. soc. 8 mars 1972 : *D.* 1972, 340. – Cass. ch. mixte 4 déc. 1981 : *D.* 1982, 365, concl. J. CABANNES et note F. CHABAS ; *JCP* 82, II, 19748, obs. H. MAZEAUD. – Cass. ch. mixte 4 févr. 1983 : *Gaz. Pal.* 1983, pan. 163 et note F. CHABAS ; *D.* 1983, IR, 267. – Cass. 1re civ., 10 févr. 1998 : *D.* 1998, 539 et note D. MAZEAUD.

(369) Cass. 1re civ., 23 janv. 1968 : *JCP* 68, II, 15422. – 2 oct. 2001 : *Contr. Conc. Consom.* 2002, comm. n° 24 et note L. LEVENEUR.

(370) Cass. 3e civ., 15 juin 1988 : *Bull. civ.* III, n° 109, p. 61.

(371) Cass. 3e civ., 27 juin 2001 : *RD imm.* 2001, 524.

(372) Cass. 1re civ., 9 mars 1994 : *Bull. civ.* I, n° 91 ; *JCP* 1994, I, 3773, n° 6, obs. G. VINEY ; *RTD civ.* 1994, 871, obs. P. JOURDAIN. – 7 mars 1996, *JCP* 1966, II, 14878 et note J. MAZEAUD. – 17 nov. 1999 : *Bull. civ.* I, n° 307, p. 199. – P.-H. ANTONMATTEI, *Ouragan sur la force majeure* : *JCP* 1996, I, 3907.

(373) Cass. 2e civ., 28 oct. 1965 : *D.* 1966, 137 et note A. TUNC. – Cass. 2e civ., 18 oct. 1972 : *D.* 1973, somm. 4 (verglas). – Cass. 2e civ., 4 mars 1976 : *D.* 1977, 95 ; *JCP* 77, II, 18544, 3e esp., obs. L. MOURGEON (glissement de terrain). – 12 déc. 2002 : *JCP* 2003, IV, 1219 ; *Contr. Conc. Consom.* 2003, comm. n° 53, 2e esp., obs. L. LEVENEUR (glissement de terrain).

aussi, la condition d'imprévisibilité n'est souvent même plus requise lorsqu'en toute hypothèse l'événement était irrésistible (374).

699. – Le caractère d'irrésistibilité. L'*irrésistibilité* s'entend de l'impossibilité d'exécuter l'engagement souscrit ou de se conformer au devoir légal. Comme l'imprévisibilité, l'irrésistibilité doit être en principe absolue, surtout en matière contractuelle. En tout cas, le fait que l'exécution soit plus difficile que prévu ne suffirait pas à constituer l'irrésistibilité ; sans cela, il serait trop facile d'échapper à ses engagements (375).

Le caractère d'irrésistibilité est aujourd'hui devenu le critère essentiel, sinon même unique, de la force majeure. Suivant la formule désormais utilisée par la Première chambre civile, « la seule irrésistibilité de l'événement caractérise la force majeure » (376), mais à la condition toutefois que, suivant une autre formule de la même Chambre, « sa prévision ne saurait permettre d'en empêcher les effets, sous réserve que le débiteur ait pris toutes les mesures requises pour éviter la réalisation de l'événement ».

700. – Le caractère d'extériorité. L'*extériorité*, enfin, empêche que le débiteur puisse se prévaloir d'un événement qui serait lié à son activité. Par exemple, la défaillance d'une machine, qui entraîne un arrêt de la production, n'exonère pas le fabricant de sa responsabilité à l'égard des clients qui ne sont pas livrés à temps. De même, avant la réforme de 1985, l'éclatement d'un pneu ne pouvait être invoqué comme cause d'exonération de la responsabilité encourue vis-à-vis d'éventuelles victimes (377). De même encore, le vice caché ayant provoqué l'effondrement de la voûte d'un sous-sol n'a pas l'extériorité nécessaire pour être un cas de force majeure (378).

Mais la portée de cette condition a toujours été très controversée et il semble qu'elle doive être limitée au cas où la responsabilité mise en jeu est

---

(374) Cass. 2e civ., 21 janv. 1981 : *JCP* 82, II, 19814, obs. N. Dejean de la Bâtie. – Lyon, 30 juin 1981 : *JCP* 82, IV, 224. – Rappr. Cass. 2e civ., 4 mars 1976 : *JCP* 77, II, 18544, 3e esp., obs. L. Mourgeon ; *D.* 1977, 95.

(375) Ainsi est irrésistible un cyclone (Cass. 3e civ., 29 juin 1988 : *D.* 1988, IR, 216 ; *JCP* 88, IV, 318) par opposition à une simple tempête (Cass. 2e civ., 17 avr. 1975 : *D.* 1975, 465 et note A.-D.) ; des bactéries corrodant les tuyaux sans traitement préventif connu (Cass. 3e civ., 10 oct. 1972 : *D.* 1973, 378 et note J.M. ; *RTD civ.* 1974, 161, obs. G. Durry) par opposition aux capricornes du bois pour lesquels il existe un traitement préventif (Cass. 3e civ., 31 janv. 1969 : *JCP* 1969, II, 15937, obs. G. Liet-Veaux. Ne sont pas irrésistibles des événements ne présentant pas un caractère exceptionnel, par exemple, des grands froids (TGI Angers 11 mars 1986 : *JCP* 87, II, 20789, obs. J.-P. Gridel), ou des pluies importantes (Cass. 2e civ., 7 oct. 1987 : *Gaz. Pal.* 1987, pan. 287).

(376) Cass. 1re civ. 20 janv. 1998 : *Bull. civ.* I, n) 20, p. 13. – 10 févr. 1998 : *Bull. civ.* I, n° 53, p. 34. – 8 déc. 1998 : *Bull. civ.* I, n° 346, p. 238. – 17 nov. 1999 : *Bull. civ.* I, n° 307, p. 199. – 12 juill. 2001 : *Bull. civ.* I, n° 216, p. 136. – 3 juill. 2002 : *Bull. civ.* I, n° 183, p. 141. – 6 nov. 2002 : *Bull. civ.* I, n° 258, p. 201 ; *Contr. Conc. Consom.* 2003, comm. n° 53, 1re esp., obs. L. Leveneur (voyage culturel annulé à raison de l'indisponibilité de la conférencière due à une intervention chirurgicale). V. aussi les arrêts cités *supra* n° 698). V. P.-H. Antonmattei, art. préc.

(377) Cass. 2e civ., 18 déc. 1964 : *D.* 1965, 191, concl. Schmelck et note P. Esmein ; *JCP* 65, II, 14304, obs. N. Dejean de la Bâtie. – Cass. 2e civ., 11 déc. 1968 : *D.* 1969, somm. 50.

(378) Cass. 3e civ., 2 avr. 2003 : *D.* 2003, IR, 1135.

---

une responsabilité du fait d'autrui ou du fait des choses ; en ce cas, le responsable ne peut invoquer des défaillances propres aux personnes dont il répond ou aux choses dont il a la garde pour échapper à sa responsabilité (379).

La jurisprudence récente abandonne parfois la condition d'extériorité, ou plutôt elle l'écarte lorsqu'en toute hypothèse l'événement était irrésistible. Par exemple, il a été jugé que la maladie d'un élève, bien que non extérieure à lui, constituait un cas de force majeure dès lors qu'elle était irrésistible et que, de ce fait, elle lui interdisait de suivre les cours dispensés par un établissement d'enseignement privé (380) ; ou que la grève, bien qu'interne à l'entreprise, était un cas de force majeure parce qu'inévitable (381) ; ou que le vice de l'immeuble est une cause étrangère pour l'entrepreneur qui exécute des travaux sur cet immeuble (382). Là encore, l'irrésistibilité prend le pas sur les autres conditions.

2° Les effets de la force majeure

701. – En principe, celui qui justifie avoir été contraint par une force majeure échappe à toute responsabilité : à l'impossible, nul n'est tenu. Cette solution doit cependant être nuancée suivant que la force majeure empêche l'exécution d'un contrat ou explique la survenance d'un dommage en dehors de tout contrat.

702. – **En matière d'exécution des contrats.** La force majeure peut entraîner une inexécution soit momentanée, soit définitive.

Si l'inexécution est *momentanée,* par exemple maladie constitutive de force majeure, on pourra admettre que le contrat est seulement suspendu, si son exécution tardive présente encore un intérêt pour le créancier.

Si l'inexécution est *définitive,* le contrat n'ayant plus d'objet disparaît : pour les contrats à obligations réciproques, il y aura lieu à résolution (V. *supra*, nos 496 et s.). Le débiteur se trouve ainsi dégagé de son obligation, sans encourir de responsabilité, c'est-à-dire sans avoir à payer des dommages-intérêts (C. civ., art. 1148). Il n'en irait autrement que si, avant l'arrivée de la force majeure, le débiteur avait été mis en demeure d'exécuter (C. civ., art. 1302).

Ces règles, toutefois, ne sont pas d'ordre public. Les cocontractants sont donc libres de stipuler dans le contrat que le débiteur répondra de toute inexécution, y compris de celle due à la force majeure.

---

(379) V. obs. P. JOURDAIN sous Cass. 1re civ., 3 févr. 1993 et 6 oct. 1993, *RTD civ.* 1994, 873.

(380) Cass. 1re civ., 10 févr. 1998 : *D.* 1998, 539 et note D. MAZEAUD.

(381) Cass. 1re civ., 6 oct. 1993 : *JCP* 1993, II, 22154 et note P. WAQUET ; Cont. Conc. Consom. 1994, comm. n° 3, obs. L. LEVENEUR ; *JCP* 1994, I, 3773, n° 7, obs. G. VINEY ; *RTD civ.* 1994, 873, obs. P. JOURDAIN.

(382) Cass. 3e civ., 26 févr. 2003 : *RD imm.* 2003, n° 3, obs. Ph. MALINVAUD.

703. – En dehors de tout contrat. Il faut ici distinguer :

– si la force majeure est la *cause unique* du dommage, il y aura exonération totale de l'auteur apparent ; il en serait de même si le dommage était dû, pour le tout, au fait d'un tiers ou à la faute de la victime (V. n°s suivants).

Toutefois, il est dérogé à cette règle par la loi relative à l'indemnisation des victimes d'accidents de la circulation, laquelle prévoit que ces victimes, « y compris les conducteurs, ne peuvent se voir opposer la force majeure ou le fait d'un tiers par le conducteur ou le gardien d'un véhicule » terrestre à moteur (V. *supra*, n° 656) ;

– si le dommage est dû pour une part à la force majeure et pour une autre part à la faute prouvée ou présumée de l'auteur, une jurisprudence admet que la responsabilité de ce dernier sera atténuée en conséquence : il y a alors *force majeure partielle*. C'est le fameux arrêt *Lamoricière*, navire victime d'un naufrage dû à une tempête exceptionnelle mais qui n'aurait peut-être pas été fatale si le charbon du navire avait été de meilleure qualité (383). Cette jurisprudence opère ici une sorte de partage de responsabilité entre l'auteur du dommage et la force majeure, étant entendu qu'en définitive la part de la force majeure n'est payée par personne… sinon par la victime qui la garde à sa charge. Mais la solution demeure douteuse car elle est vivement critiquée en doctrine (384) et, en outre, la jurisprudence dominante se prononce en sens contraire (385).

B. – Le fait d'un tiers

704. – Effets sur la responsabilité. Une personne dont la responsabilité – contractuelle ou délictuelle – est mise en cause peut y échapper en démontrant que le dommage est imputable en tout ou en partie au fait d'un tiers. Peu importe que ce fait soit ou non fautif (386).

Par tiers, il faut entendre toute *personne étrangère* à l'activité du responsable, par opposition aux personnes dont il doit répondre. Il s'ensuit qu'un chef d'entreprise ne saurait, pour échapper à sa responsabilité, invoquer comme fait d'un tiers le fait de l'un de ses *préposés*, ou celui d'un

---

(383) Cass. com. 19 juin 1951, 2 arrêts : *D.* 1951, 717 et note G. Ripert ; *JCP* 51, II, 6426, obs. E. Becqué ; *S.* 1952, 1, 89 et note R. Nerson. – Cass. 2e civ., 13 mars 1957 : *D.* 1958, 73 et note J. Radouant ; *JCP* 57, II, 10084, obs. P. Esmein. – V. aussi Cass. com. 14 févr. 1973 : *JCP* 73, II, 17451, obs. B. Starck. – Chambéry, 24 nov. 1980 : *JCP* 82, II, 19777, obs. J.-Ch. Detharre.
(384) B. Starck, *La pluralité des causes de dommage et la responsabilité civile* : *JCP* 70, I, 2339. – F. Chabas, thèse précitée, et *Bilan de quelques années de jurisprudence en matière de rôle causal* : *D.* 1970, chron. 113. – J. Boré, *La causalité partielle en noir et blanc ou les deux visages de l'obligation* in solidum : *JCP* 71, I, 2369.
(385) V. par ex. Cass. 2e civ., 18 mars 1998 : *Bull. civ.* II, n° 97.
(386) Cass. 2e civ., 12 mai 1971 : *JCP* 72, II, 17086, 4e esp., obs. J. Boré.

sous-traitant (387), ou encore d'un *fournisseur*. Par exemple, en cas d'accident ferroviaire, la SNCF ne pourrait se retrancher derrière la faute d'un aiguilleur, d'un conducteur ou d'un garde-barrière (388).

À demeurer sur un plan général, on peut admettre les principes suivants.

Si le fait du tiers a été imprévisible et irrésistible, il constitue une variété de force majeure et exonère totalement celui qui était poursuivi comme responsable, quel que soit le fondement de la responsabilité. C'est en effet la preuve qu'il n'avait pas commis de faute causale, ou que la présomption de responsabilité qui pesait sur lui n'était pas justifiée.

Si le fait du tiers ne revêt pas les caractères de la force majeure, il faut distinguer suivant que la responsabilité du défendeur est recherchée sur le fondement de la faute ou sur celui de la responsabilité du fait des choses.

Si la responsabilité est recherchée sur le fondement de la faute, la situation se présente ainsi. *À l'égard de la victime*, chacun est censé avoir concouru à la production du dommage en son entier, si bien que les coauteurs seront tenus *in solidum* en matière délictuelle (V. *supra*, n° 441). Celle-ci pourra donc poursuivre pour le tout l'un des coauteurs sans qu'aucun ne puisse invoquer la faute du tiers comme une cause d'exonération partielle de sa responsabilité. En revanche, *dans les rapports entre coauteurs*, celui qui a indemnisé la victime disposera d'un recours contre l'autre (389). En définitive, la responsabilité sera partagée entre ce tiers et le défendeur, partage que la jurisprudence opère en *fonction de la gravité des fautes respectives*.

Si la responsabilité est recherchée sur le fondement de la garde des choses, le fait d'un tiers, que ce tiers soit ou non identifié (390), n'exonère le gardien de sa responsabilité que s'il constitue un cas de force majeure (391). À défaut, le défendeur est responsable pour le tout à l'égard de la victime, mais il pourra exercer un recours contre le tiers sur le fondement de la faute, et le partage s'opérera en fonction de la gravité des fautes respectives ; et, si le tiers était lui aussi responsable sur le fondement de la garde, le partage se fera par moitié.

Là encore la loi relative à l'indemnisation des victimes d'accidents de la circulation déroge à ces principes et décide que le conducteur ou le

---

(387) L'article 1 de la loi du 31 décembre 1975 définit d'ailleurs la sous-traitance comme « l'opération par laquelle un entrepreneur confie par un sous-traité, et *sous sa responsabilité*, à une autre personne appelée sous-traitant l'exécution de tout ou partie du contrat d'entreprise… ».

(388) Cass. 1re civ., 3 oct. 1967 : *JCP* 68, II, 15365, obs. DURAND. – Cass. 2e civ., 24 oct. 1973 : *Gaz. Pal.* 1974, 1, 105 et note A. PLANCQUEEL. – Y. BRARD, *À propos de la notion de fait du tiers : JCP* 80, I, 2976.

(389) Cass. 2e civ., 15 juin 1977 : *JCP* 78, II, 18780, obs. J. BAUDOIN. – 11 juill. 1977 : *D.* 1978, 581 et note E. AGOSTINI.

(390) Cass. 2e civ., 15 mars 2001 : *D.* 2001, IR, 1145.

(391) Cass. 2e civ., 15 juin 1977, précité. – 11 juill. 1977 : *D.* 1978, 581 et note E. AGOSTINI. – 29 mars 2001 : *D.* 2001, IR, 1285. – 13 mars 2003 : *JCP* 2003, IV, 1829 (personne heurtée et renversée par une valise lâchée par une autre dans un escalator d'une gare).

gardien d'un véhicule terrestre à moteur ne peut opposer le fait d'un tiers aux victimes, y compris aux conducteurs victimes (V. *supra*, n° 656). Cette solution a été reprise par la loi du 19 mai 1998 relative à la responsabilité du fait des produits défectueux (art. 1386-14 ; V. *supra*, n° 684).

C. – La faute de la victime

705. – La notion de faute de la victime (392). La faute de la victime s'apprécie de la même manière que la faute de l'auteur du dommage. C'est dire qu'il y a faute même si la victime n'est pas consciente de ses actes, notamment à raison de son jeune âge. Cette solution apparaît particulièrement sévère lorsque la victime est un enfant en bas âge mais, en dépit d'un certain assouplissement, la jurisprudence maintient la règle (393).

Cette faute peut résider dans l'*acceptation des risques* (394), par exemple le fait de participer à une compétition sportive (395). Ou encore, en matière de construction, il y aura faute du maître de l'ouvrage en cas d'acceptation délibéré des risques inhérents à telle modification qu'il a imposée à son constructeur en connaissance de cause (396).

Toutefois, la faute de la victime ne sera retenue que dans la mesure où elle a joué un *rôle causal* dans l'accident. Tel n'est pas le cas par exemple du voyageur victime d'un accident de train qui voyageait sans billet (397), ou du maître de l'ouvrage victime de désordres de construction pour lesquels il a omis de s'assurer (398) ; en effet, le défaut de billet ou d'assurance n'est pas la cause de l'accident.

706. – La faute de la victime constitutive d'un cas de force majeure. Suivant la formule de la jurisprudence, « la faute de la victime n'exonère totalement le gardien de la chose que si elle constitue un cas de force

---

(392) Ch. Lapoyade-Deschamps, *La responsabilité de la victime*, thèse Bordeaux, 1975. – F. Chabas, *Fait ou faute de la victime : D.* 1973, chron. 207. – A. Tunc, *Les causes d'exonération de la responsabilité de plein droit de l'article 1384, al. 1, du Code civil : D.* 1975, chron. 83. – Th. Ivainer, *La faute du piéton, source d'exonération de responsabilité du gardien : JCP* 75, I, 2703. – A. Tunc, *Les paradoxes du régime actuel de la responsabilité de plein droit (ou Derrière l'écran des mots) : D.* 1976, chron. 13. – M. Eloi, C. de Jacobet de Nombel, M. Rayssac, J. Sourd, *La faute de la victime dans la responsabilité civile extracontractuelle :* in *Mélanges Lapoyade-Deschamps*, 2003.

(393) Cass. 2e civ., 28 févr. 1996 : *D.* 1996, 602 et note F. Duquesne. – 19 févr. 1997, *JCP* 1997, IV, 833.

(394) P. Esmein, *De l'influence de l'acceptation des risques par la victime éventuelle d'un accident : RTD civ.* 1938, 387. – J. Honorat, *L'idée d'acceptation des risques dans la responsabilité civile*, LGDJ, 1969.

(395) Cass. 2e civ., 16 nov. 2000 : *D.* 2000, IR, 307. Mais l'idée d'acceptation des risques est exclue dans le cas où l'accident de jeu est survenu dans le cadre d'une activité pédagogique sous l'autorité et la surveillance d'un moniteur : Cass. 2e civ., 4 juill. 2002 : *D.* 2003, 519 et note E. Cordelier.

(396) Cass. 3e civ., 14 nov. 1991 : *Bull. civ.* III, n° 272, p. 160 ; *RD imm.* 1992, 73. – 25 janv. 1995 : *Bull. civ.* III, n° 28, p. 17. – 25 févr. 1998 : *Bull. civ.* III, n° 45, p. 30. – 6 mai 1998 : *Bull. civ.* III, n° 89, p. 61. – 20 mars 2002 : *RD imm.* 2002, 236, obs. Ph. Malinvaud.

(397) Cass. 2e civ., 5 oct. 1988 : *Bull. civ.* II, n° 189. – 19 févr. 1992 : *JCP* 1993, II, 22170 et note Casile-Hugues.

(398) Cass. 3e civ., 30 mars 1994 : *Bull. civ.* III, n° 67, p. 40. – V. aussi Cass. 3e civ., 12 juill. 1995 : *Bull. civ.* III, n° 177, p. 121.

---

majeure » (399), ce qui suppose que l'action de la victime ait été imprévisible et irrésistible, auquel cas elle est la cause exclusive du dommage. La règle est la même dans le cas où la responsabilité du défendeur est recherchée sur le fondement de la faute.

À cet égard, la jurisprudence se montre très exigeante, notamment à l'égard de la SNCF qui se voit implicitement reprocher de ne pas avoir prévu le comportement parfois bien imprudent de ses clients (400).

707. – La faute de la victime non constitutive d'un cas de force majeure. Ici, il faut distinguer suivant que la responsabilité de l'auteur du dommage est recherchée sur le fondement de la faute, ou sur celui d'une présomption de responsabilité.

1) Si l'auteur du dommage est poursuivi sur le fondement d'une *faute prouvée*, il y aura partage de responsabilité au prorata de la *gravité respective des fautes*. Cela revient à dire que l'indemnité attribuée à la victime sera réduite de la quote-part mise à sa charge. À supposer que la victime soit décédée, les dommages-intérêts alloués à ses parents ou héritiers seraient amputés dans la même proportion ; la jurisprudence admet en effet que la faute de la victime leur est opposable (401).

2) Si au contraire l'auteur du dommage était poursuivi sur le fondement d'une *présomption de responsabilité* (art. 1384, al. 1, 1385 ou 1386), la jurisprudence décidait depuis l'arrêt *Desmares* (402) que toute exonération

---

(399) Cass. 2e civ., 11 juill. 2002 : *D.* 2002, IR, 2454. – Cass. 1re civ., 11 juill. 2002 : *Bull. civ.* I, n° 174, p. 138. – Cass. 2e civ., 27 mars 2003 : *D.* 2003, IR, 1078.

(400) Cass. 2e civ., 25 juin 1998 : *JCP* 1998, II, 10191 et note B. FROMION-HÉBRARD ; *D.* 1999, 416 et note Ch. LAPOYADE-DESCHAMPS (usager qui se tient trop près du bord du quai à l'arrivée d'un train). – 23 janv. 2003 : *Bull. civ.* II, n° 18, p. 14 (usager s'étant engagé dans un passage à niveau alors que les demi-barrières étaient fermées). – 23 janv. 2003 : *Bull. civ.* II, n° 17 et 27 févr. 2003 : *Bull. civ.* II, n° 45, p. 38 (usager descendant d'un train en marche).

(401) J. FOSSEREAU, *L'incidence de la faute de la victime sur le droit à réparation de ses ayants cause agissant à titre personnel* : *RTD civ.* 1963, 7. – Cass. ch. réunies 25 nov. 1964, 2 arrêts : *D.* 1964, 733 et concl. AYDALOT ; *JCP* 64, II, 13972, obs. P. ESMEIN. Après dissidence de la 2e chambre civile (25 oct. 1978 : *JCP* 1979, II, 19193, obs. F. CHABAS), l'Assemblée plénière a réaffirmé le principe de l'opposabilité de la faute de la victime immédiate aux victimes par ricochet : Cass. ass. plén. 19 juin 1981 : *D.* 1981, 641 et note Ch. LARROUMET ; *D.* 1982, 85, concl. CABANNES et note F. CHABAS ; *JCP* 82, II, 19712 et rapport A. PONSARD.

(402) Cass. 2e civ., 21 juill. 1982 : *D.* 1982, 449, concl. CHARBONNIER et note Ch. LARROUMET ; *JCP* 82, II, 19861, obs. F. CHABAS. Cette jurisprudence de la Cour de cassation a suscité de vives résistances des juridictions du fond (V. par ex., Paris 9 et 15 déc. 1982 : *D.* 1983, 153 et note Ch. LARROUMET) et de vives critiques de la doctrine : G. VINEY, *L'indemnisation des victimes des dommages causés par le « fait d'une chose » après l'arrêt de la Cour de cassation, 2e ch. civ., du 21 juillet 1982* : *D.* 1982, chron. 201. – Y. LAMBERT-FAIVRE, *Aspects juridiques, moraux et économiques de l'indemnisation des victimes fautives* : *D.* 1982, chron. 207. – J. BIGOT, *L'arrêt Desmares : retour au néolithique* : *JCP* 82, I, 3090. – E. BLOCH, *Est-ce le glas du partage de responsabilité ?* : *JCP* 82, I, 3091. – J.-L. AUBERT, *L'arrêt Desmares : une provocation... à quelles réformes ?* : *D.* 1983, chron. 1. – Y. LAMBERT-FAIVRE, *Pour un nouveau regard sur la responsabilité civile* : *D.* 1983, chron. 102. – B. PUILL, *Gravité ou causalité de la faute de la victime en responsabilité civile* : *D.* 1984, chron. 58. – G. VINEY, *La faute de la victime d'un accident corporel : le présent et l'avenir* : *JCP* 84, I, 3155. – S. BORIES, *Les victimes de l'arrêt Desmares* : *JCP* 84, I, 3157. – E. SERVERIN et M.-C. RONDEAU-RIVIER, *Un essai d'évaluation du changement du droit : la mesure des incidences de l'arrêt Desmares* : *D.* 1985, chron. 227.

---

partielle fondée sur la faute de la victime était exclue. La faute de la victime n'était prise en considération que si elle était constitutive de force majeure – c'est-à-dire imprévisible et irrésistible – et elle entraînait alors une exonération totale de responsabilité de l'auteur du dommage.

Ainsi la jurisprudence *Desmares* instaurait un système du tout ou rien lorsque la responsabilité de l'auteur du dommage était recherchée sur le fondement de l'article 1384, al. 1 : ou bien la victime avait commis une faute constitutive d'un cas de force majeure, et elle ne recevait aucune indemnisation ; ou bien sa faute n'était pas imprévisible et irrésistible, et cette faute n'avait aucun effet sur la réparation du dommage qui était alors entière. Cette jurisprudence du tout ou rien initiée par la 2ᵉ Chambre civile de la Cour de cassation constituait en fait une provocation et une incitation en vue d'une réforme réglant le problème des accidents de la circulation par une responsabilité objective. La réforme a été accomplie par la loi n° 85-677 du 5 juillet 1985 (V. *supra*, nᵒˢ 641 et s.).

Les motivations profondes de la jurisprudence *Desmares* ayant ainsi disparu, la Cour de cassation l'a abandonnée par trois arrêts du 6 avril 1987 (403) qui posent en principe que « le gardien de la chose instrument du dommage est partiellement exonéré de sa responsabilité s'il prouve que la faute de la victime a contribué au dommage ».

Du libellé de cette formule on déduira que seule la faute de la victime peut être exonératoire, non le simple *fait non fautif* qu'une jurisprudence avait jadis admis comme exonératoire (404). À la vérité, la distinction entre faute et fait non fautif n'a plus guère de sens aujourd'hui où est retenue la notion de faute objective, abstraction faite de toute imputabilité morale.

Ainsi désormais la faute de la victime, non imprévisible ni irrésistible, pourra entraîner une exonération partielle de l'auteur du dommage, que sa responsabilité soit recherchée sur le fondement d'une faute prouvée ou d'une présomption de responsabilité (sauf en matière d'accidents de la circulation).

Numéros 708 à 710 réservés.

---

(403) Cass. 2ᵉ civ., 6 avr. 1987 : *JCP* 87, II, 20828, obs. F. Chabas ; *D.* 1988, 32 et note Ch. Mouly. – H. Margeat et J. Landel, *Desmares est mort : Gaz. Pal.* 1987, doctr. 591.

(404) F. Chabas, *Fait ou faute de la victime : D.* 1973, chron. 207. – B. Puill, *Les caractères du fait non fautif de la victime : D.* 1980, chron. 157.

Section 3

LA RÉPARATION (405)

711. – Présentation générale. Plan. Si les conditions de la responsabilité sont établies, le juge saisi du litige rendra une décision par laquelle il attribuera la responsabilité à une ou plusieurs personnes. Le principe de la responsabilité une fois retenu, le dommage devra être chiffré ; un ou plusieurs experts pourront être désignés pour éclairer les magistrats le cas échéant.

Ces considérations techniques mises à part, la matière est dominée par le principe de la réparation intégrale du préjudice. Applicable sans réserve en dehors de tout contrat, ce principe souffre des limitations légales dans le domaine de la responsabilité contractuelle et il n'interdit pas de conclure, soit entre les parties, soit avec des tiers, certaines conventions relatives à la responsabilité.

§ 1. – Le principe de la réparation intégrale

712. – Fondement du principe. Le principe de la réparation intégrale du préjudice n'est pas inscrit dans les textes de manière expresse, mais on s'accorde à reconnaître qu'il est partout sous-entendu. Ainsi, lorsqu'il est dit à l'article 1382 du Code civil que « tout fait quelconque de l'homme qui cause à autrui un dommage, oblige celui par la faute duquel il est arrivé, à le réparer », il est permis de supposer que la loi invite le juge à réparer tout le préjudice.

Le principe est consacré par la jurisprudence qui considère que la responsabilité civile a pour objet de « replacer la victime dans la situation où elle se serait trouvée si l'acte dommageable ne s'était pas produit » (406).

Ce principe a des incidences en ce qui concerne le point de départ du droit à réparation et la forme de cette réparation ; mais son terrain d'élection est l'évaluation des dommages-intérêts.

A. – Le point de départ du droit à réparation

713. – La naissance du droit à réparation. Entre le jour du dommage et celui de la décision définitive, il s'écoule toujours un certain délai qui, dans

---

(405) L. Ripert, *La réparation du préjudice dans la responsabilité délictuelle*, thèse Paris, 1933. – M.-E. Roujou de Bourée, *Essai sur la notion de réparation*, LGDJ, 1974. – Y. Chartier, *La réparation du préjudice*, Dalloz, 1983. – Y. Lambert-Faivre, *L'évolution de la responsabilité civile d'une dette de responsabilité à une créance d'indemnisation : RTD civ.* 1987, 1.
(406) V. par ex. Cass. 2e civ., 7 déc. 1978 : *Bull. civ.* II, n° 269. – 9 juill. 1981 : *Bull. civ.* II, n° 156.

les plus mauvaises circonstances, peut se chiffrer par années. Il est alors intéressant de savoir à quel moment exact est né le droit à réparation, car c'est à partir de cette date que seront calculés les dommages-intérêts moratoires réparant le retard mis à exécuter un contrat ou à effacer le préjudice. S'il va sans dire que l'auteur du dommage doit supporter les conséquences de ce retard, encore faut-il préciser à quel moment il commence.

Il s'agit donc de savoir, non pas quel est le montant de l'indemnité, mais à partir de quelle date ce montant alloué par le juge va être productif d'intérêts. La question porte ainsi sur les intérêts des dommages-intérêts, et elle est commune aux deux types de responsabilité.

Mais, en matière contractuelle, il se pose une question préalable et complémentaire : le dommage résultant de l'inexécution du contrat, quelle date doit-on retenir comme étant celle de l'inexécution ? De la réponse dépend l'évaluation du montant des dommages-intérêts.

1° Les intérêts des dommages-intérêts

714. – Jour du dommage ou jour du jugement ? Lorsqu'un dommage est causé en dehors de tout contrat, deux dates sont concevables pour la naissance du droit à réparation : le jour du dommage ou celui du jugement.

Sur un plan théorique, le choix dépend de la conception que l'on se fait du rôle du juge. Ou bien le juge ne fait que vérifier l'existence des conditions de la responsabilité, et alors il doit constater, *déclarer* que la responsabilité existe depuis le jour où ces conditions étaient réunies, c'est-à-dire au jour du dommage. Ou bien le juge apporte quelque chose de plus, il *constitue* un état de droit nouveau dont le point de départ ne peut être que le jugement. Le choix entre ces deux conceptions est un problème bien connu des juristes sous l'intitulé de *caractère déclaratif ou constitutif des jugements de condamnation.*

À ce problème quasi philosophique, la jurisprudence donne une réponse tout à fait pragmatique et nuancée.

Elle admet que la créance potentielle de dommages-intérêts peut être transmise aux héritiers de la victime ou cédée à des tiers avant le jugement, ce qui suppose donc que *le principe du droit à réparation est né au jour du dommage.*

Mais, en sens contraire, elle décide que la créance née d'un délit ou quasi-délit ne peut produire d'*intérêts moratoires*, c'est-à-dire pour le retard, que du jour du jugement. Et c'est aussi à la date du jugement qu'il faudra se placer pour évaluer et chiffrer le montant du dommage (V. *infra*, n° 726).

Art. 1153-1 – *(L. n° 85-677 du 5 juill. 1985).* – En toute matière, la condamnation à une indemnité emporte intérêts au taux légal même en l'absence de demande ou de disposition spéciale du jugement. Sauf disposition contraire de la loi, ces intérêts courent à compter du prononcé du jugement à moins que le juge n'en décide autrement.

En cas de confirmation pure et simple par le juge d'appel d'une décision allouant une indemnité en réparation d'un dommage, celle-ci porte de plein droit intérêt au taux légal à compter du jugement de première instance. Dans les autres cas, l'indemnité allouée en appel porte intérêt à compter de la décision d'appel. Le juge d'appel peut toujours déroger aux dispositions du présent alinéa.

Cette jurisprudence se trouve aujourd'hui confirmée par une loi du 5 juillet 1985, insérée dans l'article 1153-1 du Code civil. Ce texte précise d'abord qu'« *en toute matière* » (c'est-à-dire contractuelle ou délictuelle) « la condamnation à une indemnité emporte intérêts au *taux légal* même en l'absence de demande ou de disposition spéciale du jugement ». Puis il édicte que « sauf disposition contraire de la loi, ces intérêts courent à compter du prononcé du jugement à moins que le juge n'en décide autrement ».

Le principe est donc que les intérêts courent du jour du jugement (407), le juge ayant toutefois le pouvoir d'en décider autrement, sans d'ailleurs avoir à motiver sa décision de ce chef (408). Il s'agit là des intérêts des dommages-intérêts.

2° Le calcul des dommages-intérêts en matière contractuelle. La mise en demeure

715. – Le principe : nécessité d'une mise en demeure. En matière de contrats, l'article 1146 du Code civil pose une règle particulière qui doit être combinée avec celle de l'article 1153-1 relative aux intérêts des dommages-intérêts : « Les dommages-intérêts ne sont dus que lorsque le débiteur est en demeure de remplir son obligation... » Cela signifie que, dans les rapports entre cocontractants, le dommage résultant d'un retard dans l'exécution est légitime tant que le débiteur n'a pas été officiellement invité à s'exécuter par une *mise en demeure* (409).

Art. 1139. – Le débiteur est constitué en demeure, soit par une sommation ou par autre acte équivalent, *(L. n° 91-650 du 9 juill. 1991, art. 84)* « telle une lettre missive lorsqu'il ressort de ses termes une interpellation suffisante, » soit par l'effet de la convention, lorsqu'elle porte que, sans qu'il soit besoin d'acte et par la seule échéance du terme, le débiteur sera en demeure.

....

Art. 1146. – Les dommages et intérêts ne sont dus que lorsque le débiteur est en demeure de remplir son obligation, excepté néanmoins lorsque la chose que le débiteur s'était obligé de donner ou de faire ne pouvait être donnée ou faite que dans un certain temps qu'il a laissé

---

(407) Cass. civ., 12 nov. 1941 : DC 1942, 97 et note Nast. – Cass. crim. 30 oct. 1968 : D. 1969, 451 et note R. Meurisse. – Cass. 2e civ., 24 févr. 1972 : JCP 72, IV, 91. – Cass. crim., 1er déc. 1976 : Gaz. Pal. 1978, 1, 61, 1re esp. et note A. Solal.

(408) Cass. ass. plén. 3 juill. 1992 : JCP 92, II, 21898, concl. D.-H. Dontenwille et note A. Perdriau. V. A. Bénabent, *Le désintérêt des intérêts :* in *Mélanges Ghestin*, 2000, p. 113.

Précédemment, la Troisième chambre civile avait décidé que le juge doit motiver sa décision sur ce point : Cass. 3e civ., 22 nov. 1989 : JCP 1990, IV, 23. V. aussi dans ce sens Cass. 2e civ., 29 avr. 1997 : D. 1998, 321, note P. Ancel et Ch. Béroujon.

(409) N.H. Mograbi, *La mise en demeure*, thèse Paris II, 1976. – D. Allix, *Réflexions sur la mise en demeure :* JCP 1977, I, 2844. – X. Lagarde, *Remarques sur l'actualité de la mise en demeure :* JCP 1996, I, 3974.

passer. *(L. n° 91-650 du 9 juill. 1991, art. 85)* « La mise en demeure peut résulter d'une lettre missive, s'il en ressort une interpellation suffisante. »

Il s'agit d'une sommation par huissier ou tout autre acte équivalent (C. civ., art. 1139). On a toujours admis à ce titre une demande en justice ou, dans les rapports commerciaux, une lettre recommandée (410). Modifiant sur ce point les articles 1139 et 1146, la loi du 9 juillet 1991 admet comme équivalent une simple lettre missive « lorsqu'il ressort de ses termes une interpellation suffisante », c'est-à-dire lorsqu'elle manifeste une volonté claire du créancier d'exiger son dû sans délai.

Cette formalité marque le point de départ des *intérêts moratoires*, c'est-à-dire ceux dus pour le retard mis à exécuter ; le cocontractant responsable en sera donc débiteur dès le jour de la mise en demeure, bien avant le jour du jugement. La mise en demeure est en revanche inutile pour faire courir les dommages-intérêts *compensatoires* (411) ou les intérêts des dommages-intérêts.

En outre, lorsque la mise en demeure concerne l'obligation de livrer consécutive à la vente d'une chose déterminée, elle a également pour effet de mettre à la charge du vendeur négligent les risques de perte ou de détérioration des objets vendus (V. *supra*, n° 505, *in fine*).

716. – Exceptions. L'exigence d'une mise en demeure n'est ni générale, ni d'ordre public.

Elle est tout d'abord écartée par l'article 1145 pour les *obligations de ne pas faire* : « Si l'obligation est de ne pas faire, celui qui y contrevient doit des dommages et intérêts par le seul fait de la contravention » (412).

Elle est également écartée par l'article 1146 dans le cas de l'inexécution d'une obligation de donner ou de faire qui ne pouvait être exécutée que dans un délai déjà écoulé. Généralisant cette hypothèse, on considère que le créancier est dispensé de procéder à une mise en demeure lorsqu'une inexécution irréversible rend cette formalité sans objet.

Enfin, la règle de l'article 1146 n'étant pas d'ordre public, il peut être stipulé dans le contrat que *l'arrivée du terme* fixé pour l'exécution vaudra mise en demeure. C'est là une sage précaution, très protectrice des intérêts du créancier.

---

(410) Cass. 3e civ., 31 mars 1971 : *D.* 1971, somm. 131. – B. DEBRAY, *La lettre recommandée dans la procédure civile et commerciale* : *D.* 1968, chron. 155. – Sur l'incertitude de la lettre recommandée comme mode d'acheminement d'une information, voir M. DAGOT, *Les illusions de la lettre recommandée* : *JCP* N 2003, inf., 1266.

(411) Cass. civ. 5 janv. 1938 : *DH* 1938, 97 ; *S.* 1938, 1, 108. – A. WEILL, *Dommages-intérêts compensatoires et mise en demeure* : *Rev. crit. lég. et jurisp.* 1939, 203. – M.-J. PIERRARD, *La mise en demeure et les dommages-intérêts compensatoires* : *JCP* 44, I, 466. – R. MEURISSE, *Dommages-intérêts compensatoires, dommages-intérêts moratoires et mise en demeure* : *JCP* 47, I, 667.

(412) Ce qui ne dispense pas pour autant le demandeur d'établir le principe et le montant de son préjudice : Cass. 1re civ., 26 févr. 2002 : *Bull. civ.* I, n° 68, p. 51 ; *RTD civ.* 2002, 809, obs. J. MESTRE et B. FAGES.

B. – La forme de la réparation

717. – Réparation en nature et réparation en équivalent. Le souci d'assurer à la victime une réparation intégrale doit normalement conduire à préférer une réparation *en nature* parce que, remettant les choses dans leur état antérieur, elle efface le préjudice.

En fait, le juge est souvent contraint d'accorder une réparation *en équivalent*, c'est-à-dire en argent ; la monnaie, qui représente la liquidité parfaite, est en effet le substitut de tout : sans doute n'efface-t-elle pas le préjudice, mais elle le compense.

> **Art. 1142.** – Toute obligation de faire ou de ne pas faire se résout en dommages et intérêts en cas d'inexécution de la part du débiteur.

> **Art. 1143.** – Néanmoins le créancier a le droit de demander que ce qui aurait été fait par contravention à l'engagement, soit détruit ; et il peut se faire autoriser à le détruire aux dépens du débiteur, sans préjudice des dommages et intérêts, s'il y a lieu.

> **Art. 1144.** – Le créancier peut aussi, en cas d'inexécution, être autorisé à faire exécuter lui-même l'obligation aux dépens du débiteur. (L. n° 91-650 du 9 juill. 1991, art. 82) « Celui-ci peut être condamné à faire l'avance des sommes nécessaires à cette exécution. »

1° La réparation en nature

718. – Cas où elle est possible. C'est la réparation la plus adéquate *a priori*, du moins pour le préjudice matériel.

Parfois, la loi elle-même prévoit que la réparation interviendra en nature. Tel est notamment le cas des désordres affectant une construction lorsqu'ils ont fait l'objet de réserves dans le procès-verbal de réception ou lorsque, survenant par la suite, ils ont été dénoncés dans l'année de la réception (C. civ., art. 1792-6).

Mais qu'en est-il pour les cas où la loi ne s'est pas prononcée ? La jurisprudence laisse ici au juge la *liberté de choisir* entre réparation en nature et réparation en équivalent, sous la forme d'une indemnité. La pratique fournit de nombreux exemples de réparation en nature.

Ainsi, le juge peut-il condamner une entreprise bruyante ou malodorante à faire cesser le trouble de voisinage apporté aux voisins. Par exemple, il peut ordonner l'exécution de travaux destinés à mettre fin aux troubles (413), ou l'arrêt de l'activité génératrice de troubles, ou même la démolition de la construction source du trouble (414). Ou encore, celui qui aura édifié sur le terrain d'autrui ou au-delà de la hauteur réglementaire, ou en contravention avec le cahier des charges, pourra être condamné à procéder aux rectifications ou démolitions utiles.

---

(413) Cass. 2e civ., 15 avr. 1975 : *D.* 1976, 221, 2e esp., note Agostini et Lamarque. – 9 oct. 1996 : *Bull. civ.* II, n° 231. – Cass. 3e civ., 12 nov. 1997 : *Bull. civ.* III, n° 273.

(414) Cass. 3e civ., 22 mai 1997 : *Bull. civ.* III, n° 113 ; *JCP* 1997, IV, 1473 ; *JCP* 1997, I, 4060, n° 2, obs. H. Périnet-Marquet. – 30 sept. 1998 : *D.* 1998, IR, 230.

De même, on peut concevoir que le salarié licencié à tort soit réintégré dans l'entreprise, que la carrière d'un fonctionnaire soit reconstituée, etc.

Dans le même esprit, celui qui aura été diffamé par voie de presse, radio ou télévision, pourra obtenir la publication ou l'annonce du jugement de condamnation dans le même journal ou à la même émission (415). Celui qui est victime d'une contrefaçon ou d'une concurrence déloyale pourra en faire ordonner la cessation (416), etc.

719. – Cas où elle est impossible. En pratique, la réparation en nature n'est pas toujours possible.

Parfois, des *raisons matérielles* s'y opposent : par exemple, pour le préjudice corporel irréversible. On ne rattrape pas en nature une incapacité de travail permanente.

D'autres fois, c'est à des *motifs juridiques* qu'on se heurte, notamment à la règle de l'article 1142 du Code civil. Ce texte interdit en principe aux juges de condamner un débiteur à exécuter en nature une prestation nécessitant son activité personnelle. Pour tourner cette interdiction d'une exécution forcée en nature de certaines obligations, la jurisprudence a créé de toutes pièces des modes indirects, tels que l'astreinte (sur l'ensemble de la question, V. *infra*, n⁰ˢ 827 et s., à propos de l'exécution forcée des obligations).

On peut enfin autoriser un créancier de marchandises à se fournir en nature chez un tiers, en faisant payer la différence de prix à son cocontractant en retard. Ainsi réalise-t-on au profit de la victime une satisfaction en nature tout en mettant à la charge du responsable une réparation en équivalent.

2° La réparation en équivalent

720. – Les dommages-intérêts. Il s'agit d'une satisfaction de remplacement, d'une somme d'argent allouée à titre de compensation, de dommages-intérêts (ou dommages et intérêts) dit-on couramment.

On distingue à cet égard deux types de dommages-intérêts.

Les dommages-intérêts *moratoires* indemnisent la victime du retard dont elle a souffert dans l'exécution. Ils peuvent se rencontrer isolément si, à l'issue du retard, le contrat a été exécuté. Ils peuvent aussi s'ajouter aux dommages-intérêts *compensatoires*. Ces derniers ont pour objet l'indemnisation du préjudice causé par l'inexécution définitive du contrat, qu'elle soit partielle ou totale.

721. – Capital ou rente. Quant à sa forme, l'indemnité compensatoire peut être un capital ou une rente.

Le plus souvent, il s'agit d'un *capital*, versé en une seule fois, et qui correspond au montant du dommage indemnisé.

---

(415) M.D. Douaoui, *La réparation du trouble médiatique* : D. 2001, chron. 1333.
(416) Cass. com. 19 avr. 1980 : *Bull. civ.* IV, n° 166.

En revanche, la *rente* apparaît comme le mode le plus adéquat pour réparer un dommage qui s'étend dans le temps, par exemple une incapacité de travail résultant d'un dommage corporel ; elle remplace alors tout ou partie d'un salaire qui était lui-même mensuel.

Toutefois, pour être équitable, cette formule suppose une *indexation* des rentes que la Cour de cassation a d'abord condamnée au motif que la majoration des rentes ne pouvait relever que de l'État. Malgré cette attitude de la Cour suprême, un mouvement s'est développé depuis 1972 parmi les juges du fond qui ont recommencé à prononcer des rentes viagères indexées, et finalement le principe de leur validité a été admis par la Cour de cassation (417).

À la suite de l'intervention des compagnies d'assurances, le législateur a consacré et réglementé l'indexation des rentes viagères indemnitaires par une loi du 27 décembre 1974, mais seulement en ce qui concerne la réparation « des préjudices causés par un véhicule terrestre à moteur ». Ce texte, modifié par la loi du 5 juillet 1985, ne s'applique que dans le domaine ci-dessus précisé ; il s'ensuit que la jurisprudence antérieure conserve toute sa valeur pour les dommages ayant une autre cause.

L'indexation, automatique dans le cas de la loi de 1985, doit donc être expressément prévue par le juge hors de ce domaine.

C. – L'étendue de la réparation

722. – Tout le préjudice, mais rien que le préjudice. La réparation devant être intégrale, il convient de réparer tout le préjudice, mais rien au-delà.

Tout le préjudice : cela comprend toutes les formes de préjudice, préjudice matériel, préjudice moral ou préjudice corporel (V. *supra*, nᵒˢ 546 et s.). En matière contractuelle, l'article 1149 prévoit que « les dommages et intérêts dus au créancier sont, en général, de la perte qu'il a faite et du gain dont il a été privé, sauf les exceptions et modifications prévues ci-après », ce qui couvre tout à la fois la *perte* (*damnum emergens*) et le *manque à gagner* (*lucrum cessans*). Mais la jurisprudence retient la même règle en matière délictuelle.

---

(417) Cass. ch. mixte 6 nov. 1974 : *JCP* 75, II, 17978, concl. GÉGOUT et obs. R. SAVATIER ; *Gaz. Pal.* 1974, 2, 868. – G.-L. PIERRE-FRANÇOIS, *L'indexation judiciaire des rentes viagères allouées en réparation d'un préjudice de responsabilité délictuelle* : *D.* 1972, chron. 229. – M. MIGNON, *La révision des rentes indemnitaires à durée indéterminée* : *D.* 1973, chron. 129. – S. BROUSSEAU, *L'indexation des rentes indemnitaires* : *JCP* 73, I, 2562. – M. GAUDET et G. MONIN, *À propos de la revalorisation des rentes indemnitaires en cas de fluctuations monétaires* : *JCP* 74, I, 2633. – M. LE ROY et H. MARGEAT, *Indexation et revalorisation des rentes de droit commun allouées en réparation d'un accident* : *Gaz. Pal.* 1975, 1, doctr. 131. – S. BROUSSEAU, *Le point sur l'indemnisation par rentes indexées* : *JCP* 77, I, 2855. – J. HONORAT, *Les indexations contractuelles et judiciaires* : in *Études Flour*, 1979, p. 251. – Pour des modalités autres que l'indexation, V. Cass. 2ᵉ civ., 17 avr. 1975 : *D.* 1976, 152 et note A. SHARAF ELDINE. – Cass. 1ʳᵉ civ., 12 mai 1976 : *JCP* 76, IV, 223.

Rien que le préjudice car la responsabilité civile a une fonction de réparation, non de sanction. Notamment le droit français ne connaît pas les *dommages-intérêts punitifs*, institution consacrée dans les pays anglo-saxons (418).

Dans la recherche d'une exacte évaluation du dommage, les juges des tribunaux et cours d'appel ont un large pouvoir d'appréciation (419) qui a souvent matière à s'exercer malgré l'existence de règles générales.

723. – Y a-t-il en droit positif une obligation de minimiser son dommage ? C'est là une question que la doctrine moderne se pose (420). Le principe d'une modération du dommage existait déjà dans l'Ancien droit (421). Mais il n'a pas été repris dans le Code civil de 1804. Il ne faudrait cependant pas en déduire que le droit français ignore cette obligation que, faute de texte particulier, on rattache habituellement à la théorie de la causalité, c'est-à-dire à l'article 1151 du Code civil.

Outre que certaines dispositions sont inspirées par l'idée que la victime doit minimiser son dommage (422), la jurisprudence en fait également application.

Ainsi en est-il en matière médicale pour la réparation du préjudice corporel. Si l'on ne peut reprocher à la victime d'avoir refusé une intervention chirurgicale lourde ou douloureuse, elle commet une faute en refusant une intervention bénigne ou plus généralement des soins qui auraient amélioré son état et diminué son préjudice (423). Il s'ensuit donc que la victime a l'obligation de se soumettre à certains traitements, ou même à certaines interventions bénignes, afin de minimiser son préjudice. La solution est d'autant plus exemplaire qu'elle se situe dans le domaine du dommage corporel où la victime est tout spécialement protégée. On peut toutefois se demander si cette solution n'est pas

---

(418) C. Jauffret-Spinosi, *Les dommages-intérêts punitifs dans les systèmes de droit étrangers* : Petites affiches, 20 nov. 2002, p. 8. – J. Ortscheidt, *Les dommages et intérêts punitifs en droit de l'arbitrage international* : Petites affiches, 20 nov. 2002, p. 17.

(419) Th. Ivainer, *Le pouvoir souverain du juge dans l'appréciation des indemnités réparatrices* : D. 1972, chron. 7.

(420) S. Reifegerste, *Pour une obligation de minimiser le dommage*, thèse Paris I, 1999. – A. Laude, *L'obligation de minimiser son propre dommage existe-t-elle en droit privé français ?* : Petites affiches, 20 nov. 2002, p. 55.

(421) Ainsi, dès 1745, Domat écrivait que, pour déterminer l'étendue de la réparation, il fallait prendre en considération le fait que la victime avait eu ou non la possibilité de minimiser sa perte (Les lois civiles dans leur ordre naturel, 1745, t. 1, Livre III, titre V, sec. III, § 162).

(422) Ainsi, en matière d'assurance, l'article L. 172-23 du Code des assurances dispose que « l'assuré doit contribuer au sauvetage des objets assurés et prendre toutes les mesures conservatoires de ses droits contre les tiers responsables », à défaut de quoi « il est responsable envers l'assureur du dommage causé par l'inexécution de cette obligation résultant de sa faute ou de sa négligence ». De même, en matière de vente d'immeuble à construire, les articles 1642-1 et 1646-1 écartent le droit de l'acquéreur de demander la résolution ou la diminution du prix « si le vendeur s'oblige à réparer le vice », réparation dont on peut penser qu'elle sera moins coûteuse.

(423) Cass. 2e civ., 13 janv. 1966 : Gaz. Pal. 1966.I.375

---

remise en cause par l'article 16-3 du Code civil, en vertu duquel « il ne peut être porté atteinte à l'intégrité du corps humain qu'en cas de nécessité (L. n° 99-641 du 27 juill. 1999, art. 70) *"médicale"* pour la personne » (424).

C'est à la même idée que l'on peut rattacher l'importante jurisprudence suivant laquelle une part de responsabilité doit être laissée à la charge de la victime lorsque, par sa faute, elle a aggravé son préjudice (425).

724. – L'avenir de l'obligation de minimiser son dommage. Cette obligation est en passe de devenir un principe général du droit de la responsabilité, au moins au plan européen.

On la trouve dans la *Convention de Vienne* du 11 avril 1980 instituant un droit uniforme sur les ventes internationales de marchandises dont la Cour de cassation a jugé qu'elle constitue le droit substantiel français de la vente internationale d'objets mobiliers corporels (426) : « La partie qui invoque la contravention au contrat doit prendre les mesures raisonnables, eu égard aux circonstances, pour limiter la perte, y compris le gain manqué, résultant de la contravention. Si elle néglige de le faire, la partie en défaut peut demander une réduction des dommages-intérêts égale au montant de la perte qui aurait dû être évitée. »

Elle figure également dans les Principes relatifs aux contrats du commerce international établis par UNIDROIT (427) et dans les Principes du droit européen du contrat (428). Et on la retrouve aussi dans un certain nombre de codes récents.

Pareille convergence ne peut qu'inciter la jurisprudence à appliquer plus largement ce principe (429), sans attendre qu'il ne soit officiellement consacré dans un texte.

---

(424) V. Cass. 2ᵉ civ., 19 mars 1997 : *Bull. civ.* II, n° 86 ; *RTD civ.* 1997, 632, obs. J. HAUSER ; et 675, obs. P. JOURDAIN.

(425) Cass. 3ᵉ civ. 14 juin 1995 : *Bull. civ.* III, n° 143. – 26 mars 1997 : *Bull. civ.* III, n° 69. – Cass. 1ʳᵉ civ., 17 févr. 1998 : *Bull. civ.* I, n° 61. – Cass. 3ᵉ civ. 10 janv. 2001 : *Bull. civ.* III, n° 2

(426) Cass. 1ʳᵉ civ., 26 juin 2001 : *Bull. civ.* I, n° 289.

(427) Art. 7.4.8 (atténuation du préjudice) 1) Le débiteur ne répond pas du préjudice dans la mesure où le créancier aurait pu l'atténuer par des moyens raisonnables. 2) Le créancier peut recouvrer les dépenses raisonnablement occasionnées en vue d'atténuer le préjudice.

(428) Art. 4.504 – Préjudice imputable au créancier
Le débiteur n'est point tenu du préjudice souffert par le créancier pour autant que a) ce dernier a contribué à l'inexécution ou aux conséquences de celles-ci, b) ou qu'il aurait pu réduire son préjudice en prenant des mesures raisonnables.
Le créancier a droit au remboursement de tous frais qu'il a raisonnablement engagés en tentant de réduire le préjudice.

(429) V. en ce sens Versailles, 26 nov. 1986 : *Gaz. Pal.* 1987, 2, somm. 402 (à propos de la résolution avec dommages-intérêts d'un équipement de reproduction non conforme, la Cour décide que l'appréciation du préjudice « doit être tempérée par le fait que l'acheteur n'a pas tout mis en œuvre, en ayant recours à des solutions intermédiaires, pour pallier la carence du vendeur et en limiter les conséquences »). – Douai 15 mars 2001 : *D.* 2002, 307 et note C. ANDRÉ ; *JCP* E 2001, 1861 et note M. PÉDAMON ; *Contr. Conc. Consom.* 2001, comm. n° 125 et note M. MALAURIE ; *RTD civ.* 2002, 296, obs. J. MESTRE et B. FAGES.

1° Les règles générales

725. – Indifférence de la gravité de la faute ? Il est un premier principe suivant lequel l'évaluation des dommages et intérêts doit être fonction de l'étendue du préjudice, et non pas de la gravité de la faute commise. La raison en tient à ce que la responsabilité civile a un simple rôle de *réparation ;* s'attacher à la gravité de la faute aboutirait à une *répression* qui relève de la seule responsabilité pénale (V. *supra*, n° 514).

L'expérience prouve cependant qu'un certain sens de l'équité pousse les magistrats à apprécier plus sévèrement les conséquences dommageables des fautes graves que celles des fautes légères.

Cette tendance se marque surtout en ce qui concerne l'évaluation du préjudice moral qui, par sa nature même, est rebelle à toute règle rigide. On a pu dire que les dommages-intérêts alloués à ce titre revêtaient le caractère d'une amende au profit de la victime, d'une peine privée.

Il en va de même lorsque le juge doit opérer un partage de responsabilité. La détermination du rôle causal de chaque comportement étant le plus souvent impossible, les magistrats fondent volontiers le partage sur la gravité respective des fautes commises.

726. – Évaluation au jour du jugement. Le second principe est relatif à la date d'évaluation du dommage et, par suite, des dommages-intérêts. Ici, on peut hésiter entre la date de la réalisation du préjudice et celle du jugement.

Dans le but d'assurer une réparation intégrale, et afin d'éviter à la victime d'avoir à souffrir des lenteurs de la procédure, la jurisprudence considère que le principe de la réparation intégrale impose de se placer *au jour du jugement définitif* pour l'évaluation du préjudice, et non à celui de la réalisation du dommage. Cette règle a été consacrée par la Cour de cassation d'abord en matière délictuelle (430), puis en matière contractuelle (431). Elle permet en effet d'éviter à la victime les conséquences néfastes de l'érosion monétaire pendant la durée de la procédure ; il serait injuste que la longueur du procès profite au responsable (432).

Toutefois, la règle est écartée dans deux hypothèses, où elle perd sa justification. C'est d'abord le cas où la victime a procédé à la réparation en cours de procédure ; l'indemnité sera alors du coût de la réparation, auquel il convient d'ajouter les intérêts de la somme (433). C'est en

---

(430) Cass. req., 24 mars 1942 : *DA* 1942.118.

(431) Cass. civ., 16 févr. 1948 : *S.* 1949, I, 69 et note JAMBU-MERLIN.

(432) Cass. com., 16 févr. 1954 : *D.* 1954, 534 et note R. RODIÈRE ; *JCP* 54, II, 8062. – Cass. 2e civ., 27 juin 1984 : *D.* 1985, 321, 1re esp., et note Y. CHARTIER. – Cass. 1re civ., 27 janv. 1987 : *D.* 1987, IR 30. – V. cependant, Cass. 1re civ., 20 nov. 1990 : *D.* 1991, 455 et note J.-L. AUBERT. – L. MAZEAUD, *L'évaluation du préjudice et la hausse des prix en cours d'instance : JCP* 47, I, 650. – F. DERRIDA, *L'évaluation du préjudice au jour de la réparation : JCP* 51, I, 968. – M. GENDREL, *Influence de la dépréciation monétaire sur le droit de la responsabilité civile in L'influence de la dépréciation monétaire sur la vie juridique privée*, p. 143.

(433) Cass. 3e civ., 10 mai 1989 : *Bull. civ.* III, n° 107, p. 59.

second lieu le cas où la victime s'est opposée à l'exécution des travaux de réparation ; ici l'évaluation sera faite à la date de son refus (434).

2° Les difficultés relatives à la réparation du préjudice corporel (435)

727. – Règles générales. Même en excluant le cas du préjudice moral dont l'évaluation ne peut obéir à des règles précises (V. *supra*, nᵒˢ 548 et 725), la réparation du préjudice corporel soulève de multiples difficultés (436).

Si les frais médicaux, chirurgicaux, pharmaceutiques, etc., peuvent être aisément chiffrés, il n'en va pas de même de l'incapacité permanente de travail, partielle (IPP) ou totale (IPT). La solution d'un litige de ce genre nécessite une expertise médicale visant à déterminer le taux d'incapacité permanente. La pratique a établi des barèmes officieux auxquels il n'est jamais fait allusion dans les décisions judiciaires sous peine de cassation, mais qui permettent de réaliser une certaine homogénéité dans la jurisprudence. Les magistrats qui les utilisent sont amenés à les corriger et les adapter dans chaque cas particulier, en fonction des facteurs personnels à l'invalide considéré (profession, salaire, etc.).

D'autres difficultés peuvent apparaître en cas d'évolution du préjudice de la victime. L'aggravation antérieure à la décision judiciaire est automatiquement prise en considération puisque l'évaluation du dommage est faite au jour du jugement. Si l'état de la victime n'est pas consolidé et s'il se produit une aggravation postérieure à la décision définitive, on admet que, malgré l'autorité de la chose jugée, elle peut fonder une nouvelle demande en justice (437). Dans le même sens la jurisprudence décide que le délai de prescription de l'article 2270-1 ne court que du jour de la consolidation (438).

---

(434) Cass. 3ᵉ civ., 8 déc. 1971 : *Bull. civ.* III, n° 606, p. 433.

(435) Y. Lambert-Faivre, *Droit du dommage corporel. Systèmes d'indemnisation*, Dalloz, 4ᵉ éd., 2002.

(436) M. Le Roy, *L'évaluation de l'incapacité permanente : le problème des barèmes* : D. 1982, chron. 57. – G. Viney et B. Markesinis, *La réparation du dommage corporel. Essai de comparaison des droits français et anglais*, Économica, 1985. – J.-P. Chauchard, *La transaction dans l'indemnisation du préjudice corporel* : RTD civ. 1989, 1. – *Méthodologie d'évaluation du dommage corporel* : Gaz. Pal. 1991, doctr. 335. – *Le droit et la morale dans l'indemnisation des dommages corporels* : D. 1992, chron. 165. – J.-L. Evade, *La réparation du préjudice résultant de l'état végétatif du blessé* : Gaz. Pal. 1991, doctr. 339. – V. Varese, *Le dédommagement de la personne en cas de lésions successives* : Gaz. Pal. 1991, doctr. 371. – M. Margeat, *L'indemnisation des victimes gravement handicapées* : Gaz. Pal. 1991, doctr. 375. – M. Quenillet-Bourrié, *L'évaluation monétaire du préjudice corporel : pratique judiciaire et données transactionnelles* : JCP 1995, I, 3818. – *Pour une réforme conférant un statut à la réparation du préjudice corporel* : JCP 1996, I, 3919. – J.-L. Fagnart, *Vers un droit européen du dommage corporel ?* : in *Mélanges Lambert*, 2002.

(437) Cass. soc. 24 févr. 1955 : *JCP* 55, II, 8699. Mais l'autorité de la chose jugée s'oppose à la prise en considération d'une amélioration de l'état de la victime : Cass. 2ᵉ civ., 12 oct. 1972 : *D.* 1974, 536 et note Ph. Malaurie ; *JCP* 74, II, 17609, obs. S. Brousseau. – Cass. 2ᵉ civ., 24 oct. 1984 : *JCP* 85, II, 20386, obs. Y. Chartier. – La jurisprudence a également admis la réparation des frais engagés par la suite par la victime pour améliorer son état, ce qui paraît une violation flagrante de l'autorité de la chose jugée : Cass. ass. plén. 9 juin 1978 : *Bull. civ. A.P.*, n° 3.

(438) Cass. 2ᵉ civ., 4 mai 2000 : *Bull. civ.* II, n° 75 ; *Resp. civ. et assur.* 2000, comm. n° 221, obs. H. Groutel. – 11 juill. 2002 : *Bull. civ.* II, n° 177, p. 141.

728. – L'indemnisation des victimes d'infractions et d'actes de terrorisme. Venant au secours des victimes d'infractions commises par des auteurs inconnus ou insolvables, la loi du 3 janvier 1977 (mod. L. 8 juill. 1983 et L. 6 juill. 1990) a garanti dans une certaine mesure l'indemnisation de ces victimes (C. proc. pén., art. 706-3 et s.) (439). Ce dispositif a été également complété au profit des victimes d'actes de terrorisme (440).

3° Les difficultés relatives à la réparation des dommages aux biens

729. – Règles générales. En cas de destruction d'un bien, la réparation doit être du *prix de remplacement*, déterminé par les cours du marché ou par expert.

À supposer que le bien détruit, usagé, ait été remplacé par un neuf, il conviendrait normalement de faire la *déduction du vieux au neuf*, faute de quoi la réparation excéderait le dommage ; mais tel n'est pas le sens de la jurisprudence (441). La question se pose régulièrement en matière de dommages aux constructions où, par définition même, la réfection ou la réparation sera faite en matériaux neufs. Si un mur a été détruit, il sera reconstruit à neuf ; si un sinistre oblige à refaire les peintures, ou toute autre partie, ce sera encore du neuf. Néanmoins une jurisprudence constante refuse d'appliquer ici un coefficient de vétusté, car pareille déduction « ne replacerait pas la victime dans la situation où elle se serait trouvée si l'acte dommageable ne s'était pas produit, puisqu'elle supporterait

---

(439) P.-J. Doll, *Le « petit Noël » des victimes impécunieuses ayant subi des dommages corporels causés par des auteurs inconnus ou insolvables* : Gaz. Pal. 1977, 1, doctr. 120. – E. Deghilage, *La loi n° 77-5 du 3 janvier 1977 garantissant les victimes de certains dommages corporels et ses décrets d'application* : JCP 77, I, 2854. – J.-C. Maestre, *Un nouveau cas de responsabilité publique : l'indemnisation de certaines victimes de dommages corporels résultant d'une infraction* : D. 1977, chron. 145. – J. Pradel, *Un nouveau stade dans la protection des victimes d'infractions (Commentaire de la loi n° 83-608 du 8 juillet 1983)* : D. 1983, chron. 241. – Y. Chartier, *L'indemnisation des victimes d'infractions pénales* : Gaz. Pal. 1985, chron. 346. – J.-L. Froment, *L'action civile devant le juge pénal en matière d'homicide et de blessures involontaires depuis la loi du 8 juillet 1983 relative à la protection des victimes d'infractions* : Gaz. Pal. 1986, doctr. 40. – J. Favard et J.-M. Guth, *La marche vers l'uniformisation ? La quatrième réforme du droit à indemnisation des victimes d'infractions. Art. 706-3 à 706-15, C. proc. pén.* : JCP 90, I, 3466. – *L'indemnisation des victimes de la violence*, 1991. – D. Garreau et D. Laurier, *L'indemnisation des victimes d'infractions selon la loi du 6 juillet 1990. Les premières décisions de la Cour de cassation* : Gaz. Pal. 13-14 nov. 1992, doctr. – Ph. Melin, *La commission d'indemnisation des victimes d'infractions et l'appel. Perspective de réforme* : JCP 1999, I, 127.
(440) L. n° 86-1020 du 9 septembre 1986 relative à la lutte contre le terrorisme et aux atteintes à la sûreté de l'État (art. 9). – J.-F. Rénucci, *L'indemnisation des victimes d'actes de terrorisme* : D. 1987, chron. 197.
(441) Il n'y a pas lieu d'opérer la déduction du vieux au neuf dans le cas où le remplacement ne pouvait pas être fait autrement qu'en neuf : Cass. 2e civ., 9 mai 1972 : D. 1972, somm. 167. – 28 avr. 1975 : Bull. civ. II, n° 121. La jurisprudence la plus récente pose l'interdiction de la déduction du vieux au neuf (par ex. Cass. ch. mixte 25 avr. 1975 : Bull. civ. II, n° 3. – Cass. 2e civ., 8 juill. 1987 : Gaz. Pal. 1989, 181. – Cass. 2e civ., 3 oct. 1990 : JCP 90, IV, 378). – V. aussi J. Barbancey, *Valeur à neuf et enrichissement* : Gaz. Pal. 1988, doctr. 28. – M. Amouroux, *Évaluation et indemnisation des dommages causés aux véhicules automobiles* : Gaz. Pal. 1989, 1, doctr. 95. – *De l'indemnisation confisquée à la reconnaissance de la valeur de remplacement : la révolution silencieuse de l'assurance automobile* : Gaz. Pal. 1991, doctr. 185.

---

alors injustement une dépense supplémentaire rendue nécessaire par la faute d'un tiers » (442).

Si toutefois il s'agit d'une épave, au lieu d'opérer la déduction du prix de la ferraille, elle sera *laissée pour compte* au responsable qui subira les aléas de sa vente.

Lorsque le bien a subi seulement une dégradation, la réparation doit s'entendre de la *remise en état*. Il peut arriver cependant qu'une remise en état soit plus onéreuse que la valeur de la chose : par exemple, le montant de la réparation d'un véhicule peut dépasser le prix de l'Argus ; il semble qu'alors l'indemnité doive être limitée à la valeur de remplacement, sauf si le remplacement est impossible.

Au prix de remplacement ou de remise en état s'ajouteront le cas échéant des indemnités accessoires, notamment pour réparer la perte d'usage et le manque à gagner éventuel, et la TVA (443).

S'agissant de la TVA, la Cour de cassation pose deux principes, qui ne sont contradictoires qu'en apparence. S'agissant de *l'obligation à la dette*, elle décide que, pour permettre à la victime de faire exécuter les travaux, l'indemnité allouée doit comprendre la TVA à verser aux professionnels chargés de réparer les dommages (444). Mais, s'agissant de la *contribution à la dette*, elle décide que la TVA ne constitue un élément du préjudice que dans la mesure où elle reste définitivement à la charge de la victime du dommage, c'est-à-dire dans le cas où cette dernière, n'étant pas elle-même assujettie à la TVA, ne peut pas la « récupérer » (445). Et c'est à la victime de faire la preuve qu'elle ne peut pas récupérer la TVA (446).

§ 2. – Les limitations légales au principe de la réparation intégrale

730. – Quand on parle de la réparation intégrale, il est toujours sous-entendu qu'elle s'applique au préjudice réparable tel qu'il a été défini à propos des conditions de la responsabilité civile (V. *supra*, n°s 541 et s. sur le dommage et n°s 690 et s. sur le lien de causalité). Il suffit à cet égard de

---

(442) Cass. 2e civ., 16 déc. 1970 : *Bull. civ.* II, n° 346, p. 265 ; *RTD civ.* 1971, 660, obs. G. Durry. – 9 janv. 1991 : *Bull. civ.* III, n° 12, p. 8. – 6 mai 1998 : *Bull. civ.* III, n° 91, p. 62. – 5 juill. 2001 : *JCP* 2001, IV, 2626. – 23 janv. 2003 : *Bull. civ.* II, n° 20, p. 16. V. P. Jourdain, *La réparation des dommages immobiliers et l'enrichissement de la victime : RD imm.* 1995, 51.

(443) E. Kornprobst, *La TVA et la fixation des dommages-intérêts : RD imm.* 1995, 237.

(444) Cass. 3e civ., 24 juin 1987 : *Bull. civ.* III, n° 130, p. 76. – 16 févr. 1994 : *Bull. civ.* III, n° 22, p. 14.

(445) Cass. com., 4 janv. 1994 : *Bull. civ.* IV, n° 9, p. 7. – Cass. 3e civ., 27 mars 1996 : *Bull. civ.* III, n° 85, p. 55. – 25 juin 1997 : *Bull. civ.* III, n° 151, p. 101. – 19 févr. 2002 : *RD imm.* 2002, 240, obs. Ph. Malinvaud.

(446) Cass. 1re civ., 15 janv. 2002 : *Bull. civ.* I, n° 9, p. 7.

rappeler que certains préjudices, notamment ceux éventuels ou indirects, ne sont jamais pris en considération.

Ce sont d'autres limites qu'il faut ici envisager. À supposer que le dommage soit réparable au sens précédemment indiqué, la loi, dans certaines hypothèses, fait échec au principe de la réparation intégrale, en instaurant, par exemple, un forfait ou un plafond.

Ces limitations sont édictées en matière de contrats : les unes sont générales, les autres spéciales à certains contrats.

A. – Les limitations d'ordre général en matière de contrats

1° Le cas du préjudice imprévisible

731. – Le principe de la réparation intégrale postule que soit réparé tout le préjudice.

Telle est bien la règle en matière délictuelle, mais non en matière contractuelle où l'article 1150 du Code civil édicte une règle différente.

Art. 1150. – Le débiteur n'est tenu que des dommages et intérêts qui ont été prévus ou qu'on a pu prévoir lors du contrat, lorsque ce n'est point par son dol que l'obligation n'est point exécutée.

Ainsi, sauf dol dans l'exécution, un cocontractant défaillant n'est tenu d'indemniser que le seul préjudice *prévisible* lors de la conclusion du contrat (447) ; on explique cette disposition par une intention présumée des parties de limiter leur responsabilité aux risques qui étaient prévisibles au moment du contrat.

L'exemple classique est celui du colis confié à un transporteur, sans mention particulière relative à son contenu. En pareil cas, le transporteur peut prévoir que le colis sera perdu, mais non qu'il contient des bijoux. Si cette information lui avait été donnée, il aurait pu soit refuser d'effectuer le transport, soit prendre une assurance pour le cas de perte.

La prévisibilité dont s'agit doit s'entendre non seulement des causes possibles de dommage mais de son étendue (448). Toutefois, la limitation concerne seulement la prévisibilité des éléments constitutifs du dommage (dans l'exemple ci-dessus, les bijoux), et non l'équivalent monétaire destiné à le réparer (la valeur exacte des bijoux) (449). Cela dit, les parties sont libres de fixer conventionnellement le montant du préjudice prévisible, par exemple d'évaluer les bijoux à un certain prix (450).

---

(447) I. Souleau, *La prévisibilité du dommage contractuel*, thèse Paris II, 1979.
(448) Cass. civ. 7 juill. 1924 : *S.* 1925, 1, 321 et note Lescot ; *D.* 1927, 1, 119.
(449) Cass. 1re civ., 6 déc. 1983 : *JCP* 84, IV, 53 ; *D.* 1984, IR, 124.
(450) Cass. 1re civ., 17 juill. 1990 : *JCP* 91, II, 21674, obs. G. Paisant.

Cette limitation s'efface devant le dol du débiteur, auquel traditionnellement on assimile la faute lourde (451). En pareil cas, le droit commun, c'est-à-dire le principe de la réparation intégrale, reprend son empire.

2° Le cas des intérêts moratoires des dettes de sommes d'argent

732. – La limitation à l'intérêt légal. L'hypothèse visée est celle où, une dette de sommes d'argent étant impayée, une mise en demeure (452) fait courir les dommages-intérêts moratoires (V. *supra*, n°s 715 et 720).

L'article 1153 du Code civil édicte alors une indemnisation forfaitaire du retard qui est un pourcentage de la somme due ; c'est, dit-on, l'*intérêt légal*.

Pendant longtemps, le taux de l'intérêt légal a été fixé par décret en Conseil d'État. En pratique, compte tenu des taux de l'argent sur le marché, cette indemnisation forfaitaire (de 4 % en matière civile et 5 % en matière commerciale) apparaissait le plus souvent comme une limitation apportée au principe de la réparation intégrale, ce qui n'était nullement le but poursuivi.

C'est pourquoi une loi du 11 juillet 1975 est venue modifier le mode de fixation du taux de l'intérêt légal, de telle manière qu'il se rapproche le plus possible de la réalité. À cette fin, le législateur a, dans un premier temps, indexé le taux de l'intérêt légal sur le taux de l'escompte pratiqué par la Banque de France (453). Depuis une loi du 23 juin 1989 ce taux « est égal, pour l'année considérée, à la moyenne arithmétique des douze dernières moyennes mensuelles des taux de rendement actuariel des adjudications de bons du Trésor à taux fixe à treize semaines ». En application de ce texte il a été fixé par décret à 9,36 % pour l'année 1990, 5,82 % pour l'année 1995, 2,74 % pour l'année 2000, et 3,29 % pour l'année 2003.

Enfin, en cas de condamnation, ce taux est majoré de cinq points mais à l'expiration d'un délai de deux mois à compter du jour où la décision de justice est devenue exécutoire, fût-ce par provision (454) ; toutefois, le juge de l'exécution peut, en considération de la situation du débiteur et sur sa demande (ou sur celle du créancier) exonérer celui-ci de cette majoration ou en réduire le montant (C. mon. et fin., art. L. 313-3).

---

(451) Sur l'assimilation de la faute lourde au dol, V. Cass. req. 24 oct. 1932 : *D.* 1932, I, 176 et note E.-P. ; *S.* 1933, 1, 289 et note P. Esmein. V. aussi *supra*, n° 570.

(452) Les intérêts ne courent que du jour de la mise en demeure : Cass. 1re civ., 7 mai 2002 : *JCP* 2002, II, 10182 et note F. Khodri-Benamrouche.

(453) M. Vion, *L'intérêt légal depuis la loi du 11 juillet 1975* : Defrénois 1975, I, 1089, art. 30973. – A. Solal, *Le nouveau régime de l'intérêt légal (L. 11 juill. 1975)* : *Gaz. Pal.* 1975, 2, doctr. 726. – Y. Lobin, *Le point de départ des intérêts légaux après une décision de condamnation* : *D.* 1978, chron. 13. – A. Solal, *Les conditions d'application du taux de l'intérêt légal et de sa majoration aux condamnations à des dommages-intérêts ou à une indemnité* : *Gaz. Pal.* 1978, 1, doctr. 127. – M. Lombard, *Les intérêts des condamnations prononcées en matière civile* : *Gaz. Pal.* 17-18 mai 1995, doctr.

(454) Ce qui oblige à signifier la décision pour faire courir le délai de deux mois : Cass. 2e civ., 4 avr. 2002 : *D.* 2002, 1484, obs. A. Lienhard.

L'*anatocisme*, c'est-à-dire la *capitalisation des intérêts* (les intérêts des intérêts), est régi par l'article 1154 du Code civil.

733. – Exceptions. Ce forfait s'impose au débiteur comme au créancier sans que l'un ou l'autre soit admis à démontrer que le dommage a été moindre ou plus grand ; il s'impose également au juge qui ne saurait y substituer une indexation (455). Il y a cependant des exceptions à cette fixation forfaitaire des dommages et intérêts.

Ainsi, elle ne s'applique pas, et l'évaluation des dommages-intérêts moratoires devient libre en matière de lettre de change (C. com., art. L. 511-62 et s.), d'apport en société (C. civ., art. 1843-3), de cautionnement (C. civ., art. 2028, al. 3).

D'une manière plus générale, des dommages-intérêts supplémentaires peuvent être obtenus par le créancier, à la double condition de justifier d'un préjudice indépendant du retard, et de la mauvaise foi du débiteur (C. civ., art. 1153, al. 4).

En outre, parce que l'article 1153 du Code civil n'est pas d'ordre public, les parties au contrat peuvent y déroger, soit en dispensant de la mise en demeure, soit en fixant un taux d'intérêt plus élevé (sauf à ne pas dépasser la limite au-delà de laquelle il y aurait usure), soit les deux.

En dehors des contrats, la question ne se présente pas de la même manière parce que les intérêts ne sont dus que du jour du jugement, non de la mise en demeure (V. *supra*, n° 714). Si, par exception, le tribunal veut attribuer des intérêts pour la période antérieure au jugement, il ne peut le faire qu'en application de l'article 1153-1 du Code civil, à titre compensatoire.

B. – Les limitations spéciales à certains contrats

734. – Dans certains contrats, la loi a institué un plafond qui se traduit par une limitation de la réparation ; les dommages-intérêts alloués par le juge peuvent être inférieurs au plafond, jamais supérieurs.

Ainsi en est-il dans le contrat d'hôtellerie sous réserve de certaines distinctions (C. civ., art. 1952 et s.) (456), dans le contrat postal (limitation aux seules valeurs régulièrement déclarées), etc., et surtout dans les divers contrats de transport.

De telles limitations se rencontrent dans les transports internes et internationaux de personnes par air, dans les transports internationaux

---

(455) Cass. 1re civ., 16 févr. 1988 : *D.* 1988, IR, 62. – Cass. 1re civ., 11 janv. 1989 : *Bull. civ.* I, n° 8 ; *D.* 1989, IR, 31 ; *JCP* 89, IV, 93.

(456) J.-P. COUTURIER, *Le contrat d'hôtellerie*, thèse Dijon, 1967. – L. MORET, *Le contrat d'hôtellerie* : *RTD civ.* 1973, 663. – J.-P. DUMAS, *La loi du 24 décembre 1973 relative à la responsabilité des hôteliers* : *D.* 1974, chron. 104. – L. BIHL, *La notion de dépôt d'hôtelier* : *JCP* 74, I, 2616. – J.-L. BERGEL, *Les responsabilités des hôteliers* : *Gaz. Pal.* 1977, 1, doctr. 62.

de personnes par mer, dans les transports internes et internationaux de marchandises par mer et par air, et dans les transports internationaux de marchandises par voie ferrée et par route. Certaines de ces limitations s'effacent devant la *faute inexcusable* du transporteur, notamment en matière de transport aérien ou maritime de personnes (V. *supra*, n° 573).

Ces plafonds de responsabilité sont opposables à la victime, et à ses héritiers lorsqu'ils se présentent en cette qualité. Par faveur pour les victimes, une jurisprudence s'était instaurée permettant aux héritiers de se présenter en qualité de tiers par rapport au contrat de transport et d'échapper ainsi à la limitation (457). Cette jurisprudence a suscité une nouvelle intervention du législateur qui, sous la pression des compagnies aériennes et maritimes, a rendu la limitation opposable à tous de manière absolue dans le transport aérien et maritime de personnes.

§ 3. – Les conventions relatives à la responsabilité

A. – Les conventions antérieures à la réalisation du dommage

735. – Les différentes conventions possibles. Toute personne exerçant une activité susceptible d'engager sa responsabilité peut, dans une certaine mesure, se prémunir contre les conséquences pécuniaires de ses actes dommageables. Chacun peut en effet assurer sa responsabilité pour les dommages qu'il cause dans l'exécution d'un contrat ou en dehors de tout contrat. En outre, mais en matière de contrats seulement, il est possible de stipuler dans une convention une clause limitative ou exonératoire de responsabilité, sauf dans certains contrats.

Réciproquement, celui qui redoute d'être victime d'un dommage peut en toutes matières recourir à l'assurance : il assurera, non plus sa responsabilité, mais les risques de dommages qui menacent ses biens corporels (vol, incendie, dégâts des eaux, dommages aux véhicules, etc.) ou sa personne (maladie, invalidité, décès). Également, mais cette fois-ci en matière de contrats, il pourra demander l'insertion à l'acte d'une clause aggravant la responsabilité du débiteur ou, plus souvent, d'une clause pénale (stipulation forfaitaire de dommages-intérêts).

1° L'assurance de responsabilité

736. – Les assurances de choses et de personnes. L'assurance est le contrat par lequel l'assureur prend à sa charge un risque dont la réalisation menace l'assuré, moyennant le paiement par ce dernier d'une prime ou cotisation.

---

(457) Cass. 2e civ., 23 janv. 1959 : *Gaz. Pal.* 1959, 1, 183 (3 arrêts) ; *JCP* 59, II, 11002 (2 arrêts), obs. M. DE JUGLART ; *D.* 1959, 101 et note R. SAVATIER ; *D.* 1959, 281 et note R. RODIÈRE.

On ne fera ici que mentionner les assurances de choses ou de personnes auxquelles chacun peut recourir, mais qui n'ont pas de rapport nécessaire avec la responsabilité. Par exemple, l'assurance-vie ou l'assurance individuelle accidents, que les entreprises prennent parfois au profit de leurs cadres, couvrent tous les risques de décès ou d'invalidité, que la responsabilité d'un tiers soit ou non engagée. De même, en cas de vol, incendie, dégâts des eaux, grêle, etc., l'assurance paiera, même si aucune responsabilité n'est établie.

En bref, les assurances de choses ou de personnes garantissent contre tous les risques de dommages, sans distinction entre ceux qui ouvrent un recours en responsabilité contre une tierce personne, et les autres.

737. – L'assurance de responsabilité. L'assurance de responsabilité garantit l'assuré contre la responsabilité qu'il est susceptible d'encourir en raison de dommages causés à des tiers : l'assureur paiera les dommages-intérêts aux lieu et place de l'assuré reconnu responsable.

Par un tel contrat, on peut assurer indifféremment sa responsabilité contractuelle ou sa responsabilité délictuelle. Par exemple, l'entrepreneur assurera aussi bien sa responsabilité contractuelle à l'égard du client que sa responsabilité délictuelle pour les troubles occasionnés aux voisins ; il en va de même pour le transporteur de personnes ou de marchandises et, d'une manière générale, pour tous ceux dont l'activité peut nuire ou à des contractants ou à des tiers.

L'assurance de responsabilité présente des avantages évidents pour tout le monde. Pour l'assuré, qui échappe aux risques et sait par avance au centime près ce que lui coûte sa responsabilité : le montant de la prime, qui peut être aisément comptabilisé et répercuté sur le prix de vente. À cette sécurité est assignée une limite raisonnable : l'assurance ne joue que pour les fautes légères ou lourdes, mais non pour les *fautes intentionnelles* qui demeurent à la charge de l'assuré (V *supra*, n° 569). La victime y trouve aussi son compte : l'assurance est pour elle une garantie de solvabilité, et même de paiement puisque la loi lui confère une action directe contre l'assureur du responsable (V. *supra*, n° 472).

Ces divers avantages expliquent que la loi ait rendu obligatoire l'assurance de responsabilité dans certains domaines : accidents de chasse, accidents causés par les véhicules terrestres à moteur ; pour les constructeurs de bâtiments, les exploitants de remontées mécaniques, de navires nucléaires, les organisateurs d'épreuves sportives, etc.

Dans un ordre d'idées voisin, et bien qu'il ne s'agisse plus d'assurance au sens strict, il faut ici rappeler que les employeurs ont l'obligation de déclarer à la Sécurité sociale les salariés qu'ils emploient, et d'acquitter en conséquence les diverses cotisations, maladie, accident du travail, etc., au paiement desquelles ils sont tenus.

2° Les clauses limitatives ou exonératoires de responsabilité (458)

738. – On a déjà vu (V. *supra*, n° 734) que, dans certains contrats, la loi fixe des plafonds de responsabilité. À la vérité, il s'agit là bien souvent d'une consécration législative de clauses conventionnelles qui étaient devenues d'usage dans certains domaines et notamment celui du transport.

Il existe ainsi un problème plus général qui peut être formulé de la manière suivante : dans quelle mesure est-il possible de stipuler des clauses limitant la responsabilité contractuelle ou délictuelle (459) ? En l'absence de textes, la jurisprudence a admis la validité de ces clauses pour la seule responsabilité contractuelle, sauf à lui apporter des exceptions qui vont se multipliant.

a) Validité limitée au domaine contractuel

739. – **Nullité en matière délictuelle.** *A priori*, on voit mal comment le problème de la validité de ces clauses a pu être soulevé à propos de la responsabilité délictuelle. S'agissant par définition d'un acte dommageable survenu en dehors de tout contrat, donc entre deux personnes étrangères l'une à l'autre, comment auraient-elles pu prévoir, pour la limiter, cette responsabilité ? En dépit des apparences, ce n'est cependant pas une hypothèse d'école. Par exemple, en cas de transport bénévole, qui n'est pas considéré comme un contrat, on peut imaginer que le propriétaire du véhicule convienne avec son passager d'une exonération de responsabilité. De même, en cas d'installation d'une entreprise dans un quartier calme, le nouvel arrivant pourrait convenir avec ses voisins qu'ils supporteront sans se plaindre les éventuelles nuisances suscitées par l'exploitation.

C'est dans des circonstances de ce genre que les tribunaux ont eu à connaître de clauses limitant la responsabilité délictuelle. Suivant une jurisprudence constante, elles sont nulles parce qu'elles dérogent aux articles 1382 et suivants du Code civil qui sont d'ordre public (460). La jurisprudence établit ainsi, sans aucun appui dans les textes, une différence

---

(458) P. Durand, *Des conventions d'irresponsabilité*, Paris, 1931. – P. Robino, *Les conventions d'irresponsabilité dans la jurisprudence contemporaine* : RTD civ. 1951, 1. – B. Starck, *Observations sur le régime juridique des clauses de non-responsabilité ou limitatives de responsabilité* : D. 1974, chron. 157. – J. Pellerin, *Les clauses relatives à la répartition des risques financiers entre contractants*, thèse Paris II, 1977. – M. Al Jondi, *Le juge et les clauses exonératoires et limitatives de la responsabilité contractuelle*, thèse Paris II, 1979. – A.-S. Muzuaghi, *Le déclin des clauses d'exonération de responsabilité sous l'influence de l'ordre public nouveau*, 1981. – Ph. Delebecque, *Les clauses allégeant les obligations dans les contrats*, thèse Aix, 1981. – Ph. Delebecque et D. Mazeaud, *Les clauses de responsabilité : clauses de non-responsabilité, clauses limitatives de réparation, clauses pénales* : in *Les sanctions de l'inexécution des obligations contractuelles. Études de droit comparé*, LGDJ, 2001.

(459) La question se pose dans les mêmes termes pour les clauses aggravant la responsabilité, qui sont en fait très rares.

(460) Cass. 2e civ., 17 févr. 1955 : D. 1956, 17 et note P. Esmein ; JCP 55, II, 8951, obs. R. Rodière. – Cass. 2e civ., 28 nov. 1962 : D. 1963, 465 et note Borricand ; JCP 64, II, 13710, obs. M. de Juglart. – En matière délictuelle, la loi du 21 décembre 1984 (D. 1985, L, 26) a admis l'exonération de responsabilité du fait des navires sauf « intention de provoquer un tel dommage, ou commis témérairement et avec conscience qu'un tel dommage en résulterait probablement ».

---

entre la responsabilité délictuelle qui serait d'ordre public, et la responsabilité contractuelle qui ne le serait pas.

Cela dit, l'opposition est moins tranchée qu'il n'y paraît. En effet, la validité de principe des clauses limitatives en matière contractuelle est largement battue en brèche par les exceptions qui lui sont apportées.

740. – Validité en matière contractuelle. Après d'assez longues hésitations, la Cour de cassation a admis que, dans les rapports entre contractants, les clauses limitatives ou même exonératoires de responsabilité étaient valables (461).

Toutefois, pendant longtemps la jurisprudence a limité l'effet de ces clauses à un simple renversement de la charge de la preuve : en cas de dommage, le débiteur n'avait pas à faire la preuve de son absence de faute, mais il n'était pas exonéré de sa responsabilité qui demeurait entière si le créancier rapportait la preuve de sa faute. Désormais, la jurisprudence reconnaît plein effet à ces clauses, ce qui explique leur floraison dans de multiples contrats.

Les clauses peuvent revêtir diverses formes. Certaines suppriment expressément l'une des obligations du contrat : par exemple, il sera indiqué que le propriétaire d'un parking n'en assure pas la surveillance. D'autres, plus fréquentes, laissent intactes les obligations inhérentes au contrat, mais suppriment ou limitent la responsabilité en cas d'inexécution. Par exemple, il sera mentionné par un fabricant d'appareils ménagers que la garantie est limitée à un an, ou qu'elle sera limitée au remplacement de l'appareil, à l'exclusion de tous dommages et intérêts, etc. En pratique, que la clause limite les obligations ou la responsabilité, le résultat pratique est le même : la responsabilité sera écartée ou limitée. Bien qu'hésitante (462), la jurisprudence les traite le plus souvent de la même manière (463).

En se déchargeant de tout ou partie de leur responsabilité, les contractants évitent le paiement d'une prime d'assurance, ce qui leur permet d'abaisser le prix de revient et, le cas échéant, le prix de vente. Sur un plan économique, cela revient à transférer du débiteur sur le créancier la charge de certains risques, quitte pour ce dernier à souscrire l'assurance dont le débiteur a fait l'économie.

Ce principe de la validité des clauses limitatives ou exonératoires de responsabilité en matière contractuelle souffre de nombreuses exceptions qui se multiplient à un point tel qu'elles risquent de remettre en cause le principe lui-même.

---

(461) Pour la validité de principe en matière contractuelle, voir récemment, à propos du loto, Cass. 1re civ., 19 janv. 1982 : *D.* 1982, 457 et note Ch. LARROUMET ; *JCP* 84, II, 20215, obs. F. CHABAS ; à propos de la perte de pellicules photographiques, Cass. 1re civ., 17 juill. 1990 : *JCP* 91, II, 21676, obs. G. PAISANT.

(462) Cass. ch. mixte, 23 mars 1973 : *D.* 1973, 305 et concl. SCHMELCK. – Mais voir *contra* Cass. ass. plén. 30 juin 1998 : *JCP* 1998, II, 10146 et note Ph. DELEBECQUE ; *Contr. Conc. Consom.* 1998, comm. n° 143 et note L. LEVENEUR.

(463) Cass. 1re civ., 15 nov. 1988 : *D.* 1989, 349 et note Ph. DELEBECQUE.

b) Les exceptions au principe

741. – Le cas de dol ou de faute lourde. En premier lieu, la jurisprudence dénie toute efficacité aux clauses limitatives en cas de *dol*, c'est-à-dire de faute intentionnelle, du responsable ou de ses préposés (V. *supra*, n° 572). La règle est saine ; sans elle, l'exécution du contrat dépendrait du seul bon vouloir du débiteur, donc d'une *condition purement potestative* (V. *supra*, n° 426). Au dol, il faut ici assimiler la *faute lourde*, qui fait échec à la limitation de responsabilité (V. *supra*, n° 570) (464).

Des clauses relatives à la responsabilité doivent être rapprochées les clauses limitatives ou exonératoires de garantie, qui en sont une variété et qui sont presque devenues de style dans les contrats de vente. Ces clauses par lesquelles le vendeur tente de s'exonérer de la garantie des vices cachés (C. civ., art. 1643) ne jouent qu'au profit du vendeur de bonne foi, c'est-à-dire celui qui ignorait les vices de la chose. Mais, même dans ce cas, la jurisprudence les a rendues sans intérêt pour les fabricants et vendeurs professionnels, assimilés à des vendeurs de mauvaise foi, parce que censés connaître ou même tenus de connaître les vices des choses qu'ils font profession de fabriquer ou vendre (465).

Cette condamnation jurisprudentielle n'a pas entraîné *ipso facto* la disparition des clauses limitatives de garantie qui ont parfois continué à figurer dans les contrats-types et dans les conditions générales de vente des fabricants et des vendeurs professionnels. Cette persistance explique que le législateur soit intervenu pour réitérer cette interdiction des clauses limitatives entre professionnels d'une part, et non-professionnels ou consommateurs d'autre part (C. consom., art. R. 132-1) (V. *supra*, n° 323).

Mais ces clauses demeurent valables dans les rapports entre particuliers, ou encore dans les rapports entre *professionnels de même spécialité* (466).

---

(464) Cass. civ., 29 juin 1948 : *JCP* 49, II, 4660, obs. R. Rodière. – Cass. civ., 25 juin 1959 : *D.* 1960, 97 et note R. Rodière. – Cass. com., 22 avr. 1975 : *D.* 1975, somm. 92. – Cass. 1re civ., 22 oct. 1975 : *D.* 1976, 151 et note J. Mazeaud. – 22 nov. 1978 : *JCP* 79, II, 19139, obs. G. Viney. – Cass. ass. plén., 30 juin 1998, précité.

(465) Jurisprudence constante : Cass. com., 16 oct. 1972 : *D.* 1973, 290 et note J. Hemard. – Cass. com., 28 janv. 1974 : *JCP* 74, II, 17852, obs. H.-T.

(466) La jurisprudence récente admet le principe de la validité de ces clauses entre professionnels de même spécialité : Cass. com. 18 janv. 1972 : *JCP* 72, II, 17072. – Cass. com. 8 oct. 1973 : *JCP* 75, II, 17927, obs. J. Ghestin. – Cass. com. 8 juill. 1975 : *JCP* 76, II, 18332 ; *Gaz. Pal.* 1976, 1, 329 et note A. Plancqueel. – Cass. 3e civ., 30 oct. 1978 : *JCP* 79, II, 19178, obs. J. Ghestin. – Cass. com. 18 avr. 1980 : *Bull. civ.* IV, n° 170. – Cass. com. 4 nov. 1980 : *Bull. civ.* IV, n° 365. – Cass. 1re civ., 21 juill. 1987 : *Bull. civ.* I, n° 241. – 9 févr. 1998 ; *D.* 1998, 455 et note J. Revel. – J. Ghestin, *Conformité et garanties dans la vente*, n° 273 et s. – V. aussi Ph. Malinvaud, *Pour ou contre la validité des clauses limitatives de la garantie des vices cachés dans la vente* : *JCP* 75, I, 2690. – J. Bigot, *Plaidoyer pour les clauses limitatives de garantie et de responsabilité dans les contrats de vente et de fourniture entre professionnels* : *JCP* 76, I, 2755. – B. Mercadal, *La limitation de la garantie des vices cachés dans la vente des produits fabriqués* : *JCP* 76, éd. CI, 12157. – P. Ancel, *La garantie conventionnelle des vices cachés dans les conditions générales de vente en matière mobilière* : *RTD* com. 1979, 203. – J. Ghestin et B. Desché, *La vente*, n° 963 et s. – J. Huet, *Responsabilité du vendeur et garantie contre les vices cachés*, n° 571 et s. – V. aussi *Les clauses abusives entre professionnels*, Économica, 1998.

---

742. – Le cas de l'obligation essentielle. En second lieu, la jurisprudence écarte également la validité de la clause limitative qui aboutirait à écarter l'*obligation essentielle* du contrat, et qui en fait viderait le contrat de toute sa substance.

La solution n'est pas nouvelle. Ainsi, à une époque (avant la loi de 1978) où la jurisprudence admettait la validité des clauses limitant la garantie de dix ans due par les constructeurs, elle annulait les clauses qui aboutissaient à la suppression des obligations essentielles (467) ou qui ramenaient le délai de garantie à une durée symbolique de quelques mois (468).

Mais elle a acquis la notoriété avec l'arrêt *Chronopost* par lequel, considérant que la délivrance des plis dans le délai promis était une obligation essentielle du contrat, la Cour annulait la clause limitant l'indemnisation du retard au remboursement des frais d'envoi (469). Du fait de la suppression de l'obligation essentielle le contrat était ici considéré comme dépourvu de cause (V. *supra*, n° 307).

En l'espèce, la nullité de la clause du contrat *Chronopost* a conduit à l'application du contrat-type messagerie de la Poste, lequel comprenait une clause limitative du même genre, à ceci près qu'elle ne pouvait tomber qu'en cas de faute lourde (470).

743. – Le cas de dommages corporels. En troisième lieu, selon de nombreux auteurs, les clauses limitatives seraient sans valeur lorsqu'elles portent sur la réparation des dommages causés à l'intégrité physique de la personne, au motif que la matière est d'ordre public.

À l'appui de cette opinion on relèvera que figure en a) de la liste des clauses pouvant être déclarées abusives, annexée à l'article L. 132-1 du Code de la consommation, la clause ayant pour objet ou pour effet « d'exclure ou de limiter la responsabilité légale du professionnel en cas de mort d'un consommateur ou de dommages corporels causés à celui-ci, résultant d'un acte ou d'une omission de ce professionnel ». Le juge peut

---

(467) Cass. 3e civ., 22 mai 1969 : *D.* 1969, 653. – 24 janv. 1973 : *Gaz. Pal.* 1973, 1, 418 ; *RTD civ.* 1974, 434, obs. G. CORNU.

(468) Par exemple, réduction du délai à 6 mois (Cass. 3e civ., 11 janv. 1984 : *RD imm.* 1984, 191), ou à un an (Cass. 3e civ., 23 mai 1984 : *Gaz. Pal.* 1984, 2, pan. 309), ou même à deux ans (Cass. 3e civ., 20 juin 1990 : *JCP* 1990, IV, 316).

(469) Cass. com. 22 oct. 1996 : *JCP* 1997, II, 22881 et note D. COHEN ; *D.* 1997, 121 et note A. SERIAUX ; *Defrénois* 1997, 1, 333 et note D. MAZEAUD ; *D.* 1997, somm. 175 et note Ph. DELEBECQUE ; *Contr. Conc. Consom.* 1997, comm. n° 24 et note L. LEVENEUR ; *JCP* 1997, I, 4002, n° 1, obs. M. FABRE-MAGNAN ; *Gaz. Pal.* 1997, 22-26 août et note R. MARTIN. – Ch. LARROUMET, *Obligation essentielle et clause limitative de responsabilité* : *D.* 1997, chron. 145. – V. aussi Cass. 1re civ., 23 févr. 1994 : *JCP* 1994, IV, 1124 ; *JCP* 1994, I, 3809, n° 15, obs. G. VINEY. – Cass. com. 17 juill. 2001 : *JCP* 2002, I, 148, n° 17, obs. G. LOISEAU.

(470) Cass. com. 9 juill. 2002 : *JCP* 2002, II, 10176, note G. LOISEAU et M. BILLIAU ; *D.* 2002, 2329, obs. E. CHEVRIER ; *JCP* 2002, I, 184, n° 14, obs. J. ROCHFELD ; *Contr. Conc. Consom.* 2003, comm. n° 2 et note L. LEVENEUR ; *D.* 2003, somm. 457, obs. D. MAZEAUD. – V. aussi Cass. ass. plén. 30 juin 1998 : *JCP* 1998, II, 10146 et note Ph. DELEBECQUE ; *Contr. Conc. Consom.* 1998, comm. n° 143 et note L. LEVENEUR.

---

donc déclarer abusive une telle clause dans les rapports entre un professionnel et un non-professionnel ou consommateur, mais il n'y est pas contraint.

Cela dit, l'interdiction des clauses limitatives en matière de dommages corporels répond effectivement au sentiment général et aux règles tant européennes que nationales qui régissent le droit au respect de la vie et de l'intégrité physique.

On notera toutefois que la nullité de telles clauses se trouve démentie par la loi qui a consacré des limitations dans certains contrats de transport,, et par une partie de la jurisprudence (471).

744. – Le cas de certains contrats. En quatrième lieu, le législateur est intervenu dans certains domaines pour prohiber les clauses de non-responsabilité.

Ainsi en est-il pour *le transport de personnes par air ou par mer* pour lequel il est fixé un plafond légal (V. *supra*, n° 734) ; ce plafond s'impose à tout le monde, y compris aux compagnies de transport qui ne sauraient fixer un chiffre moindre. Quant au *transport de personnes par terre*, la jurisprudence prohibe toute clause limitative au motif que la matière est d'ordre public. Des règles identiques existent en matière de transport de marchandises.

Également, on rappellera que, dans *les contrats de consommation*, l'article R. 132-1 du Code de la consommation interdit comme abusive toute clause ayant pour objet ou pour effet de supprimer ou de réduire le droit à réparation du non-professionnel ou consommateur en cas de manquement par le professionnel vendeur à l'une quelconque de ses obligations (V. *supra*, n° 323).

De même encore, *en matière de construction d'ouvrages*, l'article 1792-5 répute non écrite toute clause d'un contrat ayant pour objet d'exclure ou de limiter les responsabilités et garanties dues par les constructeurs au titre des articles 1792 et suivants. La règle est la même pour le *vendeur d'immeuble à construire* (C. civ., art. 1646-1), pour le promoteur immobilier, pour le constructeur de maisons individuelles, etc.

Ce ne sont là que les exemples les plus frappants, dont la liste n'est nullement exhaustive. Il s'ensuit que le principe de la validité des clauses limitatives voit son domaine très largement réduit (472).

---

(471) Cass. 1re civ., 3 juin 1970 : D. 1971, 373 et note CHAUVEAU. – V. aussi P. ESMEIN, *Méditation sur les conventions d'irresponsabilité en cas de dommage causé à la personne* : in *Mélanges Savatier*, p. 271. – R. RODIÈRE, *Validité des clauses limitatives de responsabilité dans les transports terrestres* : D. 1954, chron. 125.
(472) Ph. DELEBECQUE, *Que reste-t-il du principe de validité des clauses limitatives de responsabilité ?* : D. affaires 1997, 235.

3° La clause pénale (473)

745. – Caractère forfaitaire. La clause pénale, régie par les articles 1152 et 1226 à 1233 du Code civil, est celle par laquelle les parties à un contrat déterminent par avance et forfaitairement les dommages-intérêts en cas d'inexécution de la convention. Son intérêt principal est de prévenir toute difficulté d'évaluation. Par exemple, dans les contrats de construction il est d'usage de prévoir des *pénalités de retard*, qui sont une variété de clause pénale (474) : en cas de retard dans la livraison de l'ouvrage, le débiteur devra payer tant par jour de retard.

Ces clauses peuvent être insérées dans tout contrat, sauf là où la loi l'interdit, notamment dans le contrat de travail (C. trav., art. L. 122-42) et dans le contrat de bail d'habitation (L. 6 juill. 1989, art. 4 i)) (475).

La clause pénale peut jouer un rôle différent suivant le chiffre retenu à titre de dommages-intérêts. S'il est inférieur au montant réel du dommage, la clause apparaît comme *limitative de responsabilité* et on lui applique les règles énoncées aux numéros précédents. Si, comme il arrive souvent, le chiffre choisi est considérable, alors elle constitue un *moyen de pression* très fort sur le débiteur ; en cela, elle est à rapprocher de l'*astreinte* qui, prononcée par le juge, poursuit un but identique (V. *infra*, nᵒˢ 827 et s.).

Parce qu'il s'agit de *dommages-intérêts*, la clause pénale ne peut être mise en œuvre que si se trouvent réalisées les conditions de la responsabilité contractuelle : inexécution imputable au débiteur, et non pas due à la force majeure. Mais, parce qu'il s'agit d'un *forfait* librement accepté, le juge ne peut en principe le modifier.

Art. 1152. – Lorsque la convention porte que celui qui manquera de l'exécuter payera une certaine somme à titre de dommages-intérêts, il ne peut être alloué à l'autre partie une somme plus forte, ni moindre.

(L. n° 85-1097 du 11 oct. 1985) « Néanmoins, le juge peut, même d'office, modérer ou augmenter la peine » *(L. n° 75-597 du 9 juill. 1975)* « qui avait été convenue, si elle est manifestement excessive ou dérisoire. Toute stipulation contraire sera réputée non écrite ».

. . . .

Art. 1226. – La clause pénale est celle par laquelle une personne, pour assurer l'exécution d'une convention, s'engage à quelque chose en cas d'inexécution.

Art. 1227. – La nullité de l'obligation principale entraîne celle de la clause pénale.

La nullité de celle-ci n'entraîne point celle de l'obligation principale.

Art. 1228. – Le créancier, au lieu de demander la peine stipulée contre le débiteur qui est en demeure, peut poursuivre l'exécution de l'obligation principale.

---

(473) D. Mazeaud, *La notion de clause pénale* : LGDJ, 1992.

(474) Cass. 3ᵉ civ., 6 nov. 1986 : JCP 1987, IV, 17.

(475) G. Paisant, *Les clauses pénales sont-elles encore licites dans les contrats de bail et de travail ?* : JCP 1986, I, 3238. – J.-M. Gélinet, *Clause pénale et contrat de louage* : Administrer, n° 195, nov. 1988, p. 2.

Art. 1229. – La clause pénale est la compensation des dommages et intérêts que le créancier souffre de l'inexécution de l'obligation principale.

Il ne peut demander en même temps le principal et la peine, à moins qu'elle n'ait été stipulée pour le simple retard.

Art. 1230. – Soit que l'obligation primitive contienne, soit qu'elle ne contienne pas un terme dans lequel elle doive être accomplie, la peine n'est encourue que lorsque celui qui s'est obligé soit à livrer, soit à prendre, soit à faire, est en demeure.

Art. 1231. – *(L. n° 75-597 du 9 juill. 1975)* – Lorsque l'engagement a été exécuté en partie, la peine convenue peut *(L. n° 85-1097 du 11 oct. 1985)* « même d'office » être diminuée par le juge à proportion de l'intérêt que l'exécution partielle a procuré au créancier, sans préjudice de l'application de l'article 1152. Toute stipulation contraire sera réputée non écrite.

Cette impossibilité pour le juge de modifier le forfait était jadis imposée par l'article 1152 de manière absolue. L'article 1231 y faisait exception pour le seul cas où le contrat avait été en partie exécuté par le débiteur (476) ; mais la pratique neutralisait souvent cette exception en insérant dans les contrats une clause contraire dont la jurisprudence avait admis la validité.

Cette intangibilité du forfait avait donné lieu à des abus manifestes de la part de certains créanciers qui inséraient systématiquement dans les contrats des clauses pénales draconiennes pour les débiteurs défaillants. De tels abus se rencontraient notamment dans les contrats de *crédit-bail* (477), où il était stipulé que, à défaut de paiement d'une mensualité du loyer, le contrat serait résolu et le débiteur défaillant devrait, à titre de pénalité, le montant total des loyers restant à courir. Liés par les textes, les tribunaux ne pouvaient faire autrement que valider ces clauses léonines (478).

746. – **Pouvoir modérateur du juge.** Pour mettre un terme à ces excès, le législateur est intervenu par une loi du 9 juillet 1975 qui a modifié les articles 1152 et 1231.

D'une part, l'article 1231 précise qu'en cas d'exécution partielle « la peine convenue peut, même d'office, être diminuée par le juge à proportion de l'intérêt que l'exécution partielle a procuré au créancier » ; et, surtout, cette faculté du juge ne peut plus désormais être écartée par une clause contraire.

---

(476) V. B. Boccara, *La liquidation de la clause pénale et la querelle séculaire de l'article 1231 du Code civil* : JCP 70, I, 2294. – E. Alfandari, *Le contrôle des clauses pénales par le juge* : JCP 71, I, 2395.

(477) Le crédit-bail est une convention financière à moyen ou long terme en vertu de laquelle le crédit-bailleur (banque ou établissement financier) met à la disposition d'un utilisateur, le crédit-preneur, moyennant le versement d'un loyer, ou des outillages ou biens d'équipement (crédit-bail mobilier) ou un immeuble à usage professionnel (crédit-bail immobilier) ; le crédit-bailleur demeure propriétaire, cependant que le crédit-preneur dispose à l'expiration du bail d'une option d'achat des biens meubles, ou d'une promesse de vente de l'immeuble.

(478) Cass. 3e civ., 30 juin 1971 : JCP 72, II, 16860, obs. E.M.B. – Cass. com. 14 avril 1972 : JCP 72, II, 17269, obs. E. Alfandari. – B. Boubli, *Réflexions sur la clause pénale dans les contrats de leasing et de renting* : Rec. gén. lois et jurisp. 1971, 641. – Ph. Malaurie, notes au D. 1972, 582, 728, 730, 732.

D'autre part, et d'une manière plus générale, le juge se voit accorder par l'article 1152 le pouvoir de « modérer ou augmenter la peine qui avait été convenue, si elle est manifestement excessive ou dérisoire ». Il peut y procéder « même d'office », c'est-à-dire en dehors de toute demande des parties (L. 11 oct. 1985), sauf bien entendu à instituer un débat contradictoire sur ce point (479). Là encore, la loi précise que toute clause contraire sera réputée non écrite.

Lorsqu'il use de la faculté qui lui est ainsi offerte, le juge du fond doit s'expliquer sur le caractère excessif ou dérisoire de la clause pour permettre le contrôle de la Cour de cassation (480). S'il maintient la clause, il n'a pas à motiver spécialement sa décision (481).

Pour l'exercice de son pouvoir modérateur, le juge ne doit tenir compte que de la disproportion entre l'importance du préjudice effectivement subi et le montant conventionnellement fixé, et non du comportement du débiteur (482) ou des facultés financières des parties (483). Il doit se placer à la date de sa décision pour apprécier cette disproportion (484).

Lorsqu'il réduit une peine excessive, le juge n'est pas contraint de l'abaisser au niveau des dommages et intérêts (485), mais il ne peut allouer moins que le préjudice (486). Réciproquement, lorsqu'il augmente une peine dérisoire, il ne doit pas dépasser le montant du préjudice (487).

À la suite de cette réforme, on peut affirmer que la clause pénale a pour une large part perdu son caractère forfaitaire ; son intérêt, comme moyen de pression contre les débiteurs défaillants, s'en trouve sensiblement amoindri. C'est dire que la réforme s'inspire plus de l'idée d'équité et de clémence pour le débiteur malheureux que du souci de l'efficacité (488).

---

(479) Cass. com. 23 mars 1993 : *Bull. civ.* IV, n° 114.

(480) Cass. ch. mixte 20 janv. 1978 : *D.* 1978, 349. – O. KRAF, *Clauses pénales. À quel niveau les réduire ou les augmenter ? : Gaz. Pal.* 3-7 avr. 1994, doctr. – F. PASQUALINI, *La révision des clauses pénales : Defrénois* 1995, 1, 769, art. 36106.

(481) Cass. 3e civ., 26 avr. 1978 : *D.* 1978, 349. – Cass. 3e civ., 17 janv. 1979 : *JCP* 79, IV, 98. – Cass. 3e civ., 14 janv. 1987 : *D.* 1987, IR, 18 ; *JCP* 87, IV, 92. – 12 janv. 2001 : *D.* 2001, IR, 2360 ; *JCP* 2001, IV, 2560.

(482) Cass. com. 11 févr. 1997 : *Bull. civ.* IV, n° 47.

(483) Cass. 1re civ., 14 nov. 1995 : *Bull. civ.* I, n° 412.

(484) Cass. 1re civ., 10 mars 1998 : *Bull. civ.* I, n° 98, p. 65.

(485) Cass. com. 29 janv. 1991 : *Bull. civ.* IV, n° 43.

(486) Cass. 1re civ., 24 juill. 1978 : *D.* 1979, IR, 151, obs. LANDRAUD. – Cass. com. 3 févr. 1982 : *Bull. civ.* IV, n° 44 ; *JCP* 82, IV, 139. – Cass. com. 8 juill. 1986 : *JCP* 86, IV, 275.

(487) O. KRAF, art. préc. – F. PASQUALINI, Art. préc.

(488) B. BOCCARA, *La réforme de la clause pénale : conditions et limites de l'intervention judiciaire : JCP* 75, I, 2742. – Ph. MALAURIE, *La révision judiciaire de la clause pénale : D.* 1976, chron. 229. – F. STEINMETZ, *Observations sur le pouvoir modificateur du juge en matière de clause pénale, depuis la loi du 9 juillet 1975 : Rec. gén. lois* 1976, 405. – B. BOUBLI, *La mort de la clause pénale ou le déclin du principe d'autonomie de la volonté : Journ. not.* 1976, 945, art. 53048. – S. SANZ, *La consécration du pouvoir judiciaire par la loi du 9 juillet 1975 et ses incidences sur la théorie générale de la clause pénale : RTD civ.* 1977, 268. – Ph. NECTOUX, *La révision judiciaire des clauses pénales. Bilan des premières années d'application de la loi du 9 juillet 1975 par l'informatique juridique : JCP* 78, I, 2913. – G. PAISANT, *Dix ans d'application de la réforme des articles 1152 et 1231 du Code civil relative à la clause pénale (L. 9 juill. 1975) : RTD civ.* 1985, 647.

Afin de bénéficier de cette clémence, les débiteurs essaient parfois de faire qualifier de clause pénale certaines clauses, par exemple les clauses de dédit (489) et les indemnités d'immobilisation (490), ou les clauses de résiliation unilatérale (491), qui ne méritent pas cette qualification, ou encore les clauses limitatives de responsabilité (492).

En principe, la clause pénale devrait s'éteindre avec le contrat dans lequel elle est stipulée. Il en va toutefois différemment en cas de résolution car survivent alors les clauses qui ont pour objet de régler les conséquences de l'inexécution (V. *supra*, n° 504). Tel est notamment le cas des clauses pénales qui ont précisément été établies pour le cas où le contrat ne serait pas exécuté (493).

B. – La transaction, convention postérieure à la réalisation du dommage

747. – Le terme de transaction a plusieurs sens. Dans le langage courant, ce mot désigne, de manière assez vague, toute opération commerciale ou boursière. Dans la terminologie juridique, c'est le contrat par lequel deux personnes mettent fin à un litige né ou latent en se consentant des concessions réciproques (C. civ., art. 2044 et s.) (494).

Pareille convention trouve un terrain de choix en matière de responsabilité. Renonçant à une instance judiciaire, auteur et victime du dommage peuvent se mettre d'accord et transiger.

Cette pratique est très usitée par les compagnies d'assurance qui, pour paralyser tout recours judiciaire, font signer à la victime une transaction dans laquelle il est stipulé que l'indemnité versée est forfaitaire et répare tous les préjudices, mêmes imprévus, qui seraient la conséquence de

---

(489) Cass. 3e civ., 9 janv. 1991 : *D.* 1991, 481 et note G. Paisant. – Cass. com. 14 oct. 1997 : *D.* 1998, 103 et note Ch. Willmann.

(490) A. Benet, *Indemnité d'immobilisation, dédit et clause pénale*, JCP 87, I, 3274. – Cass. 3e civ., 5 déc. 1984, 2 arrêts : *D.* 1985, 544 et note F. Benac-Schmidt ; *JCP* 86, II, 20555, obs. G. Paisant ; *Defrénois* 1986, 1, 126, art. 33653, note J.-M. Olivier. – Cass. 3e civ., 10 déc. 1986 : *JCP* 87, II, 20857, obs. G. Paisant. – Cass. 3e civ., 30 avr. 2002 : *Bull. civ.* III, n° 90, p. 79 ; *Defrénois* 2002, 1, 1257, art. 37607, n° 67, obs. E. Savaux.

(491) Cass. 1re civ., 6 mars 2001 : *D.* 2001, somm. 3243, obs. Ph. Delebecque.

(492) Ph. Malinvaud, *De l'application de l'article 1152 du Code civil aux clauses limitatives de responsabilité* : in *Mélanges Terré*, 1999, p. 689. – Sur l'application de la réglementation des clauses abusives aux clauses pénales, voir G. Paisant, *Clauses pénales et clauses abusives après la loi n° 95-96 du 1er février 1995 : D.* 1995, chron. 223.

(493) Cass. ch. mixte, 23 nov. 1990, deux arrêts : *D.* 1991, 121 et note Ch. Larroumet. V. aussi Ch. Hugon, *Le sort de la clause pénale en cas d'extinction du contrat : JCP* 1994, I, 3790.

(494) Ch. Jarrosson, *Les concessions réciproques dans la transaction : D.* 1997, chron. 267. – X. Lagarde, *Transaction et ordre public : D.* 2000, chron. 217. – Y. Desdevises, *Les transactions homologuées : vers des contrats juridictionnalisables ? : D.* 2000, chron. 284.

---

l'accident (495). Il s'ensuit de nombreux litiges lorsque survient par la suite une aggravation du préjudice. Les tribunaux prononcent assez volontiers la nullité des transactions de cette sorte, pour erreur sur l'objet de la contestation (496).

Numéros 748 à 750 réservés.

---

(495) J.-P. CHAUCHARD, *La transaction dans l'indemnisation du préjudice corporel : RTD civ.* 1989, 1. – X. LAGARDE, *Transaction et ordre public*, précité.
(496) Cass. 1re civ., 8 mars 1966 : *JCP* 66, II, 14664, concl. R. LINDON. – Cass. 1re civ., 27 févr. 1967 : *D.* 1967, 246 et note G.C.M. – Cass. 1re civ., 11 oct. 1967 : *D.* 1968, 135 ; *JCP* 67, II, 15315.

L'OBLIGATION DE COMPENSER L'AVANTAGE INJUSTEMENT REÇU D'AUTRUI : LES QUASI-CONTRATS

751. – Comparaison avec la responsabilité. Jusqu'à une date récente, on enseignait qu'il n'y avait pas lieu d'établir de parallèle entre cette obligation de compenser l'avantage injustement reçu d'autrui et l'obligation de réparer le préjudice injustement causé, leur seul point commun étant que l'une et l'autre sont établies par la loi.

On est désormais obligé de nuancer le propos depuis que, par un arrêt d'une chambre mixte du 6 septembre 2002, la Cour de cassation a institué en quasi-contrat le fait de faire miroiter des gains mirifiques aux yeux de destinataires prétendus tirés au sort. Alors que cette question des loteries publicitaires était traitée sous l'angle de la responsabilité délictuelle, ou de l'engagement contractuel ou unilatéral, la jurisprudence veut maintenant y voir un quasi-contrat (V. *infra*, n°s 766 et s.). Ce faisant, la jurisprudence noie dans un certain flou la frontière qui séparait la responsabilité civile des quasi-contrats et, au-delà même, la frontière entre l'acte juridique et le fait juridique.

Cela dit, au plan de leur importance pratique respective, il n'y a pas de commune mesure. Autant la *responsabilité civile* est d'application courante, quotidienne, autant les *quasi-contrats*, même si on y ajoute le cas des loteries publicitaires, sont une catégorie résiduelle (1).

De quoi s'agit-il donc ?

Il est bien évident que la loi n'interdit pas de s'enrichir ; or, tout enrichissement, mis à part les gains de productivité, est peu ou prou reçu d'autrui, quand il ne lui est pas pris. Mais la loi ne voit pas du même œil tous les enrichissements. Les uns paraissent sinon justes, du moins justifiés ; les autres appellent une compensation.

Ne retenant que ces derniers, il faut encore distinguer.

La plupart des enrichissements injustes procèdent d'un comportement coupable de l'enrichi, par exemple, d'un vol, d'une escroquerie, d'un abus de confiance, ou même d'une faute civile qui ne serait pas sanctionnée pénalement ; dans toutes ces hypothèses, il ne s'agit pas de compenser un avantage mais de réparer un préjudice : c'est un problème de responsabilité (V. *supra*, n°s 512 et s.).

Les autres enrichissements injustes relèvent du domaine du quasi-contrat (2). Mais, là encore, la jurisprudence sur les loteries publicitaires jette un certain flou sur la fonction de quasi-contrat et amène à nuancer. Désormais, le critère de l'obligation de compenser ne réside plus seulement dans l'avantage indûment reçu d'autrui à la suite d'un fait volontaire spontané et désintéressé ; dans le cas des loteries publicitaires il tient à l'illusion créée chez autrui à la suite d'un fait volontaire délibéré et intéressé. Ainsi que le relève justement un auteur, « traditionnellement appréhendé comme un mécanisme de compensation ou de restitution en faveur de l'auteur d'un fait profitable d'autrui, il constitue désormais aussi une technique de sanction des promesses sans lendemain » (3). On ajoutera cependant que cette seconde fonction apparaît mineure au regard de la première.

752. – Quasi-contrats, enrichissement sans cause et autres. Sous l'intitulé « Des engagements qui se forment sans convention », le Code civil traite « Des quasi-contrats » (art. 1371 à 1381) et « Des délits et des quasi-délits » (art. 1382 à 1386), c'est-à-dire de la responsabilité civile (V. *supra*, n°s 512 et s.).

S'agissant des quasi-contrats du Code civil, ils sont au nombre de deux : la gestion d'affaires et le paiement de l'indu. L'un et l'autre ont pour objet d'assurer la compensation d'avantages reçus d'autrui à la fois

---

(1) H. Vizioz, *La notion de quasi-contrat*, thèse Bordeaux, 1912. – J. Honorat, *Rôle effectif et rôle concevable des quasi-contrats en droit actuel* : RTD civ. 1969, 653. – M. Douchy, *La notion de quasi-contrat en droit positif français*, préf. A. Sériaux, Economica, 1997. – Ph. Le Tourneau et A. Zabalalza, *Le réveil des quasi-contrats (à propos des loteries publicitaires)* : Contr. Conc. Consom. 2002, chron. n° 22.

(2) F. Goré, *L'enrichissement aux dépens d'autrui, éléments d'ordre juridique et d'ordre moral*, Paris, 1949.

(3) D. Mazeaud, note sous Cass. ch. mixte, 6 sept. 2002, D 2002.2963.

sans justification suffisante et sans faute de l'enrichi. Parce que les situations ainsi réglées s'apparentent, bien que d'assez loin, à des situations contractuelles, on a conservé l'habitude de langage du droit romain, lequel disait que l'obligation naît « *quasi ex contractu* », comme s'il y avait un contrat ; d'où le terme de quasi-contrat, aujourd'hui fort ambigu, pour désigner ces hypothèses.

À côté de ces quasi-contrats qui sont au nombre de deux, on rencontre dans le Code civil divers textes épars qui tendent à rétablir un équilibre rompu entre deux patrimoines ; à partir de ces textes la jurisprudence a posé un principe général de réparation de l'*enrichissement sans cause*. Les quasi-contrats d'origine jurisprudentielle viennent de s'enrichir d'une nouvelle catégorie, qui concerne une hypothèse très limitée, celle des *loteries publicitaires*. Et certains auteurs y rattachent les obligations qui découlent de la *théorie de l'apparence* (4).

Section 1

LES QUASI-CONTRATS DU CODE CIVIL

§ 1. – La gestion d'affaires (5)

753. – Définition. Là encore, on bute sur un problème de terminologie. Dans le langage courant le gérant d'affaires est celui à qui une personne confie la direction ou la surveillance de certaines affaires, par un contrat de mandat. Or, en droit, la gestion d'affaires est le fait pour une personne – le gérant – d'accomplir un ou plusieurs actes dans l'intérêt d'une autre personne – le géré ou maître de l'affaire – *sans y avoir été invitée*. La gestion d'affaires se distingue donc du mandat en ce qu'elle est spontanée, et non pas consécutive à un contrat.

En bref, la gestion d'affaires, telle qu'elle est réglementée aux articles 1372 et suivants, n'est pas un contrat ; bien au contraire, c'est un ensemble de règles légales qui dictent des solutions pour le cas où, en dehors de tout contrat exprès ou tacite, une personne s'est occupée des affaires d'autrui.

---

(4) A. Bénabent, *Les obligations*, 8e éd., nos 500 et s.
(5) M. Picard, *La gestion d'affaires dans la jurisprudence contemporaine* : RTD civ. 1921, 419 et 1922, 3. – F. Goré, *Le fondement de la gestion d'affaires, source autonome d'obligations* : D. 1953, chron. 39. – H. Sinay, *La fortune nouvelle de la gestion d'affaires* : Gaz. Pal. 1946, 2, doctr. 13. – R. Bout, *La gestion d'affaires en droit français contemporain*, 1972.

Art. 1372. – Lorsque volontairement on gère l'affaire d'autrui, soit que le propriétaire connaisse la gestion, soit qu'il l'ignore, celui qui gère contracte l'engagement tacite de continuer la gestion qu'il a commencée, et de l'achever jusqu'à ce que le propriétaire soit en état d'y pourvoir lui-même ; il doit se charger également de toutes les dépendances de cette même affaire.

Il se soumet à toutes les obligations qui résulteraient d'un mandat exprès que lui aurait donné le propriétaire.

Art. 1373. – Il est obligé de continuer sa gestion, encore que le maître vienne à mourir avant que l'affaire soit consommée, jusqu'à ce que l'héritier ait pu en prendre la direction.

Art. 1374. – Il est tenu d'apporter à la gestion de l'affaire tous les soins d'un bon père de famille.

Néanmoins les circonstances qui l'ont conduit à se charger de l'affaire peuvent autoriser le juge à modérer les dommages et intérêts qui résulteraient des fautes ou de la négligence du gérant.

Art. 1375. – Le maître dont l'affaire a été bien administrée, doit remplir les engagements que le gérant a contractés en son nom, l'indemniser de tous les engagements personnels qu'il a pris, et lui rembourser toutes les dépenses utiles ou nécessaires qu'il a faites.

Ces règles sont dominées par deux idées. D'une part, si la gestion a été utile et bien menée, il est naturel que le géré tienne compte au gérant de l'enrichissement réalisé. D'autre part, il ne convient pas d'encourager des immixtions inutiles ou déplacées dans les affaires d'autrui.

En pratique, il n'y aura lieu de recourir aux règles de la gestion d'affaires qu'en cas de conflit entre un gérant qui prétend se faire indemniser et un géré qui, désapprouvant à tort ou à raison l'action menée par le gérant, refuse de ratifier la gestion. En effet, si celui dont l'affaire a été gérée – bien ou mal – ratifiait la gestion en cours ou terminée, l'opération se trouverait rétroactivement transformée en mandat et devrait être réglée par application des règles du mandat.

754. – Conditions de la gestion d'affaires. Quand peut-on dire qu'il y a gestion d'affaires ? C'est-à-dire à quelles situations va-t-on appliquer les articles 1372 et suivants ?

En premier lieu, *le gérant doit avoir eu l'intention de gérer l'affaire d'autrui* et non pas la sienne propre, car il serait alors mal venu à réclamer une indemnisation de ses peines et soins (6). Mais le désintéressement total n'est pas une condition nécessaire et la jurisprudence a admis l'application des règles de la gestion d'affaires à la gestion d'une affaire commune : par exemple, un co-indivisaire qui agit au nom de tous (art. 815-4, C. civ.) ou dans les rapports entre un usufruitier et un nu-propriétaire (7).

---

(6) TI Paris, 21 oct. 1970 : *D.* 1971, somm. 36 (voiture volée déposée dans un parking payant). – Cass. 1re civ., 7 janv. 1971 : *D.* 1971, 288 ; *JCP* 71, II, 16670 et Cass. 1re civ., 26 janv. 1988 : *D.* 1989, 405 et note D. Martin ; *JCP* 89, II, 21217, obs. Y. Dagorne-Labbé (client d'un grand magasin poursuivant un voleur). – Cons. prud'h. Rouen, 16 déc. 1970 : *JCP* 71, II, 16623 (à propos des accords de Grenelle).

(7) Cass. civ. 1er juill. 1901 : *S.* 1905, 1, 510. – Cass. civ. 28 oct. 1942 : *DC* 1943, 29 et note P.L.P.

En second lieu, *le gérant doit avoir effectivement géré l'affaire d'autrui*. Cette gestion peut viser indifféremment des *actes juridiques*, par exemple contrat avec un entrepreneur en vue de travaux urgents de clôture ou de toiture, ou des *actes matériels* tels qu'éteindre un commencement d'incendie ou aller au secours d'un accidenté, ou même l'exercice d'une action en justice (8). Et, s'agissant d'actes juridiques, après quelques hésitations dues à la formule de l'article 1375 « le maître dont l'affaire a été bien *administrée*... », on admet qu'ils peuvent être soit des *actes d'administration*, soit même des *actes de disposition* « si l'initiative est justifiée » : par exemple, la vente de denrées périssables, soit encore une *action en justice* (9).

En troisième lieu, *la gestion ne doit être faite ni en vertu d'un contrat* car alors il faudrait appliquer les dispositions de ce contrat, *ni contre la volonté exprimée du géré* car ce serait une faute source de responsabilité. Il est assez fréquent, cependant, qu'on applique les règles de la gestion d'affaires à un mandataire ayant excédé la limite de ses pouvoirs (10) (V. *supra*, n° 95).

Enfin, on ajoute toujours que *la gestion doit avoir été utile*. Mais l'utilité de la gestion ne conditionne que les obligations du géré, non pas celles du gérant.

755. – Effets de la gestion d'affaires. Comment se règle la gestion d'affaires ?

Le Code civil impose des obligations au gérant et au géré, comme s'il s'agissait d'un contrat synallagmatique.

Tout d'abord, le fait de s'occuper des affaires d'autrui sans y être convié entraîne diverses *obligations à la charge du gérant* : obligation de mener à son terme la gestion commencée, de lui consacrer tous les soins d'un « bon père de famille », obligation enfin de rendre compte comme un mandataire (11).

En contrepartie, si la gestion a été bien menée, le géré doit :

– à l'égard des tiers : « remplir les engagements que le gérant a contractés en son nom » (C. civ., art. 1375) ;

– à l'égard du gérant : « l'indemniser de tous les engagements personnels qu'il a pris et lui rembourser toutes les dépenses utiles ou nécessaires

---

(8) Cass. 1re civ., 21 déc. 1981 : *Gaz. Pal.* 1982, 2, 398 et note R. Perrot ; *JCP* 83, II, 19961, obs. J.-P. Verschave. – V. cependant TGI Rouen, 16 avr. 1987 : *JCP* 88, II, 20970, obs. P. Courbe.

(9) Cass. 1re civ., 21 déc. 1981 : *Gaz. Pal.* 192, 29 juill. et note R. Perrot ; *JCP* 1983, II, 19961, obs. J.-P. Verschave.

(10) Un arrêt a même appliqué les règles de la gestion d'affaires à des dirigeants d'une association sportive qui avaient effectué de leurs deniers personnels des paiements pour le compte de l'association, au lieu de suivre les règles statutaires en la matière : Cass. 1re civ., 29 mai 2001 : *RJDA* 2002, n° 10 ; *RTD civ.* 2002, 298, obs. crit. J. Mestre et B. Fages.

(11) D. Aquarone, *La nature juridique de la responsabilité civile du gérant d'affaire dans ses rapports avec le maître de l'affaire* : D. 1986, chron. 21. – M. Lecene-Marénaud, *Le rôle de la faute dans les quasi-contrats* : RTD civ. 1994, 515, V. art. 35681, V. nos 44 et s.

---

qu'il a faites » (12) (C. civ., art. 1375), mais à l'exclusion de toute rémunération (13).

Toutefois, ces obligations du géré sont subordonnées soit à la ratification de la gestion, ce qui la transforme en mandat, soit à l'utilité de la gestion. Cette *condition d'utilité* a pour but de décourager les gestions inutiles ou menées par des gens incompétents, et elle fait l'objet d'assez nombreux litiges. La jurisprudence a eu l'occasion de préciser que l'utilité devait être appréciée au moment de l'acte de gestion et qu'il importait donc peu qu'elle ait disparu par suite de circonstances postérieures.

§ 2. – Le paiement de l'indu (14)

756. – Présentation générale. Les textes. Payer l'indu, les mots parlent d'eux-mêmes, c'est payer ce qui n'était pas dû. Il s'ensuit un enrichissement sans cause de celui qui a reçu le paiement ; or, « ce qui a été payé sans être dû est sujet à répétition » (C. civ., art. 1235), c'est-à-dire à restitution au profit de celui qui s'est acquitté par erreur.

Ce paiement de l'indu, simple fait juridique, peut, s'agissant d'un quasi-contrat, être prouvé par tous moyens en application de l'article 1348 du Code civil (15).

L'obligation de compenser l'avantage injustement reçu d'autrui apparaît plus clairement dans cette hypothèse que dans la précédente ; elle est sanctionnée par l'action en répétition de l'indu, que le Code civil réglemente aux articles 1376 à 1381.

Art. 1235. – Tout payement suppose une dette : ce qui a été payé sans être dû est sujet à répétition.

La répétition n'est pas admise à l'égard des obligations naturelles qui ont été volontairement acquittées.

....

Art. 1376. – Celui qui reçoit par erreur ou sciemment ce qui ne lui est pas dû s'oblige à le restituer à celui de qui il l'a indûment reçu.

Art. 1377. – Lorsqu'une personne qui, par erreur, se croyait débitrice, a acquitté une dette, elle a le droit de répétition contre le créancier.

---

(12) Par exemple, une société effectuant des travaux pour le compte d'une autre en qualité de gérant d'affaires n'a droit qu'au remboursement des travaux à prix coûtant, et encore à la condition qu'elle n'ait pas agi dans son propre intérêt : Cass. 1re civ., 18 avr. 2000 : *Bull. civ.* I, n° 113, p. 76 ; *Defrénois* 2000, 1, 1384, art. 37270, obs. Ph. Delebecque.

(13) Cass. com. 15 déc. 1992 : *Defrénois* 1994, 1, 50, art. 35681.

(14) J. Chevallier, *La répétition de l'indu. Notes sur la théorie générale des obligations.* – Ph. Derouin, *Le paiement de la dette d'autrui. Répétition de l'indu et enrichissement sans cause* : D. 1980, chron. 199. – St. de Saint-Didier-Nizard, *La répétition de l'indu*, thèse Paris II, 1998. – B. Thunhart, *Le paiement de l'indu en droit comparé français, allemand, autrichien et suisse* : RIDC 2001, 183.

(15) Cass. 1re civ., 29 janv. 1991 : *Bull. civ.* I, n° 36 ; *RTD civ.* 1991, 281, obs. J. Mestre ; *D.* 1991, IR, 54.

Néanmoins ce droit cesse dans le cas où le créancier a supprimé son titre par suite du paye-ment, sauf le recours de celui qui a payé contre le véritable débiteur.

Art. 1378. – S'il y a eu mauvaise foi de la part de celui qui a reçu, il est tenu de restituer, tant le capital que les intérêts ou les fruits, du jour du payement.

Art. 1379. – Si la chose indûment reçue est un immeuble ou un meuble corporel, celui qui l'a reçue s'oblige à la restituer en nature, si elle existe, ou sa valeur, si elle est périe ou détériorée par sa faute ; il est même garant de sa perte par cas fortuit, s'il l'a reçue de mauvaise foi.

Art. 1380. – Si celui qui a reçu de bonne foi a vendu la chose, il ne doit restituer que le prix de la vente.

Art. 1381. – Celui auquel la chose est restituée, doit tenir compte, même au possesseur de mauvaise foi, de toutes les dépenses nécessaires et utiles qui ont été faites pour la conservation de la chose.

En pratique le paiement de l'indu est souvent le fait d'une Administra-tion, de la Sécurité sociale ou d'une banque ; les erreurs doivent être assez fréquentes si on en juge par l'importance du contentieux. Cela dit, les textes ci-dessus s'appliquent à deux séries de situations.

757. Cas du paiement fait par erreur. Il y a tout d'abord lieu à répétition de l'indu lorsqu'un paiement a été fait par erreur. C'est l'hypothèse la plus fréquente, même s'il peut apparaître étrange qu'une personne procède à tort à un paiement. En pratique, deux situations peuvent se présenter.

Ou bien on a payé une dette qui n'existait pas et on parle alors *d'indu objec-tif :* par exemple, on a payé plus qu'il n'était dû, ou une dette acquittée, ou une dette imaginaire ; mais la restitution serait exclue si l'obligation exécutée était une obligation naturelle, par exemple, une dette de jeu, ou une dette prescrite (C. civ., art. 1235, al. 2) (V. *supra*, nos 25 et s.).

Ou bien, on a payé une dette qui existait, mais entre d'autres personnes et on parlera alors *d'indu subjectif :* par exemple, le débiteur a payé à un autre que le créancier, ou le créancier a reçu paiement d'un autre que le débiteur (16).

Dans toutes ces hypothèses, celui qui a payé à tort doit-il pour se faire restituer, justifier de l'erreur qu'il a commise ? Doit-il démontrer que son geste n'a pas été volontaire, qu'il n'a pas été dicté par une intention libé-rale ou par le désir de payer pour un tiers ? (V. *infra*, nos 795 et s., à propos du paiement fait pour un tiers avec subrogation).

La condition d'erreur du *solvens* (17), c'est-à-dire de celui qui a payé, n'est littéralement exigée que par l'article 1377, alinéa 1, qui vise le cas d'un paiement fait par un non-débiteur au véritable créancier, c'est-à-dire

(16) LENOAN, *Du recours du véritable créancier contre celui qui a reçu indûment un paiement à sa place : RTD civ.* 1923, 925. En revanche les articles 1376 et s. sont sans application dans le cas où le paiement critiqué est bien intervenu entre le débiteur et le créancier, mais où le débiteur, se trompant sur l'ordre des privilèges, a payé un créancier avant d'autres qui lui étaient préférables (Cass. com., 30 oct. 2000 : D. 2000, act. jur., 430 et note P. PISONI).
(17) Y. LOUSSOUARN, *La condition d'erreur du solvens dans la répétition de l'indu : RTD civ.* 1949, 212. – J. GHESTIN, *L'erreur du solvens, condition de la répétition de l'indu : D.* 1972, chron. 277.

un cas d'indu subjectif. Dans un premier temps la jurisprudence a étendu cette condition à toutes les hypothèses, sauf celle où le paiement est indu par suite de l'annulation ou la résolution d'un contrat. La jurisprudence récente limite l'application de la condition d'erreur du *solvens* au cas de l'indu subjectif. Elle l'écarte en cas d'indu objectif (18) si bien que, dans ce cas, la restitution sera ordonnée sauf si le paiement a été fait volontairement, en connaissance de cause, auquel cas il apparaît comme une libéralité (19) ; la jurisprudence applique alors le seul article 1376 du Code civil.

Lorsque la preuve d'une erreur est exigée, peu importe qu'elle soit une erreur de fait ou de droit, une erreur banale ou grossière (20). En revanche la faute du *solvens* entraîne la perte du droit à répétition ; s'il est permis de se tromper, il n'est pas admissible de payer sans prendre les précautions commandées par la prudence (21). À l'erreur il faut assimiler la contrainte, par exemple celle que subit un débiteur qui a déjà payé mais qui, faute de pouvoir présenter la quittance du premier paiement, est obligé de payer une seconde fois indûment (22).

Quant à l'étendue de la restitution, elle dépend de la bonne ou mauvaise foi de celui qui a reçu le paiement indu (C. civ., art. 1378 et s.) ; la charge de la preuve de la bonne foi incombe à l'*accipiens*, celui qui a reçu le paiement indu (23).

758. – Cas de l'annulation ou de la résolution de la dette. Il y a également lieu à répétition chaque fois que, postérieurement au paiement de la dette, celle-ci a été annulée ou résolue. Ici, au moment du paiement personne n'a commis d'erreur mais, par suite de l'annulation ou de la résolution du contrat, et donc de la dette, on constate *a posteriori* qu'a été payée à tort une dette qui, par suite de l'effet rétroactif de l'annulation ou de la résolution, n'existait pas.

C'est le problème des restitutions consécutives aux annulations et aux résolutions des contrats. Sur ce point il suffira de se reporter à ce qui a été dit (*supra*, n°s 399 et s. et 504).

---

(18) Cass. 1re civ., 17 juill. 1984 : *D.* 1985, 298 et note P. CHAUVEL. – Cass. 1re civ., 11 avr. 1995 : *JCP* 1995, II, 22485 et note A. SÉRIAUX. – Cass. soc. 31 janv. 1996 : *D.* 1997, 306 et note B. THUILLIER. – J.-F. KAMDEN, *L'évolution du régime de l'action en répétition de l'« indu objectif »* : *JCP* 1997, I, 4018.

(19) Cass. com. 24 févr. 1987 : *D.* 1987, 244 et note A. BÉNABENT. Sur l'analyse de la jurisprudence, V. I. DEFRÉNOIS-SOULEAU, *La répétition de l'indu objectif* : *RTD civ.* 1989, 243.

(20) V. Cass. soc. 24 nov. 1971, 21 mars et 13 avr. 1972 : *JCP* 73, II, 17343 *bis* ; et chron. GHESTIN : *JCP* 73, I, 2528. – Cass. soc. 3 nov. 1972 : *JCP* 74, II, 17692, obs. J. GHESTIN.

(21) Sur la faute, voir A.-M. ROMANI, *La faute de l'appauvri dans l'enrichissement sans cause et dans la répétition de l'indu* : *D.* 1983, chron. 127. – M. LECÈNE-MARÉNAUD, *Le rôle de la faute dans les quasi-contrats* : *RTD civ.* 1994, 515. Voir Cass. com. 23 avr. 1976 : *D.* 1977, 562 et note G. VERMELLE. – Cass. com. 22 nov. 1977 : *JCP* 78, II, 18997, obs. M. GEGOUT. – 12 janv. 1988 : *Bull. civ.* IV, n° 22 et note A. ROUILLER.

(22) Cass. com. 16 juin 1981 : *Bull. civ.* IV, n° 279, p. 221.

(23) V. par ex. Cass. com. 13 mars 2001 : *D.* 2002, 3113 et note V. SAINT-GÉRAND (titulaire d'un compte bancaire que la banque avait crédité par erreur d'un montant de 147 000 francs).

759. – L'action en répétition de l'indu. L'action va opposer le *solvens* qui a payé à tort et l'*accipiens* qui a reçu ce qui ne lui était pas dû ; en cas de décès de l'un ou de l'autre, l'action passe à sa succession (24). Conformément au droit commun, la charge de la preuve pèse sur le demandeur, c'est-à-dire le *solvens* qui demande la restitution des sommes versées. S'agissant d'un fait juridique, la preuve peut en être faite par tous moyens (25).

Quant à la prescription de l'action, la question se pose de savoir s'il faut se référer à celle applicable à la créance payée à tort, par exemple à des salaires ou à une pension payés par erreur (prescription de cinq ans), ou s'il faut appliquer la prescription trentenaire de droit commun. La première solution jadis retenue est aujourd'hui abandonnée au profit de la prescription trentenaire qui est ainsi consacrée par la jurisprudence comme étant la prescription de l'action en répétition de l'indu (26). La Cour de cassation relève à cet effet que l'action n'est pas une demande en paiement de pensions, de loyers, etc., mais une demande en répétition des sommes indûment versées à ce titre.

Section 2

LES QUASI-CONTRATS D'ORIGINE JURISPRUDENTIELLE

760. – Jusqu'à une date récente, et si on laisse de côté la théorie de l'apparence qu'un auteur classe dans les quasi-contrats (27), la jurisprudence n'avait institué qu'un seul quasi-contrat, l'enrichissement sans cause.

Tel n'est plus le cas aujourd'hui où, depuis l'arrêt d'une chambre mixte du 6 septembre 2002, la Cour de cassation a érigé en quasi-contrat le fait pour l'organisateur de loterie publicitaire de faire miroiter comme acquis des gains aussi mirifiques qu'illusoires. Mais, autant la théorie de l'enrichissement sans cause a de nombreuses occasions de s'appliquer, autant le quasi-contrat de loterie publicitaire est limité quant à son objet. De surcroît, il est vraisemblable que, prenant acte de cette jurisprudence sévère pour eux, les organisateurs de loteries publicitaires renoncent à leurs pratiques, limitant de ce fait l'application de cette jurisprudence.

---

(24) Cass. ch. mixte, 12 mai 2000 : *D.* 2001, 1210 et note V. Mikalef-Toudic.
(25) Cass. 1re civ., 29 janv. 1991 : *Bull. civ.* I, n° 36 ; *RTD civ.* 1991, 281, obs. J. Mestre.
(26) Cass. 2e civ., 22 nov. 2001 : *D.* 2002, IR, 45 (arrérages de pension alimentaire versés à tort). – Cass. ch. mixte, 12 avr. 2002 : *JCP* 2002, II, 10100 et note M. Billiau ; *D.* 2002, 2433 et note C. Aubert de Vincelles ; *Defrénois* 2002, 1, 1265, art. 37607, n° 69, obs. R. Libchaber (charges locatives accessoires au loyer)
(27) A. Bénabent, *Les obligations*, 8e éd., nos 500 et s.

§ 1. – L'enrichissement sans cause (28)

761. – Le principe posé par la jurisprudence. Il arrive qu'un même fait se traduise par l'appauvrissement d'une personne et l'enrichissement corrélatif d'une autre. Que faut-il décider lorsque ce transfert de valeur d'un patrimoine à un autre ne constitue ni un cas de responsabilité civile, ni un quasi-contrat ? Faut-il néanmoins ordonner que celui qui s'est enrichi sans justification devra indemniser l'appauvri ?

Il n'existe en droit français aucun texte général sur ce point. On y trouve cependant quelques applications particulières. Les règles sur la gestion d'affaires et le paiement de l'indu en sont un bon exemple. D'autres hypothèses peuvent être citées. Ainsi celui qui, propriétaire du sol, bénéficie par voie d'*accession* des constructions ou plantations qui y auraient été faites par un tiers de bonne foi, doit dédommager ce dernier (C. civ., art. 554 et 555). De même, dans les rapports entre époux, celui qui a avancé des frais pour l'autre en recevra « *récompense* » lors de la dissolution du régime matrimonial (C. civ., art. 1412, 1416, 1433 et 1468). Ou encore, les descendants d'un exploitant agricole, qui ont travaillé sur la ferme sans être rémunérés, recevront lors du partage une compensation à titre de « *salaire différé* ».

En présence de ces textes qui réparent un déséquilibre survenu entre deux patrimoines, on s'est demandé s'il ne convenait pas, au nom de l'équité, de généraliser ces solutions. C'est en ce sens que la jurisprudence s'est prononcée dès 1892. Il s'agissait en l'espèce de la demande d'un marchand d'engrais qui, non payé par un fermier expulsé pour défaut de paiement des fermages, s'adressait au propriétaire, lequel, par suite de l'expulsion, recouvrait des terres engraissées.

Dans cette décision, la Cour de cassation accueillait de manière très large, trop large même, l'action *de in rem verso*, c'est-à-dire l'action fondée sur l'enrichissement sans cause (29).

« Attendu que cette action, dérivant du principe d'équité qui défend de s'enrichir aux dépens d'autrui, et n'ayant été réglementée par aucun texte de nos lois, son exercice n'est soumis à aucune condition déterminée ; qu'il suffit pour la rendre recevable que le demandeur allègue et offre d'établir l'existence d'un avantage qu'il aurait, par un sacrifice ou un fait personnel, procuré à celui contre lequel il agit… »

---

(28) G. Ripert et Teisseire, *Essai d'une théorie de l'enrichissement sans cause en droit civil français* : RTD civ. 1904, 727. – A. Rouast, *L'enrichissement sans cause et la jurisprudence civile* : RTD civ. 1922, 33. – F. Goré, *L'enrichissement aux dépens d'autrui*, thèse Paris, 1945. – J. Chevallier, *Observations sur la répétition des enrichissements non causés* : in *Études Ripert*, t. 2, p. 237. – V. aussi M.-F. Furet, *L'enrichissement sans cause dans la jurisprudence administrative* : D. 1967, chron. 265.

(29) Cass. req. 16 juin 1892 : D. 92, 1, 596 ; S. 93, I, 281 et note Labbé. La théorie de l'enrichissement sans cause a été par la suite consacrée par la jurisprudence administrative, d'abord implicitement en 1938 (CE 24 juin 1938, *Cune d'Huos*, Rec. p. 577 ; D. 1939, 3, 25 et note Pépy), puis explicitement comme principe général du droit : CE 14 avr. 1961, *Sté Sud-Aviation*, Rec. p. 236 ; JCP 1961, II, 12255 et note de Lanversin.

Depuis cette date, tout l'effort de la jurisprudence a tendu à préciser les conditions à remplir pour intenter cette action fondée sur l'enrichissement sans cause.

1° Les conditions d'exercice de l'action

762. – Enrichissement et appauvrissement corrélatif. En premier lieu, il faut qu'il y ait un *enrichissement* et un *appauvrissement corrélatif.*

L'enrichissement doit s'entendre soit d'un gain positif, soit d'une dépense évitée, soit même d'un avantage moral s'il est appréciable en argent. Quant à l'appauvrissement, il peut s'agir soit d'une perte, soit d'un service rendu et non rémunéré.

Une interprétation large ayant ainsi prévalu, l'action *de in rem verso* a été reconnue sous certaines réserves à celui ou celle qui, époux ou concubin, travaille sans rémunération dans l'entreprise de l'autre ; ou encore à celui qui, à la place des parents, a fait les frais d'instruction d'un enfant.

À côté de ces *conditions matérielles*, la jurisprudence a posé des *conditions juridiques* qui sont venues restreindre le domaine de l'enrichissement sans cause. Mais ces restrictions ne vont pas sans une certaine ambiguïté.

763. – Absence de cause. C'est ainsi, en second lieu, que la jurisprudence a exigé comme condition de l'action que tant l'enrichissement que l'appauvrissement soient *sans cause*, c'est-à-dire sans justification juridique.

À cet égard, un *contrat* entre enrichi et appauvri, ou même entre l'enrichi et un tiers (comme dans l'affaire de 1892) (30), constitue une juste cause d'enrichissement ; et il en va de même si l'enrichissement résulte de l'application pure et simple d'une *règle de droit* telle que, par exemple, la prescription extinctive qui vient éteindre une dette (31).

Quant à l'appauvrissement, il peut trouver sa cause dans une obligation du débiteur, par exemple dans le devoir moral des enfants de subvenir aux besoins de leurs parents ; mais si les prestations ainsi fournies excèdent les exigences de la piété filiale, il y aura alors enrichissement sans cause justifiant le remboursement du surplus (32). De même, la jurisprudence considère l'appauvrissement justifié s'il y a eu recherche par l'appauvri de son intérêt personnel (33), ou surtout s'il y a eu faute de

---

(30) Cass. 3ᵉ civ., 28 mai 1986 : *Bull. civ.* III, n° 83. En revanche, l'action d'une maison de retraite à l'encontre des enfants d'un pensionnaire décédé, tendant au paiement des frais de séjour impayés de ce dernier, est recevable ; en effet, si le contrat entre la maison de retraite et son pensionnaire justifie son appauvrissement, il ne justifie pas l'enrichissement corrélatif des enfants pris en leur qualité de débiteurs alimentaires : Cass. 1ʳᵉ civ., 25 févr. 2003 : *Bull. civ.* I, n° 55, p. 42.

(31) Cass. civ. 18 juill. 1910 : *D.* 1911, 1, 355. – Cass. civ. 17 mai 1944 : *S.* 1944, 1, 132. – Cass. req. 22 févr. 1939 et Cass. civ. 28 févr. 1939 : *D.* 1940, 1, 5 et note Ripert.

(32) Cass. 1ʳᵉ civ., 12 juill. 1994 : *JCP* 1995, II, 22425 et note A. Sériaux ; *D.* 1995, 623 et note M. Tchendjou. – 23 janv. 2001 : *Bull. civ.* I, n° 9, p. 6 ; *JCP* 2001, IV, 1483 ; *Defrénois* 2001, 719, art. 37365, n° 46, obs. R. Libchaber.

(33) Paris, 2ᵉ ch. A, 15 janv. 2002 : *D.* 2002, IR, 694.

l'appauvri (34), par exemple faute d'un locataire qui entreprend des travaux dans l'immeuble au lieu de déférer à une ordonnance d'expulsion (35). Après quelques décisions en sens contraire (36), la Cour de cassation a récemment réaffirmé cette solution (37).

764. – Caractère subsidiaire de l'action. En dernier lieu, et la condition fait pour une large part double emploi avec la précédente, de nombreux arrêts déclarent que cette action est *subsidiaire* : elle n'est ouverte que si l'appauvri ne jouit « pour obtenir ce qui lui est dû d'aucune autre action naissant d'un contrat, d'un quasi-contrat, d'un délit ou d'un quasi-délit » (38).

Par ces termes, on veut exprimer que le domaine de l'action *de in rem verso* est limité aux hypothèses dans lesquelles aucune autre possibilité d'agir n'est ou n'a été ouverte. La réparation de l'enrichissement sans cause a été instaurée par la jurisprudence pour les cas où la loi n'a rien prévu, et non pas pour faire échec à certaines dispositions légales.

Par exemple, on sait que le droit français ne considère pas la *lésion* dans les contrats comme une cause générale de nullité ; seuls les contrats conclus par les incapables et certains contrats spéciaux (vente d'immeuble, par exemple) peuvent être rescindés (V. *supra*, nᵒˢ 295 et s. et 484). À supposer que les conditions de la rescision pour lésion ne soient pas réunies, celui qui se prétend lésé ne saurait tourner la difficulté en fondant son action sur l'enrichissement sans cause. Il en serait de même pour une dette prescrite (V. *infra*, nᵒˢ 574 et s., à propos de la prescription).

---

(34) F. Goré, *Les lois modernes sur les baux et la réparation de l'enrichissement aux dépens d'autrui* : D. 1949, chron. 69. – G. Bonet, *La condition d'absence d'intérêt personnel et de faute chez l'appauvri pour le succès de l'action « de in rem verso »* : in *Mélanges Hébraud*, p. 59. – H. Périnet-Marquet, *Le sort de l'action « de in rem verso » en cas de faute de l'appauvri* : JCP 82, I, 3075. – A.-M. Romani, *La faute de l'appauvri dans l'enrichissement sans cause et dans la répétition de l'indu* : D. 1983, chron. 127. – Ph. Conte, *Faute de l'appauvri et cause de l'appauvrissement : réflexions hétérodoxes sur un aspect controversé de la théorie de l'enrichissement sans cause* : RTD civ. 1987, 223. – M. Lecene-Marénaud, *Le rôle de la faute dans les quasi-contrats*, RTD civ. 1994, 515, V. nᵒˢ 6 et s.

(35) Cass. 1ʳᵉ civ., 6 mai 1953 : D. 1953, 609 et note Goré. – Cass. soc. 15 nov. 1957 : JCP 58, II, 10666, obs. Joly. – Cass. 1ʳᵉ civ., 22 oct. 1974 : JCP 76, II, 18331, obs. H. Thuillier. – Cass. 1ʳᵉ civ., 19 oct. 1976 : JCP 76, IV, 361. – Cass. com. 16 juill. 1985 : D. 1986, 393 et note J.-L. A. – Cass. com. 24 févr. 1987 : JCP 87, IV, 150. – Cass. soc. 3 juill. 1990 : Bull. civ. V, n° 337.

(36) Cass. 1ʳᵉ civ., 11 mars 1997 : D. 1997, 407 et note M. Billiau. – 3 juin 1997 : JCP 1998, II, 10102 et note G. Viney.

(37) Cass. 1ʳᵉ civ., 15 déc. 1998 : D. 1999, 425 et note J.-Ch. Saint-Pau. – Cass. com. 19 mai 1998 : D. 1999, 406 et note M. Ribeyrol-Subrenat. – 18 mai 1999 : Bull. civ. IV, n° 104. – V. pour la critique de ce dernier arrêt : J. Djoudi, *La faute de l'appauvri : un pas de plus vers une subjectivisation de l'enrichissement sans cause (à propos de Cass. com. 18 mai 1999, Crédit du Nord c/TP Trouville-sur-Mer)* : D. 2000, chron. 60.

(38) Cass. civ. 12 mai 1914 : S. 1918, 1, 41 et note Naquet. – Cass. req. 11 sept. 1940 : DH 1940, 150 ; S. 1941, 1, 122 et note P. Esmein. – Cass. com. 8 juin 1968 : JCP 69, II, 15724, obs. R. Prieur. – Cass. com., 10 oct. 2000 : D. 2000, 409 et note V. Avena-Robardet (dans le cas où il existe des cautions solvables). V. Ph. Drakidis, *La « subsidiarité », caractère spécifique et international de l'action d'enrichissement sans cause* : RTD civ. 1961, 577.

Cependant, certains arrêts récents écartent la condition de subsidiarité en ouvrant l'action *de in rem verso* à celui qui, par erreur, a payé la dette d'autrui sans être subrogé dans les droits du créancier (39). Or ce *solvens* bénéficiait par ailleurs de l'action fondée sur la répétition de l'indu. Il semble ainsi que la condition de subsidiarité doive être relativisée.

2° Les effets de l'action

765. – L'indemnisation de l'appauvri. À supposer que l'action soit recevable et bien fondée, l'enrichi sera condamné à indemniser l'appauvri. Quant à son montant, l'indemnisation est enfermée dans une *double limite* : ce montant ne peut être ni plus élevé que l'enrichissement car alors c'est l'enrichi qui s'appauvrirait, ni plus élevé que l'appauvrissement pour éviter que l'appauvri soudain ne s'enrichisse (40).

C'est, en principe, au jour de la demande en justice qu'il faudra se placer pour apprécier l'existence d'un enrichissement (41), sinon son montant qu'il serait plus juste d'évaluer au jour du jugement comme en matière de responsabilité.

Quant à l'appauvrissement, il s'apprécie au jour de sa réalisation, sans qu'il soit possible de le réévaluer pour tenir compte de l'érosion monétaire (42).

§ 2. – L'enrichissement manqué : le cas des loteries publicitaires

766. – Le miroir aux alouettes : comment sanctionner ? Pour appâter le client, certaines sociétés de vente par correspondance adressent par publipostage à des consommateurs des documents leur laissant croire qu'ils ont gagné un lot très important à un tirage publicitaire. Confrontés à cette pratique contestable, la plupart des consommateurs jettent ces publicités à la corbeille mais d'autres, séduits et trompés ou faisant semblant de l'être, réclament l'attribution du lot auquel ils estiment avoir droit.

Face à de telles demandes, les juges ont été tentés de sanctionner cette pratique agressive, mais la réponse a varié, hésitant entre trois fondements.

---

(39) Cass. 1er avr. 2001 : *D.* 2001, 1824 et note M. Billiau ; *JCP* 2002, I, 134, nos 18 et s., obs. A.S. Barthez. V. aussi précédemment Cass. 1re civ., 13 oct. 1998 : *Bull. civ.* I, n° 299 ; *D.* 1999, 500 et note D. Martin ; *D.* 1999, somm. 116, obs. L. Aynès.

(40) Cass. 1re civ., 16 déc. 1953 : *D.* 1954, 145. – 15 déc. 1976 : *Bull. civ.* I, n° 408, p. 319.

(41) Cass. 1re civ., 18 janv. 1960 : *D.* 1960, 753 et note Esmein ; *JCP* 61, II, 11994, obs. Goré. – Cass. 1re civ., 15 déc. 1976 : *JCP* 77, IV, 32.

(42) Cass. 3e civ., 18 mai 1982 : *Bull. civ.* III, p. 86. – V. *contra* : Cass. 1re civ., 26 oct. 1982 : *JCP* 1983, II, 19992 et note F. Terré.

Dans un premier temps, on y a vu un *engagement unilatéral* de payer la somme d'argent promise (43), ce qui venait nourrir la théorie de l'engagement unilatéral (V. *supra*, n° 53). Puis, toujours en restant dans le domaine des actes juridiques, certains arrêts ont considéré qu'il y avait *contrat* car rencontre d'une offre et d'une acceptation : offre de l'entreprise annonçant la nouvelle du gain et acceptation du consommateur par l'envoi de son bulletin (44). Dès lors, le refus de l'entreprise de payer apparaissait comme l'inexécution d'un contrat, source de responsabilité contractuelle.

Pour le consommateur sollicité, l'intérêt de ces deux fondements est de conduire au paiement intégral d'un gain, non plus illusoire, mais bien réel. L'objection se situe au plan du droit : peut-on considérer que la volonté de l'organisateur de la loterie s'est manifestée de manière suffisamment ferme pour valoir engagement unilatéral ou offre ? (45) Il est permis d'en douter, alors surtout que, d'évidence, l'organisateur n'a pas voulu s'engager.

Aussi bien d'autres arrêts ont préféré se placer au plan de la *responsabilité délictuelle* en considérant qu'en faisant miroiter un espoir de gains mirifiques, l'entreprise avait commis une faute. Mais, en règle générale, le préjudice est limité à la déception éprouvée ; or la déception a-t-elle un prix, et quel prix ? En toute hypothèse, il ne peut s'agir que d'un montant modeste, sans rapport avec la valeur du lot promis (46). C'est dire que, compte tenu du coût de toute action en justice, le consommateur victime ne sera guère incité à rechercher la responsabilité de l'organisateur, et finalement l'opération publicitaire aura réussi à moindre coût.

On relèvera que la CJCE a été amenée à se prononcer sur la nature de l'action en responsabilité pour décider quelles étaient les règles de compétence judiciaire applicables à cette action ; et elle a décidé qu'elle était de nature contractuelle au sens de l'article 13, alinéa 1, point 3, de la Convention du 27 septembre 1968 (47).

767. – Les arrêts d'une chambre mixte du 6 septembre 2002. Deux arrêts ont été rendus ce même jour par la Cour de cassation sur la respon-

---

(43) Cass. 1re civ., 28 mars 1995 : *D.* 1996, 180, 1re esp. et note J.-L. MOURALIS ; *D.* 1997, somm. 227, obs. Ph. DELEBECQUE ; *RTD civ.* 1995, 886, obs. J. MESTRE. – V. aussi, Cass. 1re civ., 19 oct. 1999 : *JCP* 2000, II, 10347 et note. F. MEHREZ ; *D.* 2000, somm. 357, obs. D. MAZEAUD ; *JCP* 2000, I, 241, obs. G. VINEY.

(44) Cass. 2e civ., 11 févr. 1998 : *JCP* 1998, II, 10156 et note G. CARDUCCI ; *D.* 1999, somm. 109, obs. R. LIBCHABER ; *Defrénois* 1998, 1044, obs. D. MAZEAUD ; *JCP* 1998, I, 155, obs. M. FABRE-MAGNAN et 185, obs. G. VINEY. – 12 juin 2001 : *JCP* 2002, II, 10104 et note D. HOUTCIEFF ; *D.* 2002, somm. 1316, obs. D. MAZEAUD ; *JCP* 2002, I, 122, n° 5, obs. G. VINEY.

(45) D. AUTEM, *Quel fondement pour la responsabilité des sociétés de vente par correspondance en matière de loterie avec prétirage ?* : *Contr. Conc. Consom.* 1999, chron. 11.

(46) Cass. 2e civ., 3 mars 1988 : *JCP* 1989, II, 21313 et note G. VIRASSAMY ; *D.* 1988, somm. 405, obs. J.-L. AUBERT. – Cass. 2e civ., 28 juin 1995 : *D.* 1996, 180, 2e est., et note J.-L. MOURALIS. – 19 janv. 1999 : *JCP* 2000, II, 10347. – 26 oct. 2001, *Defrénois* 2001, 693, obs. E. SAVAUX. V. B. LECOURT, *Les loteries publicitaires. La déception a-t-elle un prix ?* : *JCP* 1999, I, 155.

(47) CJCE, 6e ch., 11 juill. 2002, aff. C-96/00, *Gabriel* : *JCP* 2003, II, 10055 et note H. CLARET.

sabilité des organisateurs de loteries publicitaires. Dans l'un et l'autre cas, les arrêts d'appel avaient été rendus sur le fondement de la responsabilité délictuelle.

Dans la première espèce, l'arrêt d'appel n'avait pas alloué de dommages-intérêts au consommateur au motif « que son attitude faisait ressortir qu'il n'avait pu se croire gagnant de telle sorte qu'il n'avait pu souffrir d'aucun préjudice ». En bref, le consommateur n'avait pas été dupe. Dans son pourvoi, il soutenait que « le seul fait de se voir privé d'un gain qui paraissait acquis suffit à établir l'existence d'un préjudice » qu'il évaluait à 30.000 francs (pour un lot de 105.750 francs). Le pourvoi est rejeté au motif « que l'arrêt, ayant relevé souverainement l'absence de préjudice […], est, par ce seul motif, légalement justifié » (48).

Dans la deuxième espèce où le consommateur crédule trompé demandait la délivrance du lot de 105.750 francs, la cour d'appel lui avait alloué 5.000 francs à titre de dommages-intérêts sur le fondement de l'article 1382. Soulevant d'office un moyen de pur droit, la Cour de cassation casse l'arrêt au visa de l'article 1371 du Code civil en ces termes (49) :

Vu l'article 1371 du Code civil :
Attendu que les quasi-contrats sont les faits purement volontaires de l'homme dont il résulte un engagement quelconque envers un tiers ;
Attendu que pour condamner la société à payer une certaine somme à titre de dommages-intérêts à M. Bossa, l'arrêt retient qu'en annonçant de façon affirmative une simple éventualité, la société avait commis une faute délictuelle constituée par la création de l'illusion d'un gain important et que le préjudice ne saurait correspondre au prix que M. Bossa avait cru gagner ; qu'en statuant ainsi, alors que l'organisateur d'une loterie qui annonce un gain à une personne dénommée sans mettre en évidence l'existence d'un aléa s'oblige, par ce fait purement volontaire, à le délivrer, la cour d'appel a violé le texte susvisé ;
Par ces motifs, casse et annule…

Ce faisant, la Cour de cassation donnait un nouveau fondement à la responsabilité des organisateurs de loteries publicitaires en recourant à la notion de quasi-contrat.

768. – Le quasi-contrat, nouveau fondement de la responsabilité des organisateurs de loteries publicitaires. – Par cet arrêt du 6 septembre 2002 la Cour de cassation institue un nouveau fondement à la responsabilité des organisateurs de loteries publicitaires, qui se substitue à l'engagement unilatéral, au contrat et à la responsabilité délictuelle. L'intérêt de ce nouveau fondement est double. D'une part, il permet d'allouer au

---

(48) Cass. ch. mixte, 6 sept. 2002 : JCP 2002, II, 10173, 1ʳᵉ esp., et note S. REIFEGERSTE ; *Contr. Conc. Consom.* 2002, comm. n° 151, 1ʳᵉ esp., et note G. RAYMOND.

(49) Cass. ch. mixte, 6 sept. 2002 : *JCP* 2002, II, 10173, 2ᵉ esp., et note S. REIFEGERSTE ; *JCP* E 2002, 1687 et note G. VINEY ; *Contr. Conc. Consom.* 2002, comm. n° 151, 2ᵉ esp., et note G. RAYMOND ; *D.* 2002, 2531, obs. A. LIENHARD ; *D.* 2002, 2963 et note D. MAZEAUD. V. aussi Ph. LE TOURNEAU et A. ZABALZA, *Le réveil des quasi-contrats (à propos des loteries publicitaires) : Contr. Conc. Consom.* 2002, chron. n° 22. – C. ASFAR, *Vers un élargissement de la catégorie des quasi-contrats ou une nouvelle interprétation de l'article 1371 du Code civil : Dr. et patr.* 2002, nᵒˢ 104, p. 28 et s.

consommateur dupé la totalité du gain qu'on lui avait fait miroiter et non pas des dommages-intérêts d'un montant symbolique peu dissuasif pour l'entreprise de publicité. D'autre part, il dispense le juge d'avoir à porter une appréciation sur le caractère suffisamment ferme de la volonté de s'engager de l'organisateur.

Cela dit, ce double avantage est chèrement payé au plan de la cohérence juridique. Jusqu'ici il y avait en effet une notion unitaire du quasi-contrat : fait volontaire et désintéressé d'une personne entraînant pour une autre un avantage injustifié que la loi a précisément pour objet de compenser. Or, le nouveau quasi-contrat se caractérise par un fait volontaire et intéressé n'entraînant aucun avantage pour autrui ; et la loi, loin de compenser un avantage injuste, va au contraire instaurer cet avantage, en quelque sorte à titre de sanction d'un comportement jugé déloyal.

Il ne s'agit pas ici d'un élargissement de la notion de quasi-contrat, mais de la mise en place d'une catégorie fourre-tout dans laquelle on pourrait faire entrer toutes les institutions, mécanismes et jurisprudences qui n'entrent pas exactement dans les critères du contrat, de l'engagement par volonté unilatérale ou de la responsabilité civile. C'est ainsi que, comme l'a relevé un auteur (50), il a été « suggéré de baptiser de quasi-contrat l'acte d'assistance, le transport bénévole, la procréation d'enfant hors mariage, le dépôt nécessaire, les pourparlers contractuels, la théorie de l'apparence et, tout récemment, même le contrat de travail ». Si on devait s'orienter en ce sens, il resterait à découvrir une cohérence dans cet inventaire à la Prévert et à faire une théorie juridique du quasi-contrat.

En tout cas, la jurisprudence initiée par cet arrêt a été adoptée par la Première chambre civile pour retenir à nouveau la responsabilité de l'organisateur d'une loterie publicitaire (51).

En définitive, on peut se demander si la sanction des pratiques abusives des organisateurs de loteries publicitaires justifie de bouleverser les catégories juridiques et si elle ne relève pas plutôt du législateur. Comme le suggère un auteur (52), pour moraliser les pratiques en la matière, il suffirait d'ajouter un alinéa à l'article L. 121-36 du Code de la consommation qui réglemente déjà la matière. À cet article qui autorise de telles loteries sous réserve qu'elles « n'imposent aux participants aucune contrepartie financière ni dépense sous quelque forme que ce soit », il pourrait être ajouté que le message publicitaire doit mentionner explicitement que l'attribution du lot dépend d'un aléa dont la nature devrait être précisée de manière parfaitement claire et intelligible, le tout à peine de délivrance du lot.

---

(50) Ph. Le Tourneau et A. Zabalza, art. préc.
(51) Cass. 1re civ., 18 mars 2003 : D. 2003, 1009 ; JCP 2003, IV, 1876, comm. n° 100 et obs. G. Raymond.
(52) G. Raymond, note précitée.

769. – Le régime du nouveau quasi-contrat. En attendant une éventuelle intervention législative, il reste à définir le régime de ce nouveau quasi-contrat. Des décisions rendues, on peut tirer trois conditions. Pour qu'il y ait quasi-contrat, il faut :

– l'annonce d'un gain à une personne dénommée ;

– l'absence de mention mettant clairement en évidence l'existence d'un aléa (par exemple tirage au sort de X personnes parmi les Y personnes ayant répondu) ;

– la croyance légitime du destinataire dans la réalité du gain annoncé, cette condition découlant d'ailleurs de la précédente.

C'est dire que, comme le pressent un auteur (53), la discussion risque de se déplacer vers la question de savoir si l'aléa affectant l'attribution du lot promis a été ou non clairement annoncé.

En revanche, il ne devrait pas y avoir lieu de faire la preuve d'un préjudice et de son montant ; sinon il ne s'agirait plus de quasi-contrat, mais de responsabilité délictuelle. Ce devrait un système du tout ou rien : ou bien le destinataire de l'annonce n'a pas été dupe, et il ne lui est rien dû ; ou bien il a été trompé, et il aura gagné son lot. C'est dire qu'il y aura intérêt à être crédule ou à faire semblant de l'être…

Numéro 770 réservé.

---

(53) D. Mazeaud, note précité, n° 15.

Deuxième partie

LES RÈGLES DE MISE EN ŒUVRE COMMUNES À TOUTES LES OBLIGATIONS

771. – Plan. Jusqu'ici, on a décrit les engagements ou obligations sous l'angle de leur origine. Ainsi a-t-on étudié le contrat et la responsabilité civile en tant que sources d'obligations, conventionnelles pour le premier, légales pour la seconde.

S'agissant du contrat, ont été envisagés les conditions de sa formation, ses effets entre les parties comme à l'égard des tiers et les avatars qu'il peut connaître : interprétation, révision, et résolution. Mais tout contrat comporte par définition même des obligations, le plus souvent réciproques, qui ont une valeur économique et comptable, et dont la vocation naturelle est d'être exécutées. Or, ces problèmes de mise en œuvre n'ont pas encore été abordés.

Il en va de même pour les obligations d'indemniser un préjudice, ou de compenser un avantage, à ceci près que ces obligations découlent de la loi et que leur forme définitive, leur montant chiffré, leur seront donnés par un jugement de condamnation, une sentence arbitrale ou une transaction. Là encore, il reste à suivre l'obligation jusqu'à sa disparition naturelle par son accomplissement.

À cet égard, qu'elles soient conventionnelles ou légales, les obligations diffèrent peu. Il suffit, pour s'en convaincre, de prendre l'exemple simple d'une obligation de sommes d'argent ; qu'elle soit née d'un contrat ou d'un jugement de condamnation, les problèmes seront les mêmes.

Parce qu'elle est chiffrée, qu'elle peut entrer en comptabilité et s'inscrire dans un bilan, elle apparaît clairement comme une valeur économique à porter au crédit de l'un – créance – et au débit de l'autre – dette. Elle constitue un bien et à ce titre peut donc être transmise, au moins sous son aspect créance (Chap. 1).

Transmise ou conservée par ses titulaires originaires, l'obligation appelle une exécution : volontaire, ce sera un paiement ; ou forcée, ce sera l'huissier… (Chap. 2).

Enfin, à côté de cette exécution, qui éteint l'obligation, il existe d'autres modes d'extinction des obligations (Chap. 3).

Chapitre 1

LA TRANSMISSION DES OBLIGATIONS

772. – Transmission des créances et des dettes. L'obligation est, on le sait, le lien qui unit un créancier à son débiteur. Par là même, ce lien revêt un *caractère personnel :* ne qualifie-t-on pas le droit qui en résulte de *droit personnel*, par opposition aux *droits réels* qui portent sur des choses. Néanmoins, ce caractère n'entraînant pas un véritable assujettissement du débiteur au créancier, on a de tout temps admis qu'en cas de décès, tant du débiteur que du créancier, l'obligation était transmise à leurs héritiers. Recueillant par succession tout le patrimoine de leur auteur, les héritiers y trouvent, outre des biens corporels, meubles ou immeubles, des biens incorporels, créances et dettes.

Parce que l'obligation constitue une valeur économique, un bien comme un autre, elle devrait également pouvoir faire l'objet d'une transmission entre personnes vivantes, *entre vifs*, dit-on. Ce n'est qu'en partie vrai ; il faut en effet distinguer la transmission des créances de celles des dettes (1).

Transmettre une créance, c'est, en définitive, changer la personne du créancier : le créancier originaire sera remplacé par le *cessionnaire* de la créance. Mais qu'importe au débiteur de devoir à l'un plutôt qu'à l'autre dès l'instant que sa dette n'est pas modifiée. Aussi la libre transmission des créances est-elle admise : elle se réalise par une *cession de créance*, soit celle du Code civil, soit celles simplifiées qui sont organisées pour certaines créances.

---

(1) J. GHESTIN, *La transmission des obligations en droit positif français :* in *La transmission des obligations*, Travaux des IXᵉ Journées Jean Dabin, 1980. – M. BILLIAU, *La transmission des créances et des dettes,* LGDJ, 2002.

Transmettre une dette soulève un tout autre problème car cela se traduit par un changement de débiteur. Or, la personnalité du débiteur est loin d'être indifférente au créancier : on ne saurait lui imposer un autre débiteur, à la place de celui à qui il a fait crédit. C'est pourquoi il n'existe pas en droit français une cession de dette symétrique de la cession de créance et pour laquelle suffirait le double consentement de l'ancien et du nouveau débiteurs.

Parce qu'elle nécessite l'accord du créancier, la transmission des dettes ne peut être réalisée que d'une manière indirecte, par le biais d'une *novation* ou d'une *délégation*, c'est-à-dire d'une transformation de l'obligation.

Section 1

LA TRANSMISSION DES CRÉANCES

§ 1. – La cession de créance

A. – Conditions

773. – Les créances susceptibles de cession. La cession de créance est, pour les créances, ce que la vente et la donation sont pour les biens corporels : c'est le contrat par lequel un créancier, appelé *cédant*, transmet sa créance à son cocontractant, appelé *cessionnaire* ; le consentement du *débiteur cédé* n'est pas nécessaire (C. civ., art. 1689 et s.).

> **Art. 1689.** – Dans le transport d'une créance, d'un droit ou d'une action sur un tiers, la délivrance s'opère entre le cédant et le cessionnaire par la remise du titre.
>
> **Art. 1690.** – Le cessionnaire n'est saisi à l'égard des tiers que par la signification du transport faite au débiteur.
>
> Néanmoins, le cessionnaire peut être également saisi par l'acceptation du transport faite par le débiteur dans un acte authentique.
>
> **Art. 1691.** – Si, avant que le cédant ou le cessionnaire eût signifié le transport au débiteur, celui-ci avait payé le cédant, il sera valablement libéré.

Bien que la cession de créance puisse être faite à titre gratuit, le plus souvent il s'agit d'une opération à titre onéreux, sinon même spéculative. C'est notamment une manière pour un créancier dont la créance n'est pas encore arrivée à terme, de se procurer des liquidités immédiates. L'exemple-type est celui de l'*escompte* des *effets de commerce* : l'effet, qui est stipulé à terme, est vendu par le porteur à une banque moyennant un prix inférieur au nominal de la créance, mais qui est payé tout de suite ; la différence entre le nominal et ce prix est la rémunération du service rendu par la banque.

Cette opération peut porter sur toutes sortes de créances. Ainsi peut-on céder de cette manière des créances de sommes d'argent, des créances de fournitures ou de services, des parts sociales de société, etc. Elle peut porter indifféremment sur des créances existantes ou sur des créances futures (2).

Certaines catégories de créances font cependant exception : les *créances incessibles et insaisissables* (L. 9 juill. 1991, art. 14) que sont, par exemple, les provisions, sommes et pensions *à caractère alimentaire*, la fraction *insaisissable* du salaire, etc. ; de même ne se transmettent pas par cession de créance les droits intellectuels ou monopoles d'exploitation (fonds de commerce, droits de propriété littéraire ou artistique, ou industrielle : brevets, marques, etc.) qui obéissent à des règles particulières. Enfin, les *titres négociables* font également l'objet d'un régime spécial.

774. – Les formalités de la cession. Pour son efficacité, la cession de créance nécessite l'accomplissement de deux formalités :

– d'une part, la *remise du titre* (C. civ., art. 1689), c'est-à-dire de l'instrument de preuve qui constate la créance : par exemple, une reconnaissance de dette, une part de société ;

– d'autre part, mais seulement pour être opposable aux tiers, la cession doit faire l'objet d'une *signification* dans les termes de l'article 1690 du Code civil.

B. – Les effets entre les parties

775. – Le transfert de la créance. Garantie. Transposant ici les règles relatives à la vente, on dira que, dans les rapports entre cédant et cessionnaire, la cession est parfaite dès qu'il y a *accord sur la créance cédée et sur son prix*.

L'effet fondamental est de transférer au cessionnaire la créance même qui appartenait au cédant et qui va conserver son identité et ses carac-

---

(2) Cass. 1re civ., 20 mars 2001 : *D.* 2001, 3110 et note L. Aynès.

tères, comme dans une vente, où la chose vendue reste ce qu'elle était. À part la personne du créancier, rien d'autre n'est changé.

Le cessionnaire recueille la créance telle qu'elle existait, civile ou commerciale, chiffrée ou non, à terme ou au comptant, etc. Quel que soit le prix payé, il devient créancier pour le montant nominal de la créance ; il bénéficie de tous les *accessoires* de la créance (3) et il conserve toutes les *sûretés* qui y étaient attachées : caution, nantissement, hypothèque, etc. Réciproquement, il souffre de toutes les tares qui affectaient la créance, par exemple, nullité, prescription ; et de tous les droits qui l'obéraient, par exemple, si la créance servait elle-même de gage.

Art. 1692. – La vente ou cession d'une créance comprend les accessoires de la créance, tels que caution, privilège et hypothèque.

Art. 1693. – Celui qui vend une créance ou autre droit incorporel doit en garantir l'existence au temps du transport, quoiqu'il soit fait sans garantie.

Art. 1694. – Il ne répond de la solvabilité du débiteur que lorsqu'il s'y est engagé, et jusqu'à concurrence seulement du prix qu'il a retiré de la créance.

Art. 1695. – Lorsqu'il a promis la garantie de la solvabilité du débiteur, cette promesse ne s'entend que de la solvabilité actuelle, et ne s'étend pas au temps à venir, si le cédant ne l'a expressément stipulé.

La loi assortit cette cession d'une garantie quant à *l'existence de la créance* (C. civ., art. 1693). En revanche, la *solvabilité* actuelle ou, *a fortiori*, future du débiteur n'est pas garantie, sauf clause expresse du contrat (C. civ., art. 1694 et s.). Ces solutions renforcent l'idée qu'il s'agit d'une opération spéculative, les risques d'insolvabilité et les aléas du recouvrement étant à la charge du cessionnaire.

Bien entendu, les parties à la cession de créance peuvent stipuler des modifications, en plus ou en moins, de la garantie légale. C'est ainsi que le cédant peut garantir la solvabilité soit présente, soit même future du débiteur, dans la limite du prix d'achat de la créance par le cessionnaire (C. civ., art. 1694 et s.) (4). À l'inverse, la cession peut aussi être faite sans garantie aucune, sauf cependant la garantie du fait personnel du cédant.

776. – La garantie dans le cas des cessions de parts sociales. Cette absence relative de garantie dans la cession de créance a soulevé un problème particulier et intéressant à propos des sociétés de construction en vue de l'attribution des locaux à leurs associés. La commercialisation

---

(3) Ainsi, en application de l'article 1692 du Code civil, la cession de créance emporte transfert de la clause compromissoire : Cass. 1re civ., 6 févr. 2001 : *JCP* 2001, II, 10657 et note C. Legros ; *D.* 2001, somm. 1135, obs. Ph. Delebecque ; *Contr. Conc. Consom.* 2001, comm. n° 82 et note L. Leveneur ; *RTD com.* 2001, 413, obs. E. Loquin. – 12 juill. 2001 : *D.* 2001, somm. 3246, obs. Ph. Delebecque. – Cass. 2e civ., 20 déc. 2001 : *Bull. civ.* II, n° 198 ; *RTD com.* 2002, 279, obs. E. Loquin ; *Rev. Arb.* 2002, 379 et note C. Legros. V. aussi X. Pradel, *Cession de créance et transfert de la clause compromissoire (à propos de l'arrêt de la deuxième Chambre civile de la Cour de cassation du 20 décembre 2001)* : *D.* 2003, chron. 569. – M.E. Mathieu-Bouyssou, *La transmission de la clause compromissoire au cessionnaire de la créance* : *JCP* 2003, I, 116.
(4) Paris, 12 déc. 1973 : *D.* 1974, 570.

des immeubles construits sous cette forme juridique se faisant par voie de cession de parts sociales, on a longtemps débattu du point de savoir si les cédants devaient seulement la garantie de l'existence de la créance ou s'ils devaient, en outre, la garantie des vices qui pouvaient affecter l'immeuble, comme s'ils étaient des vendeurs.

La Cour de cassation s'est finalement prononcée en faveur de la solution la plus classique, mais aussi la moins favorable aux acheteurs, en rejetant l'application des articles 1641 et s. relatifs à la garantie des vices due par le vendeur (5). Une décision s'était prononcée en sens contraire, au prix d'une motivation assez ambiguë (6), mais la Cour de cassation est depuis lors revenue à sa solution initiale (7). En faisant peser cette garantie directement sur le promoteur, l'article 1831-1 du Code civil a remédié aux inconvénients pratiques évidents de cette jurisprudence.

La question s'est posée dans des termes comparables en matière de cessions de parts sociales entraînant le contrôle de la société (8) ; pour éviter les surprises fâcheuses la pratique à instauré ici des clauses de garantie de passif qui donnent souvent lieu à un contentieux délicat (9).

C. – Les effets à l'égard des tiers

777. – La signification de la cession ou son acceptation. La cession de créance n'est opposable aux tiers que du jour où sont accomplies les formalités de publicité de l'article 1690 du Code civil. Cette publicité consiste dans la *signification* de la cession au débiteur, par exploit d'huissier. En effet, le principal intéressé, et le seul qu'on puisse efficacement prévenir, est le *débiteur cédé* qui, jusqu'ici, ignorait, ou était en droit d'ignorer, une cession intervenue en dehors de lui. À cette signification, le Code civil assimile l'*acceptation* du débiteur par acte authentique.

Le terme d'acceptation employé dans l'article 1690 ne doit cependant pas faire illusion : il n'est pas synonyme d'adhésion ou d'accord du débiteur car il importe peu que le débiteur soit ou non d'accord sur la cession ; par acceptation, il faut entendre l'acte par lequel le débiteur reconnaît

---

(5) Cass. 3ᵉ civ., 15 mai 1970 : *Bull. civ.* III, n° 340. – Cass. 3ᵉ civ., 11 janv. 1977 : *Bull. civ.* III, n° 10. – Cass. 3ᵉ civ., 21 mai 1979 : *Bull. civ.* III, n° 111 ; *JCP* 79, IV, 249. – V. aussi : C. JAUFFRET, *La transparence civile et la protection des associés d'une société de construction* : *JCP* 67, I, 2065. – Ph. MALINVAUD, *La garantie des vices par le vendeur-promoteur de constructions immobilières. Unité ou diversité* : *JCP* 69, I, 2284. – A. BLAISE, *Essai sur la nature des droits des associés des sociétés d'attribution (Contribution à l'étude de la théorie des droits réels et des droits personnels)*, thèse Paris II, 1979.
(6) Cass. 3ᵉ civ., 5 mai 1981 : *Bull. civ.* III, n° 90. – V. F. MAGNIN, *Le point sur la garantie due par le cédant de parts de sociétés civiles immobilières de construction-attribution* : *RD imm.* 1982, 474.
(7) Cass. 3ᵉ civ., 12 janv. 2000 : *Bull. civ.* III, n° 7.
(8) Cass. com. 23 janv. 1990 : *D.* 1991, 333 et note G. VIRASSAMY.
(9) G. NOTTÉ, *Les clauses dites « de garantie de passif » dans les cessions de droits sociaux* : *JCP* 85, I, 3193. – D. DANET, *Cession de droits sociaux : information préalable ou garantie des vices ?* : *RTD com.* 1992, 315. – Ch. FREYRIA, *Réflexions sur la garantie conventionnelle dans les actes de cession de droits sociaux* : *JCP* 92, I, 3600.

qu'il est au courant de la cession intervenue. Et cette acceptation doit avoir lieu par acte authentique pour que la date en soit incontestable.

Dans la pratique, la signification est très importante. En rendant la cession *opposable aux tiers*, elle permet à l'acheteur de la créance d'éviter des mésaventures très désagréables.

Ces tiers à qui il s'agit d'opposer la cession, c'est tout d'abord le débiteur cédé qui, tant qu'il n'est pas officiellement prévenu, est en droit de payer celui qu'il croit être son créancier, c'est-à-dire le cédant, et de s'opposer aux poursuites du cessionnaire.

Ce peut être aussi, à supposer qu'un créancier malhonnête cède deux fois la même créance, un second cessionnaire ; or, le conflit entre deux cessionnaires tenant leurs droits du même cédant se règle, non par la date respective des deux cessions, mais par la date respective des significations (comme en matière de publicité foncière : V. *supra*, n° 456).

Sont également des tiers les créanciers du cédant ; libres de saisir tous les biens du cédant, ils peuvent exercer ce droit sur la créance cédée tant que la cession n'a pas été signifiée.

Tous ces dangers latents doivent inciter le cessionnaire à faire opérer la signification avec la plus grande célérité. Cette formalité constitue une gêne qui est écartée dans les cas où sont applicables des modes simplifiés de cession de créance.

À l'opposé, les cessions de créances hypothécaires sont soumises par la loi du 15 juin 1976 à un régime encore plus contraignant que celui du droit commun (10).

§ 2. – Les modes simplifiés de cession de créance

778. – Les titres négociables. Parlant de ces modes simplifiés, on dit souvent que ce sont des modes commerciaux. La formule est dangereuse en ce qu'elle invite à penser que la cession de créance serait toujours de nature civile et les modes simplifiés toujours commerciaux. En fait, leur domaine respectif d'application dépend, non de la nature de la créance, mais de la forme qu'elle revêt.

Les créances de type classique se transmettent par la cession de créance, quelle que soit leur nature civile ou commerciale. Réciproquement, les modes simplifiés s'appliquent aux créances constatées par des titres négociables.

---

(10) M. DAGOT, *La transmission des créances hypothécaires* : JCP 76, I, 2820. – M. VION, *La suppression des grosses au porteur et le régime des copies exécutoires à ordre* : Defrénois 1976, 1, 1081, art. 31203.

Comme leur nom l'indique, ce sont des titres revêtant une forme particulière facilitant leur négociabilité, tout en conférant au cessionnaire une sécurité plus grande que dans la cession de créance traditionnelle. Ils permettent notamment d'échapper à la formalité de la *signification* (V. *supra*, n° 777) qui constitue une entrave à la rapidité des transactions. En pratique, il est certain que le titre négociable est une forme courante en matière commerciale, et peu usitée en matière civile.

La technique utilisée est la suivante. En droit commun, une créance est constatée par un *acte instrumentaire*, un titre, dont la seule fonction est de servir de preuve (V. *supra*, nos 351 et s.). Au contraire, le titre négociable est beaucoup plus qu'un instrument de preuve : il est lui-même un *bien corporel*, la matérialisation de la créance ; on dit que la créance est incorporée dans le titre et circule avec lui. Peu importe que cette créance soit une somme d'argent (par exemple une *traite*, un *chèque*) ou le droit de se faire remettre une marchandise en cours de transport (*connaissement*) ou entreposée dans un magasin général (*récépissé*), ou tout simplement une créance contre une société (*action*, *obligation*).

Toutefois, le régime des valeurs mobilières françaises, nominatives ou au porteur, cotées ou non, a été complètement transformé par la loi sur la *dématérialisation* qui a remplacé les titres – les instruments matériels – par des *inscriptions en compte* soit chez des intermédiaires habilités (titres au porteur), soit auprès de la société émettrice (titres nominatifs) (11).

Ces divers titres négociables peuvent revêtir trois formes différentes : titres nominatifs, titres à ordre, titres au porteur. On y ajoutera les titres issus de la loi du 2 janvier 1981, dite loi *Dailly*.

779. – Les titres nominatifs. Les titres nominatifs sont en principe émis par l'État ou par des sociétés pour constater leurs *emprunts*. Ce sont donc des *obligations* ; mais il arrive aussi que des *actions* de société revêtent la forme nominative.

Jadis, le nom du créancier figurait à la fois sur le titre et sur les registres que la société devait tenir. Le transfert de ces titres s'opérait par une inscription modificative sur le registre, suivie de la délivrance d'un nouveau titre.

Cette formule se trouve désormais modifiée par suite de la dématérialisation des titres, lesquels ne sont plus représentés que par des inscriptions en compte auprès de la société émettrice qui en connaîtra les titulaires. La cession s'opérera par une modification de l'inscription, un virement de compte à compte.

780. – Les titres à ordre. Les titres à ordre tirent leur nom de la formule « Payez à l'ordre de… » qui y est apposée. Cette formule invite le débiteur à payer soit au créancier, soit à toute autre personne désignée par celui-ci.

---

(11) A. Raynouard, *La dématérialisation des titres. Étude sur la forme scripturale*, thèse Paris II, 1998.

C'est le cas de la *lettre de change*, du *billet à ordre* et même du *chèque* bien que le législateur ait, pour éviter l'évasion fiscale, considérablement limité l'utilisation du chèque comme titre à ordre endossable.

Le transfert de ces titres est d'une grande simplicité : la cession de créance s'opère par *endossement*, c'est-à-dire qu'au dos du titre qui lui est remis, le créancier inscrira de payer à l'ordre de telle autre personne et signera. Ainsi, un chèque ou une traite pourront passer entre les mains de plusieurs porteurs qui sont autant de créanciers successifs, avant d'être présentés au paiement.

Outre la rapidité de l'endossement, ce mode présente un avantage supplémentaire : il confère au cessionnaire une sécurité très supérieure à celle de la cession de créance, sécurité qui tient à la règle de l'*inopposabilité des exceptions*. On veut dire par là que le porteur du chèque ou de la traite ne peut pas se voir opposer par le débiteur des exceptions tenant à une tare originaire (par ex., nullité) de la créance. C'est là un avantage considérable, qui était une nécessité dans le monde du commerce : ces titres constituent en effet des *effets de commerce*, instruments de crédit auxquels les commerçants doivent pouvoir faire entière confiance.

781. – Les titres au porteur. Les titres au porteur étaient traditionnellement assimilés à des *meubles corporels* et se transmettaient comme tels, c'est-à-dire par simple remise de la main à la main, par *tradition* (de *tradere* : livrer), dit-on. Le transfert du titre était ainsi opposable à tous lorsque le cessionnaire était mis en possession (V. *supra*, n° 459).

Sont des titres au porteur tous ceux qui ont été établis au porteur, par exemple une lettre de change au porteur ou, en matière civile, un billet de loto (12) ou un ticket de PMU qui, eux aussi, sont payables au porteur. Mais, pour l'essentiel, il s'agit des actions de société qui sont le plus souvent au porteur, et non pas nominatives.

La cession d'un titre au porteur est d'une grande simplicité puisqu'elle s'opère par la remise du titre à un nouveau porteur qui, de ce fait, devient le titulaire de la créance et peut présenter le titre au paiement. En contrepartie, le risque est celui de la perte ou du vol.

En ce qui concerne les *actions de société,* par suite de la dématérialisation les instruments matériels qu'étaient les titres au porteur ont disparu pour être remplacés par des *inscriptions en compte* chez des intermédiaires habilités. Ces inscriptions en compte ne sauraient évidemment être considérées comme des meubles corporels, et la transmission ne pourra plus s'opérer par la remise du titre mais par une modification de l'inscription en compte, comme pour les titres nominatifs à cette différence près que les titulaires pourront rester inconnus de la société émettrice.

---

(12) Cass. 1re civ., 10 janv. 1995 : *Bull. civ.* I, n° 26.

782. – Les cessions Loi Dailly. La loi du 2 janvier 1981, dite loi *Dailly*, a fait apparaître un nouveau titre, représentatif d'une créance incorporée en lui, créance d'une entreprise contre ses clients. Ce titre, le *bordereau* Dailly, est négociable en ce sens qu'il peut être cédé à un établissement bancaire, en contrepartie d'une ouverture de crédit,. On l'analyse en général comme une cession de créance en propriété, même si elle n'est faite qu'à titre de garantie du crédit ouvert (13).

Ces cessions, qui sont aujourd'hui régies par les articles L. 313-23 et suivants du Code monétaire et financier, ne s'opèrent que dans les rapports entre les entreprises et leurs banquiers. Et elles ne portent que sur des créances résultant d'une activité professionnelle, créances qui seront listées de manière précise dans un *bordereau* signé des parties qui sera remis à l'établissement de crédit.

783. – Conclusion : les modes indirects de transmission des créances. Aux modes de transmission directe des créances, il convient d'ajouter deux techniques qui, de manière indirecte, aboutissent au même résultat : l'une, assez fréquente, résulte du paiement avec *subrogation* (V. *infra*, n°s 795 et s.) ; l'autre, exceptionnelle, découle de la *novation* (V. *infra*, n°s 785 et s.), procédé auquel on recourt plus volontiers pour réaliser une cession de dette qu'une cession de créance.

Section 2

LA TRANSMISSION DES DETTES PAR NOVATION OU DÉLÉGATION

784. – Le problème de la cession de dettes et de la cession de contrat. S'il est sans importance de changer le créancier sans l'accord du débiteur, il serait inadmissible de changer le débiteur sans le consentement du créancier car la personnalité du débiteur, et notamment sa solvabilité, revêt un intérêt considérable. C'est pourquoi le Code civil n'a pas organisé une cession de dette symétrique de la cession de créance.

---

(13) J. STOUFFLET et Y. CHAPUT, *L'allégement de la forme des transmissions de créances liées à certaines opérations de crédit* : JCP 81, I, 3044. – M. VASSEUR, *L'application de la loi Dailly. Escompte ? Cession de créance en propriété à titre de garantie ? Ou bien l'un ou l'autre suivant les cas ?* : D. 1982, chron. 273. – D. SCHMIDT, M. HEMMELE, *Loi Dailly et le crédit aux entreprises* : Gaz. Pal. 1984, 1, doctr. 76. – F. GRUA, *À propos des cessions de créances par transmission d'effets* : D. 1986, chron. 261. – S. SCHREIBER, *La cession et le nantissement des créances contenues dans les actes unilatéraux de droit public dans le cadre de la loi Dailly* : D. 1987, chron. 295. – M. CABRILLAC, *Les conflits entre les cessionnaires d'une même créance transmise par bordereau* : D. 1990, chron. 127. – A.-S. HOCQUET-DE LAJARTRE, *La protection des droits du débiteur cédé dans la cession Dailly* : RTD com. 1996, 211.

Or, en dépit des apparences, il est un certain nombre d'hypothèses dans lesquelles elle pourrait rendre des services. Ainsi en est-il lorsqu'une entreprise veut céder à une autre un marché, c'est-à-dire un contrat comportant à la fois des créances et des dettes. La loi autorise à y procéder directement pour certains contrats : par exemple, le bail en cas d'échange de logement, ou la cession par l'acquéreur des droits qu'il tient d'une vente d'immeuble à construire (C. civ., art. 1601-4) ou d'un contrat de promotion immobilière (C. civ., art. 1831-3) ou du contrat de location-accession (L. 12 juill. 1984) ; dans ces hypothèses, un nouveau débiteur est substitué au précédent et imposé au créancier.

En dehors de ces cas particuliers, la loi n'organise pas la cession de contrat (14). Toutefois, la *novation* ou la *délégation* (15) permettent de réaliser le même but, mais avec le consentement du créancier, et non pas seulement son autorisation (16).

§ 1. – La novation (17)

785. – Objet. La novation est une convention entre créancier et débiteur par laquelle il est décidé d'éteindre l'obligation originaire pour la remplacer par une *nouvelle obligation*, différente de la précédente par l'un de ses éléments. Il ne s'agit donc pas d'une modification (18) de l'obligation originaire, mais de son remplacement par une autre obligation.

Réglementée aux articles 1271 et suivants du Code civil, la novation peut réaliser autre chose qu'une cession de dettes. Jadis, on l'utilisait pour opérer une cession de créance, lorsque cette institution n'existait pas encore. Et aujourd'hui, on y recourt aussi pour modifier l'objet ou la cause d'une obligation. En bref, par ses multiples possibilités, la novation apparaît comme une sorte de « joker » juridique.

---

(14) J. BECQUÉ, *La cession de contrat*, Études de droit contemporain, t. 2, 1959, p. 89. – Ph. MALAURIE, *La cession de contrat : Defrénois* 1976, 1, 1009, art. 31194. – L. AYNÈS, *La cession de contrat et les opérations juridiques à trois personnes*, 1984. – M. BILLIAU, *Cession de contrat ou délégation de contrat ? (Étude du régime juridique de la prétendue « cession conventionnelle du contrat »)* : JCP 1994, I, 3758. — M. L. IZORCHE, *Information et cession de contrat* : D. 1996, chron. 347. – E. JEULLAN, *Proposition de distinction entre la cession de contrat et la substitution de personne* : D. 1998, chron. 356. – Ch. LACHIÈZE, *L'autonomie de la cession conventionnelle de contrat* : D. 2000, chron. 184. – Ph. LE TOURNEAU, *Quelques remarques terminologiques autour de la vente* : in *Mélanges Catala*, p. 469.

(15) La cession conventionnelle de contrat est alors soumise au régime de la délégation de l'article 1275 du Code civil : Cass. 3e civ., 12 déc. 2001 : D. 2002, 984, note M. BILLIAU et Ch. JAMIN.

(16) Cass. civ. 12 mars 1946 : JCP 1946, II, 3114 et note R.C. ; D. 1946, 268. – Cass. com. 6 mai 1997, deux arrêts : *Bull. civ.* IV, n° 117 et 118 ; D. 1997, 588, note M. BILLIAU et Ch. JAMIN ; *Contr. Conc. Consom.* 1997, comm. n° 146, obs. L. LEVENEUR ; Defrénois 1997, 1, 977, art. 36633, obs. D. MAZEAUD. V. Ch. JAMIN, *Cession de contrat et consentement du cédé* : D. 1995, chron. 131. – Ch. JAMIN et M. BILLIAU, *Cession conventionnelle du contrat : la portée du consentement du cédé* : D. 1998, chron. 145. – L. AYNÈS, *Cession de contrat : nouvelles précisions sur le rôle du cédé* : D. 1998, chron. 25.

(17) Ch. PACTET, *De la réalisation de la novation : RTD civ.* 1975, 435 et 643.

(18) A. GHOZI, *La modification de l'obligation*, LGDJ, 1980.

Art. 1271. – La novation s'opère de trois manières :

1º Lorsque le débiteur contracte envers son créancier une nouvelle dette qui est substituée à l'ancienne, laquelle est éteinte ;

2º Lorsqu'un nouveau débiteur est substitué à l'ancien qui est déchargé par le créancier ;

3º Lorsque, par l'effet d'un nouvel engagement, un nouveau créancier est substitué à l'ancien, envers lequel le débiteur se trouve déchargé.

Art. 1272. – La novation ne peut s'opérer qu'entre personnes capables de contracter.

Art. 1273. – La novation ne se présume point ; il faut que la volonté de l'opérer résulte clairement de l'acte.

Art. 1274. – La novation par la substitution d'un nouveau débiteur peut s'opérer sans le concours du premier débiteur.

....

Art. 1277. – La simple indication, faite par le débiteur, d'une personne qui doit payer à sa place, n'opère point novation.

Il en est de même de la simple indication faite, par le créancier, d'une personne qui doit recevoir pour lui.

Art. 1278. – Les privilèges et hypothèques de l'ancienne créance ne passent point à celle qui lui est substituée, à moins que le créancier ne les ait expressément réservés.

Art. 1279. – Lorsque la novation s'opère par la substitution d'un nouveau débiteur, les privilèges et hypothèques primitifs de la créance ne peuvent point passer sur les biens du nouveau débiteur.

(*L. nº 71-579, 16 juill. 1971, art. 46.*) Les privilèges et hypothèques primitifs de la créance peuvent être réservés, avec le consentement des propriétaires des biens grevés, pour la garantie de l'exécution de l'engagement du nouveau débiteur.

Art. 1280. – Lorsque la novation s'opère entre le créancier et l'un des débiteurs solidaires, les privilèges et hypothèques de l'ancienne créance ne peuvent être réservés que sur les biens de celui qui contracte la nouvelle dette.

Art. 1281. – Par la novation faite entre le créancier et l'un des débiteurs solidaires, les co-débiteurs sont libérés.

La novation opérée à l'égard du débiteur principal libère les cautions.

Néanmoins, si le créancier a exigé, dans le premier cas, l'accession des codébiteurs, ou, dans le second, celle des cautions, l'ancienne créance subsiste, si les codébiteurs ou les cautions refusent d'accéder au nouvel arrangement.

1° Conditions de la novation

786. – La novation suppose un accord entre toutes les parties intéressées. Elle nécessite la réunion de quatre conditions.

a) En premier lieu, l'article 1272 précise, s'il en était besoin, que la novation ne peut intervenir qu'*entre personnes capables ;*

b) En second lieu, il doit y avoir *remplacement d'une obligation ancienne valable par une obligation nouvelle également valable*. Si l'obligation nouvelle était nulle, l'obligation ancienne revivrait (19) ;

---

(19) Cass. 3ᵉ civ., 5 mai 1970 : *JCP* 70, IV, 166. – Cass. 3ᵉ civ., 30 avr. 1975 : *Gaz. Pal.* 1975, 2, 587 et note A. Plancqueel. – Cass. com. 14 mai 1996 : *JCP* 1997, II, 22895 et note F. Jacob (dans un cas où le créancier savait pourtant que l'obligation nouvelle était annulable de son propre fait).

c) Ensuite, *l'obligation nouvelle doit être différente de la précédente,* sinon elle ne serait qu'une simple confirmation. Cette différence peut porter sur l'un des trois éléments de l'obligation : le créancier, le débiteur ou la dette (20).

La *novation par changement de créancier* n'est plus utilisée de nos jours. Si elle permet, en effet, d'obtenir un résultat comparable à celui d'une cession de créance, elle présente, par rapport à celle-ci, un double inconvénient : elle nécessite l'accord du débiteur et non pas une simple signification ; et surtout, il n'y a pas transmission de la créance avec ses accessoires, mais création d'une nouvelle créance sans les garanties attachées à la précédente.

La novation peut aussi être *par changement de dette.* C'est ainsi que la modification pourra porter sur *l'objet de la dette :* on remplacera, par exemple, une somme d'argent par un bien quelconque, auquel cas la novation se rapproche d'une *dation en paiement* (V. *infra,* n° 808) ; ou sur *la cause de la dette :* par exemple, il est convenu que le débiteur d'un prix de vente conservera la somme à titre de prêt (21) ; ou sur *les modalités de la dette,* que l'on pourra affecter d'une condition qui n'existait pas auparavant.

Enfin, *la novation* peut être *par changement de débiteur.* Elle peut s'opérer de deux façons. Ou bien, un tiers prend la place du débiteur d'accord avec le créancier et le débiteur qui réalise ainsi une cession de dette. Ou bien, un tiers s'engage, vis-à-vis du créancier, à le désintéresser si ce dernier décharge le débiteur, en dehors de tout concours de ce dernier (C. civ., art. 1274). Dans l'un comme dans l'autre cas, le créancier est libre d'accepter ou non le nouveau débiteur, qui ne peut pas lui être imposé. Et, corrélativement, le débiteur originaire se trouve libéré de son engagement (22) ;

d) En dernier lieu, il n'y a novation que s'il y a *intention de nover,* c'est-à-dire de substituer une obligation nouvelle à l'ancienne. Elle ne se présume pas (C. civ., art. 1273) ; notamment, elle ne résulte pas de la seule création d'une obligation nouvelle, car les effets de la novation peuvent être si défavorables au créancier qu'on ne peut présumer son consentement (23). Sans qu'aucune formule sacramentelle ne soit nécessaire, il faut que la volonté d'opérer la novation résulte clairement soit de l'acte soit des circonstances de fait extrinsèques à l'acte (24).

---

(20) E. JEULAND, *Essai sur la substitution de personne dans un rapport d'obligation,* préf. L. CADIET, LGDJ, 1999.

(21) C'est aussi par la novation qu'on explique la transformation qui s'opère lorsqu'une créance est mise en compte courant. – J.-P. CORIAT, *La reconnaissance d'un contrat bancaire : le compte courant : RTD com.* 1989, 597.

(22) M. DAGOT, *La novation par changement de débiteur et le droit hypothécaire : JCP* 75, I, 2693.

(23) Cass. 1re civ., 20 nov. 1967 : *D.* 1969, 321 et note N. GOMAA. – Cass. com. 3 juin 1969 : *D.* 1970, 88. – Cass. soc. 5 juill. 1973 : *JCP* 73, IV, 317. – Cass. com. 22 mai 1984 : *JCP* 84, IV, 245.

(24) Cass. 1re civ., 11 févr. 1986 : *JCP* 86, IV, 108. – Cass. com. 24 sept. 1984 : *Bull. civ.* IV, n° 245 ; *RTD civ.* 1985, 732, obs. J. MESTRE. – Cass. 1re civ., 2 déc. 1997 : *D.* 1998, 549 et note Ch. CARON.

2° Effets de la novation

787. – Les effets de la novation sont exprimés dans sa définition ; la novation entraîne l'extinction de l'obligation ancienne et la création corrélative de l'obligation nouvelle, l'une étant la cause de l'autre.

Il s'ensuit une conséquence fondamentale : les sûretés qui pouvaient garantir la créance originaire vont disparaître avec elle au lieu d'assortir la nouvelle créance. Cet effet peut cependant être écarté par une clause contraire qui nécessite l'accord de ceux, débiteurs ou non, qui ont le pouvoir de maintenir les garanties (C. civ., art. 1278 et s.).

Mais, bien entendu, les parties peuvent aussi préférer abandonner toutes les caractéristiques et les sûretés de l'ancienne créance et modeler la nouvelle à leur gré, avec ou sans intérêts, avec ou sans sûretés, à telle échéance ou à telle autre, etc.

Certains arrêts récents amènent toutefois à s'interroger sur l'effet extinctif de la novation. En effet, la loi n'édicte expressément cet effet que pour les sûretés (C. civ., art. 1278) ; à partir de là, la jurisprudence et la doctrine ont étendu le domaine de cet effet à l'ensemble de l'obligation originaire. Cette solution pourrait être remise en question. Un arrêt a, par exemple, maintenu pour le nouveau contrat la clause compromissoire qui figurait dans le précédent (25). Plus récemment, un autre arrêt a décidé que, faute d'avoir été annulée lors de la novation, la clause de résiliation unilatérale figurant dans le contrat de concession exclusive originaire n'avait pas été effacée par la novation de ce contrat en un mandat d'intérêt commun (26).

§ 2. – La délégation (27)

788. – **Définition. Exemples.** La délégation est une opération qui, à la différence de la précédente, a pour seul but de réaliser une *cession de dette* (C. civ., art. 1275 et s.). Son schéma peut être défini de la manière suivante : un débiteur (le *délégant*) présente à son créancier (le *délégataire*) une personne acceptant de le remplacer (le *délégué*) ; le créancier l'agrée. Par ce mécanisme, le délégué va s'engager à payer personnellement au délégataire la dette d'une autre personne, le délégant.

---

(25) La solution pourrait s'expliquer par l'autonomie de la clause compromissoire,, mais cette explication n'est pas reprise par la Cour de cassation qui se réfère à la novation : Cass. 1re civ., 10 mai 1988 : *Bull. civ.* I, n° 139.

(26) Cass. com. 3 juill. 2001 : *Bull. civ.* IV, n° 131 ; *JCP* 2002, I, 134, nos 10 et s., obs. G. VIRASSAMY.

(27) M. BILLIAU, *La délégation de créance. Essai d'une théorie juridique de la délégation en droit des obligations*, LGDJ, 1989. – J. FRANÇOIS, *Les opérations triangulaires attributives (stipulation pour autrui et délégation de créances)*, thèse Paris II, 1994.

Art. 1274. – La novation par la substitution d'un nouveau débiteur peut s'opérer sans le concours du premier débiteur.

Art. 1275. – La délégation par laquelle un débiteur donne au créancier un autre débiteur qui s'oblige envers le créancier, n'opère point de novation, si le créancier n'a expressément déclaré qu'il entendait décharger son débiteur qui a fait la délégation.

Art. 1276. – Le créancier qui a déchargé le débiteur par qui a été faite la délégation, n'a point de recours contre ce débiteur, si le délégué devient insolvable, à moins que l'acte n'en contienne une réserve expresse, ou que le délégué ne fût déjà en faillite ouverte, ou tombé en déconfiture au moment de la délégation.

Ainsi exposée, la délégation apparaît comme une opération quelque peu irréelle : comment une personne peut-elle accepter de payer une dette à la place d'une autre ? Voilà qui paraît singulier. À cela il peut y avoir diverses explications :

– Ou bien il s'agit d'un geste gratuit inspiré par une *intention libérale*, d'une donation indirecte faite par le délégué qui accepte de payer la dette d'autrui.

– Ou bien il s'agit d'un débiteur qui, pour se libérer de sa dette, va payer non pas son créancier, mais un créancier de son créancier. Par exemple, le *maître de l'ouvrage* qui fait construire sa maison et qui doit en payer le prix à son *entrepreneur*, peut s'engager à payer les *sous-traitants* de cet entrepreneur qui ont participé à l'édification de la maison. Ici, l'entrepreneur (délégant) délègue le maître de l'ouvrage (délégué) au sous-traitant (délégataire). Autre exemple, celui qui emprunte à un établissement de crédit pour acheter un immeuble peut déléguer ses locataires à son banquier : en payant les loyers au banquier, les locataires délégués acquitteront en même temps leur propre dette à l'égard de leur propriétaire, et la dette de ce dernier à l'égard de son banquier. La délégation s'explique ici non par une intention libérale, mais par le désir de payer sa propre dette.

– Ou bien il s'agit du banquier du débiteur qui, parce qu'il s'est engagé à ouvrir un crédit ou à fournir une garantie à ce débiteur, va accepter de payer la dette moyennant une rémunération et certaines garanties. Encore faut-il qu'il s'engage personnellement à payer le montant de la dette, et non pas seulement pour le compte de son client. Par exemple, en matière de cartes bancaires, le banquier s'engage personnellement à payer le créancier jusqu'à un certain seuil, même s'il n'y a pas la *provision* nécessaire au compte de son client : il s'agit d'une délégation ; mais au-delà de ce seuil il ne paiera que dans la limite de la provision : il s'agit d'une simple *indication de paiement*, c'est-à-dire indication que le paiement sera effectué par telle banque (28). De même, l'autorisation de prélèvement donnée sur un compte bancaire de créances diverses (téléphone, eau,

---

(28) L. GODON, *La distinction entre délégation de paiement et indication de paiement : Defrénois* 2000, 1, 193, art. 37103.

électricité, etc.) n'est pas une délégation car le banquier s'engage non à payer personnellement, mais à prélever sur un compte déterminé, donc dans la limite des sommes qui y figurent ; là encore il s'agit d'une simple *indication de paiement*.

Autre exemple encore : dans le cas où un appartement, dont l'achat avait été financé par un crédit toujours en cours, est vendu à une tierce personne, cette dernière peut vouloir bénéficier de la fin de ce crédit, auquel cas, afin de reprendre à son compte le prêt, il se fera déléguer par son vendeur au banquier prêteur. La délégation permet ici de réaliser une cession de contrat, en l'espèce d'un contrat de prêt.

C'est dans cette perspective que le Code civil traite de la délégation : il envisage l'hypothèse qui est la plus courante où la délégation intervient entre trois personnes qui sont liées, deux à deux, par des rapports juridiques préexistants.

789. – Les effets de la délégation : les rapports entre le délégué et le délégataire. À partir de ce schéma, il convient de préciser les effets de la délégation au regard du délégué, puis du délégant.

Le délégué B, qui jusqu'ici était débiteur de A, s'est engagé à payer C. Dans ses rapports avec C, le délégué ne pourra pas opposer les exceptions qu'il aurait pu faire valoir contre A (29) : par exemple, il ne pourra pas refuser de payer C au motif que sa dette envers A était nulle. On exprime souvent cette solution en disant que l'engagement du délégué est abstrait, détaché de sa cause. Il peut en revanche opposer à C les

_____

(29) Cass. com. 22 avr. 1997 : *JCP* 1998, II, 10050 et note Ch. LACHIÈZE.

exceptions dont A pouvait se prévaloir à l'égard de C, tout du moins en cas de délégation imparfaite (30).

790. – Les effets de la délégation : les rapports entre le délégant et le délégataire. S'agissant maintenant du délégant A, qui a délégué B pour payer C à sa place, est-il libéré de sa dette ? Tout dépend de la convention des parties et, plus précisément, de la décision de C, le délégataire, qui peut rendre la délégation parfaite ou imparfaite.

a) Délégation parfaite. On dit qu'il y a délégation parfaite lorsque C, le délégataire, a libéré expressément le délégant, car alors il y a substitution totale :

– de débiteur : B se substitue à A comme débiteur ;

– et de créancier : C se substitue à A comme créancier.

En présence d'une telle *déclaration expresse*, il y a une double novation, par changement de débiteur et par changement de créancier, ce qui explique que le Code civil traite de la délégation dans la section consacrée à la novation.

Une telle délégation parfaite suppose une *déclaration expresse* par laquelle le délégataire C décharge son débiteur, le délégant. En pareil cas, le délégataire perd tout recours contre le délégant, sauf réserve expresse dans la convention ou sauf faillite déjà ouverte du délégué au moment où est intervenue la délégation (C. civ., art. 1276).

À constater ces effets, il apparaît clairement que le délégataire n'a aucun intérêt à la délégation parfaite puisqu'il y perd un débiteur. Ceci explique qu'en pratique on ne rencontre guère d'hypothèses de délégation parfaite.

b) Délégation imparfaite. La délégation est dite imparfaite lorsque, tout en agréant le délégué comme débiteur, le délégataire ne libère pas pour autant son débiteur originaire ; pour lui, cette formule ne présente que des avantages puisque désormais il aura deux débiteurs au lieu d'un, d'où une sûreté supplémentaire.

À défaut d'une stipulation expresse qui est nécessaire pour qu'il y ait novation, la délégation sera toujours supposée imparfaite (31). Suivant la formule de la jurisprudence, « la délégation par laquelle un débiteur donne au créancier un autre débiteur qui s'oblige envers le créancier n'opère point novation, si le créancier n'a expressément déclaré qu'il entendait décharger son débiteur qui a fait la délégation » ; il s'ensuit que « la seule acceptation par le créancier de la substitution d'un nouveau

---

(30) Cass. 1re civ., 17 mars 1992 : *JCP* 1992, II, 21922, 1re esp. et note M. BILLIAU ; *D.* 1992, 481 et note L. AYNÈS. *Contra :* 25 févr. 1992 : *JCP* 1992, II, 21922, 2e esp. et note M. BILLIAU.

(31) Cass. 2e civ., 5 juin 1970 : *D.* 1970, 727. – Cass. com. 17 juill. 1980 : *Gaz. Pal.* 1981, 1, 39, note J. DUPICHOT. – Lyon 20 avr. et 25 févr. 1982 : *D.* 1983, 586, note D. LANDRAUD. – Cass. com. 22 juin 1983 : *JCP* 83, IV, 276. – 12 déc. 1995 : *Contr. Conc. Consom.* 1996, comm. n° 36 et note L. LEVENEUR.

débiteur au premier, même si elle n'est assortie d'aucune réserve, n'implique pas, en l'absence de déclaration expresse, qu'il ait entendu décharger le débiteur originaire de sa dette » (32).

791. – Les effets de la délégation : les rapports entre le délégant et le délégué. Quant à la créance du délégant sur le délégué, elle s'éteint, non pas du fait de l'acceptation par le délégataire de l'engagement du délégué à son égard, mais seulement par le fait de l'exécution effective de la délégation (33).

C'est dire que cette créance subsiste dans le patrimoine du délégant, avec toutes les conséquences que cela emporte en cas de liquidation judiciaire de ce délégant (34).

---

(32) Cass. 3ᵉ civ., 12 déc. 2001 : *Bull. civ.* III, n° 153, p. 120 ; *D.* 2002, 984, note M. Billiau et Ch. Jamin ; *Defrénois* 2002, 1, 775, art. 37558, obs. R. Libchaber.

(33) Cass. com. 16 avr. 1996 : *D.* 1996, 571 et note Ch. Larroumet. – I. Dauriac, *Le sort de la créance du délégant envers le délégué au cours de la délégation (Réflexion à propos de Cass. com. 16 avril 1996) : Defrénois* 1997, 1, 1169, art. 36664.

(34) Cass. com. 29 avr. 2002 : *Bull. civ.* IV, n° 72, p. 77 ; *Defrénois* 2002, 1, 1239, art. 37607, n° 63, obs. R. Libchaber.

Chapitre 2

L'EXÉCUTION
DES OBLIGATIONS

À défaut d'exécution volontaire (section 1), de paiement, le créancier pourra sous certaines conditions recourir à l'exécution forcée (section 2) contre le débiteur en utilisant les garanties d'exécution (section 3) dont il dispose.

Section 1

L'EXÉCUTION VOLONTAIRE

LE PAIEMENT

792. – Les différentes manières de payer. Dans la terminologie juridique, paiement est synonyme d'exécution d'une obligation quelconque. Peu importe que le paiement ait pour objet une somme d'argent ou l'exécution d'une prestation en nature. Le sens de ce terme est donc plus large que dans le langage courant.

Ainsi compris, le paiement est un acte volontaire dont le résultat sera l'extinction de la créance.

En principe, l'exécution de l'obligation met face à face le créancier et le débiteur. Mais ce n'est pas inéluctable et on peut concevoir que le créancier soit désintéressé par une tierce personne ; ce tiers sera le plus souvent *subrogé* dans les droits du créancier et aura à ce titre un recours contre le débiteur.

De même, si le paiement doit avoir pour objet l'exécution même de ce qui a été promis, il peut être remplacé par une *dation en paiement* ou une *compensation*.

Art. 1235. – Tout paiement suppose une dette : ce qui a été payé sans être dû est sujet à répétition.

La répétition n'est pas admise à l'égard des obligations naturelles qui ont été volontairement acquittées.

Art. 1236. – Une obligation peut être acquittée par toute personne qui y est intéressée, telle qu'un coobligé ou une caution.

L'obligation peut être acquittée par un tiers qui n'y est point intéressé, pourvu que ce tiers agisse au nom et en l'acquit du débiteur, ou que, s'il agit en son nom propre, il ne soit pas subrogé aux droits du créancier.

Art. 1237. – L'obligation de faire ne peut être acquittée par un tiers contre le gré du créancier, lorsque ce dernier a intérêt qu'elle soit remplie par le débiteur lui-même.

Art. 1238. – Pour payer valablement, il faut être propriétaire de la chose donnée en paiement, et capable de l'aliéner.

Néanmoins, le paiement d'une somme en argent ou autre chose qui se consomme par l'usage ne peut être répété contre le créancier qui l'a consommée de bonne foi, quoique le paiement en ait été fait par celui qui n'en était pas propriétaire ou qui n'était pas capable de l'aliéner.

Art. 1239. – Le paiement doit être fait au créancier, ou à quelqu'un ayant pouvoir de lui, ou qui soit autorisé par justice ou par la loi à recevoir pour lui.

Le paiement fait à celui qui n'aurait pas pouvoir de recevoir pour le créancier, est valable, si celui-ci le ratifie ou s'il en a profité.

Art. 1240. – Le paiement fait de bonne foi à celui qui est en possession de la créance est valable, encore que le possesseur en soit par la suite évincé.

Art. 1241. – Le paiement fait au créancier n'est point valable, s'il était incapable de le recevoir, à moins que le débiteur ne prouve que la chose payée a tourné au profit du créancier.

Art. 1242. – Le paiement fait par le débiteur à son créancier, au préjudice d'une saisie ou d'une opposition, n'est pas valable à l'égard des créanciers saisissants ou opposants : ceux-ci peuvent, selon leur droit, le contraindre à payer de nouveau sauf, en ce cas seulement, son recours contre le créancier.

On envisagera successivement les parties au paiement, l'objet du paiement et les modalités du paiement.

§ 1. – Les parties au paiement

A. – Le créancier

793. – **Le paiement fait au créancier.** « Le paiement doit être fait au créancier, ou à quelqu'un ayant pouvoir de lui, ou qui soit autorisé par justice ou par la loi à recevoir pour lui » (C. civ., art. 1239, al. 1).

Par créancier, il faut entendre celui qui l'est au moment du paiement. Ce peut être le créancier originaire, mais aussi un *cessionnaire* de la créance, ou un héritier. En matière commerciale, et pour les dettes de sommes d'argent, le créancier sera souvent un cessionnaire, par exemple, le dernier porteur d'une lettre de change.

Il faut, en outre, que le créancier ait la capacité juridique nécessaire ; à défaut, le paiement serait nul, « à moins que le débiteur ne prouve que la chose payée a tourné au profit du créancier » (C. civ., art. 1241). Cette règle, qui fait supporter au débiteur les conséquences d'une dilapidation du paiement par l'incapable, est une incitation à vérifier la capacité du créancier et à ne payer, le cas échéant, qu'entre les mains de son représentant légal (V. *supra*, n° 90).

Le paiement fait à un tiers est nul. Par exception, il est valable dans deux cas : si le créancier l'a ratifié ou en a profité, ce qui peut viser le paiement adressé au conjoint du créancier (C. civ., art. 1239, al. 2), ou si le paiement a été fait, de bonne foi, au possesseur de la créance, c'est-à-dire à un créancier *apparent* (C. civ., art. 1240).

Enfin, le paiement fait au créancier, au mépris d'une saisie-attribution de la créance, s'il est valable entre les parties, n'est pas opposable aux créanciers saisissants : par suite, ces derniers sont en droit de poursuivre la saisie entre les mains du débiteur comme si le paiement n'était pas intervenu.

Telles sont les conditions pour qu'un paiement soit libératoire ; elles sont sanctionnées par la nullité du paiement irrégulier, avec toutes les conséquences que cela implique et que l'on résume dans une formule frappante : « Qui paie mal, paie deux fois. »

794. – Le refus du créancier de recevoir paiement. Les offres réelles. Il peut arriver que le débiteur, désireux de se libérer, se heurte à un refus du créancier de recevoir paiement. En pratique, cette attitude du créancier s'explique par une contestation sur le montant de la somme due, ou sur l'existence même du contrat.

Dans de telles circonstances, celui à qui le paiement est adressé le refuse pour éviter que son acceptation puisse ensuite être utilisée contre lui comme une reconnaissance de l'existence du contrat ou du montant de la dette. Le débiteur n'est pas démuni de tout moyen pour faire échec à ce refus. Le Code civil organise à cet effet la procédure des *offres réelles* qui est réglementée par les articles 1257 et s (1). Cette procédure consiste en une offre de paiement faite officiellement par un huissier au créancier ; à défaut d'acceptation de ce dernier, le débiteur *consignera* la somme ou la chose offerte et devra assigner le créancier récalcitrant en validation des offres réelles.

---

(1) C. Robin, *La mora creditoris* : RTD civ. 1998, 607.

Ces offres réelles tiennent lieu de paiement, mais seulement si elles sont suivies de la consignation de la somme offerte, auquel cas il y aura arrêt du cours des intérêts moratoires (2).

§ 4. – Des offres de paiement, et de la consignation

Art. 1257. – Lorsque le créancier refuse de recevoir son paiement, le débiteur peut lui faire des offres réelles, et au refus du créancier de les accepter, consigner la somme ou la chose offerte.

Les offres réelles suivies d'une consignation libèrent le débiteur ; elles tiennent lieu à son égard de paiement, lorsqu'elles sont valablement faites, et la chose ainsi consignée demeure aux risques du créancier.

Art. 1258. – Pour que les offres réelles soient valables, il faut :

1° Qu'elles soient faites au créancier ayant la capacité de recevoir, ou à celui qui a pouvoir de recevoir pour lui ;

2° Qu'elles soient faites par une personne capable de payer ;

3° Qu'elles soient de la totalité de la somme exigible, des arrérages ou intérêts dus, des frais liquidés, et d'une somme pour les frais non liquidés, sauf à la parfaire ;

4° Que le terme soit échu, s'il a été stipulé en faveur du créancier ;

5° Que la condition sous laquelle la dette a été contractée soit arrivée ;

6° Que les offres soient faites au lieu dont on est convenu pour le paiement, et que, s'il n'y a pas de convention spéciale sur le lieu du paiement, elles soient faites ou à la personne du créancier, ou à son domicile, ou au domicile élu pour l'exécution de la convention ;

7° Que les offres soient faites par un officier ministériel ayant caractère pour ces sortes d'actes.

Art. 1259. – (Abrogé, D. n° 81-500, 12 mai 1981, art. 1er).

Art. 1260. – Les frais des offres réelles et de la consignation sont à la charge du créancier, si elles sont valables.

Art. 1261. – Tant que la consignation n'a point été acceptée par le créancier, le débiteur peut la retirer ; et, s'il la retire, ses codébiteurs ou ses cautions ne sont point libérés.

Art. 1262. – Lorsque le débiteur a lui-même obtenu un jugement passé en force de chose jugée, qui a déclaré ses offres et sa consignation bonnes et valables, il ne peut plus, même du consentement du créancier, retirer sa consignation au préjudice de ses codébiteurs ou de ses cautions.

Art. 1263. – Le créancier qui a consenti que le débiteur retirât sa consignation après qu'elle a été déclarée valable par un jugement qui a acquis force de chose jugée, ne peut plus, pour le paiement de sa créance, exercer les privilèges ou hypothèques qui y étaient attachés ; il n'a plus d'hypothèque que du jour où l'acte par lequel il a consenti que la consignation fût retirée aura été revêtu des formes requises pour emporter l'hypothèque.

Art. 1264. – Si la chose due est un corps certain qui doit être livré au lieu où il se trouve, le débiteur doit faire sommation au créancier de l'enlever, par acte notifié à sa personne ou à son domicile, ou au domicile élu pour l'exécution de la convention. Cette sommation faite, si le créancier n'enlève pas la chose et que le débiteur ait besoin du lieu dans lequel elle est placée, celui-ci pourra obtenir de la justice la permission de la mettre en dépôt dans quelque autre lieu.

---

(2) Cass. 1re civ., 11 juin 2002 : *Bull. civ.* I, n° 162 ; *RTD civ.* 2002, 813, obs. J. Mestre et B. Fages. – V. J. Courrouy, *La consignation d'une somme d'argent après offres réelles est-elle un paiement ?* : *RTD civ.* 1990, 23.

B. – Le débiteur ou un tiers. Le paiement avec subrogation (3)

795. – Paiement par le débiteur ou par un tiers. Celui qui paie est normalement le débiteur ; il est le principal intéressé au paiement de la dette, et souvent même le seul. Comme le créancier, il doit en avoir la capacité juridique ; en outre, si l'exécution de l'obligation suppose le transfert d'un droit réel sur une chose, il doit être propriétaire de ce bien (C. civ., art. 1238, al. 1).

Un tiers peut également payer la dette, soit par intention libérale, soit surtout parce qu'il a un intérêt personnel au paiement : par exemple, il est codébiteur ou caution de la dette (C. civ., art. 1236) (4).

En pareil cas, celui qui a payé pour autrui a deux actions possibles contre le débiteur : l'une propre, l'autre par subrogation. Une action fondée sur le motif juridique au nom duquel il a payé lui est propre : action de mandat, s'il a agi comme mandataire, ou action dérivant de la gestion d'affaires (V. *supra*, n° 755) ; ce faisant, il se présente comme un simple créancier chirographaire, démuni de toute sûreté.

C'est ici qu'apparaît l'intérêt de la subrogation.

796. – Intérêt de la subrogation. Celui qui paie la dette d'autrui a tout intérêt à être *subrogé* dans les droits du créancier qu'il a payé, à être mis à sa place et à bénéficier ainsi des sûretés qui pouvaient être attachées à la créance.

Si, par exemple, une caution a été obligée d'acquitter une dette qui était en outre garantie par une hypothèque sur un immeuble du débiteur, elle aura évidemment tout intérêt à être subrogée dans cette hypothèque qui lui permettra d'être payée par préférence aux autres créanciers.

Ainsi, par suite de la subrogation, tout se passe comme si le tiers avait acheté la créance : bien que le but poursuivi soit différent, le paiement par un tiers avec subrogation se rapproche beaucoup d'une cession de créance.

Cette subrogation n'est pas attachée automatiquement à tout paiement fait par un tiers ; elle résulte soit d'une convention, soit de la loi (C. civ., art. 1249). Suivant les cas, la subrogation sera donc tantôt conventionnelle, tantôt légale.

---

(3) J. Mestre, *La subrogation personnelle*, 1979. – P. Chaumette, *La subrogation personnelle sans paiement ? : RTD civ.* 1986, 33. – Cl. Mouloungui, *L'admissibilité du profit dans la subrogation :* LGDJ, Droit privé, 1995.

(4) Dans le cas où le tiers a payé par erreur, et sans subrogation, un arrêt avait admis son recours contre le débiteur « du seul fait du paiement » : Cass. 1re civ., 15 mai 1990 : *JCP* 91, II, 21628, obs. B. Petit ; *D.* 1991, 538 et note G. Virassamy. Cette solution est désormais caduque, la jurisprudence faisant aujourd'hui reposer ce recours sur le fondement de l'enrichissement sans cause : Cass. 1re civ., 4 avr. 2001 : *D.* 2001, 1824 et note M. Billiau ; *JCP* 2002, I, 134, n°s 18 et s., obs. A.S. Barthez. V. *supra*, n° 764.

1° Les cas de subrogation

797. – La subrogation conventionnelle. Deux situations de fait sont possibles : la subrogation peut être consentie par le créancier, ou même par le débiteur (C. civ., art. 1250).

Art. 1249. – La subrogation dans les droits du créancier au profit d'une tierce personne qui le paye, est ou conventionnelle ou légale.

Art. 1250. – Cette subrogation est conventionnelle :

1° Lorsque le créancier recevant son paiement d'une tierce personne la subroge dans ses droits, actions, privilèges ou hypothèques contre le débiteur : cette subrogation doit être expresse et faite en même temps que le paiement ;

2° Lorsque le débiteur emprunte une somme à l'effet de payer sa dette, et de subroger le prêteur dans les droits du créancier. Il faut, pour que cette subrogation soit valable, que l'acte d'emprunt et la quittance soient passés devant notaires ; que dans l'acte d'emprunt il soit déclaré que la somme a été empruntée pour faire le paiement, et que dans la quittance il soit déclaré que le paiement a été fait des deniers fournis à cet effet par le nouveau créancier. Cette subrogation s'opère sans le concours de la volonté du créancier.

798. – La subrogation conventionnelle par le créancier. La *subrogation par le créancier* représente la situation la plus usuelle. Trop heureux d'être payé, le créancier sera tout prêt à subroger le tiers payant dans ses droits et à lui transmettre toutes les sûretés attachées à la créance.

Quant à ses conditions, la subrogation doit être à la fois *expresse* (art. 1250) *et consentie en même temps que le paiement*. En pratique, elle sera constatée par une *quittance subrogative*, soumise à enregistrement en vue de son opposabilité aux tiers. Ces diverses exigences ont pour but de protéger les autres créanciers contre une collusion frauduleuse entre le créancier désintéressé et le tiers subrogé. Il en est fait application en matière d'affacturage (5).

Toutefois, la condition de concomitance de la subrogation au paiement a été ici largement assouplie par la jurisprudence ; elle décide en effet qu'elle « peut être remplie lorsque le subrogeant a manifesté expressément, fût-ce dans un document antérieur, sa volonté de subroger son cocontractant dans ses créances à l'instant même du paiement » (6), ce qui constitue une promesse de subrogation. Ce faisant, la jurisprudence admet que la subrogation puisse être antérieure au paiement, ses effets demeurant subordonnés au paiement (7) ; mais elle ne saurait lui être postérieure.

---

(5) V. notes Gavalda : *JCP* 68, II, 15610 et 15637. – Cass. 1re civ., 7 et 28 juin 1978 : *D.* 1979, 333 et note J. Mestre.

(6) Cass. com. 29 janv. 1991 : *Bull. civ.* IV, n° 48 ; *RTD civ.* 1991, 530, obs. J. Mestre. – 2 févr. 1993 : *Bull. civ.* IV, n° 38. – Cass. 1re civ., 28 mai 2002 : *Bull. civ.* I, n° 154, p. 117. V. P. Chaumette, *La subrogation personnelle sans paiement ?* : *RTD civ.* 1986, 33, V. nos 34 et s. – Cl. Mouloungui, *Le recul de la règle subordonnant la subrogation à un paiement préalable* : *Contr. Conc. Consom.* 1996, chron. n° 9.

(7) Cass. com. 14 juin 1994 : *Bull. civ.* IV, n° 219.

799. – La subrogation conventionnelle par le débiteur. La *subrogation par le débiteur* procède d'une démarche bien différente. Par exemple, il peut s'agir d'un débiteur dont la dette a été stipulée à un intérêt très élevé ou dont le créancier désire provoquer la faillite. À supposer que le débiteur trouve à emprunter à un intérêt moindre auprès d'un créancier plus complaisant, il paiera le créancier originaire avec la somme empruntée, et il subrogera le nouveau créancier dans les droits du précédent, de telle sorte que les sûretés qui assortissaient le prêt initial soient reportées sur le nouveau prêt. Pareille subrogation permet ainsi à celui qui a contracté un prêt à une époque où les taux étaient élevés, de bénéficier de la baisse des taux d'intérêt intervenue par la suite (8).

Cette opération est licite et elle ne lèse pas le créancier puisqu'il est désintéressé ; mais, pour éviter les fraudes possibles à l'égard d'autres créanciers, l'acte d'emprunt et la quittance de remboursement doivent être établis par un notaire et contenir la double déclaration de l'origine et de la destination des fonds.

Comme dans le cas précédent, la fraude à redouter est l'antidate d'une subrogation qui permettrait à un nouveau créancier d'acquérir indûment un rang préférable à celui des créanciers déjà en place. Ce risque est évité par l'obligation de recourir à un notaire pour établir l'acte d'emprunt et la quittance de remboursement.

800. – La subrogation légale. La subrogation légale diffère de la subrogation conventionnelle, non par ses effets qui sont identiques, mais parce qu'elle se produit de plein droit au profit du tiers payant, en dehors de tout consentement du créancier ou du débiteur. Elle résulte du fait même du paiement si bien que, tant que le paiement n'est pas intervenu, elle ne se produit pas. Par exemple, le maître de l'ouvrage condamné pour les troubles causés par sa construction à l'immeuble de son voisin ne pourra exercer son recours subrogatoire contre ses constructeurs avant d'avoir indemnisé le voisin ; on dit qu'il n'y a pas ici de *subrogation in futurum* (9).

Divers cas sont énoncés, soit à l'article 1251 du Code civil, soit par des lois spéciales, dans lesquels la subrogation est automatique et découle du seul fait d'avoir payé la dette d'autrui. Dans certains cas, le *solvens* qui paie la dette d'autrui était lui-même tenu de cette dette, si bien qu'il paie

---

(8) J. HUET, *Un bienfait de l'histoire : la subrogation opérée par le débiteur pour le remboursement anticipé d'un prêt d'argent en cas de baisse des taux d'intérêts (art. 1250, 2°, C. civ.)* : D. 1999, chron. 303.

(9) Cass. 3e civ., 21 juill. 1999 : *Bull. civ.* III, n° 182, p. 125 ; *RD imm.* 1999, 656, obs. Ph. MALINVAUD. P. VILLIEN, *Vers une unification des régimes de responsabilité en matière de troubles de voisinage dans la construction immobilière* : *RD imm.* 2000, 275. Pour une critique de cette règle, voir P. JOURDAIN, obs. sous Cass. 3e civ., 31 oct. et 28 nov. 2001, *RTD civ.* 2002, 315. V. aussi, pour le recours de l'assureur : Cass. 1re civ., 24 mars 1992 : *Bull. civ.* I, n° 91. H. GROUTEL, *Réflexions sur la subrogation anticipée* : D. 1987, chron. 283.

en même temps sa dette et celle d'autrui ; dans d'autres, il n'était pas tenu au paiement de la dette, et son intervention s'explique par d'autres raisons.

801. – Les cas de subrogation légale de l'article 1251. L'article 1251 prévoit quatre cas de subrogation légale.

– En premier lieu, la subrogation joue au profit de celui qui, étant lui-même créancier, paie un autre créancier qui dispose de sûretés meilleures que les siennes : par exemple, un créancier hypothécaire de dernier rang peut avoir intérêt à payer celui de premier rang qui s'apprête à provoquer une saisie et une vente à un moment où le marché est mauvais ; prenant la place du premier, il attendra une période plus favorable et accroîtra par là même ses chances d'être payé pour le tout (C. civ., art. 1251-1°).

– De même, la subrogation se produit en faveur de celui qui, étant tenu avec d'autres (par exemple, des codébiteurs solidaires, ou *in solidum*, ou indivisibles : V. *supra*, n° 440) ou pour d'autres (comme les cautions : V. *supra*, n° 442), avait intérêt à acquitter la dette. Par suite, le codébiteur ou la caution qui a payé pour le tout bénéficie de la subrogation pour se retourner contre le débiteur principal ou les autres codébiteurs (C. civ., art. 1251-3°) (10).

– L'article 1251-2° fait une application particulière de l'hypothèse précédente à un débiteur tenu pour d'autres. Il s'agit de l'acquéreur d'un immeuble hypothéqué qui, étant tenu comme le vendeur qui lui a transmis son droit, paie les créanciers hypothécaires. Il a en effet intérêt à désintéresser les créanciers les plus préférables et à être subrogé dans leurs droits si l'immeuble est hypothéqué pour plus que sa valeur ; car alors les créanciers de dernier rang, n'ayant aucune chance d'être payés en cas de vente forcée de l'immeuble, ne prendront pas la responsabilité de provoquer cette vente.

– Enfin, l'article 1251-4° fait aussi jouer la subrogation « au profit de l'héritier bénéficiaire qui a payé de ses deniers les dettes de la succession ». En effet, l'héritier bénéficiaire, c'est-à-dire celui qui a accepté la succession sous bénéfice d'inventaire, a intérêt à cette subrogation si en définitive la succession s'avère déficitaire ; comme il n'est tenu des dettes successorales que dans la mesure de l'actif et non pas sur ses propres deniers, la subrogation lui permettra de récupérer lors de la liquidation l'avance de deniers qu'il a faite.

Art. 1251. – La subrogation a lieu de plein droit :

1° Au profit de celui qui, étant lui-même créancier, paye un autre créancier qui lui est préférable à raison de ses privilèges ou hypothèques ;

2° Au profit de l'acquéreur d'un immeuble, qui emploie le prix de son acquisition au paiement des créanciers auxquels cet héritage était hypothéqué ;

---

(10) M. Meurisse, *Une institution pleine d'avenir : la subrogation de l'article 1251, 3°*, C. civ. : *Gaz. Pal.* 1968, 1, doctr. 67. – Amiens, 12 janv. 1970 : *JCP* 71, II, 16872, obs. M. Dagot et P. Spiteri.

3° Au profit de celui qui, étant tenu avec d'autres ou pour d'autres au paiement de la dette, avait intérêt de l'acquitter ;

4° Au profit de l'héritier bénéficiaire qui a payé de ses deniers les dettes de la succession.

Art. 1252. – La subrogation établie par les articles précédents a lieu, tant contre les cautions que contre les débiteurs : elle ne peut nuire au créancier lorsqu'il n'a été payé qu'en partie ; en ce cas, il peut exercer ses droits, pour ce qui lui reste dû, par préférence à celui dont il n'a reçu qu'un paiement partiel.

802. – Les autres cas de subrogation légale. Divers textes épars prévoient d'autres cas de subrogation légale.

Ainsi, celui qui, sans y être tenu, paie par intervention une lettre de change (C. com., art. L. 511-71) ou un billet à ordre (C. com., art. L. 512-3) est subrogé dans les droits du porteur contre les autres débiteurs de cet effet de commerce.

De même, l'État, les organismes de Sécurité sociale (L. n° 85-677 du 5 juill. 1985, art. 28 et s.), et l'assureur de dommages (C. ass., art. L. 121-12), qui ont versé à un accidenté les prestations indemnitaires prévues par la loi ou le contrat, sont subrogés dans ses droits contre le débiteur, c'est-à-dire contre le responsable de l'accident (*supra*, n° 346) (11).

2° Les effets du paiement avec subrogation

803. – Comparaison avec la cession de créance. Que la subrogation soit conventionnelle ou légale, elle produit dans les deux cas le même effet translatif : le subrogé est mis aux lieu et place du créancier ; c'est dire que non seulement les sûretés attachées à la créance, mais la créance elle-même avec tous ses caractères est transmise à celui qui a payé par subrogation (12).

Cet effet s'apparente à celui d'une cession de créance et il est usuel de comparer le paiement avec subrogation avec la cession de créance et de relever les différences qui les séparent.

Quant à leurs conditions, ces deux opérations se distinguent sur deux points : d'une part, la cession de créance est toujours consentie par le créancier, alors que la subrogation peut être automatique, légale, ou même émaner du débiteur ; d'autre part et surtout, la cession de créance doit faire l'objet d'une *signification* au débiteur, qui est tout à fait inutile pour la subrogation.

Quant à leurs *effets*, les différences sont tout aussi nettes et tiennent à ce que l'effet translatif de la subrogation est plus limité que celui de la cession de créance. C'est ainsi que la subrogation ne joue que dans la mesure du

---

(11) Y. LAMBERT-FAIVRE, *Le lien entre la subrogation et le caractère indemnitaire des prestations des tiers payeurs* : D. 1987, chron. 97.

(12) Il s'ensuit par exemple que celui qui est subrogé dans les droits de la victime d'un dommage dispose de l'action même de cette victime, avec la prescription qui lui est applicable : Cass. 1re civ., 4 févr. 2003 : *Bull. civ.* I, n° 30, p. 25 ; *D.* 2003, IR, 534.

paiement réellement effectué entre les mains du créancier ; au contraire, un cessionnaire peut se faire payer le nominal de la créance, même s'il l'a achetée à vil prix, et les intérêts conventionnels qui ont pu être stipulés, alors que le subrogé a droit aux seuls intérêts au taux légal (13), qui courent du jour de la mise en demeure du débiteur (14). De même, à la différence d'un cessionnaire, le subrogé ne bénéficie d'aucune garantie d'existence de la créance ; s'il a payé une dette inexistante, il pourra seulement exercer l'action en répétition de l'indu. D'autres différences peuvent être relevées en cas de paiement partiel, donc de subrogation partielle, où le subrogeant se paie avant le subrogé ; etc.

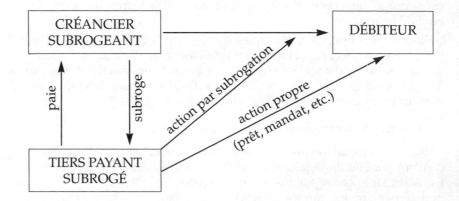

En sens inverse, outre l'action fondée sur la subrogation, le subrogé dispose contre le débiteur d'un autre recours fondé sur le titre en vertu duquel il a payé : par exemple, à titre de prêt, de mandat, de gestion d'affaires, ou encore recours fondé sur le seul fait du paiement, etc.

§ 2. – L'objet du paiement

A. – Les principes du paiement en général

804. – La règle de l'identité de l'objet du paiement.

Art. 1243. – Le créancier ne peut être contraint de recevoir une autre chose que celle qui lui est due, quoique la valeur de la chose offerte soit égale ou même plus grande.

....

---

(13) F. Auckenthaler, *Le droit du subrogé aux intérêts de la créance* : D. 2000, doctr. 171. – Cass. 1re civ., 13 janv. 1981 : *Bull. civ.* I, n° 12. – 29 oct. 2002 et 18 mars 2003 : *D.* 2003, 1092, obs. V. Avena-Robardet.

(14) Cass. 1re civ., 7 mai 2002 : *Defrénois* 2002, 1274, obs. J.-L. Aubert : *RTD civ.* 2002, 813, obs. J. Mestre et B. Fages.

Art. 1245. – Le débiteur d'un corps certain et déterminé est libéré par la remise de la chose en l'état où elle se trouve lors de la livraison, pourvu que les détériorations qui y sont survenues ne viennent point de son fait ou de sa faute, ni de celle des personnes dont il est responsable, ou qu'avant ces détériorations il ne fût pas en demeure.

Art. 1246. – Si la dette est d'une chose qui ne soit déterminée que par son espèce, le débiteur ne sera pas tenu, pour être libéré, de la donner de la meilleure espèce ; mais il ne pourra l'offrir de la plus mauvaise.

En vertu de la règle de l'*identité* de l'objet du paiement et de l'objet de l'obligation, le débiteur doit payer exactement ce qui a été promis, et rien d'autre (C. civ., art. 1243, 1245 et 1246).

S'il a promis de faire quelque chose (*obligation de faire*), d'accomplir une prestation, il doit s'y conformer, faute de quoi sa responsabilité pourrait être engagée. S'il a promis une abstention, par exemple de ne pas faire concurrence (*obligation de ne pas faire*), il doit se garder de tout ce qui y contreviendrait.

S'il s'est engagé à transférer la propriété d'un bien (*obligation de donner*), il doit y souscrire dans les conditions qui ont été prévues, qu'il s'agisse d'un corps certain ou d'une chose de genre.

Parmi ces obligations de donner, il faut faire une place à part à celles qui portent sur des sommes d'argent. Leur fréquence est considérable en matière contractuelle, et encore plus en matière délictuelle où la plupart des condamnations revêtent la forme de dommages-intérêts, c'est-à-dire de sommes d'argent.

Appliquant au paiement de ces dettes la règle de l'identité, on dira qu'il doit être du *montant nominal* prévu au contrat ou dans la décision judiciaire, augmenté des *intérêts* le cas échéant. À cette occasion, il convient de rappeler que les parties peuvent, sous certaines réserves, insérer dans les contrats des *clauses d'indexation* ou d'échelle mobile (V. *supra*, n°s 432 et s.) qui permettent d'échapper aux conséquences de la dévaluation ou de l'érosion monétaires.

Il est toutefois une hypothèse où la règle de l'identité peut être mise en échec ; c'est en cas de dation en paiement (V. *infra*, n°s 807 et s.).

805. – La règle de l'indivisibilité du paiement.

Art. 1244. – Le débiteur ne peut point forcer le créancier à recevoir en partie le paiement d'une dette, même divisible.

Art. 1244-1. – Toutefois, compte tenu de la situation du débiteur et en considération des besoins du créancier, le juge peut, dans la limite de deux années, reporter ou échelonner le paiement des sommes dues.

Par décision spéciale et motivée, le juge peut prescrire que les sommes correspondant aux échéances reportées porteront intérêt à un taux réduit qui ne peut être inférieur au taux légal ou que les paiements s'imputeront d'abord sur le capital.

En outre, il peut subordonner ces mesures à l'accomplissement, par le débiteur, d'actes propres à faciliter ou à garantir le paiement de la dette.

Les dispositions du présent article ne s'appliquent pas aux dettes d'aliments.

En vertu de la règle de l'*indivisibilité* du paiement, le créancier n'est jamais contraint de recevoir un paiement partiel, même lorsque par sa nature la dette est divisible, une dette de sommes d'argent, par exemple (C. civ., art. 1244).

Cette règle, n'étant pas d'ordre public, peut être écartée par les parties au paiement. Elle supporte en outre des exceptions. Ainsi, en octroyant des *délais de grâce* au débiteur, le juge peut lui permettre d'exécuter en plusieurs fois (C. civ., art. 1244-1) (V. *supra*, n° 492) ; ou encore, le créancier pourra être indirectement forcé d'accepter un paiement partiel si son débiteur invoque la *compensation* (V. *infra*, nᵒˢ 810 et s.) avec une créance réciproque d'un montant plus faible. Enfin, en cas de décès du débiteur, il y aura divisibilité de la dette, chacun des *héritiers* n'étant tenu que pour partie de la dette, sauf les exceptions visées à l'article 1221.

806. – Les modes de paiement des dettes de sommes d'argent. Son montant une fois déterminé, la dette peut être payée en *espèces* ayant *cours légal*, billets de banque ou monnaie métallique. Mais, dans le monde actuel et surtout en matière de commerce, les dettes sont souvent acquittées en *monnaie scripturale* : chèques, traites, billets à ordre, virements, etc. Le règlement en monnaie scripturale a même été rendu obligatoire en certaines matières ou au-delà d'un certain montant.

En ce qui concerne les chèques, ce sont sans discussion possible des *instruments de paiement* (quant au point de savoir si la date du paiement est celle de la remise du chèque ou celle de son encaissement V. *infra*, n° 817).

Quant aux effets de commerce, traites, billets à ordre, ils apparaissent plus comme des *instruments de crédit* que comme des modes de paiement puisque leur paiement ne pourra en être réclamé qu'à l'échéance du terme.

Les règles ci-dessus doivent désormais tenir compte de l'apparition d'une nouvelle forme de monnaie, la *monnaie électronique*, à la suite de la transposition en droit français des directives CE n° 2000-28 et 2000-46 du 18 septembre 2000 concernant l'accès à l'activité des établissements de monnaie électronique et son exercice ainsi que la surveillance prudentielle de ces établissements. Par arrêté du 10 janvier 2003, le Gouvernement a homologué le règlement du Comité de réglementation bancaire et financière relatif à la monnaie électronique qui en a donné une définition : « La monnaie électronique est composée d'unités de valeur, dites unités de monnaie électronique. Chacune constitue un titre de créance incorporé dans un instrument électronique et accepté comme moyen de paiement, au sens de l'article L. 311-3 du Code monétaire et financier, par des tiers autres que l'émetteur. » Pourraient répondre à cette définition le porte-monnaie électronique et certains procédés de paiement en ligne (15).

B. – La dation en paiement

807. – Présentation. On dit qu'il y a dation en paiement lorsque le débiteur transfère la propriété d'un de ses biens à son créancier, qui accepte de le recevoir à la place et en paiement de la prestation due. En bref, il y a dation en paiement lorsque, écartant le principe de l'identité du paiement, les parties conviennent qu'il sera remis au créancier autre chose que l'objet même de la dette (C. civ., art. 1243).

Bien souvent cette formule sera utilisée par un débiteur de sommes d'argent impécunieux qui, faute de liquidités, proposera un bien en échange au créancier qui le presse de payer ; et ce dernier sera trop content d'accepter (souvent même il sera l'instigateur de l'opération) s'il redoute que le débiteur ne soit insolvable ou ne tombe en faillite. Il y a là, à l'égard des autres créanciers, un risque de fraude que le législateur a écarté en déclarant nulles les dations en paiement intervenues pendant la *période suspecte* qui précède le jugement prononçant le règlement judiciaire (C. com., art. L. 621-107) (16).

Par exemple, lorsque Van Gogh payait sa pension en remettant des tableaux à son logeur, il faisait une dation en paiement. De même, dans un ordre d'idées tout à fait différent, les héritiers peuvent régler les droits de succession dus à l'État sous la forme de remise de tableaux, meubles ou objets d'art (CGI, art. 1716 *bis*) ; c'est là encore une dation en paiement (17).

La dation en paiement n'est pas réglementée par le Code civil qui y fait une simple allusion dans les articles 1243, 1581 et 2038. Il s'ensuit des hésitations sur le point de savoir quand il y a dation en paiement, et quels en sont les effets.

1° Quand y a-t-il dation en paiement ?

808. – Distinction avec la novation. La question se pose lorsque dans un paiement un objet est substitué à un autre : est-ce une novation par changement d'objet (V. *supra*, n° 786) ou une dation en paiement ? Sauf dans le cas où les parties ont expressément choisi la qualification de novation, les tribunaux considèrent qu'il s'agit d'une dation en paiement. Plus précisément encore, la jurisprudence analyse cette opération comme une

---

(15) M. Vasseur, *Le paiement électronique. Aspects juridiques* : JCP 85, I, 3206. – J. Huet, *Aspects juridiques du télépaiement* : JCP 91, I, 3524. – M. Espagnon, *Le paiement d'une somme d'argent sur Internet : évolution ou révolution du droit des moyens de paiement ?* : JCP 99, I, 131. – C. Lucas de Leyssac et X. Lacaze, *Le paiement en ligne* : JCP 2001, I, 302.

(16) Cass. ass. plén. 22 avr. 1974 : *D.* 1974, 613 et note F. Derrida ; *JCP* 74, II, 17876, obs. A. Bénabent.

(17) R. Gouyet, *Un mode alternatif d'extinction de la dette d'impôt : la dation en paiement* : JCP N 2002, 1549.

vente, moyennant un prix du même montant que la créance, et suivie d'une compensation entre ce prix de vente et la créance (18).

Ainsi, dans l'analyse retenue par la jurisprudence, la dation en paiement suppose qu'il y ait à la fois :

– *transfert immédiat de la propriété* de la chose ;

– et *tradition*, c'est-à-dire *livraison immédiate* ;

car c'est à cette double condition que peut se produire la compensation entre le montant de la dette et le prix de la chose.

Ce résultat est très différent de celui qu'on obtiendrait par une novation ; en effet, une novation éteindrait tout de suite la dette originaire et la remplacerait par une autre obligation, celle de transférer la propriété, qui resterait à accomplir.

2° Quels sont les effets de la dation en paiement ?

809. – Effets du paiement et de la vente. Étant à la fois un paiement et une sorte de vente, la dation en paiement va emprunter ses effets à l'un et à l'autre.

Parce qu'elle est un paiement, elle suppose la capacité de l'accomplir chez celui qui s'acquitte. Également, au cas où la dette payée n'existait pas, on appliquera les règles de la répétition de l'indu : celui qui a payé indûment reprendra la chose qui a fait l'objet de la dation. De même encore, si le créancier est évincé de la chose qui lui a été donnée en paiement, ou considérera que le paiement est nul et qu'en conséquence la créance revit avec toutes ses garanties, à l'exception des cautions que l'article 2038 déclare libérées.

Parce qu'elle est aussi une vente, la dation en paiement suppose chez celui qui la fait la capacité d'aliéner, et la qualité de propriétaire ; on appliquera en outre toutes les règles relatives à la vente de la chose considérée : privilège du vendeur en cas de soulte, garantie des vices, action en rescision

---

(18) D. Leoty, *La nature juridique de la dation en paiement. La dation en paiement, paiement pathologique ? : RTD civ.* 1975, 12.

pour lésion de plus des 7/12ᵉ pour les immeubles, droit de préemption, etc. (19).

Parmi les hypothèses pratiques de dation en paiement, on peut citer par exemple la reprise d'un véhicule usagé, à valoir sur la vente d'un neuf, du moins lorsque cette reprise a été convenue postérieurement à la vente du véhicule neuf (20). De même, dans certaines circonstances, on a pu analyser l'attribution de locaux à construire sur un terrain comme une dation en paiement du prix de ce terrain (21) ; mais dans d'autres hypothèses la jurisprudence y a vu une double vente, vente à terme du terrain pour un prix X d'une part, vente à terme de locaux à construire pour le même prix X d'autre part, suivie d'une *compensation* lors de l'arrivée du terme, lequel sera fixé au jour où les locaux seront construits.

C. – La compensation (22)

1° Technique de la compensation

810. – Définition et rôles. La compensation est une opération courante dans la vie des affaires. Réglementée par les articles 1289 et suivants du Code civil, elle vise l'hypothèse où deux personnes ont l'une envers l'autre des *dettes réciproques*. C'est le cas de tous ceux qui sont en rapports d'affaires constants.

Survenant dans ces circonstances, la compensation se définit comme l'extinction des deux dettes réciproques, à concurrence de la plus faible.

C'est un *procédé de règlement simplifié* très pratique et répandu, par exemple, en matière bancaire. Ainsi, tous les chèques tirés sur les multiples établissements bancaires français ne font pas chacun l'objet d'un transfert de fonds d'une agence à une autre. Une chambre de compensation fait, à l'échelon national, le compte de chaque banque, et seul le solde après compensation fait l'objet d'un règlement (23). La même technique permet d'expliquer le fonctionnement du *compte courant* entre un banquier et son client (24).

En pratique, la compensation joue deux rôles complémentaires.

D'une part, elle est un *double paiement*, réglé par un jeu d'écritures. Si les deux dettes sont du même montant, elles sont éteintes l'une et l'autre,

---

(19) Cass. 3ᵉ civ., 4 avr. 1968 : *JCP* 68, II, 15586, obs. Ourliac et M. de Juglart. – Cass. 3ᵉ civ., 4 juill. 1968 : *JCP* 68, IV, 149.

(20) Cass. com. 20 juin 1972 : *D.* 1973, 325 et note J. Hémard. – Cass. 1ʳᵉ civ., 2 nov. 1972 : *D.* 1973, 341 et note J.H.

(21) Cass. 3ᵉ civ., 12 juill. 1976 : *JCP* 1977, II, 18688, obs. M. Dagot. – Cass. 2ᵉ civ., 9 janv. 1991 : *JCP* 1992, II, 21846 et note F. Steinmetz.

(22) R. Mendegris, *La nature juridique de la compensation*, 1969. – N.-Cl. Ndoko, *Les mystères de la compensation* : *RTD civ.* 1991, 661.

(23) A.V. Delozière-Le Fur, *La compensation dite multilatérale*, thèse Paris II, 2002.

(24) P. Esmein, *Essai sur la théorie juridique du compte courant* : *RTD civ.* 1920, 79.

avec toutes les sûretés qui y étaient attachées. Si elles sont d'un montant différent, la plus faible est éteinte pour le tout, la plus forte ne l'est que pour partie : l'un des créanciers n'aura ainsi reçu qu'un paiement partiel, ce qui est mettre en échec la règle de l'indivisibilité du paiement (V. *supra*, n° 805).

À vrai dire, dans ce double paiement, un seul est volontaire. En effet, à moins que les parties ne se soient mises d'accord pour compenser (compensation conventionnelle), celui seul qui invoque la compensation a voulu le paiement ; l'autre s'y trouve contraint, sans qu'on puisse y voir, toutefois, une véritable *exécution forcée*. C'est ici qu'apparaît la seconde fonction de cette opération.

D'autre part, la compensation constitue une *sûreté* à la disposition des créanciers réciproques. Chacun peut se protéger contre l'insolvabilité de l'autre, du moins dans la mesure de la dette la plus faible, en opposant à toute demande en paiement un moyen de défense tiré de la compensation. Par cette fonction la compensation risque de porter atteinte aux droits des tiers (25).

2° Les différentes sortes de compensations

811. – Ainsi définie, la compensation est soumise par la loi à certaines conditions. À côté de la compensation, dite légale, qui est seule réglementée par les textes, sont apparues une compensation conventionnelle et une compensation judiciaire qui trouvent leur place là où les conditions de la première ne sont pas réunies.

812 – *a*) Compensation légale. Pour que la compensation joue, il faut que soient remplies diverses conditions, les unes positives, les autres négatives :

Art. 1289. – Lorsque deux personnes se trouvent débitrices l'une envers l'autre, il s'opère entre elles une compensation qui éteint les deux dettes, de la manière et dans les cas ci-après exprimés.

Art. 1290. – La compensation s'opère de plein droit par la seule force de la loi, même à l'insu des débiteurs ; les deux dettes s'éteignent réciproquement, à l'instant où elles se trouvent exister à la fois, jusqu'à concurrence de leurs quotités respectives.

Art. 1291. – La compensation n'a lieu qu'entre deux dettes qui ont également pour objet une somme d'argent, ou une certaine quantité de choses fongibles de la même espèce et qui sont également liquides et exigibles.

Les prestations en grains et denrées, non contestées, et dont le prix est réglé par les mercuriales, peuvent se compenser avec des sommes liquides et exigibles.

Art. 1292. – Le terme de grâce n'est point un obstacle à la compensation.

Art. 1293. – La compensation a lieu, quelles que soient les causes de l'une ou l'autre des dettes, excepté dans le cas :

1° De la demande en restitution d'une chose dont le propriétaire a été injustement dépouillé ;

_____

(25) G. Dubosc, *La compensation et les droits des tiers*, préf. J.-L. Mouralis, LGDJ, 1989.

2° De la demande en restitution d'un dépôt et du prêt à usage ;

3° D'une dette qui a pour cause des aliments déclarés insaisissables.

Art. 1294. – La caution peut opposer la compensation de ce que le créancier doit au débiteur principal ;

Mais le débiteur principal ne peut opposer la compensation de ce que le créancier doit à la caution.

Le débiteur solidaire ne peut pareillement opposer la compensation de ce que le créancier doit à son débiteur.

Art. 1295. – Le débiteur qui a accepté purement et simplement la cession qu'un créancier a faite de ses droits à un tiers ne peut plus opposer au cessionnaire la compensation qu'il eût pu, avant l'acceptation, opposer au cédant.

À l'égard de la cession qui n'a point été acceptée par le débiteur, mais qui lui a été signifiée, elle n'empêche que la compensation des créances postérieures à cette notification.

Art. 1296. – Lorsque les deux dettes ne sont pas payables au même lieu, on n'en peut opposer la compensation qu'en faisant raison des frais de la remise.

Art. 1297. – Lorsqu'il y a plusieurs dettes compensables dues par la même personne, on suit, pour la compensation, les règles établies pour l'imputation par l'article 1256.

Art. 1298. – La compensation n'a pas lieu au préjudice des droits acquis à un tiers. Ainsi celui qui, étant débiteur, est devenu créancier depuis la saisie-arrêt faite par un tiers entre ses mains ne peut, au préjudice du saisissant, opposer la compensation.

Art. 1299. – Celui qui a payé une dette, qui était, de droit, éteinte par la compensation, ne peut plus, en exerçant la créance dont il n'a point opposé la compensation, se prévaloir, au préjudice des tiers, des privilèges ou hypothèques qui y étaient attachés, à moins qu'il n'ait eu une juste cause d'ignorer la créance qui devait compenser sa dette.

813. – Conditions positives.

Les créances doivent être *réciproques* entre les mêmes personnes. Par exemple, une société ne peut pas compenser sa dette envers son salarié avec une dette de ce dernier envers une filiale de la société (26).

Elles doivent être *fongibles* entre elles, c'est-à-dire porter sur des choses de même nature, pouvant être indifféremment remplacées les unes par les autres (27). La fongibilité des créances réciproques enlève ainsi tout intérêt à leur exécution. L'exemple-type est celui des créances de sommes d'argent qui, en pratique, sont le domaine d'élection de la compensation : rien n'est plus simple que de soustraire l'une de l'autre.

Elles doivent, pour la même raison, être *liquides*, c'est-à-dire à la fois certaines dans leur principe et déterminées dans leur montant. On ne peut en effet comparer que ce qui est chiffré avec certitude. Par exemple, une créance de dommages-intérêts n'est pas liquide tant que le jugement de condamnation n'est pas rendu (28).

---

(26) Paris, 29 nov. 1962 : *D.* 1963, 649 et note VERDIER. – Cass. com. 28 mai 1991 : *Bull. civ.* IV, n° 182. Il n'en irait différemment que s'il y avait en réalité « confusion de patrimoines » entre les différentes sociétés du groupe : Cass. com. 9 mai 1995 : *D.* 1996, 322 et note G. LOISEAU.

(27) Cass. 1re civ., 10 juin 1987 : *Bull. civ.* I, n° 187 ; *JCP* 87, IV, 283.

(28) Cass. soc. 16 nov. 1988 : *Bull. civ.* V, n° 605.

Elles doivent être *exigibles* (29), c'est-à-dire arrivées à terme, car le paiement, et donc la compensation d'une dette, ne peut être exigé du débiteur avant l'échéance. Toutefois, le *délai de grâce* obtenu par un débiteur devant le tribunal ne fait pas obstacle à la compensation (C. civ., art. 1292).

En pratique, il est fréquent que l'une ou l'autre de ces deux dernières conditions ne soit pas remplie, auquel cas la compensation ne se produit pas de plein droit. En pareil cas, il appartient à celui qui voudrait bénéficier de la compensation d'en demander le bénéfice au juge : il s'agit alors d'une compensation, non plus légale, mais judiciaire (V. *infra*, n° 816).

814. – Conditions négatives.

Les conditions positives seraient-elles remplies, certaines créances échappent encore à la compensation.

L'article 1293 dresse en effet une liste d'exceptions qui sont autant de conditions négatives. Il en est ainsi notamment des *créances insaisissables* entre lesquelles il n'est pas possible de compenser ; dans le même esprit, le Code du travail interdit en principe la compensation entre le salaire dû à l'ouvrier et les fournitures qui lui ont été faites par l'employeur. De même, pour des raisons de moralité, un créancier ne peut opposer la compensation à celui qui demande la restitution soit d'un bien dont il a été injustement dépouillé, soit d'un dépôt ou d'un prêt à usage.

D'autres textes écartent le jeu de la compensation postérieurement au jugement d'ouverture de la procédure de redressement ou de liquidation judiciaire des entreprises (arg. art. L 621-24 et L. 621-40 c. com.). En effet il s'agit là d'une procédure collective dans laquelle tous les créanciers sont sur un pied d'égalité ; permettre la compensation à l'un d'eux serait lui conférer un privilège. Il n'y est fait exception qu'en cas de *dettes connexes*, issues du même contrat (30) (C. com., art. L. 621-24, al. 1). Toutefois, si les conditions de la compensation légale étaient réunies avant le commencement de la procédure de « faillite », la compensation s'est opérée de plein droit (V. *infra*, n° 815) même s'il n'y avait aucune connexité entre les dettes réciproques (31).

---

(29) J.-Ch. BOULAY, *Réflexion sur la notion d'exigibilité de la créance* : RTD com. 1990, 339.

(30) Cass. com. 2 mars 1993 : *D.* 1993, 426, 1re esp. et note M. PÉDAMON. – M. PÉDAMON et O. CARMET, *La compensation dans les procédures collectives de règlement du passif* : *D.* 1976, chron. 123. – G. DUBOSC, *La compensation et les droits des tiers*, LGDJ, 1989. – J.-F. MONTREDON, *La compensation de dettes connexes après le jugement déclaratif peut-elle survivre à la loi du 25 janvier 1985 ?* : *JCP* 91, I, 3480. – J.-Ch. RANC, *La compensation pour dettes connexes dans les procédures collectives*, thèse Paris II, 1996.

(31) Cass. com. 18 févr. 1975 : *Bull. civ.* IV, n° 50. – 8 janv. 2002, *RTD civ.* 2002, 302, obs. J. MESTRE et B. FAGES.

De même, la compensation est impossible avec une créance qui a fait l'objet d'une saisie-attribution avant que ne soient réunies les conditions de la compensation (art. 1298) (32).

Enfin, il est également interdit de compenser avec l'État, pour des motifs tenant à l'organisation administrative ; cette raison explique que la compensation redevienne possible lorsque les dettes réciproques concernent un seul et même service (33).

815. – Effets de la compensation légale. La compensation légale produit un *effet extinctif :* elle éteint les dettes réciproques à concurrence de la plus faible, ce qui équivaut à un *double paiement ;* corrélativement, elle entraîne *l'extinction des sûretés* attachées aux dettes (C. civ., art. 1294). S'il y a pluralité de dettes compensables, on appliquera les règles relatives à l'imputation des paiements (V. *infra,* n° 819).

Selon l'article 1290, cet effet est *automatique :* « La compensation s'opère de plein droit par la seule force de la loi, même à l'insu des débiteurs ; les deux dettes s'éteignent réciproquement, à l'instant où elles se trouvent exister à la fois, jusqu'à concurrence de leurs quotités respectives. »

Cette automaticité se vérifie sur trois points :

– la compensation joue même contre les incapables ;

– elle produit son effet le jour où ses conditions étaient réunies, non le jour, par définition plus tardif, où elle a été invoquée (34) ;

– en cas de renonciation à la compensation, la créance renaît avec ses sûretés, mais celles-ci ne peuvent plus être opposées aux tiers (C. civ., art. 1299) (35).

Mais, en dépit de la formule très forte de l'article 1290, l'automaticité souffre de très larges exceptions :

– d'une part, il n'y aura compensation que si l'une des parties en invoque le bénéfice, car le juge ne peut pas relever le moyen d'office (36) ;

– d'autre part, il est toujours loisible d'y renoncer, expressément ou tacitement : c'est le cas de celui qui paie volontairement une dette compensable, de celui qui n'oppose pas la compensation à une demande

---

(32) P. Japy, *Des effets limités de la compensation selon l'article 1298 du Code civil :* Gaz. Pal. 1977, 1, doctr. 303.

(33) Ch. Meyer, *La compensation en matière fiscale, la mise en ordre du Conseil d'État :* AJPI 1997, 552.

(34) Il s'ensuit que, si les conditions de la compensation étaient réunies avant le jugement prononçant l'ouverture d'une procédure collective de redressement judiciaire, la compensation peut être invoquée même après le jugement parce qu'elle s'est produite de plein droit : Cass. com. 6 déc. 1978 : *Bull. civ.* IV, n° 296. – 29 nov. 1988 : *Bull. civ.* IV, n° 325 ; D. 1989, somm. 235, obs. J.-L. Aubert. – 22 févr. 1994 : *JCP* 1994, II, 22267, rapp. Rémery ; *D.* 1995, 27, note Honorat et Romani.

(35) Ph. Drakidis, *Des effets à l'égard des tiers, de la renonciation à la compensation acquise :* RTD civ. 1955, 238. – P. Japy, *Des effets limités de la compensation selon l'article 1298 du Code civil,* précité. – G. Dubosc, *La compensation et les droits des tiers,* LGDJ, 1989.

(36) N'étant pas d'ordre public, la compensation ne peut être invoquée pour la première fois devant la Cour de cassation : Cass. 1re civ., 6 mai 1969 : *Bull. civ.* I, n° 166.

en paiement, ou encore de celui qui acquiesce à la cession d'une dette compensable (C. civ., art. 1295).

816. – *b*) La compensation conventionnelle et la compensation judiciaire. Si la loi ne prévoit pas la *compensation conventionnelle*, elle ne l'interdit pas non plus. Dès lors, le principe de l'autonomie de la volonté conduit à dire qu'elle est possible, dans la limite où elle ne contrevient pas à l'ordre public. Par suite, deux débiteurs réciproques sont libres de convenir que leurs dettes se compenseront, même si elles ne répondent pas aux conditions exigées pour la compensation légale (37).

La *compensation judiciaire* (38) est apparue dans d'autres circonstances. À l'occasion d'une demande en paiement formulée par un créancier, il arrive que le débiteur invoque à titre de compensation une créance réciproque non encore liquidée, découlant, par exemple d'une demande en dommages-intérêts en cours d'instance judiciaire. En pareil cas, le juge peut être invité à liquider la créance litigieuse et à l'admettre en compensation de la créance réciproque préexistante. C'est à cette opération qu'on donne le nom de compensation judiciaire ; elle est facultative pour le juge, à moins que les dettes ne soient connexes.

S'il y a connexité, le juge ne peut écarter la demande en compensation au motif que l'une d'entre elles ne réunit pas les conditions de liquidité et d'exigibilité requises ; il est tenu de constater le principe de cette compensation, sauf à ordonner toutes mesures pour parvenir à l'apurement des comptes (39). Et, suivant la jurisprudence, il y a connexité lorsque les deux créances découlent du même rapport de droit (40) ou encore d'un même « ensemble contractuel » (41). La compensation jouera ici, même postérieurement à l'ouverture d'une procédure collective de redressement ou liquidation judiciaire (42).

S'il n'y a pas connexité, le juge est libre de prononcer ou non la compensation (43), laquelle est toutefois écartée en cas de procédure collective affectant l'une des parties.

---

(37) Cass. soc. 18 déc. 1967 : *JCP* 1968, IV, 14. – A.-M. Toledo, *La compensation conventionnelle. Contribution plus particulièrement à la recherche de la nature juridique de la compensation conventionnelle* in futurum, *RTD civ.* 2000, 265.

(38) F. Chabas, *Réflexions sur la compensation judiciaire* : *JCP* 66, I, 2026.

(39) Cass. 1re civ., 18 janv. 1967 : *D.* 1967, 358 et note J. Mazeaud ; *JCP* 67, II, 15005 *bis*, obs. J.-A. – Cass. 1re civ., 25 oct. 1972 : *JCP* 73, II, 17498, obs. J. Ghestin. – Cass. com. 17 mai 1989 : *JCP* 89, IV, 266.

(40) Cass. com., 4 juill. 1973 : *D.* 1974, 425 et note J. Ghestin. – 20 janv. 1987 : *Bull. civ.* IV, n° 22. – 2 mars 1993 : *JCP* 1993, II, 22169 ; *D.* 1993, 426, 1re esp., et note M. Pédamon.

(41) Cass. com. 5 avr. 1994 : *Bull. civ.* IV, n° 142. – 9 mai 1995 : *JCP* 1995, II, 22448 et note Remery ; *D.* 1996, 322 et note G. Loiseau.

(42) V. par ex. Cass. com. 2 mars 1993, précité.

(43) Cass. 2e civ., 14 juin 1989 : *JCP* 89, IV, 302. – Cass. 1re civ., 30 juin 1993 : *Bull. civ.* I, n° 235.

§ 3. – Les modalités de paiement

A. – Le temps du paiement

817. – Applications pratiques : espèces, chèque, virement. À défaut de clause contraire, le paiement est exigible sur-le-champ, car on sous-entend qu'il a été stipulé comptant. Si au contraire, il a été fixé un terme, le paiement sera reporté à l'échéance (V. *supra*, n° 423).

En ce qui concerne le moment du paiement, une difficulté a surgi à propos des paiements par *chèque*. Pour apprécier si le paiement a été fait à temps ou non, faut-il s'attacher au moment où le chèque a été envoyé par le débiteur, reçu par le créancier, ou effectivement encaissé par ce dernier ou son banquier ? Il ne s'agit pas là d'une question d'école ; sa solution a un intérêt évident chaque fois que le retard est sanctionné par une pénalité ou une déchéance, par exemple, en matière fiscale, en sécurité sociale ou en assurance.

La solution traditionnelle est que la simple remise d'un chèque ne vaut pas paiement ; celui-ci s'accomplit seulement au jour de l'encaissement effectif par le bénéficiaire ou son banquier. Incontestable sur le plan du droit, cette solution n'est pas sans inconvénient dans la mesure où le retard peut être le fait du créancier qui, ayant reçu le chèque à temps, ne l'aura présenté à l'encaissement qu'après l'expiration du terme. Pour éviter au débiteur de subir alors des pénalités ou déchéances qui ne lui seraient pas imputables, la jurisprudence considère que le débiteur est réputé avoir acquitté sa dette à la date de la remise du chèque, sous réserve qu'il soit ultérieurement honoré (44).

En revanche, un virement ne vaut paiement qu'au jour de l'inscription de son montant au compte du bénéficiaire (45).

En pratique, les termes fixés ne sont pas toujours respectés ; en matière contractuelle, le retard n'est en principe condamnable qu'à partir de la mise en demeure d'exécuter (*supra*, n°s 715 et 716), tandis qu'en matière délictuelle, il faudra attendre le jour du jugement pour que la créance soit liquidée.

À cela, il faut ajouter que le juge peut accorder au débiteur des délais de grâce allant jusqu'à deux ans (V. *supra*, n°s 492 et s., à propos de ces délais, de la suspension provisoire des poursuites, et des moratoires).

---

(44) CE 25 nov. 1968 : *JCP* 70, II, 16337, obs. M. COZIAN. – Cass. 1re civ., 2 déc. 1968 : *JCP* 69, II, 15775, concl. R. LINDON et note A. BESSON. – Cass. soc. 17 mai 1972 : *D.* 1973, 129 et note Ch. GAVALDA. – Cass. soc. 11 janv. 1973 : *Gaz. Pal.* 1973, 1, 345 et note JUTTARD. – Cass. 3e civ., 20 févr. 1991 : *Bull. civ.* III, n° 62. G. DURRY, *Le « paiement » de la prime d'assurance au moyen d'un chèque sans provision* : *JCP* 84, I, 3161.

(45) Cass. 1re civ., 23 juin 1993 ; *D.* 1994, 27 et note D. MARTIN.

B. – Le lieu du paiement

818. – Paiement quérable ou portable ? Bien que secondaire sur un plan théorique, la question du lieu du paiement peut à l'occasion présenter des intérêts pratiques importants.

Par exemple, pour la compétence territoriale en matière contractuelle, le tribunal du lieu de la livraison effective de la chose ou du lieu de l'exécution de la prestation de service – c'est-à-dire du lieu du paiement – est l'une des options possibles ouvertes au demandeur. Et lorsque le paiement consiste dans la livraison d'une chose, le lieu du paiement désigne celui de la livraison ; suivant que cette livraison aura lieu chez le client ou chez le fournisseur, la charge des frais de transport sera ou non incluse dans le prix fixé au contrat.

Le choix du lieu du paiement est laissé à la latitude des parties (46).

> **Art. 1247.** – *(Ord. n° 58-1298 du 23 déc. 1958, art. 35)* – Le payement doit être exécuté dans le lieu désigné par la convention. Si le lieu n'y est pas désigné, le payement, lorsqu'il s'agit d'un corps certain et déterminé, doit être fait dans le lieu où était, au temps de l'obligation, la chose qui en fait l'objet.
>
> Les aliments alloués en justice doivent être versés, sauf décision contraire du juge, au domicile ou à la résidence de celui qui doit les recevoir.
>
> Hors ces cas, le paiement doit être fait au domicile du débiteur.

À défaut de stipulation conventionnelle sur ce point, la loi précise, dans l'article 1247 du Code civil, des règles destinées à pallier le silence des parties. Le principe est alors que le créancier doit aller chercher son paiement au domicile du débiteur ; on dit que le paiement est *quérable*. L'article 1247 y fait exception dans deux cas : pour les dettes alimentaires qui doivent être portées (le paiement est *portable*) au domicile du créancier (47) ; pour les corps certains ou choses non fongibles dont livraison doit être prise là où ils se trouvent.

C. – L'imputation des paiements

819. – Pluralité de dettes. Comment imputer un paiement ? La question de l'imputation des paiements se pose dans la seule hypothèse où un débiteur, tenu de plusieurs dettes différentes à l'égard du même créancier, effectue un paiement insuffisant pour les éteindre toutes. Sur quelle dette faut-il imputer le paiement intervenu ?

Ce problème – qui peut se présenter, par exemple, entre des commerçants en rapports d'affaires ou entre un banquier et son client – présente un intérêt pratique lorsque les diverses dettes portent un intérêt différent

---

(46) Cass. 1re civ., 25 janv. 1961 : *Bull. civ.* I, n° 62.
(47) Ch. BOULLEZ, *Les créances portables* : *Gaz. Pal.* 3-7 avr. 1994, doctr.

ou sont assorties de sûretés inégales. Diverses règles sont posées par les articles 1253 à 1256 du Code civil (48), mais ces règles ne sont que supplétives de volonté et les parties peuvent y déroger, même implicitement (49).

---

§ 3. – De l'imputation des paiements

Art. 1253. – Le débiteur de plusieurs dettes a le droit de déclarer, lorsqu'il paye, quelle dette il entend acquitter.

Art. 1254. – Le débiteur d'une dette qui porte intérêt ou produit des arrérages, ne peut point, sans le consentement du créancier, imputer le paiement qu'il fait sur le capital par préférence aux arrérages ou intérêts ; le paiement fait sur le capital et intérêts, mais qui n'est point intégral, s'impute d'abord sur les intérêts.

Art. 1255. – Lorsque le débiteur de diverses dettes a accepté une quittance par laquelle le créancier a imputé ce qu'il a reçu sur l'une de ces dettes spécialement, le débiteur ne peut plus demander l'imputation sur une dette différente, à moins qu'il n'y ait eu dol ou surprise de la part du créancier.

Art. 1256. – Lorsque la quittance ne porte aucune imputation, le paiement doit être imputé sur la dette que le débiteur avait pour lors le plus d'intérêt d'acquitter entre celles qui sont pareillement échues ; sinon, sur la dette échue, quoique moins onéreuse que celles qui ne le sont point.

Si les dettes sont d'égale nature, l'imputation se fait sur la plus ancienne ; toutes choses égales, elle se fait proportionnellement.

1° Le principe est que le débiteur de plusieurs dettes est libre de choisir l'imputation de son paiement (C. civ., art. 1253). Il aura donc intérêt à choisir d'imputer d'abord sur la dette la plus lourde par son taux d'intérêt ou par ses sûretés.

Cette liberté du débiteur souffre cependant quelques réserves légitimes (C. civ., art. 1254). Ainsi, le débiteur doit-il imputer son paiement en premier sur les dettes échues avant celles qui ne le sont pas encore, et sur les intérêts de la dette avant le capital. Il doit, en outre, imputer d'abord sur les dettes égales ou inférieures au montant du paiement, plutôt que sur celles supérieures ; sinon il y aurait un paiement partiel contraire à la règle de l'indivisibilité (V. *supra*, n° 805).

2° Si le débiteur n'a pas usé de l'option qui lui est offerte, le créancier peut faire lui-même l'imputation dans la *quittance*. En fait, il s'agit là d'une imputation conventionnelle car elle suppose l'acquiescement du débiteur. En revanche, si le débiteur a accepté la quittance, il ne pourrait se plaindre de l'imputation choisie par le créancier qu'en cas de dol (C. civ., art. 1255).

---

(48) J. VALLANSAN, *L'application des règles d'imputation des paiements* : Defrénois 1989, 1, 321, art. 34466.

(49) Cass. 1re civ., 29 oct. 2002 : *Bull. civ.* I, n° 252, p. 193 (prise en considération des décomptes produits par le créancier dont il résulte que les parties ont affecté les versements du débiteur sur les échéances les plus récentes).

3° Enfin, à défaut d'imputation fixée par le débiteur ou le créancier, la loi pose dans l'article 1256 des règles supplétives.

D. – La preuve du paiement

1° Charge de la preuve

820. – La charge de la preuve incombe au débiteur. En cas de contestation sur le paiement, c'est-à-dire sur l'exécution de l'obligation, le principe est qu'il appartient au débiteur de démontrer qu'il a acquitté sa dette : « Celui qui réclame l'exécution d'une obligation doit la prouver. Réciproquement, celui qui se prétend libéré doit justifier le paiement ou le fait qui a produit l'extinction de son obligation » (C. civ., art. 1315). Le fardeau de la preuve est en fait plus ou moins lourd suivant que l'obligation accomplie est de moyens ou de résultat.

Si le débiteur a promis une *obligation de résultat*, par exemple payer une somme d'argent, le principe joue à plein : il doit prouver qu'il a atteint le résultat.

Si, au contraire, l'obligation promise était *de moyens*, donc susceptible d'une exécution plus ou moins bonne en qualité, le principe s'atténue : le débiteur doit prouver le fait matériel de l'exécution, mais c'est au créancier qu'il appartient de démontrer que cette exécution est mauvaise.

Signalons qu'à ces règles, il est apporté une exception : il y a présomption de paiement en cas de remise volontaire du titre de créance au débiteur (C. civ., art. 1282 ; V. *infra*, n° 848).

2° Modes de preuve (50)

821. – Preuve écrite : la quittance. Dans l'opinion dominante, on considère que le paiement, s'il n'est pas une convention, est en tout cas un acte juridique (51) et qu'à ce titre il est donc soumis à la règle de la preuve écrite (V. *supra*, n°s 354 et s.). En outre, et quelle que soit la nature juridique du paiement, on observera que la règle de la preuve écrite figure dans le Code civil sous l'intitulé « De la preuve des obligations et de celle du paiement ». Aussi bien la Cour de cassation décide-t-elle que celui qui excipe du paiement d'une somme d'argent doit en rapporter la preuve conformément aux règles édictées par les articles 1341 et suivants (52). Pour prévenir tout litige, le débiteur a donc intérêt à exiger du créancier un titre prouvant qu'il a bien exécuté ce qui était promis.

Ce titre revêt des formes différentes suivant que la dette avait pour objet une somme d'argent ou une prestation en nature.

---

(50) M.-J. PIERRARD, *Les procédés de preuve du paiement* : *RTD civ.* 1948, 429.
(51) V. *contra* N. CATALA, *La nature juridique du paiement*, LGDJ, 1961.
(52) Cass. 1re civ., 5 oct. 1976 : *Bull. civ.* I, n° 582. – 19 mars 2002 : *D.* 2002, IR, 1324.

Il est d'usage de constater le paiement des sommes d'argent par une *quittance* ou un *reçu*. Le créancier payé ne peut refuser de la délivrer. Il convient toutefois de la rédiger avec la plus grande attention, notamment dans le cas où il y a plusieurs dettes et un paiement insuffisant pour les éteindre toutes ; il sera alors prudent d'exprimer dans la quittance l'imputation du paiement et de faire toutes réserves utiles relativement aux autres dettes (V. *supra*, n° 819). Outre ce rôle, la quittance peut aussi subroger un tiers payant dans les droits du créancier ; il s'agit alors d'une quittance subrogative (V. *supra*, n° 798).

Bien que la quittance soit un *acte sous seing privé*, on admet que, même non enregistrée, sa date fait foi à l'égard des tiers ; cette solution, contraire à la règle générale (V. *supra*, n° 366), est dictée par cette considération qu'il n'est pas d'usage de faire enregistrer les quittances.

822. – Autres modes. D'autres titres que les quittances peuvent servir de preuve du paiement : par exemple, les factures acquittées que doivent établir les vendeurs et acheteurs de marchandises (53), les inscriptions sur le titre de créance ; la remise volontaire du titre de créance au débiteur constitue même une présomption légale de paiement. On peut également songer aux bulletins de salaires, aux titres de transport (billets SNCF ou autres), etc.

Il est aussi d'usage de constater par un titre le paiement consistant dans la remise de certaines choses. Ainsi, de nombreux commerçants demandent aux clients de signer un récépissé lors de la livraison de la marchandise commandée ; l'administration des Postes en fait de même pour les lettres recommandées et les paquets ; et de même les transporteurs, etc.

Parallèlement, en matière de travaux cette fois-ci, il est d'usage de dresser un procès-verbal de réception lors de la livraison d'une construction (C. civ., art. 1792-6), etc.

Toutefois, la règle de la preuve écrite n'est pas plus absolue pour le paiement qu'elle ne l'est pour le contrat lui-même. Aussi peut-on faire la preuve du paiement par témoins ou par présomptions s'il existe un commencement de preuve par écrit ou si l'absence d'écrit se justifie par l'impossibilité matérielle ou morale d'en établir un (V. *supra*, nos 358 et 359).

---

(53) R. SAVATIER, *La facture et la polyvalence de ses rôles juridiques en droit contemporain :* RTD com. 1973, 1.

Section 2

L'EXÉCUTION FORCÉE (54)

823. – Le droit à l'exécution forcée. Le droit à l'exécution forcée est désormais exprimé par l'article 1er de la loi du 9 juillet 1991 en termes solennels :

Art. 1er. – Tout créancier peut, dans les conditions prévues par la loi, contraindre son débiteur défaillant à exécuter ses obligations à son égard.

Tout créancier peut pratiquer une mesure conservatoire pour assurer la sauvegarde de ses droits.

L'exécution forcée et les mesures conservatoires ne sont pas applicables aux personnes qui bénéficient d'une immunité d'exécution.

Parlant ici de l'exécution forcée, on entend cette expression dans son sens vrai d'exécution *en nature*, c'est-à-dire l'accomplissement forcé de l'obligation même qui a été stipulée par le contrat ou ordonnée par la décision judiciaire. Cela exclut un certain nombre de questions qui, d'ailleurs, ont déjà été vues.

Qui dit exécution exclut d'abord tout ce qui a trait à la *résolution* du contrat (V. *supra*, n°s 496 et s.). Aux termes de l'article 1184 du Code civil, « la partie envers laquelle l'engagement n'a point été exécuté, a le choix ou de forcer l'autre à l'exécution de la convention, lorsqu'elle est possible, ou d'en demander la résolution avec dommages et intérêts ». Celui qui, face à un contrat inexécuté, choisit d'en demander la résolution, renonce par là même à l'autre branche de l'alternative qui est l'exécution forcée.

Qui dit exécution forcée en nature exclut aussi ce qu'on appelle improprement l'exécution forcée *en équivalent* et qui, en fait, n'est que la mise en œuvre de la responsabilité civile (*supra*, n°s 512 et s.). Quand le juge condamne à dommages-intérêts celui qui n'a pas livré ou pas livré à temps la marchandise promise, ou celui qui a renversé un piéton avec sa voiture, il est inadéquat de parler d'exécution forcée. Il y a simplement compensation pécuniaire d'une inexécution provisoire (dommages-intérêts moratoires) ou définitive (dommages-intérêts compensatoires), c'est-à-dire réparation d'un dommage injustement causé. En revanche, c'est bien d'exécution forcée qu'il s'agira si le débiteur de dommages-intérêts ne s'exécute pas spontanément.

De cette exécution forcée, on envisagera les conditions et la mise en œuvre.

§ 1. – Conditions de l'exécution forcée

824. – L'exécution forcée n'est possible qu'à certaines conditions.

---

(54) Ph. THÉRY, *L'exécution forcée* : in *Les concepts contractuels français à l'heure des principes du droit européen des contrats*, Dalloz, 2003, p. 235.

Il faut d'abord que la créance invoquée soit *certaine* et *exigible* (55), c'est-à-dire arrivée à échéance. S'il s'agit d'une créance de sommes d'argent, elle doit en outre être *liquide*, ce qui suppose qu'elle soit évaluée en argent ou que le titre contienne tous les éléments permettant son évaluation (L. 9 juill. 1991, art. 4).

Art. 2. – Le créancier muni d'un titre exécutoire constatant une créance liquide et exigible peut en poursuivre l'exécution forcée sur les biens de son débiteur dans les conditions propres à chaque mesure d'exécution.

Art. 3. – Seuls constituent des titres exécutoires :

1º Les décisions des juridictions de l'ordre judiciaire ou de l'ordre administratif *(L. n° 99-957 du 22 nov. 1999)* « ainsi que les transactions soumises au président du tribunal de grande instance » lorsqu'elles ont force exécutoire ;

2º Les actes et les jugements étrangers ainsi que les sentences arbitrales déclarés exécutoires par une décision non susceptible d'un recours suspensif d'exécution ;

3º Les extraits de procès-verbaux de conciliation signés par le juge et les parties ;

4º Les actes notariés revêtus de la formule exécutoire ;

5º Le titre délivré par l'huissier de justice en cas de non-paiement d'un chèque ;

6º Les titres délivrés par les personnes morales de droit public qualifiés comme tels par la loi, ou les décisions auxquelles la loi attache les effets d'un jugement.

Art. 4. – La créance est liquide lorsqu'elle est évaluée en argent ou lorsque le titre contient tous les éléments permettant son évaluation.

En second lieu, la créance doit être constatée par un *titre exécutoire* tel que défini par l'article 3 de la loi du 9 juillet 1991 ; en fait, il s'agira soit d'un *acte notarié*, soit d'une *décision judiciaire*. Cette condition donne un intérêt tout particulier à la rédaction du contrat par un notaire : cette démarche évite en effet l'inconvénient auquel sont soumis les contrats sous seing privé, d'avoir à diligenter une procédure judiciaire pour obtenir un titre exécutoire. Cette condition est exigée parce que la force publique, huissiers ou commissaires de police, dont l'intervention est nécessaire pour l'exécution forcée, n'intervient que sur le vu de la *formule exécutoire* apposée au bas des titres exécutoires.

Il faut ensuite, mais seulement en matière contractuelle, que le débiteur ait été officiellement invité à exécuter par une *mise en demeure* (V. *supra*, nᵒˢ 715 et 716) qui connaît ici son troisième effet : outre qu'elle fait courir les dommages-intérêts moratoires, qu'elle met la chose à livrer aux risques du débiteur, elle est aussi un préalable à l'exécution forcée. Cette condition peut cependant être supprimée par la convention des parties.

Enfin, il est bon de rappeler que, dans les contrats à obligations réciproques (contrats synallagmatiques), celui qui demande l'exécution forcée doit avoir rempli son obligation ou, pour le moins, être disposé à le faire (V. *supra*, nᵒˢ 496 et s.).

---

(55) J.-Ch. Boulay, *Réflexion sur la notion d'exigibilité de la créance : RTD com.* 1990, 339.

§ 2. – La mise en œuvre de l'exécution forcée

825. – **Exécution sur les biens, non sur la personne.** La loi a instauré divers moyens de contrainte en vue d'assurer une exécution forcée des obligations (56). Dans le système français actuel, ces moyens ont un point commun : la contrainte s'exerce sur les biens, mais non sur la personne même du débiteur. Ainsi a-t-on renoncé, en matière civile, à la contrainte par corps qui était une sorte de prison pour dettes ; ce procédé, peu efficace d'ailleurs, était apparu comme une atteinte intolérable à la liberté individuelle.

Le fait que la contrainte soit limitée aux biens entraîne des conséquences au plan de l'exécution forcée. Autant il est simple d'exécuter sur le patrimoine du débiteur des obligations de sommes d'argent, autant il est difficile sinon impossible d'y parvenir pour les obligations en nature ; c'est pourquoi le créancier d'une prestation en nature n'a souvent d'autre ressource que de demander au juge sa traduction en dommages-intérêts, c'est-à-dire en argent.

A. – L'exécution forcée des dettes de sommes d'argent

826. – Il n'y a pas lieu de faire de différence suivant que la dette de sommes d'argent résulte d'un contrat ou d'une décision judiciaire, d'une condamnation à dommages-intérêts ou à restitution, par exemple.

Le créancier dispose de tout un arsenal de voies d'exécution sur le patrimoine du débiteur : *saisie des rémunérations* sur les salaires ; *saisie attribution* sur les comptes en banque, ou sur toute autre créance du débiteur ; *saisie-vente* sur les meubles ; *saisie immobilière* sur les immeubles du débiteur. Toutes les saisies tendent à faire vendre les biens du débiteur et à se payer sur le prix. Certaines peuvent être faites à titre conservatoire.

Certaines sommes ou biens sont cependant insaisissables. Il s'agit pour l'essentiel des pensions et créances à caractère alimentaire, des biens mobiliers nécessaires à la vie et au travail du saisi et de sa famille, et la partie insaisissable des rémunérations (57) et des comptes en banque.

En bref, sous réserve que le débiteur soit solvable, l'exécution forcée en nature des dettes de sommes d'argent est toujours possible.

Il existe toutefois une particularité pour les commerçants. En cas de cessation des paiements, le jugement de redressement judiciaire entraîne

---

(56) En marge de la voie officielle de l'exécution forcée par les tribunaux et les agents de l'autorité publique, il existe des organismes privés de recouvrement de créances qui proposent leurs services aux créanciers en vue de faire payer les débiteurs récalcitrants, et dont l'action a pu parfois être jugée excessive. V. Ph. GERBAY, *Moyens de pression privés et exécution du contrat*, thèse Dijon, 1976.

(57) Le montant saisissable des rémunérations annuelles a été fixé par le décret n° 2002-10 du 4 janvier 2002 (*JCP* 2002, III, 20023) qui détermine des pourcentages par tranche ; au-delà de 17 700 € la totalité est saisissable.

l'arrêt des poursuites individuelles, lesquelles sont remplacées par une procédure collective à laquelle seront appelés tous les créanciers du débiteur défaillant.

B. – L'exécution forcée des obligations en nature. L'astreinte

827. – L'exécution forcée en nature soulève des difficultés inégales suivant qu'il s'agit d'obligations de donner, de faire, ou de ne pas faire (58).

828. – L'exécution forcée des obligations de donner. *Les obligations de donner,* c'est-à-dire de transférer la propriété, peuvent, dans une assez large mesure, faire l'objet d'une exécution forcée (59).

Pour les corps certains, il n'y a même pas de problème puisque, en principe, le transfert de propriété s'opère entre les parties par le seul fait du contrat, de l'échange des consentements (60) (V. *supra,* n° 411). Une difficulté n'apparaît que si le transfert a été retardé et si le débiteur se refuse à l'accomplir. Il s'agira, par exemple, d'une vente d'immeuble pour laquelle le transfert aura été repoussé au jour de la signature d'un acte notarié. Si, au jour dit, le vendeur se refuse à signer, on ne peut l'y contraindre *manu militari,* mais l'exécution forcée demeure néanmoins possible : le juge saisi rendra une décision qui vaudra titre translatif de propriété et qui sera publiée à la Conservation des hypothèques afin de rendre le transfert opposable aux tiers (*supra,* nᵒˢ 455 et 456).

Pour les choses de genre, le transfert de propriété est subordonné à l'*individualisation* de la chose, c'est-à-dire à la livraison qui constitue une obligation de faire. Mais, précisément, l'obligation de livrer occupe une place à part parmi les obligations de faire : on admet que l'exécution forcée en est possible parce qu'elle n'implique aucune contrainte sur la personne du débiteur ; il suffit qu'il s'abstienne pour que le créancier prenne livraison.

829. – L'exécution forcée des obligations de faire et de ne pas faire. *Les obligations de faire et de ne pas faire* se prêtent moins bien à l'exécution forcée (61).

L'article 1142 pose pour les obligations de faire ou de ne pas faire un principe qui paraît exclure en la matière la possibilité même d'une exécution forcée en nature. Fort heureusement, ce principe est loin d'avoir une portée absolue ; sinon le débiteur pourrait, par sa seule inertie, transformer ses

---

(58) F. Bellivier et R. Sefton-Green, *Force obligatoire et exécution en nature du contrat en droit français et en droit anglais : bonnes et mauvaises surprises du comparatisme :* in *Mélanges Ghestin,* 2000, p. 91.

(59) A. Comaty, *Du mode d'exécution forcée des obligations de donner et de faire,* thèse Toulouse, 1976.

(60) J.-P. Chazal et S. Vicente, *Le transfert de propriété par l'effet des obligations dans le Code civil :* RTD civ. 2000, 477.

(61) A. Comaty, thèse précitée. – W. Jeandidier, *L'exécution forcée des obligations contractuelles de faire :* RTD civ. 1976, 700.

obligations en nature en obligations de sommes d'argent, ce qui serait inadmissible. Ce qu'a voulu dire le législateur, c'est qu'il est interdit de contraindre par la force, par des moyens violents, un débiteur à accomplir une prestation qui suppose sa participation personnelle, physique même : on ne peut, par exemple, obliger un peintre à faire votre portrait, un médecin à vous ausculter, etc., car ce serait une atteinte intolérable à la liberté individuelle.

Art. 1142. – Toute obligation de faire ou de ne pas faire se résout en dommages et intérêts, en cas d'inexécution de la part du débiteur.

Art. 1143. – Néanmoins, le créancier a le droit de demander que ce qui aurait été fait par contravention à l'engagement soit détruit : et il peut se faire autoriser à le détruire aux dépens du débiteur, sans préjudice des dommages et intérêts, s'il y a lieu.

Art. 1144. – Le créancier peut aussi, en cas d'inexécution, être autorisé à faire exécuter lui-même l'obligation aux dépens du débiteur. *(Loi. n° 91-650 du 9 juill. 1991, art. 82)* « Celui-ci peut être condamné à faire l'avance des sommes nécessaires à cette exécution. »

Mais l'exécution des obligations de faire ou de ne pas faire ne nécessite pas toujours la participation personnelle du débiteur, et il n'y a plus alors de raison qui s'oppose à une exécution forcée en nature.

On en trouve une application dans l'article 1143 qui, par dérogation au principe posé à l'article précédent, précise que « néanmoins le créancier a le droit de demander que ce qui aurait été fait par contravention à l'engagement soit détruit ; et il peut se faire autoriser à le détruire aux dépens du débiteur, sans préjudice des dommages et intérêts, s'il y a lieu ». C'est ce que décident régulièrement les tribunaux pour les constructions édifiées en violation d'un cahier des charges (62) ; plus encore, il s'agit là pour le juge d'une obligation, et non pas d'une simple faculté (63).

De même, en matière de construction, l'article 1792-6 édicte à la charge de l'entrepreneur une *garantie de parfait achèvement* qui s'étend à la réparation de tous les désordres signalés par le maître de l'ouvrage soit lors de la réception des travaux, soit dans l'année de cette réception. Ce faisant, la loi consacre ici une exécution forcée en nature du contrat de construction ; et, à défaut d'exécution dans le délai prévu, les travaux de reprise nécessaires pourront, après mise en demeure restée infructueuse, « être exécutés aux frais et risques de l'entrepreneur défaillant ».

De même encore, et de manière plus générale, si la prestation promise peut être exécutée par une tierce personne, l'article 1144 prévoit que le juge peut autoriser le créancier à y recourir aux frais du débiteur défaillant. C'est ce que l'on appelle la *faculté de remplacement* (64) ; ici, elle

---

(62) Cass. 3ᵉ civ., 5 nov. 1970 : *JCP* 70, IV, 308. – 21 janv. 1971 : *JCP* 71, IV, 49. – 18 mars 1974 : *JCP* 74, IV, 168. – 18 juin 1975 : *JCP* 75, IV, 257. – 7 janv. 1976 : *JCP* 76, IV, 68. – 23 mai 1978 : *JCP* 78, IV, 228.
(63) Cass. 3ᵉ civ., 18 févr. 1981 : *Bull. civ.* III, n° 38. – 19 mai 1981 : *Bull. civ.* III, n° 101. – 3 avr. 1996 : *Bull. civ.* III, n° 91.
(64) D. PLANTAMP, *Le particularisme du remplacement dans la vente commerciale* : D. 2000, doctr. 243.

suppose une autorisation préalable du juge (65), lequel peut en outre condamner le débiteur à faire l'avance des sommes nécessaires à cette exécution.

Généralisant ces hypothèses, la jurisprudence permet de recourir à l'exécution forcée des obligations de faire ou de ne pas faire chaque fois que cette exécution ne nécessite pas la participation personnelle du débiteur.

830. – L'astreinte. Origine et consécration. Parmi les obligations de faire et de ne pas faire dont il a été question au numéro précédent, il est des prestations dont le caractère personnel est si accentué que l'exécution forcée en paraît impossible : par exemple, la prestation d'un artiste célèbre ou d'un architecte, etc.

Pour toutes ces hypothèses où l'exécution forcée est impossible, les tribunaux ont conçu et mis sur pied, dès le XIXe siècle, un moyen de contrainte indirect, l'*astreinte*, dont le principe est le suivant : le juge condamne le débiteur à exécuter la prestation promise et l'assortit d'une astreinte, c'est-à-dire d'une condamnation au profit du créancier, à tant par jour de retard dans l'exécution de la décision. L'astreinte s'apparente ainsi à la *clause pénale* (V. *supra*, nos 745 et 746) par laquelle les parties à un contrat déterminent, par avance, le montant de la réparation en cas d'inexécution. Il est évident que, comme pour la clause pénale, plus le montant de l'astreinte sera élevé, plus l'incitation à exécuter sera forte pour le débiteur.

Cette institution d'origine jurisprudentielle a soulevé de grandes difficultés. Outre que sa validité même pouvait être sérieusement contestée en l'absence de texte, on s'interrogeait sur sa nature : s'agissait-il de dommages et intérêts ou d'une peine privée ? ; sur ses formes : pouvait-elle être provisoire ou définitive ? ; sur sa liquidation par le juge, etc. (66). Ces incertitudes ont désormais disparu.

Dans un premier temps, la loi du 5 juillet 1972, relative à la réforme de la procédure civile, a donné une consécration et une réglementation législative à l'astreinte (67). Par la suite, ces textes ont fait l'objet d'un toilettage

(65) Cass. soc. 5 juin 1953 : *D.* 1953, 601. – Cass. 3e civ., 29 nov. 1972 : *Bull. civ.* III, n° 642, p. 473. – 16 juill. 1997 : *Contr. Conc. Consom.* 1997, comm. n° 175, obs. L. Leveneur.
(66) A. Esmein, *L'origine et la logique de la jurisprudence en matière d'astreintes* : *RTD civ.* 1903, 5. – M. Fréjaville, *L'astreinte* : *D.* 1949, chron. 1, et *La valeur pratique de l'astreinte* : *JCP* 51, I, 910. – P. Kayser, *L'astreinte judiciaire et la responsabilité civile* : *RTD civ.* 1953, 209. – J. Boré, *La liquidation de l'astreinte comminatoire* : *D.* 1966, chron. 159. – M.-L. Rassat, *L'astreinte définitive* : *JCP* 67, I, 2069. – E. Viot-Coster, *Les astreintes*, thèse Rennes, 1966.
(67) F. Chabas, *La réforme de l'astreinte (loi du 5 juillet 1972)* : *D.* 1972, chron. 271. – J. Boré, *La collaboration du juge et du législateur dans l'astreinte judiciaire* : in *Mélanges Ancel*, t. 1. – Denis, *L'astreinte judiciaire. Nature et évolution*, thèse Paris II, 1973. – Y. Lobin, *L'astreinte en matière civile depuis la loi du 5 juillet 1972* : in *Mélanges Kayser*, t. 2, p. 131.

substantiel par la loi du 9 juillet 1991 (68) et son décret d'application du 31 juillet 1992.

Section VI
L'astreinte

Art. 33. – Tout juge peut, même d'office, ordonner une astreinte pour assurer l'exécution de sa décision.

Le juge de l'exécution peut assortir d'une astreinte une décision rendue par un autre juge si les circonstances en font apparaître la nécessité.

Art. 34. – L'astreinte est indépendante des dommages-intérêts.

L'astreinte est provisoire ou définitive. L'astreinte doit être considérée comme provisoire, à moins que le juge n'ait précisé son caractère définitif.

Une astreinte définitive ne peut être ordonnée qu'après le prononcé d'une astreinte provisoire et pour une durée que le juge détermine. Si l'une de ces conditions n'a pas été respectée, l'astreinte est liquidée comme une astreinte provisoire.

Art. 35. – L'astreinte, même définitive, est liquidée par le juge de l'exécution, sauf si le juge qui l'a ordonnée reste saisi de l'affaire ou s'en est expressément réservé le pouvoir.

Art. 36. – Le montant de l'astreinte provisoire est liquidé en tenant compte du comportement de celui à qui l'injonction a été adressée à des difficultés qu'il a rencontrées pour l'exécuter.

Le taux de l'astreinte définitive ne peut jamais être modifié lors de sa liquidation.

L'astreinte provisoire ou définitive est supprimée en tout ou partie s'il est établi que l'inexécution ou le retard dans l'exécution de l'injonction du juge provient, en tout ou partie, d'une cause étrangère.

Art. 37. – La décision du juge est exécutoire de plein droit par provision.

La loi nouvelle apporte un certain nombre de précisions en ce qui concerne tant le prononcé de l'astreinte que sa liquidation.

831. – 1° Le prononcé de l'astreinte. Allant sur ce point à l'encontre du projet gouvernemental, la loi confirme la solution traditionnelle précédemment retenue par la jurisprudence, puis par la loi de 1972 : « l'astreinte est indépendante des dommages-intérêts ».

Ainsi, quant à sa nature, l'astreinte constitue un *instrument de contrainte* laissé à la discrétion du juge et destiné à garantir le respect de sa décision ; elle est aussi une *peine privée* dans la mesure où cette sorte d'amende tombe dans l'escarcelle du créancier, en sus des dommages-intérêts, au lieu d'être versée à l'État comme certains l'avaient suggéré (69).

L'astreinte prend effet à la date fixée par le juge, laquelle ne peut toutefois pas être antérieure au jour où la décision portant obligation est devenue

---

(68) R. Perrot, *L'astreinte. Ses aspects nouveaux* : Gaz. Pal. 1991, doctr. 20-21 déc. – D. Talon, *L'astreinte* : Gaz. Pal. 5-6 juin 1992, doctr. – H. Croze, *La loi n° 90-650 du 9 juillet 1991 portant réforme des procédures civiles d'exécution : le nouveau droit commun de l'exécution forcée* : JCP 92, I, 3555, V. nos 35 à 40. – F. Chabas, *La réforme de l'astreinte* : D. 1992, chron. 299. – J. Buffet, *La réforme de l'astreinte : premières applications*, Rapport de la Cour de cassation, 1997, p. 67.

(69) E. du Rusquec, *La nature juridique de l'astreinte en matière civile* : JCP 1993, I, 3699.

exécutoire (70). Par ailleurs, s'agissant d'une mesure de contrainte à caractère personnel, elle pèse sur celui-là seul qui est condamné sous astreinte, sans qu'il puisse exercer de recours contre un garant (71) ou un assureur (72).

Comme par le passé, le pouvoir d'ordonner une astreinte, même d'office, appartient à tout juge « pour assurer l'exécution de sa décision » ; ce pouvoir peut donc être exercé non seulement par le tribunal de grande instance, mais aussi par le tribunal d'instance, par une cour d'appel, par une juridiction pénale, ou encore par le juge des référés, etc. (73). Ajoutant à la loi ancienne, l'article 33, alinéa 2, confère au *juge de l'exécution* le pouvoir, *a priori* inhabituel, d'assortir d'une astreinte une décision rendue par un autre juge « si les circonstances en font apparaître la nécessité ».

Plus classiquement, la distinction entre astreinte provisoire et astreinte définitive est maintenue ; mais les conditions pour le prononcé de cette dernière sont modifiées.

Le pouvoir du juge d'ordonner une *astreinte provisoire* demeure entièrement libre. L'article 34 de la loi reprend à cet égard la règle antérieure suivant laquelle l'astreinte doit être considérée comme provisoire, « à moins que le juge n'ait précisé son caractère définitif ».

Dans le passé, on avait pu mettre en doute la validité de l'*astreinte définitive* par laquelle le juge s'interdit de revenir sur le chiffre qu'il a déterminé. C'est, en effet, là une décision d'une gravité particulière, de caractère coercitif, dont les conséquences peuvent s'avérer très dures pour le débiteur. Néanmoins, la loi de 1972 avait validé l'astreinte définitive. La loi de 1991 ne revient pas sur ce point, mais elle y met deux conditions, à défaut desquelles l'astreinte sera considérée comme provisoire : l'astreinte définitive ne peut être ordonnée « qu'après le prononcé d'une astreinte provisoire et pour une durée que le juge détermine ».

Ainsi, non seulement elle doit être limitée dans le temps, mais elle suppose comme préalable qu'une astreinte provisoire ait été prononcée et soit restée inefficace. Ce n'est donc qu'en dernier recours que le juge peut ordonner une astreinte définitive.

832. – 2° La liquidation de l'astreinte. La question de la liquidation de l'astreinte se pose lorsque la décision judiciaire, assortie d'astreinte, a finalement été exécutée ou lorsqu'il apparaît qu'elle ne le sera jamais, auquel cas l'astreinte a manqué son but.

---

(70) Cass. 2e civ., 11 juin 1997 : *D.* 1997, 536, 1re esp. et note P. JULIEN. – 9 déc. 1997 : *D.* 1998, IR, 35. – 22 mars 2001 : *D.* 2001, IR, 1213.

(71) Cass. 1re civ., 4 avr. 2002 : *D.* 2002, IR, 1464. – Cass. 2e civ., 30 avr. 2002 : *Bull. civ.* II, n° 83, p. 67.

(72) Cass. 1re civ., 20 mars 1989 : *Bull. civ.* I, n° 122. – 3 avr. 2002 : *Bull. civ.* I, n° 104, p. 81 ; *RTD civ.* 2002, 812, obs. J. MESTRE et B. FAGES.

(73) La loi du 16 juillet 1980 a également instauré l'astreinte en matière administrative : E. BARADUC-BÉNABENT, *L'astreinte en matière administrative* : *D.* 1981, chron. 95.

Dans les deux cas, il faudra revenir devant un juge pour *liquider l'astreinte*, c'est-à-dire pour en déterminer le montant final qui viendra s'ajouter aux dommages-intérêts s'il en a été prononcé. Jadis, on décidait que la compétence à cet effet appartenait au juge qui avait prononcé l'astreinte ; mais la jurisprudence avait abandonné ce principe. Désormais, la loi attribue compétence au *juge de l'exécution*, sauf si le juge qui a ordonné l'astreinte « reste saisi de l'affaire ou s'en est expressément réservé le pouvoir » (74).

Les pouvoirs du juge varient suivant la nature de l'astreinte prononcée.

Par sa nature même, *l'astreinte provisoire est révisable*. La loi de 1972 accordait déjà la plus grande liberté d'appréciation en déclarant qu'« il appartient au juge de modérer ou de supprimer l'astreinte provisoire, même au cas d'inexécution constatée ».

La loi de 1991 se montre plus précise, et édicte que le montant de l'astreinte doit être liquidé « en tenant compte du comportement de celui à qui l'injonction a été adressée et des difficultés qu'il a rencontrées pour l'exécuter ». C'est une invitation non déguisée à distinguer entre les débiteurs et à se montrer plus clément à l'égard des débiteurs malheureux ou malchanceux.

Si, à l'inverse, l'astreinte est *définitive*, la liquidation n'est qu'une opération mathématique qui consiste à multiplier le chiffre de l'astreinte par le nombre de jours de retard, dans la limite de la durée déterminée initialement par le juge. Cette immutabilité du taux de l'astreinte est réaffirmée clairement par l'article 36, alinéa 2, de la loi (75).

833. – Autres règles. De manière plus générale, l'article 36, alinéa 3, donne au juge une directive valable pour les deux formes de l'astreinte. Celle-ci doit être : « supprimée en tout ou partie s'il est établi que l'inexécution ou le retard dans l'exécution de l'injonction du juge provient, en tout ou partie, d'une cause étrangère ».

Ainsi, le débiteur sera déchargé du montant de l'astreinte correspondant à la cause étrangère. De même, l'astreinte étant une mesure accessoire à la condamnation qu'elle assortit, la réformation de la décision de condamnation entraîne de plein droit anéantissement de l'astreinte prononcée dont le montant doit alors être restitué (76).

---

(74) Cass. 1re civ., 21 mars 2000 : *Bull. civ.* I, n° 98, p. 66. – Cass. 2e civ., 15 févr. 2001 : *JCP* 2001, IV, 1644 ; *D.* 2001, IR, 904.

(75) En revanche, bien que qualifiée définitive par le juge, l'astreinte qui n'a pas été précédé d'une astreinte provisoire doit être liquidée comme une astreinte provisoire : Cass. 1re civ., 11 et 25 juin 1997 : *D.* 1997, 536 et note P. JULIEN.

(76) Cass. 2e civ. 28 sept. 2000 : *Bull. civ.* II, n° 134, p. 95 ; *JCP* 2001, II, 10591 et note E. DU RUSQUEC.

Enfin, l'article 37 précise que la décision du juge, ordonnant l'astreinte, est exécutoire de plein droit par provision ; et il n'est pas du pouvoir du Premier président d'en ordonner le sursis à exécution (77).

En toute hypothèse, pour les obligations de faire ou de ne pas faire, la décision judiciaire comportera une condamnation pécuniaire : des dommages-intérêts moratoires, une astreinte le cas échéant, et enfin, à défaut d'exécution, des dommages-intérêts compensatoires ; ce sont toutes des dettes de sommes d'argent dont l'exécution forcée s'opérera comme il a été dit plus haut (*supra*, n° 552).

Section 3

LES GARANTIES D'EXÉCUTION

834. – Le risque d'insolvabilité du débiteur. En définitive, toutes les obligations se réduisant d'une manière ou d'une autre à des sommes d'argent, le seul risque véritable que court le créancier est celui de l'insolvabilité du débiteur. Les garanties d'exécution tendent précisément à réduire ce danger.

Pour mémoire, on peut rappeler ici que certains mécanismes juridiques œuvrent indirectement en ce sens. Ainsi, dans les contrats à obligations réciproques, la possibilité d'invoquer l'*exception d'inexécution* (V. *supra*, n°s 418 et 419) – ou un *droit de rétention* – constitue un avantage précieux pour un créancier ; ce n'est certes qu'une position d'attente, mais une position de force. Mieux encore, la *compensation* (V. *supra*, n°s 810 et s.), qui est une sorte de paiement privilégié, confère au créancier une sécurité totale. On peut en dire autant de l'*action directe* (V. *supra*, n° 471) que la loi accorde par faveur à certains créanciers.

Bien que ces créanciers connaissent une situation privilégiée, ils ne bénéficient pourtant pas là de véritables *sûretés*, au sens juridique de ce terme.

À côté de ces garanties indirectes, les créanciers disposent de divers moyens contre le risque d'insolvabilité.

Les uns, communs à tous les créanciers, ont pour but de conserver intact le gage général des créanciers ; ils tendent à remédier aux disparitions d'actif qui se produiraient dans le patrimoine du débiteur. À cet effet, les créanciers disposent de l'*action oblique* pour pallier les négligences de leurs débiteurs, et de l'*action paulienne* pour déjouer leurs fraudes.

---

(77) Cass. 2e civ., 14 juin 2001 : *Bull. civ.* II, n° 119, p. 80

Les autres, il s'agit des *sûretés*, n'appartiennent qu'aux créanciers privilégiés. Suivant les cas, ils doivent cette garantie à la loi elle-même, ou à leur propre prévoyance qui les a conduits à exiger cautions, gages, hypothèques ou autres sûretés de leur débiteur.

§ 1. – Les garanties communes à tous les créanciers

A. – L'action oblique

835. – Protection contre la négligence du débiteur. L'action oblique, accordée à tous les créanciers par l'article 1166 du Code civil, confère à chacun d'eux la possibilité d'exercer les droits et actions de leur débiteur que celui-ci omettrait d'exercer.

Art. 1166. – Néanmoins, les créanciers peuvent exercer tous les droits et actions de leur débiteur, à l'exception de ceux qui sont exclusivement attachés à la personne.

Agissant ainsi de manière oblique (d'où le nom de l'action), le créancier fera rentrer dans le patrimoine du débiteur des biens nouveaux ou des droits qui pourront être saisis par lui, et aussi par tous les autres créanciers.

1° Conditions

836. – L'action oblique est soumise à quatre conditions d'exercice. Toutes procèdent de l'idée que cette ingérence du créancier dans les affaires du débiteur doit être légitimée par un intérêt particulier à agir.

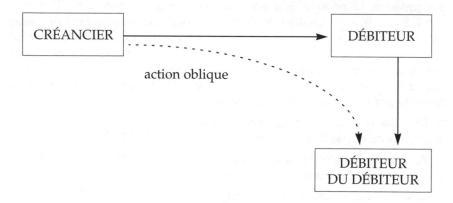

On raisonnera principalement sur les dettes de sommes d'argent.

Le créancier qui veut intenter par la voie oblique une action de son débiteur doit justifier qu'il a contre celui-ci une *créance certaine, liquide et exigible*. En effet, exercer l'action oblique, c'est prendre une *mesure conservatoire* dans la perspective d'opérer ensuite une *saisie* sur le bien du débiteur ainsi récupéré. Une telle mesure qui constitue une immixtion dans les droits du débiteur ne peut être accordée qu'à un créancier dont la créance est d'ores et déjà exigible, donc certaine et liquide ; en revanche, l'action oblique n'étant pas une saisie mais seulement son préalable, le créancier n'a pas à justifier d'un titre exécutoire.

Il faut ensuite que le *débiteur* soit *insolvable*, faute de quoi l'immixtion du créancier dans les affaires du débiteur serait intolérable ; de quel droit irait-il faire rentrer un bien dans le patrimoine de son débiteur, si l'actif de ce patrimoine suffisait pour qu'il soit payé ?

Il faut également qu'il y ait *inaction du débiteur* à faire valoir ses droits ; l'action oblique a pour but de pallier la négligence, intentionnelle ou non, d'un débiteur à faire valoir ses droits, mais elle ne permet pas de l'écarter et de se substituer à lui, motif pris de son inexpérience ou de sa maladresse (78).

Enfin, il doit s'agir de droits ou actions autres que « *ceux qui sont exclusivement attachés à la personne* », suivant la formule même du texte. Il paraît en effet raisonnable qu'échappent au créancier les droits et actions qui, même s'ils peuvent avoir des conséquences pécuniaires, supposent pour leur mise en œuvre une appréciation de caractère personnel (79). Cela vise tout d'abord les *actions d'état* : on voit mal, par exemple, un créancier intenter une demande en divorce ou en séparation de biens judiciaire au motif que le conjoint du débiteur est si dépensier qu'il met en péril les intérêts du ménage... Il en est de même des actions fondées sur un droit extrapatrimonial, même si elles ont des conséquences pécuniaires : par exemple, un créancier ne saurait se substituer à son débiteur pour demander réparation d'une atteinte à son honneur, ou à sa vie privée, ni pour exercer une action en révocation d'une donation pour ingratitude (80).

Toutefois, la jurisprudence se montre restrictive et tend plutôt à favoriser les créanciers. Par exemple, la cour de cassation a récemment admis que le créancier pouvait demander la mainlevée judiciaire d'une clause d'inaliénabilité figurant dans une donation adressée à son débiteur (81), alors que précédemment elle avait approuvé les juges du fond d'avoir considéré cette action comme exclusivement attachée à la personne à raison des considérations personnelles d'ordre moral et familial inhérentes à la donation (82).

---

(78) Cass. 1re civ., 28 mai 2002 : *Bull. civ.* I, n° 145, p. 113 ; D. 2002, 3041 et note V. PERRUCHOT-TRIBOULET ; *RTD civ.* 2002, 513, obs. J. MESTRE et B. FAGES (cas où le débiteur ne justifiait d'aucune diligence dans la réclamation de son dû).

(79) V. par ex., Cass. 1re civ., 3 juin 1998 : *JCP* 1998, II, 10167 et note J. CASEY.

(80) Cass. 1re civ., 19 avr. 1988 : *Bull. civ.* I, n° 101.

(81) Cass. 1re civ., 11 janv. 2000 : D. 2000, 877 et note F. PLANCKEEL.

(82) Cass. 1re civ., 3 juin 1998 : *JCP* 1998, II, 10167 et note J. CASEY.

2° Effets

837. – Les effets de l'action oblique découlent tous de l'idée que c'est *l'action même du débiteur* qui est exercée.

C'est ainsi que le débiteur n'est pas dessaisi de son droit par l'exercice de l'action oblique. Il est libre de se joindre à l'action et il peut même recevoir valablement paiement de son débiteur ; mais le créancier n'est pas obligé de le mettre en cause dans l'action oblique, à moins que sa demande ne soit en même temps une demande en paiement sur les sommes réintégrées (83).

De même, parce qu'il invoque un droit de son débiteur, le créancier qui exerce l'action oblique peut se voir opposer toutes les *exceptions* qui auraient pu être opposées au titulaire du droit : nullité, prescription, paiement, remise de dette, etc. Plus généralement, l'action du créancier exercée par la voie oblique, étant celle-là même du débiteur, est soumise à toutes les conditions qui régissaient celle du débiteur (84).

Enfin et surtout, l'action aboutit à faire rentrer un bien, somme d'argent ou autre, dans le patrimoine du débiteur où il pourra être saisi par tous les créanciers sans que l'exercice de l'action oblique confère le moindre privilège à celui qui s'est ainsi dévoué pour la collectivité des créanciers.

Aussi, plutôt que d'intenter l'action oblique pour faire rentrer une créance de sommes d'argent dans le patrimoine du débiteur, le créancier aura bien meilleur compte à faire sur elle une *saisie attribution* ou saisie des rémunérations ; non seulement cette saisie interdira tout paiement, mais le créancier saisissant se verra attribuer la créance par privilège sur les autres créanciers qui n'ont pas fait preuve de la même diligence.

Ceci explique le peu d'intérêt que cette action suscite dans la pratique pour les dettes de sommes d'argent. En revanche elle est plus utilisée pour pallier l'inaction du débiteur en d'autres domaines : ainsi a-t-on admis des copropriétaires à agir en résiliation du bail d'un locataire gênant pour la collectivité alors que son bailleur, lui-même copropriétaire, n'exerçait aucune diligence (85).

---

(83) Cass. 1re civ., 27 mai 1970 : *JCP* 71, II, 16675, obs. G. POULAIN. – Cass. com. 15 oct. 1991 : *JCP* 92, II, 21905, 2e esp., obs. G. BOLARD. – Rappr. Cass. 1re civ., 9 déc. 1970 : *JCP* 71, II, 16920, obs. M.D.P.S.

(84) Cass. 1re civ., 11 janv. 2000, précité, qui rappelle que l'action en mainlevée judiciaire d'une clause d'inaliénabilité exercée par un créancier est soumise à la condition de l'article 900-1 du Code civil : « si l'intérêt qui avait justifié la clause a disparu ou s'il advient qu'un intérêt plus important l'exige ».

(85) Cass. 3e civ., 14 nov. 1985, *D.* 1986, 368 et note J.-L. AUBERT. – V. aussi pour d'autres actions en justice, Cass. 3e civ., 4 déc. 1984 : *JCP* 85, IV, 57 (locataire d'un terrain à usage de débit de boissons exerçant l'action de son propriétaire contre le locataire du terrain voisin à usage de cabines de bains mais exerçant en fait, contrairement aux clauses de son bail, une activité de snack-bar). – Cass. 3e civ., 16 juill. 1986 : *JCP* 86, IV, 283 (locataires HLM exerçant l'action de la Coopérative d'HLM contre l'architecte en garantie des désordres de construction).

B. – L'action paulienne

838. – Protection contre les actes frauduleux du débiteur. L'action paulienne, prévue à l'article 1167 du Code civil, tend à remédier, non à une abstention du débiteur, mais à un acte positif par lequel il s'est appauvri. Par cette action, le créancier demande que lui soient déclarés *inopposables* les actes par lesquels le débiteur a frauduleusement diminué son patrimoine.

> **Art. 1167.** – Ils peuvent aussi, en leur nom personnel, attaquer les actes faits par leur débiteur en fraude de leurs droits.
>
> Ils doivent néanmoins quant à leurs droits énoncés au titre *Des successions* et au titre *Du contrat de mariage et des régimes matrimoniaux*, se conformer aux règles qui y sont prescrites.

Ce sera le cas, par exemple, des donations ou des ventes à vil prix faites par un débiteur aux abois à ses parents ou amis pour échapper aux poursuites de ses créanciers. Mais, bien souvent, les fraudes sont autrement plus subtiles et mettent à rude épreuve la perspicacité des juges (86). Il ne s'agit pas, en effet, de permettre à tout créancier de critiquer tous les actes de son débiteur qui lui déplaisent, mais seulement ceux qui sont faits « en fraude de leurs droits » suivant la formule même de l'article 1167. Plus généralement, il s'agit de déjouer les tentatives faites par un débiteur d'organiser son insolvabilité.

Le fait d'organiser son insolvabilité est même sanctionné pénalement (C. pén., art. 314-7 et s.), mais seulement lorsque le créancier cherche par là à se soustraire au paiement de *dettes d'aliments* ou de dettes de *responsabilité civile délictuelle* (87).

En l'absence d'autre précision dans la loi, la jurisprudence a été amenée à préciser les conditions d'exercice et les effets de cette action.

1° Conditions d'exercice

839. – Créance certaine en son principe et antérieure à l'acte critiqué. L'action paulienne est soumise à quatre conditions d'exercice. Comme pour l'action oblique, elles procèdent de l'idée que cette ingérence du créancier dans les affaires du débiteur et spécialement dans les contrats qu'il a passés doit être légitimée par un intérêt particulier à agir. Mais elles sont différentes dans la mesure où l'objectif poursuivi est lui aussi

---

(86) V. par ex., Cass. com. 10 juin 1963 : *D.* 1968, 116 et note Cl. Lombois (fusion d'une société, débiteur principal, avec sa caution solidaire). – Cass. 1re civ., 21 nov. 1967 : *D.* 1968, 317 et note Y. Lambert-Faivre (licitation consécutive à une donation-partage). – Cass. 1re civ., 14 mai 1984 : *Gaz. Pal.* 10 janv. 1985, note A. Plancqueel (renonciation à demander la réduction d'une libéralité portant atteinte à la réserve). – Paris 21 mars 1984 : *D.* 1986, 131 et note G. Potiron (partage avec simulation). – V. aussi H. Sinay, *Action paulienne et responsabilité délictuelle à la lumière de la jurisprudence récente* : *RTD civ.* 1948, 183. – J. Ghestin, *La fraude paulienne* : in *Mélanges Marty*, p. 569.

(87) Ph. Bertin, *L'insolvabilité organisée et sa répression pénale (art. 404-1 C. pén. créé par la loi du 8 juill. 1983)* : *Gaz. Pal.* 1985, 1, doctr. 332. V. par ex. Cass. crim. 1er févr. 1990, *Bull. crim.*, n° 55 ; *Gaz. Pal.* 1990, 2, 390 (renonciation volontaire à un emploi rémunéré).

---

différent : il ne s'agit pas d'exercer un droit ou une action du débiteur à sa place, mais de critiquer un acte accompli par lui.

La première condition se rapproche d'une des conditions de l'action oblique : le créancier n'est admis à critiquer un acte de son débiteur que s'il justifie avoir contre celui-ci une *créance certaine* dans son principe, et *antérieure* à l'acte critiqué.

En effet, un créancier serait mal venu à se plaindre d'une situation qui existait déjà lors de la naissance de son droit ; il n'en serait autrement, et le créancier ne pourrait attaquer un acte antérieur qu'en cas de préméditation d'un débiteur qui aurait accompli un acte en vue de faire fraude aux droits de ses futurs créanciers (88).

En revanche, il suffit que la créance soit « certaine en son principe au moment de l'acte argué de fraude, même si elle n'est pas encore liquide » (89) ou exigible (90).

840. – Acte d'appauvrissement. En second lieu, ne peuvent être attaqués par la voie de l'action paulienne que les *actes d'appauvrissement*, c'est-à-dire ceux qui diminuent l'actif du patrimoine du débiteur, qui constituent une perte : par exemple, une donation, une aliénation à vil prix, ou une remise de dette, ou une renonciation à un droit déjà acquis (renonciation à succession ou au bénéfice d'une prescription ou à la réduction d'une libéralité portant atteinte à la réserve du débiteur ou encore renonciation à un emploi rémunéré). Aux actes d'appauvrissement sont parfois assimilés les actes qui tendent à rendre impossibles ou vaines les poursuites des créanciers, par exemple la vente d'un bien consentie à un prix normal qui opère la substitution d'une somme d'argent à un bien facilement saisissable (91).

En revanche, les actes par lesquels le débiteur refuse de s'enrichir, n'entraînant pas une perte mais un manque à gagner, demeurent inattaquables : par exemple, le refus d'accepter une donation. Mais la solution est inverse pour le défaut d'acceptation d'une succession parce que celle-ci est dévolue de plein droit aux héritiers, si bien que la renonciation à succession constitue un appauvrissement (92).

En outre, même à s'en tenir aux actes positifs d'appauvrissement, certains d'entre eux, et non des moindres, ne peuvent être attaqués par un créancier sur le fondement de l'article 1167.

---

(88) Cass. com. 14 mai 1952 : *D.* 1953, 625 et note RADOUANT. – Cass. 3e civ., 4 févr. 1971 : *JCP* 72, II, 16980, obs. M. DAGOT et P. SPITERI. – Cass. 3e civ., 27 juin 1972 : *D.* 1973, somm. 17.

(89) Cass. 1re civ., 19 nov. 2002 : *Bull. civ.* I, n° 271, p. 211. V. aussi : Cass. 1re civ., 13 avr. 1988 : *D.* 1988, IR, 113. Il suffit que le principe de la créance ait existé : Cass. com. 25 mars 1991, *Bull. civ.* IV, n° 119. – Cass. ch. mixte, 21 févr. 2003 : *Bull. civ.* ch. mixte, n° 2, p. 2 ; *JCP* 2003, IV, 1668.

(90) Cass. 1re civ., 25 févr. 1981 : *JCP* 1981, II, 19628. – 27 janv. 1987 : *Bull. civ.* I, n° 26. – 17 janv. 1984 : *D.* 1984, 437 et note Ph. MALAURIE.

(91) Cass. 1re civ., 18 févr. 1971 : *Bull. civ.* I, n° 56 : *D.* 1972, 53 et note E. AGOSTINI. – 10 déc. 1974 : *D.* 1975, 777 et note SIMON. – Cass. com. 1er mars 1994 : *Bull. civ.* IV, n° 81.

(92) Cass. 1re civ., 7 nov. 1984 : *Bull. civ.* I, n° 298.

Ainsi, l'action paulienne n'est pas reçue contre les *paiements de dettes exigibles* que le débiteur fait entre les mains d'autres créanciers car, suivant l'adage, « le paiement est le prix de la course » et il appartient donc à chaque créancier d'être plus véloce que les autres (93).

De même, un créancier ne pourrait critiquer les engagements nouveaux que prend son débiteur et qui, sans diminuer l'actif, augmentent le passif de son patrimoine. C'est là une question de liberté individuelle : on ne peut paralyser l'activité d'une personne au motif qu'elle a des créanciers qui peuvent en pâtir ; ou alors, s'il s'agit d'un commerçant débiteur en état de cessation de paiement, il appartient aux créanciers de provoquer le redressement ou la liquidation judiciaires.

Pour le même motif de liberté individuelle, les créanciers ne peuvent non plus attaquer les actes du débiteur relatifs à des *droits exclusivement attachés à la personne*, même s'ils entraînent des conséquences de nature patrimoniale.

Enfin, tout en échappant à l'action paulienne, certains actes d'appauvrissement peuvent être critiqués pour fraude suivant d'autres règles : ainsi en est-il des partages de communauté et de succession pour lesquels l'article 1167, alinéa 2, opère un renvoi, et des jugements qui peuvent être attaqués par des tiers par la voie de la *tierce opposition*.

841. –... créant ou augmentant l'insolvabilité. En troisième lieu, même s'ils entraînent un appauvrissement, les actes du débiteur ne peuvent lui être reprochés que s'ils *créent ou augmentent son insolvabilité* ; sinon, les créanciers ne sauraient s'en plaindre, faute de subir un quelconque préjudice.

La preuve de l'insolvabilité, qui incombe au créancier, peut être faite par tous moyens, étant toutefois précisé qu'il suffit d'une *insolvabilité apparente* (94). Cette insolvabilité doit être démontrée à la fois au jour de l'acte d'appauvrissement (95) reproché et à celui du jour de l'action (96) car, à défaut d'insolvabilité à l'une de ces deux dates, le créancier ne souffrirait d'aucun préjudice. Cela dit, la preuve de l'insolvabilité est sans objet en cas d'insolvabilité notoire.

Le débiteur dispose ainsi d'une sorte de « bénéfice de discussion », mais la jurisprudence n'exige cependant pas que les créanciers saisissent d'abord les biens du débiteur avant d'attaquer ses actes par l'action paulienne (97).

---

(93) Cf. Colombet, *De la règle que l'action paulienne n'est pas reçue contre les paiements* : *RTD civ.* 1965, 5.

(94) Cass. 1re civ., 6 mars 2001 : *Bull. civ.* I, n° 51, p. 33 ; *D.* 2001, somm. 3244, obs. Ph. Delebecque.

(95) Cass. 1re civ., 5 déc. 1995 : *Bull. civ.* I, n° 443. – 2 mai 1989 : *Bull. civ.* I, n° 172. – 6 mars 2001, précité.

(96) Cass. com. 14 nov. 2000 : *Bull. civ.* IV, n° 173 ; *D.* 2000, 441, obs. V. Avena-Robardet.

(97) Cass. 3e civ., 13 mai 1969 : *Bull. civ.* III, n° 373 ; *RTD civ.* 1970, 166, obs. Y. Loussouarn. – 4 avr. 1973 : *Bull. civ.* III, n° 258.

Toutefois, la condition d'insolvabilité est écartée si l'acte critiqué a pour effet de diminuer les sûretés accordées au créancier (98) ou si l'acte frauduleux a eu pour effet de rendre impossible l'exercice du droit spécial dont disposait le créancier sur la chose aliénée (99).

842. – … et frauduleux. Enfin, le succès de l'action paulienne suppose la preuve d'une *fraude*. Si l'acte attaqué est un *acte à titre gratuit*, une donation par exemple, il suffira de prouver la fraude du donateur, la complicité du donataire étant alors présumée de manière irréfragable. S'il s'agit au contraire d'un *acte à titre onéreux*, la fraude devra être prouvée en la personne à la fois du débiteur et de son cocontractant ; en effet, il convient de distinguer entre les *tiers complices* de la fraude du débiteur (100) et les *tiers de bonne foi* qui doivent être protégés.

En fait, cette preuve est moins lourde qu'elle ne paraît. D'une part, d'après la jurisprudence, constitue une fraude non seulement l'intention de nuire au créancier (101), mais aussi « la seule connaissance qu'a le débiteur du préjudice qu'il cause au créancier en se rendant insolvable ou en augmentant son insolvabilité » (102). D'autre part, la fraude, étant un fait et non un acte juridique, pourra être prouvée par tous moyens et notamment par des présomptions qui résulteront des circonstances de la cause.

2° Effets

843. – Inopposabilité au créancier de l'acte critiqué. Contrairement à l'action oblique qui profite à tous les créanciers, l'action paulienne ne bénéficie qu'à celui qui l'intente. En effet, elle n'a pas pour conséquence de faire rentrer dans le patrimoine du débiteur un bien que tous les créanciers pourraient saisir.

L'acte jugé frauduleux n'est pas annulé, il est seulement déclaré *inopposable au créancier agissant*. À supposer qu'il s'agisse d'une vente, cette vente conserve tous ses effets entre vendeur et acheteur, et elle est opposable à tous les créanciers du vendeur autres que celui qui a exercé l'action paulienne. Mais à celui-ci, la vente est inopposable et il pourra

---

(98) Cass. com. 10 juin 1963 : *D.* 1968, 116 et note Cl. Lombois. – Cass. 3ᵉ civ., 13 mai 1969 : *JCP* 69, IV, 165.

(99) Cass. 1ʳᵉ civ., 10 déc. 1974 : *D.* 1975, 777 et note O. Simon. – 18 juill. 1995 : *D.* 1996, 391, 2ᵉ esp. et note E. Agostini.

(100) Cass. 1ʳᵉ civ., 27 juin 1984 : *Bull. civ.* I, n° 211. Suivant la jurisprudence il y a complicité si le tiers connaît l'insolvabilité du débiteur et s'il sait que l'acte préjudicie à ses créanciers : Cass. 3ᵉ civ., 22 janv. 1971 : *Bull. civ.* III, n° 47. – Cass. 1ʳᵉ civ., 19 janv. 1977 : *Bull. civ.* I, n° 34.-Cass. com. 14 mai 1996 : *Bull. civ.* IV, n° 134.

(101) Cass. civ. 26 oct. 1942 : DA 1943, 18 ; *JCP* 43, II, 2131, obs. Becqué. – Cass. 1ʳᵉ civ., 13 mars 1973 : *JCP* 74, II, 17782, obs. J. Ghestin.

(102) Cass. 1ʳᵉ civ., 17 oct. 1979 : *JCP* 81, II, 19627, obs. J. Ghestin. – Cass. 1ʳᵉ civ., 25 févr. 1981 : *JCP* 81, II, 19628. – Cass. 1ʳᵉ civ., 14 mars 1984 : *Gaz. Pal.* 1985, 17 et note A. Plancqueel. – Cass. 1ʳᵉ civ., 29 mai 1985 : *JCP* 85, IV, 275. – Cass. 1ʳᵉ civ., 13 avr. 1988 : *Bull. civ.* I, n° 91. – 15 janv. 1993 : *Bull. civ.* I, n° 5. – 14 févr. 1995 : *D.* 1996, 391, 1ʳᵉ esp. et note E. Agostini.

donc saisir le bien entre les mains de l'acheteur et le faire vendre pour se payer (103). Cette technique rappelle celle de *l'action en déclaration de simulation* dont l'action paulienne doit être rapprochée (V. *supra*, n°s 285 et s.).

Toutefois, dans la mesure où l'action paulienne risque d'être souvent exercée contre les actes d'un commerçant dont l'état de cessation de paiement est imminent, les règles ci-dessus doivent être combinées avec celles de la « faillite » (104).

La loi du 25 janvier 1985 ayant substitué la nullité à l'inopposabilité de certains actes accomplis au cours de la *période suspecte* (c'est-à-dire du jour de la cessation des paiements jusqu'à celui du jugement déclaratif de règlement judiciaire ou de liquidation), il est probable que l'action paulienne ne présentera pas grand intérêt pour ces actes, mais elle n'est pas rendue impossible pour autant (105).

En revanche elle conserve tout son intérêt pour faire déclarer inopposables les actes frauduleux accomplis par le débiteur avant la date de cessation des paiements. Mais en pareil cas le bénéfice de l'action paulienne n'est pas réservé au créancier poursuivant ; la jurisprudence a en effet décidé qu'il était étendu à tous les créanciers (106).

§ 2. – Les sûretés particulières à certains créanciers

844. – Les créanciers, et notamment les prêteurs d'argent, peuvent subordonner leur accord à l'octroi d'une garantie qui sera soit une sûreté personnelle, soit une sûreté réelle. Par ailleurs, la loi confère dans certaines hypothèses une sûreté réelle ou un privilège, en garantie du paiement de créances ou de créanciers qu'elle entend favoriser.

Toutes ces garanties ayant été déjà étudiées à l'occasion soit de l'étude des droits réels pour les sûretés réelles, soit à celle des garanties contractuelles de paiement pour les sûretés personnelles, il suffira de s'y reporter.

On rappellera seulement que les sûretés personnelles résident dans la stipulation de la *solidarité* entre les débiteurs principaux, ou dans l'adjonction de *cautions*, qui sont des débiteurs accessoires, ou encore à l'octroi de

---

(103) Un fois l'inopposabilité prononcée, le créancier peut poursuivre la vente forcée de l'immeuble, libre de tous droits, et l'adjudicataire le reçoit également libre de tous droits : Cass. 1re civ., 29 janv. 2002 : *D.* 2002, 2153.

(104) C. Pizzio-Delaporte, *L'action paulienne dans les procédures collectives : RTD com.* 1995, 715.

(105) Malgré son caractère individuel, l'action paulienne peut alors être exercée, suivant les cas, par le représentant des créanciers ou par le commissaire à l'exécution du plan : Cass. com. 13 nov. 2001 : *JCP* 2002, II, 10151 et note E. Bost ; *RTD civ.* 2002, 102, obs. J. Mestre et B. Fages.

(106) Cass. com. 7 juin 1967, 2 arrêts : *Gaz. Pal.* 1967, 2, 306. – Cass. com. 26 janv. 1988 : *D.* 1988, IR, 39.

garanties autonomes, lettres d'intention ou de confort, etc. (V. *supra*, nᵒˢ 439 et s.).

Quant aux sûretés réelles, elles peuvent porter ou sur des immeubles, ou sur des meubles, et offrent au créancier une garantie de paiement à peu près totale.

Chapitre 3

L'EXTINCTION
DES OBLIGATIONS

845. – Les différentes manières d'éteindre les obligations. L'extinction des obligations peut s'entendre de diverses manières, suivant qu'on y inclut ou non les procédés qui font disparaître l'obligation par désintéressement du créancier.

En un sens large, le paiement, la dation en paiement, la compensation (V. *supra*, nos 807 et s.) sont des modes d'extinction des obligations. Et on en dit autant de ces transformations de la créance que sont la novation et la délégation (V. *supra*, nos 784 et s.).

Pour être complet, il faut y ajouter la *confusion*, c'est-à-dire la réunion sur la même tête des qualités de créancier et de débiteur (1). Ainsi en est-il du locataire qui achète son appartement, ou du fermier qui hérite de sa ferme (2), ou de la société qui rachète les obligations qu'elle a émises (3) ; dans toutes ces hypothèses, l'obligation disparaît parce qu'on ne saurait être à la fois créancier et débiteur de soi-même.

---

(1) Th. Vialatte, *L'effet extinctif de la réunion sur une même tête de qualités contraires et ses limites* : RTD civ. 1978, 567. – D. Guével, *La confusion ou les confusions : théorie générale ou relativité générale ?* : Gaz. Pal. 31 oct.-4 nov. 1999, doctr.

(2) Ces hypothèses ont soulevé de grandes difficultés en ce qui concerne l'évaluation de l'appartement ou de la ferme pour l'application des règles de la rescision pour lésion, et des règles du partage. V. Cass. 1re civ., 16 nov. 1959 : JCP 60, II, 11837, obs. Perot-Morel. – Cass. 1re civ., 8 déc. 1965 : D. 1967, 407 et note R. Savatier. La confusion n'atteint pas en revanche la sous-location consentie par le locataire devenu propriétaire : Cass. 3e civ., 2 oct. 2002 : D. 2003, 937 et note Y. Dagorne-Labbé.

(3) Cass. civ. 12 nov. 1946 : D. 1948, 345, 1re esp., et note J. Percerou. – Lyon 5 mars 1951 : JCP 51, II, 6562, obs. D.B.

L'effet extinctif de la confusion n'est d'ailleurs pas total ; notamment dans les rapports avec les tiers, la créance confondue survit tant à leur profit qu'à leur détriment.

En un sens étroit, qui sera celui retenu ici, l'extinction des obligations vise seulement les procédés d'extinction qui n'assurent pas le désintéressement du créancier. À cet égard, on peut dire que la *résolution* d'un contrat (V. *supra*, nᵒˢ 496 et s.), qui met fin aux obligations réciproques et s'accompagne de restitutions, est l'un de ces procédés. L'observation est surtout exacte lorsque l'inexécution du contrat est due à un cas fortuit ou de force majeure, auquel cas il n'y aura même pas lieu à responsabilité.

Les autres modes d'extinction sont la *remise de dette* et la *prescription*.

Section 1

LA REMISE DE DETTE

846. – Deux formes. Le Code civil traite sous le nom de remise de dette deux procédés quelque peu différents, puisque l'un est un acte juridique, la *remise de dette* véritable, et l'autre un fait matériel, la *remise du titre* constatant la créance, d'où on tire une présomption de libération du débiteur.

Section III
De la remise de la dette

Art. 1282. – La remise volontaire du titre original sous signature privée, par le créancier au débiteur, fait preuve de la libération.

Art. 1283. – La remise volontaire de la grosse du titre fait présumer la remise de la dette ou le paiement, sans préjudice de la preuve contraire.

Art. 1284. – La remise du titre original sous signature privée, ou de la grosse du titre, à l'un des débiteurs solidaires, a le même effet au profit de ses codébiteurs.

Art. 1285. – La remise ou décharge conventionnelle au profit de l'un des codébiteurs solidaires libère tous les autres, à moins que le créancier n'ait expressément réservé ses droits contre ces derniers.
Dans ce dernier cas, il ne peut plus répéter la dette que déduction faite de la part de celui auquel il a fait la remise.

Art. 1286. – La remise de la chose donnée en nantissement ne suffit point pour faire présumer la remise de la dette.

Art. 1287. – La remise ou décharge conventionnelle accordée au débiteur principal libère les cautions ;
Celle accordée à la caution ne libère pas le débiteur principal ;
Celle accordée à l'une des cautions ne libère pas les autres.

Art. 1288. – Ce que le créancier a reçu d'une caution pour la décharge de son cautionnement, doit être imputé sur la dette, et tourner à la décharge du débiteur principal et des autres cautions.

1° La remise de dette

847. – Convention de remise de dette. La remise de dette véritable ou « *décharge conventionnelle* » est réglée par les articles 1285 à 1287. C'est la convention par laquelle le créancier libère le débiteur, qui l'accepte, étant entendu qu'ici le silence pourrait valoir acceptation ; mais il doit s'agir d'un véritable contrat, non d'une simple renonciation unilatérale.

a) *Conditions.* En la forme, la remise de dette n'est soumise à aucune condition particulière et, en pratique, il est rare qu'un écrit soit établi pour relater les termes de la convention. Bien souvent, elle sera réalisée par la remise du titre de créance dont il sera question plus loin (V. *infra*, n° 848).

Quant au fond, outre les règles du droit commun qui sont applicables, doivent être observées les règles de l'acte – libéralité, renonciation, etc. – que la remise de dette va permettre d'accomplir.

Cette opération peut procéder d'une *intention libérale* à l'égard du débiteur, mais elle sera souvent la contrepartie d'un arrangement plus complexe entre les parties ; si bien qu'une remise de dette, tout en revêtant l'apparence d'un acte à titre gratuit, peut n'être qu'un élément d'une réorganisation générale des rapports entre deux personnes. On ne saurait dire, par exemple, que le *plan conventionnel de redressement* qui peut intervenir entre un particulier débiteur surendetté et ses créanciers (C. consom., art. L. 331-6) et qui comporte une remise de dette, est inspiré par une intention libérale ; et de même, en matière de redressement judiciaire, pour le *plan de continuation de l'entreprise* qui comporte, lui aussi, des remises de dettes (C. com., art. L. 621-76).

b) *L'effet de la remise de dette* est d'éteindre l'obligation et ses sûretés, réelles ou personnelles.

Ainsi, en application de l'article 1287 du Code civil, la remise faite au débiteur profite à la caution, parce qu'il n'y a plus de dette à cautionner, mais non l'inverse ; toutefois cette disposition ne s'applique pas aux remises de dettes intervenues dans le cadre du plan conventionnel de redressement (4), ou du plan de continuation de l'entreprise (5).

De même, en cas de solidarité, la remise faite à l'un des codébiteurs solidaires bénéficie à tous les autres, sauf stipulation contraire (C. civ., art. 1285) ; mais la solution serait différente si les codébiteurs étaient conjoints ou indivisibles.

---

(4) Cass. 1re civ., 13 nov. 1996 : *D.* 1997, 141, concl. J. Sainte-Rose et note T. Moussa ; *JCP* 1997, II, 22780 et note Mury ; *RTD civ.* 1997, 191, obs. P. Crocq ; *Defrénois* 1997, 292 et note L. Aynès ; *Contr. Conc. Consom.* 1997, chron. n° 7, obs. C. Marie. – 3 mars 1998 : *D.* 1998, 421, concl. J. Sainte-Rose ; *JCP* 1998, II, 10117 et note St. Piédelièvre ; *RTD civ.* 1998, 422, obs. P. Crocq.

(5) Cass. com. 17 nov. 1992 : *D.* 1993, 41 et note Vidal ; *Defrénois* 1993, 527, obs. Sénéchal. – 17 mai 1994 : *Bull. civ.* IV, n° 177.

2° La remise du titre

848. – Présomption de libération du débiteur. Le plus souvent, la remise de dette se réalise de manière indirecte, sans contrat apparent, par la *remise du titre* au débiteur. En effet, la loi attache à la remise du titre de créance une *présomption de libération* du débiteur (C. civ., art. 1282 et 1283). Elle s'applique indifféremment en matière civile ou en matière commerciale, par exemple à la remise de lettres de change tirées en règlement de factures (6). Encore faut-il que cette remise ait été *volontaire*, ce qui est également présumé (7), mais il s'agit là d'une présomption simple que les juges peuvent écarter lorsque les circonstances de la remise du titre paraissent suspectes (8).

En pratique, la remise du titre est un fait neutre qui peut s'expliquer bien autrement que par une remise de dette. Par exemple, le créancier une fois payé, peut faire l'économie d'une quittance en remettant son titre, c'est-à-dire son instrument de preuve, au débiteur.

La force de la présomption varie suivant la nature du titre ou, plus précisément, suivant que le créancier s'est démuni d'un titre remplaçable ou irremplaçable. Si le titre remis est la copie exécutoire d'un *acte notarié* dont l'original demeure chez le notaire, la présomption de libération peut être renversée par la preuve contraire. Si, au contraire, le titre remis est un original dont le remplacement serait impossible pour le créancier, par exemple un *acte sous seing privé*, ou un acte notarié rédigé en brevet, la présomption est irréfragable. La portée de la remise du titre est différente parce que les conséquences en sont également différentes : en effet, dans le premier cas le créancier qui remet le titre conserve la possibilité de faire la preuve de sa créance alors que, dans le second cas, il perd cette possibilité.

Section 2

LA PRESCRIPTION EXTINCTIVE

849. – Définition. La prescription, que l'article 2219 du Code civil définit comme « un moyen d'acquérir ou de se libérer par un certain laps de temps », peut jouer deux rôles différents. À chacun d'eux correspond un type de prescription.

---

(6) Cass. com. 30 juin 1980 : *D.* 1982, 53 et note G. PARLÉANI ; *RTD com.* 1981, 107, obs. M. CABRILLAC et J.-L. RIVES-LANGE.
(7) Cass. civ. 5 juill. 1950 : *Bull. civ.* I, n° 157 ; *Gaz. Pal.* 1950, 2, 295.
(8) Cass. com. 3 déc. 1985 : *Bull. civ.* IV, n° 285 ; *RTD civ.* 1986, 603, obs. J. MESTRE.

D'une part, la *prescription acquisitive* permet d'acquérir la propriété par la *possession* pendant un certain délai : elle ne s'applique qu'aux *droits réels* (V. *Introduction*, n° 445). D'autre part, la *prescription extinctive*, qui concerne les seuls *droits personnels*, éteint toutes les actions en justice susceptibles d'être intentées. C'est à cette dernière seule que seront consacrés les développements qui suivent (9).

Art. 2219. – La prescription est un moyen d'acquérir ou de se libérer par un certain laps de temps, et sous les conditions déterminées par la loi.

Art. 2220. – On ne peut, d'avance, renoncer à la prescription : on peut renoncer à la prescription acquise.

Art. 2221. – La renonciation à la prescription est expresse ou tacite : la renonciation tacite résulte d'un fait qui suppose l'abandon du droit acquis.

Art. 2222. – Celui qui ne peut aliéner, ne peut renoncer à la prescription acquise.

Art. 2223. – Les juges ne peuvent pas suppléer d'office le moyen résultant de la prescription.

Art. 2224. – La prescription peut être opposée en tout état de cause, même devant la Cour d'appel, à moins que la partie qui n'aurait pas opposé le moyen de la prescription ne doive par les circonstances, être présumée y avoir renoncé.

Art. 2225. – Les créanciers, ou toute autre personne ayant intérêt à ce que la prescription soit acquise, peuvent l'opposer, encore que le débiteur ou le propriétaire y renonce.

Art. 2226. – On ne peut prescrire le domaine des choses qui ne sont point dans le commerce.

Art. 2227. – L'État, les établissements publics et les communes sont soumis aux mêmes prescriptions que les particuliers, et peuvent également les opposer.

850. – Fondement. La prescription repose sur deux fondements.

D'une part, l'ordre public postule que les actions en justice ne demeurent pas ouvertes indéfiniment, alors que les preuves disparaissent souvent très vite ; outre ce risque de *dépérissement des preuves,* le souci de sécurité des affaires va dans le même sens d'un rejet des demandes relatives à des faits très anciens.

D'autre part, si aucune réclamation n'a été formulée dans un certain délai, il est raisonnable de présumer que le paiement a déjà été fait ; ce second fondement, la *présomption de paiement,* s'applique tout spécialement aux courtes prescriptions établies par la loi pour les créances qu'il est d'usage de payer rapidement.

---

(9) Philonenko, *Doctrines de la prescription extinctive : Gaz. Pal.* 1951, 2, doctr. 38. – J. Carbonnier, *Notes sur la prescription extinctive : RTD civ.* 1952, 171. – M. Bandrac, *La nature juridique de la prescription extinctive en matière civile,* préf. P. Raynaud, Économica, 1986. – A. Crosio, *À propos de la prescription extinctive en matière civile et commerciale (créances) : Petites affiches,* 29 août 1986. – M. Bandrac, *Les tendances récentes de la prescription extinctive en droit français : RID comp.* 1994, 359. – A. Benabent, *Le chaos de la prescription extinctive :* in *Mélanges Boyer,* 1996, p. 123. – M. Bruschi, *La prescription dans le droit de la responsabilité civile,* Économica, 1997.

La prescription extinctive est d'ordre public dans son principe puisqu'on ne peut, d'avance y renoncer (C. civ., art. 2220). Mais c'est un ordre public très atténué (V. *infra*, n° 857). Notamment, le juge ne peut pas relever d'office le moyen tiré de la prescription. C'est au défendeur, et à lui seul, qu'il appartient d'invoquer la prescription pour écarter l'action en justice (C. civ., art. 2223) ; à défaut, il est censé y avoir renoncé.

851. – Prescription et délais préfix. À côté des délais de prescription, notre droit connaît aussi des *délais préfix* qui sont imposés *à peine de déchéance* pour accomplir un acte ou faire valoir un droit. Par exemple, est un délai préfix le délai de deux ans accordé au vendeur d'immeuble pour intenter l'action en rescision pour lésion. Ces délais suivent un régime particulier en raison de leur caractère impératif : ils ne peuvent faire l'objet ni de suspension, ni d'interruption ; on ne peut y renoncer et le juge doit les appliquer d'office (10).

§ 1. – Conditions de la prescription

852. – Plan. La prescription court contre toutes les obligations, mais le délai varie suivant les cas. Il convient de déterminer non seulement la durée de ce délai, mais aussi sa computation ainsi que les causes de suspension et d'interruption.

1° Durée du délai

853. – La prescription de droit commun : trente ans. Originairement la prescription de droit commun était de trente ans. Elle est toujours exprimée sous cette forme dans l'article 2262 du Code civil.

> **Art. 2262. –** Toutes les actions, tant réelles que personnelles, sont prescrites par trente ans, sans que celui qui allègue cette prescription soit obligé d'en rapporter un titre, ou qu'on puisse lui opposer l'exception déduite de la mauvaise foi.

Ce délai est aujourd'hui unanimement considéré comme trop long. Il présente à tout le moins deux inconvénients majeurs. D'une part, le souci d'écarter des demandes en paiement tardives devrait normalement conduire à conserver pendant trente ans la justification du paiement ; or, tel n'est pas l'usage des banques et il n'est guère raisonnable d'obliger les particuliers ou les professionnels à conserver pendant trente ans tous les justificatifs de paiement. D'autre part, la loi du 5 juillet 1985 ayant réduit à dix ans le délai en matière délictuelle, le délai trentenaire n'est plus applicable qu'en matière contractuelle ; cette dualité entraîne des consé-quences particulièrement fâcheuses lorsqu'un même acte a causé des dommages à un cocontractant et à un tiers, auquel cas l'acte dommageable

---

(10) M. VASSEUR, *Délais préfix, délais de prescription, délais de procédure* : *RTD civ.* 1950, 439.

relève de deux prescriptions différentes – 10 ans ou 30 ans – suivant que l'action est intentée par le cocontractant ou par le tiers.

Ces incohérences ont conduit la Cour de cassation à suggérer dans son Rapport pour 2001 une modification des articles 2262 et 2270-1 afin tout à la fois d'harmoniser les prescriptions et de réduire le délai de droit commun à dix ans. Cette suggestion a été renouvelée dans le Rapport pour 2002. Néanmoins, en dépit des critiques qui lui ont été adressées, l'article 2262 représente encore le droit commun, même si à cette règle le législateur a apporté de nombreuses exceptions. Notamment, il continue à s'appliquer, non seulement aux actions en matière contractuelle, mais également aux actions en nullité absolue.

Cela dit, en sens inverse, mais en matière pénale, certains crimes – les crimes contre l'humanité – ont été considérés comme imprescriptibles à raison de leur gravité particulière (C. pén., art. 211-1 et s. ; V. art. 213-5).

854. – La prescription de dix ans. Pour certaines catégories importantes d'obligations la prescription trentenaire a été écartée au profit de la prescription décennale.

Art. 2270. – Toute personne physique ou morale dont la responsabilité peut être engagée en vertu des articles 1792 à 1792-4 du présent Code est déchargée des responsabilités et garanties pesant sur elle, en application des articles 1792 à 1792-2, après dix ans à compter de la réception des travaux ou, en application de l'article 1792-3, à l'expiration du délai visé à cet article.

Art. 2270-1. – *(Inséré, L. n° 85-677, 5 juill. 1985, art. 38)* – Les actions en responsabilité civile extracontractuelle se prescrivent par dix ans à compter de la manifestation du dommage ou de son aggravation.

(L. n° 98-468 du 17 juin 1998, art. 43) – Lorsque le dommage est causé par des tortures et des actes de barbarie, des violences ou des agressions sexuelles commises contre un mineur, l'action en responsabilité civile est prescrite par vingt ans.

CODE DE COMMERCE

Art. L. 110-4. – *(L. n° 77-4 du 3 janv. 1977).* – Les obligations nées à l'occasion de leur commerce entre commerçants ou entre commerçants et non-commerçants se prescrivent par dix ans si elles ne sont pas soumises à des prescriptions spéciales plus courtes.

CODE DE LA SANTÉ PUBLIQUE

Art. L. 1142-28. – Les actions tendant à mettre en cause la responsabilité des professionnels de santé ou des établissements de santé publics ou privés à l'occasion d'actes de prévention, de diagnostic ou de soins se prescrivent par dix ans à compter de la consolidation du dommage.

Se prescrivent par dix ans, les *obligations nées à raison de leur commerce entre commerçants ou entre commerçants et non-commerçants* (C. com., art. L. 110-4) (11), ce qui couvre en pratique un domaine considérable.

De même, depuis la loi du 5 juillet 1985 les *actions en responsabilité civile extracontractuelle* se prescrivent par dix ans à compter de la manifestation

---

(11) R. HOUIN, *La prescription décennale des obligations commerciales : RTD com.* 1949, 3.

du dommage ou de son aggravation (art. 2270-1). Là encore, le champ d'application de cette disposition est extrêmement vaste.

De même encore, *l'action en responsabilité des constructeurs* et des vendeurs d'immeubles à construire à raison des dommages aux ouvrages se prescrit également par dix ans à compter de la réception de l'ouvrage avec ou sans réserves (C. civ., art. 1792 et 2270) ; la jurisprudence a étendu cette prescription au cas où la responsabilité des constructeurs est recherchée sur le fondement de la responsabilité contractuelle de droit commun (12).

C'est également à la prescription de dix ans, et non plus de trente ans, que la loi n° 2002-303 du 4 mars 2002 a soumis la *responsabilité des professionnels de santé* et des établissements de santé (C. santé pub., art. L. 1142-28). Mais le point de départ de ce délai, la consolidation du dommage, rend ce délai particulièrement généreux pour les victimes.

Corrélativement, la prescription des actions en nullité relative de l'article 1304 du Code civil, qui était précédemment de dix ans, a été ramenée à cinq ans.

855. – La prescription de cinq ans ou moins. Il s'agit là d'une catégorie très hétérogène mais qui, à la différence de ce qu'il est convenu d'appeler les « courtes prescriptions », ne sont pas fondées sur une présomption de paiement. De nombreux textes ont institué des prescriptions de cinq ans ou moins, dont on se bornera à citer les plus importantes.

Ainsi les *créances contre l'État* se prescrivent par quatre ans : c'est la *déchéance quadriennale* qui joue au profit de l'État, mais non à son encontre (13).

La prescription est de deux ans – *prescription biennale* – pour les créances découlant des *contrats d'assurance* (C. ass., art. L. 114-1 en matière générale et L. 172-31 en matière d'assurance maritime), pour les contrats de *crédit immobilier à la consommation* et pour les *baux commerciaux*, etc.

Se prescrivent par cinq ans, les *actions en rescision et en nullité relative* (C. civ., art. 1304) (14), les actions en paiement de l'article 2277 qui visent diverses *créances périodiques*, les salaires (15), les arrérages des rentes perpétuelles et viagères, les pensions alimentaires, les loyers (16) et fermages,

---

(12) Cass. 3e civ., 16 oct. 2002, deux arrêts : *D.* 2003, 300 et note Ph. Malinvaud.

(13) Il y est fait exception pour la responsabilité des établissements de santé publics qui relève de la prescription de dix ans : Avis du Conseil d'État du 19 mars 2003 : *JO* 23 avr. 2003, p. 7277.

(14) Mais elle ne s'applique pas aux ventes sur saisie immobilière : Cass. 2e civ., 3 oct. 2002 : *Bull. civ.* II, n° 206, p. 163 ; *D.* 2003, 1596 et note M. Lehot.

(15) G.-H. Camerlynck, *La prescription de la créance de salaires :* D. 1971, chron. 237. – M. Rayroux, *La prescription en matière de salaire :* Gaz. Pal. 1977, 2, doctr. 594.

(16) Même si les créances de loyer sont exprimées en capital sous la forme d'une reconnaissance de dette : Cass. ch. mixte 12 avr. 2002 : *Defrénois* 2002, 1, 1150, art. 37599 et note Y. Dagorne-Labbé ; *Defrénois* 2002, 1, 1265, art. 37607, n° 69, obs. R. Libchaber. – Au loyer il convient d'assimiler les charges locatives : Cass. ch. mixte, 12 avr. 2002 : *JCP* 2002, II, 10100 et note M. Billiau ; *D.* 2002, 2433 et note C. Aubert de Vincelles ; *Defrénois* 2002, 1, 1265, art. 37607, n° 69, obs. R. Libchaber ; et les indemnités d'occupation qui se substituent au loyer : Cass. 3e civ., 5 févr. 2003 : *Bull. civ.* III, n° 29, p. 28.

les intérêts des sommes prêtées et plus généralement « de tout ce qui est payable par année ou à des termes périodiques plus courts » (17).

Art. 2277. – Se prescrivent par cinq ans les actions en paiement :

Des salaires ;

Des arrérages des rentes perpétuelles et viagères et de ceux des pensions alimentaires ;

Des loyers et fermages ;

Des intérêts des sommes prêtées, et généralement de tout ce qui est payable par année ou à des termes périodiques plus courts.

Cette dernière formule a donné lieu à d'assez nombreuses difficultés et a fait l'objet d'une interprétation restrictive des tribunaux ; en effet, pour appliquer la prescription de cinq ans au lieu de la prescription trentenaire, la jurisprudence exigeait que les créances soient tout à la fois périodiques et fixes dans leur montant (18). Toutefois, la jurisprudence récente n'exige plus de manière générale le caractère de *fixité*, notamment pas pour les arrérages des rentes perpétuelles et viagères et pour les pensions alimentaires (19).

856. – Les courtes prescriptions fondées sur une présomption de paiement. Les *courtes prescriptions* de moins de cinq ans qui sont prévues aux articles 2271 à 2273 sont fondées exclusivement sur l'idée de présomption de paiement ; elles concernent, en général, des dettes qui se paient rapidement et sans exiger de quittance.

Ainsi, se prescrivent :

– par deux ans les actions des marchands pour les marchandises qu'ils vendent aux particuliers, les actions des médecins, chirurgiens, pharmaciens, etc., pour leurs visites, opérations et médicaments, les actions des avocats pour le paiement de leurs « frais et salaires », etc. ; s'agissant de textes dérogatoires, la jurisprudence en fait une application stricte (20) ;

– par un an, les actions des huissiers pour leurs salaires et commissions, celles des maîtres de pension contre leurs élèves, celles dérivant d'un contrat de transport de choses ;

---

(17) L. Topor, *La notion de créance à caractère périodique au sens de l'article 2277 du Code civil :* RTD civ. 1986, 1.

(18) Cass. 1re civ., 28 avr. 1969 : D. 1969, 411. – Cass. soc. 15 juin 1972 : D. 1973, 253 et note J. Doublet. – Cass. ass. plén. 7 juill. 1978 : JCP 78, II, 18948, rapport A. Ponsard, concl. Baudoin et note R.D.M.

(19) Cass. 1re civ., 18 nov. 1981 : JCP 82, II, 19772, obs. J. Baudoin. – V. aussi pour le paiement des créances de l'EDF constatées par un compteur : Cass. 1re civ., 29 avr. 1981 : JCP 82, II, 19730, obs. P. Courbe.

(20) Par exemple, le texte visant les « avoués » qui ont aujourd'hui disparu au profit des avocats (sauf devant la cour d'appel), on en déduit qu'il s'applique aux frais et émoluments dus en raison des actes de postulation qui étaient jadis accomplis par les avoués, et non aux honoraires de consultation ou de plaidoirie (Cass. 1re civ., 2 févr. 1994 : Bull. civ. I, n° 43. – 30 janv. 1996 : Bull. civ. I, n° 50. – 27 mars 2003 : D. 2003, IR, 1075) qui relèvent donc de la prescription trentenaire (Paris 1re ch. 22 mars 1990 : D. 1990, IR, 111).

– par six mois, les actions des maîtres et instituteurs pour les leçons qu'ils donnent à leurs élèves et celles des hôteliers et traiteurs à raison du logement et de la nourriture qu'ils fournissent.

Cette liste est loin d'être complète et il existe bien d'autres prescriptions spéciales prévues dans différents textes, notamment pour les *effets de commerce* (C. com., art. L. 511-78).

Section IV
De quelques prescriptions particulières

Art. 2271. – L'action des maîtres et instituteurs des sciences et arts, pour les leçons qu'ils donnent au mois ;

Celle des hôteliers et traiteurs à raison du logement et de la nourriture qu'ils fournissent, se prescrivent par six mois.

Art. 2272. – L'action des huissiers, pour le salaire des actes qu'ils signifient et des commissions qu'ils exécutent ;

Celles des maîtres de pensions, pour le prix de pension de leurs élèves, et des autres maîtres, pour le prix de l'apprentissage, se prescrivent par un an. L'action des médecins, chirurgiens, chirurgiens-dentistes, sages-femmes et pharmaciens, pour leurs visites, opérations et médicaments, se prescrit par deux ans.

L'action des marchands, pour les marchandises qu'ils vendent aux particuliers non marchands, se prescrit par deux ans.

Art. 2273. – L'action des avoués *(avocats)*, pour le paiement de leurs frais et salaires, se prescrit par deux ans, à compter du jugement des procès, ou de la conciliation des parties, ou depuis la révocation desdits avoués *(avocats)*.

À l'égard des affaires non terminées, ils ne peuvent former de demandes pour leurs frais et salaires qui remonteraient à plus de cinq ans.

Ces diverses prescriptions reposent sur une présomption de paiement ; elles peuvent être renversées, mais seulement par le serment ou l'aveu (C. civ., art. 2275).

Toutefois, la jurisprudence a considérablement restreint le champ d'application de ces courtes prescriptions en décidant qu'elles ne s'appliquent pas si la créance est constatée par un titre émané du débiteur (21) :

Attendu que les courtes prescriptions édictées par les articles 2271, 2272 et 2273 du Code civil reposent sur une présomption de paiement et visent les dettes que l'on n'a pas coutume de constater par un titre ; qu'au contraire, quand un titre émané du débiteur porte reconnaissance de la dette, on est en présence d'une dette ordinaire impayée, qui échappe à ces prescriptions ; qu'ayant relevé que la dette était constatée par un bon de commande signé par M. Gruner et portant mention du prix du véhicule et du montant de l'acompte versé, la cour d'appel en a exactement déduit que M. Gruner n'était pas fondé à se prévaloir des textes précités.

857. – Caractère impératif des délais ? Les délais prévus par les textes ne peuvent pas être allongés conventionnellement, car une telle convention irait à l'encontre de l'article 2220 qui interdit de renoncer par avance

---

(21) Cass. 1re civ., 15 janv. 1991 : *JCP* 1992, II, 21863 et note E. DU RUSQUEC ; *RTD civ.* 1991, 744, obs. J. MESTRE.

à la prescription. En revanche, il est possible de renoncer à une prescription acquise, ne serait-ce qu'en s'abstenant de l'invoquer ; cette renonciation peut être expresse ou tacite, comme le précise l'article 2221. Mais la renonciation tacite ne peut résulter que d'actes accomplis en connaissance de cause et manifestant de façon non équivoque la volonté de renoncer au bénéfice de la prescription (22).

Non susceptibles d'allongement, les délais peuvent être abrégés par convention (23). La validité d'une telle convention n'est, en général, pas mise en cause car elle est favorable au débiteur, supposé plus faible économiquement ; mais elle n'est pas absolue et connaît des exceptions, par exemple, en matière d'assurance (24).

La pratique révèle que de telles clauses sont assez fréquentes, notamment dans les marchés de travaux. En fixant un délai pour agir plus bref que celui prévu par la loi, elles substituent une *forclusion* contractuelle à la prescription légale. Malheureusement les parties ne précisent pas toujours le mécanisme de ces forclusions, notamment en ce qui concerne les clauses de suspension et d'interruption, si bien que la jurisprudence a dû y pourvoir ; elle a notamment décidé que le délai contractuel n'était interrompu ni par la citation en justice (C. civ., art. 2244) (25), ni par la reconnaissance du débiteur (C. civ., art. 2248) (26). En bref, à la différence de la prescription, le délai de forclusion court, quoi qu'il arrive.

2° Computation du délai

858. – La prescription libératoire ne commence pas à courir le jour où la créance est née ; elle court seulement du jour où le créancier pouvait formuler sa demande en paiement, c'est-à-dire du jour de l'*exigibilité* de l'obligation (27). L'article 2257 en fait application au cas où l'obligation est affectée d'un *terme* ou d'une *condition* : le point de départ de la prescription est alors le jour de l'échéance du terme ou de l'arrivée de la condition.

Bien souvent, la loi indique elle-même le point de départ. Ainsi, s'agissant d'une action en responsabilité, elle court du jour de la manifestation du dommage et non du jour de la faute (C. civ., art. 2270-1) ; et, s'il s'agit de responsabilité médicale, du jour de la consolidation (C. santé pub.,

---

(22) Cass. soc. 24 nov. 1982 : *Bull. civ.* V, n° 638. – Cass. 2e civ., 5 nov. 1998 : *Bull. civ.* II, n° 258 (réitération d'une proposition d'indemnisation deux mois après l'expiration du délai de l'action). Mais tel n'est pas le cas de la participation à une expertise ordonnée en référé : Cass. com. 1er mars 1971 : *Bull. civ.* IV, n° 64, p. 59. – Cass. 3e civ., 17 janv. 1996 : *JCP* 1996, II, 22684 et note DJIGO.

(23) Cass. civ. 31 janv. 1950 : *D.* 1950, 261 et note LEREBOURS-PIGEONNIÈRE ; *JCP* 1950, II, 5541 et note A. WEILL. – Cass. com. 21 janv. 1992 : *Bull. civ.* IV, n° 30. – 21 mars 1995 : *Bull. civ.* IV, n° 92.

(24) Cass. 1re civ., 6 oct. 1976 : *D.* 1977, 25 et note Ch. GAURY.

(25) Cass. 3e civ., 31 oct. 2001 : *D.* 2002, somm. 2840, obs. Ph. DELEBECQUE.

(26) Cass. 2e civ., 14 oct. 1987 : *Bull. civ.* II, n° 195, p. 109 ; *RTD civ.* 1988, 753, obs. J. MESTRE.

(27) Cass. 1re civ., 30 mars 1994 : *Bull. civ.* I, n° 126. – 9 mars et 1er juin 1999 : *Bull. civ.* I, n° 85 et 186.

art. L. 1142-28). En matière de responsabilité des constructeurs, elle court du jour de la réception des travaux, etc.

Lorsque l'obligation s'exécute sous forme de paiements périodiques, par exemple de loyers, la prescription court séparément à compter de chaque échéance pour chaque paiement qui aurait dû être fait ; si les créances, bien que répétées, ne sont pas périodiques, comme des visites de médecin, il faudra se référer à l'intention des parties.

Le délai se compte par jours, non par heures ; il s'ensuit qu'on ne compte pas le premier jour du délai, le *dies a quo*, qui par définition même est déjà entamé, mais seulement le dernier, le *dies ad quem* (C. civ., art. 2260 et 2261) (28).

3° Suspension du délai

859. – Dans certaines circonstances, le délai cesse de courir ; il est *suspendu* pendant un certain temps qui ne sera pas décompté, ce qui allongera d'autant la durée totale. L'idée est que le délai doit être suspendu lorsque le titulaire de l'action en justice se trouve dans l'impossibilité d'agir. Jadis, c'est le juge qui décidait souverainement de l'opportunité de la suspension, par application de la maxime « *Contra non valentem agere non currit praescriptio* » : la prescription ne court pas contre celui qui ne peut pas agir.

Limitant ce pouvoir du juge, les rédacteurs du Code civil ont déterminé les causes de suspension (C. civ., art. 2251 et s.). La prescription ne court pas :

– contre les mineurs non émancipés et les majeurs en tutelle, pour qu'ils ne soient pas victimes d'une négligence de leur représentant (C. civ., art. 2252) (29) ; toutefois, cette cause de suspension ne joue pas pour les courtes prescriptions, ni pour les prescriptions de cinq ans (30) ;

– entre époux, parce qu'il y a impossibilité morale d'agir contre son conjoint (C. civ., art. 2253) ;

– contre l'héritier bénéficiaire pour les créances qu'il a à faire valoir contre la succession, parce qu'alors il devrait se poursuivre lui-même (C. civ., art. 2258).

Déniant à cette énumération un caractère limitatif et allant ainsi à l'encontre de la volonté du législateur, la jurisprudence a étendu le domaine de la suspension « en cas d'impossibilité d'agir par suite d'un empêche-

---

(28) Th. LE BARS, *La computation des délais de prescription et de procédure. Quiproquo sur le dies a quo et le dies ad quem* : JCP 2000, I, 258.
(29) Cass. 2e civ., 13 mars 2003 : JCP 2003, IV, 1832 (jeune enfant brûlée par un jet de liquide bouillant provoqué par le concubin de sa mère).
(30) V. cependant Cass. 1re civ., 2 mars 1971 : D. 1971, 455 et note A. CHAO. – R. RODIÈRE, *L'écoulement du temps et la recevabilité de l'action en responsabilité contre le transporteur aérien* : D. 1976, chron. 265.

ment quelconque résultant soit de la loi, soit de la convention ou de la force majeure » (31). Autant dire que les juges en sont revenus au système antérieur au Code civil.

4° Interruption du délai

860. – Les causes d'interruption. Les articles 2242 et suivants prévoient trois causes d'interruption pour la prescription extinctive.

Art. 2244. – Une citation en justice, même en référé, un commandement ou une saisie, signifiée à celui qu'on veut empêcher de prescrire, interrompent la prescription ainsi que les délais pour agir.

Art. 2245. – La citation en conciliation devant le bureau de paix interrompt la prescription, du jour de sa date, lorsqu'elle est suivie d'une assignation en justice donnée dans les délais de droit.

Art. 2246. – La citation en justice, donnée même devant un juge incompétent, interrompt la prescription.

Art. 2247. – Si l'assignation est nulle par défaut de forme,

Si le demandeur se désiste de sa demande,

S'il laisse périmer l'instance,

Ou si la demande est rejetée,

l'interruption est regardée comme non avenue.

Art. 2248. – La prescription est interrompue par la reconnaissance que le débiteur ou le possesseur fait du droit de celui contre lequel il prescrivait.

1) La prescription peut tout d'abord être interrompue par un *commandement* ou une *saisie*. À ces actes interruptifs, la jurisprudence assimile certains autres actes, par exemple une *déclaration de créance* aux opérations de faillite (32) ; mais seraient insuffisantes une lettre recommandée de mise en demeure (33) sauf en matière d'assurance (34), ou encore une *sommation interpellative* (35).

2) La prescription est également interrompue par une *citation en justice*, terme qui visait originairement l'assignation au fond, et qui s'applique désormais aussi à *l'assignation en référé* depuis la loi du 5 juillet 1985 qui a modifié en ce sens l'article 2244 du Code civil. La jurisprudence y assimile

---

(31) Cass. 1re civ., 22 déc. 1959 : *JCP* 60, II, 11494, obs. P.E. – Cass. 2e civ., 10 févr. 1966 : *D.* 1967, 315 et note J. PREVAULT. – Cass. 1re civ., 7 oct. 1992 : *Contr. Conc. Consom.* 1993, comm. n° 2, obs. L. LEVENEUR. – J. CARBONNIER, *La règle* Contra non valentem agere non currit praescriptio *: Rev. crit. lég. et jurisp.* 1937, 155. – M. BUY, *Prescriptions de courte durée et suspension de la prescription : JCP* 77, I, 2833. – S. CHOPPIN HAUDRY DE JANVRY, *La suspension de la prescription en droit privé (étude de jurisprudence)*, thèse Paris II, 1989.

(32) Cass. com. 28 juin 1994 : *Bull. civ.* IV, n° 240. – Cass. 1re civ., 28 nov. 1995 : *Bull. civ.* I, n° 440.

(33) Cass. 2e civ., 26 juin 1991 : *Bull. civ.* II, n° 195. – Cass. 1re civ., 21 janv. 1997 : *Bull. civ.* I, n° 27. – Cass. com. 12 nov. 1997 : *Bull. civ.* IV, n° 291.

(34) Art. L. 114-2 du Code des assurances.

(35) Cass. 3e civ., 6 mars 1996 : *Bull. civ.* III, n° 64.

une demande d'arbitrage (36), ou de conciliation devant une commission de surendettement (37), ou une constitution de partie civile (38).

La citation en justice n'interrompt la prescription que dans la limite de son objet. C'est ainsi qu'elle ne s'étend pas aux demandes voisines ayant un objet différent (39), sauf si elles tendent à un seul et même but (40) ; de même l'interruption de l'action principale ne s'étend pas à la demande reconventionnelle (41). Enfin, l'effet interruptif ne se produit qu'à l'égard du défendeur assigné, non à l'égard d'autres débiteurs (42).

Par ailleurs, les règles de procédure ont un effet sur la prescription. Ainsi, l'article 2246 précise que la citation interrompt la prescription même si elle est donnée devant un juge incompétent. Mais en revanche l'interruption est considérée comme non avenue si l'assignation est nulle pour défaut de forme, ou si le demandeur se désiste de sa demande, ou s'il laisse périmer l'instance (43), ou encore si sa demande est rejetée (44) (C. civ., art. 2247).

3) Enfin, la prescription est aussi interrompue par la *reconnaissance de la dette* par le débiteur (C. civ., art. 2278). Tel est par exemple le cas, en matière de responsabilité des constructeurs, de l'entrepreneur qui exécute des travaux de reprise relevant de la garantie (45) ; mais souvent, pour écarter cet effet interruptif, l'entrepreneur déclarera qu'il exécute ces travaux à titre de geste commercial, et sans aucune reconnaissance de responsabilité de sa part.

---

(36) Cass. 2e civ., 11 déc. 1985 : *JCP* 1986, II, 20677 et note TAISNE.

(37) Cass. 1re civ., 19 mai 1999 : *Bull. civ.* I, n° 169. – 6 juin 2001 : *Bull. civ.* I, n° 164. Mais la solution est inverse pour une demande de conciliation dans une procédure de saisie-arrêt (Cass. 2e civ., 8 juin 1988 : *JCP* 1989, II, 21199 et note TAISNE) ou en matière de loyers commerciaux (Cass. 3e civ., 18 févr. 1998 : *Bull. civ.* III, n° 38).

(38) Cass. 1re civ., 16 janv. 2001 : *D.* 2001, 3575 et note H. MATSOPOULOU. Mais la solution est inverse en cas d'action *vindicative*, dans le cas où la victime n'a formé devant la juridiction pénale aucune demande tendant à la réparation de son préjudice : Cass. 1re civ. 25 janv. 2000 : *D.* 2001, 1348 et note H. MATSOPOULOU.

(39) Cass. soc. 15 avr. 1992 : *Bull. civ.* V, n° 278. – Cass. 3e civ., 19 janv. 2000 : *Bull. civ.* III, n° 11. Mais peu importe le fondement invoqué dès l'instant que les deux actions ont le même objet : Cass. 3e civ., 26 juin 2002 : *RD imm.* 2002, 419, obs. Ph. MALINVAUD (le rejet de l'action sur le fondement de la garantie légale des constructeurs n'empêche pas de prospérer l'action subsidiaire fondée sur la responsabilité contractuelle de droit commun).

(40) Cass. soc. 15 juin 1961 : *Bull. civ.* IV, n° 650.

(41) Cass. com. 1er oct. 1991 : *Bull. civ.* IV, n° 276. – 14 janv. 1997 : *Bull. civ.* IV, n° 16.

(42) Cass. 2e civ., 29 nov. 1995 : *JCP* 1996, II, 22699 et note E. SANDER. – Cass. 3e civ., 23 févr. 2000 : *Bull. civ.* III, n° 39, p. 27. En revanche, l'interruption peut bénéficier à d'autres que celui qui assigne lorsque les actions sont indivisibles : Cass. 3e civ., 30 mars 2002 : *RD imm.* 2002, 239, obs. Ph. MALINVAUD (l'interruption de la prescription par un copropriétaire joue au profit du syndicat de copropriété pour les désordres affectant les parties communes).

(43) Cass. ass. plén. 3 avr. 1987 : *JCP* 1987, II, 20792, concl. av. gén. CABANNES (caducité de l'assignation à défaut de remise au greffe dans le délai imparti).

(44) Cass. 1re civ. 22 mai 2002 : *Bull. civ.* I, n° 141, p. 109.

(45) Pour des exemples, voir J.-P. KARILA, *La reconnaissance de responsabilité des constructeurs (conditions d'existence et effets)* : *Gaz. Pal.* 1978, 2, doctr. 347.

La liste des actes interrompant la prescription est limitative ; il s'ensuit qu'un juge saisi ne peut admettre comme interruptifs des actes autres que ceux cités à l'article 2244 (46)). Mais, suivant un récent arrêt les dispositions de ce texte ne sont pas d'ordre public si bien que « les parties peuvent y déroger » (47) et, par exemple, prévoir conventionnellement qu'un simple courrier de réclamation sera interruptif de prescription. Cette solution nouvelle, qui met en cause le caractère d'ordre public des règles de prescription, est regrettable en ce qu'elle permet à tout contractant, et notamment au professionnel qui est en mesure de dicter ses conditions à son partenaire, de mettre en place un système quasi automatique d'interruption de la prescription.

861. – Les effets de l'interruption. L'interruption a un effet beaucoup plus radical que la suspension : le délai qui a commencé à courir n'est pas seulement suspendu pour reprendre plus tard, il est interrompu ; cela signifie que le temps écoulé est perdu et que c'est un nouveau délai qui repartira de zéro.

En principe, ce nouveau délai est de même durée et de la même nature que celui d'origine (48) ; si, par exemple, une assignation en référé vient interrompre le délai de dix ans de garantie des constructeurs, c'est un nouveau délai de dix ans qui courra.

Toutefois, il est fait échec à cette règle pour les courtes prescriptions fondées sur une présomption de paiement, « lorsqu'il y a eu compte arrêté, cédule ou obligation, ou citation en justice non périmée » (C. civ., art. 2274, al. 2), c'est-à-dire s'il y a eu interruption de la prescription par une citation en justice ou par une reconnaissance écrite et chiffrée de la dette dans un nouveau titre. En pareil cas, la présomption de paiement qui fonde ces courtes prescriptions s'étant avérée inexacte, on revient au droit commun de la prescription trentenaire ou de la prescription de dix ans en matière commerciale. On dit qu'il y a *interversion de titre*, et *interversion de la prescription* (49) : la prescription initiale se trouve remplacée par la prescription de droit commun.

En principe, cette solution dérogatoire ne s'applique qu'aux courtes prescriptions visées aux articles 2271 à 2273 du Code civil (50). Néanmoins, la jurisprudence l'applique au cas de l'article 1648 du Code civil qui édicte que l'action en garantie des vices cachés doit être exercée dans un bref délai à compter de la découverte du vice ; ainsi, en cas d'interruption

---

(46) Cass. 1re civ., 18 sept. 2002 : *Bull. civ.* I, n° 206, p. 158 ; *Contr. Conc. Consom.* 2003, comm. n° 4, obs. L. LEVENEUR.
(47) Cass. 1re civ., 25 juin 2002 : *D.* 2003, 155 et note critique Ph. STOFFEL-MUNCK.
(48) Cass. 3e civ., 11 janv. 1995 : *Bull. civ.* III, n° 10. – Cass. com. 15 nov. 1994 : *Bull. civ.* IV, n° 342.
(49) A. VIANDIER, *Les modes d'interversion des prescriptions libératoires* : *JCP* 78, I, 2885.
(50) La jurisprudence ne l'applique pas à la prescription biennale en matière d'assurance : Cass. 1re civ., 1er juill. 1980 : *JCP* 1981, II, 19566 et note BESSON.

de cette prescription, par exemple par une action en référé tendant à la désignation d'un expert, l'action en garantie des vices se trouve soumise au délai de droit commun de trente ans (51).

§ 2. – Effets de la prescription

862. – Effet extinctif.

1° La prescription éteint l'action en justice qui assortit toute obligation, mais elle n'éteint pas l'obligation elle-même. Cette dernière subsiste à l'état d'*obligation naturelle*, c'est-à-dire d'une obligation dont l'exécution est subordonnée au bon vouloir du débiteur. Par exemple, une dette prescrite ne peut plus faire l'objet d'une action en paiement, mais il reste un devoir moral susceptible d'exécution volontaire : il s'ensuit qu'un paiement d'une dette prescrite ne peut pas faire l'objet d'une répétition de l'indu.

Du point de vue procédural, la prescription ne produit pas son effet extinctif de manière automatique par le seul fait de l'écoulement du délai ; il est nécessaire que le débiteur, ou ses créanciers par la voie oblique, en invoquent le bénéfice car le juge ne pourrait relever le moyen d'office, et ce même si la prescription est d'ordre public (52) (C. civ., art. 2223 à 2225).

Le débiteur est libre de renoncer à la prescription une fois qu'elle est acquise, mais non à une prescription en cours ; cette renonciation peut être expresse ou tacite et nécessite seulement la capacité d'aliéner le droit auquel on renonce (C. civ., art. 2220 à 2222).

2° L'effet extinctif de la prescription est moindre pour les *courtes prescriptions* des articles 2271, 2272 et 2273 qui reposent sur une présomption de paiement. L'article 2275 prévoit que cette présomption peut être renversée soit par un serment décisoire, soit même, selon la jurisprudence, par l'aveu exprès ou tacite du débiteur (53) ; mais tous autres modes de preuve seraient inopérants et la prescription s'accomplirait malgré l'offre du créancier de rapporter la preuve par témoins ou par présomptions.

3° L'effet extinctif est encore plus gravement mis en échec pour certaines créances. En effet, dans ces hypothèses le débiteur reste tenu, mais au

---

(51) Cass. 1re civ., 21 oct. 1997 : *D.* 1998, 409 et note M. BRUSCHI ; *JCP* 1998, II, 10063 et note Mouloungui ; *Contr. Conc. Consom.* 1998, comm. n° 23, obs. L. LEVENEUR ; *D.* 1999, somm. 17, obs. O. TOURNAFOND. – Cass. com. 5 mars 2002 : *JCP* 2002, IV, 1684. – Cass. 1re civ. 25 juin 2002 : *Bull. civ.* I, n° 176, p. 135 ; *Defrénois* 2003, 1, 406, art. 37690 et note Y. DAGORNE-LABBÉ.
(52) Cass. 1re civ., 9 déc. 1986 : *Gaz. Pal.* 1987, 1, 187, note M. MAYER et PINON ; *RTD civ.* 1987, 763, obs. J. MESTRE.
(53) Cass. com. 23 oct. 1967 : *D.* 1967, 671 et note B.L. – Cass. soc. 29 nov. 1967 : *JCP* 68, II, 15493, obs. J.-J. MUNIER.

profit de l'État qui se trouve substitué au créancier négligent. Cette disposition vise :

– les coupons, intérêts et dividendes des valeurs mobilières, lorsqu'ils sont atteints par la prescription de cinq ans ;

– le capital de ces mêmes valeurs, lorsqu'il est atteint par la prescription trentenaire ou une prescription conventionnelle moindre ;

– les dépôts d'espèces et de titres dans les banques, lorsqu'ils n'ont fait l'objet d'aucune opération ou réclamation depuis trente ans.

Pour justifier cette solution, on a invoqué le principe de l'attribution à l'État des biens vacants et sans maître (arg. C. civ., art. 539) ; mais la justification n'est pas très convaincante.

Index alphabétique

(Les chiffres renvoient aux numéros des alinéas)

A

Abus de faiblesse, 190, 293, 381.

Abus du droit, 561.

Acceptation (d'une offre), 122 et s.

Accident, V. *Responsabilité civile.*

Accident de la circulation, 520, 641 et s.

Accident du travail, 512, 520, 573.

Accord de principe, 57, 124.

Acte,
- authentique, 59, 361.
- d'assistance, 56.
- de complaisance, 55.
- de courtoisie, 55.
- déguisé, V. *Simulation.*
- fictif, V. *Simulation*
- instrumentaire, 361.
- juridique, 24 et s., 52, 354, 511, 539.
- notarié, 348, 367 et s., 370.
- secret, 286 et s.
- sous-seing privé, 59, 361, 362 et s.
- unilatéral, 25, 52 et s.

Action (de société), 5.

Action (en justice),
- civile, 516, 531.
- en cessation d'agissements illicites, 329
- en déclaration de simulation, 288, 290.
- publique, 516, 527, 528, 531.
- en représentation conjointe, 209.

Action directe, 471 et s., 834.

Action oblique, 835 et s.

Action paulienne, 64, 275, 448, 838 et s.

Aléa thérapeutique, 34.

Animaux, V. *Responsabilité civile.*

Apparence, 408.

Arrhes, 129, 223.

Assurance, 468, 469.
- de choses, 736.
- fautes légère, lourde, intentionnelle, 737.
- obligatoire, 737.
- de personnes, 736.
- de responsabilité, 472, 512, 519, 521, 737.
- vie, 468 et s.

Astreinte, 827 et s.

Automobiles, 641 et s.

Autonomie de la volonté, 70 et s.

Aval, V. *Cautionnement.*

Avant-contrat, 57, 117.

Avion, V. *Responsabilité civile, transport, Propriété mobilière.*

Ayant cause à titre particulier, 449.

Ayant cause universel, 414, 446.

B

C

D

Dation en paiement, 807 et s.

Dédit, V. *Clause de dédit.*

Déguisement, V. *Simulation.*

Délais de grâce, 492, 813.

Délai de réflexion, 125, 222.

Délai de repentir, 129, 223.

Délai préfix, 851.

Délégation, 788 et s.

Délit, 22 ; V. *Responsabilité civile, Responsabilité pénale, Faute délictuelle, Faute intentionnelle.*

Démence, 146 et s., 564.

Dette,
    – transmission, 772, 784.
    – remise de –, 846 et s.
    – dette de valeur, 19.
    – V. aussi *Exécution forcée, Paiement.*

Dévaluation, V. *Clause monétaire.*

Directives européennes, 36, 41, 206, 252.

Discriminations, 165.

Document publicitaire, 122.

Dol, (dans la conclusion du contrat), 174 et s.
    – action en responsabilité, 175.
    – caractère déterminant, 183 et s.
    – définition, 174.
    – et erreur, 175.
    – et garantie des vices cachés, 176.
    – dol incident, 183.
    – *dolus bonus*, 180.
    – d'un tiers, 184.
    – manœuvres, 179 et s.
    – mensonge, 180 et s.
    – obligation de renseignements, 181 et s.
    – obligation de se renseigner, 181.
    – preuve, 185.
    – principal, 183.
    – réticence, 181 et s.

Dol, (dans l'exécution du contrat), 174.

Dommage, V. *Responsabilité civile.*

Dommages-intérêts, V. *Réparation.*

Don manuel, 348.

Donation avec charges, 469.

Droit commun, 30.

Droit de la concurrence, 39.

Droit européen, 36, 40 et s.

Droit intellectuel, 1, 3.

Droit personnel, 1, 3, 772.

Droit réel, 1, 3.

Droit de repentir, 129, 223, 224.

E

Échéance, V. *Terme.*

Énergie nucléaire, V. *Responsabilité Civile.*

Enfants, 564, 585 et s.

Engagement d'honneur, 55.

Engagement perpétuel, 248, 265, 424.

Enregistrement, 366, 371.

Enrichissement sans cause, 22, 761 et s.

Ententes, 259.

Équilibre du contrat, 292 et s., 307.

Équité, 479.

Équivalence dans les contrats, V. *Contre-partie, Imprévision, Lésion.*

Erreur, 151 et s.
    – caractère déterminant, 153.
    – de droit, 170.
    – erreur-obstacle, 155 et s.
    – et garantie des vices cachés, 163.
    – inexcusable, 169.
    – sur la cause, 156.
    – sur la personne, 164, 165.
    – sur la substance, 158 et s.
    – sur sa propre prestation, 171 et s.
    – sur la valeur, 167, 296.
    – sur les motifs, 167.
    – gravité, 154 et s.
    – preuve, 161.

Exception d'inexécution, 63, 418, 419, 834.

Exécution forcée, 475, 497, 810, 823 et s.
    – V. aussi, *Compensation.*

Exécution des obligations, 792 et s.

Exécution volontaire, V. *Paiement.*

Q

Table des matières

Première partie

LES SOURCES DES OBLIGATIONS

Titre 1

Le contrat

Titre 2

Les obligations légales

Deuxième partie

Les règles de mise en œuvre communes
à toutes les obligations

Achevé d'imprimer en août 2003
dans les ateliers de Normandie Roto Impression s.a.s.
61250 Lonrai
Dépôt légal : août 2003 - N° d'imprimeur : 03-2066

Imprimé en France